CONSULTANTS

Representing the Ice Skating Institute of America

Einar Jomland
Illinois section

Ron Priestley
California section

James Waldo
Minnesota section

Michael Kirby
Illinois section

ATHLETIC INSTITUTE SERIES

STERLING PUBLISHING CO., INC.   New York

ATHLETIC INSTITUTE SERIES

ARCHERY
BADMINTON
BOWLING
COMPETITIVE SWIMMING
DIVING
FENCING
GIRLS' GYMNASTICS
GOLF
LIFESAVING
SKATING ON ICE

SKIN & SCUBA DIVING
SOCCER
SOFTBALL
SWIMMING
TABLE TENNIS
TENNIS
TRACK AND FIELD
TRAMPOLINING
TUMBLING
VOLLEYBALL

WRESTLING

Copyright © 1963 by The Athletic Institute
Published by Sterling Publishing Co., Inc.
419 Fourth Avenue, New York 16, New York
All rights reserved
Manufactured in the United States of America
Library of Congress Catalog Card No.: 63-20096

CONTENTS

C572532

One - Fun, Speed, and Beauty	9
The Sport's History	9
The Sport's Value	15
Tips on Equipment	23
Two - I.S.I.A. "Alpha" Award Exercises	28
Getting to Know Your Equipment	28
The Basic Fundamentals	30
How to Fall	33
The "Sleepwalker's Position	34
Gliding	37
Getting the Feel of the Ice	40
The Snowplow Stop	48
Three - I.S.I.A. "Beta" Award Exercises	50
The Basic Strokes	52
The "T" Stop	62
Four - I.S.I.A. "Gamma" Award Exercises	68
Skating in A Circle	70
The Mohawk Turn	79
The Hockey Stop	86

FOREWORD

SKATING ON ICE is but one item in a comprehensive list of sports instruction aids made available on a non-profit basis by The Athletic Institute. The photographic material in this book has been reproduced in total from The Athletic Institute's sound, color slidefilm, "How To Improve Your Ice Skating." This book and the slidefilm are parts of a program designed to bring the many benefits of athletics, physical education and recreation to everyone.

The Athletic Institute is a non-profit organization devoted to the advancement of athletics, physical education and recreation. It functions on the premise that athletics and recreation bring benefits of inestimable value to the individual and to the community.

The nature and scope of the many Institute programs are determined by an advisory committee of selected persons noted for their outstanding knowledge, experience and ability in the fields of athletics, physical education and recreation.

It is their hope, and the hope of the Institute, that through this book, the reader will become a better ice skating participant, skilled in the fundamentals of this fine sport. Knowledge, and the practice necessary to mold knowledge into actual ability, are the keys to real enjoyment of being a ice skating participant.

ONE
FUN, SPEED, AND BEAUTY

From its obscure beginning centuries ago, as a crude, but swift mode of transportation in the cold countries of northern Europe and Asia...

...ice skating has grown to the stature of a major sport in almost every nation in the world. And in America, just as in every other country where skating enthusiasts abound...

...because the sport itself has several different categories, the words "ice skating," mean different things to different people. To many...

...it means the beauty of figure skating. In this category...

1. "DRAWING" FIGURES ON ICE

...beauty is abundant in both the precision pure movements of the "drawing figures on ice" branch of figure skating...the most important branch in figure skating competition...

10

...and in the exciting and unfettered grace of free skating. Sometimes called ice choreography or "show skating," free skating, whether in figure skating competition or in an ice show production number, is probably most accurately described as "the expression of the dance on ice." To the racing "buffs"...

2. FREE SKATING

SPEED SKATING

...ice skating means speed, the kind of speed born of co-ordination and muscle which, when combined with a pair of flashing blades, can send a man over the ice at speeds exceeding 30 miles an hour. To those who like their speed combined with the clashing excitement of body contact team sports, ice skating means only one thing...

11

HOCKEY

...hockey. And whether it's the grim battling of the professionals, or the raucous scrambling of the Peewee League, to players and fans alike, it's the most exhilarating sport in the world. To most people however...

...ice skating means simply the fun of recreational skating. And with more than 25 million recreational skaters in the country today, it is by far the largest skating category. Many of these recreational skaters...

...skate for the sheer joy of skating itself...for the incomparable thrill of gliding over the ice that has kept so many oldsters youngsters at heart for years and years. And of course...

...many others have learned the additional pleasures of ice dancing...of doing the waltz the 14-step, the fox trot, the tango, or the simple pleasure of "couples skating" in time to music.

Ice dancing was conceived in the 1860's by an American dancing master and skater, Jackson Haines, "the father of modern figure skating," and a man who toured the world popularizing the sport a century ago. Although millions enjoy this activity simply as recreation...

...as a specialty, it has developed in style and creativity to the point where competition at the Winter Olympics has become one of the most popular and thrilling events of the games. Americans have always loved sports...

...but with the great number of sports we have today, many relatively new, competing for the busy individual's time...

13

...it's little short of miraculous that a sport so old, its very origins are shrouded in the mists of prehistoric times, should be enjoying such an unprecedented boom in popularity. But...

...with many new thousands every year taking up the sport...seeking out the fun, speed, and beauty of ice skating in all its various categories...there's no denying that such a boom does exist. The reasons for it are simple...and very logical. For one thing...

...it's economical...one of the very, very few sports in which the individual is completely outfitted with a single purchase... that of a pair of skates. Another reason for skating's popularity...

ECONOMICAL

...is its great value as a healthful exercise. To begin with, many experts believe that ice skating, more than any other sport, provides the finest training available in general coordination. With every stroke taken...

...there is subconscious training in coordination between the eyes, the balance control center of the inner ear, and muscular movements. In addition to this...

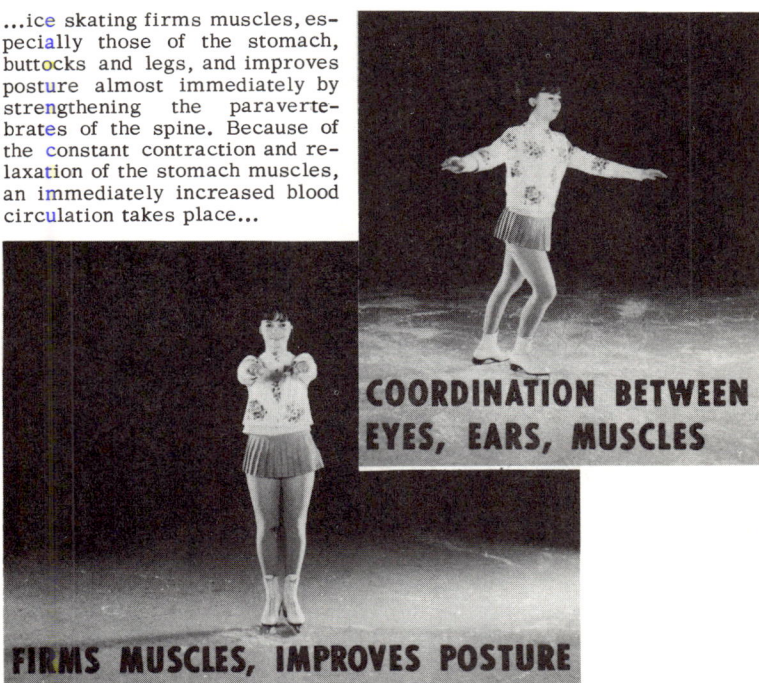

HEALTHFUL EXERCISE

...ice skating firms muscles, especially those of the stomach, buttocks and legs, and improves posture almost immediately by strengthening the paravertebrates of the spine. Because of the constant contraction and relaxation of the stomach muscles, an immediately increased blood circulation takes place...

COORDINATION BETWEEN EYES, EARS, MUSCLES

FIRMS MUSCLES, IMPROVES POSTURE

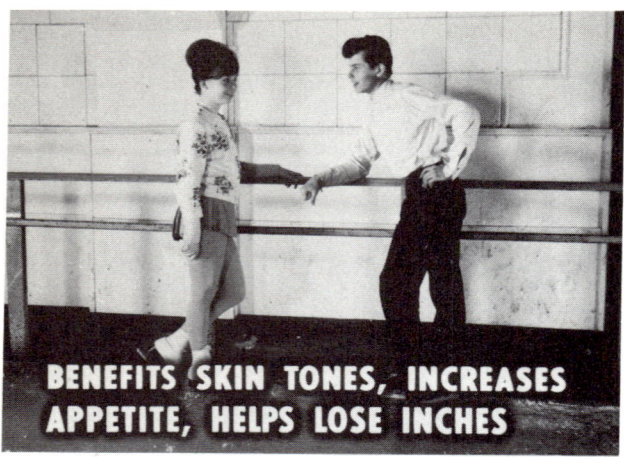

BENEFITS SKIN TONES, INCREASES APPETITE, HELPS LOSE INCHES

...benefiting skin tones and increasing appetite. And of course, ice skating also enables you to lose inches, almost invariably in the waist. Add all these benefits to the fact that ice skating as an exercise is as vigorous or mild as the individual wishes to make it...

...and you have an ideal sport for everyone, from those who toddle to those who are retired. Literally good for a lifetime of fun as an individual sport, couples sport, or as an entire family sport. Ice skating is one of the very few pleasurable physical activities that fills the bill on all three of those counts. And of course, to fully understand the reasons for the mushrooming growth of skating today...

AN IDEAL SPORT FOR EVERYONE

THE BENEFICIAL INFLUENCES OF MODERN ICE SKATING FACILITIES

...it is necessary to take a brief look at the beneficial influences of modern ice skating facilities, both on the sport, and on the communities in which they are located. For example, today, there are more than 50 ice skating studios in America, and more than 500 artificial ice rinks of other kinds. And regardless of whether these facilities are of the outdoor type or the indoor arena type...

...with the modern refrigeration techniques at their command, they are able to offer the recreation of ice skating on a year-round basis. In the last five years...

...hundreds of thousands of boys and girls, as well as adults of all ages, have learned to skate as a result of the class type of instruction available through these facilities. And to make sure as many people as possible have an opportunity to become acquainted with the pleasures of ice skating...

...the teaching staffs of many of these studios have worked closely for years with community recreation directors, as well as with educators in high schools and nearby colleges and universities.

Just as in golf, tennis, diving, or any other sport requiring total and constant coordination...

...it is important that the individual taking up ice skating for the first time learn properly, preferably under the supervision of a qualified instructor. For one thing, learning properly from the very beginning...

...prevents the development of unorthodox styles or the learning of bad habits which are very difficult to unlearn later on.

Proper instruction also enables you to get maximum enjoyment from recreational skating in a shorter period of time. And most important of all...

...it equips you to more readily absorb later instruction, and develop full proficiency faster as a figure, speed, or hockey skater. To help beginning skaters obtain full enjoyment from the sport more quickly, the I-S-I-A, Ice Skating Institute of America, has established three ice skating "skill" grades. These grades are...

..."Alpha," "Beta," and "Gamma." In terms of skill, the "Alpha" skater is one who has mastered the basic skating exercises, the "Beta" skater is one who has reached an intermediate skill level, while the "Gamma" skater has demonstrated advanced proficiency. Each of these grades is characterized by a definite number of exercises of gradually increasing complexity. In order to qualify for a given "skill" grade...

...the beginning skater must first learn the various exercises of that grade...

...and then demonstrate these exercises to the satisfaction of his instructor, and in accordance with I-S-I-A standards. If the skater receives a satisfactory grade...

...he, or she, receives the appropriate reward. Unlike some sports, where the repetitive practice required to perfect technique can become a boring and discouraging chore, with the desired goal years and years away...

I.S.I.A. AWARD SYSTEM BASED ON IMMEDIATE GOAL PRINCIPLE

...ice skating progress following the I-S-I-A award system is based on the immediate goal principle. With the immediate goal principle, every step of progress, is a reward in itself. Each new manuever...

...whether the elementary coordination exercise of the basic skater, or the soaring leap of the advanced skater...is a new challenge, and each one successfully accomplished represents a great achievement. And because each step makes the next one easier...

...the immediate goal principle not only keeps skating fun at all levels...

...but is the secret of truly great championship skating. Strangely enough, despite the great appeal which ice skating has for Americans...

...countless numbers of prospective skaters give up in disgust each year because of what they imagine to be "weak ankles." The truth of the matter is, the trouble is almost always not the ankles, but the way the skating boots are fitted, or laced. In any sport...

...one of the first and major considerations is the selection of proper equipment. And, with the wide variety of quality ice skates on the market today, finding a pair that will allow you to skate comfortably, with a maximum of control, is a simple matter. Before selecting your skates...

...if at all possible, consult with your instructor or any nearby ice rink administrator. But if the advice of these experienced professionals is unavailable, remember these important points:

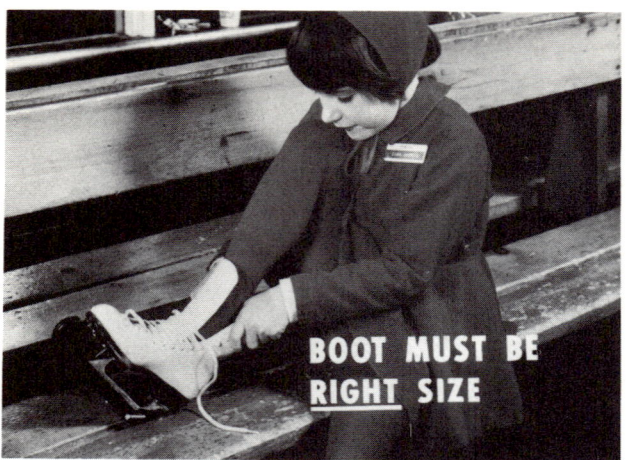

First of all, the boot must be the right size...and not a size or two larger with the difference being made up by heavy socks. Then, to enable the skating boot with blade attached to act as a living extension of the body, rather than as a tacked-on appendage or appliance...

...the boot must be laced properly. Loose around the toes the laces are pulled tight near the ankle, where the boot curves and then laced snug, but not tight, near the top. When the boot is laced all the way up...

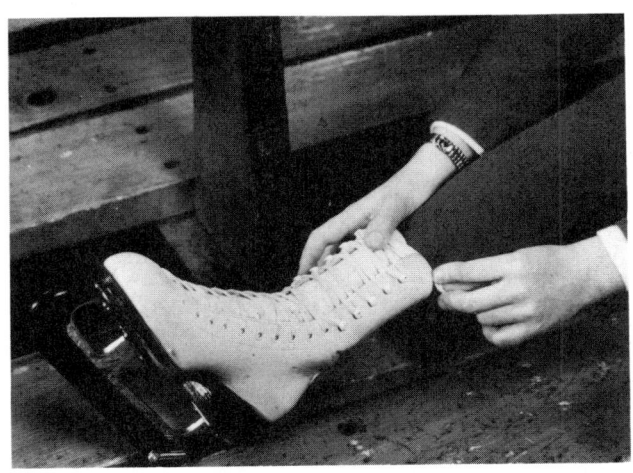

...tie a knot and tuck the ends of the lace inside the boot for safety and neatness. Then, after removing the rubber guards which protect the blades' sharp edges when walking on wood or cement floors

...you're ready to step out on the ice. There, you'll learn for yourself how well-designed boots, correctly fitted and properly laced, will overcome once and for all the awkward and tiring turning out of the ankles with which many beginners are needlessly plagued.

A quick look around at the people who make up the crowd in any rink will spell out the tremendous diversity of ice skating far better than any words could. What is immediately apparent...

...is that first and foremost, ice skating is an activity that brings great personal pleasure to people of all ages and both sexes...a sport enjoyed equally by individuals, couples, and entire families. And moving into the center of the rink...

...where the blades of the more advanced skaters cut into the ice with greater precision, it's obvious that there are many skaters who approach the sport with the attitude of studious self-discipline so necessary to the complete mastery of any skill.

To these serious-minded young people, ice skating is an adventure-filled road that can lead to any one of several goals. For example...

...ice skating offers an unequalled opportunity for amateur recognition as a local, regional, state, or national champion, or even international fame as an Olympic medalist.

Ice skating also represents a well-travelled road to a career in show business. Well-staged ice shows are more popular today than ever before, and in addition to opportunities in this branch of the theater, many former ice skaters (such as Sonja Henie) have gone on to further accomplishments in other entertainment media.

To some boys, beginning ice skating is the first step towards a career as a professional athlete in the grand tradition of top hockey stars such as Red Hay, Bobby Hull, and Red Kelley. And finally, more than a few young men and women with an eye to the future...

...see in ice skating a rare chance to combine the activity-filled life of the professional athlete with the practical remuneration of the successful businessman, as the owner or administrator of a modern ice skating studio, school, rink or other skating facility. But...

...whether you're considering beginning ice skating as the first step toward a future goal, or as the immediate means of greater recreational pleasure and improved physical fitness...

...you'll find a lifetime of fun, speed, and beauty waiting for you out there on the ice.

TWO
I.S.I.A. "ALPHA" AWARD EXERCISES

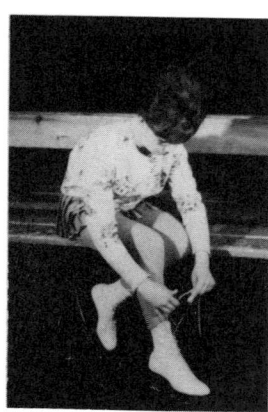

Before you can even begin to learn how to skate, you must first make friends with your ice skates...and then with the ice itself. Of all the different types of skates available, the figure skate is by far the best for beginners.

It has a higher boot with reinforced arches and heels for greater support, and a wider "hollow ground" blade with two separate edges for better balance and control. To see how your skates fit, just as soon as you've laced and tied them...

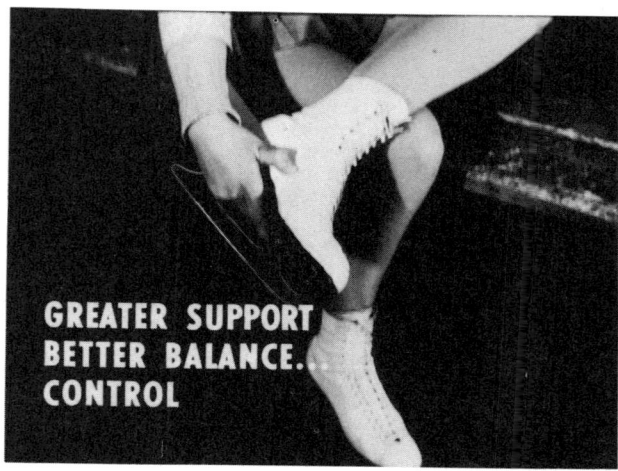

GREATER SUPPORT BETTER BALANCE... CONTROL

...stand up and bend your knees several times to let your feet settle inside the boots. They should feel very tight around the ankle and heel...the arch support should press up firmly against the arch of your foot...but at the same time, you should be able to comfortably wiggle your toes. Before you ever approach the ice...

...you should practice walking on your skates. Take short steps at first, and then gradually lengthen them so that you're balancing on each foot for a few seconds as you stride forward.

Then stand still and practice balancing first on one foot and then the other. If your boots are correctly fitted and properly laced, you should be able to put your entire weight on one foot and still hold your ankle up straight. Another valuable pre-skating exercise...

WALKING ON SKATES

THE DIP

...is the dip. In this exercise, you start from what is known as the "sleepwalker's" position...arms to the front, hands about shoulder high and palms down, and feet parallel and about a foot apart. Then you squat 'til you're sitting on your own heels, and come back up again.

Once you feel comfortable in your skates and are able to maintain your balance while walking about in them, you're ready to get out on the ice.

This is easiest at an indoor rink where you can hold the hand railing and step onto the ice sideways, one foot at a time. As soon as both feet are on the ice...

...you'll find that the secret of balancing on ice involves keeping your feet from sliding unless you want them to. The quickest way to achieve this control is to immediately let go of whatever you're using for support and stand up straight over your skates. In this position...

BALANCING ON ICE

...you'll become aware that there is a slight curve to the bottom of your blades, much like the rocker on a rocking chair. Because of this curve, the best way to maintain your balance is by standing as though you were standing on the balls of your feet.

It's a little more difficult to become better acquainted with the ice. It's slippery...and it's hard. But, just as a swimmer must learn to adapt himself to the "unnatural" environment of the water, you must adapt yourself to traveling over the surface of the ice. To adapt to its slippery property...

31

PERFECTING BALANCE

...you must perfect your balance. While this, of course, takes place over an extended period of time as you gradually build up your confidence in your ability to get along easily on the ice, a good way to begin...

THE DIP ON ICE

...is by practicing the dip while on the ice. You may find it difficult to get all the way down the first few times, but if you keep your back straight as you bend your knees, you'll soon find that you can maintain your balance easily, even in the squatting position.

To learn how to balance on one foot, start by assuming the "sleepwalker's" position. Then, slowly shifting your weight over to one foot...

...lift the other one a few inches off the ice. Try this with one foot and then the other, gradually lifting each foot a little higher. But of course, perfecting your balance is only half the job of learning to feel at home on the ice. Since ice is not only slippery, but hard...

FALLING AND GETTING UP

...you must further adapt to it by learning the proper method of falling and getting up. No matter how expert you become as an ice skater, you're sure to occasionally find yourself sliding across the ice on something other than your skates.

So, for safety's sake, you should know how to fall correctly from the very beginning. There are just three things to remember about falling.

33

1. TRY TO SIT DOWN
2. KEEP HANDS OFF THE ICE
3. BEND YOUR KNEES

PRACTICE FALLING

One, always try to sit down. No matter what position you're in when you start the fall, try to end up in a sitting position. Two, keep your hands off the ice. If you find it impossible to get into a sitting position, then roll over on your side. You should not try to break or stop your fall with your hands. And three, bend your knees as you fall so that you'll fall the shortest possible distance.

To practice falling, start from a standing position and, with your arms in the "sleepwalker's" position...

...bend your knees and go down just as though you were going to do a dip. Only this time, instead of coming back up...

...go into a fall. Just lean slightly back and to the side, keeping your arms forward and hands up, and you'll just naturally end up in a sitting position on the ice. To get to your feet...

...first turn around so that you're on your hands and knees with your hands spread about shoulder width apart and a few inches in front of your knees. Then...

...bring one foot forward so that it's between your hands and on line with your knee. At this point, you're balancing on one foot, one knee and both hands.

Now bring your other foot forward so that it's resting alongside the first foot with eight to ten inches between them. At this point, your knees are completely flexed underneath your shoulders and you are balancing on both feet and both hands. To rise...

...remove both hands from the ice and shift your weight so that you're balanced entirely on your feet. Then...and not before...with your hands out front in the "sleepwalker" position...

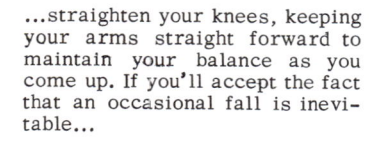

...straighten your knees, keeping your arms straight forward to maintain your balance as you come up. If you'll accept the fact that an occasional fall is inevitable...

...and practice falling and getting up a few times so that you can do it quickly and smoothly, you'll find that your fear of falling is gone. No matter how expert a skater you may become...

GLIDING

...skating will never offer any thrill greater than that of effortlessly coasting across the ice, feeling the wind in your face, and enjoying a sensation that is probably closer to flying than any other. This maneuver...

...is called gliding and, it is an ideal beginning exercise for building confidence, and improving balance and control. To execute the glide...

...start from the "sleepwalker's" position and take four steps forward, lifting your feet completely off the ice with each step. At the end of the fourth step, let your feet rest side by side, both pointing straight ahead. You'll find that you'll begin moving forward with the first step, a little faster with the second, still faster with the third, and as you complete the fourth...

37

...you'll have built up enough momentum to carry you forward over the ice in a smooth and effortless glide. To make your glide longer and even more thrilling...

...try the swizzle. To get into it, start by taking four steps forward just as though you were going into a regular glide. Only this time, instead of keeping your toes pointed forward as you begin gliding...

THE SWIZZLE

...turn them out to the side, with your heels together and your knees slightly bent. As your feet start gliding apart, straighten your legs and bend forward a little from the hips. When your feet are slightly more than shoulder width apart, bring them back together again by turning your toes in toward each other as though you were pigeon-toed and bend your knees again.

With each outward and inward movement of your feet, your glide will receive a new surge of power, enabling you to coast smoothly and effortlessly over the ice. After you've mastered the glide, the swizzle, and, perhaps several other "fun" exercises...

...you should be ready to learn the I.S.I.A. "Alpha" Award Exercises. Comprising the first major challenge to the beginning skater, these exercises include: Forward stroking, forward crossover (right foot over left), forward crossover (left foot over right), and the one-foot snowplow stop. In order to execute these exercises properly...

I.S.I.A. "ALPHA" AWARD EXERCISES
1. FORWARD STROKING
2. FORWARD CROSSOVER
(RIGHT FOOT OVER LEFT)
3. FORWARD CROSSOVER
(LEFT FOOT OVER RIGHT)
4. ONE-FOOT SNOWPLOW STOP

I.S.I.A. SKATER POSTURE RULES

...I.S.I.A. Skater Posture Rules must be observed at all times. Designed to help you achieve that graceful, almost "floating" look as your skates carry you over the ice, except when specifically noted otherwise, these rules stipulate...

...that all movements shall include a straight back from the hips to the head...the knees shall be slightly bent or flexed when bearing the weight of the body... and the free leg, the one not carrying your weight, shall be extended with the free toe pointed at all times. In addition...

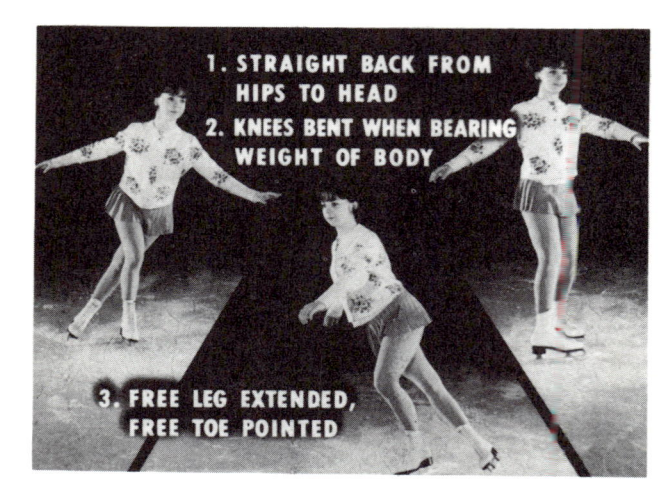

1. STRAIGHT BACK FROM HIPS TO HEAD
2. KNEES BENT WHEN BEARING WEIGHT OF BODY
3. FREE LEG EXTENDED, FREE TOE POINTED

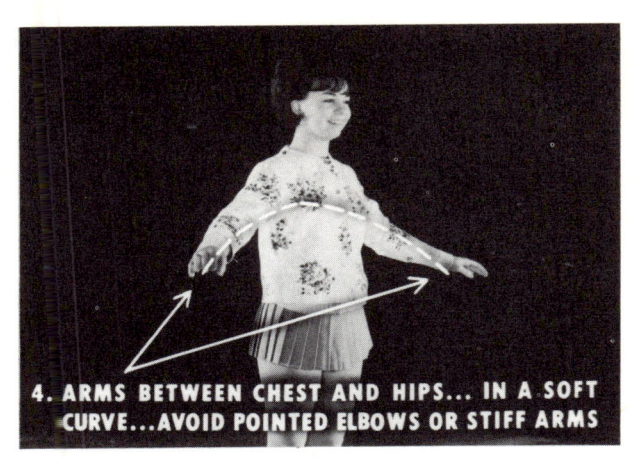

4. ARMS BETWEEN CHEST AND HIPS... IN A SOFT CURVE...AVOID POINTED ELBOWS OR STIFF ARMS

...the skater's arms shall be carried no higher than the chest nor lower than the hips, in a soft, round curve, avoiding pointed elbows or stiff arms...

...and the hands shall be held with the palms down and parallel with the ice about halfway between the front and the side of the body. Remember these rules, and observe them even as you're practicing the very first of the Basic Skater Exercises...

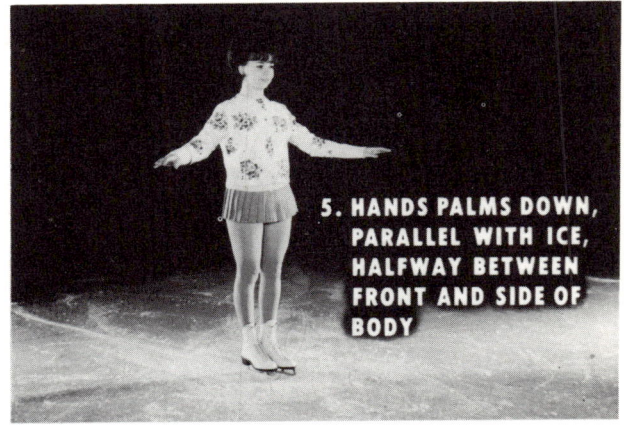

5. HANDS PALMS DOWN, PARALLEL WITH ICE, HALFWAY BETWEEN FRONT AND SIDE OF BODY

FORWARD STROKING

...forward stroking. To do this exercise, start by taking up what is known as the "left T" position...the right foot behind the left so that the instep of your right foot is against the heel of your left foot, forming a "T" on the ice. Then...

...bending your knees, especially your left, and shifting your weight to your left foot, push off by straightening your right knee. This presses the inside edge of your right skate blade into the ice, and...

...you move forward on the left or "skating" foot. Whenever you push, make sure that the push is made with the entire length of the blade's inside edge and not with the toe pick. As you glide forward with your weight on your left foot, keep your left knee bent and your right leg extended behind you as far as it will reach. Hold this position until you feel that you're running out of speed...

...then bring your free leg back underneath you until it's alongside the skating foot. From this position, you can take your next stroke...

...this time shifting your weight to the right leg so that the right foot becomes the skating foot and the left foot the pushing foot. Once again, the entire length of the blade's inside edge is used in the push. Simply repeating these movements...left, right, left, right...

...sets up a side-to-side stroking motion that will carry you in a forward direction swiftly across the ice. Sooner or later, however, you'll have to turn...

...and in order to turn, or curve, as it is known in ice skating, you must know how to lean. This involves being able to take up a body position where you actually lean into the direction you want to curve. One of the quickest and easiest ways to learn this body position...

43

...is to grasp a hand railing, a pole, or even a friend, for support and then arrange your body so that it's in a straight line from head to blade and inclined at an angle toward the surface of the ice. Once you're sure of the position...

...you're ready to try to lean while moving. After stroking until you've reached a comfortable speed, go into a glide and put your arms out like airplane wings. Then...

...remembering to keep your body straight, lean into the direction you want to curve...and around the turn you'll go! One of the most thrilling experiences in skating, leaning on your blades represents one of the few ways in which an individual can defy the law of gravity for more than a few seconds.

2. FORWARD CROSSOVER
(RIGHT FOOT OVER LEFT)

The second "Alpha" Award Exercise is the forward crossover (right foot over left).

First try walking across the ice. Stand with your feet slightly wider apart than normal, both toes pointing forward, and arms to the sides. Then...

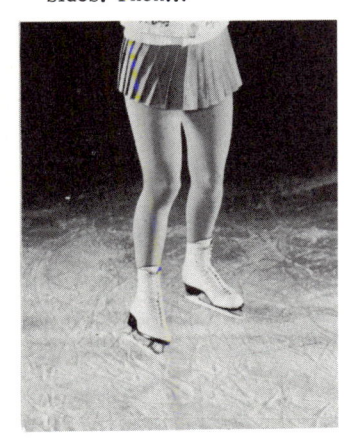

...putting all your weight on your left foot, lift up your right and cross it over your left, still keeping your right toe pointed in the same direction as your left. Now...

45

...with your weight on your right foot in that crossed-over position...

...lift up your left and bring it out and put it down as it was originally. Repeat the movement until you're comfortable with it, and then try it while skating. The basic movement is the same...

...the difference being that now you're stroking instead of walking and, most important of all, you're leaning to your left in order to keep curving left.

Start by taking a stroke to your left and leaning to your left. Then...

...lift your right foot and cross it over your left. When the right foot touches the ice, your knee should be well bent. With your right foot in the crossed-over position...

...put all your weight on it so that you can lift your left foot up and bring it out from underneath the cross-over. Throughout this exercise...

...strokes must be from the side of the blade with toe pick pushes avoided...the push from both feet must always be toward the outside of the crossover circle... and the outer arm must be held forward while the inner arm is back. The third "Alpha" Award Exercise...

47

3. FORWARD CROSSOVER (LEFT FOOT OVER RIGHT)

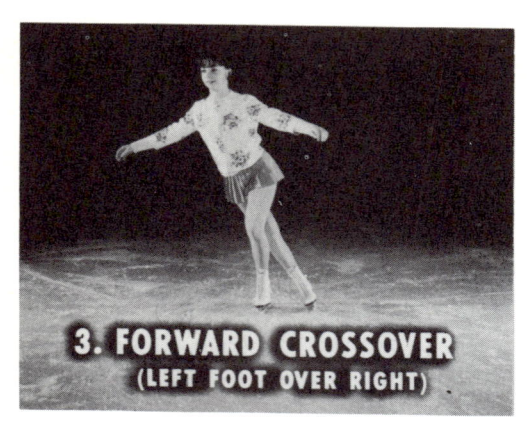

...the forward crossover (left over right), is exactly the same as the right over left except that all movements are reversed. The left foot is crossed over the right, the lean is to the right and so on. That leaves only one more "Alpha" Award Exercise...

...the one-foot snowplow stop, actually a skid stop in which your blade skids sideways over the ice and acts as a brake. To go into it...

...first bring your feet together so that you're gliding with both feet parallel and a few inches apart. Them, with both knees bent...

4. THE ONE-FOOT SNOWPLOW STOP

48

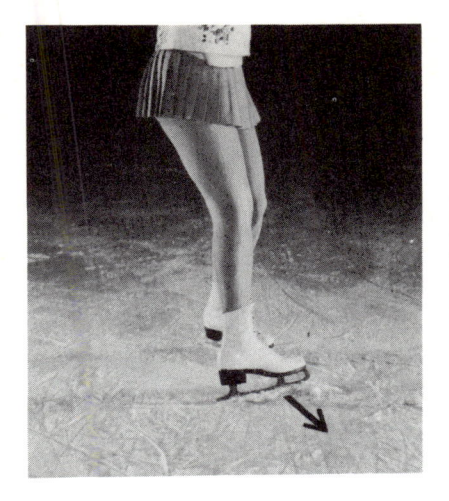

...push one foot straight out to the side, keeping the blade perfectly flat while doing so. Your forward momentum will cause it to angle forward and as it snowplows ahead of you, it will brake you to a stop. To be graded satisfactory...

...you must complete the stop in good balance and, while either foot may be used for the skidding action, the complete maneuver must be performed in a straight line. With the mastery of the one-foot snowplow stop...

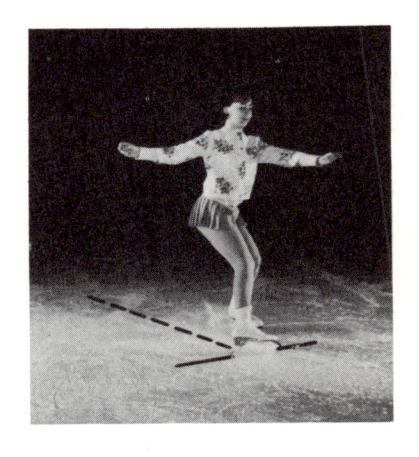

...you've completed your introduction to skating and, as a basic ice skater who's successfully completed the mandatory exercises for the I-S-I-A "Alpha" award...

...you're well on your way down a sports road that can lead to any number of extremely interesting destinations.

49

THREE

I.S.I.A. "BETA" AWARD EXERCISES

As a holder of the "Alpha" award, you're well qualified as a basic ice skater...

You know how to skate forward smoothly and efficiently...

...how to curve left or right without losing speed...

...and how to come to a sure, safe stop. While these "Alpha" award qualifying exercises...

...plus the various "fun" maneuvers such as the Swizzle and the Glide...are in themselves sufficient to provide many pleasure-filled hours on the ice...

50

Following Exercises will be Graded

1. BACKWARD STROKING
2. BACKWARD CROSSOVER STROKES (RIGHT FOOT OVER LEFT)
3. BACKWARD CROSSOVER STROKES (LEFT FOOT OVER RIGHT)
4. T-STOP (RIGHT FOOT OUTSIDE EDGE)
5. T-STOP (LEFT FOOT OUTSIDE EDGE)

...if you're like most "Alpha" skaters, you've already got your sight set on the next highest "skill" award...

...the "Beta" award. In order to qualify for promotion to this grade, the "Alpha" skater must demonstrate, to the satisfaction of his instructor, the "Beta" Award Exercises. These exercises include...

...Backward Stroking, Backward Crossover Strokes (right foot over left), Backward Crossover Strokes (left foot over right), the "T"-Stop (right foot outside edge) and the "T"-Stop (left foot outside edge). However...

...before going into these maneuvers, it's a good idea to practice some additional "fun" exercises, as a means of further developing your confidence and coordination. Most of the "Beta" Award Exercises involve backward movement, and probably the best introduction to this movement...

51

TWIST

...is the Twist, or as it is also called, the Wiggle. Done in much the same manner as the famous dance, to do the Twist on ice, start with your feet about 12 inches apart and pointing forward. Your knees should be slightly bent, your arms extended, and your weight on the balls of your feet. Now...

...keeping your back straight, begin a rhythmic "twisting" action by twisting your shoulders and arms one way and your hips and legs in the other, so that your feet turn from side to side at the same time and stay the same distance apart. As you twist...

52

...you'll feel yourself moving backwards. The longer and larger you make your twists, the faster and further the momentum will carry you back. Another way to practice going backward...

BACKWARD SWIZZLE

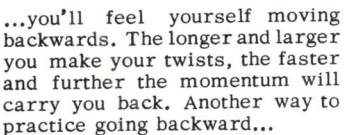

...is the Backward Swizzle. To do this exercise, start with your toes together and heels apart, your knees slightly bent, and your arms extended to the front, Then

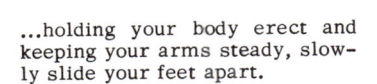

...holding your body erect and keeping your arms steady, slowly slide your feet apart.

When your feet are about 24 inches apart, turn your heels in toward each other and, with your knees bent...

...pull your feet back together. The principle is exactly the same as the Forward Swizzle only this time...

...the power generated each time you slide your feet apart and bring them together will drive you backward over the ice. After you feel comfortable moving backward, you're ready to take up the first of the "Beta" Award Exercises...

BACKWARD STROKING

...Backward Stroking. The starting position for this exercise is exactly the same as for the Twist ...feet pointed forward about 12 inches apart, knees slightly bent, back straight, and arms extended. To take the first stroke...

...twist to the right, at the same time transferring all your weight to your right leg and pushing off with your left foot.

Push straight to the side with the inside edge of your left skate blade...avoiding use of the toe pick...

...and then keep pushing until your left leg is completely straight. As you push, you'll feel yourself moving back and to the right. When you've pushed as far as you can...

...let yourself glide backward on your right foot, at the same time picking up your left foot and holding it in a "trail" position just above and in front of the toe of the gliding foot.

To end the glide...which should be equal in length to the height of the skater...and take your second stroke, straighten your right leg...

...and bring your left foot back to a position alongside your right foot. As your left foot touches the ice, transfer your weight to your left leg, bend your left knee...

...and push off with your right foot. This, of course...

...will send you gliding backward and to your left on your left foot, with your right foot in the "trail" position. As you repeat these movements, you'll find that it's not only very easy to build up speed while skating backwards, but that it's a very comfortable and untiring way to skate. To curve while skating backwards...

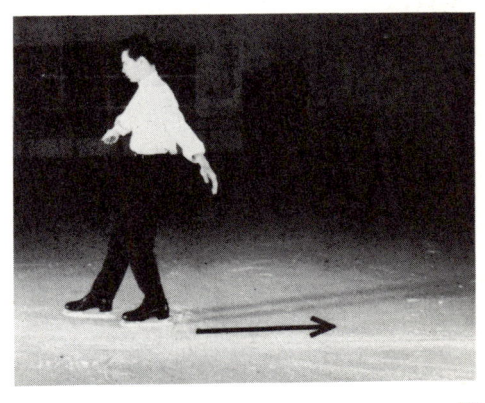

57

THE LEAN

...you must, once again, use the lean. The leaning position used when skating backwards is exactly the same as that used when moving forward...

...the body in a straight line from head to blade and inclined at an angle toward the surface of the ice. To familiarize yourself with the sensation of leaning while moving to the rear...

...begin skating backward and continue stroking until you've reached a comfortable speed. Then...

...bring your feet together so that you're gliding, put your arms out to your sides like airplane wings and, being careful to keep your body straight...

...lean into the direction you want to curve. As soon as you're comfortable about leaning while gliding backwards, you're ready for the second "Beta" Award Exercise...

...the Backward Crossover (right foot over left). The movement for the backward crossover is exactly the same as for the forward crossover...the "crossover" foot being lifted and placed in front of the gliding foot wich each stroke. And, just as you did when learning the forward crossover...

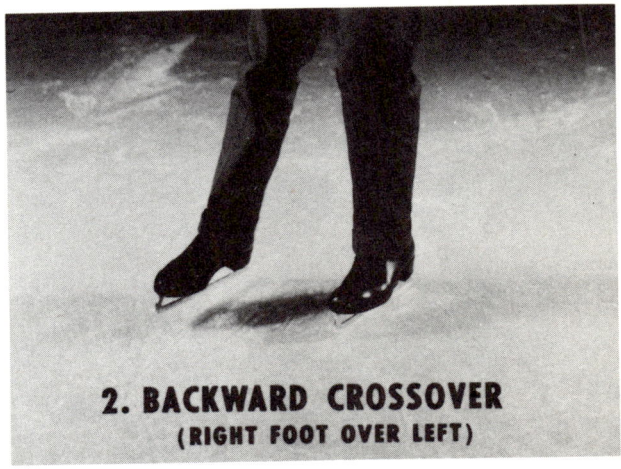

2. BACKWARD CROSSOVER
(RIGHT FOOT OVER LEFT)

...it's a good idea to first get the "feel" of this exercise by walking backward on the ice, crossing your feet one behind the other with each step, so that you're actually moving to the rear and sideways. When you're comfortable with the movement, try it while skating.

Start by taking a backward stroke with your left foot and lean to your left. Then...

...lift your right foot and cross it over your left. When your right foot touches the ice, your knee should be bent and continues to bend as you follow through. With your right foot in the crossed-over position...

...transfer all your weight to your right leg so that you can lift your left foot and bring it out from underneath the crossover. Throughout this exercise...

...strokes must be with the full length of the blade, with toe pick pushes avoided. The push from both feet must always be away from the outside of the crossover circle...and the outer arm must be held forward while the inner arm is back. The third "Beta" Award Exercise...

3. BACKWARD CROSSOVER
(LEFT FOOT OVER RIGHT)

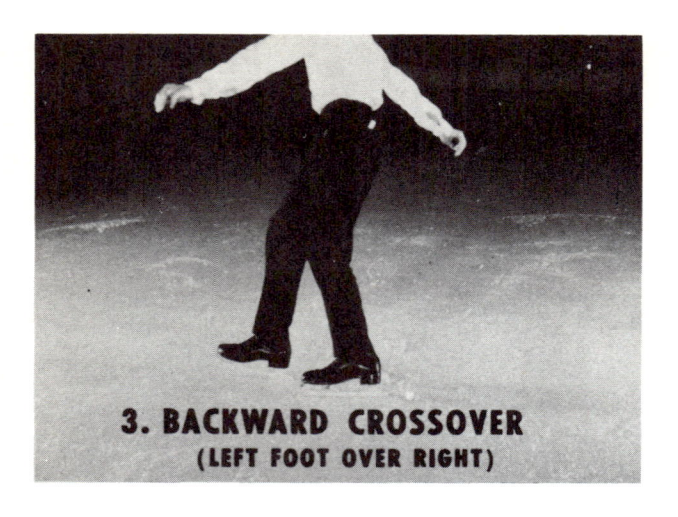

...the backward crossover (left foot over right), is exactly the same as the right over left except that all movements are reversed. The left foot is crossed over the right, the lean is to the right and so on. The next exercise...

...the "T"-Stop (right foot outside edge), is designed to allow you to come to a stop much more gracefully than is possible with the One Foot Snowplow Stop. To execute this stop...

4. T-STOP (RIGHT FOOT OUTSIDE EDGE)

...skate forward until you reach a comfortable speed...

...then bring your feet together so that you're gliding with both feet parallel and a few inches apart...your knees slightly bent. Your arms should be forward in a slightly modified "sleepwalker" position. Then...

...transferring all your weight to your left leg, lift your right foot and place it so that the instep is resting firmly against the heel of your left or gliding foot...making sure your blade is kept well off the ice. In this position...

63

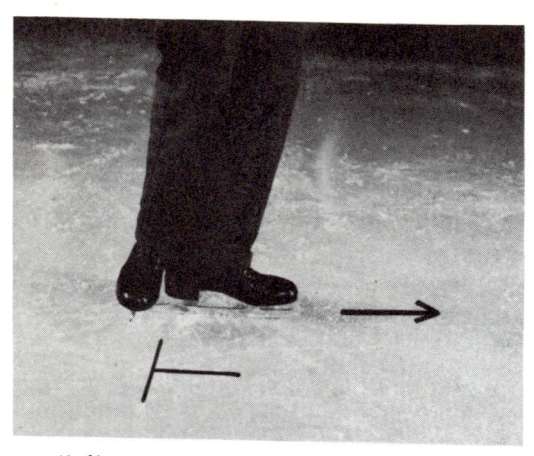

...a "T" is formed with the left foot acting as the stem or inside portion, and the right foot acting as the bar or outside portion. After you've formed your "T"...

...slowly lower your right foot until the outside edge, that is, the right side of the blade, touches the ice. Let your blade touch the ice very lightly at first ..

...and then gradually apply pressure with the outside edge by pushing down on your stopping foot. When you do come to a stop,

...your right leg should be straight and your left knee slightly bent, with your feet still in a perfect "T" position and your arms forward. To achieve a satisfactory grade for this exercise...

...you must complete the stop in good balance, using the outer edge of your stopping blade for the stopping action...perform the entire maneuver in a straight line...and hold the final stationary position to a count of three, after coming to a complete stop. The fifth and last exercise...

...the "T"-Stop (left foot outside edge), is performed in exactly the same manner except that the right foot is the gliding foot and the left foot is the stopping foot. Only after you've demonstrated your mastery of these five exercises to the satisfaction of your instructor...

5. T-STOP (LEFT FOOT OUTSIDE EDGE)

...can you properly be designated a "Beta" Skater. And while you've still got a long way to skate, you can not only take pride in your accomplishments so far...

...but satisfaction in the knowledge that the things you've learned today, will make the more intricate skating maneuvers of tomorrow that much easier.

FOUR
I.S.I.A. "GAMMA" AWARD EXERCISES

As an "Alpha" skater, and later as a "Beta" skater, you were primarily concerned with mastering the necessary fundamentals of maneuvering on the ice... ...going forward or backward, curving left or right, and stopping...always with good posture and poise, of course.

GAMMA SKATER EXERCISES

As you take up the "Gamma" Award Exercises, you'll be combining all of the "Alpha" and "Beta" movements in a series of more intricate maneuvers. In order to qualify as a "Gamma" Ice Skater...

...you must perform to the satisfaction of your judge and in accordance with I-S-I-A standards, the following exercises:

The right forward outside three turn, or one foot turn...the left forward outside three turn...the right forward inside Mohawk turn followed by a backward outside Mohawk turn, also known as the change foot turn...the left forward inside Mohawk turn followed by a backward outside Mohawk turn...and the hockey stop. With the exception of the hockey stop, all of these exercises...

1. **RIGHT FORWARD OUTSIDE THREE TURN**
   (ONE FOOT TURN)
2. **LEFT FORWARD OUTSIDE THREE TURN**
3. **RIGHT FORWARD INSIDE OPEN MOHAWK TURN FOLLOWED BY BACKWARD OUTSIDE MOHAWK TURN**
   (CHANGE FOOT TURN)
4. **LEFT FORWARD INSIDE OPEN MOHAWK TURN FOLLOWED BY BACKWARD OUTSIDE MOHAWK TURN**
5. **HOCKEY STOP**

SKATING CIRCLES

...are best executed while skating in a circle. For this reason...

...skating circles is an excellent preparatory exercise for those about to take up the maneuvers of the advanced grade. To draw a counterclockwise circle on the ice...

...first take up a regular starting position with your right foot as the pushing foot and prepare to push off just as though you were going to stroke forward. Then push off with your right foot and stroke with your left, at the same time leaning to your left.

When you've pushed as far as you can bring your right foot up into the "trail" position and glide on your left foot, maintaining your lean to the left. To help prevent you from curving in too rapidly, keep your left arm forward and your right arm and shoulder in back. As long as you maintain a steady lean and an even speed, you'll curve steadily to the left...

70

...winding up with a circle drawn on the ice by your blade. In making this circle...

...you leaned to your left and curved in a counterclockwise direction on your left outside edge. When skating a circle in the same direction...

COUNTERCLOCKWISE, LEFT SKATE... OUTSIDE EDGE

RIGHT SKATE... INSIDE EDGE

...that is, counterclockwise, on the right foot, your left lean causes you to curve on your right inside edge.

Skating a circle in a clockwise direction, leaning to the right with the arm on the outside of the circle held forward, results in your curving on just the opposite edge...on the inside edge of your left blade, or the outside edge of your right blade.

CLOCKWISE, LEFT SKATE... INSIDE EDGE, RIGHT SKATE... OUTSIDE EDGE

Since all figure skating, even the jumps, tricks and spins, is done on one or the other edge of the blade, determining which edge of which foot you are on is very important. Knowing which edge you are on and how to get on that edge will make your skating much easier...

...and one of the very best ways to acquire this knowledge is by skating circles. Once you've practiced your circles until you can do them smoothly and comfortably, you're ready for the first "Gamma" Skater Exercise...

1. RIGHT FORWARD OUTSIDE THREE TURN
(ONE FOOT TURN)

...the right forward outside three turn, or one foot turn. The most frequently used type of turn in skating...

...is called the three turn because it makes a pattern like a figure 3 on the ice. To execute the right forward outside three turn...

...first take up a regular starting position, with your left foot as the pushing foot, and being careful to observe the proper rules of posture. Then...

...push off with your left foot and stroke with your right, at the same time, leaning slightly to the right. Your right arm is forward and your left is back. In this position...

...you'll curve on your right outside edge in a circle to your right. As you approach the halfway point of the circle...

74

...swing your arms to the right on a common axis, keeping them level with the ice. This swinging motion will turn you into the point of the three. Then to make the actual turn...

...quickly bring your arms and shoulders back to their starting position...turn your skating foot, heel first, in the direction of flight...and come out of the turn going backwards and leaning to the left. The change in lean means, of course, a change in edges...

...and as you curve around backwards to complete the second half of the circle, you should be on your right inside edge. To earn a satisfactory grade on this exercise...

...the total length of the stroke must be about twice the skater's height...

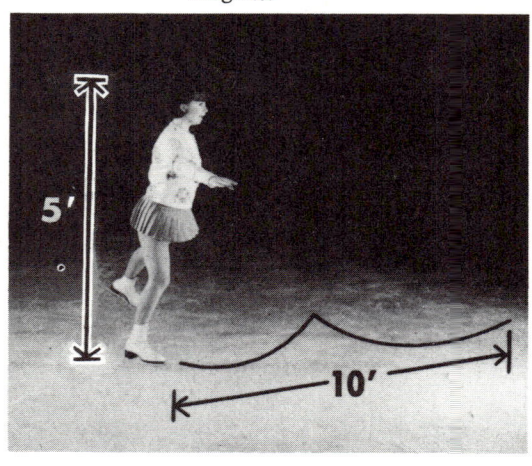

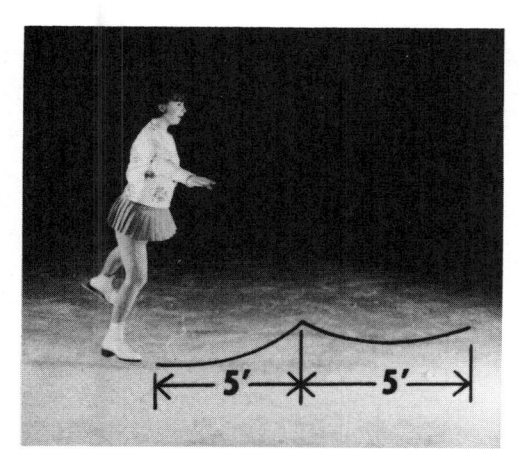

...with the turn made about halfway through the stroke. In addition...the curve of the entrance edge and the exit edge must be equal...

...the free leg must be held in back without ever swinging in front, and must not touch the ice during the entire stroke...and the backward glide on the right inside edge must be sustained to the judge's satisfaction. The rules are the same for the second "Gamma" Award Exercise...

2. LEFT FORWARD OUTSIDE THREE TURN

...the left forward outside three turn. This exercise is also performed the same way, except, of course, that all movements are reversed. You glide into the point of the three on your left outside edge.

Then you make your turn by quickly reversing the swing of your shoulders and arms and turning your foot, heel first, in the direction of flight. And finally...

...you glide out backwards on your left inside edge. The third "Gamma" Award Exercise...

...is the right forward inside open Mohawk turn followed by a backward outside Mohawk turn. Also known as the change foot turn, it's not nearly as complicated as it sounds.

To carry out the exercise you simply change your direction from forward to backward...

...Then back to forward again by changing from one foot to another. To begin the exercise...

...start on the right forward inside edge. As you glide forward on your right foot...

...bring your free leg, your left leg, in close to your skating leg, heel to heel, toes pointing as far apart as possible. Then shift your weight from your right foot to your left, which is now turned backward, and lift your right foot from the ice. In this position, you're gliding backwards on your left inside edge. That's your first Mohawk turn and at this point, the exercise is half over. To execute the other half...

...bring the right foot back to the ice beside the left so that it too is going backward. Then shift your weight to your right foot and lift your left foot. Now, keeping your right foot in position...

...in one smooth movement, swing your arms, upper body and left leg around to the left.

Let the momentum of the swing carry you all the way around until you're facing in the direction of flight and return your left foot to the ice. Then, transfer your weight to the left foot, lift your right...

...and the exercise is completed. The fourth "Gamma" Award Exercise...

4. LEFT FORWARD INSIDE OPEN MOHAWK TURN FOLLOWED BY BACKWARD OUTSIDE MOHAWK TURN

...the left forward inside Mohawk turn followed by a left backward outside Mohawk turn, is performed in exactly the same manner except that all movements are reversed. In order to receive a passing grade on either of these exercises...

...first of all, three strokes must be taken before going into the turn. As you turn...

84

...you'll curve and the diameter of each curve should be about twice your own height. All curves should be of the same size and speed...

...with each stroke equal in length to the skater's height. Finally, the exit curve must be sustained to your judge's satisfaction. The last exercise in this grade...

5. HOCKEY STOP

...is the hockey stop. This stop is used most often for fast stops and turns in playing hockey. To be effectively executed...

...it requires more speed than the other stops you've been using. So, to do it correctly, first stroke forward until you've worked up to a high speed. Then...

...bring your feet together so that you're gliding. Now, being careful to keep your shoulders firmly in position, with one sudden movement...

86

...twist your entire body from the shoulders down, sharply to the left or right, whichever you choose, so that your hips, legs and feet are all turned sideways to the direction you've been traveling.

The result will be a very strong, fast braking action as your blades skid sideways across the ice. Remember to keep both feet flat on the ice for full braking power, and to maintain your balance...

...lean away from the stop as you begin to skid. Then, as you lose momentum, straighten up so that you're directly over your skates when you come to a full stop. Throughout the stop, your arms should remain extended, and your shoulders, head and eyes remain facing in the original direction of travel. To be performed satisfactorily...

87

...the complete stop must be made in good balance, using both feet in skidding or stopping action. The feet must be kept parallel, the shoulders are parallel with the feet at the conclusion of the stop, and the entire maneuver must be performed in a straight line. Upon the successful completion of the Advanced Exercises in a formal testing session...

...you're awarded the distinctive patch of the "Gamma" Skater. And from this point on, the horizons of ice skating are limited only by your own attitudes and ambitions. If your purpose in learning to ice skate...

...was to acquire the skills necessary to derive maximum pleasure from recreational ice skating outings, you've already attained it. But if on the other hand...

...you're one of those farsighted young people who sees in ice skating something m o r e than simply a healthy recreational activity, this is only the beginning...

Which road you elect to take from here, and how far you go on that road, is up to you. But regardless of the route you choose...

...amateur competition...in figure skating or show skating...

...a career in show business...

HOCKEY

...a career as a professional athlete...

...or a career as the owner or administrator of a modern ice skating facility, or instructor in such a facility...

...as a "Gamma" Ice Skater who has passed the required qualification test before an impartial judge, you have a strong and well designed foundation upon which to build.

Shelley Baranowski

Bayern in der NS-Zeit
IV

Herrschaft und Gesellschaft im Konflikt
Teil C

Herausgegeben
von
Martin Broszat, Elke Fröhlich, Anton Grossmann

Mit 82 Abbildungen und 71 Tabellen

R Oldenbourg Verlag München Wien 1981

Veröffentlichung im Rahmen des Projekts »Widerstand und Verfolgung in Bayern 1933–1945« im Auftrag des Bayerischen Staatsministeriums für Unterricht und Kultus bearbeitet vom Institut für Zeitgeschichte in Verbindung mit den Staatlichen Archiven Bayerns.

CIP-Kurztitelaufnahme der Deutschen Bibliothek

Bayern in der NS-Zeit : [Veröff. im Rahmen d. Projekts »Widerstand u. Verfolgung in Bayern 1933–1945« im Auftr. d. Bayer. Staatsministeriums für Unterricht u. Kultus bearb. vom Inst. für Zeitgeschichte in Verbindung mit d. Staatl. Archiven Bayerns]. – München ; Wien : **Oldenbourg**

NE: Institut für Zeitgeschichte <München>

4. Herrschaft und Gesellschaft im Konflikt
: Teil C / Hrsg. von Martin Broszat ... – 1981.
ISBN 3-486-42391-6

NE: Broszat, Martin [Hrsg.]

© 1981 R. Oldenbourg Verlag GmbH, München

Das Werk ist urheberrechtlich geschützt. Die dadurch begründeten Rechte, insbesondere die der Übersetzung, des Nachdrucks, der Funksendung, der Wiedergabe auf photomechanischem oder ähnlichem Wege sowie der Speicherung und Auswertung in Datenverarbeitungsanlagen, bleiben, auch bei nur auszugsweiser Verwertung, vorbehalten. Werden mit schriftlicher Einwilligung des Verlages einzelne Vervielfältigungsstücke für gewerbliche Zwecke hergestellt, ist an den Verlag die nach § 54 Abs. 2 Urh. G. zu zahlende Vergütung zu entrichten, über deren Höhe der Verlag Auskunft gibt.

Satz: Maschinensetzerei Robert Hurler GmbH, Notzingen
Gesamtherstellung: R. Oldenbourg Graphische Betriebe GmbH, München

ISBN 3-486-42391-6

Inhaltsübersicht

Klaus Tenfelde	Proletarische Provinz. Radikalisierung und Widerstand in Penzberg/Oberbayern 1900 – 1945
Zdenek Zofka	Dorfeliten und NSDAP. Fallbeispiele der Gleichschaltung aus dem Bezirk Günzburg
Peter Hüttenberger	Heimtückefälle vor dem Sondergericht München 1933 – 1939
Arno Klönne	Jugendprotest und Jugendopposition. Von der HJ-Erziehung zum Cliquenwesen der Kriegszeit
Gerhard Hetzer	Ernste Bibelforscher in Augsburg
Hildebrand Troll	Aktionen zur Kriegsbeendigung im Frühjahr 1945
Martin Broszat	Resistenz und Widerstand. Eine Zwischenbilanz des Forschungsprojekts

Inhaltsverzeichnis

Vorwort XVII

Klaus Tenfelde

Proletarische Provinz. Radikalisierung und Widerstand in Penzberg/Oberbayern 1900 bis 1945

Einleitung 1
    Punktuelle Industrialisierung in Oberbayern, Stadt-Land-Kontraste (1 – 4), Radikalismus (4ff.), Forschungslage und Quellen (6ff.)

I. Bergbau und Gemeinde bis 1914 8

   1. Probleme des Pechkohlenbergbaus in Südbayern 8
    Frühe Kohlenförderung (8f.), Entstehung der Grube Penzberg (9 – 12), Kohlenqualität, Absatz, Verkehrsverhältnisse (12f.), Förderstatistik (13ff.), Konjunkturen (15 – 18)

   2. Isolation und Abwehr. Industriekommunale Entwicklung in der oberbayerischen Provinz: St. Johannisrain/Penzberg bis 1914 18
    Kolonisation in Maxkron (18ff.), Konflikte mit der bäuerlichen Bevölkerung (20f.), Bevölkerungsstatistik (21f.), Schulhauskonflikt und Ausgemeindungskämpfe (22ff.), frühe Kommunalpolitik (24ff.), Wachstumsphasen und Kommunalpolitik (26ff.), Bevölkerungsverhältnisse (28 – 31)

   3. Zur Entwicklung der Arbeiterschaft 1890 bis 1914 31
    Belegschaftsstruktur und Lohn- bzw. Arbeitsverhältnisse (31 – 34), Bergarbeit, Arbeitszeit, Strafwesen, soziale Kontrolle (34 – 38), Konsumverein (39f.), Wohnungswesen (40 – 43)

   4. Anfänge der Arbeiterbewegung 43
    Arbeits- und Daseinsverhältnisse, soziale Konflikte und frühe Organisationsformen (43ff.), Klassenbildung und Bergarbeiterstand (45ff.), Vereinswesen (47 – 50), Frühe Sozialisten in Penzberg (50ff.), Agitation von außerhalb (51f.), Gründergeneration, Handwerk und Arbeiterbewegung (52), Organisationsbildung 1895/1901 (52 – 55)

   5. Streikbewegungen bis zum Kriegsausbruch 55
    Berggewerbegericht und Arbeiterausschuß (55 – 58), Christliche Arbeitervereine (58f.), Versammlungs- und Streikbewegung 1906, Lohnbewegung 1907 (59 – 63), Konfliktbereitschaft jugendlicher Arbeiter, Frauen (63f.), Streik 1910 (64ff.), Widersprüche in der Arbeiterbewegung und Bildung einer Gelben Organisation (66ff.)

   6. Sozialdemokratie und Gemeindepolitik 1900 bis 1914 68
    Versammlungsagitation (68ff.), Feste und Vereinskultur (70ff.), Jugendverein (72f.), Mutterschutzverein (73f.), Heimat- und Bürgerrechtsverein (74 – 77), Kommunalwahl Ende 1911 (77ff.), Reichs- und Landtagswahlen vor 1914 (79f.), Soziale Schichtung vor 1914 (80ff.), Zeche, Mittelstand und Arbeiterschaft in der Kommunalpolitik (82 – 85)

II. Der Weg zum »roten« Rathaus. Weltkrieg und Revolution in Penzberg 1914 bis 1920 85

Kohlenförderung im Krieg, Belegschaftsentwicklung, Arbeitsleistung (85 – 88), Arbeitszeit und Löhne, Inflation (88 – 91), Soziale Konflikte, Berggewerbegericht, Tarifverträge (91 f.), Veränderungen im Verhältnis von Unternehmern, Staat und Arbeitern (92 – 97), Revolution in Penzberg (98 ff.), Revolutionäre Forderungen, Sozialisierung (99 f.), Wahlen 1919 (100 f.), Sozialisierungsdiskussion (101 ff.), Stadterhebung (103), Kommunalwahlen (103 ff.), Bürgermeister Rummer (105 f.), Parteipolitik, Spaltung der Arbeiterbewegung (106 f.), Rätewesen (107 f.), Sozialdemokratische Gemeindepolitik (108 ff.), Gemeindewahlen Juni 1919 (110), Einwohnerwehr (111 f.), Bergarbeiterschaft und Kommunalpolitik (112 f.), Hauptstadt und Peripherie in der Revolution (113 ff.)

III. Inflation und Stabilisierung 1920 bis 1929 116

1. *Zeche und Belegschaft. Die Lage der Arbeiter in den 1920er Jahren* 116
Probleme des Pechkohlenbergbaus (116 ff.), Förderstatistik und Konjunktur (118 f.), Angestellte im Bergbau (119), Löhne und Preise (120 – 123), Bevölkerungsstatistik (123 f.), Wohnungswesen (124 f.), Arbeitslosigkeit, Verelendung (125 – 128), Lohnindex und Lohnstruktur (128 ff.), Arbeitszeit (130 f.), Sozialpolitik (131 – 135)

2. *Sozialer Protest und soziale Bewegung* 135
Kollektiver Kartoffeldiebstahl 1923 (135 ff.), Unsicherheit im Ort (137 ff.), Kriminalität (139), Frauenprotest (139 f.), Familie, Nachbarschaft und sozialer Protest (140 f.), Verweildauer (141 ff.), Wohnungskonflikte (143 f.), Einschätzung der Protestbereitschaft, Belegschaftsdemokratie (144 f.), Streikbewegungen (145 ff.), Gewerkschaftliche Organisation (147 f.), Betriebsrat (148 f.)

3. *Parteien, Wahlen und Kommunalpolitik* 149
Nationalsozialistische Ausbreitungsversuche (149 ff.), USPD (151), KPD (151 f.), Organisationsstand 1932 (152 f.), KPD in den frühen 1920er Jahren (153), Proletarisches Vereinswesen (153 f.), Vereinskultur, Spaltungen (154 – 160), Reichs- und Landtagswahlen (160 ff.), Reichspräsidentenwahlen (162 f.), Weibliche Wähler (163 ff.), Gemeindewahlen (165 – 168), Probleme der Kommunalpolitik (168 f.), Zeche und Stadt (169 f.), Wohnungsbau (170 ff.), Konflikte im Gemeinderat (172 ff.), Auseinandersetzungen in der Sozialdemokratie (174), Stadthallenbau (174 f.)

4. *Stadt und Umgebung* 176
Penzberger Revolutionäre (176), Reichstreue (176 f.), Einwohnerwehr, Bund Oberland (177 ff.), Konflikt August 1923 (179), Notpolizei in Penzberg (179 f.), Ordnungszellenideologie und Penzberger Sozialisten (180 f.)

IV. Erschütterungen im »roten« Rathaus. Wirtschaftskrise und Parteipolitik 1930 bis 1933 181

1. *Wirtschaftskrise und Radikalisierung* 181
Ländliche Industrialisierung (181 f.), Radikalisierung (182 ff.), Zeche, Mittelstand und Bergarbeiterschaft (184 f.), Krisenjahre der Zeche (185), Stillegung 1931 (185 ff.), Feierschichten (187 f.), Löhne und Preise (188 f.), Reichstagswahlen 1928 bis 1933 (190 ff.), Wählerinnen (192 f.)

Inhalt IX

2. *Die schwierige Entwicklung der NSDAP* 193
Anfänge der Partei in Penzberg (193f.), Otto Bogner (194f.), Ortsgruppe Penzberg (195ff.), Versammlungsklima (197ff.), Soziale Zusammensetzung (199f.), Ursachen der Erfolglosigkeit (200ff.), Trägerschichten der NSDAP am Beispiel Penzbergs (202f.)

3. *Die Linksparteien in der Krise und der Kampf um das Rathaus Ende 1932* 204
Wiederaufschwung der KPD (204f.), Gewerkschaftsopposition (205ff.), Soziale Zusammensetzung der KPD (207f.), Sozialdemokratie in der Krise (208f.), Demonstrationen am »Stachus« (209f.), Verhalten der Polizei (210), Versammlungsbewegung (210f.), Erwerbslosenagitation (211f.), KPD-Unterbezirk Penzberg (212–214), Konflikte zwischen SPD und KPD (214f.), Spaltungen im Vereinswesen (215f.), Bürgerliche Fraktion im Stadtrat (216), Kämpfe um den Volksentscheid zur Stadtratsauflösung Ende 1932 (216–221)

V. Machtübernahme, Gleichschaltung, Unterdrückung und latente Opposition 1933/34 221

1. *Vom »roten« zum »braunen« Rathaus* 221
Letzte Versammlungen der Linksparteien (221f.), Reichstagswahl März 1933 (222), Machtanmaßung in Penzberg (222ff.), Provisorischer Stadtrat (224), Nationalsozialistische Stadtherrschaft (224), Bürgermeister-Einsetzung (224f.), Gleichschaltung (225–229), NSDAP und »Marxisten« (229), Die NSDAP an der Macht (230f.)

2. *Die Ausschaltung der Gewerkschaften* 232
Der 1. Mai 1933 (232), Diffamierungskampagne (233), Auseinandersetzungen mit älteren Arbeiterführern (234), Übernahme des Betriebsrats (234f.)

3. *Ein Aufstand in Penzberg? Die Kommunisten und der Hochverratsprozeß 1933/34* 235
Die Aufdeckung der Untergrundorganisation der KPD durch Verrat (235), Verhaftungen, Hausdurchsuchungen, Ermittlungen (236ff.), Rekonstruktion der Untergrundaktivitäten (238f.), Waffendiebstähle (239), Organisationsstruktur (240f.), Mitglieder in der Untergrundorganisation (241f.), KPD-Propaganda 1932/33 (242f.), KPD und Machtübernahme (243f.), Aufstand in Penzberg? (244ff.), Der Prozeß (246f.), Haft und Konzentrationslager (247ff.)

4. *Latente Opposition. Das »Straßenparlament«* 249
Politik auf der Straße (249–252). Lokalpresse und Nationalsozialismus (252ff.), Gerüchte (254), Gruppenbildungen und Diskussionen (254f.), Latente Opposition (255ff.)

VI. Arbeiterstadt und Nationalsozialismus 257

Probleme der NS-Kommunalpolitik (257f.)

1. *Soziale Schichtung und Strukturprobleme der Bergarbeiterkommune* . . 258
Schichtung in den oberbayerischen Bergbaukommunen (258ff.), Rolle des Bergbaus (260–263)

2. *NSDAP und Gemeindepolitik bis zum Kriegsausbruch* 263
NSDAP und angeschlossene Organisationen (236–266), Reorganisation der NS-Ortsgruppe (266f.), Rechnungsführer und »Alte Kämpfer«: Auseinandersetzungen um die Partei- und Gemeindeführung (267f.), Bürgermeisterwechsel (268–

272), Konkurrenz in der Kommune (273 f.), Denunziation (274 f.), Politische Organisation seit 1934 (275 ff.), NS-Kommunalpolitik (277 f.), Wohnungsbau (278 f.), Führerprinzip (279 f.), Disziplinierung der Einwohnerschaft (280 f.)

3. *Zeche und Belegschaft unter dem NS-Regime. Die Lage der Arbeiter 1933 bis 1939* 282
Nationalsozialismus und Bergmannsstand (282 f.), NSBO, Proletariat und Unternehmerschaft (283 ff.), Wirtschaftliche Probleme der Oberkohle (285 ff., Förderstatistik (287 ff.), Konjunkturen (289), Arbeitskräfe und Arbeitsmarkt (289 ff.), Löhne und Lebenshaltungskosten (291), Lohnstruktur (292 ff.), Altersstruktur der Belegschaft (295), Familienstand (296 f.)

4. *Sozialpolitik, Bergmannsstand und »Schönheit der Arbeit«* 297
Nationalsozialismus und Entfremdungsproblem (297 f.), Betriebsgemeinschaft (298), Betriebsordnung 1934 (299), Sozialpolitik: Unfallverhütung (299 f.) Wohnungsbau (300 ff.), Sonstige soziale Leistungen (302 ff.), Ausbildungswesen (304 – 309), Betriebsgemeinschaft (309 f.), Bergmannsfest und Bergarbeiterstand im Nationalsozialismus (310 – 316), Schönheit der Arbeit im Bergbau (316 f.), Bergarbeiterdichtung (318)

5. *»Vertrauens«-Rat und latente Opposition* 320
Vertrauensratswahlen 1934/35 (320 – 323), Organisation der DAF (324 f.) Tätigkeit des Vertrauensrates (325 f.), Kompetenzstreitigkeiten (327 f.), Konflikt zwischen Zeche, Vertrauensrat und DAF 1938 (328 f.), Arbeitszeitverordnung (329 ff.), Streik August 1939 (331), Bummelei und andere Konflikte (331 f.), Fluktuation, Überarbeit (332 ff.), »Stimmungsberichte« (334), Leistungszurückhaltung (334 f.), Arbeitsverrichtung, Gruppenbildung und latente Opposition (335 ff.)

6. *Einwohnerschaft, Kirchen und Widerstand* 337
Reichstagswahlen 1933 – 1938 (337 – 340), Zustimmungsdruck (340), Verfolgungsmaßnahmen (340 f.), Kommunikationsformen (341 f.), Zusammenhalt unter ehemaligen KPD-Mitgliedern (342 ff.), Bedingungen für Widerstand (344 ff.), Opposition im katholischen Lager (346 ff.), Widerstand des Pfarrers Steinbauer (348 ff.), Erste Auseinandersetzungen: Landeskirche, Kirchenbefragung (349 ff.), Inhaftierungen, Solidarität des Kirchenvorstands und der Gemeinde (352 ff.), Entlassung, neuer Widerstand, Konzentrationslager (354 ff.), Einschätzung (355), Religiosität in der NS-Zeit (356)

7. *Arbeiterschaft im Zweiten Weltkrieg* 357
Produktionsverhältnisse im Krieg (357 f.), Belegschaft, Löhne und Überschichten (358 ff.), Krankenstand und Unfälle (360 ff.), Kriegsgefangene und Ausländer (362 – 367), Leistungsdruck, Bummelei, Arbeitsverweigerung und Arbeitszwang (367 ff.)

VII. *»Morgenrot in der Wüstenei«. Der Aufstand vom 28. April 1945* .. 369
Generelle Einschätzung der Lage der Bevölkerung unter Kriegsbedingungen und unter nationalsozialistischer Herrschaft (369 ff.), Nationalsozialistisches Novembertrauma (371 f.), Fälle von Widerstand während des Krieges (372 f.), Verbotsdruck und Versorgungsengpässe (373 f.), Die letzten Kriegsmonate (374 f.), Standrecht (375), Werwolf und Werwolfmentalität (375), Zöberlein (375 f., Aufstand in Penzberg (376 f.), Zöberleins Rache (377 – 380), Der Aufstand vor dem Hintergrund der Geschichte Penzbergs (380 ff.)

Inhalt XI

Zdenek Zofka

Dorfeliten und NSDAP. Fallbeispiele der Gleichschaltung aus dem
Kreis Günzburg 383

Einleitung 383

Machtusurpation (383 f.), »Herrschaft der Minderwertigen« (384 f.), Honoratioren
als NS-Mandatsträger (385 f.), Forschungsstand (386), Quellenlage (387 f.)

I. Wirtschaftlich-soziale und politische Struktur des Bezirks 388

Agrarkreis Günzburg (388 f.), Industrie (389), Bevölkerung und Kirchen (389 f.), Politische Parteien (390 f.), NSDAP (391 f.)

II. Allgemeine Vorgänge der Gleichschaltung im Frühjahr und Sommer
1933 392

Reichstagswahlergebnisse vom 5. März 1933 (392 ff.), Gleichschaltung (395), Verfolgung von SPD und KPD (395), Neuverteilung der Gemeinderatssitze (395 f.), BVP und Bauernbund (396), Presse (396), NSDAP-Taktik gegenüber BVP (396 f.) und Bauernbund (397), Beibehaltung der alten Eliten (397 f.)

III. Fallbeispiele einzelner Gemeinden 398

Parteiwille gegen Gemeindewille – der Kreisleiter als Entscheidungsinstanz (398 – 401), Der Kreisleiter läßt den Dingen ihren Lauf – Selbstregulierung in der Gemeinde (401 – 404), Die Umarmung der Bayerischen Volkspartei – Strategie zur Ausschaltung eines großen Oppositionspotentials (404 – 407), Vereinzelte Machtdemonstrationen – Die vorhersehbaren Folgen (407 ff.), Persönliche Rivalitäten – auf dem Rücken der Gemeinde ausgetragen (409 – 412), Die Partei als Bühne lokaler Machtkämpfe (412 – 415), Die Macht der Ortsgruppenleiter (415 – 419), NS-Personalpolitik in den Gemeinden – Anspruch und Wirklichkeit (419 – 422)

Schlußbetrachtung 422

Dokumente aus oberbayerischen Landgemeinden 423

Schmale Personaldecke der NSDAP in den Landgemeinden (424), Das Bezirksamt sorgt für korrekte Durchführung der Gleichschaltung (424), BVP-Mehrheitsgemeinde ersucht um Bestätigung des bewährten Bürgermeisters (425 f.), »Zurückhaltung« bei der Machtergreifung (426 f.), Zwiespalt der BVP-Gemeinderäte (427), BVP-Gemeinderäte kämpfen um ihre Ämter (427 f.), BVP-Mimikry (429), Maßregelung von SA-Leuten wegen Störung der Fronleichnamsprozession (429 f.), Soziale Aspekte bei der Auswahl der Bürgermeister und Gemeinderäte (431 ff.), Führerprinzip (432 f.)

Peter Hüttenberger

Heimtückefälle vor dem Sondergericht München 1933 – 1939 435

Einleitung 435

Literatur (435), Tätigkeit der Sondergerichte (435 ff.), Gesetzesgrundlagen (437 f.), Heimtückevergehen und Kriegssonderstrafrechtsverordnung (438 f.), Zuständigkeitsbereich des SG München (439)

I. Das Verfahren und die Entscheidungen des Sondergerichts München ... 439

Sonderheiten des SG München (439f.), Strafprozeßordnung (440), Delikte (440f.), Heimtücke-Verordnung (441f.), Freisler zum NS-Strafrecht (442f.), Quantitative Analyse (443f.), NSDAP-Angehörige vor dem SG (444f.), Aufschlüsselung der Heimtückefälle (445 – 448), Individualbeschuldigte (449), Strafmaß (449 – 452)

II. Urteilsbegründungen bei Heimtücke-Äußerungen ... 452

Übersetzung der Umgangssprache in Amtssprache (452), Offensichtliche Rechtsbeugung (452f.), Interpretationsspielraum des SG (453f.), Regimekritik statt Werturteil (454), Bestrafung der Gesinnung (454f.), Katalog strafwürdiger Äußerungen (455), Kriterien für Strafverschärfung bzw. Strafmilderung (455f.), Schichtenspezifische Urteilssprechung (456f.)

III. Die Angeklagten vor dem Sondergericht ... 457

1. *Eine quellenkritische Erörterung* ... 458

Aktenlage (458f.), Kompetenzen des SG (459f.), Relevanz des Schriftguts (460), Formale Struktur der SG-Akten (460f.), Unterschiedliche Tathergangsbeschreibung in verschiedenen Überlieferungen (461f.), Polizeiprotokolle (462f.), Personalbögen (463), Urteilsniederschrift (463f.)

2. *Quantitative Auswertung: Die Sozialstruktur der Angeklagten* ... 464

Herkunftsmilieu (465ff.), Berufsklassifikation (467 – 470), Frauen (470f.), Altersstruktur (471f.)

IV. Heimtückereden und Heimtückediskurs ... 473

Heimtückerede als fragmentarischer Sprechakt (473), Sprunghaftigkeit und überpointierte Kontrastierung (474f.), Dialekt (475f.), Typische Motive des Diskurses (476), Machtergreifung (476f.), Führer und Führerpersonal (477f.), Konzentrationslager (478ff.), Enttäuschung und parteipolitische Reminiszenzen (480f.), Vorhersagen (481), Kriegsängste (481f.), Travestie der zehn Gebote (482f.), SA, HJ und NSDAP (483f.), Feldherrnhallenkult (484f.), WHW (485), NS-Führungsschicht (485f.), Hitler (486ff.), Motive der Angeklagten (488), Reflexion der eigenen Situation (488f.), Soziale Lage der Bauern und Arbeiter (489f.), Der Heimtückediskurs als Gegenbild zur NS-Selbstdarstellung (490f.), Politische Bedeutung (491f.)

V. Milieu-Bedingungen und Motivationen ... 492

Soziales Umfeld der Heimtückerede (492), Dialog zwischen Erbhofbauer und Stützpunktleiter (492ff.), Heimtückerede als Partikel eines Gesamtdialogs (494f.), Bedingung der Örtlichkeit (495), Gaststätten und Wirkung von Alkohol (496f.), Momentane und strukturelle Provokationen (497f.), Enttäuschungssyndrome (498f.), Bäuerliche Unzufriedenheit (499), Mittelstand (499f.), »Asoziale« (501f.), Abneigung gegen Funktionäre (502), Auflehnung gegen Repressionen (502f.), KL Dachau (503), Widerstandskarrieren (503ff.), Vornationalsozialistische Auslösemomente (505f.), Inflation und Weltwirtschaftskrise (506ff.), NS-Bedingungen für Heimtückereden (508), Sozialer Druck der Heimtückeredner (508f.), Denunziationsmechanismen (509f.), Gezielte Überwachung (510f.), Soziologie der Denunzianten und Denunzierten (511f.), Politische und berufliche Motive für Denunziationen (512 – 516), Private Denunziationsgründe (516ff.), Kontrolle des Unmutspotentials (518), Verfolgungsorgane (518)

Schlußbetrachtung: Heimtückefälle und Widerstandsbegriff 518

    Der Widerstandsbegriff seit 1945 (518 ff.), Widerstand und Opposition (520), Relationale Deutung von Widerstand (520), Interessenwahrung (520 f.), Sozialer Druck (521), Herkunft und Ursache der Ungehorsams-Artikulationen (521 f.), Widerstand und Öffentlichkeitsbegriff (522 f.), Unorganisierter Ungehorsam (523), Formen der Nichtduldung des NS (523 f.), Polyvalenz der NS-Normen (524), Rolle der Gerichte (524 f.), Formen zivilen Ungehorsams (525 f.)

Arno Klönne

Jugendprotest und Jugendopposition. Von der HJ-Erziehung zum Cliquenwesen der Kriegszeit 527

Vorwort 527

    Forschungslage (527 f.), Ambivalenzen der HJ-Sozialisation (528 f.), Widerstandsbegriff (529 f.)

  I. Hitlerjugend-Sozialisation: Anspruch und Wirklichkeit 531

    1. Die organisatorische und strukturelle Entwicklung der HJ 531
    Jugendverbände und HJ vor 1933 (531 f.), Monopolanspruch der HJ 1933 (532 f.), Machtergreifung bei den Jugendorganisationen (533 f.), Konfessionelle Jugendverbände und NS (534 f.), Zustrom zur HJ (535), Auf dem Weg zur Staatsjugend (535), Militarisierung (535 f.), Jugenddienstpflicht (536), Widersprüche im sozialen System der HJ (536 ff.), Leitbilder der NS-Erziehung (538 f.)

    2. Bruchstellen und »Defizite« der HJ-Sozialisation 539
    Modernitätsangebot der HJ in der Provinz (539 ff.), Kampf gegen die kath. Jugend (541 – 544), Führer und Führermangel der HJ (544 – 547), HJ, Schule und Lehrer (547 f.), Traditionalistische Vorbehalte gegenüber BDM (548 ff.), Verlust an Attraktivität (550 – 553), Anspruch und Realität der HJ-Sozialisation (553 f.)

 II. Ausschaltung, Verfolgung und Widerstand politischer, konfessioneller und bündischer Jugendorganisationen 554

    1. Die Jugendorganisationen der sozialistischen Arbeiterbewegung 554
    Anteil Jugendlicher am kommunistischen Widerstand (555 f.), KJVD in Nürnberg (556 f.) und Südbayern (557 – 560), Zerschlagung des KJVD (560 f.), SAJ und SJVD (561 ff.), Naturfreunde (563), Das Ende des sozialdemokratischen Jugendwiderstands (564)

    2. Evangelische und katholische Jugendarbeit 564
    Evangelische Jugend und »nationale Bewegung« (564 f.), Eingliederung der ev. Jugendverbände in HJ (565 – 568), Weiterführung kirchlicher Jugendarbeit (568 ff.), Katholische Jugend und NS-Staat (570 ff.), Auseinandersetzungen zwischen HJ und kath. Jugendgruppen (572 f.), Kath. Jugendzeitungen (573 f.), Verbot der konfessionellen Jugendverbände (574 f.), Beispiele für Konflikt zwischen HJ und kath. Jugend 1934/35 (575 ff.), Verhaftungen (557), Konzentration auf innerkirchlichen Raum (577 f.), Endgültiges Verbot (578), Illegale Weiterführung kath.-bündischer Gruppen (578 f.), Ländlich-kath. Opposition gegen HJ (579 f.), Politischer Widerstand (580)

3. *Bündische Jugend* 581
   HJ und Bündische Jugend (581f.), Säuberung des Jungvolks von bündischen Elementen (582f.), NS-Beschreibungen bündischer Opposition (584), Verbot (584ff.), Illegale Bündische in Bayern (586ff.)

III. Jugendliche Cliquen und ihre Bekämpfung während der Kriegszeit . 589
   1. *Die Anfänge in den Jahren 1937–1939* 589
      Spontane Opposition: Meuten (589ff.), Edelweißpiraten (590f.), Swing Jugend (591), Elitäre Schulgruppierungen (591f.), Münchner »Blasen« (592), Die Reichsjugendführung zu den »wilden« Jugendgruppen (592f.)

   2. *Nonkonformität der Jugend im Krieg und verschärfte Sanktionen* 593
      Ablehnung des NS-Leistungssolls (593f.), Verschärfung staatlicher Sanktionen (594f.), Abweichendes Verhalten Jugendlicher im Krieg (595–599)

   3. *Verstärkung der jugendlichen Cliquen während des Krieges* 599
      Gefährdung der HJ-Sozialisation (599f.), Hamburger »Swing«-Jugend (601ff.), Edelweißpiraten (603ff.), Zusammenhänge mit Tradition der Jugendbewegung (605f.)

   4. *Jugendliche Cliquen in Bayern und München* 606
      Landshuter Gruppe (606), Münchner »Blasen« (606ff.), Systemopposition oder Jugendkriminalität (608f.), Ausbreitung der Edelweißpiraten nach Süddeutschland (609ff.), Bericht einer intellektuellen Jugendoppositionsgruppe (611f.)

   5. *Repressionen gegen nonkonforme Jugendliche* 613
      Das Instrumentarium der Unterdrückung (613f.), HJ-Streifendienst (614f.), Der Vorwurf der Homosexualität als politisches Mittel der Diffamierung (615f.), NS-Berichte zur Bekämpfung jugendlicher Opposition (616ff.), Bilanz des Reichsführers-SS 1944 (618f.), Der Stellenwert jugendlicher Opposition (619f.)

Gerhard Hetzer

Ernste Bibelforscher in Augsburg 621

Vorbemerkung 621

I. Die Augsburger Bibelforscher seit dem Ersten Weltkrieg 621
   Anfänge der Religionsgruppe (621ff.), Flugschriftenverteilungen (623), Verbot (623f.), Aufbau eines reichsweiten Schriftenverteilungsnetzes (624), Verhaftungen und Überwachung (624ff.), Illegale Aktivitäten (626ff.)

II. Die Verhaftungswelle der Jahre 1936/37 und die Propagandaaktionen der Bibelforscher 628
   Festnahmen in München und Augsburg (628ff.), Wiederaufbau 1936 (630), Resolution des Luzerner Bibelforscherkongresses (631), Verteilung der Resolution als Flugblatt (631f.), Verurteilungen und KL-Aufenthalte (633f.)

III. Soziale Herkunft und politische Affinitäten der Bibelforscher 634

Frauenanteil und Altersstruktur (634f.), Topographische Verteilung und geographische Herkunft (635f.), Kontakte zu Linksparteien (637f.), Ähnlichkeit zur NS-Ideologie (638f.)

IV. Die Verfolgungen während der Kriegsjahre 640

Wehrdienstverweigerung (640), Haftstrafen (640f.), Neue Gruppenbildung (641), Verhaftungen und Verurteilungen 1943 (642f.)

Hildebrand Troll

Aktionen zur Kriegsbeendigung im Frühjahr 1945 645

Vorbemerkungen zur Quellenlage 645

Archiv der bayerischen Widerstandsbewegungen (645), Strafurteile wegen NS-Tötungsverbrechen (645f.)

I. Der allgemeine Hintergrund 646

Vormarsch der Alliierten (646), Wunsch nach Frieden in der Bevölkerung (646f.), Standgerichte (647), Volkssturm (648f.)

II. Lokale Aktionen bis zum 28. April 1945 649

Neuhof a. d. Zenn (649), Gehorsamsverweigerung beim Volkssturm (650), »Weibersturm von Windsheim« (650 – 654), Frauendemonstrationen (654), Regensburg (654f.), Mord in Burgthann (655f.), Übergabe Erlangens (656f.), »Flaggenbefehl« (657f.), Unterstützung amerikanischer Fallschirmagenten (658f.), Robert Limpert in Ansbach (659f.)

III. Die Freiheitsaktion in Bayern (FAB) 660

Vorgeschichte (660f.), Planung (661f.), Versuchte Einbindung des Reichsstatthalters Epp in den Aufstand (662f.), Besetzung der Sender Erding und Freimann (663f.), Rundfunkaufruf der FAB (664f.), Rückzug der FAB (665ff.), Folgeaktionen nach dem FAB-Aufruf (667ff.), Psychologische Wirkung der FAB (669), Übergabe der Stadt Augsburg (670), Die Penzberger Vorgänge (671f.), Altötting (673f.), Götting (674), Burghausen (675), Landshut (677)

IV. Widerstandsaktionen in den letzten Kriegstagen 677

Inzell (677f.), Bericht aus Ismaning (678f.), Einzelereignisse (679f.), Bericht des Oberst v. Hobe (680f.), Waffenehre contra Schutz des Eigentums (681f.), Die Rolle der Wehrmachtsärzte (682 – 685)

V. Der »Heimatschutz« im Allgäu 685

VI. Die »Alpenfestung« 687

Strategische Sandkastenspiele (687f.), Welchen Nutzen hatte der Widerstand in letzter Minute? (688f.), Aktivisten des Widerstandes (689)

Martin Broszat

Resistenz und Widerstand. Eine Zwischenbilanz des Forschungsprojekts 691

Geschichte und Zielsetzung des Projekts (691 f.), Der Widerstandsbegriff im politischen Leben Nachkriegsdeutschlands (692 f.), Formen zivilen Mutes im täglichen Leben (693), Feldforschung und Fallstudien als Methoden der Gesellschaftsgeschichtswissenschaft (693 f.), Themen, Akteure und Schauplätze (695), Projektbezogene Publikationen (695 f.), Thematische Begrenzungen (696), Ausweitung des untersuchten Zeitraums (696 f.), Definition von Resistenz (697), Unterschiedlichkeit der Begriffe »Widerstand« und »Resistenz« (697 f.), Situative Beurteilung der Zumutbarkeit von Widerstand (698), Verhaltensgeschichtliche Ursachen und Motivationen des Widerstandes (699), Forschungsbereiche: Agrarische Provinz und Arbeiterschaft (699 f.), Darstellungen zum agrarischen Sektor (700 f.) Beharrungskraft ländlicher sozialer Gefüge (701), NS und bäuerlicher Traditionalismus (702), Resistenz des kath. Milieus (702 f.), Untersuchungen zur Arbeiterbewegung (703), Möglichkeiten von Lokalstudien (703 f.), Verfolgung sozialistischer Arbeiter (704 f.), Bewertung des kommunistischen Widerstands (705 f.), Bedingungshintergründe für illegale Widerstandstätigkeit (706 f.), Sozialer Protest im politischen Gewand (707 f.), Passive und partielle Opposition der Arbeiter (708 f.)

Anhang 711
Bildnachweis 711
Biographisches zu den Autoren 712
Abkürzungsverzeichnis 713
Personen- und Sachregister 717

Vorwort

Mit diesem Band wird die 1979 begonnene Veröffentlichung der Serie monographischer Forschungsbeiträge im Rahmen des Projekts »Widerstand und Verfolgung in Bayern 1933–1945« abgeschlossen. Wie im Vorwort zu den vorangegangenen Bänden wollen wir an dieser Stelle den Inhalt und die Problemstellung der Untersuchungen charakterisieren. In dem Beitrag »Resistenz und Widerstand« am Ende dieses Bandes wird dann versucht, nach dem Erreichen eines wichtigen Stadiums des Projekts eine Zwischenbilanz zu ziehen.

Neben dem katholischen Milieu Bayerns, das in den Bänden dieser Reihe wiederholt unter verschiedenen Aspekten ansichtig gemacht wurde, bildeten in der NS-Zeit die Zentren der Industriearbeiterschaft mit ihrer freigewerkschaftlich-sozialistischen Tradition die stärksten Bastionen der Immunität und Resistenz gegenüber der braunen Herrschaft. Ein Paradebeispiel hierfür ist die kleine oberbayerische Bergarbeiterstadt Penzberg im Bezirk Weilheim. Auf Anregung der Herausgeber hat Klaus Tenfelde, der sich schon mit seiner Dissertation über die »Sozialgeschichte der Bergarbeiterschaft an der Ruhr im 19. Jahrhundert« (1977) einen Namen gemacht hat, die Bergarbeiterkommune Penzberg in einer großangelegten Modellstudie untersucht. Die Arbeit, im Februar 1981 vom Fachbereich Geschichte der Universität München als ausgezeichnet bewertete Habilitationsschrift anerkannt, ist ungekürzt in diesen Band aufgenommen worden.

Die Bergarbeitergemeinde Penzberg, von der Gestapo all die Jahre des Dritten Reiches hindurch als »rote Insel« in Oberbayern mit besonderem Argwohn beobachtet, war – im Zusammenhang mit der systematischen Ausbeutung der Pechkohleflöze im bayerischen Oberland – erst am Ende des 19. Jahrhunderts entstanden. Anders als in den meisten großstädtischen industriellen Ballungsräumen, in denen schon infolge der Siedlungsweise, des Pendlertums und der Anknüpfung an alte handwerkliche Gewerbetraditionen die Industriearbeiterschaft von ihrer sozialen Umwelt meist weniger streng geschieden war, hatte sich in Penzberg ein abgesonderter Lebensbezirk der Arbeiterschaft gleichsam in Reinkultur herausgebildet. Mit zugezogenen oberpfälzischen, böhmischen, tiroler und slowenischen Bergleuten wurde die industrielle Neugründung zum Muster einer Arbeiterkolonie, die in scharfem Kontrast zu ihrem politisch-sozialen Umland stand. Industrielle Monokultur und soziale Insellage ließen in der Bergarbeiter-Kommune von Anfang an ausgeprägte kollektive Arbeits-, Lebens-, Selbsthilfe- und Politikerfahrungen entstehen, ein auf sich selbst bezogenes, dichtes Arbeitervereinswesen, ein Klassenbewußtsein in gleichsam idealtypischer Form. Die genaue Beschreibung sowohl der technischen und wirtschaftlichen wie der Arbeits- und Sozial-Verhältnisse im Penzberger Bergbau, der Beschaffenheit der Arbeitersiedlungen, des vielfältigen Geflechts der politischen und gewerkschaftlichen Aktivitäten der Bergleute im Betrieb und der seit 1919 sozialdemokratisch geführten Gemeinde, der Freizeit-Vereine und der Arbeitertreffpunkte in den Wirtschaften am Penzberger »Stachus«, der politischen Erfahrungen in der Rätezeit und in der Wirtschaftskrise mit ihrer Massenarbeitslosigkeit, stets eingeordnet in die politisch-gesellschaftliche Gesamtentwicklung, läßt das lebensvolle Bild eines Arbeitermikrokosmos entstehen, dessen »Strukturen« erzählerisch entfaltet werden. Die Lokalstudie wird zur konkreten politischen Sozialgeschichte, vermag augenfällig zu machen, was der historischen Analyse von höherer Warte aus oft in abstrakten Begriffen verschlossen bleibt: Die politische Radikalisierung in Gestalt der kommunistischen Bewegung in den Krisenjahren vor 1933 wird vor dem Hintergrund der realen Lage vieler arbeitslos gewordener Bergleute und einer zur wirksamen Krisenbewältigung nicht mehr fähigen sozialdemokratischen Herrschaft in der Gemeinde und im Betriebsrat als verzweifeltes Protestverhalten vor allem jugendlicher Arbeiter begreiflich. Die kleine, vor 1933 entstandene nationalsozialistische Betriebszelle läßt sich als Gruppe von Büroarbeitern um die bergwerklichen »Rechnungsführer« soziologisch genau qualifizieren. Sozialdemokratischer Behauptungswille in der Gestalt des Bürgermeisters Hans Rummer oder die Verquickung unternehmerischer Interessenpolitik mit antisozialistischen Vorurteilen in der Figur des Bergwerkdirektors Klein werden exemplarisch personifizierbar. Daß die Nationalsozialisten in der Arbeiterstadt Penzberg im Juli 1932 ganze 7,3 Prozent und auch im März 1933 nur 16,1 Prozent der Stimmen gewinnen konnten, war Ausdruck der starken Homogenität der Bergarbeitergemeinde. Die Studie Tenfeldes zeigt eindringlich, daß das Widerstandspotential, mit dem das NS-Regime es hier zu tun bekam, begründet war in einer festgefügten Tradition der sozialistischen Arbeiterbewegung, die in Jahrzehnten vorher eingeübt war: bei der Interessenwahrnehmung im Bergbaubetrieb, in der Auseinandersetzung um die Vormacht in der Gemeinde wie gegenüber der den »roten« Arbeitern mißtrauisch begegnenden staatlichen Obrigkeit und konservativ-katholischen ländlichen Umwelt. Das auf der Grundlage eines Polizeiberichts anschaulich geschilderte Schlüsselereignis des »Kartoffelklaus« im Inflationsjahr 1924 ist ein ebenso sinnfälliges Beispiel der kollektiven Spontaneität der Penzberger Arbeiterschaft wie die dramatische Arbeitsverweigerung von 300 Bergleuten, zu der es im Sommer 1939 kam, und der schließlich in der letzten Stunde des Dritten Reiches im Blut erstickte Versuch Penzberger Sozialdemokraten und Kommunisten, eine Fortführung sinnloser weiterer Kriegführung und Zerstörung zu verhindern. Wie schon in der Revolutionszeit 1918/19 zeigte sich aber auch nach 1933 erneut, daß die auf lokaler Ebene vorhandene Bereitschaft der sozialistischen Arbeiter zur Resistenz — notfalls auch durch den bewaffneten Kampf — aufgrund ihrer Isolierung scheitern mußte. Verdeutlicht die detaillierte geschichtliche Entfaltung der Erfahrungen dieser Bergarbeitergemeinde einerseits, daß die Widerstands-Latenz gegenüber dem Nationalsozialismus in einer vorangegangenen politisch-sozialen Protest- und Resistenz-Tradition gründete, so zeigt sie andererseits schlüssig, warum gerade der aus solchen Erfahrungen heraus entwickelte pragmatische Charakter des Selbstbehauptungswillens bei der großen Mehrheit der Penzberger Arbeiter in der NS-Zeit zwar eine kaum erschütterbare Haltung der Nonkonformität aufbaute, aber nicht zu Formen aktiven, illegalen Widerstandes verleiten konnte, die unter den damaligen Bedingungen zu einem Fiasko ergebnislosen Märtyrertums hätten führen müssen. Weder die Haft Dutzender von Penzberger Kommunisten und Sozialdemokraten im Konzentrationslager Dachau im Jahre 1933 noch die nicht ungeschickten Versuche der NSDAP, mit einem ehemaligen Bergmann an der Spitze der Ortsgruppe ein arbeiterfreundliches Gesicht zur

Schau zu stellen und durch die sozialpolitischen Aktivitäten nationalsozialistischer Vertrauensmänner im Betrieb ein günstiges Klima zu erzeugen, vermochten die Ablehnungsfront der Mehrheit der Penzberger Arbeiter nennenswert zu durchlöchern. Die ostentative *passive* Resistenz, bildhaft vor Augen geführt am Beispiel des schweigend-beredten Penzberger »Straßenparlaments«, nicht ein auf den Umsturz des Regimes zielender — praktisch aussichtsloser — *aktiver* Widerstand waren das Verhaltens-Charakteristikum gerade auch in dieser lokalen Hochburg der Arbeiterschaft. Das Exempel dieser Lokalität wird, nicht zuletzt durch die Einbettung in die Geschichte der politisch-sozialen Vorerfahrungen, zu einem Modell der Gesellschafts- und Verhaltensgeschichte der Arbeiterschaft im Dritten Reich, gekennzeichnet durch unpathetische Nüchternheit, die eine wertvolle Substanz ihres Widerstandes ausmachte, aber auch seine enggezogenen Grenzen markierte.

Auf die exemplarische Studie über Penzberg, die die Hälfte dieses Bandes ausmacht, folgen fünf weitere, weniger umfangreiche Ausschnitte aus der Lebenswirklichkeit der NS-Zeit in Bayern, mit denen das Bemühen der Herausgeber um eine vielgestaltige Problemsicht bei der Erforschung der Situationen und Konflikte dieser Jahre abgerundet werden soll.

Die Studie von Zdenek Zofka, aufbauend auf einer im Rahmen des Projekts schon vor zwei Jahren abgeschlossenen Dissertation über Günzburg in der Weimarer und NS-Zeit und diese ergänzend, führt uns in die kleinen Dörfer dieses bayerisch-schwäbischen Bezirks. Der variationsreiche Vorgang der Machtergreifung im ländlichen Bereich, in den Gemeinderäten und Bürgermeisterämtern, aber auch in den dörflichen Vereinen wird in der Form ausgewählter Dorfgeschichten erzählt. Wir erfahren aus der episodenreichen Geschichte bäuerlicher Gemeinden, daß die politische Machtdurchsetzung der NSDAP, wenn sie auf lokaler Ebene nicht nur gewaltsam oktroyiert werden, sondern auch gesellschaftlich durchdringend und überzeugend sein sollte, mit vielerlei Anpassungszwängen verbunden war. Die aus der persönlichen Vertrautheit des Verfassers mit der Region und aus zahlreichen lokalen Quellen schöpfende Darstellung, im Anhang ergänzt durch Dokumente über vergleichbare »Fälle« aus Oberbayern, exemplifiziert die »Brechung« politischer Herrschaft am gesellschaftlichem Establishment. Auch die nationalsozialistische »Führung« hatte im Dorf mit der Beharrungskraft des gesellschaftlichen Einflusses tonangebender wohlhabender Bauern, Feuerwehrkommandanten oder Gemeindeschreiber und ihrer Klientel zu rechnen. Wurden sie nicht berücksichtigt, blieben oppositionelle Fraktionen oft ein permanenter Konfliktherd. Und wo sich 1933 vordergründig eine schnelle Adaption dörflicher Honoratioren an die NSDAP vollzog, erwies sie sich häufig als Mimikry, um die alten Einfluß-Strukturen zu konservieren: Resistenz im Gewande der Anpassung, Machtergreifung um den Preis der Assimilation an herrschende gesellschaftliche Verhältnisse, das waren im Primärsystem der ländlichen Gesellschaft keine seltenen Ausnahmen.

Mit dem dritten Beitrag dieses Bandes, Peter Hüttenbergers Untersuchung der vor dem Münchner Sondergericht zwischen 1933 und 1939 verhandelten Heimtückefälle, wird ein bisher in der Forschung noch kaum behandeltes Kapitel der politischen Justiz in der NS-Zeit aufgeschlagen. Ausgehend von einer kritischen Revision des gängigen Widerstands-Begriffes, für die der Verfasser in der Anfangszeit des Projekts als dessen erster Leiter vor seiner Berufung an die Düsseldorfer Universität wertvolle gedankliche Vorarbeit leistete, rückt Hüttenberger in seiner Studie mit Absicht nicht die Verfolgung der – juristisch meist als Hochverrat qualifizierten – Fälle aktiven Widerstandes in den Vordergrund, sondern die große Zahl der schon wegen harmloser kritischer Äußerungen gerichtlich gemaßregelten Fälle nicht-konformen Verhaltens, mit denen das Regime sich die Optik einhelliger Beifälligkeit zu verschaffen suchte. Schon die statistische Bilanz auf der Basis der fast lückenlos erhaltenen Münchner Sondergerichtsakten ist in vieler Hinsicht aussagekräftig. Die große Zahl der bei dem Gericht jährlich anhängig gemachten sogenannten Heimtückefälle, nicht nur in der ersten kritischen Zeit des Regimes, sondern auch noch während seiner Erfolgsphase in den Jahren 1938/39, ist ein Barometer sowohl der permanenten Unterströmung des Mißbehagens, die zu keiner Zeit des Dritten Reiches ausgetrocknet werden konnte, als auch des peinlichen Denunziationseifers, der hitlergläubige Volksgenossen immer wieder veranlaßte, regimekritische Nachbarn, Kollegen oder Zufallsbekannte zur Anzeige zu bringen. Über diesen Aspekt der Verfolgung hinaus versteht es der Verfasser, anhand zahlreicher Beispiele aus der spröden Sprache der Gerichtsakten die realen Gesprächssituationen und den ursprünglichen Anlaß und Sinngehalt der »Heimtückereden« durch eine mit philologischer Akribie und Einfühlung vorgenommene Interpretation der schriftlichen Überlieferung zu rekonstruieren. Die so ansichtig gemachte Alltäglickeit des Unmuts gegenüber der nationalsozialistischen Herrschaft enthüllt – neben politischen – zahlreiche unpolitische Motive der Kritik, basierend auf religiösen Einstellungen, sozialen Defiziten, enttäuschten Erwartungen, z. T. auch auf lange zuvor, durch den Ersten Weltkrieg, Inflation und Wirtschaftskrise ohne eigenes Verschulden erlittene Schädigungen. Die faktische Handhabung der Sondergerichtsbarkeit traf überproportional die sozialen Randgruppen. Während manche süffisante Regime-Kritik honoriger Kreise, wenn sie überhaupt angezeigt wurde, bei den vernehmenden Polizeibeamten und Ermittlungsrichtern häufig auf Nachsicht stieß, wurden die gesetzlichen Sanktionen meist streng angewandt, wenn es sich um gestrandete Existenzen, um Hausierer, Bettler, Trinker und sonstige »Asoziale« handelte. Soziale Vorurteile potenzierten die Bestrafung politischer Nonkonformität. Gerade in der intransigenten Strenge selbst gegenüber dem sogenannten »Querulantentum«, das häufig aus sozialer Unangepaßtheit stammte und politisch zumeist wenig bedeutsam war, offenbart sich ein irrationaler Wesenszug des NS-Regimes: Sein unbedingtes Verlangen nach plebiszitärem Applaus, das abweichendes Verhalten von Einzelgängern nicht zu tolerieren vermochte, die Verletzlichkeit seiner inszenierten Suggestivität, die schon Äußerungen bloßer Respektlosigkeit als »Heimtücke« strafbar machte. Obwohl der Sache und den Motiven nach allenfalls eine Randerscheinung der politischen Verfolgung und des Widerstandes, zeigt die große Zahl der von den Sondergerichten geahndeten Heimtückefälle doch eindrucksvoll, wie stark schon der Vorraum oppositionellen Verhaltens unter Kontrolle genommen wurde. Aus der Perspektive dieses Themas ergeben sich, wie Hüttenberger in seinem Schlußkapitel darlegt, zwangsläufig auch Konsequenzen für den Widerstandsbegriff, seine »relationale« Differenzierung und Zuordnung.

Neue produktive Fragen für das Verständnis des Widerstandes wirft auch der Beitrag über Jugendprotest und Jugendopposition im Dritten Reich auf. Sein Verfasser, der

Paderborner Politikwissenschaftler Arno Klönne, einer der wenigen Spezialisten auf dem Gebiet der Geschichte der Hitler-Jugend und Jugendbewegung, skizziert zunächst die Reichweite und die Grenzen der Anziehungskraft der Jugend-»Sozialisation«, die von der HJ ausging. In manchen ländlich-provinziellen Gebieten Bayerns, in denen vor 1933 eine ohne Erwachsenen-Leitung von Jugendlichen selbst bestimmte Jugendorganisation noch kaum bestand, konnte die HJ, auch wenn sie mit den Zwangsmitteln der Partei und des Staates gegen kirchlich-konfessionelle Widerstände eingeführt und von einem oft wenig überzeugenden Führer-Korps getragen wurde, bis zu einem gewissen Grade verkrustete Strukturen patriarchalischer Erziehung und auch manche unguten Gewohnheiten der Indienstnahme von Jungen und Mädchen auf dem Lande auflockern und ein Element freizügiger Jugendbewegung in die Provinz importieren. Diese wenigen anfänglichen emanzipatorischen Impulse – nicht zuletzt in bezug auf die im BDM organisierte weibliche Jugend – waren aber nicht nur verbunden mit der provozierenden Bekämpfung der gerade in Bayern starken kirchlichen, vor allem katholischen Jugendarbeit. Auf der Grundlage von Selbstzeugnissen ehemaliger HJ-Führer zeigt der Verfasser den bald eintretenden Verlust des Jugend-Appeals der HJ infolge ihrer zunehmenden Bürokratisierung, Parteiabhängigkeit und Militarisierung. Der im zweiten Abschnitt des Beitrags gegebene Überblick der Ausschaltung oder Gleichschaltung aller anderen Jugendverbände leitet über zu der Erkenntnis, daß mit der Etablierung der HJ zur exklusiven obligatorischen Staatsjugend im Jahre 1936 auch schon das Ende ihrer anfänglichen Werbekraft eingeleitet war. Neben der zeitweiligen illegalen Fortexistenz der offiziell verbotenen politischen, konfessionellen oder bündischen Jugendgruppen machten sich, je mehr die HJ zum Erfassungs- und Kontrollorgan des NS-Regimes für die Jugend wurde, seit 1937/38 außerhalb, aber auch innerhalb Bayerns, neue, durch das Dritte Reich selbst erzeugte Elemente des Jugendprotests bemerkbar. Sie wuchsen insbesondere im Krieg in Gestalt eines jugendlichen Cliquenwesens rapide an, das bei allen lokalen Eigentümlichkeiten in der Ablehnung und z. T. aktiven Bekämpfung der HJ einen übereinstimmenden Bezugspunkt gewann. Es knüpfte oft an bestimmte bündische Formen der Jugendarbeit an, so bei den – besonders in West- und Mitteldeutschland verbreiteten – »Edelweißpiraten«, an lokale Voraussetzungen großstädtischer Jugendsubkultur (Münchner »Blasen«), an Traditionen der Arbeiterjugend (Leipziger »Meuten«) oder an privatistische Zirkel gymnasialer Schüler-Jugend (Hamburger »Swing-Gruppen«). In diesen fast ausschließlich in den Großstädten aufkommenden, weil hier in relativer Anonymität zeitweilig organisierbaren Cliquen entwickelte sich aus den verschiedensten Quellen eine den Normen der HJ-Erziehung entgegengesetzte Jugend-»Moral«. Die nicht gänzlich unbegründete Feststellung der nationalsozialistischen Überwachungsorgane, daß es sich hierbei um ein ins Kriminelle hineinreichendes Protestpotential handele, trifft doch einen wesentlichen Kern dieser bislang unter dem Gesichtspunkt der Opposition gegenüber dem NS-Regime kaum beachteten Erscheinungsform des Jugendprotests nicht: Die sich gerade auch in jugendlichen Ausschweifungen, z. B. des »wilden« Tanzens und freien Sexuallebens, äußernde Gegenkultur gegenüber den verordneten, zunehmend verlogenen Idealen der HJ. Vom Verfasser ausführlich zitierte Gerichtsurteile, Polizeiberichte und vertrauliche HJ-Denkschriften veranschaulichen die Aktivitäten und die starke Verbreitung dieses HJ-feindlichen Cliquenwesens während des Krieges. Sie bestätigen, daß die Organisations- und Äußerungsformen dieses jugendlichen Verweigerungs-Protestes, wie wenig politisch motiviert sie auch sein mochten, unter den Bedingungen des Dritten Reiches als gefährliches Politikum betrachtet und entsprechend scharf bekämpft wurden.

Zu den hartnäckigsten Widersachern des Dritten Reiches gehörten bekanntermaßen die Anhänger der 1933 verbotenen Internationalen Vereinigung der Bibelforscher. Mit der Augsburger Gruppierung dieser religiösen Sekte, deren harter Kern ca. 70 Personen umfaßte, beschäftigt sich ein kleiner Beitrag Gerhard Hetzers, ein Nebenertrag seiner – in ihren wesentlichen Teilen in Band III dieser Reihe veröffentlichten – Dissertation über die Arbeiterschaft und Arbeiterbewegung in Augsburg. Eingeordnet in die allgemeine Entwicklung der von Verboten, Beschlagnahmen, Verhaftungen und Verurteilungen seit 1935/36 massiv verfolgten Aktivitäten der Bibelforscher im Dritten Reich, veranschaulicht der Verfasser am lokalen Beispiel die märtyrerhafte, fanatische Unerschütterlichkeit, mit der die Zeugen Jehovas dem Machtanspruch des Regimes immer wieder trotzten und dafür schwerste Bestrafungen hinnahmen, die für nicht wenige mit dem Tod im Konzentrationslager endeten. Am exemplarischen Beispiel der Augsburger Gruppe der Bibelforscher vermag Hetzer auch eine in ihren Ergebnissen mit Sicherheit nicht nur für Augsburg zutreffende soziologische Zuordnung dieser religiösen Sekte zu leisten. Aus ihr ergibt sich, daß die aktiven Bibelforscher fast durchweg aus ärmlichen kleinbürgerlichen und Arbeiter-Schichten stammten, oft aus demselben proletarischen Milieu wie Kommunisten oder Sozialdemokraten, wobei es auch einige Querverbindungen zu diesen gab. Wie das Anwachsen der Zahl der Bibelforscher während der Wirtschaftskrise deutet auch diese soziale Herkunft auf eine Affinität zwischen persönlich-gesellschaftlichem Erlösungsbedürfnis und dem eschatologischen Gehalt der von den Bibelforschern inbrünstig geglaubten und gepredigten Lehre hin. Die Nationalsozialisten hatten es hier mit einer Widersetzlichkeit zu tun, der gerade deshalb so wenig beizukommen war, weil nationalsozialistische Überzeugungsappelle an ihr ebenso wirkungslos abprallten wie rationale Zweck-Mittel-Überlegungen.

Den Schluß der dreibändigen Serie monographischer Beiträge im Rahmen des Forschungsprojekts bildet Hildebrand Trolls Schilderung der Aktionen zur Kriegsbeendigung, zu denen es in den Monaten März, April und in den ersten Maitagen des Jahres 1945 an vielen Orten Bayerns kam. In der Person des Verfassers, seit 1980 Direktor des Bayerischen Hauptstaatsarchivs in München, und seit Jahren engagierter archivischer Projektpartner des Instituts für Zeitgeschichte, drückt sich auch noch einmal die enge Kooperation mit den bayerischen Staatlichen Archiven aus, ohne die eine erfolgreiche Durchführung des Forschungsvorhabens nicht möglich gewesen wäre. Die Studie setzt zeitlich ein, wo die vertraulichen Berichte über die Volksstimmung in Bayern während des Krieges enden, die im letzten Teil von Band I dieser Reihe veröffentlicht wurden. Schon bei der Kommentierung dieser Berichte, die auf den ersten Blick den befremdlichen Eindruck einer bis zuletzt, trotz unverhohlen zum Ausdruck gebrachten Kriegsmüdigkeit und -erschöpfung, kaum gebrochenen Arbeitseinsatzbereitschaft der großen Mehrheit der bayerischen Bevölkerung vermitteln, bemerkte Elke Fröhlich, daß sich diese Haltung gleichwohl kaum noch als Loyalität gegenüber dem Regime deuten lasse. Da passiver Widerstand, Sabotage oder andere Aktionen zur Kriegsbeendigung seit spätestens Anfang 1945 angesichts der schnell zu Ende gehenden »Herrlichkeit« des Dritten Reiches weder nötig und aufgrund des sich noch einmal zur blindwütigen Gewalttätigkeit aufbäumenden Terrors des Regimes auch wenig ratsam erschienen, wird man das in den genannten Berichten immer wieder bestätigte – gewiß apolitische – Festklammern an der beruflich-wirtschaftlichen Arbeit eher als Rückgriff auf traditionale Werte und vor-nationalsozialistische Gesinnungen zu bewerten haben, als Teil einer Strategie des bloßen Überlebens, die nun vor allen anderen Einstellungen rangierte. Als jedoch – auch in Bayern – in den letzten Kriegswochen deutlich wurde, daß das Regime mit seinen nur noch der eigenen Existenzverlängerung dienenden Durchhalte- und Verteidigungsparolen nicht haltmachte und mit befohlenen Brückensprengungen, dem Aufbau von Panzersperren an den Ortseingängen etc. das Überleben der Bevölkerung, ihrer Häuser, Versorgungseinrichtungen usw. noch in letzter Stunde ernsthaft infragestellte, reichte ein passives Warten auf die militärische Niederlage und die Ankunft der amerikanischen Truppen nicht mehr aus. Nicht nur im Zuge der Ende April 1945 in München ausgelösten »Freiheitsaktion Bayern«, auch unabhängig von ihr und vor ihr, bildeten sich angesichts der seit Ende März von Nordwesten her nach Bayern vordringenden amerikanischen Truppen von Ort zu Ort zahlreiche lokale Initiativen, die den noch immer auf Verteidigung versessenen Truppenkommandanten der Wehrmacht oder der SS bzw. den Funktionären der Partei in den Arm zu fallen suchten. Trolls Bericht über diese Aktionen zeigt eindringlich, in wie starkem Maß die bisher für das Verhalten der bayerischen Bevölkerung weithin charakteristische äußerliche Folgsamkeit jetzt, in den letzten Kriegstagen, durchbrochen wurde und vielen tapferen, riskanten Unternehmungen Platz machte, die allesamt dem Ziel dienten, den Krieg so schnell und so verlustlos wie möglich zu beenden. Dieser Widerstand der letzten Stunde war von allen Volksschichten getragen, und er forderte noch einmal zahlreiche Opfer. Der Krieg, der – von den Bombardierungen der wenigen bayerischen Großstädte und industriellen Zentren abgesehen – dieses Land fast ganz verschont hatte, jahrelang in fernen Gegenden ausgetragen worden und für die bayerische Bevölkerung ein Geschehen geblieben war, an dem nationaler Enthusiasmus oder patriotische Gesinnung sich ohne allzu starke unmittelbare Betroffenheit leichtsinnig hatten festmachen können, war schließlich doch noch in die eigene Heimat gelangt. Die resolute Bereitschaft, die sich gerade in Bayern regte, als die Gefahr einer sinnlosen Zerstörung dieser Heimat bevorstand, zwingt wohl dazu, auch die vorangegangene äußerliche Regime-Konformität der Mehrheit der bayerischen Bevölkerung als Teil einer Volksmentalität anzusehen, die – zum Engagement für Prinzipielles wenig geschaffen – sich politisch-moralisch erst entscheidet, wenn es konkret wird und um das Eigene geht.

In den beiden noch ausstehenden Bänden dieser Reihe werden Erscheinungsformen des aktiven, aber auch passiven Widerstandes noch einmal im Mittelpunkt stehen. Damit soll sich der Bogen einer methodischen Bemühung schließen, die mit der breiten Dokumentation und anschließenden Vertiefung der variationsreichen Vielgestaltigkeit der politischen Verhaltensgeschichte in der NS-Zeit in den jetzt vorliegenden vier Bänden dieser Reihe einen soliden Grund gelegt hat.

Der Dank für das mit dem Abschluß dieser Forschungsbeiträge Erreichte gilt vor allem den Autoren, den bayerischen und außerbayerischen Archiven, die das Quellenmaterial zur Verfügung stellten, dem Bayerischen Staatsministerium für Unterricht und Kultus, das die Finanzierung gewährleistete, dem Oldenbourg-Verlag für die bewährte Sorgfalt der Herstellung und der, durch dokumentarisches Bildmaterial angereicherten, Ausstattung und den Mitarbeiterinnen und Mitarbeitern im Institut für Zeitgeschichte, besonders den wissenschaftlichen Projektmitarbeitern, die sich für das bestmögliche Gelingen des Vorhabens eingesetzt haben.

München, im März 1981   M.B.

KLAUS TENFELDE

Proletarische Provinz

RADIKALISIERUNG UND WIDERSTAND
IN PENZBERG/OBERBAYERN 1900–1945

EINLEITUNG

Penzberg, die Bergarbeiterstadt im Pfaffenwinkel, erlangte in den letzten Tagen des Zweiten Weltkrieges traurige Berühmtheit. Die Erzählung von den 16 Wehrmacht- und Werwolf-Morden ging in der engeren und weiteren Umgebung der Stadt von Mund zu Mund in diesen Stunden, als die längst bedrückend empfundenen Bürden des Weltkriegs und der nationalsozialistischen Herrschaft unter dem Einmarsch der Amerikaner in Bayern Vergangenheit wurden. Noch viel später, während der Prozesse gegen die Verursacher und Leiter jener grauenvollen Aktion, ließ das Ereignis die Stadt nicht los. Weil man sich hier kannte, auf engem Raum seit Jahrzehnten zusammenlebte, war jeder betroffen – sei es durch verwandtschaftliche oder freundschaftliche Beziehungen zu den Ermordeten und ihren Freunden, sei es durch den Augenschein, durch Miterleben und Miterleiden.

Der Ruhm der Stadt gründet im Freiheitsmut ihrer Einwohner. Darüber nicht zu vergessen, daß dies auch eine berüchtigte, in der Umgebung, in Behördeninstanzen und landesweit verschrieene, zum »Kommunistennest« verteufelte Stadt gewesen ist, gehört zu den wesentlichen Aufgaben der vorliegenden Untersuchung. Woher kam der schlechte Ruf der Penzberger, welchem Wandel unterlagen die Stadt und das Bild von ihr? Gab es gar einen Zusammenhang zwischen dem Ruf und dem Ruhm? Was war anders an dieser Stadt? Wir werden weit in die Geschichte der Bergarbeitersiedlung zurückzuschauen haben, um die Eigenart ihrer Bürger zu verstehen, ihre Verhaltensformen, Denkweisen und Werte aufzuzeigen und Schlüssel für die besondere Entwicklung der Stadt bis hin zu den Morden vom 28. April 1945 aufzufinden.

Fünf Grundzüge, die die Geschichte unserer Stadt von jener anderer Industrieorte unterscheiden, seien vorab näher bezeichnet:

1. Penzberg ist eine junge Stadt. Die Stadtbildung vollzog sich, praktisch von einem Nullpunkt beginnend, binnen eines halben Jahrhunderts, aber sie war, in einem soziokulturellen und auch politischen Sinn, damit noch keineswegs vollendet.

2. Penzberg verdankt seine Entstehung und Entwicklung ausschließlich einer zeitweise sehr rasch expandierenden Industrie. Die Geschwindigkeit des Wachstums und sein im Vergleich zur gesamtdeutschen Industrialisierung später Beginn setzten andere Bedingungen, als sie in den stets älteren deutschen Industrielandschaften, auch den schwerindustriellen, anzutreffen sind.

3. Die Penzberger Industrialisierung ist ausschließlich bergbaugeprägt. Dabei kommt – dies wird im einzelnen auszuführen sein – weniger den über Jahrhunderte ausgeformten bergbauständischen Sozialbeziehungen als vielmehr den bergbaueigenen Produktions-, Betriebs- und Lebensformen die entscheidende Prägekraft in der Stadt zu.

4. Die bergbauliche Industrialisierung in Penzberg war nicht in ein Netz wechselseitiger wirtschaftlich-sozialer Verflechtungen eingebettet, sondern blieb ein punktuelles Ereignis, abgelöst von der Umgebung, die ihren in Jahrhunderten ausgeformten Charakter bewahren konnte. Der bergbaulichen Industrialisierung ging keine »protoindustrielle« Vorbereitungsphase[1] voraus.

5. Die genannten Grundzüge zum Teil zusammenfassend, erscheint von wesentlicher Bedeutung, daß die Industrialisierung Penzbergs, so rasch sie voranschritt und so kontrastreich sich die neuen Lebensformen im Verhältnis zur Umgebung herausschälten, ein räumlich sehr begrenztes, kleinstädtisches Phänomen geblieben ist. Es gab wenig Wesentliches etwa in Angelegenheiten der Kommunalpolitik, was den Einwohnern verborgen geblieben wäre, und die Beziehungen der Menschen untereinander versanken nicht in großstädtischer Anonymität, sondern blieben persönlich gefärbt, tagtäglich erfahrbar und überdies auf den gemeinsamen Arbeitsplatz und auf sehr weitgehend identische Daseinserfahrungen auch außerhalb des Zechenbetriebs bezogen.

Kurze Geschichte, rasche und späte Industrialisierung auf engbegrenztem, übersichtlichem Raum, bergbauliche Prägung und scharfe Stadt/Land-Kontraste werfen eine Fülle von methodischen und industrialisierungstypologischen Überlegungen auf, die hier um so weniger detailliert erörtert werden können, als es für Deutschland an vergleichbaren sozialgeschichtlichen Studien über ähnlich situierte Forschungsgegenstände weithin fehlt[2]. Dabei sollte gerade der besondere Verlauf der Industrialisierung in Bayern, konzentriert man einmal den Blick eben nicht auf die bedeutenderen Industrielandschaf-

---

[1] Vgl. Kriedte, Peter, Medick, Hans, Schlumbohm, Jürgen: Industrialisierung vor der Industrialisierung. Gewerbliche Warenproduktion auf dem Land in der Formationsperiode des Kapitalismus. Göttingen 1978; zur ausführlichen Kritik s. Schremmer, Eckart: Industrialisierung vor der Industrialisierung. Anmerkungen zu einem Konzept der Proto-Industrialisierung, in: Geschichte und Gesellschaft 6 (1980), S. 420–448. In unserem Zusammenhang ist von Bedeutung, daß in Penzberg und Umgebung keinerlei heimgewerblich-textilindustrielle Erwerbsformen an der Schwelle der Industrialisierung feststellbar sind.

[2] Vgl. etwa Maschke, Erich: Industrialisierungsgeschichte und Landesgeschichte, in: Blätter für deutsche Landesgeschichte 103 (1967), S. 71–84; Zorn, Wolfgang: Landesgeschichte und Sozial- und Wirtschaftsgeschichte, in: Vierteljahrschrift für Sozial- und Wirtschaftsgeschichte (= VSWG) 57 (1970), S. 363–368; als frühe Spezialuntersuchung: Borchardt, Knut: Regionale Wachstumsdifferenzierung im 19. Jahrhundert unter bes. Berücksichtigung des West-Ost-Gefälles, in: Abel, Wilhelm u.a. (Hrsg.): Wirtschaft, Geschichte und Wirtschaftsgeschichte. Festschrift zum 65. Geburtstag von Friedrich Lütge. Stuttgart 1966, S. 325–339; jüngerer Überblick: Köllmann, Wolfgang: Zur Bedeutung der Regionalgeschichte im Rahmen struktur- und sozialge-

ten[3] um Nürnberg-Fürth, Augsburg oder München, zum Studium der Sozialgeschichte jener rasch und punktuell industrialisierenden Orte an der Peripherie anregen – man denke an Kolbermoor[4], Selb, Zwiesel und die oberbayerischen Bergbaustädte[5] wie Penzberg sowie Peißenberg und Hausham.

Man wird, nach den vorstehenden, knappen Bemerkungen, in der Geschichte dieser Orte von prinzipiell anderen Voraussetzungen ausgehen müssen, als sie gewöhnlich von der industrie-regionalen Sozialgeschichte unterstellt werden. Beispielsweise stimmen punktuelle Industrialisierungsprozesse eher nur ausnahmsweise mit der in der deutschen Forschung weithin akzeptierten Unterscheidung von Phasen des Industrialisierungsverlaufs überein; sie laufen im allgemeinen rasch ab, sind monoindustriell geprägt, unterscheiden sich ferner fundamental in ihren Standortbedingungen und Marktformen (Kapital-, Rohstoff-, Absatz- und Arbeitsmärkte) von der Entwicklung der größeren Industrielandschaften. Wichtig erscheint auch die Beobachtung, daß punktuelle Industrialisierung die umliegenden Agrarlandschaften eher weniger in Mitleidenschaft zieht[6] als die Herausbildung ganzer Industrieräume, die Randzonen, Einflußbereiche usw. etwa im Sinne von Zulieferungsräumen für Agrarprodukte zu entfalten neigen.

Dies verschärft den Stadt/Land-Kontrast bei der Kleinstadtindustrialisierung erheblich; es begründet und unterstützt Andersartigkeit und Fremdheit, Isolation und Abwehr. Man kann sagen, daß der Stadt/Land-Gegensatz nicht eigentlich am Beispiel der industriellen Großstadt, wo er im Leben des einzelnen alltäglich kaum noch spürbar wird

---

schichtlicher Konzeptionen, in: Archiv für Sozialgeschichte (= AFS) 15 (1975), S. 43–50; von wirtschaftsgeschichtlicher Seite jetzt bes.: Tipton, Frank B.: Regional Variations in the Economic Development of Germany during the 19th Century. Middletown, Conn. 1976; Fremdling, Rainer, und Richard H. Tilly (Hrsg.): Industrialisierung und Raum. Studien zur regionalen Differenzierung im 19. Jahrhundert. Stuttgart 1979. Dieser Band konzentriert sich in der Einleitung leider auf vorrangig wirtschaftshistorische Prozesse (Standorttheorie u. a.). Auch in dem Beitrag von Borscheid, Peter: Arbeitskräftepotential, Wanderung und Wohlstandsgefälle, in diesem Bd., S. 230–248, in dem noch am ehesten punktuelle Industrialisierung diskutiert werden könnte, werden kaum weitergehende Schlüsse gezogen. – An allgemeinen Arbeiten sei anstelle ausführlicher Bibliographierung auf zwei kleinere Studien verwiesen: Hughes, J. R. T. und Wilbert E. Moore: Industrialization, in: International Encyclopedia of the Social Siences 7 (1968), S. 252–270; Borchardt, Knut: Grundriß der deutschen Wirtschaftsgeschichte. Göttingen 1978, S. 39ff. (»Zentrum und Peripherie in der Industriellen Revolution«).

[3] Vgl. bes. das Standardwerk von Schremmer, Eckart: Die Wirtschaft Bayerns. Vom hohen Mittelalter bis zum Beginn der Industrialisierung. Bergbau, Gewerbe, Handel. München 1970. Für das 19. Jahrhundert vgl. Wolfgang Zorns problemorientierten Abriß: Bayerns Gewerbe, Handel und Verkehr (1806–1970), sowie: Die Sozialentwicklung der nichtagrarischen Welt (1806–1870), in: Spindler, Max (Hrsg.): Handbuch der bayerischen Geschichte, Bd. IV, 2. Teilbd.: Das neue Bayern. München 1975, S. 781–845, 846–882, mit der weiteren Literatur; s. auch Zorns älteren Überblick: Kleine Wirtschafts- und Sozialgeschichte Bayerns 1806–1933. München-Pasing 1962; ferner Emminger, Otmar: Die bayerische Industrie. München 1947. Die ältere Literatur ist teilweise von großem Wert und wird im Verlauf der Untersuchung wiederholt heranzuziehen sein.

[4] Vgl. Landgrebe, Christa: Zur Entwicklung der Arbeiterbewegung im südostbayerischen Raum. Eine Fallstudie am Beispiel Kolbermoor. München 1980. Die Arbeit von Wagner, Gisela: Der Streik in den Piesberg-Betrieben im Jahre 1898, in: Osnabrücker Mitteilungen 83 (1977), S. 117–131, die auf vergleichbare sozioökonomische Rahmenbedingungen einer punktuellen bergbaulichen Industrialisierung stößt, bleibt leider ausschließlich im Detail eines Streikverlaufs verhaftet.

[5] Deren Untersuchung forderte bereits Zorn, Wolfgang: Probleme und Quellen der bayerischen Sozialgeschichte im 19. Jahrhundert, in: Bayern. Staat und Kirche, Land und Reich. Forschungen zur bayerischen Geschichte vornehmlich im 19. Jahrhundert. Wilhelm Winkler zum Gedächtnis. München o. J. [1961], S. 347–358, 355f.

[6] In diesem Zusammenhang untersucht Pankraz Fried einen wichtigen Aspekt: Reagrarisierung in Südbayern seit dem 19. Jahrhundert, in: Kellenbenz, Hermann (Hrsg.): Agrarisches Nebengewerbe und Formen der Reagrarisierung im Spätmittelalter und 19./20. Jahrhundert. Stuttgart 1975, S. 177–193.

und allenfalls im Sinne der ländlichen Herkunft fortwirkt, sondern am Beispiel der industriellen Kleinstadt, in der ein Kontaktzwang mit der ländlichen Umgebung besteht, soziale und politische Konturen gewinnt. Wir werden dies am Beispiel Penzbergs wiederholt zeigen können; mehr noch, die Stadtgeschichte läßt sich ohne den Bezug auf dieses Problemfeld nicht hinreichend verstehen. Wenn daher im folgenden von der Industrialisierung in der Provinz gesprochen wird, so sei unter »Provinz« vorrangig (Haupt-)Stadtferne und industrielandschaftliche Peripherie, in zweiter Linie dann eine »mentale Provinz«[7] verstanden, unter der wir jedoch, abweichend vom Forschungsbrauch, nicht nur die dörflich-agrarischen Denk- und Verhaltensformen der Penzberger Umgebung, sondern auch jene in der Stadt selbst als »proletarische Provinz« umfassen, also den Kontrast vom Provinzbegriff umschlossen wissen möchten.

Über den Stadt/Land-Gegensatz hinaus bleibt die Frage nach den sozialen und politischen Folgen der raschen, punktuellen und monoindustriellen Industrialisierung konstitutiv für das Problemverständnis der vorliegenden Untersuchung. Dies sei knapp an einem weiteren Punkt verdeutlicht: an der Frage, ob sich die Verspätung und die Geschwindigkeit des industriellen Wachstums in unterscheidbaren – es werden mithin vergleichende Blicke auf andere, vorzugsweise bergbauliche Industrieregionen erforderlich – Verhaltensweisen niederschlagen. Ein Ergebnis vorwegnehmend, sei hervorgehoben, daß die rasche Entwicklung der Stadt, ihre »Jugend«, in einer sehr engen Wechselbeziehung zu ihrer sozialen und politischen Radikalisierung stand.

Das Merkmal der »Radikalisierung« ist vor allem von der soziologischen Forschung eng mit bestimmten Formen der Industrialisierung verknüpft worden. Dabei finden sich extrem gegensätzliche Standpunkte: Rasche industrielle Expansion schaffe, so heißt es, größere Verteilungsspielräume, was, da auch die Arbeiterschaft an dem größer gewordenen »Kuchen« partizipiere, konfliktmildernd und -mindernd wirke[8]. Andererseits, so wurde behauptet, »destabilisiere« rasches Wachstum das Bevölkerungs- und Erwerbsgefüge, zerstöre gewachsene Bindungen und Beziehungen oder verhindere deren Entfaltung; die hieraus folgende Orientierungslosigkeit wirke konfliktverschärfend, radikalisierend[9]. Während man die erstgenannte Ansicht als »Distributionstheorie« des sozialen Konflikts bezeichnen könnte, berührt sich die letztgenannte mit jener in der historischen Forschung seit längerem diskutierten, jüngst vermehrt abgelehnten »Entwurzelungs-

---

[7] Hennig, Eike: Regionale Unterschiede bei der Entstehung des deutschen Faschismus. Ein Plädoyer für »mikroanalytische Studien« zur Erforschung der NSDAP, in: Politische Vierteljahresschrift 21 (1980), S. 152–173.

[8] Ridker, Ronald G.: Discontent and Economic Growth, in: Economic Development and Cultural Change 11 (1962), S. 1–15.

[9] Olson, Mancur: Rapides Wachstum als Destabilisierungsfaktor, in: von Beyme, Klaus (Hrsg.): Empirische Revolutionsforschung. Opladen 1973, S. 205–222, z. B. S. 209: Wer sich von »Stamm, Dorf, Gutsbesitz oder Familienclan hat weglocken lassen, kann sich sehr wohl als frustrierter Nutznießer wirtschaftlichen Wachstums erweisen. Er sieht sich, wenn auch durch seine freiwillige Entscheidung, entwurzelt und ist nicht in der Lage, in kurzer Zeit vergleichbare soziale Verbindungen in der Stadt anzuknüpfen. Daher ist er geneigt, sich destabilisierenden Massenbewegungen anzuschließen«. Vgl. auch die Argumentation in verschiedenen Aufsätzen von Gerald D. Feldmann, u. a.: Socio-economic Structures in the Industrial Sector and Revolutionary Potentialities, 1917–1922, in: Bertrand, Charles L. (Hrsg.): Revolutionary Situations in Europe, 1917–1922. Montréal 1977, S. 159–176.

theorie«[10], wonach starke Wanderungsbewegungen und die ihnen zugrundeliegenden strukturellen Veränderungen im Erwerbsgefüge die Konfliktbereitschaft mehren, radikalisieren.

Was ist radikal? Umgangssprachlich scheint der Begriff von einer mitgedachten Normalität im doppelten Sinn bestimmt: Radikal ist, wer die verfassungsmäßige Grundordnung nicht akzeptiert, aber auch, wer am Rande oder im Kern von Massenbewegungen, Demonstrationen und Streiks zu Verhaltensformen greift, die nicht den erkennbaren und anerkannten Grundregeln eines gewaltfreien, rationalen Konfliktausgleichs entsprechen. Man wird hiernach zwischen politischem und sozialem Radikalismus unterscheiden können. Der erstgenannte gewinnt als Rechts- oder Linksradikalismus zumeist die Gestalt politischer Strömungen, Ideologien und Parteien; der soziale Radikalismus ist ein allgegenwärtiges, auf den Common sense einer Gesellschaft bezogenes Phänomen. Beide Vorstellungen fließen in die vorliegende Untersuchung ein, jedoch in historisch spezifizierter Form: Politischer Radikalismus im Wilhelminischen Deutschland war grundverschieden von jenem in der Weimarer Republik, und der soziale Radikalismus in der Bergarbeiterkommune wies von jenem in den großstädtischen Ballungszentren sehr verschiedene Züge auf. Auch kann Radikalismus eine Reaktion auf die Abwesenheit oder Unangemessenheit von Konfliktregelung bedeuten; in diesem Sinne gewinnt die »Entwurzelungstheorie« neue Bedeutung: Während die Industrialisierung einerseits das Gefüge bestandener Bindungen und Beziehungen gleichsam in Unordnung, aus den »Proportionen« brachte oder gar vollkommen zerstörte, schuf sie andererseits neue und verschärfte alte Konfliktfronten, für deren Regelung noch alle Voraussetzungen fehlten, insbesondere aber die schon zeitgenössisch als entscheidend erkannte Voraussetzung der Organisierbarkeit und Organisiertheit der Konflikträger[11].

Nach dem Gesagten wäre Radikalismus der sozialen Verhaltensformen ein von radikalen politischen Ideologien sachlich unabhängiges, mit ihnen jedoch wegen der scheinbaren Übereinstimmung von Ideologie und Wirklichkeit vielfach eng verknüpftes Merkmal jeder industrialisierenden und industriellen, insbesondere aber der rasch expandierenden Gesellschaft, und Störungen des Wachstums, etwa schwerwiegende wirtschaftliche Krisen, müßten sich vor allem dann als radikalisierend erweisen, wenn das Ordnungsgefüge der betrieblichen, familiären, nachbarlichen und kommunalen Bindungen und Beziehungen wenig entwickelt, gestört, disproportioniert ist und wenn

---

[10] Im Zusammenhang der Auseinandersetzung um den sozialen Protest s. Geschichte und Gesellschaft 3 (1977), H. 3 sowie Tilly, Richard und Gerd Hohorst: Sozialer Protest in Deutschland im 19. Jahrhundert: Skizze eines Forschungsansatzes, in: Jarausch, Konrad (Hrsg.): Quantifizierung in der Geschichtswissenschaft. Probleme und Möglichkeiten. Düsseldorf 1976, S. 232–278; zur Kritik jetzt bes. Crew, David F.: Town in the Ruhr. A Social History of Bochum, 1860–1914. New York 1979, S. 164–174. In der älteren Literatur ist die »Entwurzelungstheorie« bes. am Beispiel des Ruhrgebiets von Wilhelm Brepohl und Wolfgang Köllmann vertreten worden.

[11] Vgl. etwa Gustav Schmollers berühmtes Referat auf der Gründungsversammlung des Vereins für Socialpolitik 1872: Arbeitseinstellungen und Gewerkvereine, in: Jahrbücher für Nationalökonomie und Statistik 19 (1872), S. 293–320.

adäquate Formen der Regelung fehlen[12]. Die »Jugend« unserer Stadt, so lautet der so begründete Komplex von Thesen, ihr rasches industrielles Wachstum und die aufgrund dieser Entwicklungsbedingungen gestörten und disproportionierten – aber keineswegs fehlenden, vielmehr in besonderer Form entfalteten – Bindungen und Beziehungen haben die Bereitschaft zu radikalen Verhaltensformen und die Rezeptionsbedingungen des politischen Radikalismus immens gefördert. Die Besonderheiten der bergbaulichen Industrialisierung auf der einen, die bereits gekennzeichnete »provinzielle« Disposition der Arbeiterbevölkerung auf der anderen Seite verschärften diesen Prozeß. Sozialer und politischer Radikalismus tragen jedoch, wie am Beispiel Penzbergs sehr deutlich wird, keineswegs notwendig die Fähigkeit zu besonders aktivem, zielbewußtem und durchorganisiertem Widerstand im Unterdrückungsfall in sich. Die dieser Studie zugrundeliegende Sichtweise, das Erkenntnisziel mehr durch die sozialen und politischen Verhaltensformen als durch Organisation und Politik an sich zu bestimmen, wird sich als geeignet erweisen, gerade im Blick auf den »Widerstand« und unter bewußter Lockerung der den Widerstandsbegriff[13] bisher prägenden Merkmale ein Spektrum möglicher Verhaltensweisen am Beispiel der »proletarischen Provinz« auch in der Zeit des Nationalsozialismus aufzuzeigen.

Mit diesen einführenden Bemerkungen über Grundzüge, Ziele und Instrumente der Untersuchung soll deutlich werden, daß sich ihr Erkenntnisinteresse nicht auf die Entwicklung der Bergarbeiterkommune in der Zeit des Nationalsozialismus beschränkt, vielmehr weiter greift, das letztgenannte Problemfeld als ein wichtiges unter mehreren versteht, die miteinander verbunden sind und allesamt gerade zur Klärung von sozialem Verhalten und Gemeindepolitik unter dem Nationalsozialismus erheblich beitragen. Mit anderen Worten, unsere Untersuchung erschöpft sich nicht im 28. April 1945, wird dieses Datum und die zu ihm führenden Umstände und Entwicklungen jedoch, soweit sich den Mordtaten überhaupt historischer Sinn unterstellen läßt, im Blick behalten. Der Untersuchungszeitraum beginnt aus Gründen des Forschungsstands[14], aber auch aus

---

[12] Daß die Bedingungen von Arbeiterradikalismus in den großen Industrielandschaften sehr stark von jenen in punktuell industrialisierenden Agrarlandschaften divergieren, zeigt ein Vergleich mit der Remscheid und Hamborn behandelnden Studie von Lucas, Erhard: Zwei Formen von Radikalismus in der deutschen Arbeiterbewegung. Frankfurt a. M. 1976. Lucas verschwendet an den Radikalismus-Begriff wenig Überlegungen. Einige Bemerkungen finden sich hingegen in der Arbeit von Landgrebe über Kolbermoor: Kennzeichnend für die ähnlich jener Penzbergs situierte, jedoch textilindustriell geprägte Arbeiterbewegung Kolbermoors sei in der Frühzeit (S. 13) eine noch »dem bäuerlichen Lebenskreis entstammende Mentalität«, »die Orientierung an den weltanschaulichen Positionen der Arbeitgeber« sowie eine »weitgehende Isoliertheit, in der, aus der Not geboren, die ersten Ansätze der Arbeiterbewegung entstanden«. Unsere Arbeit wird in sehr entscheidenden Punkten von dieser Analyse abweichen.

[13] Vgl. als jüngeren zusammenfassenden Versuch: van Roon, Ger: Widerstand im Dritten Reich. Ein Überblick. München 1979; zum Widerstandsbegriff s. auch Jaeger, Harald und Hermann Rumschöttel: Das Forschungsprojekt »Widerstand und Verfolgung in Bayern 1933–1945«. Ein Modell für die Zusammenarbeit von Archivaren und Historikern, in: Archivalische Zeitschrift 73 (1977), S. 209–220, 214; Hüttenberger, Peter: Vorüberlegungen zum »Widerstandsbegriff«, in: Kocka, Jürgen (Hrsg.): Theorien in der Praxis des Historikers. Göttingen 1977, S. 117–139.

[14] Dem Pfaffenwinkel und Penzberg im späten 18. und 19. Jahrhundert hat sich jüngst Hermann Hörger in mehreren Studien zugewandt: Frömmigkeit auf dem altbayerischen Dorf um 1800, in: Oberbayerisches Archiv

sachlichen Erwägungen — die Formationsphase der die Geschicke der Stadt entscheidenden Arbeiterbewegung datiert im Jahrzehnt vor dem Ausbruch des Ersten Weltkriegs — um die Jahrhundertwende, doch wird es verschiedentlich erforderlich sein, einige Fragen und Probleme der Stadt und ihrer Landschaft noch weiter zurückzuverfolgen. So ist insgesamt weder eine umfassende Sozialgeschichte der Stadt Penzberg, noch gar des Bergbaus und seiner Kommunen in Oberbayern beabsichtigt, doch wird unsere Darstellung hierfür und zur Geschichte der Industrialisierung in einer verspäteten Region einige Bausteine liefern können.

Dabei fließen die wichtigsten Informationen aus der administrativen Überlieferung im Hauptstaats- und im Staatsarchiv München sowie im Stadtarchiv Penzberg, deren Beamten, insbesondere dem Stadtarchivar und Chronisten der Stadt Penzberg[15], Herrn Karl Luberger, ich für zahllose nützliche Hinweise danke. Den fernerhin für diese Studie zentralen, seit kurzem im Staatsarchiv München verfügbaren Bestand »Oberkohle« zu erschließen, half Herr Oberarchivrat Dr. Uhl. Der Gesamtbestand ist noch unverzeichnet; für die Erschließung wurde die alte Zechenregistratur unter stets weiter thematischer Abgrenzung zugrunde gelegt, und eine eben erfolgte Nachlieferung wurde systematisch durchgesehen. Erstmals einer wissenschaftlichen Untersuchung beigezogen wurde, unter freundlicher Hilfe durch Herrn Buchdruckereibesitzer Hermann Höck, Penzberg, das einzige vollständig überlieferte Exemplar des *Penzberger Anzeigers*, eines für die Ortsgeschichte stets außerordentlich ergiebigen Lokalblattes. Einzelne Bestände, darunter besonders einen Akt »Steinbauer« und eine Kopie der im Oberlandesgericht München verwahrten Akten des Penzberger Kommunistenprozesses von 1933/34, machte mir das Institut für Zeitgeschichte zugänglich; Herrn Professor Dr. Martin Broszat und seinen Mitarbeitern gilt hierfür und für klärende Gespräche nachdrücklicher Dank. Herr Professor Broszat verwies mich überdies auf das Thema und regte zu seiner Bearbeitung an; von ihm und im Kolloquium meines akademischen Lehrers, Herrn Professor Dr. Gerhard A. Ritter, erhielt ich wichtige Hinweise für Quellenstudium und Auswertung.

Die Namen jener Informanten, die meine Kenntnis der Stadtgeschichte in zahlreichen Einzelgesprächen vertieften, können hier nicht aufgeführt werden; stellvertretend seien Frau Anna Altewische, Herr Wolfgang Biersack und Herr Konrad Eisend genannt. Hinweise und Unterstützung erfuhr ich außerdem durch den inzwischen verstorbenen

---

102 (1978), S. 123–142; ders.: Familienformen und ländliche Industriesiedlung im Verlauf des 19. Jahrhunderts, in: ZBLG 41 (1978), S. 771–819; ders.: Kirche, Dorfreligion und bäuerliche Gesellschaft, T. 1: Strukturanalysen zur gesellschaftsgebundenen Religiosität ländlicher Unterschichten des 17. bis 19. Jahrhunderts, aufgezeigt an bayerischen Beispielen. München 1978; ders.: Mortalität, Krankheit und Lebenserwartung der Penzberger Bergarbeiterschaft im 19. und beginnenden 20. Jahrhundert, in: ZBLG 43 (1980), S. 185–222. Dem 1978 erschienenen Buch ist ein Prospekt über die Gliederung eines 2. Teils beigefügt, der die Konzentration der Studien auf die Zeit bis zur Jahrhundertwende erkennen läßt.

[15] Luberger, Karl: Geschichte der Stadt Penzberg, 2. Aufl., Kallmünz 1975; s. auch ders.: Penzberg. Vom Bergwerksort zur Kleinstadt, in: Bayern. Zeitschrift über das Leben in Bayern 5 (1977), S. 17–21; zu Penzberg ferner: Schaffer, Martin: Sozialgeographische Aspekte über Werden und Wandel der Bergwerksstadt Penzberg, in: Mitteilungen der Geographischen Gesellschaft in München 55 (1970), S. 85–103.

ehemaligen Direktor des Bergwerks Penzberg, Herrn Dipl.-Ing. Karl Balthasar, sowie vor allem in zwei langen Gesprächen mit Herrn Pfarrer Karl Steinbauer. Herr Pfarrer Orth ließ mich in die Akten des Evangelischen Pfarramtes Penzberg Einsicht nehmen; Herr 1. Bürgermeister Kurt Wessner war bei der Vermittlung einiger wichtiger Kontakte behilflich. Von einer systematischen Befragung von Zeitgenossen[16] wurde nach Prüfung der archivalischen Überlieferung und einigen »Testgesprächen« über präzise Einzelfragen abgesehen, doch sind Hintergrundkenntnisse und Details des soziokulturellen Milieus der Stadt in erheblichem Umfang aus Gesprächen bezogen worden und in diese Studie eingeflossen. Dies wird im einzelnen vermerkt[17], wenn sich Tatsachenfeststellungen ausschließlich auf solche Quellen stützen. In einigen Fällen wurden die Namen handelnder Personen verschlüsselt.

I. Bergbau und Gemeinde bis 1914

1. Probleme des Pechkohlenbergbaus in Südbayern

Nachrichten über Kohlenabbau im Gebiet der oberbayerischen Pechkohlenflöze sind bereits aus dem späten 16. Jahrhundert überliefert; in Peißenberg vor allem kannte man regelmäßigen Abbau, und schon damals erwies sich der Transportfaktor als von ausschlaggebender, die bergbauliche Entwicklung nachhaltig hemmender Bedeutung[1].

---

[16] Vgl. Niethammer, Lutz: Oral History in USA. Zur Entwicklung und Problematik diachroner Befragungen, in: AFS 18 (1978), S. 457–501, sowie ders. (Hrsg.) unter Mitarb. v. Werner Trapp: Lebenserfahrung und kollektives Gedächtnis. Die Praxis der »Oral History«. Frankfurt a. M. 1980.

[17] Archivalische Quellen werden abgekürzt zitiert (vgl. Abkürzungsverzeichnis); bei genaueren Bezügen und Zitaten werden Absender und Adressat genannt und durch Querstrich (Abs./Adressat) kenntlich gemacht. Ausgewertete Literatur wird innerhalb eines Kapitels stets erstmals mit vollständigem Titel, in der Folge dann abgekürzt zitiert. – Die vorliegende Studie wurde von der Philosophischen Fakultät für Geschichts- und Kunstwissenschaften der Universität München im Wintersemester 1980/81 als Habilitationsschrift angenommen.

[1] Vgl. Wiedemann, Hans: Die Anfänge der oberbayerischen Steinkohlenproduktion und die Reichsstadt Augsburg (1594–1602), in: Zeitschrift des historischen Vereins für Schwaben und Neuburg 40 (1914), S. 113–156, hier S. 135, 138. Zur älteren bayerischen (Erz-) Bergbaugeschichte s. Schremmer, Eckart: Die Wirtschaft Bayerns. Vom Mittelalter bis zum Beginn der Industrialisierung. Bergbau, Gewerbe, Handel. München 1970, S. 63–78, 315–324, 344f. Ausblick auf die Pechkohlenförderung; ähnlich knapp: Klebe, Heinrich: Die Entwicklung von Industrie und Gewerbe in Bayern (Geschichtlich-statistische Skizze). München 1930, S. 14f.; sowie der Beitrag von Mayer, Franz: Geschichte der bayerischen Bergwerksindustrie, in dem Sammelband: Kuhlo, Alfred (Hrsg.): Geschichte der bayerischen Industrie. München 1926, S. 81–84, knapp zur Pechkohle: S. 83f.; Zorn, Wolfgang: Bayerns Gewerbe, Handel und Verkehr (1806–1970), in: Spindler, Max (Hrsg.): Handbuch der bayerischen Geschichte, Bd. IV: Das neue Bayern 1800–1970, 2. Teilbd., S. 781–845, 803f., 813, 821. Ausführlicher informieren allgemein über die bayerische Bergbaugeschichte sowie über jene des Pechkohlenbergbaus im besonderen: Stand und Entwicklung der Bayerischen Montanindustrie. München 1908, S. 3*–18* sowie S. 49*–67*. Der statistische Teil dieser Veröffentlichung ist auf die Jahre nach der Jahrhundertwende konzentriert. Ferner: Fichtl, W. (Hrsg.): Das Bayerische Oberbergamt und der Bayerische Bergbau. Brilon und Basel 1960, zur allgemeinen Bergbaugeschichte S. 9–17, zur Pechkohlenbergbau S. 25–27.

Auch in Penzberg[2] mag es vor dem Einsetzen gezielter staatlicher Aufschließungsmaßnahmen gegen Ende des 18. Jahrhunderts einige Kohlengräberei gegeben haben; sie ist indessen planlos und peripher geblieben. Freilich fehlte es, als nunmehr angestellte Kalkulationen ein einträgliches Geschäft mit dem Kohlenbergbau zu versprechen schienen, an den entscheidenden Voraussetzungen für die Aufnahme eines geregelten Betriebs auf solider Grundlage: an einer industriellen Verwertbarkeit des Massenförderguts Kohle insbesondere, an einer günstigeren Verkehrserschließung des Oberlandes darüber hinaus, schließlich wohl auch an den bergrechtlichen Möglichkeiten einer expansiven Kohlenförderung. Ein industrieller Absatzmarkt für Kohle war um diese Zeit selbst im Ruhrgebiet, wo man immerhin bereits mit der Verkokung experimentierte, nur erst im Sinne der Energieversorgung für die bergischen Hammerwerke in Sicht – in Südbayern fehlte es indessen selbst daran. Was blieb, war die Hausbrandversorgung, der angesichts fühlbaren Holzmangels immer größere Bedeutung zukam; daneben allenfalls noch die Energieversorgung für Glashütten, von denen in Nantesbuch bei Penzberg 1836 die erste entstand, während Experimente mit einer Gasbeleuchtung auf der Grundlage der oberbayerischen Pechkohle steckengeblieben sind. Für die Hausbrandversorgung aber war vorwiegend das wachsende München von Interesse. Dort hingegen bemaß sich der Wert der Pechkohle von Penzberg nach dem Ortswert des sich verteuernden Holzes, und in der Kostenkalkulation schlug ein allen Unbilden der Witterung preisgegebener Floßtransport auf Loisach und Isar zu Buche[3].

Die noch 1796 gegründete »Oberländische Steinkohlengewerkschaft« siechte denn auch wegen der ungünstigen Transportsituation dahin. Der Penzberger Bergbau lag in empfindlicher Zubuße, und auch den Bemühungen des Freiherrn von Eichthal, im Blick auf die vielversprechende Gasversorgung der Hauptstadt den Abbau unter Vergrößerung des Felderbesitzes (1828) zu forcieren, war kein wirklich durchschlagender Erfolg beschieden. Nachdem 1850 das Grubenfeld erneut erweitert und seit 1851 ein erster seigerer[4], der Isabellenschacht abgeteuft worden war, standen um 1869, dem Jahr des

---

[2] Vgl. bes. das Buch von K. A. Weithofer, dem ehemaligen Generaldirektor der Oberkohle: Das Pechkohlengebiet des bayerischen Voralpenlandes und die Oberbayerische AG für Kohlenbergbau. Denkschrift aus Anlaß des 50jährigen Bestehens dieser Gesellschaft (1870-1920). München 1920. Diese Veröffentlichung zeigt die Schwerpunkte der älteren Betriebsgeschichte und informiert kaum über die Entwicklung der Belegschaft u. ä.; sie skizziert überdies die Marktsituation der oberbayerischen Pechkohle erklärlicherweise recht optimistisch. Siehe auch: Hundert Jahre Kohlenbergwerk Peißenberg. Bayerische Berg-Hütten- und Salzwerke A. G. 1837-1937. o. O. o. J. [1937]; als knappe Überblicke: Stinglwagner, Alois: Oberbayerischer Kohlenbergbau, in: Bayerland (= BL) 34 (1924), S. 292-297 (Stinglwagner war lange Jahre Chefingenieur und Vorstandsmitglied der Oberkohle [= OK]); v. Lossow, P.: Die geschichtliche Entwicklung der Technik im südlichen Bayern. München 1903 (u. in: Ztschr. d. Vereins deutscher Ingenieure 1903), S. 7; Balthasar, Karl: Geschichte und Bergtechnik der Kohlenbergwerke Penzberg und Hausham, in: Geologica Bavarica 73 (1975), S. 7-24, mit einer Berechnung der noch anstehenden Kohlenvorräte. Die archivalischen Quellen zur Frühgeschichte des Penzberger Kohlenbergbaus sind durchaus umfangreich; s. (ab 1796) bes. Staatsarchiv München (= StAM), LRA 9554 mit Quellen über Zwangsenteignungen, Zechenverwaltung, Bau der Aufbereitungsanlagen ab 1906 und Kraftwerksplan Ende 1941. Siehe ferner: StAM, Bergamt München 506 (1842-1857), 535 (1901-1902); zur Besteuerung des Felderbesitzes: StAM, AR 3992/77 mit 1 Ex. der Statuten der OK, gedruckt Miesbach 1876.

[3] Vgl. von Koessle, Max: Geschichte der Flößerei auf der Isar, staatswirtschaftl. Diss. (Ms.) München 1924, mit Tabellen über die Schwankungen im Floßbetrieb.

[4] »Seiger« = bergmänn. für »senkrecht«. Bergmännische Fachausdrücke, deren Sinngehalt aus dem Kontext nicht erkennbar ist, werden im folgenden kurz erläutert.

Übergangs der Zeche an die »Miesbacher Steinkohlengewerkschaft«, immerhin etwa 200 Bergleute[5] in Arbeit, die jährlich etwa 250 000 Zentner Kohle förderten. Diese Belegschaft rekrutierte sich, soweit es sich um erfahrene Hauer handelte, aus bergbehördlich organisierten Anwerbungen von Fachkräften in anderen, älteren bayerischen Bergbaurevieren; die ungelernten Arbeitskräfte stellte hingegen die ländliche Bevölkerung der nächsten Umgebung, darunter in erster Linie die »Filzler« von Maxkron, über die weiter unten ausführlicher zu berichten ist.

Für den Aufschwung gegen Ende der 1860er Jahre waren zwei Faktoren entscheidend: Zum einen war Penzberg 1865 Kopfstation einer über Tutzing mit München verbundenen Bahnlinie geworden; zum anderen war mit Wirkung vom 1. Juli 1869, nach dem Vorbild Preußens, das bayerische Bergrecht[6] modernisiert worden. Das hieß im wesentlichen: rigoroser Abbau der behördlichen Leitungskompetenz im Bergbau zugunsten unternehmerischer Initiative, Freizügigkeit in den Arbeitsverhältnissen, Produktion entlang der Nachfrage. Dem Beispiel vieler Steinkohlenzechen auch anderer Bergreviere folgend, formte sich die Miesbacher Gewerkschaft im Herbst 1870 in die Oberbayerische Aktiengesellschaft für Kohlenbergbau, die sogenannte »Oberkohle«, um. Für Penzberg und Hausham, den zweiten wichtigen Betrieb der Oberkohle, brachte die erleichterte Kapitalbeschaffung in der Rechtsform der Aktiengesellschaft[7] eine rasche Modernisierung der Anlagen. 1875 nahm in Penzberg der neue tonnlägige[8] Karl-Theodor-Schacht die Förderung auf, und seit 1892 stand der später auf 400 m abgeteufte, seigere Henle-Schacht der Hauptförderung zur Verfügung. Schritt für Schritt wurde der Abbau über die Penzberger und Langsee-Mulde hinaus auf die nahegelegene Nonnenwaldmulde ausgedehnt. Die Zusammenfassung der Produktion in beiden Baufeldern sollte sich, zunehmend seit der Jahrhundertwende, als Kernproblem der Penzberger Fördertechnik erweisen.

Wenn seit 1865 das Transportproblem eine kostengünstige Lösung gefunden hatte, so galt dies längst nicht von den Problemen der Lagerungsverhältnisse und der Kohlenqualität, die den Penzberger Bergbau während der knapp hundert Jahre seiner großbetrieblichen Ausdehnung nachhaltig belastet haben, die gar erlauben, eine wirkliche Blüte des Penzberger wie des sonstigen oberbayerischen Pechkohlenbergbaus in Peißenberg, Peiting, Miesbach oder Hausham trotz wiederholter gewinnträchtiger Aufschwungperioden zu bestreiten. Allemal konnte der Pechkohlenbergbau nur im süddeutschen Raum wegen des Transportvorteils mit der Ruhrkohle konkurrieren. In Jahren geringer Kohlennachfrage wogen freilich die hohen Gestehungskosten und die minderwertige Qualität der Pechkohle diesen Standortvorteil leicht auf. Die Lagerungsverhältnisse des

---

[5] StAM, LRA 5261, Schreiben der Zeche vom 10. 7. 1868.
[6] Vgl. Kiessling, Waldemar und Theodor Ostern (Hrsg.): Bayerisches Berggesetz. Mit einem Anhang für den bayerischen Bergbau einschlägiger Gesetze, Verordnungen und Vorschriften. München 1953; als Kompendium: Miesbach, Hermann und Dieter Engelhardt: Bergrecht. Kommentar zu den Landesberggesetzen. Berlin 1962, bes. S. 12-14, 173-179. Ein historischer Überblick des bayerischen Bergrechts findet sich bei Fichtl (Hrsg.), S. 17-19.
[7] Aus der umfangreichen Literatur s. zuletzt Friedrich, Wolfgang: Die Entwicklung des Rechts der bergrechtlichen Gewerkschaft in Preußen von 1850 bis zum Ersten Weltkrieg, in: Horn, Norbert und Jürgen Kocka (Hrsg.): Recht und Entwicklung der Großunternehmen im 19. und frühen 20. Jahrhundert. Göttingen 1979, S. 190-203.
[8] »Tonnlägig« = dem Einfallen des Gebirges folgend im Flözverlauf.

Kohlengebirges sind im Voralpenland vielfach gestört; der Kohlenabbau wurde durch selbst im Vergleich zum Ruhrgebiet geringe Flözmächtigkeiten und Verunreinigungen der Flöze infolge von »Bergemitteln«[9], die den Anteil an verwertbarer Kohle im geförderten Haufwerk auf häufig weniger als 50 Prozent sinken ließen, durch Störungen und Überschiebungen und stark wasserführende Gesteinsschichten im Hangenden oder Liegenden[10] erheblich beeinträchtigt. Diese Verhältnisse erforderten nicht nur einen vergleichsweise hohen technischen Aufwand, mithin immer wieder gewaltige Investitionen, sondern auch besondere Sorgfalt und Vorsicht in der Abbauplanung. Allein die Probleme der Wasserhaltung, auch die mit dem Abbau in stark wasserführenden Schichten verbundenen Gefahren, verdeutlichen die geologischen Nachteile des Bergbaus im Voralpenland: Je Tonne Kohle mußten um 1920 in Penzberg durchgängig 5 Kubikmeter Wasser sowie über 1½ Tonnen Berge[11] gehoben werden, während die Verhältnisse im Ruhrgebiet, zu schweigen von dem in mächtigen Flözen bauenden schlesischen Bergbau, stets sehr viel günstiger lagen.

Hinzu kam, daß auch im Vergleich der beiden großen Anlagen der Oberkohle, der Bergwerke Hausham und Penzberg, das letztere durchweg unter ungünstigeren Verhältnissen baute, über viele Jahre mithin Haushams Gewinne in Penzberg aufgezehrt wurden. Diese Verzerrung der Gestehungskosten, die, wie wir sehen werden, bis hin zu Lohnverhandlungen und Arbeitszeitfragen eine Rolle spielte, belastete die Bilanzverhältnisse zunehmend, seit sich der Bergbau in Penzberg von der immerhin noch vergleichsweise ungestörten Penzberger Mulde in die tiefer gelegene, zunächst unter Tage erschlossene Nonnenwaldmulde verlagerte. Zu Bruch gehende Strebe und Strekken, sonstige Störungen der untertägigen Förderwege oder Wassereinbrüche gehörten zunehmend zum Penzberger Grubenalltag, und die schwierigen übertägigen Transportverbindungen – nach Verlagerung der Hauptförderung in die Nonnenwaldmulde blieb die Aufbereitung der Grube am alten Ort, so daß die Gesamtförderung dorthin transportiert werden mußte – waren zusätzlich gegen Betriebsstörungen empfindlich. Darüber hinaus waren die Gepflogenheiten der Abbauplanung anscheinend nicht von besonderer Weitsicht getragen; eine genauere betriebsgeschichtliche Untersuchung würde hier den offenbar geringen Einfluß der Bergbehörde hervorzuheben haben. So baute man in Penzberg – ein für geregelte Abbauplanung denkbar ungünstiges Verfahren – vielfach nach dem Aufschluß eines Baufeldes die nächstgelegenen Flöze zuerst, um rasch hohe

---

[9] »Berge« = Gestein; ein Bergemittel ist eine im Flöz verlaufende Gesteinsschicht.
[10] Gesteinsschichten über bzw. unter dem Flöz. Zur Geologie der oberbayerischen Pechkohle s. u. a. von Ammon, Ludwig: Die Oberbayerische Pechkohle, in: Geognostische Jahreshefte 22 (1909), S. 289–302; Weithofer, K.A.: Die Anschauungen über Stratigraphie und Tektonik im oberbayerischen Molassegebiet, in: Geologische Rundschau 5 (1914), S. 65–77; Geissler, P.: Zur Geologie im Ostfeld des Kohlenbergwerks Peißenberg, in: Geologica Bavarica 73 (1975), S. 55–57; ders.: Räumliche Veränderungen und Zusammensetzung der Flöze in den Kohlenbergwerken Hausham und Penzberg, ebenda, S. 61–106. Als Überblick zur Lagerstättenkunde s. Barth, Georg: Die Bedeutung der Bodenschätze für die bayerische Landesentwicklung, in: Raumforschung und Raumordnung 18 (1960), Nr. 2/3, S. 96–115, bes. S. 102, 105.
[11] Nach Weithofer, a.a.O., S. 230, u. Balthasar, a.a.O., S. 11, 17. Nach einem Hinweis StAM, OK 2/34, wurden im Jahre 1909, dem Jahr der Errichtung einer Seilbahn zur Berghalde, den »Penzberger Dolomiten«, bei einer täglichen Förderung von 1200 t Kohle 1100 t Berge mitgefördert. Die Verschlechterung bis 1920 mag mit der zunehmenden Verlagerung der Förderung in die Nonnenwaldmulde zusammenhängen. Noch 1959 waren von einer Rohförderung der oberbayer. Pechkohlengruben in Höhe von 3 748 896 t nur 47,5% »verwertbare« Förderung; s. die Tabelle bei Barth, a.a.O., S. 100.

Förderquoten zu erzielen; man verzichtete aus Kostengründen auf die Verfüllung der abgebauten Hohlräume trotz reichlichen Bergeanfalls und nahm dafür die Gefahr größerer Berg- und Vorflutschäden im freilich dünnbesiedelten Abbaugebiet in Kauf. Der Übergang vom Pfeilerrück- zum Strebbau[12] um die Jahrhundertwende, die damit eingeleitete Konzentration der Betriebspunkte unter Verringerung des noch 1920 mit fast 46 km an offenzuhaltenden Strecken unter Tage sehr ausgedehnten Streckennetzes, schließlich der Maschineneinsatz zunächst in Schacht und Wasserhaltung, zunehmend dann in der horizontalen Förderung, in den 1920er Jahren endlich unter erheblicher Steigerung der Arbeitsleistung auch im eigentlichen Gewinnungsbetrieb – diese und zahlreiche weitere Maßnahmen haben die technisch-geologischen Ausgangsvoraussetzungen des Penzberger Kohlenbergbaus nicht entscheidend verbessern können.

Zudem war der Absatzhorizont der oberbayerischen Kohle nicht nur aus der Sicht potentieller Abnehmer beschränkt. Die Pechkohle, mal zur Braun-, mal zur Steinkohle, seit 1909 jedoch durch Gerichtsbeschluß[13] entgegen den Vorstellungen der Zechen zur Braunkohle gerechnet, hat im Vergleich zur Steinkohle einen erheblich, nämlich um rund 25 Prozent, geringeren Heizwert und weist einen hohen, industriell allerdings nicht nutzbaren Gasgehalt auf. Schlimmer wirkte sich aus, daß die starken Verbrennungsrückstände der Pechkohle bei einem Aschengehalt von 10 Prozent, nicht selten jedoch bis 20 Prozent, ihre Eignung auch für den Hausbrand stark beeinträchtigten. Man begegnete dem durch Experimente mit Ofenrosten, konstruierte gar einen »Bayernofen« speziell für dieses Problem, ohne es beseitigen zu können. Auch für die Industriekohle ließ sich trotz Einführung der Kohlenwäsche nach der Jahrhundertwende, mittels derer von der Oberkohle Qualitäten in Grieß-, Nuß- und Würfelkohle angeboten werden konnten, keine Konkurrenzfähigkeit herstellen. Als nachteilig erwies sich neben der geringen Lagerfähigkeit der Pechkohle, die konjunkturelle Schwankungen rasch in die sozialen Verhältnisse durchschlagen ließ, insbesondere ihre geringe Eignung zur Verkokung, was von vornherein jegliche Chancen zur Entwicklung einer leistungsfähigen Montanindustrie an den Kohlenstandorten ausschloß. Mit der Kohlenvergasung, der Verkokung und Verflüssigung der Pechkohle sind noch unter nationalsozialistischer Herrschaft, und in diesen Jahren aufgrund der Autarkiebestrebungen des Regimes mit neuem Elan, Versuche angestellt worden; als einzige einigermaßen erfolgversprechende Maßnahme zur langfristigen Sicherung des Kohlenabsatzes schälte sich jetzt die Verstromung heraus, und tatsächlich ging man noch während der Kriegsjahre an die Erstellung eines Kraftwerks für den Strombedarf der Reichsbahn.

Nach diesen notwendig knappen Bemerkungen muß verwundern, daß der bayerische Pechkohlenbergbau, und mit ihm die Oberkohle, rund einhundert Jahre im Umfang großbetrieblicher Förderung bestehen konnte. In der Tat wird dies nur vor dem Hintergrund des bis in die 1920er Jahre entscheidenden Transportkostenkalküls in der

---

[12] Zur Erläuterung s. Tenfelde, Klaus: Der bergmännische Arbeitsplatz während der Hochindustrialisierung (1890 bis 1914), in: Conze, Werner und Ulrich Engelhardt (Hrsg.): Arbeiter im Industrialisierungsprozeß. Herkunft, Lage und Verhalten. Stuttgart 1979, S. 283-335.

[13] Vgl. die Bemerkung in Ztschr. des (Königlich) Bayerischen Statistischen Landesamts (Bureaus) (= ZBSL) 44 (1912), S. 80. Tatsächlich ist die oberbayerische Pechkohle nach ihrem geologischen Alter eine »echte alttertiäre Braunkohle« (Barth, a.a.O., S. 105), deren Äußeres allerdings die Zuordnung zur Steinkohle nahelegt.

Konkurrenz um die bayerischen Märkte erklärlich; zeitweise, so vor allem in Jahren sinkender Kohlenpreise, hat das Streben der bayerischen Staatsregierungen nach unabhängiger Rohstoffversorgung mittels indirekter Absatzsubvention (Verbrauch in Staats-

Tabelle 1
Pechkohlenförderung in Oberbayern 1870 bis 1907, 1913

Jahr	Betriebene Werke	Arbeiter	Absatzfähige Produktion t Menge	M Wert	Arbeitsleistung t/Arbeiter	Wertproduktivität M/Arbeiter
1870	28	971	140 592	1 222 686	145	1259
1871	13	1070	142 997	1 261 340	134	1179
1872	13	1204	177 001	1 752 119	147	1455
1873	14	1442	204 625	2 114 011	142	1466
1874	10	1633	232 012	2 392 952	142	1465
1875	22	1531	237 293	2 017 456	155	1318
1876	29	1637	266 878	2 008 210	163	1227
1877	35	1693	267 023	1 986 123	158	1173
1878	35	1824	285 821	2 099 603	157	1151
1879	8	1714	288 935	2 484 284	169	1449
1880	8	1847	304 963	2 791 389	165	1511
1881	7	1489	277 821	2 548 946	187	1712
1882	6	1507	277 869	2 527 425	184	1677
1883	7	1320	276 895	2 540 307	210	1925
1884	7	1413	290 846	2 657 863	206	1881
1885	6	1653	321 759	2 921 560	195	1767
1886	7	1771	348 209	3 171 873	197	1791
1887	7	1996	396 856	3 623 426	199	1815
1888	7	2209	438 505	4 127 001	220	1868
1889	7	2336	469 421	4 640 961	201	1987
1890	6	2472	457 752	4 582 910	185	1854
1891	5	2721	472 530	4 719 603	174	1735
1892	5	2778	452 646	4 557 617	163	1641
1893	5	2740	482 918	4 842 125	176	1767
1894	5	2638	456 459	4 576 573	173	1735
1895	5	2755	496 894	4 972 004	180	1805
1896	5	2910	514 537	5 146 473	177	1769
1897	5	3122	521 210	5 268 460	167	1688
1898	5	3179	555 601	5 619 441	175	1768
1899	5	3229	557 872	5 663 536	173	1754
1900	5	3351	587 969	6 430 669	176	1919
1901	5	3508	597 080	6 669 831	170	1901
1902	5	3613	597 734	6 389 752	165	1769
1903	6	3751	624 086	6 710 891	166	1789
1904	7	3625	562 739	6 156 805	155	1698
1905	7	3691	607 288	6 554 718	165	1776
1906	7	3843	610 512	6 762 340	159	1760
1907	7	4042	669 486	8 293 532	166	2052
1913	5	4611	947 755		206	

werken und -einrichtungen) den Pechkohlenmarkt gestützt. Steinkohlen wurden in Bayern insbesondere in der Pfalz, daneben von einer kleineren Lagerstätte im Südosten des Thüringer Waldes in Oberfranken (Stockheim) und in sehr geringen Mengen am Fuß des Fichtelgebirges in der Oberpfalz (Erbendorf) gewonnen; die oberbayerische Kohlenförderung bestand ausschließlich aus Pechkohle. Über die Produktion liegen seit 1870, zusammen für das Peißenberger Staatswerk und die sonstigen privaten Gruben, genauere Daten vor[14].

Bevor auf diese Zahlen näher eingegangen wird, sei zunächst der Anteil der Oberkohle bzw. der Grube Penzberg, für die keine Jahr für Jahr aufgeschlüsselten Kennziffern vorliegen, an der gesamten oberbayerischen Pechkohlenförderung präzisiert[15]:

Tabelle 2
Oberkohle: Förderung und deren Anteil an der gesamten Pechkohlenförderung

Jahr	Penzberg Verwertbare Förderung	Anteil an obb. Pechkohle	Hausham Verwertbare Förderung	Anteil an obb. Pechkohle	zusammen Anteil an Pechkohle
1870	30 000 t	21,3%	95 000 t	67,4%	88,7%
1880	112 000 t	36,7%	129 000 t	42,3%	79,0%
1890	202 000 t	44,1%	198 000 t	43,3%	87,4%
1900	239 000 t	40,7%	248 000 t	42,2%	82,9%
1910	270 000 t	34,1%	294 000 t	37,1%	71,2%
1920	225 000 t	26,7%	233 000 t	27,7%	54,4%

Demnach hat der Anteil der Oberkohle an der gesamten oberbayerischen Pechkohlenförderung vor 1914 durchweg zwischen ⅘ und 9/10 betragen – die Restförderung kam überwiegend aus der Grube Peißenberg – und verteilte sich im Zeitablauf recht gleichmäßig auf ihre beiden Zechen in Hausham und Penzberg. Penzberg erfuhr ab 1870 eine sehr rasche Modernisierung, was den zunächst niedrigen Anteil der Grube erklärt. Nach dem Ersten Weltkrieg sank der Förderanteil der Oberkohle allerdings beträchtlich. Insgesamt scheint es nach diesen Hinweisen gerechtfertigt, die Gesamtzahlen des

---

[14] Nach: Stand und Entwicklung, a.a.O., S. 8*f.; für 1913 ergänzt nach: Die Kohlenwirtschaft Bayerns bis Ende 1920, o. O., o. J. [1921], S. 41f. Angaben zur Mengen- und Wertproduktivität errechnet. Bis 1877 enthält die Tabelle auch den Haldenverlust und Selbstverbrauch der Gruben.

[15] Nach Balthasar, a.a.O., S. 11, 17 sowie der Quelle Anm. 14 und (für 1910), StAM, OK, Werkschronik Bd. 1, unverz. Für Hausham s. weitere Angaben in Hausmann, Wilhelm und Silbernagl, Franz (Bearb.): Hausham. Beiträge zur Chronik unseres Ortes. Hausham o.J. [ca. 1971], passim. Balthasars Angaben stimmen mit den für Penzberg BayHStA, MWi 2380 überlieferten (in 5-Jahres-Abständen) überein. Auch die Belegschaftsangaben zur Oberkohle sind sehr lückenhaft; verstreute Angaben s. weiter unten. Die nachfolgende Interpretation stützt sich in ihren ergänzenden Zahlenangaben auf Stand und Entwicklung, a.a.O., S. 6*–11*, sowie auf folgende Arbeiten: Holtfrerich, Carl-Ludwig: Quantitative Wirtschaftsgeschichte des Ruhrkohlenbergbaus im 19. Jahrhundert. Eine Führungssektoranalyse. Dortmund 1973; Wiel, Paul: Wirtschaftsgeschichte des Ruhrgebietes. Tatsachen und Zahlen. Essen 1970; Tenfelde, Klaus: Sozialgeschichte der Bergarbeiterschaft an der Ruhr im 19. Jahrhundert. Bonn-Bad Godesberg 1977; Schofer, Lawrence: The Formation of a Modern Labor Force. Upper Silesia, 1865–1914. Berkeley/Los Angeles/London 1975; Hinweise zur Absatzlage auf dem bayerischen Steinkohlenmarkt s. b. Dietrich, Helmut: Die Kohlenversorgung Süddeutschlands. Leipzig 1930, S. 99; für die Vorkriegszeit bes. der kurze Beitrag von Rast, Max: Bayerns Kohlenkonsum, in: Gutmann, Adam (Hrsg.): Bayerns Industrie und Handel. Nürnberg 1906, S. 77–82.

oberbayerischen Pechkohlenbergbaus als zuverlässige Indikatoren der strukturellen und konjunkturellen Entwicklung auch für die Oberkohle und für die Penzberger Grube heranzuziehen, wobei freilich der interpretatorische Rahmen durch eine Fülle von in derartige Statistiken naturgemäß einfließenden Sonderbedingungen (Entwicklung von Bergrecht und Bergtechnik, neue Aufschlüsse und andere Flözqualität, Arbeits- und Absatzmarkt u. v. a.) begrenzt bleibt.

Bezieht man die bayerische Pech- und Steinkohlenförderung – die Subsumtion der Pechkohle erscheint gerechtfertigt, da sie einen mit der Steinkohle vergleichbaren Absatzhorizont erreichte und im wesentlichen mit der Steinkohle konkurrierte – auf die Steinkohlenförderung im Deutschen Reich, so fällt das Ergebnis mager aus: Der Anteil betrug 1871 1,31 Prozent und nahm bis 1907 auf 1,04 Prozent ab. Die bayerische Kohlenproduktion war peripher, von Bedeutung allenfalls für regionale Märkte. Dieser Umstand scheint auch für die vor allem anfänglich von der gesamtkonjunkturellen Entwicklung abweichenden konjunkturellen Kennziffern verantwortlich: Der Konjunkturgipfel der Gründerjahre erscheint wenig ausgeprägt, und anders als in den großen west- und ostdeutschen Steinkohlenrevieren konnte in den 1880er Jahren bei nicht unerheblicher Belegschaftsverringerung die Kostensituation sogar deutlich verbessert werden. Dabei wird die relative Eigenständigkeit des bayerischen Pechkohlenmarktes in den beiden Jahrzehnten nach der Reichsgründung insbesondere durch einen vergleichsweise stabilen Verkaufspreis der Kohle unterstrichen: Während dieser in den großen Steinkohlenrevieren nach der Mitte der 1870er Jahre zum Teil auf weniger als 40 Prozent der 1872/73 erzielten Preise zurückfiel, betrug der Preisabfall der Pechkohle vom 1874 ungefähr gehaltenen Höchststand im Jahre 1873 (10,33 Mark/t) auf 1878 (7,35 Mark/t), das neben 1877 (7,44 Mark/t) schwächste Jahr, nur knapp 29 Prozent. Schon 1879 verringerte sich dieser Preisabfall auf nur noch knapp 17 Prozent, und seit 1880 konnte durchgängig wieder ein über 9 Mark/t, seit 1890 ein über 10 Mark/t liegender Preis erzielt werden. Seit den frühen 1890er Jahren entspricht der konjunkturelle Rhythmus der Pechkohle ungefähr jenem der deutschen Steinkohle, jedoch in stark abgeflachter Form, wobei die Pechkohle deutlich von der Steinkohlen-»Not« beispielsweise in den Jahren 1901 und 1907 mit einer bei günstigen Kohlenpreisen hohen Wertproduktivität profitieren konnte.

Die Pechkohle, insonderheit die Grube Penzberg, erfuhr hiernach ihre bedeutendsten Expansionsphasen zunächst zu Beginn der 1870er Jahre, als in Penzberg die Förderung rasch großbetriebliches Niveau erreichte, sodann allgemein bei sinkenden Preisen in der zweiten Hälfte der 1870er Jahre, wofür, wie etwa im Ruhrgebiet, die vermehrten Aufschlußarbeiten während der Gründerjahre ursächlich sein können. Letzteres wird auch die hohe Mengenproduktivität je Arbeiter in den 1880er Jahren erklären; überhaupt wird man bei der Deutung bergbaulicher Förderstatistiken den von den Zechenverwaltungen vielfach bewußt antizyklisch manipulierten Aufschließungsrhythmus zu berücksichtigen haben. Daß zwischen Investition und Ertrag im Bergbau eine Zeitspanne von oft bis 5 Jahren liegen kann, war Kapitalinteressenten wohlvertraut.

Eine weitere Expansionsphase der Pechkohle datierte, in Übereinstimmung mit der reichsdeutschen Bergbaukonjunktur, in den späten 1880er Jahren, eine nächste in der zweiten Hälfte der 1890er Jahre (bis 1901). So scheint sich, auch im Blick auf die seit 1907

1. Abteufgerüst am Nonnenwaldschacht (um 1914).

2. Abteufmannschaft (aufgenommen nach dem untertägigen Durchbruch zum Nonnenwaldschacht 1914).

wieder ansteigende Konjunktur, ungefähr ein in den Oszillationsspannen allerdings nicht sehr erheblicher Zehnjahresrhythmus der oberbayerischen Pechkohlenkonjunktur abzuzeichnen. Für die geringere konjunkturelle Schwankungsbreite der Pechkohle war vorrangig deren Konzentration auf den Hausbrandabsatz verantwortlich. Man wird in diesen Aufschwungphasen zugleich Jahre vermehrter Zuwanderung, auch in die Penzberger Arbeitersiedlung, vermuten dürfen.

Besonderes Interesse verdient nun die Tatsache, daß die Pechkohle etwa gegenüber der Ruhrkohle bis um 1888 einen am Ort der jeweiligen Förderung etwa doppelt so hohen Preis halten konnte. Hierin kommt nicht nur der erhebliche Transportkostenvorteil, sondern auch die noch sehr geringe Erschließung des süddeutschen Marktes seitens der Ruhrkohle zum Ausdruck. Die Pechkohle konnte sich daher ihre im Vergleich zum Ruhrbergbau, bedingt vor allem durch die schlechten Lagerungsverhältnisse und die geringe Kohlenqualität, durchgängig um ungefähr ein Drittel schlechtere Mengenproduktivität je Arbeiter sozusagen »leisten«. Der Spielraum schmolz freilich seit den 1890er Jahren, als die Preise für Ruhrkohle ungefähr jene der Pechkohle – jeweils am Ort der Förderung – erreichten und sich auf diesem Niveau auch hielten, erheblich zusammen. Der Transportvorteil wurde in der Folgezeit gelegentlich durch die geringere Arbeitsleistung bereits verzehrt; mit anderen Worten: auf dem süddeutschen Absatzmarkt wehte nunmehr ein schärferer Wind. Bayerns Steinkohlenzufuhr per Eisenbahn hat sich zwischen 1897 und 1906 auf 5 059 294 t ungefähr verdoppelt, während Bayerns Eigenförderung nur um 33 Prozent zunahm. Am Platz München stagnierte der Absatz der bayerischen Kohle, während jener der Ruhrkohle 1901–1907 um 68 Prozent auf 256 750 t zunahm und damit die bayerische Kohle erreichte. Die Verbraucher in den urbanen Bevölkerungsagglomerationen Süddeutschlands besannen sich, begünstigt durch eine expansive Verkaufsstrategie des Rheinisch-Westfälischen Kohlensyndikats, mehr und mehr auf die sehr viel sauberer zu verfeuernde, in günstigeren Formen angebotene, im Heizwert bedeutend bessere Ruhrkohle.

So begann die Oberkohle in der Vorkriegszeit gleichsam in einer »Transportkostennische«, in einem durch geringere Arbeitsleistung bei deutlichem Transportkostenvorteil begrenzten Spielraum, zu produzieren. Vor allem in Jahren der »Kohlennot« warfen die Werke nunmehr nicht selten erheblichen Ertrag ab; doch würde, soviel war absehbar, eine weitere Verminderung der Frachtkosten für die Beförderung von Massengütern die Werke der Pechkohle in Existenznöte bringen. Zunächst allerdings brachte der erhebliche, nach 1919 zum Teil auch außenpolitisch bedingte Kohlenbedarf im Reich weitere starke Expansionsphasen, insbesondere nach dem Ende des Ersten Weltkriegs, als die Penzberger Belegschaft erstmals auf weit über 2000 Bergleute anstieg. In den Krisenjahren der Weimarer Republik brach die langfristige, durch die Disposition des oberbayerischen Standorts in der Kostennische verdeckte Marktschwäche freilich mit katastrophalen Folgen durch. Nunmehr drang auch die schlesische Kohle stark auf dem süddeutschen Markt vor, und in den Jahren des Preisverfalls erscholl immer dringlicher der Ruf der bayerischen Pechkohlenlobby nach staatlicher Subvention insbesondere in Gestalt von Absatzgarantien. So kam denn der Grubenbesitz in Hausham und Penzberg 1936, nach einem neunjährigen Interludium in der Schoeller-Gruppe in Wien, an die Bergwerksgesellschaft Hibernia zu Herne, mithin an den preußischen Fiskus. Den Garaus hat der Oberkohle erst das außerordentlich billige und transportkostengünstige Öl in den 1960er Jahren gemacht.

2. *Isolation und Abwehr. Industriekommunale Entwicklung in der oberbayerischen Provinz: St. Johannisrain/Penzberg bis 1914*

Die Arbeiterstadt Penzberg ist vollständig ein Produkt des späten 19. Jahrhunderts, ist im Guten wie im Schlechten das Ergebnis einer sehr raschen, sehr punktuellen bergbaulichen Industrialisierung. Sie entstand als ein Fremdkörper in der jahrhundertealten bäuerlich-klösterlichen Kulturlandschaft des »Pfaffenwinkels« und wird gelegentlich bis heute in ihrer näheren Umgebung, in den Landgemeinden Antdorf, Sindelsdorf und Königsdorf oder im ehemaligen Klosterbezirk Benediktbeuern als ein solcher empfunden.

Das begann, als um die Wende zum 19. Jahrhundert nördlich der bis zur Säkularisation nach Benediktbeuern gehörigen Gehöfte im Siedlungsgebiet des späteren Penzberg[16] die Kolonie Maxkron ähnlich anderen Siedlungsmaßnahmen in der näheren und weiteren Umgebung mit dem Ziel gegründet wurde[17], der wachsenden, von geringen Erwerbsaussichten geprägten Überschußbevölkerung zur Ansiedlung zu verhelfen und zugleich das moorige, wenig fruchtbare Gebiet im Loisachtal urbar zu machen: Die »Filzler«, wie sie bald abschätzig genannt wurden, gerieten mit den altansässigen Bauern und deren Gemeindeverbänden über Grenzen und Gerechtsame in Streit, und ihre eigenen, oft wohl rauhen, von kargen Erwerbsmöglichkeiten gezeichneten Lebensgewohnheiten wichen überdeutlich und unangenehm vom überkommenen Daseinsrhythmus der Landbevölkerung ab. Die Besiedlung begann 1803. Im Jahre 1813 wohnten in Maxkron 16 Familien mit 87 Personen[18]. Schon im Jahre 1833 ging aus Pfarrershand, von dem Vikar Sebastian Kleinle zu Nantesbuch, eine Beschwerde »über die sittliche Verwahrlosung der Colonisten« u. a. in Nantesbuch und Maxkron bei der Kammer des Innern in München ein[19], und 1845 beklagte ein Pfarrer Kirchmayr zu Huglfing den »gänzlich demoralisierten Zustand« der Kolonisten von Maxlried (bei Oberhausen), woraufhin man behördenintern Maßnahmen beriet, um den »so sehr verwahrlosten Zustand der Kolonisten«[20] zu beenden. Anfang 1847 wurden die umliegenden Gemeinden zur Stellungnahme zu solchen Vorschlägen aufgefordert. Die eingegangenen Beschlüsse der Gemeindeversammlungen spiegeln erstmals in aller Klarheit die Abwehr der bäuerlichen

---

[16] Knapper Überlick: Schaffer, Franz: Sozialgeographische Aspekte über Werden und Wandel der Bergwerksstadt Penzberg, in: Mitteilungen der geographischen Gesellschaft in München 55 (1970), S. 85-103; s. auch Luberger, Karl: Geschichte der Stadt Penzberg, 2. Aufl., Kallmünz 1975.

[17] Hierzu Wismüller, Franz X.: Geschichte der Moorkultur in Bayern, T. 1: Die Zeit bis 1800. München 1909, S. 62-64; T.: Die Zeit von 1800-1825. München 1934, S. 258-263; zur Herkunft der Maxkroner Siedler jetzt bes. Hörger, Hermann: Kirche, Dorfreligion und bäuerliche Gesellschaft. Strukturanalysen zur gesellschaftsgebundenen Religiosität ländlicher Unterschichten des 17. bis 19. Jahrhunderts, aufgezeigt an bayerischen Beispielen, T. 1, München 1978, S. 216-221.

[18] Luberger, a.a.O., S. 47; abweichend unter Berufung auf dieselbe Quelle: Hörger, a.a.O., S. 217.

[19] StAM, AR 2042/130, Kammer des Innern/Landgericht Weilheim 14. 4. 1845.

[20] Ebenda, dass. 15. 6. 1845.

3. Der Henle-Schacht (1927).

4. Penzberg um die Jahrhundertwende (Blick vom Schachthügel).

Besitzschichten gegen das Siedlervolk, auch wohl das Gefühl des Bedrohtseins durch dessen Lebensformen – lange, bevor die künftige industrielle Entwicklung in der Nähe von Maxkron überhaupt absehbar war: Die »versammelte Gemeinde« vor Antdorf, zu dessen Pfarrbezirk Maxkron gehörte, wollte sich »weder zu Geld- noch zu Naturalunterstützungen verstehen, sondern muß den Ansiedlern zurufen, arbeitet, spart, und sorget vor, wir müssen es auch tun, wenn wir uns ehrlich halten wollen«[21]; in Iffeldorf lehnte man gleichfalls ab, den Siedlern die Ansässigmachung und Verehelichung zu bewilligen, »da man sich dadurch noch mehr der Gefahr aussetzen würde, desto mehr bestohlen zu werden«[22], und in St. Johannisrain lautete die Begründung, daß man »soviel Last daran« habe[23] – unter anderem durch die große Zahl der außerehelichen Kinder dieser Siedler[24].

Die Maxkroner Kolonisten gehörten zu den frühesten ungelernten Arbeitskräften im Penzberger Kohlenbergbau. Sie bildeten den bereits ansässigen Stamm der Arbeiterbevölkerung in der künftigen Industriekommune, und es lag nahe, die früheren Vorurteile und Vorbehalte auf die Bewohner der Bergarbeitersiedlung zu übertragen – und das, obwohl der Bergbau den umliegenden Landgemeinden das Problem mit den Siedlern tatsächlich aus der Hand genommen hatte. Dennoch: Was man längst an Abträglichem gegenüber den Filzlern im Loisachtal empfunden hatte, das ließ sich allzuleicht auf die Andersartigkeit der Bergbaugemeinde, auf die ganz eigenen Erfahrungen, Vorstellungen und Wünsche der Bergarbeiterfamilien übertragen. Sprödigkeit und Entfremdung im Umgang zwischen Alteingesessenen und Neubürgern, eine dem südbayerischen Temperament auch sonst nicht fremde Erscheinung, gipfelten schließlich in dem noch heute in der Gegend geflügelten Wort vom »roten« Penzberg, dem Inbegriff der Andersartigkeit oder, wenn man so will, Verständnislosigkeit. Das rote Penzberg: Das waren die unerquicklichen äußeren Bilder der Bergarbeiterkommune, die man noch lange nach dem Zweiten Weltkrieg wahrnehmen konnte; das waren vor 1918 die Abneigungen gegenüber der erstarkenden Arbeiterbewegung und nach der Revolution die negativen Eindrücke, die man angesichts eines sozialdemokratischen Stadtregiments und einer radikalisierten, in sich zerstrittenen Arbeiterbewegung gewinnen mochte; das war der Unmut über die scheinbare Unordnung in der Stadt, der die Ordnungskräfte mobilisieren mußte in einer Umgebung, in der sich, sieht man von manchen Entwicklungen auch

---

[21] Ebenda, Beschluß der Gemeinde-Versammlung Antdorf vom 15. 2. 1847. Die Gemeindeversammlungen, bestehend aus den steuerzahlenden Grundbesitzern und Gewerbetreibenden der Gemeinden, besaßen nach der Gemeindeordnung von 1818 (revidiert durch Gesetz vom 1. 7. 1834) neben den Gemeindebevollmächtigten in den Gemeindeausschüssen ein erhebliches Mitspracherecht. Text der Gemeindeordnung von 1918 mit kurzem Kommentar bei Engeli, Christian und Wolfgang Haus (Bearb.): Quellen zum modernen Gemeindeverfassungsrecht in Deutschland. Stuttgart 1975, S. 135ff.

[22] StAM, AR 2042/130, Beschluß der Gemeinde-Versammlung von Iffeldorf 14. 2. 1847. Zum Eherecht vgl. die knappe Skizze bei Filser, Josef: Eheschließungen in Bayern seit 1825, staatswirtschaftl. Diss. München 1954, S. 15.

[23] StAM, AR 2042/130, Beschluß der Gemeinde-Versammlung von St. Johannisrain vom 24. 2. 1847.

[24] Allerdings war, über einen längeren Zeitraum gesehen, die durchschnittliche Kinderzahl der bäuerlichen Grundbesitzer erheblich höher als jene der Ansiedler; vgl. die Aufsätze von Hörger, Hermann: Familienformen einer ländlichen Industriesiedlung im Verlauf des 19. Jahrhunderts, in: ZBLG 41 (1978), S. 77–819; Mortalität, Krankheit und Lebenserwartung der Penzberger Bergarbeiterschaft im 19. und beginnender 20. Jahrhundert, in: ZBLG 43 (1980), S. 185–222; vgl. unten Anm. 44.

im ländlichen Bereich und von der zögernden Hinwendung zum Fremdenverkehr ab, seit Jahrhunderten nichts Wesentliches geändert hatte.

Dieser Unmut, diese Abwehr sollten sich, kaum daß der Bergbau Ende der 1860er Jahre einige Ausdehnung gewann, erneut mit Vehemenz äußern. Doch seien zunächst die Formen und das Maß der Expansion der Bergarbeitersiedlung im letzten Drittel des 19. Jahrhunderts näher bezeichnet.

Penzberg selbst bestand noch Mitte des 19. Jahrhunderts aus nicht mehr als einigen Bauerngehöften, bis sich um die Schächte des Bergwerks obertägige Betriebsstätten und schließlich Wohngebäude zu gruppieren begannen. Als 1808 der Gemeinde- und Steuerdistrikt St. Johannisrain gebildet wurde, wies der Ort drei Gehöfte auf. 1818 waren in St. Johannisrain insgesamt 62 Familien mit 405 Seelen ansässig; in Penzberg wohnten nach wie vor drei Familien mit 19, im Hauptort St. Johannisrain ebenfalls drei Familien mit 19, in Nantesbuch sechs Familien mit 36, in Maxkron hingegen 17 Familien mit 109 Seelen; die restlichen Einwohner verteilten sich auf die umliegenden Einzelgehöfte und Riedschaften[25]. Die Maxkroner hatten es schwer in der jungen Gemeinde, deren Orte zum Pfarrbezirk Antdorf gehörten[26]: Schon vor der Jahrhundertmitte gab es Bestrebungen, die Siedlung der Filzler aus der Gemeinde zu drängen, und vielfach weigerte sich die Gemeinde, Verehelichungen zu legitimieren[27]. Ihre Bevölkerungsentwicklung nahm folgenden Verlauf[28]:

Tabelle 3
Die Bevölkerung im Gemeindegebiet 1840 bis 1919

Jahr	Gemeinde St. Johannisrain/bzw. (ab 1911) Penzberg	darin Ortsteil Penzberg	Landkreis Weilheim
1840	413		17 264
1852	476		17 327
1855	459		17 571
1861	480		18 075
1867	750		19 699
1871	949		20 348
1875	1795		22 272
1880	2267	1620	24 076
1885	2554		25 452
1890	3542	2730	26 768
1895	3893		27 861
1900	4784	3700	30 342
1905	5205		32 909
1910	5533	4000	35 784
1919	5626		38 975
Zunahme:			
1840–1867	82%		14%
1867–1910	638%		82%
1880–1910	144%	147%	62%

---

[25] Nach Luberger, a.a.O., S. 54f.

Zieht man zum Vergleich die Entwicklung der Grube Penzberg – Belegschaftszahlen sind leider nur lückenhaft verfügbar – heran, so zeigt sich, daß das Wachstum der Gemeinde St. Johannisrain ausschließlich bergbauinduziert war. Um 1855 war man noch mit 32 Bergleuten ausgekommen[29]; beim Übergang auf die Oberkohe betrug die Belegschaft um 200 Bergleute bei einer Jahresförderung von erst 30 000 t. An der Wende zu den 1880er Jahren wurden 112 000 t produziert; ein Jahrzehnt später 202 000 t, 1900 dann 239 000 t und 1910 270 000 t[30]. Seit den 1890er Jahren verstetigte sich mithin das Wachstum.

Nach 1870 entstand in Penzberg binnen weniger Jahre durch den Zechenwohnungsbau das charakteristische, überwiegend rechteckige Straßenbild der Stadt. Die Zeche selbst gliederte sich weitere Betriebe an, darunter eine Ziegelei, und die wachsende Bevölkerung zog zunehmend auch Kleingewerbe im Versorgungsbereich nach sich. Größere Industriebetriebe siedelten sich nicht an. In starkem Maße wird hierfür die Grundstückspolitik der Grube verantwortlich zu machen sein, die sehr bald zum beherrschenden Grundbesitzer des Orts geworden war. Seit 1891 gab es eine eigene Pfarrkirche, doch dauerte es bis 1899, daß sich der Pfarrverband Antdorf durch die Bildung einer eigenen Pfarrei Penzberg der ungelittenen Filiale zu entledigen vermochte.

Weniger erfolgreich waren hingegen die wiederholten Versuche mehrerer Ortschaften des Gemeindeverbands, darunter auch des Hauptorts St. Johannisrain, sich der unangenehmen Nachbarschaft zu entziehen. Denn die Zeche war seit Ende der 1860er Jahre, nachdem das nahewohnende Arbeitskräftepotential erschöpft war, mehr und mehr dazu übergegangen, ungelernte, aber auch bergmännische Arbeitskräfte aus anderen bayerischen Gegenden, bald auch aus Gebieten der habsburgischen Monarchie, so vor allem Böhmen, Österreicher und Kroaten, zu rekrutieren. Die Auseinandersetzungen über verschiedene Ausgemeindungsanträge in den 1870er Jahren werfen, wie bereits die vormärzlichen Abwehrhaltungen gegen die Maxkroner Siedler, ein helles Licht auf die Beziehungen zwischen Bauern und Arbeitern, in die nunmehr die Grubendirektion als mitentscheidende Kraft eintrat.

Ausgangspunkt der Auseinandersetzungen waren die von der Zeche, zunächst noch von der Frhr. v. Eichthal'schen Bergwerks-Direktion, unter dem 10. Juli 1868 in einer Eingabe an die Weilheimer Kreisbehörde formulierten Bestrebungen um Erbauung eines eigenen Schulhauses für Penzberg[31]. Eine Gemeindeversammlung lehnte Ende Mai 1869 die eigene Schule einstimmig ab, was von der Zeche nachdrücklich kritisiert wurde. Während sich das bischöfliche Ordinariat zu Augsburg ebenfalls gegen die Errichtung

---

[26] Über Pfarr- und Gemeindesprengel sowie die Zugehörigkeit der Ortsteile der Gemeinde St. Johannisrain bis zum frühen 19. Jahrhundert s. Albrecht, Dieter: Das Landgericht Weilheim. München 1952, S. 35–42; auch Bartl, Xaver u. a.: Die Höfe von Antdorf/Lk. Murnau-Obb. und ihre Besitzer im 17. bis 19. Jahrhundert, in: Blätter des Bayerischen Landesvereins für Familienkunde 36 (1973), S. 165–184.
[27] Nach Schaffer, a.a.O., S. 86.
[28] Zahlen nach: Historisches Gemeindeverzeichnis. Die Einwohnerzahlen der Gemeinden Bayerns in der Zeit von 1840–1952. München 1953, S. 45f.; s. auch Bayern und seine Gemeinden unter dem Einfluß der Wanderungen der letzten 50 Jahre. München 1912, S. 21; die Zahlen des Ortsteils Penzberg nach Schaffer, Franz: Zur Entwicklung der Stadt Penzberg, in: Luberger, a.a.O., S. 297–304, 300.
[29] Nach Hörger, Familienformen, a.a.O., S. 796.
[30] Nach Balthasar, a.a.O., S. 11.
[31] StAM, LRA 5261, Antrag der Bergwerks-Direktion, ebd. die im folgenden erwähnten Stücke.

einer Schule in Penzberg aussprach, beschloß das Bezirksamt Weilheim unter dem 17. April 1869, nachdem ausführlich Daten über Schulpflichtige und Schulwege – Nantesbuch und Sindelsdorf hatten Schulen, die für Penzberger Kinder einen mindestens einstündigen Schulweg bedeuteten – sowie über die erwartbare Schulfrequenz erhoben worden waren, die Errichtung der Schule gegen den Willen der Gemeinde. Auch die zuständige Ministerialbehörde sprach sich unter dem 7. April 1870 für eine Schule in Penzberg aus, hielt aber den Zwang für gesetzlich nicht statthaft. Darauf berief das Bezirksamt auf den 1. Juni 1870 – ein erstaunlicher Vorgang – eine Einwohner-, nicht die in solchen Angelegenheiten allein entscheidungsberechtigte Gemeindeversammlung der steuerzahlenden Stimmberechtigten ein und erhielt ein starkes Votum zugunsten der Schule. Hierzu die Zeche[32]:

»Im Widerspruch mit diesen Anschauungen [der Einwohnerschaft] befinden sich die Besitzer der größeren bäuerlichen Anwesen und die Bewohner der Colonie Maxkron. Die Bauern sind prinzipiell gegen jede Neuerung«,

sie fürchteten die Kosten und wollten sich dem Pfarrer von Antdorf, der die Errichtung einer Schule in Penzberg bekämpfte, nicht widersetzen; die Kolonisten hingegen schickten ihre Kinder in das für sie nähergelegene Nantesbuch zur Schule. Unter dem 27. Oktober 1870 stimmte die Ministerialbehörde den Schulplänen zu, freilich mit der im folgenden Jahr bekräftigten Maßgabe, daß es sich, da die wahlberechtigten Gemeindebürger nach wie vor widersprachen, um eine Privatschule handeln müsse, die schließlich noch Ende des Jahrs 1871 den Unterricht eröffnen konnte. Die Gemeinde beteiligte sich dann auch nicht an den Schulhauskosten; die Zeche trug einen erheblichen Anteil hieran sowie an den Unterhaltskosten. Die neue Schule blieb ausschließlich Bergarbeiterkindern vorbehalten. Die bäuerlichen Stimmbürger der Gemeinde weigerten sich weiterhin, ihre Kinder in die Schule zu senden, und lehnten, selbst nach wiederholten Aufforderungen durch die Regierung von Oberbayern, jede Beteiligung an den Kosten der bestehenden Schule ab. Zeitweise stand daher gar die Errichtung einer zweiten Schule für die Kinder der Nichtbergleute zur Debatte. Erst im Jahre 1878 kam es zu einer Einigung zwischen Gemeinde und Zeche, die zu einem gemeinsamen Schulsprengel für alle Penzberger Kinder führte[33].

Diese Schulkämpfe gehören zum maßgeblichen Hintergrund der gleichzeitigen Ausgemeindungsdebatten. Anfang Juni 1870 stellten die Besitzer einer Reihe wichtiger Höfe um die Industrieansiedlung Penzberg das Gesuch, den Gemeindeverband zu verlassen[34]. Bei der letzten Gemeindevertreterwahl waren sie, wenn sie auch noch den Bürgermeister stellten, bereits in die Minderheit geraten; die jetzigen Bevollmächtigten und gar der Beigeordnete waren nunmehr »sämtlich den sog. Filzlern von Maxkron und Neukirnberg [bei Penzberg] entnommen«, die man kurzweg zum Proletariat rechnete:

»Unter solchen Modalitäten ist selbstverständlich der Suprematie des Proletariats in keiner Weise entgegen zu treten; der Vorsitzende muß sich in den desfalsigen Beschlüssen als ohnmächtig und moralisch unterlegen fühlen«.

---

[32] Ebenda, Zeche/Bezirksamt Weilheim (= BA WM) 14. 6. 1870.
[33] Hierzu Luberger, a.a.O., S. 113f.
[34] Zum Folgenden s. StAM, LRA 3516; die Eingabe der Johann Zach u. Gen. vom 4. 6. 1870 größtenteils abgedruckt bei Luberger, a.a.O., S. 63–65.

Es ging den Bauern mithin um Fragen der Moral, die sich jedoch auf sehr konkreten Kostenerwägungen gründeten, die zum Teil nicht der Berechtigung entbehrten. Denn tatsächlich hatte beispielsweise, wie einige Bauern von St. Johannisrain im Oktober 1870 in einem eigenen Gesuch auf Umgemeindung nach Sindelsdorf hervorhoben, die Verschiedenheit des Pfarr- und des Gemeindesprengels Unzuträglichkeiten und vermehrte Abgaben verursacht. Es waren allerdings noch keineswegs in erster Linie Proletarier, mit denen es die Bauern nicht zu tun haben wollten; nach wie vor ging es um die allein ebenfalls besitzenden und daher stimmberechtigten, wenngleich vielfach auch im Bergwerk arbeitenden Filzler, wie das, da steuerliche Fragen im Kern der Auseinandersetzungen standen, zur Stellungnahme aufgeforderte Weilheimer Rentamt betonte[35]: Hier sei nichts als »beleidigter Stolz« der Antragsteller über die Verluste bei der Gemeindewahl am Werk, der sich gegen »die von ihnen so betitelten Filzler« kehre: »Sie wollen damit nicht mehr verkehren«, vielmehr eine »Gemeinde aus lauter Großbegüterten« sein und bei dieser Gelegenheit auch die Zeche getrost ihren eigenen Zielen überlassen.

Die Zeche war dem gar nicht abgeneigt. Während das Bezirksamt noch Ende 1870 zu den vorliegenden Anträgen auf Ausgemeindung ablehnend Stellung bezog, blieb die Sache einstweilen in der Schwebe – um so mehr, als das Schulproblem wenigstens zunächst gelöst worden war. 1874/75 trat dann die Oberkohle mit aller Kraft auf den Plan: Sie erklärte sich, nach erneuten Bestrebungen der begüterten Bauern, »vollkommen einverstanden«[36] mit der Bildung einer eigenen Gemeinde Penzberg, unabhängig vom Gemeindeverband St. Johannisrain, und nachdem die Gemeindeversammlung der Stimmberechtigten am 15. Juli 1874 die Abtrennung Penzbergs – der neue Ort würde, wie es hieß, z. Zt. aus 70 bis 80 Häusern mit 800 bis 900 Einwohnern bestehen – beschlossen hatte, fand sich die Grubenverwaltung »mit Vergnügen«[37] bereit, diese Bestrebungen zu unterstützen. Die Gründe der Zeche liegen auf der Hand: Man wäre der lästigen bäuerlichen Opposition ledig geworden, und da abzusehen war, daß die besitzlosen heranziehenden Neubergleute auf mittlere Sicht nicht in den Rang steuerzahlender Stimmbürger würden aufsteigen können, man mithin allein mit den Maxkroner Filzlern im Gemeindeausschuß zu streiten haben würde und schon bald die gutbezahlten Zechenangestellten mit eigenem Besitz eine gewichtige Stimme mitreden würden, konnte die Grube darauf hoffen, im künftigen Gemeindeausschuß Penzberg über alle Gemeindeangelegenheiten entscheidend zu bestimmen. Dies erklärt auch, warum die Maxkroner Filzler durchaus nicht für eine Abtrennung Penzbergs zu gewinnen waren. Ihnen gegenüber griff dann die Zeche zu unsanften Mitteln: Weil der Gemeindebevollmächtigte und Bergmann Mathias Eichner und drei weitere Bergleute im Gemeindeausschuß gegen die Abtrennung gestimmt hatten, beantwortete die Grubenverwaltung solcherart Renitenz mit Entlassung, die sie indessen auf bezirksamtlichen Druck bereits am 21. Juli 1874 rückgängig machen mußte.

---

[35] StAM, AR 3969/73, Kgl. Rentamt/BA WM 11. 9. 1870.
[36] StAM, LRA 3516, OK/BA WM 23. 6. 1874.
[37] Ebenda, OK/BA WM 22. 3. 1875 sowie Beschluß der Gemeindeversammlung 15. 7. 1874. Ebenda auch die im folgenden dargestellten Verhandlungen.

Bald kam die Zeche jedoch zu weitergehenden Erwägungen, insbesondere solche der Kosten einer neuen Gemeinde Penzberg, die absehbar der Grube als dem Hauptsteuerzahler aufgebürdet werden würden. So trat sie, kaum daß sie ihr »Vergnügen« an einer Abtrennung bekundet hatte, unter dem 22. März 1875 mit Forderungen auf: St. Johannisrain habe keinerlei öffentliche Einrichtungen, die Penzberg mithin alle selbst bauen müsse. Die Oberkohle verlangte daher im Falle der Ausgemeindung eine Ablösesumme von 20 000 fl. Man verhandelte ausgiebig hierüber, und St. Johannisrain bot der neuen Gemeinde Penzberg, sprich der Oberkohle, als Leistung den Säuweiher an, dessen Befischungswert die Zeche auf 1000 fl. schätzte, aber auf 2000 aufzuwerten sich bereit erklärte. Sie ermäßigte ihre eigene Ausgangsforderung auf 10 000 fl., forderte also mit dem Säuweiher weitere 8000 fl. an Barem. St. Johannisrain lehnte ab, woraufhin die Oberkohle unter dem 19. August 1875 wissen ließ, daß sie die Abtrennung nicht mehr unterstütze. Dieser Haltung trat der Gemeindeausschuß St. Johannisrain bei. Bereits 1876 wurde erneut über mögliche Grundabtretungen verhandelt, und am 27. Juni 1877 stellte der Bauer Höck zusammen mit anderen Petenten erneut Antrag auf Abtrennung; indessen wurde durch ministerielle Verfügung vom 11. Dezember 1877 die Akte über die Ausgemeindungsbestrebungen – einstweilen – geschlossen.

Die hier mit Rücksicht auf ihre langfristige Bedeutung für das Verhältnis der im Aufbau befindlichen Industriekommune zu ihrer ländlichen Umgebung ausführlich geschilderten Vorgänge lassen die kommunalpolitischen Kräfteverhältnisse in aller Deutlichkeit erkennen: Die altbegüterten Bauern hatten inzwischen ihre beherrschende Rolle in der Gemeinde an die Maxkroner Filzler, die zumeist als Besitzer von einigem Grund im Bergwerk arbeiteten, verloren; die Oberkohle hatte andererseits durch die von ihr beschäftigte bergbauliche Mittelschicht noch nicht Fuß gefaßt, während die große Zahl der neu heranziehenden Bergleute noch vollkommen ohne Einfluß blieb. Für die Entscheidung der Oberkohle, die Abtrennung nicht länger zu betreiben, war vordergründig ein Kostenkalkül maßgebend; auf mittlere Sicht durfte sich die Zeche indessen sicher sein, in künftigen Gemeindeausschüssen eine eher zunehmende Rolle zu spielen. Der Einfluß, der ihr jetzt versagt blieb, würde ihr künftig von selbst zufallen, wenn auch der Gemeindeausschuß später durchaus nicht regelmäßig entlang den Zecheninteressen entschied. Tatsächlich stellte die Zeche zwischen 1888 und 1900 mit dem Platzmeister Heinrich Schönleben den Bürgermeister. An ihr als dem bei weitem größten Grundbesitzer der Gemeinde würde auch künftig in wichtigen kommunalpolitischen Entscheidungen nicht vorbeigehandelt werden können; in der Tat ist kaum eine der wichtigeren öffentlichen Einrichtungen der Gemeinde in der Folgezeit ohne Mitwirkung der Zeche entstanden. Sie vermochte insbesondere, den Zuzug industrieller Betriebe fernzuhalten, mithin den Arbeitsmarkt mit Ausschließlichkeit zu beherrschen.

Die sich hier abzeichnende Verschiebung im kommunalpolitischen Kräftefeld ist auch deshalb faszinierend, weil zwar die düpierten Bauern – und bald auch die Maxkroner Filzler – das Feld räumen mußten, nach ihnen aber bereits eine neue einflußreiche Gruppe an die Rathaustüren klopfte: jene der mittelständischen Gewerbetreibenden, deren Zahl als besitzende Stimmbürger rasch zunahm. Ihr fiel nach der Jahrhundertwende die Rolle des Meinungsführers in kommunalen Angelegenheiten zu, die sie gemeinsam mit der bäuerlichen Restgruppe wahrnahm.

Kommunalpolitik ist häufig ein verfilztes politisches Vexierspiel, und die Vorgänge der 1870er Jahre liefern hierfür ein Beispiel. Bauern und Zeche waren nolens volens eine Interessengemeinschaft eingegangen, zugleich aber auch aneinander gescheitert, während die noch sehr einflußreichen Filzler, wie weitsichtig immer, ihren Willen durchsetzen konnten. Die Düpierten waren allemal die Bauern; ihre jahrzehntealten Vorurteile gegen das Völkchen in Maxkron, das mit der Aufnahme der Bergarbeit seine proletarischen Züge verstärkte[38], schienen bestätigt. Das Scheitern der Bauern zwang sie zu einer ungeliebten Existenz in der Industriekommune, es verschärfte ihre Abneigung gegen deren Neuerungen, stellte sie auf ein Abstellgleis, von dem sie in den folgenden Jahrzehnten – 1902 folgte ein Ausgemeindungsantrag der Nantesbucher, 1919 je einer der Rainer und Schönmühler und noch 1950 noch einmal einer der Rainer[39] – wiederholt freizukommen suchten.

Auf lange Sicht hätte die Bildung einer eigenen Gemeinde Penzberg in gewiß sehr engen, dann ausschließlich zechenbeherrschten Grenzen die Aktionsfähigkeit der Gemeinde noch mehr beeinträchtigt, als dies der bergbauliche Großbetrieb ohnehin tat. So blieb der Stadt/Land-Gegensatz, kommunalpolitisch gesehen, der aufstrebenden Industriekommune eingeboren, mit ihm aber auch die Feindschaft der begüterten Bauern, die oft nur wenige hundert Meter zu gehen hatten, um die Interessengemeinschaft von Gleichgesinnten außerhalb des Gemeindeverbands zu finden. Wie immer bei solchen Auseinandersetzungen blieben die kleinen Leute auf der Strecke: Der Gemeindeschreiber Benedikt Koeppel kam bereits am 6. März 1870 wegen der aufgetretenen Auseinandersetzungen um seine Entlassung ein[40]. Auf der Strecke blieb auch die neue besitzlose Arbeiterschaft, der allerdings die Auseinandersetzungen wohl eher gleich gewesen sind, ging es doch wenigstens jetzt nicht um ihr Geld. Freilich hat das Bezirksamt, anders als in der Schulfrage, bei den Ausgemeindungsdebatten die Einwohnerschaft nicht nach ihrer Meinung befragt.

Die Entfaltung des Orts, insbesondere die Errichtung einer hinreichenden industriekommunalen Infrastruktur durch Bauplanung, Straßenbau, öffentliche Einrichtungen und vieles andere ist durch die Ausgemeindungsquerelen der 1870er Jahre, weil die Finanzierung dieser Aufgaben erst mit der Festlegung eindeutiger kommunalpolitischer Verantwortungen geregelt werden konnte, wahrscheinlich um etwa ein Jahrzehnt gehemmt worden. Hier sprang indessen, wie bereits an der Errichtung der Volksschule gezeigt, die Zeche durch gelegentlich große, auch wohl weitherzige Geld- und Sachspenden ein oder nahm die dringendsten Probleme, vorbei an der Gemeindeverwaltung, schlicht selbst in die Hand, bis die notwendigsten Einrichtungen gewährleistet waren.

Die Phase raschen Wachstums der Kommune ist, wie bereits angedeutet, ungefähr seit den 1890er Jahren durch eine Phase verstetigten Wachstums abgelöst worden: Während

---

[38] Ebenda Schreiben vom 10. 7. 1868: Die Maxkroner Bevölkerung sei nun »fast ausschließlich« im Bergwerk beschäftigt. Zur Andersartigkeit und Abgrenzung zwischen Bauern und Arbeitern vgl. jetzt vor allem Blessing, Werner K.: Umwelt und Mentalität im ländlichen Bayern. Eine Skizze zum Alltagswandel im 19. Jahrhundert, in: AFS 19 (1979), S. 1–42.
[39] Hierzu Luberger, a.a.O., S. 68f.; auch Schaffer, Sozialgeographische Aspekte, a.a.O., S. 92, über die »vergeblichen Distanzierungsversuche der bäuerlichen Ortsteile von der Arbeitergemeinde«.
[40] StAM, LRA 3516, Koeppel/BA WM 6. 3. 1870.

die Zuwachsraten der Bevölkerung in den Jahrfünften bis 1890 zumeist weit über 20 Prozent betragen hatten, trat erstmals in den frühen 1890er Jahren eine Verlangsamung des Wachstums mit nur noch 10 Prozent ein. Einen letzten Wachstumsstoß für zwei Jahrzehnte erlitt die Kommune in dem konjunkturellen Aufschwung zwischen 1895 und der Jahrhundertwende mit einem Bevölkerungswachstum von 23 Prozent. Nach der Jahrhundertwende wurden nur noch Wachstumsraten (in Jahrfünften) von 9 und 6 Prozent erreicht.

Die Bevölkerungsentwicklung stabilisierte sich. Der größere Teil der Zunahme nach der Jahrhundertwende dürfte auf natürliches Bevölkerungswachstum zurückzuführen sein; Zuzüge[41] fanden nur noch in geringem Umfang statt und sind wahrscheinlich zumeist der mittelständischen erwerbstätigen Bevölkerung zugute gekommen. Die demographische Entwicklung dieser Zeit wirft einige interessante, für den Fortgang unserer Untersuchung bedeutsame Fragestellungen auf:

Die hohe Fruchtbarkeit von Bergarbeiterfamilien ist als ein in allen, auch außerdeutschen Bergarbeiterfamilien wiederkehrendes Phänomen bereits zeitgenössisch konstatiert worden[42]. In Penzberg betrug die Kinderzahl der Arbeiterfamilien nach Feststellungen der Oberkohle Ende des Jahres 1898 durchschnittlich 2,6, wobei erst 56 Prozent der Belegschaft verheiratet waren[43]. Im Jahre 1907 gehörten zu den 4042 Bergarbeitern im oberbayerischen Pechkohlenrevier 7861 Frauen und Kinder[44]; auf einen Bergmann entfielen mithin fast zwei Familienmitglieder. Überträgt man diese Relation auf die Penzberger Belegschaftszahl (1174) im selben Jahr, so wird deutlich, daß rund 3500 Menschen, bei einer Bevölkerungszahl von ungefähr 5300 daher um zwei Drittel der Einwohnerschaft, ihr Einkommen unmittelbar vom Bergbau bezogen. Auch ohne Berücksichtigung der mittelbar vom Bergwerk abhängigen Betriebe wie der Konsuman-

---

[41] Von einiger Bedeutung war die tägliche Pendelwanderung nach Penzberg aus entlang der Eisenbahnstrecke Starnberg-Tutzing (später Kochel) gelegenen Orten; vgl. Eisenbahnwanderung zwischen Wohn- und Arbeitsort im rechtsrheinischen Bayern während des Jahres 1907, in: ZBSL 41 (1909), S. 305–317, hier S. 311; zum Zuzug allgemein: Bayern und seine Gemeinden, a.a.O., S. 144.

[42] Als Spezialuntersuchung s. das den außerordentlich entwickelten Stand der älteren historischen Demographie spiegelnde Buch von Pyszka, Hannes: Bergarbeiterbevölkerung und Fruchtbarkeit. Eine Studie der Bevölkerungsbewegung der deutschen Bergarbeiterbevölkerung. München 1911.

[43] StAM, LRA 3962, Flugblatt der Oberkohle von 1899. Das Verhältnis der unehelichen zu den ehelichen Geburten betrug 1910 lt. Penzberger Anzeiger (= PA) 7/17. 1. 1911–25:191.

[44] Nach Stand und Entwicklung, a.a.O., S. 49*. Den genannten Zahlen und den folgenden Hinweisen ist beim besten Willen nicht zu entnehmen, daß »der Penzberger Bergarbeiter den Typ der Einkindfamilie« herausbildete (Hörger, Mortalität, a.a.O., S. 198 u. ö.). Ähnlich Peißenbergs, wo Hornemann, Albrecht: Medizinalstatistik des Bergwerks Peißenberg, med. Diss. (Ms.) München 1948, S. 17 u. 22, das Absinken der Geborenenrate in den Jahren 1918–1923 auf weniger als die Hälfte des Vorkriegsstands konstatiert, dürfte für Penzberg bis Kriegsausbruch eine hohe Geborenenrate insbesondere in Bergarbeiterfamilien kennzeichnend sein. Hörgers Schlüsse sind uns auch aus den von ihm mitgeteilten Zahlen (Familienformen, a.a.O., S. 808 u. ö.) nicht verständlich: Von 363 von Hörger in den Pfarrmatrikeln verfolgten Familien »Penzberger Bergleute« waren 171 kinderlos, 90 hatten ein, aber 102 Familien zwei und mehr Kinder. Ebenda, S. 811 konstatiert Hörger übrigens selbst den sogar im Vergleich zu den kinderreichen Bauernfamilien außerordentlich kurzen Geburtsabstand der Bergarbeiterfamilien (21 Monate); ob im übrigen die Kindersterblichkeit berücksichtigt wurde, ist nicht erkennbar. Der untersuchte Zeitraum wird schlicht mit »nach 1872« eingegrenzt. Es kann sich allenfalls um die 1870er und 1880er Jahre handeln, denn allein die Angabe von 56% verheirateten Bergarbeitern für 1899 hätte bei einer Belegschaft von sicher über 1200 zu weitaus mehr untersuchten Fällen führen müssen. Das würde bedeuten, daß Hörger namentlich sehr junge Familien eben zugezogener Bergleute untersucht hat.

stalt oder des auf die Bedürfnisse der Bergarbeiterbevölkerung zugeschnittenen Versorgungsgewerbes wird erneut deutlich: Penzberg war und blieb ein ausschließlich vom Bergbau zehrender Ort.

Es war darüber hinaus ein junger Ort im doppelten Sinn: im Hinblick auf die Siedlungsbildung erst seit den 1870er Jahren sowie im Sinne eines durch niedriges Durchschnittsalter der Zuwanderer und hohe Fruchtbarkeit hervorgerufenen niedrigen Durchschnittsalters der Gesamteinwohnerschaft. Vor 1914 hat es, auch wenn der statistische Beweis hierfür in Gestalt einer »Alterspyramide« nicht angetreten werden kann, im Vergleich zur normalen Altersgruppenverteilung erst eine kleine Gruppe von über 50jährigen im Ort gegeben; die Gruppe der Knappschaftspensionäre nahm erst langsam zu, erreichte jedoch auch in der Zwischenkriegszeit relativ bei weitem nicht den in der alten Bergarbeitergemeinde Peißenberg nachweisbaren Umfang[45].

Zum Teil war das niedrige Durchschnittsalter der Einwohnerschaft vor 1914 auch bereits durch die höhere Mortalität der Bergarbeiterschaft bestimmt. Sie wird im wesentlichen durch das hohe Unfallrisiko, weniger durch die an Bedeutung allerdings zunehmenden Berufskrankheiten bestimmt. Die Staublunge (Silikose) hat dabei aufgrund der im Pechkohlengebirge vorfindlichen Gesteinsformen im oberbayerischen Bergbau auch nach ihrer Anerkennung als Berufskrankheit eine nur minimale Rolle gespielt[46]; wichtiger waren infolge der hohen Grubenfeuchtigkeit die rheumatischen Erkrankungen, während unter Bergleuten die Tuberkulose wahrscheinlich infolge der Auslese durch die Berufswahl, der Krebs infolge des früheren durchschnittlichen Sterbealters eine im Vergleich zur Gesamtbevölkerung geringere Bedeutung gehabt haben[47].

Weitere Hinweise über das Altersbild der Ortsbevölkerung lassen sich aus der Geborenenstatistik gewinnen, die mit einer Lücke für 1904 bis 1914 vorliegt[48]:

Tabelle 4
Geborene in Penzberg 1904 bis 1914

Jahr	Lebendgeborene	davon im ersten Lebensjahr verstorben
1904	235	
1905	191	
1906	201	
1907	168	
1908	185	
1909	178	30
1910		
1911	166	33
1912	151	16
1913	136	27
1914	138	17

---

[45] Vgl. Hornemann, a.a.O., S. 45f. mit Schaubild sowie S. 72, 80. Danach stieg die Zahl der jährlichen Invalidisierungen in Penzberg erst 1923/24, zum Teil jedoch infolge krisenbedingter vorzeitiger Pensionierungen, steil an. Nach 1933 soll es 700 Pensionäre gegeben haben; vgl. StAM, NSDAP 627.
[46] Vgl. Hornemann, a.a.O., S. 101: Der Anteil an Pensionierungen wegen Silikose betrug bis 1948 0,6% aller Pensionierungen. Hornemann hält ein Urteil über diese Berufsgefahr noch für verfrüht.

Hier wird zunächst erkennbar, daß die Geborenenzahl bereits vor dem Weltkrieg kontinuierlich sank; ein tiefgreifender »Geburtenknick« ist allerdings auch für Penzberg erst nach dem Weltkrieg zu erwarten. Dennoch lag die Geborenenziffer vor 1914 über dem Durchschnitt. Das natürliche Bevölkerungswachstum ohne Berücksichtigung der Mortalität betrug in Penzberg 1905 36,7 Geborene auf 1000 Einwohner und lag damit erheblich über dem Reichsdurchschnitt (33,0) sowie über dem bayerischen Durchschnitt (32,9) desselben Jahres[49]. Für 1910 liegen leider keine Angaben vor; bezieht man jedoch die Geborenenzahl des Jahres 1911 auf die (sich nur noch wenig verändernde) Einwohnerzahl von 1910, so liegt auch hier das Ergebnis (30,0) recht deutlich über dem Durchschnitt des Reichs (28,6) bzw. Bayerns (28,4). In Penzberg wurden mehr Kinder geboren als durchschnittlich andernorts.

Die höhere Geborenenziffer könnte durch eine höhere Säuglingssterblichkeit relativiert werden. Das Gegenteil ist, vielleicht überraschend, der Fall – jedenfalls in der Vorkriegszeit. Die Sterblichkeit im ersten Lebensjahr betrug in Penzberg, auf 1000 Einwohner berechnet, im Jahre 1909 nur 187,5 gegenüber 217 in Bayern sowie reichsweit im Durchschnitt der Jahre 1901 bis 1910 bei Knaben 203,3, 170,5 bei Mädchen. In den folgenden Jahren bestätigt sich der niedrige Wert: 1911 betrug die Säuglingssterblichkeit im Bereich des Standesamtes Penzberg, stets auf 1000 Einwohner bezogen, 198,8; 1912: 106,0; 1913: 198,5; 1914: 123,2; im Durchschnitt der Jahre 1911 bis 1914 endlich 157,4 gegenüber 165,8 im gesamten Bezirk Weilheim im selben Zeitraum und bei zum Teil sehr erheblich höheren Werten in anderen ländlichen Regionen Bayerns.

Mithin stützt auch die niedrigere Säuglingssterblichkeit die Feststellung von der »jugendlichen« Industriekommune Penzberg[50]. Es ist für unsere Zwecke nicht erforderlich, die niedrigere Säuglingssterblichkeit zu erklären, doch sei darauf hingewiesen, daß die junge Industriestadt durch Arztnähe und Krankenhaus eine immerhin bessere Säuglingshygiene als die durch geringe Arztdichte und wenig Krankenhäuser gekennzeichneten ländlichen Regionen ermöglichte. Auch dürfte die auf dem Lande Bayerns wohl noch wirksame Praxis des »Himmeln«-Lassens[51], jene materialistische Form

---

[47] Nach Hornemann, a.a.O., S. 24, 33–36. Hornemanns stets mit Penzberg vergleichende Gruppierungen und Berechnungen aufgrund der Knappschaftsakten scheinen uns sehr viel zuverlässiger als Hörgers aus den Pfarrmatrikeln gewonnenen Erkenntnisse (Mortalität, a.a.O., S. 215ff.). Hornemanns Arbeit ist Hörger anscheinend nicht bekanntgeworden. Zum Vergleich mit der Sterblichkeit in anderen Bergrevieren s. etwa Berg- und Hüttenmännische Rundschau 5 (1908/09), S. 109–114, bes. am Beispiel der Saarbergleute; zur Mortalität in Gesamtbayern s. u. a. ZBSL 44 (1912), S. 106.

[48] Für die Jahre 1904 bis 1909 nach den Aufstellungen StAM, LRA 5264, die der katastrophalen Schulraumnot in Penzberg (sie bewog die Zeche, 1910 zwei weitere Schulräume bereitzustellen) zu verdanken sind; für 1911 bis 1914 nach dem Glücksfall einer standesamtlich nachgewiesenen Statistik: Säuglingssterblichkeit 1911–1914 nach Standesämtern in Bayern, in: ZBSL 48 (1916), S. 1–97, hier S. 14. Beide Quellen blieben Hörger verborgen, der (Mortalität, a.a.O., S. 206) eine »Säuglings- und Kleinkindersterblichkeits«-Tabelle bringt, ohne auch nur zu vermerken, was unter Kleinkindern zu verstehen ist; vgl. ebenso ebd. S. 199, wo die Kindersterblichkeit unsinnig auf die Gesamtsterblichkeit (statt auf die Lebendgeborenen) bezogen wird.

[49] Vergleichszahlen hier und im folgenden nach Hohorst, Gerd u. a.: Sozialgeschichtliches Arbeitsbuch. Materialien zur Statistik des Kaiserreichs 1870–1914. München 1975, S. 23f., 29 (Dt. Reich), sowie nach: Bayerns Entwicklung nach den Ergebnissen der amtlichen Statistik seit 1840. München 1915, S. 8f., 14 (Bayern). Es handelt sich stets – die Zahlen wurden ggfls. entsprechend umgerechnet – um Lebendgeborene.

[50] Weitere Angaben zur allgemeinen Säuglingssterblichkeit sind durchaus zahlreich, vgl. etwa nach Gemeindegrößenklassen: ZBSL 45 (1913), S. 513.

[51] Vgl. etwa Phayer, Fintan Michael: Religion und das Gewöhnliche Volk in Bayern in der Zeit von 1750–1850. München 1970, S. 96–98 mit weiteren Hinweisen.

ländlicher Bevölkerungskontrolle, die Differenz zu Säuglingssterblichkeiten von 330 Promille und mehr in manchen ländlichen Verwaltungsbezirken Bayerns beispielsweise im Durchschnitt der Jahre 1900 bis 1904 mit erklären; schon damals waren die Überlebenschancen südlich Münchens, beispielsweise im Kreis Weilheim mit 222 Promille, deutlich besser[52].

Leider gelingt es nicht, ein vollständiges Altersstrukturbild der Ortsbevölkerung zu erstellen und überregional zu vergleichen. Ein Versuch für die jüngsten Altersgruppen sei dennoch unternommen:

Für das Schuljahr 1909/10 liegen die Jahrgangsstärken aller Penzberger Volksschulklassen vor[53]. Nimmt man hieraus, um den in geringeren Stärken der höheren Klassen erkennbaren Abgang in höhere Schulen auszuschließen, die Durchschnittsstärke der Klassen 1 bis 4, so würde das Ergebnis die Unsicherheit einer nicht bekannten Kindersterblichkeit nach dem ersten Lebensjahr[54] weitgehend ausschließen. Diese Durchschnittsstärke der Jahrgänge beträgt im einzelnen bei nur geringen Abweichungen 166, womit folglich die Überlebenden der Geburtenjahrgänge 1903 bis 1907, die 6- bis 10jährigen also, erfaßt werden. Legt man in der Annahme, daß dabei die Mehrgeburten der Jahre vor 1903 durch die Mindergeburten der Jahre nach 1907 ausgeglichen werden, diese Zahl einer Kalkulation der 1910 in Penzberg lebenden Kinder im Alter bis zum vollendeten 15. Lebensjahr zugrunde, dann beträgt der Bevölkerungsanteil dieser Gruppe in Penzberg mit Sicherheit weit über 2200 Personen (genau: 2490). 2200 Jugendliche bis 15 Jahren entsprächen einem Bevölkerungsanteil von rund 40 Prozent – gegenüber reichsweiten 34,2 Prozent.

Die Schätzung ist mit Risiken belastet, wird aber in der Tendenz um so mehr den Tatsachen entsprechen, als alle bisher vorgetragenen Argumente in dieselbe Richtung weisen. Eine vergleichende Untersuchung des Altersbildes von Industriekommunen – die Altersbilder der Bevölkerungsstatistiken reichen gewöhnlich nur in die »kleineren Verwaltungsbezirke« hinunter; man ist folglich auf örtliche oder besonderen Glücksfall zu dankende Quellen angewiesen – dürfte das Ergebnis im wesentlichen bestätigen und zudem manche weiterführende Fragestellung nahelegen. Als Hauptergebnis scheint gesichert, daß die Bevölkerung der Industriekommune Penzberg infolge von Zuwanderung, hoher Fruchtbarkeit der Bergarbeiterbevölkerung, früher Mortalität der Bergleute und – wegen der späten Siedlungsbildung – noch geringer Bedeutung der Altersgruppen etwa ab 50 Jahren vor 1914 eine deutlich zugunsten der jüngeren Altersgruppen verschobene Altersstruktur aufwies. Dieses Faktum blieb natürlich auch den Zeitgenos-

---

[52] Nach: Alfred Groth/Martin Hahn: Die Säuglingsverhältnisse in Bayern, in: ZBSL 42 (1910), S. 78–164, S. 101f.

[53] StAM, LRA 5264. Es sei darauf hingewiesen, daß die dort angeführte Statistik der im Jahre 1910 aus den Geburtsjahrgängen 1904 bis 1909 verstorbenen Kinder, entgegen der bereits dokumentierten niedrigen Säuglingssterblichkeit, Indizien für die Annahme einer überdurchschnittlichen Kindersterblichkeit enthält. Nach dieser Aufstellung waren beispielsweise 1910 vom Geborenenjahrgang 1904, subtrahiert man die als »verzogen« Gemeldeten, 34,1 Prozent verstorben. Träfe diese Ziffer nach der Tendenz nach durchweg zu, so würde dies die These von der Jugendlichkeit der Industriekommune relativieren, aber nicht umstoßen. Es wäre außerdem eine außergewöhnliche, nicht leicht zu erklärende Erscheinung, die dem reichsweiten Trend (knapper Hinweis etwa bei Hohorst u. a., a.a.O., S. 37 Anm.) den Dimensionen nach scharf entgegenstünde. Man wird freilich in der jungen Industriekommune auch mit seuchenartigen Sterbefällen (etwa Grippeepidemien) rechnen müssen, die für manche Jahre abnorme Ergebnisse hervorbringen.

[54] Vgl. vorstehende Anmerkung.

sen nicht verborgen[55] und kehrte in anderen Industriekommunen analog wieder[56]; es belastete die Kommunalpolitik mit besonderen Problemen insbesondere im Bereich der Schulbildung. Es wird an anderer Stelle darzulegen sein, was die Jugendlichkeit des Orts für seine Arbeiterbewegung zum Teil noch vor 1914, vor allem aber in der Zwischenkriegszeit, bedeutete.

3. Zur Entwicklung der Arbeiterschaft 1890 bis 1914

Die Angaben über Herkunft, Zusammensetzung und Entwicklung der Penzberger Bergarbeiterschaft vor 1918 sind sehr verstreut; nur gelegentlich läßt sich ein Bild über die zahlenmäßige Entwicklung der Grubenbelegschaft gewinnen. Ein erstes derartiges Bild liegt mit einer Lohnaufstellung aller Gruben der Oberkohle für 1889 vor[57], das im folgenden durch eigene Berechnungen ergänzt wird:

Tabelle 5
Belegschaftsstruktur und Lohnverhältnisse 1889 in Penzberg

Arbeiterkategorie	Anzahl	Anteil an der Belegschaft in %	Gedinge- lohn	Schicht- lohn (8-Stundenschicht)	Schichtlohn in % des Hauer- schichtlohns
Grubenarbeiter	697	78,6			
Hauer	362	40,8	4,–	2,80	100
Schlepper	111	12,5	3,–	2,50	89
Anschläger[58]	57	6,4		2,50	89
Bremser[59]	28	3,2		2,50	89
Pferdeknechte	17	1,9		2,80	100
Maschinisten	12	1,4		2,80	100
Grubenzimmerer	38	4,3	3,50	2,80	100
Sonstige	72	8,1		2,50	89
Tagarbeiter	167	18,8			
Wagenstürzer	6	0,7		2,50	89
Sortierung, Lagerung	114	12,9	2,50	1,40	50
Wagenschmierer	1	0,1		1,60	57
Verladung	6	0,7		2,50	89
Pferdeknechte	8	0,9		2,80	100
Heizer	15	1,7		2,80	100
Maschinisten[60]	5	0,6		100,– (Monatslohn)	
Sonstige	12	1,4		2,40	86
Werkstätten[61]	23	2,6			
Belegschaft	887	100[62]			

---

[55] Die hohe Kinderzahl Penzbergs wird etwa PA 105/1911 konstatiert.
[56] Hinweise, jedoch keine statistischen Nachweise der oben vorgetragenen Art über die »Verjüngung« der Altersbilder in Industriekommunen finden sich in der jüngeren Literatur bei Schomerus, Heilwig: Die Arbeiterschaft der Maschinenfabrik Esslingen. Forschungen zur Lage der Arbeiterschaft im 19. Jahrhundert.

Leider läßt sich der Anteil der Angestellten unter Tage (Reviersteiger, technische Steiger für Bewetterung, Maschinen etc.) wie auch über Tage (Rechnungsführer, Lademeister und sonstiges Büropersonal) mit Ausnahme der Hauptschachtmaschinisten und des Werkstättenpersonals nicht präzisieren. Im übrigen entspricht die prozentuale Zusammensetzung der Belegschaft, bei einigen ortsbedingten Eigenheiten, annähernd jener, wie sie aus Bergbaubetrieben auf Steinkohle in anderen Revieren bekannt ist[63]. Insbesondere das Verhältnis der Übertage- zur Untertagebelegschaft von annähernd 1:5, das sich um diese Zeit auch in der Angestelltenschaft hergestellt haben dürfte, entspricht andernorts üblicher Gepflogenheit. Zu den Besonderheiten der Penzberger Belegschaftsstruktur gehört jedoch, daß die unter »Sortierung« genannten Arbeitskräfte fast ausschließlich Frauen waren.

Die Sortiererinnen, von ihren männlichen Berufskollegen gern »Kohlenschicksen«[64] und von den Nationalsozialisten auch »Hosenweiber« betitelt[65], waren von den Anfängen großbetrieblicher Produktion dabei und genießen noch heute in der bergbaulichen Erinnerung der Stadtbevölkerung einen im Unterton mit Hochachtung durchmengten Ruf; sie werden uns noch wiederholt beschäftigen. Sie, zumeist kinderlose Bergarbeiterfrauen oder ältere unverheiratete Bergarbeitertöchter, entwickelten ein eigenes Gruppenbewußtsein, das nirgends deutlicher als in der selbst beschafften und bezahlten, sozusagen »traditionell« getragenen[66] Arbeitskleidung zum Ausdruck kommt: Man kleidete sich in blaue Blusen, blaue Kopftücher und blaue halblange Kniehosen; eine für die überaus monotone und staubige Arbeit des Herausklaubens der Berge aus der über Tage gekippten Förderkohle, wie es hieß, »sehr zweckmäßige« Kleidung[67].

Stuttgart 1977, S. 164f., 201 (Generationenkonflikt) sowie bes. S. 40; Matzerath, Horst: Industrialisierung, Mobilität und sozialer Wandel am Beispiel der Städte Rheydt und Rheindahlen, in: Kaelble Hartmut, u. a.: Probleme der Modernisierung in Deutschland. Sozialhistorische Studien zum 19. und 20. Jahrhundert. Opladen 1978, S. 13–79, u. a. S. 62 mit der Frage, ob die hohen Geburtenziffern (hier bereits 1849) ein »importiertes Phänomen« seien. Vgl. ferner Reulecke, Jürgen: Veränderungen des Arbeitskräftepotentials im Deutschen Reich 1900–1933, in: Mommsen, Hans u. a. (Hrsg.): Industrielles System und politische Entwicklung in der Weimarer Republik, Bd. 1, ND Düsseldorf 1977, S. 84–95, besond. 85. Die jüngere historische Demographie, entscheidend vorangetrieben durch die Forschungen Wolfgang Köllmanns, hat den Akzent in starkem Maße auf die Bevölkerungsverschiebungen durch Wanderungen (Verstädterung), nicht so sehr auf die Strukturfolgen der Wanderungsbewegungen gelegt. Dies haben bereits Heberle, Rudolf und Fritz Meyer: Die Großstädte im Strome der Binnenwanderung. Wirtschafts- und bevölkerungswissenschaftliche Untersuchungen über Wanderung und Mobilität in deutschen Städten. Leipzig 1937, bemerkt: Die Wirkung von Wanderungen auf das »Zusammenleben« sei bisher »wenig beachtet und kaum untersucht worden« (S. 51, S. 53f. einige Hinweise auf mögliche Wirkungen).
[57] StAM, LRA 9554.
[58] Anschläger: im Schachtbetrieb (Haupt- und Blindschächte) für Förderung und Seilfahrt zuständig. Wahrscheinlich sind in der recht hohen Zahl auch sog. »Aufschieber« an den Schächten enthalten.
[59] Bremser: schlepperähnliche Arbeit in der horizontalen oder »Bremsberg«-Förderung (Abbremsen von Förderwagen auf schiefen Ebenen).
[60] Hauptschacht-Förderungsmaschinisten (unter Tage dagegen: Blindschachtmaschinisten, d. h. an Schächten, die nicht die Tagesoberfläche erreichen); Angestellte mit Wohnzuschüssen.
[61] Arbeiter und Meister: Schlosser (8), Schmiede (7), Schreiner (2), Zimmerer (2), Maurer (2), Sonstige (2).
[62] Addition ergibt Rundungsfehler.
[63] Vgl. Tenfelde, Sozialgeschichte, a.a.O., S. 248.
[64] Vgl. StAM, DAF (o. Sign.), Bericht der OK vom 12. 5. 1939.
[65] Vgl. StAM, NS 617, landrätl. Bericht vom 1. 8. 1941.
[66] Wie Anm. 64.
[67] Wie Anm. 64.

5. Frauen und Kinder: Die Übertage-Belegschaft in den 1890er Jahren.

6. Sortiererinnen beim Einheben eines entgleisten Wagens.
7. Sortiererinnen in der Sieberei.

Der hohe Anteil von Frauenarbeit ist ein Kennzeichen der Betriebe der Oberkohle gewesen und schlug sich auch im überregionalen Vergleich in hohen Prozentteilen der Frauenarbeit im bayerischen Bergbau nieder[68]. Frauenarbeit im deutschen Bergbau ist allerdings, mit der Ausnahme Oberschlesiens, immer Übertage-Arbeit gewesen.

Das Strukturbild der Penzberger Belegschaft 1889 bringt nicht alle Differenzierungen vor allem in den Schlepper- und Hauerrängen zum Ausdruck; hierauf wird später zurückzukommen sein. Es kam hier nur darauf an, ein ungefähres Bild zu vermitteln. Dies gilt auch für das Problem der geographischen Herkunft der Penzberger Bergleute. Der spätere Konsumvereinsvorsitzende und Gewerkschaftsfunktionär Alois Kapsberger, selbst aus dem österreichischen Braunkohlenrevier bei Thomasroith 1898 angeworben, erinnert sich an rege Pendelwanderungen vor allem zwischen den habsburgischen Gebieten und dem Penzberger Bergbau; das »Gemisch der Nationen« — erwähnt werden besonders Slowenen, Kroaten, Böhmen, Südtiroler, Lombarden und, aus deutschen Regionen, Oberpfälzer[69] — habe die Gewerkschaftsgründung sehr erschwert. Nach der Auflassung der Grube Miesbach seien viele Bergleute von dort nach Penzberg gekommen. – Die Bemühungen der Oberkohle um Anwerbung auswärtiger Arbeitskräfte selbst auf weite Entfernungen haben die Penzberger Grube sehr nachhaltig von jener in Peißenberg unterschieden, wo man, wie dies auch auf preußischen Staatszechen etwa im Saargebiet üblich war, großen Wert auf die Heranziehung einer ortsverwurzelten, über Generationen zechentreuen Belegschaft legte. In Peißenberg kam, zweifellos begünstigt durch die hier sehr viel ältere und eher ständisch geprägte Bergbautradition, der weit überwiegende Teil der Belegschaft aus den Orten Peißenberg, Hohenpeißenberg und

---

[68] BayHStA, MWi 2264, Übersicht: Anteil jugendlicher Arbeiter und Arbeiterinnen (a) und Frauen (b) an den Bergbaubelegschaften in %:

Jahr	Berginspektion München (a)	(b)	Bayern (a)	(b)	Preußen (a)	(b)
1910	2,13	4,83	2,17	2,16	3,6	1,4
1911	2,13	4,22	2,03	1,91	3,5	1,4
1912	2,79	4,07	2,38	1,92	3,7	1,4
1913	2,99	3,77	2,42	1,93	3,9	1,2
1914	3,00	3,61	2,85	1,96	4,5	1,4
1915	2,91	4,18	5,40	2,25		
1916	4,13	5,63	5,34	2,86	7,7	5,9
1917	4,11	6,23	5,29	3,86	6,9	7,0
1918	3,35	6,80	3,90	3,73	5,5	6,7
1919	3,59	5,08	3,15	2,58	5,0	4,5
1920	2,65	4,08	2,17	2,42	4,5	2,7
1921	2,93	3,55	2,32	2,20	4,0	2,0
1922	2,72	3,66	2,27	2,35		
1923	2,32	3,84	2,10	2,94		

Eine zusammenfassende Deutung s. bei Zahn, Friedrich: Die Frau im bayerischen Erwerbsleben, in: ZBSL 41 (1909), S. 521–542, zum Bergbau S. 524.

[69] Kapsberger, Alois: Gewerkschaftsbewegung in Penzberg, 2 Bde. (Ms.), o. O., o.J. [Penzberg 1947]; ein Exemplar, das mir freundlicherweise Herr Josef Eisend zugänglich machte, befindet sich im Eigentum der IG Bergbau und Energie Penzberg. Hier Bd. 1, S. 42, 83; s. auch Luberger, a.a.O., S. 60. Kapsbergers Werk ist in manchem typisch für den Autodidakten und Arbeiterführer: Vermengt mit nicht sehr beeindruckenden lyrischen Werken und persönlichen Erinnerungen, zeichnet es im ganzen ein engagiertes, von persönlicher Bescheidenheit getragenes Bild der Penzberger Gewerkschaftsgeschichte.

Peiting; 1937 waren etwa 200 Beschäftigte in der dritten Generation bergwerkstreu, und ein entsprechendes Problem der Peißenberger Belegschaftspolitik war die Überalterung der Mannschaften[70]. Die lange Verweildauer der Bergleute auf den oberbayerischen Zechen war dabei – anders als etwa in dem vor dem Ersten Weltkrieg sehr stark von Fluktuation betroffenen Ruhrbergbau[71] – ohne Zweifel eine Folge der isolierten ländlichen Beschäftigungslage, auch wenn sich gelegentlich Abwanderungen, so nach Streiks und Maßregelungen durch die Zechenleitungen, nachweisen lassen[72]. Die Alternative zum Bergbau lautete in Oberbayern oft genug: Landarbeit, und hier wurde allemal sehr viel weniger verdient.

Die Lohnangaben unserer Übersicht von 1889 beziehen sich für Untertage-Arbeiter auf eine um diese Zeit in Penzberg übliche Schichtzeit von 8 Stunden unter Ausschluß der Zeit für die Seilfahrt, also auf die reine Arbeitszeit vor Ort, so daß die tägliche Verweildauer auf der Zeche für den einzelnen Bergmann sicher oft über 10 Stunden betrug. Ausnahmsweise würden, so hieß es[73], 10stündige Schichten gegen einen um 20 Prozent erhöhten Schichtlohn, also mit einem deutlichen Verlust an Stundenlohn, verfahren; auch eigentliche Überschichten (Doppelschichten oder Feiertagsschichten) waren mit 7 Prozent der Gesamtzahl der verfahrenen Schichten nicht eben selten. Diese Hinweise lassen einen recht breiten, von der Bergbehörde nicht erkennbar beanstandeten Spielraum für Arbeitszeitmanipulationen erkennen, wie er in den 1920er Jahren vielfach Anlaß zu Rebereien gewesen ist.

An regelmäßigen Lohnabzügen waren neben den Knappschaftsbeiträgen Gelder für Lampenöl, Pulver und Dynamit abzuführen; darüber hinaus wurde ggf. bezogene Hausbrandkohle zum Selbstkostenpreis von 20 Pfennig je Zentner in Abzug gebracht. Schließlich waren, wie in wohl allen Bergrevieren in dieser Zeit, die unseligen, stets unruhestiftenden Strafabzüge vom Lohn für unrein geförderte Kohle (»Wagennullen«) oder für schlecht gefüllte »Hunde« (»Füllkohlen«) auch in Penzberg in Gebrauch; solche Abzüge kamen bei 4 Prozent der Gesamtförderung zur Anwendung, wogegen »bisher niemals«[74] reklamiert worden sei.

Es ist anzunehmen, daß die weit überwiegende Mehrzahl der Grubenarbeiter im Gedinge beschäftigt war. Wenn die für 1889 angegebenen Gedingelöhne Durchschnittslöhne sind, dann lagen diese mit fast 43 Prozent über dem Schichtlohn bei den Hauern sehr erheblich, mit 20 Prozent bei den Schleppern noch deutlich über dem Normaleinkommen. Die Differenzen zwischen den Löhnen von Hauern, Schleppern und sonstigen Arbeiterkategorien kennzeichnen auch in den Abständen die bergbauübliche Lohnhierarchie. Bemerkenswert ist, daß Sortiererinnen – ein später nicht mehr geübter Brauch –

---

[70] Vgl. Hornemann, a.a.O., S. 5f., 9f., sowie Hundert Jahre Kohlenbergwerk Peißenberg, a.a.O., S. 13, 50f. – Haushofer, Max: Arbeitergestalten aus den bayerischen Alpen. Bamberg 1890, bemerkt S. 66, der »Altbayer« liebe die bergmännische Arbeit nicht so sehr und überlasse sie gerne den Zugereisten.
[71] Vgl. u. a. Kleßmann, Christoph: Polnische Bergarbeiter im Ruhrgebiet 1870–1945. Soziale Integration und nationale Subkultur einer Minderheit in der deutschen Industriegesellschaft. Göttingen 1978, S. 47, sowie Crew, David F.: Town in the Ruhr. A Social History of Bochum. 1860–1914. New York 1979, S. 59–73 u. 186ff.; allgemein zur Fluktuationsproblematik s. mehrere Studien in Conze/Engelhardt (Hrsg.), a.a.O.
[72] S. etwa Kapsperger, a.a.O., Bd. 1, S. 81–83.
[73] StAM, LRA 9554 (Bemerkungen zur Lohnstatistik 1889).
[74] Ebenda.

noch im Gedinge arbeiten konnten und dann den Schlepper-Schichtlohn erreichten. Der Frauenschichtlohn erscheint hingegen auch im Vergleich zu den 1889 »ortsüblichen«, d. h. von den Regierungen gemeindeweise festgesetzten Tagelöhnen extrem niedrig: Als »ortsüblich« galt für Penzberg 1889 bei männlichen erwachsenen Arbeitern ein Tagelohn von 1,90 Mark, für weibliche erwachsene Arbeiter ein solcher von 1,30 Mark, mithin 68 Prozent des ersteren und also erheblich mehr als im Bergwerk üblich[75].

Die Entwicklung der Belegschaftszahlen in Penzberg läßt sich nicht mit erwünschter Genauigkeit nachzeichnen. Verstreute Angaben[76] lassen immerhin den Schluß zu, daß der um die Jahrhundertwende erreichte Belegschaftsstand, wie im oberbayerischen Pechkohlenrevier, bis zum Kriegsausbruch ungefähr erhalten blieb: In Penzberg werden im Jahre 1901 etwa 1400 Beschäftigte, in den folgenden Jahren wiederholt zwischen 1200 und 1300 Beschäftigte gemeldet, wobei in letzteren Angaben möglicherweise die Angestellten des Werks nicht enthalten sind. Die Gesamtzahl der im Pechkohlenrevier beschäftigten Arbeiter lag nach 1900 zwischen 3500 und 4500; die Zahl der Angestellten ist nicht bekannt. Der Bergbau in Oberbayern expandierte mithin nur noch mäßig, in Penzberg kaum noch. Die Anwerbungsbemühungen der Zeche dürften nach der Jahrhundertwende eingestellt worden sein. Die Belegschaft konsolidierte sich, beeinflußt allenfalls noch von einer allerdings vergleichsweise geringen Fluktuation.

Über Lohnstatistik und Einkommensverhältnisse der Arbeiter im Pechkohlenrevier existieren leider keine hinlänglich zuverlässigen Quellen; erst seit 1909 wurde in Bayern eine allgemeine amtliche Lohnstatistik für Bergarbeiter eingeführt und veröffentlicht. Ein Versuch der Korrelation von Lohn- und Preisangaben muß daher unterbleiben. Einige verstreute Angaben können einen Eindruck vermitteln[77]:

Tabelle 6
Jahreslöhne der Oberkohle und im Bergbau des Ruhrgebiets 1904

Arbeiterkategorie	Oberkohle	Ruhrgebiet
Hauer	1 308,01 Mark	
Schlepper und sonstige Arbeiter unter Tage	990,56 Mark	
Arbeiter über Tage	866,06 Mark	
Arbeiterinnen und jugendliche Arbeiter	592,37 Mark	
Durchschnittslöhne	1 069,07 Mark	1 203,00 Mark
Anzahl der verfahrenen Schichten	304	303,5
Durchschnittslohn je Schicht	3,52 Mark	3,98 Mark

---

[75] Ebenda.
[76] Vgl. BayHStA, MWi 2261 (1904: 1282; 1908: 1240); StAM, LRA 3870 (1901: ca. 1400), LRA 915 (Nov. 1907: 1251); Stand und Entwicklung, S. 55* (1907: 1174); StAM, LRA 3917 (1910: 1250); Horneman, a.a.O., nach S. 45 (Schaubild); zum gesamten Pechkohlenrevier s. ab 1909 (nur Arbeiter): BayHStA, MWi 2264; für die Oberkohle insgesamt s. StAM, OK, Werkschronik, Bd. 1, unverz. Für den Kreis Weilheim s. auch: Gewerbe und Handel in Bayern. München 1911, S. 32f.
[77] BayHStA, MWi 2271, Bericht des Oberbergamts (= OBA) München vom 5. 5. 1908 zur Lohnstatistik sowie Aufstellung ebd.; zum Ruhrgebiet: Holtfrerich, a.a.O., S. 56.

1905 zahlte die Oberkohle nach anderen Quellen[78] einen Durchschnittslohn von 3,73 Mark je Schicht, 1906 3,86 Mark und im Oktober 1907 4,10 Mark. Neben der schrittweisen Lohnsteigerung um 6, 3½ und wieder 6 Prozent wird insbesondere der große Abstand zu den Ruhrgebietslöhnen für Bergarbeiter, allerdings den höchsten in Deutschland, erkennbar: Bei der Oberkohle verdiente man 1904 11,6 Prozent, 1905 7,4, 1906 9,4 und 1907 sogar 15,8 Prozent weniger als an der Ruhr. Die bereits 1889 erkennbare Differenz – damals lagen die durchschnittlichen Schichtlöhne der Ruhrbergleute bei 3,05 Mark – blieb also nach der Jahrhundertwende durchweg erhalten. Dabei lagen die Löhne der Oberkohle innerhalb der überhaupt in Bayern gezahlten Lohnskala von Steinkohlenbergarbeitern ungefähr im oberen Drittel, im oberbayerischen Pechkohlenrevier jedoch an der Spitze: Auf dem Staatswerk zu Peißenberg etwa wurde 1907 ein um 16,4 Prozent niedrigerer durchschnittlicher Schichtlohn bezahlt als bei der Oberkohle[79]. Schließlich gab es, wie uns noch wiederholt beschäftigen wird, zwischen den beiden wichtigen Zechen der Oberkohle – die Grube Miesbach mit nur noch wenigen Arbeitern war der Erschöpfung ihrer Flöze nahe und wurde bald nach der Jahrhundertwende aufgelassen – erstaunliche, leider vor 1914 statistisch nicht zu beziffernde Lohndifferenzen: In Hausham wurde stets erheblich weniger verdient als in Penzberg.

Neben dem bisher Gesagten zeigt die Aufstellung, daß sich der Abstand zwischen den Hauer- und Schlepperlöhnen bei der Oberkohle seit 1889 deutlich vergrößert hatte. Die Schlepper verdienten nur noch 75,7 Prozent der Hauerlöhne. Die Oberkohle hätschelte ihre leistungsfähigen Hauer und gab wenig auf nur durchschnittliche Arbeitskräfte; die hohen Lohnunterschiede zwischen den bestverdienenden Hauern und dem »normalen« Untertage-Arbeiter haben immer wieder das Mißfallen der Arbeiter erregt, drückte sich in ihnen doch auch ein wenngleich leistungsorientierter Disziplinierungswille aus. Im übrigen haben, der Kapitalverzinsung der Aktiengesellschaft entsprechend[80], die Löhne der Oberkohle mit nur geringen Schwankungen nach der Jahrhundertwende einigermaßen stetig zugenommen.

Die Lohnsteigerungen haben jedoch die gleichzeitige erhebliche Verteuerung[81] der Lebenshaltung nicht immer ausgeglichen. Immer wieder wurde während der Lohnbewegungen hierauf hingewiesen – sei es durch die Aufstellung von Ausgabenbeispielen von Arbeiterhaushalten, sei es in der Versammlungsagitation, so während der Lohnbewegung des Jahres 1906[82]:

---

[78] BayHStA, MWi 2271 sowie PA 143/1907 »Aufklärung« (Eingesandt der OK). Die Angaben in Stand und Entwicklung, a.a.O., S. 58*, weichen der Höhe, nicht der Tendenz nach leicht ab.
[79] Aufstellung: Der Bergknappe. Organ des Gewerkvereins christlicher Bergarbeiter 43/1911; vgl. für 1907: Stand und Entwicklung, a.a.O., S. 58*; s. ferner Statistisches Jahrbuch für das Kgr. Bayern 10 (1909), S. 140. Der ortsübliche Tagelohn betrug für männliche »gewöhnliche Tagarbeiter« 1908 im Kreis Weilheim 2,70 Mark; ZBSL 40 (1908), S. 506–526; entsprechende Angaben für Bayern: Bayerns Entwicklung, a.a.O., S. 65–69.
[80] Eine Tabelle der jährlichen Kapitalverzinsung der Oberkohle gibt Kapsberger, a.a.O., Bd. 2, S. 101. Demnach betrug die Dividende der Oberkohle 1871–1874 zwischen 10 und 12%, 1875 bis 1894 zwischen 6 und 9%, 1895 bis 1918 zwischen 10 und 14%; 1901 wurde die höchste Dividende mit 16% gezahlt. Ins Auge fällt die stetig hohe Kapitalverzinsung seit 1895. Die seither erzielten Sätze wurden auch während der Kriegsjahre nicht übertroffen. Gegenüber manchen Angaben in Kapsbergers Statistik scheint allerdings Vorsicht geboten.
[81] Preisübersichten der wichtigsten Grundnahrungsmittel finden sich regelmäßig in ZBSL; detailliert für 1900 bis 1913 z. B. 46 (1914), S. 262. Demnach erlitten vor allem die tierischen Nahrungsmittel einen teilweise scharfen Preisauftrieb. Weitere Angaben: Bayerns Entwicklung, a.a.O., S. 70, 72f.
[82] StAM, LRA 862, Versammlungsbericht, undatiert (ca. Nov. 1906).

»Wir können doch nicht allein von der Luft leben oder vom Südwind, der aus Tirol herausweht. Ich habe Zustände gesehen, wo es den Leuten ordentlich zum Ekel wird, weiter zu leben, die Mutter muß die Kinder früh hungrig zur Schule schicken und muß sie auf den Mittag vertrösten, und was gibt es zu Mittag, ich bin schon öfters dazugekommen, wo sich die Frau geschämt hat, wenn ich die Zeitung ins Haus brachte, und schnell den Polentanapf verräumt hat. Wir sind andere Kost gewöhnt wie [!] die Italiener, denn wir müssen auch andere Arbeit leisten. Wir sind gezwungen, mit einem Appell an die Herren zu gehen, denn wir wollen leben, wir müssen unseren bürgerlichen Verpflichtungen nachkommen, müssen unsere Steuern zahlen. Es wird also kein unbescheidenes Verlangen sein, wenn wir unsere mäßigen und begründeten Forderungen aufstellen und geltend machen«.

Das waren freilich Worte, wie sie in wohl jeder Vorbereitungsphase einer Lohnbewegung in dieser Zeit zu hören gewesen sind. Es scheint, als ob die Penzberger Arbeiterschaft – verglichen mit dem, was sie nach Kriegsende erwartete – in den Jahrzehnten eines relativen konjunkturellen Wohlergehens der Zeche ihr Auskommen entsprechend den derzeitigen Bedürfnissen hatte.

Seit 1909 ist in Bayern eine amtliche Bergarbeiter-Lohnstatistik geführt worden[83]:

Tabelle 7
Durchschnittslöhne bayerischer Bergarbeiter 1909 bis 1914

Jahr	Jahreslohn in Mark	Schichtenzahl	Schichtlohn in Mark
1909	1 141,94	297	3,87
1910	1 136,45	296	3,86
1911	1 183,74	295	4,01
1912	1 231,98	302	4,08
1913	1 287,00	309	4,17
1914	1 284,00	305	4,21

Auf derselben Berechnungsgrundlage für 1914 erhobene Schichtlöhne in Penzberg[84] zeigen nunmehr mit statistischer Sicherheit, daß die Penzberger Bergarbeiterlöhne recht deutlich über den bayerischen Durchschnittslöhnen für Bergleute lagen, ohne jene des Ruhrgebiets auch nur annähernd zu erreichen: In Bayern lag der Schichtlohn 1913 um nunmehr 21,6 Prozent unter jenem des Ruhrgebietes; in Penzberg wurde 1914 bei den Untertage-Arbeitern mit durchschnittlich 4,60 Mark deutlich mehr als im bayerischen Durchschnitt verdient.

In der Entlohnung gab es mithin bedeutende Differenzen sowohl zu dem in Deutschland führenden Ruhrgebiet als auch zu den in Bayern gezahlten durchschnittlichen Bergarbeiterlöhnen, schließlich zu den Löhnen auf den Staatswerken und, nicht zuletzt, sogar zwischen den Zechen der Oberkohle. Die auch nach 1900 im Vergleich zum Durchschnittslohn gering entgoltene Frauenarbeit blieb ein Spezifikum des Pechkohlenreviers. Überhaupt wies die Lohnbildung durch Überschichtengelder, aber auch sommerliche Feierschichten[85], sowohl saisonale Schwankungen als auch erhebliche Abstände zwischen einzelnen Arbeiterkategorien auf.

---

[83] Nach: BayHStA, MWi 2271; Schichtlohnberechnung leicht korrigiert.
[84] Ebenda.
[85] Vgl. unten Anm. 168.

Der letztgenannte Punkt berührt das, wenn man so will, »Arbeitsklima« der Zeche, und es scheint, als habe die Oberkohle in ihren betrieblichen Zwangsmaßnahmen und Disziplinierungen jenen Kirdorf und Stinnes des Ruhrgebiets nicht nachgestanden. Eine auf die Betriebs- und Belegschaftsentwicklung konzentrierte Studie würde hier noch manche Hinweise zutage fördern; an dieser Stelle sei mit knappen Bemerkungen auf drei Bereiche besonderer Disziplinierung hingewiesen: Die Arbeitsorganisation, das Zechenwohnungswesen und die Zechenkonsumanstalt.

Wie alle Bergarbeit, war die Arbeit auch auf den oberbayerischen Pechkohlengruben Schwerstarbeit. An Beschwerlichkeit hält sie dem Vergleich mit anderen Bergrevieren mit Sicherheit stand. Die nur geringmächtigen Pechkohlenflöze, das brüchige Nebengestein und die vielfachen Störungen in der Gebirgstektonik mögen manche Erschwerung mit sich gebracht haben. Zudem war mindestens die Penzberger Grube feucht; hier hatten die Bergleute mit erheblichen Wasserzuflüssen zu kämpfen, während die Temperatur, anders als im um diese Zeit in größere Tiefen vordringenden Ruhrbergbau, einstweilen in Normalhöhe blieb. Kohlenstaub entwickelt die Pechkohle nur in geringem Umfang, so daß diese Belästigung keine Rolle spielte und zudem die im Ruhrbergbau und andernorts so gefürchteten Kohlenstaubexplosionen ausblieben. Schlagende Wetter, in Oberbayern »Brennluft« genannt, gab es hingegen, wenn es auch nicht zu größeren Massenunglücken kam. Ansonsten war die Unfallgefahr, insbesondere infolge des gefürchteten Steinfalls im Streb und im Streckenvortrieb, erheblich. So verunglückten 1907 im oberbayerischen Pechkohlenbergbau 7 Bergleute tödlich, davon 2 in Penzberg[86]. Bei einer Gesamtbelegschaft von 4042 Bergleuten entspricht dies einem Anteil von 1,73 Promille (in Penzberg: 2,14), während der entsprechende Wert im Ruhrgebiet 1907 2,15 betrug[87]; doch erlauben diese punktuellen Angaben kein zusammenfassendes Urteil.

Die Arbeitszeit hat unter Tage unter Ausschluß der Seilfahrt auch nach der Jahrhundertwende stets 8 Stunden betragen. Überstunden und Überschichten wurden allerdings, wie oben bereits angedeutet, mit einiger Regelmäßigkeit verfahren. Über Tage dauerte die Schicht unter Einschluß von insgesamt zweistündigen Pausen 12, später mit einstündiger Pause 10½ Stunden; dies galt auch für die Sortiererinnen[88]. In Penzberg wurde 1902 eine Markenkontrolle eingeführt. Nach glaubwürdigen Berichten war es um diese Zeit noch üblich, daß sich die Bergleute von ihren Familienangehörigen bei der Arbeit helfen ließen: Mindestens bei der Vorbereitung des Grubenholzes, das sie selbst über Tage auf dem Holzplatz zurechtzuschneiden und vor der Anfahrt bereitzulegen hatten; gelegentlich sollen in der Frühzeit der Zeche Frauen und Kinder verbotswidrig, aber mit stillschweigender Duldung, zur Besserung des Gedingeertrags auch mit eingefahren sein[89]. Tatsächlich scheint, auch nach Ausweis der freilich äußerst lückenhaften bergamtlichen Überlieferung, die bergbehördliche Grubenkontrolle in Bayern sehr viel zurückhaltender als in dem insoweit nach der Bergrechtsreform auch nicht eben

---

[86] Nach Stand und Entwicklung, a.a.O., S. 55*; einzelne Unfallbeschreibungen s. in StAM, OK, Zechenbücher (3 Bde. 1873ff.) unverz.
[87] Nach Wiel, a.a.O., S. 131 u. Tenfelde, Arbeitsplatz, a.a.O., S. 326.
[88] Stand und Entwicklung, a.a.O., S. 57*.
[89] Vgl. Kapsberger, a.a.O., Bd. 1, S. 60f.

strengen Ruhrgebiet gehandhabt worden zu sein[90]. Der Zeche blieb hier ein großer Spielraum zur Kontrolle und Disziplinierung der Belegschaft, wobei wie bereits angedeutet, auch das Strafwesen in nichts dem andernorts üblichen nachstand.

Bestrafungen überregional zu vergleichen, hieße, örtliche Gewohnheiten und Bedingungen allzusehr zu vermengen. Ohne Zweifel ist jedoch in Penzberg reichlich bestraft worden: »wegen unreiner Kohle«, »wegen früher Schicht« (d. h. vorzeitiger Beendigung der Arbeit), »wegen Faulheit«, »wegen schlechter Zimmerung«, »wegen Ungehorsams«, »wegen Betrugs«, »wegen Beleidigung des Steigers« – und das stets öffentlich durch Aushang, zur Ermahnung eines jeden[91]. In den oberbayerischen »Straf-Verhältnissen« bewegte sich Penzberg ungefähr in der Mitte[92]:

Tabelle 8
Verhängte Strafen je Mann 1908 und 1914

Grube	1908	1914
Peißenberg	1,97 Mark	1,83 Mark
Penzberg	0,98 Mark	1,53 Mark
Hausham	1,84 Mark	2,77 Mark
Miesbach	0,84 Mark	(aufgelassen)

Disziplin wurde im Bergbau traditionell gepflegt – auch in Bayern. Schon die *Münchener Post* hatte 1896 bemängelt, in Penzberg werde der Bergmann vornehmlich nach der Zeit beurteilt, die er in der Grube verbleibe, und während der Streikbewegung 1910 erzählte ein Bergmann Franz Rasplicka vom Penzberger Grubenmilitarismus: »Beim Militär und bei der Feuerwehr müsse Disziplin herrschen«, so habe ihm ein Grubenangestellter bedeutet, »und ebenso auf einem Bergwerke« – aber: »Die Bergleute seien doch keine Rekruten, und es läge jetzt bei den Arbeitern, dies zu beweisen, indem die Belegschaft in den Streik« eintrete[93].

Daß die Zeche nach möglichst umfassendem Einfluß auf den Arbeitsmarkt strebte, wird auch vor den Toren des Betriebs deutlich. Der Wohnungsbau war eine der hierzu geläufigen Maßnahmen. Er ist in Penzberg besonders intensiv seit den 1870er Jahren betrieben worden, und der Umstand, daß man die ersten Straßenzüge offenbar nach den Vornamen von Aufsichtsrats- und Vorstandsmitgliedern der Oberkohle benannte, unterstreicht die Funktion der Zeche als anfänglich einziger, später weithin maßgeblicher Baumeister der Stadt. Im Jahre 1904 verfügte die Oberkohle insgesamt über 94 Arbeiterwohnhäuser mit 592 Familienwohnungen, darüber hinaus über mehrere große Ledigenheime. In Penzberg allein hat die Gesellschaft um 1910/11 ungefähr 500 Wohnungen vermietet[94], zu denen oft ein Gartenanteil gehörte. Die Zahl der Wohnungen je Haus gibt einen Hinweis auf das Erscheinungsbild dieser Arbeiterhäuser, über die

---

[90] Zur Organisation und Kompetenz der bayer. Bergbehörden s. Fichtl (Hrsg.), a.a.O., S. 19–22, 28f.
[91] Nach Kapsberger, a.a.O., Bd. 2, S. 14.
[92] Aufstellung BayHStA, MWi 2261.
[93] StAM, LRA 3917, Versammlungsbericht vom 21. 12. 1910, sowie Münchener Post (= MP 236/II vom 17. 10. 1896.
[94] Nach einem Bericht StAM, LRA 3917; ferner Stand und Entwicklung, a.a.O., S. 61*; Lubezger, a.a.O., S. 201.

8. Zechenwohnhäuser (im Vordergrund: frühester Haustyp, erbaut 1871/72; im Hintergrund rechts: jüngere, mehrstöckige Häuser).

9. Zeche und Bergarbeitersiedlung: Blick vom Holzplatz (Schachthügel) auf den Ort (um 1890).

weiter unten Näheres ausgeführt wird. Leider ist aus der Frühzeit kein Mietvertragsvordruck erhalten, der das Mietverhältnis auf seinen Zusammenhang mit dem Arbeitsverhältnis zu untersuchen erlaubte; doch spricht nichts dafür, daß die Oberkohle von der derzeit üblichen Praxis einer engen Verknüpfung abgewichen wäre. Bemerkenswert und für die Bodenständigkeit der Peißenberger Belegschaft kennzeichnend ist, daß die dortige königliche Grube den Arbeiterwohnungsbau in nur sehr viel geringerem Ausmaß betrieb.

Daß sich die Zeche als weiterhin wichtigster Arbeitgeber am Ort bemühte, auch auf die Konsumbedürfnisse ihrer Belegschaft einzuwirken, lag nahe. Sie gründete offenbar bereits im Jahre 1878 eine zecheneigene Konsumanstalt, die im Laufe der Jahre zu einem großen Geschäft ausgebaut wurde und, selbstverständlich, den Widerspruch örtlicher Kleingewerbetreibender erregte. Indessen hat man im Jahre 1911 bei einem derartigen Verfahren auf Antrag des Bayerischen Gastwirte-Verbands das Druck-Argument nicht gelten lassen wollen: Es könne, wie es hieß, ein jeder in den Konsumläden der Oberkohle einkaufen[95]. Unberücksichtigt blieb dabei, daß die Oberkohle auf allen Gruben grundsätzlich einen Teil des Lohns in sogenanntem Markengeld zum Einkauf in den werkseigenen Konsumanstalten auszahlte. Wie hoch dieser Anteil war, läßt sich auch mit Hilfe der vorhandenen Konsumvereinsakten weder vor noch nach 1918 feststellen. Auch die Erinnerung noch lebender alter Bergleute versagt in diesem wichtigen Punkt: Die Angaben schwanken zwischen einem und zwei Dritteln des gesamten Lohns. Bezieht man den für 1907 vorliegenden Durchschnittslohn (3,72 Mark) aller Bergleute (2663) der Oberkohle bei einer angenommenen jährlichen Schichtenzahl von 300, also bei einer Lohnsumme von rund 2 970 000 Mark, auf den »Markenumsatz«, also mit »Markengeld« erzielten Umsatz der Konsumanstalten der Oberkohle in Höhe von 1 488 279 Mark, dann muß recht genau die Hälfte des ausbezahlten Lohns in Markengeld ausgegeben worden sein[96]. Offen muß leider bleiben, ob, wann und wie lange die Lohnzahlung in dieser Form zwangsweise erfolgte. Die Zeche hat mithin in einem ganz entscheidenden Maße nicht nur über die Verfügung des Lohns mitbestimmt, sondern Einfluß auf das Konsumverhalten etwa über das Sortiment der Konsumanstalten genommen. Der Einkauf in der Konsumanstalt war gewiß vorteilhaft: Die Verwaltung konnte viele Waren, darunter regelmäßig Milch und Kartoffeln, konkurrenzlos preisgünstig feilbieten und tat dies auch, und die Arbeiter erhielten von den Einnahmen eine Jahresdividende von (1907) 10 Prozent, wohl auf den jeweils eingekauften Warenwert. Auch scheint die Oberkohle nicht unmittelbar durch die Konsumanstalt Erträge erwirtschaftet zu haben; sie hat die Geschäfte beispielsweise zeitweise verpachtet. Der mittelbare Effekt im Sinne einer »sozialen Kontrolle«[97] über die Belegschaft und die ganze Industriesiedlung war jedoch enorm: Nicht nur, daß die Arbeiterbedürfnisse gleichsam uniformiert wurden und die allgemeinen Daseinsverhältnisse von daher einen bedeutenden Anstoß zur Nivellierung erhielten; die Zeche erwies sich vielmehr im wahren Sinne des Wortes als Arbeit- und Brotgeber und als mächtigster Wirtschaftsfak-

---

[95] Nach StAM, LRA 9609.
[96] Aufgrund der Angaben in Stand und Entwicklung, a.a.O., S. 55*, 58*, 61*.
[97] Vgl. zur angloamerikanischen Forschung Donajgrodzki, A. P. (Hrsg.): Social Control in Nineteenth-Century Britain. London 1977, Einltg. S. 9–26.

tor im Ort, war doch das sonstige Kleingewerbe über die den halben Lohn empfangenden Konsumgeschäfte wirksam an seiner Ausdehnung zu hindern.

Im Wohnungswesen und Alltagskonsum, aber auch in den gemeindepolitischen Auseinandersetzungen über öffentliche Einrichtungen wie Krankenhaus, Schulen, Schlachthof, Bahnhof und vieles andere – immer wieder zeigt die Geschichte des Orts, der sich ab 1911 auf seinen Antrag hin von St. Johannisrain in Penzberg umbenennen durfte, mit welcher Totalität die Grube in der Industriesiedlung Einfluß nehmen konnte. Ohne ihre Hilfe wäre es nicht so bald zu einer eigenen Schule gekommen, die ohne namhafte Zuschüsse seitens der Zeche dahingesiecht hätte, ohne ihr Zutun hätte es in Penzberg nicht so bald eine eigene Pfarrkirche, kein Krankenhaus und keine Fortbildungsschule gegeben, die sie bereits 1892 beantragte, die der Gemeinderat 1894 beschloß und die aufgrund eines Ortsstatuts mit Schulpflicht für alle Lehrlinge im Ort ab November 1895 den Unterricht in elementaren Kenntnissen und im Zeichnen aufnahm. Faktisch war auch diese Schule, wenn ihr auch der Ortspfarrer vorstand, schon aufgrund des Kostenaufbringens, vor allem aber wegen des dringenden Bedürfnisses der Zeche nach einer Lehrlingsfortbildung und Weiterbildung für jugendliche Arbeiter im Hinblick auf den Steigerbedarf, eine Einrichtung der Grube[98].

4. Anfänge der Arbeiterbewegung

Obwohl der Bergbau in Penzberg spät zur großbetrieblichen Blüte gelangte, entstand im Ort vergleichsweise rasch eine starke Arbeiterbewegung, die, wenn auch insbesondere von der Zeche scharf bekämpft und in der Gemeindepolitik durch die Bestimmungen der Gemeindeordnung vorläufig vor unüberwindliche Hindernisse gestellt, in der Zeit zwischen Jahrhundertwende und Kriegsausbruch dennoch ihre charakteristischen organisatorischen Formen zu entfalten vermochte. Spät industrialisierende Orte und Regionen ziehen, so wird man sagen können, Vorteil aus dem andernorts fortgeschrittenen Entwicklungsstand: Das Beispiel und Vorbild wirkt vielfach – so auch in Penzberg – unter tatkräftiger Hilfestellung von Persönlichkeiten, die solidarische Gruppen- und Kampferfahrungen in anderem beruflichem und örtlichem Zusammenhang gesammelt haben. Man ist versucht, den baldigen Radikalisierungsprozeß der Penzberger Bergarbeiter auch einer verfrühten und frühzeitig erfolgreichen Arbeiterbewegung zuzuschrei-

---

[98] Vgl. Stadtarch. v Penzberg (= StaP) Gemeindeausschuß (= GA), Verhandlungen vom 18. 4., 10. 7. u. 10. 11. 1892 sowie Beschluß vom 23. 9. 1894: Die Gemeinde stimmt der Errichtung der Fortbildungsschule zu, falls die Zeche sämtliche Kosten übernimmt. Visitationsberichte u. ä.: StAM, RA 56798, m. Schulordnung vom 24. 11. 1894. 1907 besuchten 59 Schüler in 3 Klassen den Elementarkurs, 77 Schüler in 3 Klassen den Zeichenkurs; 1913 wurden die Schülergruppen in je eine Klasse der Bergarbeiter und der Gewerbetreibenden getrennt. 1914 trug die Zeche ⅓ der Personalkosten (Pfarrer und Lehrer der Volksschule gegen Honorar) und ½ der Sachkosten, zusammen ca. 1400,- Mark jährlich. Der Besuch der Schule endete mit einer Prüfung, vgl. ebd. Prüfungsliste vom 10. 7. 1913. – Nach der Statistik bei Däschlein, Georg: Die gewerblichen Fortbildungsschulen Bayerns, in: ZBSL 44 (1912) S. 389–424, war die in Penzberg im Unterschied zu vielen anderen Schulen für die gesamte männliche Jugend des Orts eingerichtete Fortbildungsschule eine der größeren Einrichtungen dieser Art in Bayern überhaupt. Um 1910/11 wurde sie von 1907 Schülern besucht, denen 6 Lehrer der örtlichen Volksschule nebenamtlich Unterricht erteilten (ebd. S. 420).

ben[99], doch steht eine derartige Interpretation auf schwachen Füßen, solange nicht in vergleichenden Untersuchungen eindeutig geklärt ist, welche strukturellen und dispositionellen Bedingungen die gewerkschaftliche und politische Arbeiterbewegung ermöglichen, fördern oder verhindern[100].

Zu den mit Sicherheit förderlichen Entstehungsbedingungen der Arbeiterbewegung in Penzberg gehört eine durch die nachgerade fehlende gewerbliche Differenzierung im Ort bei, im Gegenteil, weithin identischen Arbeitserfahrungen und Daseinsbedingungen ungemein beschleunigte Entstehung eines berufsgeprägten und zugleich ortsbezogenen Gruppenbewußtseins. Die Erfahrungen der Arbeit und Arbeitsorganisation, die arbeitsprozessualen Gruppenbildungen ließen sich in der Kleinkommune problemlos vor den Toren des Betriebs, in Alltag und Freizeit fortsetzen: Hier wie dort trafen sich dieselben Menschen, dieselben Verwandten und Bekannten. Man arbeitete nicht nur »im selben Gedinge«, in einer durch den Gruppenakkord eng zusammengeschmiedeten Arbeits-, einer Orts- oder Strebkameradschaft, sondern die dort geknüpften Beziehungen wiederholten sich, wenn nicht durch dieselbe Wohngemeinschaft im Zechenhaus, so doch mit den Bewohnern der Zechenhäuser der unmittelbarsten Nachbarschaft, aber auch weitergehend in der Gaststätte, der Konsumanstalt, den bald in reicher Vielfalt entstehenden Vereinen. Es liegt auf der Hand, daß in solcher engen Verknüpfung von Arbeitsplatz, Wohnen und Freizeit[101] die Bergarbeiterfrau von vornherein in hohem Maße in die sich ausformende Gruppensolidarität eingebunden war. Die Zeche war, so möchte man vergröbernd sagen, die Stadt, und die Stadt war die Zeche – was man hier an Beschwernissen und Gegensätzen erfuhr, das setzte sich dort fort, verdichtete sich zu einem Erfahrungsbild der Zweiseitigkeit und Gegensätzlichkeit, aber auch der eigenen Stärke durch das Gewicht der großen Zahl. Mit anderen Worten: Die berufliche,

---

[99] Zur These von der »verfrühten« Gründung der Arbeiterbewegung s. erstmals Wolfgang Schieder in einer Deutung der ADAV-Entwicklung: Das Scheitern des bürgerlichen Radikalismus und die sozialistische Parteibildung in Deutschland, in: Mommsen, Hans (Hrsg.): Sozialdemokratie zwischen Klassenbewegung und Volkspartei. Frankfurt 1974, S. 17–34.

[100] Vgl. bes. Schönhoven, Klaus: Expansion und Konzentration. Studien zur Entwicklung der Freien Gewerkschaften im Wilhelminischen Deutschland 1890 bis 1914. Stuttgart 1980, S. 28–43 u. ö.; auf der Grundlage einer Analyse der Schuhmacher und Zigarrenarbeiter: Schröder, Wilhelm Heinz: Arbeitergeschichte und Arbeiterbewegung. Industriearbeit und Organisationsverhalten im 19. und frühen 20. Jahrhundert. Frankfurt/New York 1978; jetzt im Vergleich verschiedener, vornehmlich Berliner Gewerbe: Renzsch, Wolfgang: Handwerker und Lohnarbeiter in der frühen Arbeiterbewegung. Zur sozialen Basis von Gewerkschaften und Sozialdemokratie im Reichsgründungsjahrzehnt. Göttingen 1980, sowie programmatisch: Grebing, Helga: Sozialer Wandel, Konflikt und gewerkschaftliche Organisation. Einleitende Bemerkungen zum Symposium über die Geschichte der deutschen Gewerkschaftsbewegung von den Anfängen bis 1918, in: Internationale wissenschaftliche Korrespondenz zur Geschichte der deutschen Arbeiterbewegung (= IWK) 15 (1979), S. 226–235.

[101] Leider wird in den ansonsten außerordentlich materialreichen, vornehmlich auf das Ruhrgebiet und dessen zahllose Beispiele konzentrierten Arbeiten zur Geschichte des proletarischen Wohnens von Lutz Niethammer und Franz Brüggemeier die Frage nach der Bedeutung bestimmter Wohnverhältnisse, bestimmter Möglichkeiten von Nachbarschaft und Stadtviertel für das Organisationsverhalten und die Konfliktbereitschaft nur mittelbar gestellt und nicht systematisch unter Bezug auf Streiks und Organisationsformen beantwortet. Vgl.: Wie wohnten die Arbeiter im Kaiserreich?, in: AFS 16 (1976), S. 61–134; dies.: Schlafgänger, Schnapskasinos und schwerindustrielle Kolonie. Aspekte der Arbeiterwohnungsfrage im Ruhrgebiet vor dem Ersten Weltkrieg, in: Reulecke, Jürgen und Wolfhard Weber (Hrsg.): Fabrik, Familie, Feierabend. Beiträge zur Sozialgeschichte des Alltags im Industriezeitalter. Wuppertal 1978, S. 135–175; Niethammer, Lutz (Hrsg.): Wohnen im Wandel. Beiträge zur Geschichte des Alltags in der bürgerlichen Gesellschaft. Wuppertal 1979, Einleitung.

alltägliche, kommunale Binnendifferenzierung in der Arbeiterschaft blieb gering, ihre Außendifferenzierung[102] gegenüber dem Arbeitgeber der Stadt, weniger zunächst gegen den gewerblichen Mittelstand, traditionell jedoch bereits, wie gezeigt wurde, gegen die ländliche Umgebung, war hingegen stark und gewann nach 1918 infolge der Verhärtung der Fronten durch organisierte Konfrontation noch an Schärfe. Was man andernorts zu Recht als organisationshemmend bezeichnet hat[103], darunter vor allem die ethnische Vielfalt der zusammengewürfelten Arbeiterschaft, das trat hier angesichts der rasch und übermächtig verbindenden Erfahrungen in den Hintergrund. Formen der Diskriminierung aufgrund unterschiedlicher Herkunft mögen innerhalb der Arbeiterschaft, im persönlichen Verkehr miteinander, durchaus an der Tagesordnung gewesen sein, doch erreichten sie nicht die Ebene kollektiver Frontbildungen, und die landsmannschaftlichen Vereinsbildungen etwa der Österreicher wurden von der Arbeiterbevölkerung beifällig akzeptiert. Allenfalls den religiösen Bindungen wird man einigen, wenngleich geringen Einfluß zusprechen müssen. Allerdings spricht viel für die Annahme, daß es in Penzberg neben der sozialdemokratischen keine christliche Gewerkschaft gegeben hätte, wenn der gewerkschaftliche Richtungskampf nicht durch die Dachorganisationen auch in diesen Ort getragen worden wäre, so daß eine Zahlstelle des christlichen Gewerkvereins gleichsam entstehen mußte, um das Organisationsbild zu vervollständigen.

Daß die Kategorien des Klassenbegriffs auch zur Beschreibung dieses »Falls« nicht hinreichen, wird an anderer Stelle, im Zusammenhang der Gemeindepolitik vor 1914, zu zeigen sein. Indessen liegt auf der Hand, daß die Strukturbedingungen der bergbaulichen Industriekommune in hohem Maß klassengesellschaftliche Merkmale besaßen und Verhaltensweisen förderten, in denen Konfliktlagen gleich welcher Provenienz auf »den« Klassengegner bezogen wurden. Die Position im Produktionsprozeß und der Besitz oder Nichtbesitz von Produktionsmitteln waren in der geringdifferenzierten industriekommunalen Einwohnerschaft[104] die weithin dominierenden Ordnungspunkte, auf die Arbeit und Alltag tatsächlich bezogen waren und demnach im Erfahrungsbild rasch bezogen wurden. Auch was der Bergbau als Arbeitgeber an schichtendifferenzierenden Folgegewerben nach sich zog, war zunächst wenig bedeutend und blieb zudem gleichfalls im Einflußbereich des Bergbaus. Macht und Gegenmacht waren, so sagte die

---

[102] Vgl. Kocka, Jürgen: Stand – Klasse – Organisation. Strukturen sozialer Ungleichheit in Deutschland vom späten 18. bis zum frühen 20. Jahrhundert im Aufriß, in: Wehler, Hans-Ulrich (Hrsg.): Klassen in der europäischen Sozialgeschichte. Göttingen 1979, S. 137–165. Hörger (Familienformen, a.a.O., S. 797) stellt Patenschaften zwischen ansässigen Bauern und Bergleuten fest und meint: »Die Bergknappen scheinen von der reichen, vollbäuerlichen Schicht des Untersuchungsgebietes als ebenbürtig anerkannt worden zu sein. Nicht als ebenbürtig, sondern als unliebsame Eindringlinge wurden die seit etwa 1870 verstärkt zuwandernden ungelernten Bergarbeiter betrachtet«. Diese Einschätzung dürfte wegen der sehr verbreiteten Hochschätzung des Bergmannsberufs in vorkapitalistischer Zeit zutreffen; allerdings werden die älteren wechselseitigen Beziehungen nach 1870 sehr rasch der gegenseitigen Nichtachtung Platz gemacht haben.

[103] Vgl. Anm. 100 sowie für das Ruhrgebiet: Kleßmann, a.a.O., S. 145ff. Crew, a.a.O., S. 159ff.; an einem betriebsgeschichtlichen Beispiel: Vetterli, Rudolf: Industriearbeit, Arbeiterbewußtsein und gewerkschaftliche Organisation. Dargestellt am Beispiel der Georg Fischer AG (1890–1930). Göttingen 1978, z. B. S. 124–128.

[104] Hörger verweist wiederholt (z. B. Mortalität, a.a.O., S. 191) auf die zunehmende gesellschaftliche Differenzierung in Penzberg seit dem Aufschwung des Bergbaus. StAM, AR 3972/202, Verzeichnis der Gewerbetreibenden 1897 – so der Titel des Faszikels im Repertorium; der Inhalt legt nahe, daß es sich bei dem – undatierten – Penzberger Verzeichnis um eine 1905 erhobene Statistik handelt) scheint jedoch für eine damals schon über 4000 Einwohner zählende Gemeinde ein nicht sonderlich vielfältiges Gewerbebild zu zeichnen.

Erfahrung eines jeden neuen Tags, weithin konsistent. Es hat bis 1945 wenig Lockerung, wenig Chancen der wirtschaftlichen und sozialen Differenzierung und wenig Aspektvielfalt, wenig Wertdifferenzierung in Penzberg gegeben.

Auch hat der Bergbau nicht, wie dies aufgrund seiner jahrhundertealten Kulturtradition[105] auch in Bayern nachgerade erwartbar wäre, die entstehende Industriekommune durch seine althergebrachten ständischen Riten und kulturellen Einrichtungen überformt. Im Gegenteil, anders als in dem bergbaugewohnten Peißenberg haftet aller auch in Penzberg nachweisbaren bergbaulichen Traditionspflege in besonderem Maße der Anschein einer übergestülpten Floskelhaftigkeit an. Das hat sehr präzise zu bezeichnende Gründe: Die noch in bergbauständischer Zeit, also vor den ohnehin um ein halbes Jahrhundert verspäteten Bergrechtsreformen der deutschen Bundesstaaten in Penzberg begründete bergbauliche Tradition ist schon dem Ausmaß des damals umgehenden Bergbaus nach außerordentlich schwach geblieben – einmal abgesehen davon, daß die Standespflege der bayerischen Bergbehörden wenigstens um diese Zeit dem Vergleich mit Preußen oder Sachsen kaum standhält, auch wohl auf den alten Salzbergbau und allenfalls auf den bereits dahinsiechenden bayerischen Erzbergbau konzentriert war. Als der Bergbau in Penzberg großbetriebliche Formen annahm, war er in den Händen einer durch bergrechtliche Schranken in der Verfügbarkeit der investierten Kapitalien nicht mehr gehemmten Aktiengesellschaft. Die Bergbehörde residierte im fernen München und verfügte nur noch über geringe sicherheitspolizeiliche Kompetenzen. In der Belegschaft spielte zwar das Moment bergmännischer Qualifikation infolge der gezielten Anwerbung von Bergleuten anderer Reviere noch eine gewisse Rolle, aber schon die Maxkroner Filzler mit ihren ländlichen Besitzinteressen, denen die (»unständige«) Tagelöhnerarbeit im Bergwerk in den frühen Jahrzehnten des Penzberger Bergbaus vorrangig als wenngleich wichtiger Nebenerwerb gegolten hatte, mochten an weitläufiger Standespflege kaum wirklich interessiert sein – um so weniger jene nichtbergmännischen Arbeitskräfte, die die Zeche von nah und fern in der Folgezeit in großer Zahl anwarb. So lassen sich in den Anfängen des Penzberger Bergbaus bergbauständische Ordnungsmaßnahmen, beispielsweise im Erfordernis des bergamtlichen Heiratskonsenses, zwar nachweisen[106]; ein formender Einfluß, der eine Tradition eingeleitet und eine spätere Rückbesinnung auf solche Tradition nahegelegt hätte, wurde damit jedoch nicht begründet. Dies zeigt nicht zuletzt die Knappschaft: Von einem Instrument der Standespflege kann bei dem für Penzberg zuständigen Miesbacher Knappschaftsverein, noch einer der größeren Organisationen im arg zersplitterten bayerischen Knappschaftswesen[107], keine Rede sein. In ihm ging es um Kranken-, Unfall- und Rentenversicherun-

---

[105] Vgl. Tenfelde, Klaus: Bergarbeiterkultur in Deutschland. Ein Überblick, in: Geschichte und Gesellschaft 5 (1979), S. 12–53.
[106] Vgl. StAM, Bergamt München 383, ü. Zustimmung des Bergamts bei der Verehelichung von Bergleuten; seit 1856 wurde für »unständige« Bergleute (Bergtagelöhner) das amtliche Plazet nicht mehr erteilt.
[107] Zur Geschichte der Knappschaft in Bayern s. den Überblick von Weinauer, Rudolf: Das bayerische Knappschaftswesen, in: BL 35 (1924), S. 378–386; zur Wirksamkeit der Knappschaft in Oberbayern s. auch die Diss. von Hornemann. Die bayerische Knappschaftsstatistik, geordnet nach Knappschaftsvereinen, ist regelmäßig in ZBSL veröffentlicht worden. Ihr Schwerpunkt liegt auf der Einnahmen- und Ausgabenstatistik; die belegschaftsstrukturellen Angaben beschränken sich auf summarische Daten. Dies gilt leider auch für die z. B. BayHStA, MWi 2614, sowie für die StAM, Bergamt München 582–584, überlieferten Quellen; in letzteren Akten finden sich allerdings aufschlußreiche Vorstandsprotokolle.

gen, kaum jedoch um Knappschaftsfahnen, Knappschaftsfeste[108], innerknappschaftliche Bergarbeiterhierarchien und berufsständische Abschließung nach außen.

Wohl ist allein der Umstand knappschaftlicher Versicherung in der Zeit noch als Privileg wahrgenommen worden; auch bemühte sich die Zeche um Standespflege durch Erleichterung im Ankauf von bergmännischen Uniformen und durch jährliche Barbarafeste, durch Unterstützung einer Knappenkapelle und manches andere. Wie seltsam losgelöst all dies von der bergbaulichen Standes- und Kulturtradition geschah, könnte nichts deutlicher zeigen als der Umstand, daß der einzige wirklich dauerhafte Knappenverein erst 1966, nach der Schließung der Zeche, entstanden ist – als Erinnerungs- und Begräbnisorganisation für die im Ort verbliebenen ehemaligen Bergleute.

Ein anderer früher Gründungsversuch eines Knappenvereins ist überliefert, doch zeigt schon die Kurzlebigkeit dieser Organisation, welche geringe Rolle der Traditionspflege in dieser Form für die entstehende Arbeiterbewegung in Penzberg zukam – darin völlig etwa vom Ruhrgebiet, wo man mit Recht die Knappenvereine als eine der Wurzeln der modernen Bergarbeiterbewegung bezeichnet hat[109], oder auch von anderen Bergrevieren abweichend. Ein Heinrich Sandner legte den Behörden am 22. September 1876 die Statuten eines »Bergmanns-Vereins in Penzberg«[110] vor, dessen Zweck »die Aufrechterhaltung der Ehre des Bergmannsstandes, gesellige Unterhaltung und thunlichste Unterstützung der Hinterlassenen von verstorbenen Vereinsmitgliedern« sein sollte. Auch die weiteren statuarischen Bestimmungen lassen erkennen, daß es sich um einen Gründungsversuch wahrscheinlich qualifizierter älterer, nach Penzberg zugezogener und von der älteren Bergbauverfassung geprägter Bergleute handelt: »Zank, Streitigkeiten oder Trunkenheit oder unanständiges Liedersingen im Vereins-Lokal« sollten zum Ausschluß führen; es werde »daher von jedem aufgenommenen Mitglied ein anständiges Benehmen gehofft«. Wer Mitglied werden wollte, mußte durch ein Mitglied eingeführt werden. Über die Mitgliedschaft wurde durch Ballotage abgestimmt. Man wollte jährlich zum Barbarafest eine »Harmoniemusik« zur Erinnerung daran halten, daß man das Jahr glücklich überlebt habe; sodann wurden ausführliche Bestimmungen über die anläßlich von Kameradenbeerdigungen durchzuführenden Ehrungen der »letzten Schicht« getroffen.

Am Anfang der Bergarbeiterbewegung in Penzberg stand mithin ein ständisch geprägter – nicht der Interessenwahrung, sondern einer brauchtümlichen Abgeschlossenheit gewidmeter – Vereinsversuch. Er ist ohne Resonanz geblieben und noch Ende 1876 eingeschlafen. Die Scharen neu heranziehender Bergarbeiter ohne standesgemäße Tradition waren, so scheint es, durchaus für Vereinsbestrebungen, jedoch nicht für solche der geschilderten Art zu gewinnen. Schon 1875 war ein Schützenverein entstan-

---

[108] Vgl. Tenfelde, Klaus: Das Fest der Bergleute. Studien zur Geselligkeit der Arbeiterschaft während der Industrialisierung am Beispiel des deutschen Bergbaus, in: Ritter, Gerhard A. (Hrsg.): Arbeiterkultur. Königstein 1979, S. 209–245.
[109] Vgl. Köllmann, Wolfgang: Die Geschichte der Bergarbeiterschaft, in: Först, Walter (Hrsg.): Ruhrgebiet und Neues Land. Köln/Berlin 1968, S. 47–112; zum bergmännischen Vereinswesen s. Tenfelde, Klaus: Bergmännisches Vereinswesen im Ruhrgebiet während der Industrialisierung, in: Reulecke, Jürgen und Wolfhard Weber (Hrsg.): Fabrik, Familie, Feierabend. Beiträge zur Sozialgeschichte des Alltags im Industriezeitalter. Wuppertal 1978, S. 315–344.
[110] In: StAM, LRA 3962.

10. Steiger vor der Anfahrt (vor 1900).

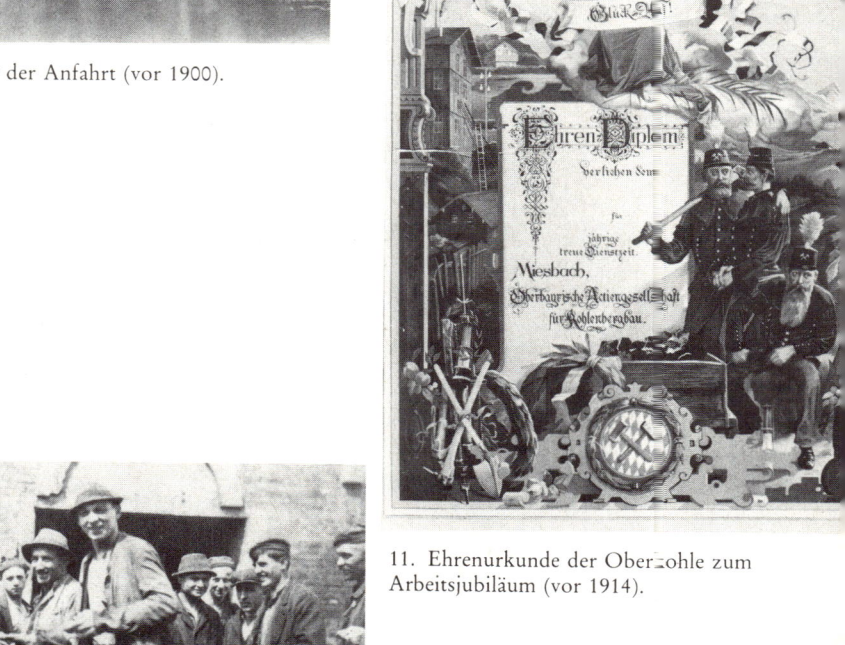

11. Ehrenurkunde der Oberkohle zum Arbeitsjubiläum (vor 1914).

12. Gruppe von Bergarbeitern vor der Seilfahrt.

den, dem bald zwei weitere Schützengesellschaften folgten; seit 1877 gab es einen Handwerkerverein und eine Freiwillige Feuerwehr, 1887 entstand der Gesangverein Glückauf, und in den 1890er Jahren bildeten sich gleich mehrere Turn- und Sportvereine sowie die für Oberbayern charakteristischen Heimat- und Trachtenvereine[111]. In den folgenden Jahrzehnten entstand eine außerordentlich reiche Vereinslandschaft in Penzberg, die nach charakteristischen Merkmalen: entlang konfessioneller, politischer und gesellschaftlicher Scheidungslinien, gruppiert war und in vielerlei Hinsicht die industriekommunalen und politischen Verhältnisse spiegelte. In der Vereinslandschaft – wir werden darauf zurückkommen – lassen sich daher die Konfliktfronten in der jungen Arbeitersiedlung in besonderer Deutlichkeit verfolgen.

Arbeitervereine sind, auch hinsichtlich ihrer für die Frühzeit kennzeichnenden Zweckvielfalt, Vorformen proletarischer Solidarität, Stätten der Einübung in organisatorische Bräuche und in Formen geregelter Willensartikulation. Sie stehen auch in Penzberg am Beginn der organisierten Arbeiterbewegung – sowohl in ihrer christlich-katholischen Variante, die sich auf Laienvereinigungen im Pfarrsprengel stützte[112], als auch in der freigewerkschaftlichen und sozialdemokratischen Form. Der in diesem Sinn bedeutendste Vorläufer der Gewerkschaften und des sozialdemokratischen Wahlvereins in Penzberg war die Arbeiter- und Kranken-Kasse Penzberg, deren Statuten am 19. Januar 1878 genehmigt wurden[113]. Diese Kasse stand anfangs unter handwerklicher Führung und beschränkte ihre Aufgaben auf Kranken- und Sterbeunterstützungen. Noch im selben Jahr bildete sich, vielleicht nach dem Vorbild der Handwerker, ein Bergmanns-Unterstützungs-Verein Penzberg mit Josef Heidinger, Martin Ostler und Vitus Schnappauf im Vorstand, dessen Statuten im September 1878 von der Regierung Oberbayerns genehmigt wurden und der sich, in Ergänzung zur Knappschaftskasse, zusätzliche Kranken- und Beerdigungsunterstützungen zum Ziel setzte. Dieser Verein hat allerdings auch, wie das Vorhandensein einer Vereinsfahne anzeigt, gesellige Zwecke verfolgt; ein Zusammenhang mit dem 1876 gegründeten Verein ist nicht nachweisbar. Die Bergmanns-Unterstützungs-Kasse löste sich im Juli 1880 bei einem Stand von 80 Mitgliedern freiwillig auf, da ihre Mitglieder »angeblich«[114] von der Zeche mit Entlassung bedroht worden waren – ein Indiz für jedenfalls der Zechenleitung nicht genehme Bestrebungen. Anscheinend traten die meisten Mitglieder nun der wenig älteren Arbeiter- und Kranken-Kasse bei; sie zeigte jedenfalls im Jahre 1884 eine Statutenänderung und einen neuen Vorstand an, in dem sich auch Vitus Schnappauf und Martin Ostler fanden; später (1896) wurde der Bäckermeister Josef Löw Vorsitzender, der wie die genannten Vorstandskollegen zu den führenden frühen Sozialdemokraten in der Stadt

---

[111] Unvollständiger Überblick der frühen Vereinsgeschichte: Luberger, a.a.O., S. 202–207; vgl. bes. [Winkler, Albert]: Aus dem Vereinsleben der Stadt Penzberg, in: Der Heimatspiegel. Beilage zum PA Nr. 26 bis 36/1933, eine nach Ausweis der Quellen StAM, LRA 3962 ebenfalls unvollständige Darstellung. Die OK behauptete 1899, »auf dem Werke Penzberg« bestünden 28 Vereine mit 2600 Mitgliedern (Flugblatt »Ein Beitrag zur Beleuchtung der Obb. Bergarbeiterverhältnisse«, in: StAM, LRA 3962).
[112] Eine sehr detailreiche Studie über Bayern hat Hans Dieter Denk angefertigt: Die christliche Arbeiterbewegung in Bayern bis zum Ersten Weltkrieg. Mainz 1980, s. bes. S. 248ff.
[113] Statuten der Kasse, in: StAM, LRA 5660.
[114] Statuten in: StAM, LRA 5661; Zitat ebd., Bericht vom 7. 7. 1880.

gehörte[115]. Auch nach der Jahrhundertwende blieben die Sozialdemokraten, nunmehr mit Simon Koeppel und Andreas Barnikel im Vorstand, in dem mit 312 Mitgliedern im Jahre 1896 bereits sehr großen Verein führend.

Demnach wird man nicht fehlgehen, in diesem Unterstützungsverein eine gesellige, nach außen durch Unterstützungszwecke abgeschirmte Vereinigung gleichgesinnter sozialdemokratischer Handwerker und Bergleute nach dem Beispiel zahlloser ähnlicher Organisationen in den Jahren des Sozialistengesetzes[116] zu vermuten. Es war dies die Keimzelle der Arbeiterbewegung in Penzberg, ohne daß in den Vereinsversammlungen bereits offen parteipolitische Zwecke verfolgt wurden. Ähnliche sozialdemokratisch beeinflußte Organisationen bildeten sich nach dem Ende des Sozialistengesetzes, darunter ein Gesangverein »Vorwärts« als proletarisches Pendant zum bürgerlichen »Glückauf« sowie 1898 ein von der Zeche unterdrückter und wohl deshalb rasch eingegangener »Leseverein«[117].

Die Ortslegende, wonach sich bereits während der 1870er Jahre Sozialdemokraten, die zum Teil aus Böhmen eingewandert seien[118], in Gaststätten und im nahen Steinbruch zur heimlichen Verständigung getroffen haben, läßt sich demnach durch sehr konkrete Hinweise auf sozialdemokratisch beeinflußte Vereine bestätigen und ergänzen. Ende 1889 meldete dann die Zeche, daß sich »im Laufe der letzten Monate« die »Anzeichen« für das Bestehen eines »förmliche[n] sozialistische[n] Bund[es]« gemehrt hätten, der versuche, »Zeitungen und Flugschriften zu verbreiten und vor allem einen Streik zu organisieren«[119]. Die Grubenverwaltung verhörte drei Mitglieder, einen italienischen und zwei böhmische Bergleute, die im Anschluß daran gemaßregelt wurden und später in der Arbeiterbewegung der Stadt keine Rolle spielten. Allerdings hatte es während des großen Bergarbeiterstreiks in Deutschland im Mai 1889 behördenintern geheißen, die Belegschaften in Peißenberg und Penzberg hätten sich »vollkommen ruhig verhalten«[120], und auch anläßlich der Maifeiern vermochte behördlicher Argwohn in Penzberg bis 1894 keinerlei verdächtige Anzeichen zu bemerken. Erst in einer Mainacht des Jahres 1894 wurde eine große rote Fahne mit der Aufschrift »Es lebe die Arbeiter-Partei« in der Nähe der katholischen Kirche vorgefunden; 1896 nahmen 13 Penzberger Arbeiter, die dem

---

[115] StAM, LRA 5660, Bericht und Statutenänderung 1884 sowie Generalversammlung vom 6. 1. 1896 und vom 6. 1. 1906; zu Löw s. Kapsberger, Alois: Chronik des Sozialdemokratischen Vereins, Ortsgruppe Penzberg, o. O. o. J. [Penzberg 1931], S. 4.

[116] Vgl. den Überblick in Ritter, Gerhard A. und Klaus Tenfelde: Der Durchbruch der Freien Gewerkschaften Deutschlands zur Massenbewegung im letzten Viertel des 19. Jahrhunderts, in: Ritter, Gerhard A.: Arbeiterbewegung, Parteien und Parlamentarismus. Aufsätze zur deutschen Sozial- und Verfassungsgeschichte des 19. und 20. Jahrhunderts. Göttingen 1976, S. 55–101, hier S. 68f.

[117] Vgl. Kapsberger, Gewerkschaftsbewegung, a.a.O., Bd. I, S. 55.

[118] Vgl. ebenda, Bd. I, S. 42; ders., Chronik, a.a.O., S. 4. Tatsächlich läßt sich ein Fall eines von der Polizei nach Penzberg avisierten böhmischen Sozialisten (Bergmann Wenzel Sklenar) nachweisen: StAM, LRA 3869, Polizeidirektion Prag/Polizei München 30. 10. 1882; BA WM/Gendarmeriestation Iffeldorf 4. 11. 1882 (bisher sei »nichts Verdächtiges« an Sklenar festgestellt worden). Eine eigene Polizeistation erhielt Penzberg im Jahre 1884.

[119] StAM, LRA 9554, OK/BA WM 28. 10. 1889 mit Vernehmungsprotokoll. – Ein Jahr zuvor (30. 6. 1888) hatte die Polizeistation Penzberg (= PP)/BA WM berichtet, daß der Reichtagsabg. v. Vollmar in Urfeld, Gemeinde Kochel, Wohnsitz genommen habe (StAM, LRA 862).

[120] Ebenda, Bericht des BA WM vom 31. 5. 1889. Die Generalia der polizeilichen Überwachung über die südbayerische Sozialdemokratie (1890–1916) finden sich StAM, RA 57804.

Gesangverein »Vorwärts« angehörten, offenbar geschlossen an der Maifeier in Bernried teil[121]. Unter ihnen waren der Schreiner Michael Pfalzgraf und der Maler Michael Metz den Behörden besonderer sozialistischer Tendenzen verdächtig[122].

Die frühe gewerkschaftliche und sozialdemokratische Bewegung in der Stadt wurde folglich, dies wird noch in anderem Zusammenhang zu bestätigen sein, nicht in erster Linie von Bergleuten getragen. Hierfür lassen sich drei Gründe anführen: Zunächst haben auch in diesem Ort Handwerksgesellen und -meister mit Wandererfahrung, die andernorts mit sozialdemokratischem Denken bekannt geworden waren, ihre Überzeugungen in der neuen Heimat weiterverfolgt. Ferner hatte die Zeche anscheinend schon 1880 Gegenmaßnahmen ergriffen und 1889 durch Maßregelungen ihren Willen zur Bekämpfung jeglicher sozialdemokratischen Bestrebungen kundgetan; sie sollte sich auch in den folgenden Jahren entsprechend verhalten, so daß die tätige Mitarbeit in einem sozialdemokratischen Verein den Verlust des Arbeitsplatzes nach sich zog, die Besetzung der Vorstandsfunktionen durch Nichtbergleute mithin ein Überlebensgebot der Organisation war. Schließlich, und ausschlaggebend, ging von den überregionalen Parteigremien die Initiative zur Organisation der Penzberger und sonstigen oberbayerischen Bergleute aus. Nach einem Bericht der *Münchener Post* Ende 1896 hatte der Genosse Möller aus Dortmund im Parteiauftrag die oberbayerischen Bergarbeiterverhältnisse erkundet. Er beobachtete »Gärung und Erbitterung« unter den Bergleuten, die sich »schon seit längerer Zeit« erfolglos mit Beschwerden an die Behörden gewandt hätten[123]; allerdings sei es

»nicht zu verwundern, daß unter einem so großen Druck, dem hier die Bergleute ausgesetzt sind, und unter dem Einflusse einer fragwürdigen Behandlung eine gewisse Sorte von Kriechern und Duckmäusern, von Gelegenheitsverrätern und geradezu charakterlosen Denunzianten herausgebildet wird. Kurzum, eine feige Sorte von allerhand Lumpazi macht die Belegschaften der Grube [in Penzberg] im gewissen Sinne unsicher«[124].

Offenbar diese von Möller gesammelten Erfahrungen machte die bayerische Sozialdemokratie, die unter von Vollmar in den 1890er Jahren einen klaren Aufschwung, wenn auch unter in der Gesamtpartei umstrittenen taktischen Prämissen[125] genommen hatte, zur Grundlage einer seit 1898 eingeleiteten Aktion im Landtagsplenum zugunsten der bayerischen Bergarbeiterverhältnisse. Man monierte die Unfallziffern, beklagte die unübersichtlichen Praktiken der Arbeitszeitgestaltung und der Strafgelder, forderte eine bessere Ausbildung der Bergleute und, neben anderem, Arbeiterausschüsse auf den Gruben – Forderungen, die naturgemäß die Oberkohle auf den Plan riefen und sogar zu einer überregionalen Pressefehde führten[126]. Das Jahr 1898 brachte dann eine starke

---

[121] Nach: StAM, LRA 861, Bericht PP vom 1. 5. 1890, 5. 5. 1893, 8. 5. 1894 und 11. 5. 1896 sowie des Bürgermeisters (= BM) Schönleben vom 8. 5. 1894.
[122] Ebenda.
[123] Solche Beschwerden sind in Form von 2 Immediateingaben aus Penzberg 1915 nachweisbar: BayHStA, MWi 2258. Ältere Beschwerden, wie sie in anderen Bergbauregionen zahlreich überliefert sind, ließen sich nicht auffinden.
[124] MP 236/II vom 17. 10. 1896.
[125] Vgl. Hirschfelder, Heinrich: Die bayerische Sozialdemokratie 1864–1914. Erlangen 1979, T. 2, S. 421ff.
[126] Vgl. die ausführliche, zunächst in der Augsburger Abendzeitung, dann als Separatdruck in Flugblattform veröffentlichte Stellungnahme der OK vom November 1899, »Ein Beitrag zur Beleuchtung der oberbayerischen Bergarbeiterverhältnisse«, Flugblatt in: StAM, LRA 3962.

Zunahme der örtlichen Versammlungsagitation, in der bereits Bergarbeiterführer des Ruhrgebiets mitwirkten und in deren Ergebnis die Arbeiterbewegung in Penzberg unter erheblichem Gegendruck von seiten der Behörden und besonders der Zeche festen Fuß faßte.

Michael Pfalzgraf und Erhard Eder waren die Gründer der Penzberger Bergarbeitergewerkschaft. Der 1867 geborene Pfalzgraf war offenbar bereits 1887 nach Penzberg gekommen und hatte zunächst einige Monate als Schlepper in der Grube gearbeitet[127]; er übte danach seinen erlernten Beruf als Schneider aus und eröffnete bald ein kleines Geschäft. In den Weltkriegsjahren begegnet er auch als Bäckereibesitzer. Pfalzgraf gehörte, wie Eder, der ebenfalls zunächst als Bergmann gearbeitet hatte und inzwischen als Hausierer sein Brot verdiente, über Jahrzehnte zur Führungsspitze der örtlichen Sozialdemokratie. Der Penzberger »Verein zur Wahrung und Förderung bergmännischer Interessen für Oberbayern«[128] entstand unter dem Vorsitz der Genannten – Kassierer wurden Johann Kastner und der ebenfalls lange Zeit in der Penzberger Arbeiterbewegung führende damalige Bergwerksschreiner Josef Lobendank – im Juli 1898. Die Schutzmaßnahme, zwei Nichtbergleute zu Vorsitzenden zu bestimmen, fruchtete wenig, denn die Zeche maßregelte binnen kurzem den gesamten Vereinsvorstand, soweit er bei ihr beschäftigt war – insgesamt 17 Bergleute, Väter von, wie die *Münchener Post* beschwor[129], 52 Kindern, unter Verlust der eingezahlten Knappschaftsbeiträge.

Es scheint, als ob diese Maßregelung die neue Ortsgewerkschaft auf einer Woge der Solidarität sehr bald zu ansehnlicher Stärke wachsen ließ. Noch 1898 fand die erste, im Juni 1899 eine zweite große Protestversammlung gegen die »Zuchthausvorlage« statt, und der Einberufer Eder mußte seinen Ausdruck »Schandgesetz« für den Entwurf mit einer allerdings milden Strafe büßen. Öffentliche Versammlungen von Sozialdemokraten wurden nun ebenfalls, zunächst noch 1898 von dem Schreiner Heinz aus Seeshaupt, in Penzberg anberaumt[130]. Man bestellte Redner aus München, etwa den Redakteur der *Münchener Post*, Adolf Müller, und erfuhr sehr bald mit einer stets mehrere Hundert erreichenden Zahl von Versammlungsteilnehmern die erhoffte Resonanz. Am 24. September 1899 sprach dann als bedeutender Bergarbeiterführer im Ruhrgebiet der Redakteur der *Deutschen Bergarbeiter-Zeitung*, des Verbandsblatts der 1890 gegründe-

---

[127] Kapsberger, Gewerkschaftsbewegung, a.a.O., Bd. I, S. 53f., meint, der 1942 verstorbene Pfalzgraf sei erst 1893 nach Penzberg gekommen. Pfalzgraf ließ sich hingegen von der OK seine Arbeitszeit auf der Zeche als Schlepper bestätigen, da die Behörden offenbar die Anerkennung der Statuten der Penzberger Gewerkschaft, die sie zögernd Ende 1898 betrieben, davon abhängig machten: StAM, LRA 5659, Bescheinigung der OK vom 14. 9. 1898.

[128] Original der Statuten mit der vom BM Schönleben beglaubigten Unterschrift aller Vorstandsmitglieder: StAM, LRA 5661.

[129] MP 199 vom 3. 9. 1898; vgl. 206/13. 9. 1898: Die MP nahm Spenden zur Gemaßregelten-Unterstützung entgegen. Die Namen der Gemaßregelten fehlerhaft (vertauschte Vornamen) bei Kapsberger, Gewerkschaftsbewegung, a.a.O., Bd. I, S. 63. 12 der dort aufgeführten 17 Namen lassen sich mit dem Anm. 114 zit. Statutenexemplar identifizieren. Tatsächlich umfaßte der Vorstand 17 Mitglieder, von denen mindestens Pfalzgraf und Eder Nichtbergleute waren. Während einer Versammlung am 14. 9. 1898 (StAM, LRA 3870, Bericht) war denn auch von nur 14 Gemaßregelten die Rede.

[130] StAM, LRA 3870, Versammlungsbericht 5. 6. 1898. Sozialdemokratische Versammlungen sind nach Ausweis dieser Akte in der Umgebung Penzbergs (Murnau, Weilheim, Bernried) seit 1891 nachweisbar. Über Eders Strafverfolgung s. StAM, LRA 3962.

ten sozialdemokratischen Bergarbeitergewerkschaft[131], Otto Hue[132], in Penzberg und verurteilte, nach einer in dieser Zeit üblichen Tour d'horizon der Bergarbeiterverhältnisse, auf das schärfste die vorjährigen Maßregelungen[133]. Zwei Monate später protestierten Penzberger Bergleute, ein zu diesem Zeitpunkt bemerkenswerter Akt regionaler Solidarität, gegen die Maßregelung von drei Bergleuten in Miesbach durch die Oberkohle. Der Redner dieser Versammlung erklärte unter dem Beifall der Teilnehmer[134]:

»Wenn auch jetzt die Aussichten der Sozialdemokratie noch nicht zu den glänzendsten gehören, so wird doch einst gewiß eine Zeit kommen, wo dieselbe sich gleich der Morgenröte des Himmels durch die ihr entgegenströmenden Wolken bricht und gleich der Sonne am wolkenlosen Firmament alles erleuchten wird«.

Wenigstens für Penzberg entbehrte diese bemerkenswerte Metaphorik nicht einer gewissen Weitsicht, wenn solche Bilder auch durchaus zum zeitgenössischen Vokabular der Agitation gehörten und nebenbei mit ihrer Siegeszuversicht manche vulgärmarxistische Heilsgewißheit sozialdemokratischer Zeitgenossen spiegelten. In Penzberg sollte indessen die sozialdemokratische Morgenröte – das Bild kehrt in einigem Doppelsinn zum Ende unseres Untersuchungszeitraums wieder – des roten Stadtregiments in der Nachkriegszeit durch schwere Wolken verdüstert werden.

In den Monaten nach Gründung der Gewerkschaft hat eine rege Versammlungsagitation eingesetzt, die fortan die Geschichte der Penzberger Arbeiterbewegung begleitete – anfangs wohl, wie in dieser Zeit üblich, als Ersatz für die durch Maßregelung geschädigte Organisation, bald regelmäßig zu den politischen Streitfragen der Zeit, darunter etwa am 11. März 1900 über die Flottenvorlage. Man suchte und fand stets überregional bekannte Arbeiterführer wie den Münchener Arbeitersekretär Timm, den genannten, später wiederholt in Penzberg sprechenden Hue, den Reichstagsabgeordneten und Bergarbeiterführer Hermann Sachse und seinen Kollegen im Alten Verband, Fritz Husemann[135]. Keine der von der Ortspolizei argwöhnisch überwachten Versammlungen lockte weniger als 300 Teilnehmer an. Wiederholt ist von 600 und mehr Teilnehmern die Rede. Die neue Gewerkschaft, die sich bereits im Jahre 1899 bei einem Mitgliederstand von 212 Bergleuten dem Alten Verband anschloß[136], erfüllte insoweit alle Erwartungen. Zweck des Vereins war

»die Wahrung und Förderung der geistigen, gewerblichen und materiellen Interessen seiner Mitglieder. Dieses soll erreicht werden:
Durch Abhalten von wissenschaftlichen und gewerblichen Vorträgen, Besprechung von Vereinsangelegenheiten, Lesen von Fachschriften, Gründung einer Vereinsbibliothek (wenn möglich

---

[131] Hierzu Koch, Max Jürgen: Die Bergarbeiterbewegung im Ruhrgebiet zur Zeit Wilhelms II. (1889–1914). Düsseldorf 1954, S. 53ff.
[132] Über Hue vgl. Tenfelde, Klaus: Heinrich Imbusch. Einführung in Leben und Werk, in: Imbusch, Heinrich: Arbeitsverhältnis und Arbeiterorganisationen im deutschen Bergbau. Eine geschichtliche Darstellung. M. e. Einl. z. ND v. Klaus Tenfelde. Berlin/Bonn 1980, S. V-XXXVIII, bes. S. V-VII u. ö.
[133] Versammlung vom 24. 9. 1899, Bericht: StAM, LRA 3870.
[134] Ebenda, Versammlungsbericht vom 12. 11. 1899. Redner war F. Schmitt.
[135] Die Versammlungsagitation ist reich dokumentiert: Vgl. StAM, LRA 3870, 5659, 861, sowie die weiter unten zitierten Quellen.
[136] Vgl. StAM, LRA 5659, BM/BA WM 25. 7. 1899: Pfalzgraf habe die Auflösung und den Anschluß an den Alten Verband angezeigt; er selbst sei dessen Vertrauensmann in Penzberg; ebd. Stadtverwaltung Bochum (Verbandssitz)/BA WM 9. 8. 1899 meldet den Beitritt von 212 Bergleuten.

gewerblichen Unterricht), Gewährung von unentgeltlichem Rechtsschutz bei den aus Arbeitsverhältnissen entsprungenen Streitigkeiten.
Streitigkeiten der verschiedenen Confessionen und politischen Parteien sind innerhalb der Vereinslokale total ausgeschlossen«[137].

Die Tätigkeit der Gewerkschaft sollte sich auf ganz Oberbayern erstrecken, man strebte mithin sofort nach Einbezug der übrigen Bergleute im Pechkohlenrevier. Die Statuten entsprechen im übrigen dem in dieser Zeit üblichen Bild. Sie dürften mit dem Anschluß an den Alten Verband einige Änderungen erfahren haben. Bemerkenswert ist, daß die Gewerkschaft in Penzberg nicht auf Agitationshemmnisse der andernorts bekannten Art, darunter besonders Saalabtreibungen, stieß; die Penzberger Wirtsleute waren ausschließlich auf Bergleute angewiesen und hätten durch Schließung ihrer Säle ihre eigene Existenzgrundlage in Frage gestellt. Auch die polizeiliche Überwachung blieb, verglichen mit den in dieser Zeit in vielen Orten Preußens noch üblichen Praktiken, recht zurückhaltend[138] – eine Versammlungsauflösung vor 1914 ist nicht ein einziges Mal nachweisbar, wohl aber gelegentliche polizeiliche Ermahnungen an die Versammlungsredner, sich zu mäßigen.

Offenbar sehr rasch entfaltete sich nun die typische gewerkschaftlich-sozialdemokratische Vereins- und Versammlungskultur in Penzberg. Die Maifeier des Jahres 1899 wurde noch in Benediktbeuern abgehalten, wohin eine Schar von 300 Penzbergern, darunter Frauen und Kinder der Bergleute, in geschlossenem Zug wanderte um dort den Redakteur der *Münchener Post*, Eduard Schneider, zu hören. Seither waren die Penzberger Maifeiern, stets am Sonntag nach dem 1. Mai, große Feste, demonstrative Gesten der Solidarität mit Reden auswärtiger Größen zur Agitation, mit Kinderbelustigungen, Volksfest-Unterhaltung, Tanz sowie, etwa im Jahre 1901, roter Dekoration[139]. Hatte man bisher noch gezögert, einen sozialdemokratischen Ortsverein zu gründen – auch hier mag die Maßregelungsangst eine Rolle gespielt haben –, so wurde dies im April 1901 nachgeholt. Dieser Verein trug den Charakter eines Wahlvereins und wurde künftig auch als solcher bezeichnet:

»Der Verein hat sich zur Aufgabe gestellt, im Anschluß an die Organisation der sozialdemokratischen Partei Bayerns für die Grundsätze und Bestrebungen der Sozialdemokratie einzutreten, für politische und wirtschaftliche Aufklärung zu wirken und insbesondere bei Wahlen die Kandidaturen der sozialdemokratischen Partei zu unterstützen«[140].

Der fünfköpfige Vorstand setzte sich aus Nichtbergleuten zusammen, darunter Erhard Eder und Michael Pfalzgraf, ferner der »Bader und Zahntechniker« Karl Greimel, Abraham Doll sowie der späterhin einflußreiche Schreiner Wilhelm Vetter.

---

[137] Statuten § 1, in: StAM, LRA 3962.
[138] Anstelle zahlloser Hinweise auf Regionalstudien s. die u. a. hierauf konzentrierte Studie von Saul, Klaus: Staat, Industrie, Arbeiterbewegung im Kaiserreich. Zur Innen- und Sozialpolitik des Wilhelminischen Deutschland 1903–1914. Düsseldorf 1974. Für Bayern konstatiert Schnorbus, Axel: Arbeit und Sozialordnung in Bayern vor dem Ersten Weltkrieg (1890–1914). München 1969, S. 196–199, eine Tendenz zur Beobachtung von Neutralität im Verhalten der Exekutive gegenüber den Interessengegnern.
[139] Berichte über Maifeiern: StAM, LRA 861.
[140] Originalexemplar der Statuten mit Unterschriften der Vorstandsmitglieder vom 14. 4. 1901: StAM, LRA 3870, hier § 1. Kapsberger, Chronik, a.a.O., S. 4, nennt weitere Gründungsmitglieder.

Dieser Verein bildete nunmehr das Rückgrat der sich ausbreitenden sozialdemokratischen Vereinskultur in Penzberg[141].

Die Vorsichtsmaßnahme, Nichtbergleute an die führenden Vorstandspositionen zu stellen, war einstweilen wohlbegründet: Die Zeche unternahm 1901 erneute Maßregelungen. Der Zeitpunkt war freilich abzusehen, zu dem solche Maßnahmen nicht mehr greifen würden: dann nämlich, wenn die Solidarität der Arbeiterschaft zu schlagkräftigen Gegenmaßnahmen fand. Zu Streiks scheint es um die Jahrhundertwende noch zu früh gewesen zu sein. Andererseits mag bereits die in der Bergarbeiterbewegung seit 1889 wiederholte Erfahrung eine Rolle gespielt haben, daß die Wellen großer Streikaktionen über den jungen Organisationen zusammenschlagen konnten. Festzuhalten bleibt, daß die Grundlagen der Penzberger Arbeiterbewegung innerhalb von nur drei Jahren, 1898 bis 1901, gelegt wurden und daß die Organisationen sofort erhebliche Resonanz erfuhren – immerhin dürften um die Jahrhundertwende bereits rund 20 Prozent der Grubenbelegschaft organisiert gewesen sein.

5. Streikbewegungen bis zum Kriegsausbruch

Der Aufschwung der Penzberger Bergarbeiterbewegung, die damit in den oberbayerischen Kohleorten eine Vorreiterrolle übernahm, ist in nicht zu unterschätzendem Umfang von der zugleich angelaufenen, bereits erwähnten sozialdemokratischen Landtagsinitiative um einen besseren Bergarbeiterschutz mitgetragen worden. Diese Initiative hat, wie sich zeigen wird, enge Kontakte zwischen der sozialdemokratischen Landtagsfraktion und den Penzberger Bergarbeitern begründet. Es ging insonderheit um die Einrichtung von Arbeiterausschüssen im Bergbau, wie sie fakultativ bereits die preußische Berggesetznovelle von 1892 vorgesehen hatte – Bayern eilte der preußischen Entwicklung durch die berggesetzliche Einrichtung obligatorischer Arbeiterausschüsse nunmehr voraus; erst 1905 folgte hierin Preußen[142], und es dauerte bis 1910, daß durch erneute Novellierungen annähernde Rechtsgleichheit wiederhergestellt wurde[143].

Die Artikel 94 bis 105 des Berggesetzes in der novellierten Fassung von 1900[144] sahen die Bildung von Arbeiterausschüssen in allen Bergbaubetrieben mit mehr als 20 Arbeitern vor. Die Ausschußmitglieder waren mehrheitlich von den volljährigen Belegschaftsmitgliedern unmittelbar und geheim zu wählen; ihre Zahl war von der Belegschaftsgröße abhängig. Die Verhältniswahl im Abstand von drei Jahren – Listen

---

[141] Vgl. hierzu unten S. 68 ff.
[142] Vgl. Teuteberg, Hans Jürgen: Geschichte der industriellen Mitbestimmung in Deutschland. Ursprung und Entwicklung ihrer Vorläufer im Denken und in der Wirklichkeit des 19. Jahrhunderts. Tübingen 1961, S. 436–453; Borr, Karl Erich: Staat und Sozialpolitik seit Bismarcks Sturz. Ein Beitrag zur Geschichte der innenpolitischen Entwicklung des Deutschen Reiches 1890–1914. Wiesbaden 1957, S. 185–188; Rückert, Joachim und Wolfgang Friedrich: Betriebliche Arbeiterausschüsse in Deutschland, Großbritannien und Frankreich im späten 19. und frühen 20. Jahrhundert. Eine vergleichende Studie zur Entwicklung des kollektiven Arbeitsrechts. Frankfurt a. M. 1979, S. 22–31, 117–122.
[143] Überblick der bayer. Entwicklung: Schnorbus, a.a.O., S. 234f.
[144] Im folgenden nach Kiessling/Ostern (Hrsg.), a.a.O., S. 37–42.

waren zugelassen – sollte Minderheitenvertretungen sichern. Über die Wahlvorgänge wachten die Bergbehörden als Aufsichts- und Beschwerdeinstanzen. Die Arbeiterausschüsse hatten aus ihrer Mitte in geheimer Wahl für mindestens ein Jahr Vertrauensmänner zu bestimmen, die zur monatlich zweimaligen Befahrung bestimmter, jeweils aufgeteilter Grubenbezirke unter Begleitung eines Grubenbeamten »in Bezug auf die Sicherheit des Lebens und der Gesundheit der Arbeiter« befugt waren. Hierüber hatten die Vertrauensmänner Fahrbücher zu führen, die jederzeit vom Arbeiterausschuß und vom Bergamt eingesehen werden konnten. Eintragungen, die eine »dringende Gefahr« konstatierten, waren unverzüglich dem Bergamt bekanntzumachen. Die entgangene Arbeitszeit der Vertrauensmänner war von der Zeche zu entlohnen. Im übrigen waren sie pflichtgemäß bei jeder Unfalluntersuchung hinzuzuziehen, und schließlich (Art. 103):

»Den Werksbesitzern und ihren Angestellten ist untersagt, durch Übereinkunft oder mittels Arbeitsordnung Arbeiter in der Übernahme oder Ausübung eines ihnen übertragenen Amtes als Arbeiterausschußmitglied oder Vertrauensmann zu beschränken«[145].

Im übrigen wurden die Kündigungsmöglichkeiten für Vertrauensmänner eingeschränkt und bei solchen Kündigungen jedenfalls bergamtliche Recherchen angeordnet – allerdings nutzte dies, wie sich in Penzberg erweisen sollte, zunächst wenig. Immerhin ordnete die Berggesetznovelle in der Frage der Arbeiterausschüsse wie auch in anderen Punkten, beispielsweise hinsichtlich der Arbeitsordnung, für die Zeit weitgehende gesetzliche Einschränkungen der Unternehmermacht im Betrieb an. Blieben auch die Kompetenzen der Arbeiterausschüsse auf Sicherheitsfragen beschränkt, so war damit doch an einer wichtigen Stelle ein Mitwirkungsrecht der Arbeiterschaft begründet.

In ihren Wirkungen weniger weitreichend als die Einrichtung der Arbeiterausschüsse war die seit dem Jahre 1901 wirksame reichsgesetzliche Novellierung des Gewerbegerichtsgesetzes[146]. Sie führte zur Bildung eines Berggewerbegerichts in München, dessen beide Vorsitzenden vom Innenminister ernannt, die 12 Beisitzer hingegen je zur Hälfte von Arbeitgebern und Arbeitnehmern auf sechs Jahre unmittelbar und geheim in drei oberbayerischen Wahlbezirken (Miesbach/Hausham, Penzberg, Peißenberg) gewählt wurden; die Wahlberechtigten hatten die Knappschaftsvorstände zu bezeichnen. Zur ehrenamtlichen Beisitzerfunktion wurde je »Spruchsitzung« je ein Vertreter beider Seiten geladen. Das Berggewerbegericht wurde in zwei Funktionen tätig:

1. als Einigungsamt, wenn es von einer der beteiligten Seiten gerufen wurde. Der Anrufung war jedenfalls Folge zu geben, wenn sie von beiden Seiten erfolgte und beide Seiten Vertreter für die Verhandlungen ermächtigten. Die Bedeutung dieser Bestimmung liegt in der faktischen Anerkennung eines gewerkschaftlichen Versammlungs- und Vertretungsrechts. Diese Anerkennung wurde noch verstärkt durch den Umstand, daß das Berggewerbegericht als Einigungsamt Vertrauensmänner beider Seiten in gleicher Zahl hinzuzuziehen hatte, die *nicht* zu den unmittelbar Beteiligten gehörten. Falls eine

---

[145] Zitate ebenda S. 39, 41.
[146] Zum Reichsgesetz s. u. a. Born, a.a.O., S. 98–100; im folgenden nach dem Gesetz- und Verordnungsblatt für das Königreich Bayern Nr. 49/12. 11. 1901, S. 658–669, sowie den Beiakten in: BayHStA, MWi 2270. Über das Münchener Gewerbegericht (nicht: Berg-G.) s. auch Schnorbus, a.a.O., S. 236–241; ferner: Stand und Entwicklung, a.a.O., S. 60*.

Vereinbarung nicht zu erzielen war, mußte der Schiedsspruch des Gerichts, um Rechtskraft zu erlangen, von beiden Seiten akzeptiert werden.

2. als Antrags- und Gutachterinstanz sowie in Beschwerdeangelegenheiten, die das Arbeitsverhältnis betrafen.

Das Berggewerbegericht hat bei weitem geringere Bedeutung als die Arbeiterausschüsse gehabt; es ist seit seiner Einrichtung am 1. Januar 1902 bis zum Kriegsausbruch nur ein einziges Mal von Arbeitgeberseite, von Arbeitnehmerseite mit leicht zunehmender Tendenz jedoch in unbedeutendem Umfang[147] mit einer Ausnahme im Jahre 1910 ausschließlich bei Rechtsstreitigkeiten über das Arbeitsverhältnis angerufen worden. Trotz solcher »außerordentlich bescheidenen Zahlen«[148] beriet man 1907 eine Kompetenzerweiterung und vergrößerte die Beisitzerzahl durch Verordnung im Jahre 1913[149].

Über die Funktionen der Arbeiterausschüsse bestand zunächst auf allen Seiten Unklarheit. Sie waren selbstverständlich gegen den Willen der Arbeitgeber eingerichtet worden; auf dieser Seite war man der Meinung, daß den Bergleuten mit der traditionellen Einrichtung der Knappschaftsältesten – diese Funktion nahm um die Jahrhundertwende in Penzberg bereits ein Sozialdemokrat, der Hauer Andreas Barnikel, wahr[150] – hinreichend Vertretungsmöglichkeiten zustanden, man jedoch in seinem Betrieb Herr im Hause bleiben müsse[151]. Von Arbeiterseite wurde auf den 14. Juli 1901 eine Versammlung nach Penzberg einberufen[152], an der neben Landtagsabgeordneten der Sozialdemokratie (von Vollmar und Segitz), der Liberalen (Wagner) und des Zentrums (Schirmer) Arbeitervertreter, Knappschaftsälteste und Gewerkschafter aus allen oberbayerischen Zechenorten sowie wiederum Otto Hue, der offenbar des öfteren Urlaubstage in Oberbayern mit der Bergarbeiteragitation verband, teilnahmen. Auf dieser Versammlung ging es vor allem um die Frage, wie Mitglieder von Arbeiterausschüssen vor Maßregelungen geschützt werden könnten. Erste Erfahrungen lagen vor: Johann Barnikel, gewählter Vertrauensmann des Arbeiterausschusses in Penzberg, war nach seinen Monita über die gegen Sortiererinnen ausgesprochenen Strafen – man hatte ihm entgegnet, daß »die Mädel noch gepeitscht gehörten« – kurzerhand entlassen worden. Die Stimmung wurde zusätzlich dadurch angeheizt, daß die Zeche soeben zwar 50 Mann entlassen hatte[153], zugleich aber am Sonntag Sonderschichten verfahren ließ und auf das Ansinnen des Arbeiterausschusses, statt der ausgesprochenen Entlassungen Feierschichten der gesamten Belegschaft anzuordnen, die kalte Schulter gezeigt hatte. Auch das

---

[147] BayHStA, MWi 2270, mit fortlaufend geführten Statistiken über die berggewerbegerichtliche Tätigkeit. Die meisten Anrufungen wurden 1908 (23) und 1911 (28) registriert. Vgl. auch: Bayerns Entwicklung, a.a.O., S. 124f.

[148] BayHStA, MWi 2270, Bericht vom 8. 11. 1907.

[149] Ebenda, sowie Gesetz- und Verordnungsblatt für das Königreich Bayern Nr. 27/12. 6. 1913, S. 205ff., ein Ex. ebenda.

[150] S. u. a. StAM, LRA 862, Versammlungsbericht 26. 11. 1905.

[151] So in der Anm. 126 zit. Quelle.

[152] Ausführlicher Bericht: Der Bergknappe. Organ des Gewerkvereins christlicher Bergarbeiter Deutschlands Nr. 29/1901, Nachtrag 31/1901. Eine archivalische Quelle über diese wichtige Versammlung ließ sich nicht auffinden.

[153] 18 der Entlassenen führt Kapsberger, Gewerkschaftsbewegung, a.a.O., Bd. I, S. 84, namentlich auf. Bericht über eine von 600 Personen besuchte Versammlung über die Entlassungen am 17. 6. 1901, auf der auch Hue referierte, s. in StAM, LRA 3870.

Staatswerk in Peißenberg hatte sich in der Behandlung seines Arbeiterausschusses nicht gerade Anerkennung eingehandelt. Einzig in Hausham schien die Einrichtung einstweilen zu funktionieren.

Die Versammlung gelangte, wie zu erwarten war, zu keinem befriedigenden Ergebnis. Die Arbeiterausschüsse waren auch fernerhin der Nichtachtung seitens der Grubenverwaltungen preisgegeben, wenn nicht Schlimmeres ihrer Tätigkeit drohte. Dabei wirkte sich zunehmend hinderlich für die Arbeiterschaft aus, daß die Bergarbeiterorganisationen auch in Oberbayern nunmehr in die Mühlsteine richtungsgewerkschaftlicher Auseinandersetzungen zu geraten drohten.

In Penzberg zeigten sich Ende der 1890er Jahre Bestrebungen, im Rahmen des katholischen Pfarrsprengels Vereinsorganisationen für Arbeiter ins Leben zu rufen – schon 1896 wurde ein Verein jugendlicher Bergarbeiter gegründet; daneben bestand ein sehr aktiver katholischer Arbeiterverein – und darin der Ausdehnung der Sozialdemokratie zu begegnen. Die entscheidenden Anstöße zur Organisation christlicher Bergarbeiter kamen jedoch wiederum deutlich von außen. In München wirkte seit den frühen 1890er Jahren der Schlosser Carl Schirmer zugunsten einer christlichen Gewerkschaftsbewegung in Bayern[154]. Er war schon 1897 als Sekretär an die Spitze eines christlichen Textilarbeiterverbandes für Bayern berufen und aufgrund seines großen Ansehens bereits in den Landtag gewählt worden. Von München ausgehend, mehrten sich um die Jahrhundertwende Bestrebungen zur Ausbreitung des christlichen Gewerkschaftsgedankens auf dem Lande, wo man indessen oft genug ebensolcher Ignoranz wie die sozialdemokratischen Gewerkschafter begegnete[155]. Ein christlicher Bergarbeiterverband meldete sich in Penzberg erstmals zu einer von dem Bergmann Xaver Schöttl auf den 9. Dezember 1900 einberufenen Versammlung zu Wort, auf der Schirmer reden sollte, jedoch durch Adam Stegerwald, zu dieser Zeit Redakteur in München, vertreten wurde. Interesse verdient weniger das Auftreten Stegerwalds, sondern der Verlauf der Versammlung[156]. Die nach polizeilichen Schätzungen anwesenden 600 bis 700 Personen, die, wie es gewiß stark übertreibend hieß, zu elf Zwölfteln dem Alten Verband angehören sollten, wählten nicht Schöttl, sondern Pfalzgraf in das Versammlungsbüro. Stegerwald durfte zwar kurz reden, aber das große Wort führte Redakteur Gruber von der *Münchener Post*, aus diesem Anlaß offenbar eigens angereist. Gruber und die Versammlung machten kein Hehl aus ihrer Abneigung gegen das Zentrum, und Simon Koeppel, Schreinermeister und führender Sozialdemokrat in Penzberg, bereicherte das Geschehen mit langen Erinnerungen an sozialistengesetzliche Zeiten. Die Ruhe war nur mittels Androhung der polizeilichen Schließungsverfügung herzustellen.

Die Vorgänge zeigen, in welchem Maße die Penzberger Bergleute bereits auf die Sozialdemokratie eingeschworen waren. Christliche Bergleute hatten es künftig schwer in dem Ort. Entweder man strafte sie durch Nichtachtung – einer von Xaver Schöttl auf

---

[154] Über Schirmer, s. Denk, a.a.O., S. 110f. u. passim.
[155] Vgl. ebenda, S. 270.
[156] Versammlungsbericht: StAM, LRA 3870.

den 2. Februar 1901 einberufenen Versammlung wohnten ganze 60 Bergleute bei[157] –, oder man störte ihre Versammlungen. Auch Ungeschick spielte eine Rolle: Der im Juni 1901 zu einer Versammlung angesagte Gründer der christlichen Bergarbeitergewerkschaft und derzeitige Vorsitzende im Gesamtverband christlicher Gewerkschaften August Brust erschien nicht. Offenbar ist die bereits bestehende Organisation daraufhin eingeschlafen; jedenfalls trat im Mai 1906 ein neuer Vorstand mit Wilhelm Hartmann an der Spitze an die Öffentlichkeit und gab die Gründung einer Zahlstelle des christlichen Gewerkvereins bekannt, der der Genannte noch 1911 vorstand[158].

Die Penzberger Zahlstelle des christlichen Gewerkvereins blieb zwar unbedeutend, gleichwohl reichte die Spaltung der Bergarbeiterbewegung aus, um den Vorgängen im Ruhrgebiet ganz ähnliche, sehr streitbare Auseinandersetzungen, wie sie die erwähnte Versammlung bereits eingeleitet hatte, zwischen den beiden Richtungen auch in Penzberg auf die Tagesordnung zu bringen. Versammlungen wie jene vom Mai 1908 über »Die Verleumdung der christlichen Bergarbeiter durch Herrn Bezirksleiter Strasser«[159], der, ehemaliger Penzberger Bergmann, nunmehr in Hausham, später in München hauptberuflich der süddeutschen Regionalorganisation des Alten Verbands vorstand, gehörten zum Alltag dieser Richtungskämpfe. Sie mußten insbesondere zu aktuellen Konfliktsituationen aufbrechen und an Schärfe gewinnen.

An solchen Konfliktsituationen mangelte es in Penzberg nicht. Allerdings läßt sich zeigen, daß in den nachweisbaren aktuellen Auseinandersetzungen sowohl die Arbeiterausschüsse als auch das Münchener Berggewerbegericht als Einigungsamt die ihnen zugedachten Funktionen der Konfliktvermeidung oder doch mindestens -kontrolle in wichtigen Bereichen durchaus auszufüllen vermochten. Es mag nicht zuletzt hierauf zurückzuführen sein, daß die Penzberger wie überhaupt die oberbayerischen Bergleute in der Vorkriegszeit nicht eben häufig gestreikt haben[160].

Der Arbeiterausschuß der Grube veranstaltete regelmäßig Versammlungen, während derer Bergleute ihre Beschwerden vorbringen konnten. Bei diesen Versammlungen ging es auch politisch zu: Etwa gedachte man am 3. Februar 1905 der Vorgänge in Rußland und verabschiedete eine Resolution, in der die Solidarität der Penzberger Bergleute mit ihren im Ruhrgebiet streikenden Berufskollegen bekundet wurde. Dann ging es aber auch um die Probleme des Arbeitsalltags, darunter das »Wagennullen«, die leidigen Überschichten und jene »sogenannten Penzberger Galopphauer, welche nie lang genug arbeiten können und die neben den aus der Partei ausgetretenen Genossen die ärgsten Feinde der organisierten und auf ihr leibliches und geistiges Wohl bedachten Arbeiter«[161] seien. Auch wurde regelmäßig über Arbeiterausschußsitzungen in den öffentlichen

---

[157] Versammlungsberichte ebenda. Xaver Schöttl (I), der in der christlichen Gewerkschaftsbewegung begann und als Pensionär mit der KPD sympathisierte, ist nicht zu verwechseln mit seinem Sohn Xaver Schöttl (II), dem langjährigen Stadtrat der SPD und Betriebsratsvorsitzenden. Dessen Sohn Johann Schöttl war nach 1945 wiederholt SPD-Ortsvereinsvorsitzender in Penzberg.
[158] Anmeldung der Zahlstellengründung vom 19. 5. 1906, in: StAM, LRA 3962, zu Hartmann s. auch LRA 3917; offenbar die Gründungsversammlung am 10. 6. 1906 war »stürmisch verlaufen«: Bericht in StAM, LRA 3896.
[159] Plakat: StAM, LRA 3896.
[160] Zur bayerischen Streikstatistik, auch in gewerblicher Aufgliederung, s. die regelmäßigen Berichte in ZBSL, z. B. 45 (1913), S. 328f., 46 (1914), S. 153f.; allgemeine Ausführungen bei Schnorbus, a.a.O., S. 169–174.
[161] StAM, LRA 3870, Versammlungsbericht.

Versammlungen berichtet, und seit etwa 1905 wird deutlich, daß der Arbeiterausschuß zunehmend auch Lohnfragen und andere Probleme im Betrieb anschnitt. Man forderte beispielsweise einen Minimallohn, um den auf der Zeche oft erstaunlichen Lohndifferenzen zwischen Niedrigst- und Höchstverdienenden zu begegnen und tarifvertragliche Regelungen auf den Weg zu bringen, wandte sich gegen die Dividendenpraktiken der Konsumanstalt und suchte auf die Bestallung eines Knappschaftsarztes Einfluß zu nehmen. Besonderen Ärger erregte naturgemäß, daß es Ende 1905 dem Ortspfarrer gelang, durch einen Bittgang zur Zechenleitung eine Lohnerhöhung zu erzielen – »dann ist der Arbeiterausschuß nutzlos«, hieß es[162].

Auch Bezirksleiter Strasser vom Alten Verband beklagte in einer Belegschaftsversammlung am 21. Januar 1906 die Vermittlung durch den Pfarrer: »Es ist dies wirklich drastisch«. Aus Strassers Rede seien einige längere Passagen zitiert, da sie Diktion und Pathos zeitgenössischer Gewerkschaftsagitation treffend wiedergibt und die Quelle[163] ausnahmsweise den Wortlaut reproduziert:

»Unsere wirtschaftliche Lage ist jetzt sehr traurig, unsere Arbeit sollte eine segenbringende, sollte Kulturarbeit sein. Sie ist es aber nicht, ein Fluch haftet darauf. Was wir arme Teufel mit Familie verdienen, damit gehen die Herren ihren Vergnügen nach, und wir können in Not und Elend verkümmern.
Die Organisation wird aber trotz alledem ihren Weg weiter verfolgen, sie wird sich immer mehr verstärken. Wir wollen durchaus nicht trauern, wenn jetzt auch noch ⅓ uns fernsteht. Die Verhältnisse selbst treiben uns auch noch den Stumpfsinnigsten zu. Auch die Frauen beteiligen sich heute schon ganz gewaltig bei unserer werbenden Organisation . . .
Arbeiter mit 20jähriger Arbeitszeit behandelt man heute mitunter wie Schulbuben. Ist das der vielgerühmte christliche Standpunkt? Pfui Teufel, dann danke ich für die christliche Kultur, und wenn es im Himmel auch so ist, dann danke ich für denselben . . .
Da werden wir immer beneidet auf unsere schöne Gegend, die schönen Berge und unsere schöne Aussicht, ich danke dafür, deshalb tut uns der Hunger ebenso weh wie anderswo. Trotz intensivster Kraftleistung will es nicht gelingen, vorwärts zu kommen, etwas zu erreichen . . . Es hilft nur noch: fordern in geschlossenen Reihen. Hätten wir keine Organisation hier, so kann ich behaupten, da wären schon lange dumme Streiche gemacht worden. Die Organisation erzieht die Arbeiter zur Ruhe und Mäßigung . . .
Ich will dem Streik nicht das Wort reden. Derselbe kommt zur geeigneten Zeit ganz von selbst. Aber warnen möchte ich die Herren. Er bringt für uns Not und Elend, aber er bleibt auch für sie nicht ohne Wirkung . . .
Haltet fest und treu solidarisch zusammen. Wenn der Verdienst derartig geschmälert wird, daß ich hungern muß, dann pfeife ich auf den ganzen Patriotismus«.

Die Überzeugung von der Kulturmission der Arbeit und der Arbeiterorganisationen, die Solidaritätsappelle und die Streikfurcht, der Organisationspatriotismus, die Kritik an dem, was in der Zeit scheinbar unter »christlich« verstanden wurde, und der Kontrast des Hungers mit dem vaterländischen Patriotismus gehörten zu den bezeichnenden Argumentationsfiguren der Arbeiterbewegung, die unzählige Male eindringlich wiederholt wurden[164]. Wortlaut und Tonlage verraten jedoch mehr: eine zunehmende Erbitterung

---

[162] StAM, LRA 3896, Versammlungsbericht vom 14. 12. 1905.
[163] Ebenda, Versammlungsbericht.
[164] Zum Organisationspatriotismus s. die in diesem Punkt besonders einsichtige Studie von Groh, Dieter: Negative Integration und revolutionärer Attentismus. Die deutsche Sozialdemokratie am Vorabend des Ersten Weltkrieges. Frankfurt/Berlin/Wien 1973, S. 59 u. ö.; zu den nachgerade militärischen gewerkschaftlichen Disziplinvorstellungen bes. Schönhoven, a.a.O., S. 240.

wegen ausgebliebener Erfolge trotz gestärkter Organisation, Wut und Ohnmacht angesichts der Ignoranz der anderen Seite, die in Bayern so wenig wie die »Kohlenbarone« im Ruhrgebiet Einsicht und Verhandlungsbereitschaft zeigte[165]. Nach einem raschen Aufschwung zu Beginn des Jahrhunderts war die Arbeiterbewegung im Pechkohlenrevier deutlich in eine Sackgasse geraten, in der allein die beschränkten Mitbestimmungsmöglichkeiten in den Arbeiterausschüssen, in geringerem Umfang auch über das Berggewerbegericht und die Knappschaftsältesten, einige Luft verschafften. Institutionalisierte Konfliktregelung wurde hingegen schlicht verweigert.

Aufbegehrt haben in den folgenden fünf Jahren vor allem jene Teile der Belegschaften, die dem disziplinierenden Einfluß der Organisationen einstweilen weniger zugänglich waren: die Frauen und die jüngeren Arbeiter. Die örtlichen und regionalen Arbeiterführer brachte dies wiederholt in die Zwangslage, einem sich abzeichnenden Konflikt aus besserer Einsicht zu widersprechen, im Falle des Ausbruchs jedoch möglichst rasch das Heft an sich zu reißen, um Schlimmeres zu verhüten. Die Furcht vor »dummen Streichen« steckte tief. Fritz Husemann, leitender Verbandsfunktionär und später Vorsitzender des Alten Verbands, der sein gewerkschaftliches Engagement in einem Konzentrationslager mit dem Leben büßte, erklärte am 25. November 1906 vor 600 bis 700 Bergleuten in Penzberg[166]:

»Der Streik ist ein zweischneidiges Schwert, denn auch ein erfolgreicher Streik hat traurige Folgen für uns, wir müssen deshalb bei der Anwendung dieses Mittels vorsichtig sein. Die Mehrzahl von Euch hat noch keinen Streik mitgemacht; so war zwar unser großer Streik mit seinen 200 000 Mann imposant, aber die Folgen waren für alle verhängnisvoll und vollständig ergebnislos. Sorgen Sie dafür, daß zunächst alle in die Organisation hineingebracht werden; wenn dann unsere Lohnstatistik fertig ist, Ende Januar oder Februar 1907, dann stellen wir mit dem nötigen Nachdruck unsere Forderungen wieder; dazu brauchen wir aber die Hilfe aller und speziell der Frauen«.

Die Penzberger Frauen schätzte Husemann, vom Ruhrgebiet her anderes gewohnt, falsch ein: Sie bedurften, wie wir noch wiederholt sehen werden, nicht erst der Aufforderung zum Streik. Nachteilig wirkte sich dabei insbesondere aus, daß man, auch im Alten Verband noch einer Art Pflege der bergmännischen Mannesehre verbunden, die Organisation der Frauenarbeit im Bergwerk dem Fabrikarbeiterverband überlassen hatte.

Husemanns beschwichtigende Rede traf bereits in eine angelaufene Lohnbewegung. Am 4. November hatte der Arbeiterausschuß der Penzberger Grube nach einer diesen Auftrag erteilenden Belegschaftsversammlung am 14. Oktober 1906 seine Forderungen[167] auf 15 prozentige Lohnerhöhung, besondere Bezahlung der Nebenarbeiten,

---

[165] Vgl. mit Hinweisen auf die hierzu umfangreiche Literatur Tenfelde, Klaus: Probleme der Organisation von Arbeitern und Unternehmern im Ruhrbergbau 1890 bis 1918, in: Mommsen, Hans (Hrsg.): Arbeiterbewegung und industrieller Wandel. Studien zu gewerkschaftlichen Organisationsproblemen im Reich und an der Ruhr. Wuppertal 1980, S. 38–61.
[166] StAM, LRA 3015, Versammlungsbericht; mit dem »großen Streik« ist der vorjährige Ruhrstreik gemeint. Zu Husemann s. Schulte, Wilhelm: Fritz Husemann 1873–1935, in: ders.: Westfälische Köpfe. 300 Lebensbilder bedeutender Westfalen. Biographischer Handweiser. Münster 1963, S. 136–137.
[167] StAM, LRA 3015, »Vormerkung« vom 5. 11. 1906.

Beseitigung des durch den stark saisonalen Rhythmus des Kohlenabsatzes[168] regelmäßig im Sommer von der Zeche verordneten »Sommerurlaubs« wie auch der Überschichten, Abschaffung des unbezahlten Holzrichtens vor der Einfahrt und neue Regelung der Gedingeverhältnisse vorgetragen. Die konjunkturelle Situation war nicht ungünstig. Man stand in den absatzstarken Wintermonaten, und tatsächlich hatte die Zeche von sich aus die Löhne bereits um 5,8 Prozent gegenüber dem Vorjahr erhöht. Die Zechenleitung wies die Forderungen indessen unter Hinweis auf Absatzschwächen zurück. Erstmals zeigte sich, daß die Penzberger Bergleute von der Streikbeschwichtigungspolitik der überregionalen Verbandsführer nach dem Beispiel Husemanns wenig hielten. »Die hiesigen Arbeiter«, hieß es behördenintern, »arbeiten auf den Streik hin« Pfalzgraf als Vertrauensmann des Alten Verbands konnte sich dem nicht entziehen und handelte sich dafür einen »Verweis« durch die in diesen Jahren der Koalition zwischen christlichem Gewerkverein und Altem Verband geschäftsleitende Essener Siebenerkommission ein[169].

Die bis hierher gut dokumentierte Bewegung ist offenbar im Sande verlaufen; Husemanns Beschwichtigung wird Erfolg gehabt haben. Von Bedeutung ist jedoch, daß der Arbeiterausschuß die Funktion eines Instruments der Konfliktregelung unter Streikdrohung wahrnahm und daß das Mandat zu solcherart Vorgehen durch eine Belegschaftsversammlung erteilt wurde.

Dieses Muster der Konfliktregelung hat die Gewerkschaft, wo immer es anging, beizubehalten versucht. Freilich eilten ihr die Entwicklungen deshalb wiederholt voraus. Schon am 30. April des folgenden Jahres kam es in Penzberg zu einer eintägigen Arbeitseinstellung der Sortiererinnen, die anscheinend durch Zugeständnisse der Grubenleitung beigelegt wurde[170]. Ende November wurde von ähnlichen Vorgängen auf der Grube Hausham berichtet, wo die Werksleitung zunächst entsprechend reagierte[171]. Hierdurch angeregt, traten in Penzberg am 26. November 1907 die Sortiererinnen und sonstigen Übertage-Arbeiter in den Ausstand und wiederholten die 15-Prozent-Forderung des Vorjahrs. Der Bergwerksbetrieb stand still, der Belegschaft der Mittagsschicht wurde bereits die Einfahrt verweigert. Der Arbeiterausschuß, in diesem Fall einstweilen nicht bevollmächtigt, solidarisierte sich mit den streikenden 101 Übertage-Arbeitern, von denen 65 Prozent jünger als 21 Jahre und 60 Prozent Frauen waren, und forderte zusätzlich Verbesserungen im Wohnungswesen und in der Brandkohlenlieferung. Auf einer Belegschaftsversammlung am 27. November forderten 541 Bergleute den sofortigen Streik, während 162 die Kündigungsfrist einhalten wollten. Auch die christlich organisierten Bergleute wollten sich anschließen. Am selben Tag verhandelten der

---

[168] Eine monatsweise differenzierte Produktionsstatistik des Pechkohlenreviers für 1906 und 1907 findet sich in: Stand und Entwicklung, a.a.O., S. 7*. Demnach wurde zumeist im Januar der Höchststand, im Juni der Tiefststand der Förderung mit (1906) 70% bzw. (1907) 81% des jeweiligen Höchststands (nur Privatwerke, d. h. Oberkohle) erreicht. Schwache Absatzmonate waren Mai, Juni, Juli; auf Hochtouren lief die Förderung von Oktober bis März. Für die Praxis des »Sommerurlaubs« und der Überschichten dürfte die, solange eine planvolle Aufbereitung (besonders Brikettierung) nicht gegeben war, geringe Lagerfähigkeit der Pechkohle mitverantwortlich gewesen sein.
[169] Hierzu Koch, a.a.O., S. 109ff.
[170] Knapper Hinweis: BayHStA, MWi 2261.
[171] Zum Folgenden s. die Versammlungsberichte und sonstigen Quellen in StAM, LRA 391, mit Ausschnittssammlung PA 140–148/1906.

Arbeiterausschuß und die Direktion miteinander. Anscheinend bot man kleine Zugeständnisse an, die die Arbeitervertreter jedoch nicht akzeptierten. In einer weiteren Versammlung am folgenden Tag ließen sich die Arbeiter unter Vermittlung des Berggewerbegerichtsvorsitzenden und Oberbergrats Spary über die Folgen einer sofortigen Arbeitseinstellung (Kontraktbruch und Verlust der Knappschaftsbeiträge) belehren; man beschloß die sofortige Arbeitsaufnahme mit 641 gegen 279 Stimmen und folgte dem wohl auch vom Arbeiterausschuß vorgetragenen Vorschlag, die Sache dem Berggewerbegericht als Einigungsamt zu übergeben. Husemann war erneut angereist und hatte wohl auch in diesem Sinne argumentiert. Dieselbe Versammlung wählte bereits ihre Vertreter und Vertrauensleute für die Spruchsitzung des Berggewerbegerichts.

Diese fand am 11. Dezember 1907 statt und brachte in der Tat einen Kompromiß zustande, der zum Teil den Streikverlauf spiegelte: Ältere Bergleute erhielten einen Lohnzuschlag, und der Schichtlohn wurde um 7 Prozent statt der geforderten 15 Prozent erhöht. Auch einige der Zahl nach wenig bedeutende Arbeiterkategorien erhielten Lohnzuschläge, darunter insbesondere die Tagearbeiter überhaupt, denen ein Durchschnittslohn von 3,50 Mark bewilligt wurde, sowie die Sortiererinnen. Leer ging die wichtigste Arbeitergruppe im Betrieb aus: die Gedingehauer und Gedingeschlepper unter Tage.

Der Kompromiß ist auf beiden Seiten akzeptiert worden – von den Arbeitern jedoch nur nach deutlicher Drohung mit Wohnungskündigungen und Rausschmissen im Streikfall. Er zeigt zweierlei: zunächst die Funktionsfähigkeit der gesetzlichen Einrichtungen zur Konfliktregelung, sofern nur die Arbeitgeberseite Verhandlungsbereitschaft zeigte – eine Verhandlungsbereitschaft, die allerdings wohl erst durch dringendes Ersuchen der Bergbehörde erreicht wurde. Der Arbeiterausschuß als im Streikfall direktdemokratisch bevollmächtigte Vertretungskörperschaft, deren Verhandlungsmandat auch in Lohnangelegenheiten offenbar in Bayern nicht mehr in Frage gestellt worden ist, kanalisierte den Belegschaftswillen, vertrat ihn nach außen und rechtfertigte getroffene Entscheidungen nach innen. Der dabei erreichte Mobilisierungsgrad – an der zweiten Abstimmung nahmen etwa drei Viertel der Belegschaftsmitglieder teil – ist erstaunlich. Zweitens wurde Ende 1907 zum wiederholten Mal die konfliktinitiierende Rolle jugendlicher Arbeiter und Frauen erkennbar. Es war dies ein Phänomen, das zur selben Zeit mit den sogenannten »Schlepperstreiks«[172] auch im Ruhrgebiet auftauchte, hier jedoch nicht die Übertage-Arbeiter, sondern ausschließlich die jugendlichen Untertage-Arbeiter im Schlepperrang betraf. Auch in Penzberg scheint der generell im Altersbild der Ortsbevölkerung bereits nachgewiesene hohe Anteil jugendlicher Altersgruppen mit einem bei leicht über 25 Prozent hohen Anteil von unter 21jährigen in der Untertage-Belegschaft die Streikbereitschaft erheblich gefördert zu haben, nachdem der Streikfunke über Tage gezündet hatte.

Die wachsende Konfliktbereitschaft der arbeitenden Jugend nach der Jahrhundertwende harrt noch einer klärenden Untersuchung. Es darf nicht übersehen werden, daß

---

[172] Vgl. hierzu jetzt: Hickey, Stephen: The Shaping of the German Labour Movement: Miners in the Ruhr, in: Evans, Richard J. (Hrsg.): Society and Politics in Wilhelmine Germany. London 1978, S. 215–240.

dies auch die Jahre der aufstrebenden Jugendbewegungen[173] waren, daß sich Gewerkschaften und Parteien, darunter besonders Sozialdemokratie und Zentrum, gegen Ende des ersten Jahrzehnts mit Nachdruck um gezielte Jugendarbeit und Förderung der Jugendorganisationen bemühten. Die Jugend wurde zum Problem; Generationenkonflikte begannen sich abzuzeichnen, und die revolutionären Ereignisse 1918/19 waren nicht zuletzt von altersspezifischen Konfliktlagen geprägt[174]. Uns scheint für die Deutung dieses Phänomens eine generationenbezogene sozialgeschichtliche Erklärung neben einer inhaltlichen Deutung dessen, was in diesen Jahren in einem neuen expansiven Schub der Industrialisierung an urbaner Jugendkultur entstand, ausschlaggebend.

Noch vor Kriegsausbruch wuchs der Anteil Jugendlicher bzw. junger Arbeiter in den Belegschaften rasch. Entgegen den bereits eingefahrenen Vorstellungen der Gewerkschaften über Organisationsmacht, Streikvermeidung und Tarifverträge neigte diese Jugend zu tendenziell undiszipliniertem, spontanem, kurz: radikalem Verhalten. Was in den Gewerkschaften an Rationalisierung des Konfliktverhaltens inzwischen wenigstens in Teilbereichen gewonnen worden war[175], das wurde zunehmend durch die demographische Veränderung des Arbeitskräftepotentials ausgehöhlt. Die Folge war eine Radikalisierung »von unten«, die sich in Penzberg in der republikanischen Zeit verschärfend auf die ohnehin zerstrittene politische Landschaft auswirkte.

Vergleicht man die Penzberger Streikaktionen von Ende 1907 mit jenen des Jahres 1910, so wird neben dem bisher Vorgetragenen deutlich, daß zu dem als Erfolg zu bezeichnenden Kompromiß insbesondere auch die relative Ruhe in der reichsweiten richtungsgewerkschaftlichen Auseinandersetzung zwischen den Bergarbeiterverbänden nach dem Einheitserlebnis von 1905 beigetragen hat. Diese Situation hatte sich 1910 grundlegend verändert. Ende 1906 hatte sich die Mäßigung in den zwischenverbandlichen Auseinandersetzungen noch in der Wahl von Xaver Himmelstoß (Alter Verband und Vertrauensmann) und Wilhelm Hartmann (christlicher Gewerkverein) zu Beisitzern im Berggewerbegericht niedergeschlagen[176]. Ende 1910 erreichten die Richtungskämpfe indessen einen Höhepunkt, der in mancher Hinsicht den Verlauf des völlig gescheiterten dritten großen Bergarbeiterstreiks im Ruhrgebiet 1912 präludierte.

Wieder wurde der Konflikt durch eine von den Arbeiterausschüssen der drei Gruben der Oberkohle in Miesbach, Hausham und Penzberg getragene Lohnbewegung im

---

[173] Die Literatur hierzu ist in den vergangenen Jahren angeschwollen; s. Nr. 6241ff. in: Tenfelde, Klaus und Gerhard A. Ritter (Hrsg.): Bibliographie zur Geschichte der deutschen Arbeiterschaft und Arbeiterbewegung 1863 bis 1914. Bonn 1981.

[174] Ein Blick in die Generalversammlungsprotokolle der Gewerkschaften im Jahre 1919 bestätigt die wiederkehrende Aversion der älteren Gewerkschaftsmitglieder und des Funktionärskörpers gegen die »Novembermitglieder«, die in manchen Verbänden bereits Anfang 1919 zur Führung vorstießen. – Als jüngsten Beitrag zum Problem s. Jäger, Hans: Generationen in der Geschichte. Überlegungen zu einer umstrittenen Konzeption, in: Geschichte und Gesellschaft 3 (1977), S. 429–452. Wir halten Jägers Argumentation, im Verhältnis von Generationen und Klassen sei die Klassenaffinität das stärkere Moment, nicht durchweg für zutreffend.

[175] Vgl. hierzu die Studien von Heinrich Volkmann, zuletzt differenzierend: Organisation und Konflikt. Gewerkschaften, Arbeitgeberverbände und die Entwicklung des Arbeitskonflikts im späten Kaiserreich, in: Conze/Engelhardt (Hrsg.), a.a.O., S. 422–438.

[176] Nach PA 145/1906.

Herbst 1910 eingeleitet[177], wobei diesmal die Forderung der Grube Hausham im Vordergrund stand, Lohnaufbesserungen zu erhalten, die die Haushamer Bergleute mit jenen Penzbergs gleichstellen sollten. Erstmals wird hier ein auch künftig das Verhältnis zwischen den Belegschaften belastendes Problem erkennbar: jenes der erstaunlichen Lohndifferenz zwischen den Gruben Hausham und Penzberg, wobei, wie auch Gewerkschaftsvertreter konstatierten, die Lebensmittelpreise in Hausham sogar noch höher als in Penzberg lagen. – Die höheren Löhne der Penzberger Bergleute lassen sich nicht eindeutig aus marktbezogenen oder betriebswirtschaftlichen Ursachen erklären. Innerhalb der Arbeiterschaft hat man dem als Arbeiterfeind verschrieenen Grubendirektor Dr. Janota von Hausham die Schuld daran gegeben, während Grubendirektor Müller in Penzberg durchaus Sympathien unter Arbeitern fand.

Nach einer gemeinsamen Sitzung der Arbeiterausschüsse beider Gruben wurde wiederum, offenbar unter dem Einfluß Hues, der erneut im Bergrevier agitierte, das Berggewerbegericht als Einigungsamt von Arbeiterseite angerufen, das am 26. November 1910 die Gleichstellung der Löhne beider Gruben »als recht und billig« erklärte[178], alle weitergehenden Forderungen jedoch zurückwies. Nach dem Schiedsspruch schieden sich die Geister in Penzberg: Christliche und freie Gewerkschafter berieten in getrennten Belegschaftsversammlungen über das Verhalten bei Ablehnung des Schiedsspruchs durch die Oberkohle. Die Christlichen lehnten eine Beteiligung an dem dann in Hausham wahrscheinlichen Streik einstimmig ab, während man bei den Freien geheim darüber abstimmte und die Stimmzettel einstweilen verschloß, um im Ablehnungsfall aufgrund dieser Abstimmung zu entscheiden. Anscheinend hat sich die freigewerkschaftliche Versammlung ebenso einstimmig für den Streik entschieden; dabei

»waren es die jungen, halbwüchsigen Arbeiter, welche durch ihr Benehmen und ihre Äußerungen versuchten, für einen sofortigen Streik Stimmung zu machen«[179].

Die noch immer wenig organisierten Sortiererinnen, gesondert befragt, mochten sich dagegen an einem Sympathiestreik für die Haushamer Kollegen jedenfalls nicht sofort beteiligen, obwohl deren Führerin, die Bergmannsfrau Feistl, ihn warm befürwortete. Durch das Fernbleiben der Christlichen, die in diesem Fall auch zahlreiche sonstwie Arbeitswillige zu sich gezogen haben dürften, endete der Streik nahezu in einem Fiasko. Er ist auch auf seiten des Alten Verbands halbherzig betrieben worden. In Penzberg streikten nur 670 von 1193 Belegschaftsmitgliedern; die Notwendigkeit eines Sympathiestreiks wurde auch von sonst arbeitswilligen Bergleuten nicht ohne weiteres eingesehen. Der Knappschaftsälteste und Streikführer Himmelstoß und Johann Rummer, der hier erstmals führend als Bergarbeitervertreter erscheint, erzielten zusammen mit den Haushamer Delegierten in Verhandlungen mit der Oberkohle ein den Schiedsspruch des

---

[177] Zum Folgenden s. StAM, LRA 3917 und 3896, sowie die Diffamierungskampagne gegen den christlichen Gewerkverein in der Broschüre von Setzer, Jos.: Der Arbeiterverrat beim Oberbayerischen Bergarbeiter-Streik. Ein Rückblick auf die Lohnbewegung der Bergarbeiter in Hausham, Penzberg und Umgebung Nov. und Dez. 1910. Im Auftrage der Streikleitung geschrieben v. J. S. München, m. e. Nachw. f. F. Husemann. Bochum, o. O. o. J. Streikberichte finden sich u. a. in der Deutschen Berg- und Hüttenarbeiterzeitung Nr. 51, 52/1910, sowie im Bergknappen Nr. 52, 53/1910.
[178] Der Spruch des Einigungsamts wurde auf einer Belegschaftsversammlung am 28. 11. 1910 verlesen; Bericht StAM, LRA 3917.
[179] Ebenda, Versammlungsbericht vom 14. 12. 1910.

Berggewerbegerichts nicht entfernt erfüllendes Ergebnis: »Die vorgebrachten Wünsche«, hieß es, »werden geprüft und nach Tunlichkeit und Billigkeit bei Besserung der Konjunktur berücksichtigt«. Diesen Mißerfolg kaschierte man mit einer unbezifferten »Aufbesserung« für einige sehr periphere Arbeiterkategorien sowie mit dem Zugeständnis, den Kontraktbruch nicht zu ahnden[180]. Nach wenigen Streiktagen wurde am 27. Dezember 1910 die Arbeit wieder aufgenommen.

Die Verbandsführungen, schon bisher nicht eben zimperlich im Umgang miteinander, haben sich durch diesen Streik bis zur persönlichen Diffamierung zwischen den Verbandssekretären Setzer und Hinterseer verfeindet. Ausschreitungen aller Art wurden von den Behörden von vornherein befürchtet, weshalb man eine bedeutende Gendarmerieverstärkung nach Penzberg verlegt hatte. Tatsächlich gingen einige Fenster bei Grubenbeamten und dem örtlichen Knappschaftsarzt zu Bruch, und in der zechennahen Gaststätte »Berggeist« flogen Bierkrüge zwischen Streikenden und Arbeitswilligen. Der Bruch der Solidarität im Arbeiterlager hinterließ einen lachenden Dritten, die Grubenleitungen, die sich, anders als 1907, weitgehend durchsetzen konnten. Der Grubendirektor Janota in Hausham hielt es jedoch für nötig, seine Dienstwohnung zu verbarrikadieren und einen Leibwächter mit einer Pistole zum persönlichen Schutz anzustellen; der Arme hatte indessen ein Einsehen, lief zu den Streikenden über und übergab die Pistole an die Streikleitung. In Hausham kam es um Weihnachten 1910 zu einer Art Straßenschlacht gegen den katholischen Arbeiterverein, wobei es nicht ohne Schußverletzungen und zahlreiche Verhaftungen abging. Die Bitterkeit, mit der sich Streikende und Arbeitswillige in Penzberg noch lange nach dem Streik gegenseitig verachteten, läßt auf die emotionale Dimension schließen, die das Moment der Solidarität für die Arbeiterschaft in starkem Maße besaß. Während der Fastnacht im Februar 1911 wollte man den Leidenszug Hinterseers in Penzberg nach dem von ihm veranlaßten Versammlungsbeschluß zur Nichtbeteiligung vom Versammlungslokal zum Bahnhof[181] nachäffen; die Behörden fürchteten, weil »die Situation noch immer eine sehr gespannte« sei, daß es bei einer solchen Aufführung »zu Raufereien und sogar zum Blutvergießen kommen könnte«[182], und der Bürgermeister erließ für die Faschingszeit rasch eine ortspolizeiliche Vorschrift, wonach »Masken, die nicht einwandfrei zu erkennen sind«, nur von Kindern angelegt werden durften[183]. Mancher Haß konzentrierte sich in der Folgezeit auf den örtlichen Gewerkvereinsvorsitzenden Hartmann.

Im Schutz der Arbeitswilligen während des Streiks tat sich besonders der spätere Penzberger Direktor Klein hervor, der sich dank »schneidigen Verhaltens«[184] frühzeitig das Odium des Arbeiterfeinds verschaffte. Auf der anderen Seite, unter den Streikpo-

---

[180] Ebenda, »Protokoll« über das Verhandlungsergebnis vom 23. 12. 1910; auch Setzer, a.a.O., S. 28.
[181] Vgl. Setzer, a.a.O., S. 17: Frauen und Bergarbeiter hätten den christlichen Verbandsführern bei deren Auftritten in Penzberg »bei vollster Ruhe das Geleit« gegeben. Sie »sinken vor Scham nicht in die Erde«. Zum Folgenden s. auch PA 1/3. 1. 1911.
[182] StAM, LRA 3917, Aktennotiz BA WM 14. 2. 1911 aufgrund persönlicher Vorsprache des Gemeindesekretärs Ullmann.
[183] »Bekanntmachung«: StAM, LRA 3896, s. ebenda, PP/BA WM 6. 3. 1911 zur öffentlichen Behandlung von Hartmann.
[184] Klein, [Karl]: Die Entwicklung der Grube Penzberg innerhalb der letzten 30 Jahre, (Ms.) o. O. o. J. [Penzberg 1938], Kopie StaP, S. 26; vgl. StAM, OK 149, Rede anläßlich des Ausscheidens von Klein 1938.

sten, fanden sich viele Bergarbeiterfrauen, die Husemann – erneut ins Streikgebiet geeilt – auf einer eigens von Frau Kapsberger einberufenen Versammlung von etwa 500 Bergarbeiterfrauen auf diese Aufgabe einschwor: Sie sollten

> »morgen früh an den Streikposten teilnehmen, denn was den Männern als Streikposten nicht gelingt, das sei den schmeichelnden Worten eines Weibes gewiß eine Leichtigkeit«[185].

Indessen dürfte sich solche Aktivität als zweischneidig herausgestellt haben. So ließ sich ein Arbeitswilliger, nachdem ihm ein weiblicher Streikposten höhnisch ein Brot »vor die Füße« geworfen hatte, »hinreißen«, »ihr eine ordentliche Ohrfeige zu applizieren«[186]. Gegen acht Bergmannsfrauen wurden später Verurteilungen aufgrund des Paragraphen 153 der Reichsgewerbeordnung (Verbot des Koalitionszwangs) ausgesprochen[187].

Frauensolidarität in Penzberg war, nach dem bisher gewonnenen Bild, ein widersprüchliches Problem[188]. Die arbeitenden Frauen ließen sich schwer organisieren, standen jedoch, wenn es um ihre unmittelbaren Interessen ging, an Konfliktbereitschaft ihren männlichen Berufskollegen voran. Das Gruppenbewußtsein der Sortiererinnen war instabil, nicht kalkulierbar, impulsiv und wenig weitsichtig. Dagegen fand die große Gruppe der nichtberufstätigen Bergmannsfrauen schon aufgrund der Wohn- und Nachbarschaftsnähe sehr rasch stützenden Anschluß an die Solidarität ihrer Ehemänner. Es wird auf die Formen solcher Frauensolidarität noch näher einzugehen sein.

Unmittelbare Folge des Streikfiaskos war neben der »Ausstellung« besonders streikfreudiger Bergleute die Bildung von Unterstützungsvereinen für Arbeitswillige und »Indifferente« in Hausham und Penzberg[189], also von »gelben« Werkvereinen, deren Ausbreitung in Deutschland um diese Zeit einem Höhepunkt zustrebte[190]. Aus der Sicht der mißglückten Aktion von 1910 ist die Annahme gerechtfertigt, daß die Unternehmerseite zu solcherart Maßnahmen durch die harten, die Erfolgsquoten von Streiks erheblich mindernden richtungsgewerkschaftlichen Auseinandersetzungen geradezu ermuntert wurde: Jede Maßnahme, die eine Zersplitterung des Loyalitätspotentials begünstigte, diente unternehmerischen Interessen. Die in der jüngeren Forschung vermehrt konstatierte Zunahme der Unternehmermacht im späten Kaiserreich[191] hatte mithin, wie auch

---

[185] StAM, LRA 3917, Versammlungsbericht vom 21. 12. 1910.
[186] Ebenda. Zusatzbemerkungen der Gemeindeverwaltung.
[187] Ebenda, PP/BA WM 16. 10. 1911. Gegen männliche Bergarbeiter gingen nur zwei Anzeigen ein. Eine weitere Streikfolge war die Abwanderung von etwa 30 enttäuschten Bergleuten in das Wurmrevier, vgl. PA 196/1932.
[188] Über das Streikverhalten von Frauen liegen bisher nur knappe Hinweise im Zusammenhang von einzelnen Streiks, etwa in Crimmitschau 1903/04, vor; ausführlicher jetzt: Albrecht, Willy u. a.: Frauenfrage und deutsche Sozialdemokratie vom Ende des 19. Jahrhunderts bis zum Beginn der zwanziger Jahre, in: AFS 19 (1979) S. 459–510. Zum Verhalten von Bergarbeiterfrauen im Ruhrgebiet 1912 s. knapp: Crew, a.a.O., S. 160.
[189] StAM LRA 3917, Versammlung vom 5. 3. 1911; vgl. auch Klein, a.a.O., S. 26. Die »gelbe« Gewerkschaft bestand bis 1919.
[190] Vgl. Mattheier, Klaus: Die Gelben. Nationale Arbeiter zwischen Wirtschaftsfrieden und Streik. Düsseldorf 1973, u. a. S. 326ff.; für das Ruhrgebiet s. auch Tenfelde, Klaus: Linksradikale Strömungen in der Ruhrbergarbeiterschaft 1905 bis 1919, in: Mommsen, Hans und Ulrich Borsdorf (Hrsg.): Glück auf, Kameraden! Die Bergarbeiter und ihre Organisationen in Deutschland. Köln 1979, S. 199–223; für Bayern knapp: Schnorbus, a.a.O., S. 183–194.
[191] Vgl. nach den Arbeiten der Fischer-Schule neuerdings etwa Groh, Dieter: Intensification of Work and Industrial Conflict in Germany, 1896–1914, in: Politics and Society 8 (1978), S. 349–397; zur organisatorischen

der Ruhrstreik 1912 erwies, wichtige Ursachen im Stand der gewerkschaftlichen Organisation, der das Aufkommen von Splittergruppen – darunter etwa einer anarchosyndikalistischen Richtung und zahlreicher konfessioneller, landsmannschaftlicher und anderer Vereinsbildungen – stark förderte. In Penzberg und Hausham hatten christliche Gewerkschafter bisher nur geringen Einfluß in den Arbeiterausschüssen erringen können. Der Streik verschob die Kräfteverhältnisse, wenn auch das Übergewicht der freigewerkschaftlichen Arbeitervertreter erhalten blieb. Die Arbeiterausschuß- und Sicherheitsmännerwahlen vom 15. Januar 1911[192] brachten folgendes Ergebnis:

Tabelle 9
Wahlen zur betrieblichen Arbeitervertretung 1911

	Alter Verband		Christl. Gewerkschaft, kath. Arbeiterverein, Unorganisierte	
	Stimmen	Sicherheitsmänner	Stimmen	Sicherheitsmänner
Hausham	942	7	216	1
Penzberg	614	5	333	2

Dabei gehörten, während christliche Gewerkschafter in den folgenden Monaten eine umfängliche Landtagsinitiative zugunsten der Bergarbeiter starteten[193], dem christlichen Gewerkverein in Penzberg zur Streikzeit gerade 25 Mitglieder an[194]. Eine große Zahl von Arbeitern hatte sich vom freien Bergarbeiterverband abgewandt, war wohl auch abgestoßen worden durch die gehässigen Formen der Auseinandersetzung, vor allem aber enttäuscht über die – trotz häufigen Einsatzes der sozialdemokratischen Gewerkschaftsprominenz im Pechkohlenrevier – mageren Erfolge.

6. Sozialdemokratie und Gemeindepolitik 1900 bis 1914

Die Ausdehnung der Gewerkschaften war, wie gezeigt wurde, in Penzberg gegen Ende des ersten Jahrzehnts nach der Jahrhundertwende an Grenzen gestoßen, die vornehmlich durch die richtungsgewerkschaftliche Zerstrittenheit trotz einer nach der Mitgliederentwicklung tatsächlich geringen Bedeutung des christlichen Gewerkvereins gesetzt wurden. Nichtbergbauliche Gewerkschaften fanden in Penzberg aufgrund der geringen gewerblichen Differenzierung kein Organisationspotential. Einzig der Holzarbeiter-

---

Entwicklung beider Seiten in Bayern findet sich ein knapper Überblick in ZBSL 46 (1914), S 265–268: Bayerische Verbände von Arbeitgebern, Angestellten und Arbeitern im Jahre 1912; s. auch Schnorbus, a.a.O., S. 62–71.
[192] Nach PA 8/19. 1. 1911; s. auch Setzer, a.a.O., S. 31.
[193] Vgl. Der Bergknappe Nr. 43–46/1911, »Eingabe der bayerischen Berg- und Salinenarbeiter«.
[194] Nach Setzer, a.a.O., S. 10.

Verband richtete 1905 im Ort eine Zahlstelle ein; die Metallarbeiter folgten erst während der Kriegsjahre, so daß man 1919 zur Bildung eines Ortskartells der Freien Gewerkschaften Penzbergs schreiten konnte[195].

Anders als die Gewerkschaften vermochte die Sozialdemokratie, offenbar zunehmend über ihre Mitgliedschaft hinaus, große Teile der Bergarbeiterbevölkerung und Wählerschaft an sich zu ziehen. Die Stärke der Sozialdemokratie bestand dabei nicht zuletzt in der Schwäche sonstiger politischer Parteien im Ort: Ein Fortschrittlicher Volks-Verein »im Dienste des Fortschritts auf nationalem Boden« entstand zwar 1902 im Ort und seit Ende 191. verfügte das Zentrum über eine Lokalorganisation[196]. Auch haben diese Parteien regelmäßig in Wahlzeiten Versammlungen von allerdings geringer Resonanz einberufen[197]. Aber eine kontinuierliche Versammlungstätigkeit auch neben den Wahlterminen pflegte nur die Sozialdemokratie, für die Penzberg nachweislich seit 1904 auch die Basis von Ausbreitungsbemühungen in die nähere Umgebung[198] war. Anfangs handelte es sich hierbei um eine Art parasitärer Agitation: Man suchte in Scharen die Versammlungen der politischen Gegner heim, um möglichst bereits bei der Bürowahl die Mehrheitsverhältnisse zu demonstrieren. Daß unzufriedene Bauern dann die »Genossen mit dem Wasserstrahl zu vertreiben« trachteten[199], zeigt einmal mehr die große Distanz zwischen Bauern und Bergarbeitern.

Die Versammlungsagitation ist in dieser Zeit – und im wesentlichen bis 1933 – das Lebenselixier der Arbeiterbewegung gewesen: Kaum ein Wochenende, an dem nicht mindestens in einer der nahestehenden Vereinsorganisationen eine Versammlung stattfand, und die Partei selbst vermochte in ihren mehrmals jährlich, in Wahlkampfzeiten wöchentlich abgehaltenen großen Versammlungen stets mehrere Hundert, vielfach schon vor 1914 über 500 Anhänger zu mobilisieren[200]. Die Bedeutung der Versammlungen auch als Möglichkeiten zur Freizeitorganisation läßt sich nur dann ermessen, wenn man, aus heutiger Sicht, die Abwesenheit der modernen, in ihren Auswirkungen vielfach privatisierenden (wenn auch zugleich uniformierenden) Freizeitgewohnheiten in Rechnung stellt; aus dieser Sicht läßt sich auch das wuchernde Vereinswesen angemessener verstehen. Versammlungen waren nicht nur Organisationsersatz für die noch Unentschiedenen und aus dem Arbeitsalltag herausgehobene »Sensation«; sie boten nicht nur Agitation, Information und Bildung, sondern auch und vor allem Unterhaltung am Biertisch Geselligkeit, Entspannung. Ohne einen möglichst großen Versammlungssaal stand ein Gastwirt in Penzberg auf verlorenem Posten. Dabei konnten Bergarbeiterversammlungen fünf Stunden und länger dauern. Die möglichst prominenten, stets von auswärts herbeigeholten Referenten sprachen oft zwei Stunden und länger, und die

---

[195] Vgl. StAM, LRA 3962, mit Statuten des Holzarbeiter-Verbands. Möglicherweise bestand auch eine Zahlstelle des Fabrikarbeiter-Verbands, der in Penzberg erstmals 1904 agitierte (vgl. StAM, LRA 3870) und auch bei den Streiks Sortiererinnen!) wiederholt in Erscheinung trat.
[196] StAM, LRA 3962, Statuten des Volks-Vereins, der Anfang 1912 offenbar neugegründet wurde; vgl. PA 4/11. 1. 1912. Zum Zentrum s. unten Anm. 232.
[197] Versammlungsberichte: StAM, LRA 3896 (für 1909/11).
[198] Nach StAM, LRA 3870.
[199] Kapsberger, Chronik, a.a.O., S 6.
[200] Hier und im folgenden aufgrund der zahlreichen, oft auch das »Versammlungsklima« erfassenden Berichte bes. in StAM, LRA 861, 3870, 3896.

Sensationslust verbreitete sich, wenn ein anständiger Streit zwischen den Exponenten verschiedener Richtungen zu erwarten war, wie ein Lauffeuer durch der Ort. Das demokratische Gebaren, die Versammlungen des politischen Gegners ungestört zu lassen, war mindestens den Penzberger Bergleuten unbekannt. Dabei war die Sozialdemokratie die offensive Kraft.

Interesse verdient, daß kaum ein Redner in sozialdemokratischen Versammlungen bei der Behandlung seines Themas auf einen ausführlichen historischen Rekurs verzichtete. Wer über Bildung sprach, der begann mit einem ausführlichen Rückblick in die Geschichte der Sozialdemokratie[201]; selbst wer zur Wahlagitation angetreten war, verzichtete nicht auf einen Rückblick in die Geschichte, etwa jene des Landtags[202]. An drastischen Redewendungen wurde dabei nicht gespart – um so weniger, wenn es dem politischen Gegner zu begegnen galt. Gelegentlich wurden Eintrittsgelder in Höhe von nicht mehr als einem Groschen erhoben, doch hat diese – unter dem Sozialistengesetz andernorts sehr bedeutende – Art der Parteifinanzierung nach der Jahrhundertwende nur noch eine geringere Rolle gespielt. Dagegen wurde regelmäßig für den Bezug der *Münchener Post* als des zuständigen Parteiblattes geworben.

Versammlungen in der Arbeiterbewegung trugen als politisch induzierte Unterhaltungsveranstaltungen, soviel wird damit deutlich, Festcharakter. Hier konstituierte sich proletarische Öffentlichkeit durch die große Zahl, abseits einer bürgerlichen Honoratiorenwelt, die noch dazu in Penzberg zahlenmäßig sehr im Hintergrund stand. Versammlungen als Feste hatten in der Sozialdemokratie seit Lassalles Tagen Tradition[203], und auch in Penzberg wurde diese Tradition gepflegt. Man feierte regelmäßig, nachweislich noch 1913, und zwar mit einem Referat über »Die Revolutionäre von 1848«, Märzfeiern unter großem Aufwand, mit Kapelle, Gesangverein, einem Humoristen von auswärts und Aufführungen der örtlichen Vereine[204]. Noch bedeutender als diese und das alljährliche »Arbeiter-Sommerfest« wurde nach der Jahrhundertwende die jährliche Maifeier, die über den Ort hinaus Berühmtheit erlangt zu haben scheint und Arbeiter aus anderen Orten, im Jahre 1904 etwa aus München, anzog. Eine Rolle spielte dabei gewiß die Praxis des Maispaziergangs, den der Großstadtarbeiter wohl gern in das Voralpenland verlegte[205]. Die Maifeier vom 7. Mai 1905 begann vormittags mit einem Konzert und wurde nachmittags mit einem Gartenfest fortgesetzt, währenddessen der Münchener Gesangverein »Lassallia« sozialdemokratische Lieder vortrug. Die Festrede hielt Sebastian Witte aus München über die Französische Revolution von 1789, die Metternich-Ära und die deutsche Revolution von 1848/49, über die Entwicklung des Maschinenwesens und der Frauen- und Kinderarbeit – wiederum mithin Geschichte als Inhalt und

---

[201] Beispiel: StAM, LRA 3896, Versammlungsbericht (Dr. Hausenstein) 10. 3. 1908.
[202] Beispiel: StAM, LRA 3870, Versammlungsbericht (Georg Maurer) 10. 4. 1905. Vor dem Einzug der Sozialdemokratie, hieß es hier, sei der bayer. Landtag ein »Sumpf« gewesen, »in dem hier und da einige Frösche quakten«.
[203] Vgl. Mosse, George L.: The Nationalization of the Masses. New York 1975, S. 4 u. ö.; Schieder, Theodor: Das deutsche Kaiserreich von 1871 als Nationalstaat. Köln 1961, S. 76f., 125–153; über Märzfeiern auch: Conze, Werner und Dieter Groh: Die Arbeiterbewegung in der nationalen Bewegung. Die deutsche Sozialdemokratie vor, während und nach der Reichsgründung. Stuttgart 1966, S. 110–113.
[204] Bericht: StAM, LRA 3896.
[205] Bericht: StAM, LRA 861. Vgl. für 1911: PA 51/1911, für 1912: LRA 5272. In Peißenberg fand dagegen noch 1906 keine Maifeier statt.

Vehikel von Agitation, als sozialdemokratische Handlungslegitimation[206]. Interesse verdient im übrigen, daß nach der Jahrhundertwende die polizeiliche Überwachung deutlich nachließ[207]: In erster Linie die großen Ereignisse in der Arbeiterbewegung, die Massenfeste und konfliktträchtigen Versammlungen in Streikwochen oder Wahlkampfzeiten wurden mit ausführlichen Berichten bedacht, kaum jedoch noch der Versammlungsalltag, die regelmäßige sozialdemokratische Mitgliederversammlung oder auch nur eine Veranstaltung der vielen sozialdemokratischen Vereine in Penzberg.

Die Ausdehnung der sozialdemokratischen Vereinskultur folgte drei Wegen: Zunächst jenem der Penetration mit möglichst weitgehendem Einfluß im Verein, zweitens jenem der Penetration mit Spaltung und anschließender Doppelexistenz von denselben Zielen gewidmeten Vereinen, schließlich jenem der Eigengründung, die das Vereinsbild zunehmend bestimmte. Es seien einige Beispiele für diese Formen genannt:

Der 1877 gegründete Handwerkerverein war naturgemäß vom örtlichen Kleingewerbe bestimmt. Den Vorstand bildete in den 1890er Jahren der über längere Zeit die bürgerlichen Kräfte im Ort anführende Kaufmann Georg Stammler; neben ihm agierten jedoch bereits die Sozialdemokraten Schuhmachermeister Simon Koeppel als 2. Vorsitzender und Schneidermeister Pfalzgraf als Schriftführer. Im Jahre 1900 benannte sich der Verein in Handwerker-Krankenunterstützungs-Verein um und wurde nun von dem Sozialdemokraten und Schreiner Josef Lobendank geleitet. Koeppel und Lobendank pflegten Kontakte u. a. zum Münchener Arbeiterbildungsverein und begründeten unter den Handwerkern die später reiche Volkstheatertradition in Penzberg. Offenbar hat sich das mit dieser Entwicklung weniger zufriedene Kleinbürgertum nunmehr in den Gewerbeverein zurückgezogen[208]. In der Vielzahl von Geselligkeitsvereinen, in Schafkopf- oder Kegelklubs, Trachten- und Gesangvereinen und nicht zuletzt in der Feuerwehr waren allemal Sozialdemokraten besonders rührig. Lobendank wirkte tatkräftig auch in der »Jungschützengesellschaft«; Franz Pokorny und Josef Heyda taten sich im »Rauchklub« von 1900 hervor. Auch in den landsmannschaftlichen Vereinen – weniger in dem K. K. österreichischen Militärverein als in der zeitweilig bedeutenden Oberpfälzer Kranken-Unterstützungskasse – dürften Sozialdemokraten führend mitgewirkt haben.

Die Spaltung des älteren Penzberger Gesangvereins wurde bereits erwähnt. Ihr fiel auch die seit den 1870er Jahren bestehende Bergknappenkapelle im Zusammenhang des Streiks von 1910, der Uneinigkeit unter die Musiker brachte, zum Opfer: Von nun an gab es zwei Bergmannskapellen in Penzberg[209]; aber schon früher hatte eine wohl kaum von der Zeche unterstützte »Musikvereinigung Grube Penzberg« an sozialdemokratischen Maifeiern mitgewirkt.

---

[206] Bericht: StAM, LRA 861. Vgl. Nipperdey, Thomas: Sozialdemokratie und Geschichte, in: Horn, Hannelore u. a. (Hrsg.): Sozialismus in Theorie und Praxis. Festschrift für Richard Löwenthal zum 70. Geburtstag am 15. April 1978. Berlin/New York 1978, S. 493–517, 498.
[207] Zum Hintergrund s. etwa Schnorbus, a.a.O., S. 196–199, s. auch Möckl, Karl: Die Prinzregentenzeit. Gesellschaft und Politik während der Ära des Prinzregenten Luitpold in Bayern. München/Wien 1972, S. 540ff. u. passim.
[208] Vgl. bes. Koeppel, Simon [u.a.]: Geschichte des Handwerker-Vereines Penzberg, (Ms.) o. O. o. J. [Penzberg, von weiteren Autoren illustriert und bis 1964 vervollständigt], StaP, sowie StAM, LRA 3962.
[209] Vgl. Winkler, a.a.O., Nr. 35/1953, sowie Luberger, a.a.O., S. 202.

Eine der ersten sozialdemokratischen Eigengründungen war offenbar der Athletenklub Bayerisch-Fels von 1896, der arbeitslose Mitglieder von den Beiträgen befreite und den prominenten Sozialdemokraten Erhard Eder in den Vorstand wählte[210]. Eine Gründung von besonders großem Einfluß wurde der Arbeiter-Radfahrer-Verein »Morgenrot«, der 1902 entstand, Mitglied der »Solidarität« war, 1912 fast 400 Mitglieder zählte und über eine leistungsfähige Unfallversicherung verfügte[211]. Das Kunstradfahren ist von nun an eine der beliebtesten Sportarten in Penzberg geworden, die mit überregionalen Erfolgen zeitweise nahezu professionell betrieben wurde. Von Penzberg ausgehend, entstanden Radfahrervereine sicherlich als Gründungen der dort wohnenden Bergleute in den Umgebungsorten Staltach, Sindelsdorf, Habach. Die Radfahrerbewegung fand sogar in einem solchen Umfang Resonanz, daß 1909 eine bürgerliche Gegengründung unter dem Namen »Concordia« entstand. Gegengründungen waren bisher nur von katholischer Seite praktiziert worden, die andererseits jedoch so in der Organisation jugendlicher Bergleute schon seit 1898 sowie in der Bildung einer Theatervereinigung, eigenständige Bestrebungen entfaltete. Das Theaterspiel war eine weitere Säule des Penzberger Vereinswesens[212] mit einem Höhepunkt in den 1920er Jahren, konkurrierend bestritten von sozialdemokratischen und konfessionell-katholischen Theaterspiel-Vereinen.

Ein eigentlicher sozialdemokratischer Jugendverein entstand erst 1913 und wurde zudem von den Gewerkschaften initiiert, freilich von der Partei bezuschußt. Bisher hatte der katholische Jugendverein die Jugendarbeit dominiert – nicht ohne tatkräftige Hilfe der Zeche, die ihm einen Raum im zecheneigenen Kindergarten zur Verfügung stellte. Die neue Gründung rief den Vorstand der Fortbildungsschule auf den Plan[213]. Er habe, hieß es, darauf zu achten, daß die Schüler sich »eines religiös-sittlichen Wandels« und »vaterländischer Gesinnung« befleißigten. »Ist«, so fragte Stadtdekan Pfeiler als Vorsitzender der Fortbildungsschule und zugleich Aufsichtsführender über den katholischen Jugendverein, »fortbildungsschulpflichtigen Schülern der Beitritt zu diesem sozialdemokratischen Jugendverein gestattet?«. Beklagt wurde vor allem, daß »sich die Gegensätze in politischer und wirtschaftlicher Beziehung schon unter der schulpflichtigen Jugend bis zum gegenseitigen Haß immer mehr verstärken«, wenn die Sozialdemokratie schon den Jugendlichen »ihre für Staat und Kirche verderblichen Grundsätze einzupflanzen berechtigt« sei; schon die Einladung an die Jugendlichen sei im »Ton rücksichtslosester Verhetzung« ergangen. In diesem flugblattähnlichen, in München für eine Kampagne der Jugendorganisation gedruckten Flugblatt hatte es geheißen[214]:

»Du bist stolz darauf mitzuverdienen und freust dich deiner Arbeit. So sollte es sein . . .
Du bist ein Arbeiterkind, bist selbst ein Arbeiter, eine Arbeiterin! Nur unter deinesgleichen fühlst du dich wohl. Nur in den Kreisen deiner Schicksalsgenossen findest du das richtige Verständnis für

---

[210] Nach Winkler, a.a.O., Nr. 30/1933; s. auch StAM, LRA 3962.
[211] Vgl. ebenda sowie PA 1/4. 1. 1912 (Generalversammlung), 79/11. 7. 1912 (Stiftungsfest mit »Standartenenthüllung«).
[212] Vgl. PA 43/11. 4. 1911, Bericht über mehrere Aufführungen.
[213] Vorstandschaft (Stadtdekan Pfeiler)/BA WM 11. 3. 1913, in: StAM, LRA 5272; sowie ebenda ergänzendes Schreiben des Pfarrers, undatiert, Eingang 18. 4. 1913.
[214] Ebenda Flugblatt, gedruckt: Verlag J. Kurth, München.

deine Vergangenheit und für deine Wünsche und Bedürfnisse. Denen du in späteren Jahren als Arbeitskollege gegenüberstehst, die sind es, die um dich werben . . .

Da wollen die einen durch Soldatenspielerei und Kriegführen euch anlocken. Das ganze geistige Rüstzeug eines bedeutenden Jahrhunderts gilt nichts gegenüber dieser albernen Spielerei.

Die anderen wiederum versuchen, euch wegzuhalten von jedem geistigen Leben und Regen. Sie können und wollen keine Jugend haben, der der frische Wind einer neuen Zeit um die Nase weht. Ihnen ist aller Fortschritt verhaßt . . . Sie wollen euch zu einem gefügigen Geschlecht machen . . .

Aus dem Kreise, dem deine Eltern angehören, dem du einst selbst angehören wirst, kommen wir zu dir und bieten dir unsere Freundschaft und unsere Hilfe, unsere freie Zeit und Kraft an. Schlag ein in die dargebotene Rechte, suche mit uns den gemeinsamen Weg zu gehen, den Tausende vor uns gegangen, zu einem freien und besseren Menschengeschlecht«.

Das Pathos der Schicksalsgenossen, der Appell an das proletarische Gewissen im »Kampf ums Dasein«, der Schwur auf die proletarische Solidarität anstelle patriotischer Versuchungen – dies alles entbehrte nicht der Wirkung auf eine Kindergeneration, die nichts als den grauen Zechenalltag zu erwarten hatte und den sozialen Aufstieg nur um den Preis des Duckmäusertums, der Loyalität gegenüber der Grubenverwaltung, und selbst dann nur im Ausnahmefall, erringen konnte. Der besorgte Pfarrer, dessen Hilferuf an das Bezirksamt erfolglos blieb, mochte denn auch nicht die Satzungen der Schule so ändern, daß sozialdemokratische Jugendliche ausgeschlossen wurden: Er nahm davon Abstand, um »die bestehenden Gegensätze« zu den Sozialdemokraten im Gemeindeausschuß nicht noch zu verschärfen[215].

Am Vorabend des Weltkrieges konnte man in der Gemeindepolitik bereits an den Sozialdemokraten nicht mehr vorbei. Zu groß war deren Einfluß geworden – sei es über die Gründung einer Konsumgenossenschaft im Jahre 1910, durch die der Absatz der Zechenkonsumanstalt binnen kurzem wesentlich geschmälert wurde[216], sei es durch die sehr gezielte Frauenagitation, die sich ebenfalls im Jahre 1910 in der Bildung eines »Vereins für Mutterschutz in Penzberg« niederschlug.

Nächst dem unten zu erörternden Bürgerrechtsverein gehörte dieser Mutterschutzverein zu den bedeutenderen Leistungen der Penzberger Vorkriegssozialdemokratie, weil mit ihm auf drängende Probleme der Bergarbeiterfamilien geantwortet und zugleich der Frauenagitation ein konkreter Bezugspunkt geschaffen wurde. Frauenagitation war seit der Jahrhundertwende betrieben worden; seit 1905/06 mehrten sich die großen Frauenversammlungen mit oft über 500 Teilnehmern, auswärtigen Referentinnen und geselligem Nebenprogramm. Der reichsweite »Frauentag« der Sozialdemokratie am 19. März 1911 fand auch in Penzberg Resonanz. Der Tenor der Agitation blieb gleich: Man forderte Verbot der Kinder- und Einschränkung der »bedrohlichen« Frauenarbeit, schließlich das allgemeine Frauenwahlrecht[217] und den Beitritt der Frauen zu den

---

[215] StAM LRA 5272, Stadtdekan/BA WM 14. 6. 1913. Vgl. auch Kapsberger, Chronik, a.a.O., S. 9.
[216] Vgl. StAM, LRA 3896, Versammlungsplakat, sowie Kapsberger, Gewerkschaftsbewegung, a.a.O., Bd. II, S. 19–21. Kapsberger war selbst engagierter Konsumvereinler. – Allgemein hat die Konsumvereinsbewegung in Bayern seit der Jahrhundertwende einen bedeutenden Aufschwung genommen; vgl. knapp: Bayerns Entwicklung, a.a.O., S. 78, Statistik 1902–1912; ausführlich: Schwartz, Philipp: Die Entwicklung der eingetragenen Genossenschaften in Bayern von 1907 bis 1918, in: ZBSL 52 (1910), S. 512–546, Statistik, bes. S. 521f., 528.
[217] Berichte über Frauenversammlungen: StAM, LRA 3870 und 3896; Frauentag: PA 34/21. 3. 1911; s. auch Kapsberger, Chronik, a.a.O., S. 10f.

Organisationen der Arbeiterbewegung. Es scheint, als ob dieser Appell unter den nichterwerbstätigen Bergarbeiterfrauen größere Resonanz fand als unter den meist jugendlichen Sortiererinnen am Bergwerk. Die Wohnsituation in Penzberg, die Enge der proletarischen Nachbarschaft, hat diesen Erfolg entscheidend begünstigt.

Der neue Verein wollte den Müttern und Kindern »nach Kräften hygienischen, wirtschaftlichen und sozialen Schutz angedeihen lassen« und bildete hierzu eine Unterstützungskasse für Wöchnerinnen, stellte eine Hauspflegerin an, bemühte sich um die Verbesserung hygienischer Einrichtungen und »der die Frau als Mutter betreffenden Bestimmungen des bürgerlichen Gesetzbuches«[218]. Mit diesen Zielen stieß der Verein in ein sozialpolitisches Vakuum, in das öffentliche Einrichtungen noch nicht hineinwirkten; er entsprach den Bedürfnissen der kinderreichen Bergarbeiterfamilien, in denen es an Hygiene mangelte und mit jeder neuen Niederkunft familiäre Not drohte - und er dürfte, wenn dies auch nicht in den Satzungen stand, stehen konnte, manche Hilfe in der Begrenzung des Kinderreichtums geleistet haben[219].

Eine noch größere Bedeutung für die Sozialdemokratie hatte der 1902 entstandene Heimat- und Bürgerrechtsverein. Dessen Aufgaben lagen auf der Hand: Da das Gemeindewahlrecht[220] ausschließlich den Inhabern des Bürgerrechts, das das Heimatrecht einschloß, Stimmrecht einräumte, mußte dessen Erlangung durch möglichst viele Bergleute, wenn die Sozialdemokraten Einfluß auf die Gemeindepolitik gewinnen wollten, ein wichtiges Ziel sozialdemokratischer Kommunalpolitik sein. Penzbergs Bevölkerung bestand infolge seiner jungen Geschichte zu einem sehr großen Teil, im Jahre 1910 beispielsweise zu 27,8 Prozent[221], aus Ausländern, von denen gewiß bereits viele in der Gemeinde selbst geboren waren.

Das bayerische Heimat- und Bürgerrecht war, nach langjährigen Auseinandersetzungen insbesondere über Fragen der Verehelichung, der Niederlassungsfreiheit und gemeindlichen Armenunterstützung, im April 1868 erneut gesetzlich geregelt worden[222]. Mit seinem Eintritt in das Deutsche Reich behielt sich Bayern im November 1870

---

[218] Original der »Satzungen«: StAM, LRA 3962; Bericht über Generalversammlung: PA 99/24. 8. 1911. Zu diesem Zeitpunkt gehörten dem Verein 158 Frauen an.

[219] Auf die sog. »Gebärstreikdebatte« und die Haltung der Sozialdemokratie zu Fragen der Empfängnisverhütung kann hier nicht eingegangen werden. Es liegt, ohne daß hierzu eine Quelle vorläge, indessen nahe, daß auch solche Fragen in der sozialdemokratischen Frauenagitation in Penzberg sowie im Mutterschutzverein eine Rolle spielten, wie andererseits die Haltung der Referenten zur Frauenarbeit in Penzberg mit der insoweit konservativen Grundhaltung in den Freien Gewerkschaften übereinstimmte. Vgl. zu letzterem Losseff-Tillmanns, Gisela: Frauenemanzipation und Gewerkschaften. Wuppertal 1978 (der Grundakzent des Buches liegt auf einer feministischen Kritik dieser Haltung); zur Empfängnisverhütung und Gebärstreikdebatte u. a.: Linse, Ulrich: Arbeiterschaft und Geburtenentwicklung im Deutschen Kaiserreich von 1871, in: AFS 12 (1972), S. 205–274; Evans, Richard J.: Sozialdemokratie und Frauenemanzipation im deutschen Kaiserreich. Berlin/Bonn 1979, S. 244–251.

[220] Vgl. ausführlich: von Seydel, Max: Bayerisches Staatsrecht, Bd. I: Die Staatsverfassung nebst geschichtlicher Einleitung, bearb. v. Robert Piloty. Tübingen 1913, S. 591–610.

[221] Nach der Angabe bei Schaffer, Sozialgeographische Aspekte, a.a.O., S. 97. Wie in der Erinnerung übertrieben wird, zeigt Kapsberger, Chronik, a.a.O., S. 12; ders., Gewerkschaftsbewegung, a.a.O., Bd. II, S. 68: Um diese Zeit sei fast die Hälfte der Einwohner ausländischen Ursprungs gewesen.

[222] Zu den Auseinandersetzungen über die Neuregelung Ende der 1860er Jahre s. ausführlich: Hesse, Horst: Die sogenannte Sozialgesetzgebung Bayerns Ende der sechziger Jahre des 19. Jahrhunderts. Ein Beitrag zur Strukturanalyse der bürgerlichen Gesellschaft. München 1971, bes. S. 167–172; einen knappen Überblick des bayerischen Heimatrechts gibt Bachem, Karl: Artikel Heimat und Heimatsrecht, in: Staatslexikon. Görres-Gesellschaft, 3. Aufl., hrsg. Julius Bachem, Bd. II, Freiburg 1909, Spp. 1210–1218.

vertraglich die Regelung des Heimat- und Bürgerrechts innerhalb seiner Grenzen vor, so daß die Regelungen von 1868 fortgalten und in der Folgezeit erhebliche Rechtsdifferenzen zwischen Bayern und dem übrigen Reich bestanden. Auf einen Nenner gebracht, lag der bedeutendste heimatrechtliche Unterschied darin, daß in Bayern die Heimatgemeinde im wesentlichen die Ursprungsgemeinde, in den übrigen Bundesstaaten hingegen im wesentlichen die Aufenthaltsgemeinde war. Das durch Ursprung in der Heimatgemeinde, das hieß konkret: durch Abstammung von einem heimatberechtigten Vater oder einer heimatberechtigten unehelichen Mutter, erworbene Heimatrecht ging auch durch noch so langen Aufenthalt fern der Gemeinde nicht verloren. Die Verleihung des Heimatrechts in einer bayerischen Gemeinde war an streng ausgelegte Bedingungen gebunden. Für Selbständige, d. h. Personen mit eigenem Haushalt, galt, daß sie sich als Volljährige ununterbrochen fünf Jahre freiwillig in der Gemeinde aufgehalten, direkte Steuern bezahlt und sonstige gemeindliche Verpflichtungen erfüllt haben mußten, die Armenunterstützung jedoch nicht beansprucht haben durften. Für Unselbständige, also Dienstboten etwa und Arbeiter kam eine Aufenthaltsbedingung von zehn Jahren zur Anwendung; von den sonstigen Bedingungen entfiel die Pflicht zur Zahlung direkter Steuern[223]. Das Heimatrecht enthielt einen Anspruch auf Gewährung des Bürgerrechts, während die Verleihung des Bürgerrechts das Heimatrecht einschloß. Wesentliche Rechtsfolge des Heimatrechts war vor allem der Unterstützungsanspruch, während das Bürgerrecht insbesondere die nach der Gemeindeordnung bestehenden Wahl- und Mitverwaltungsrechte umfaßte.

Es liegt auf der Hand, daß diese Bestimmungen in einer rasch aufstrebenden Industriegemeinde zu extremer Rechtsungleichheit zwischen Heimatberechtigten und Zuwanderern führen mußten. Bei dieser Rechtslage vermochten sich die langjährig ansässigen Besitzenden in einer Gemeinde auch deshalb des Ansturms zugewanderter Neubürger auf die gemeindlichen Selbstverwaltungsrechte erfolgreich zu erwehren, weil der Erwerb des Heimat- bzw. Bürgerrechts mit Gebühren verbunden war und deren Festlegung innerhalb bestimmter Grenzen in Händen der Gemeinden lag.

In Penzberg wurde von diesen Möglichkeiten reichlich Gebrauch gemacht. Die ansässigen Heimat- und Bürgerrechtsinhaber, unter denen sich freilich seit langem die Maxkroner Kolonisten befanden und insoweit, zusätzlich dann durch den Zuzug selbständig Gewerbetreibender, erhebliche Differenzierungen und Interessendivergenzen bestanden, sind bis weit nach der Jahrhundertwende innerhalb der Einwohnerschaft eine kleine Minderheit geblieben:

Tabelle 10
Stimmberechtigte in der Gemeinde St. Johannisrain/Penzberg[224]

Datum		Stimmberechtigte	in % der Einwohnerschaft
Februar	1900	80	1,7
Dezember	1905	87	1,7
März	1906	103	
Januar	1910	83	1,5
Oktober	1911	191	
Dezember	1911	326	
November	1913	310	

Das darüber hinaus etwa bei der Ausübung in Gemeindeversammlungen noch an einen Zensus gebundene Stimmrecht der Bürgerrechtsinhaber kostete viel: In den 1880er Jahren verlangte man für die Verleihung des Heimatrechts durchgängig 20,57 Mark, für die Verleihung des Bürgerrechts gestaffelt zwischen 60 und 85 Mark. In den 1890er Jahren zahlten Bergleute zumeist 84 Mark Bürgerrechtsgebühren – das entsprach etwa 1½ Monatslöhnen. Durch Beschluß des Gemeindeausschusses vom 5. Dezember 1896 wurden die Heimatgebühren auf 40 Mark (Deutsche), 20 Mark (Bayern) und 80 Mark (Ausländer) festgesetzt – stets natürlich unter Bedingung einer zehnjährigen ununterbrochenen Anwesenheit, wobei vor allem diese Bestimmung sehr eng ausgelegt wurde. Um 1910 betrug die Bürgerrechtsgebühr für Ausländer 200 Mark[225].

Zusätzlich zu diesen für Arbeiterfamilien schwer tragbaren Gebühren konnte der Gemeindeausschuß Bürgerrechtsanträge mit fadenscheinigen Gründen ablehnen. Dies geschah beispielsweise 1895, als die Anträge von zwölf Bergleuten zurückgewiesen wurden, weil man große Kosten für die Armenkasse fürchtete und weil die Zeche die Vergabe von Häusern an die Antragsteller an die Bedingung geknüpft hatte, daß diese sich um das Bürgerrecht bewürben: Dies sei »eine Umgehung des Gesetzes die Wahl des Gemeindeausschusses betreffend«[226]. Hier wird zusätzlich deutlich, daß die Grubenleitung gezielt durch Unterstützung des Besitzerwerbs ihr wahrscheinlich ergebener Beschäftigter ihren Einfluß in der Gemeindeversammlung, bei Gemeindewahlen und im Gemeindeausschuß zu mehren suchte. In diesem Fall bemühten die Bewerber juristischen Beistand, und das Bezirksamt verfügte die Verleihung des Bürgerrechts gegen eine Gebühr von 85 Mark.

Bei dieser Lage kam dem Streben der Sozialdemokraten nach Einfluß in der kommunalen Selbstverwaltung einzig entgegen, daß ihre Führungsgruppe im Ort in der Hauptsache aus handwerklichen Selbständigen, die vielleicht auch deshalb ihren Einfluß in der Partei lange bewahren konnten, bestand. Leider ist bei den frühen Gemeindewahlen die parteiliche Affiliation der Gewählten nicht erkennbar, auch weil die Wahl bei unter 100 Stimmberechtigten stark auf die Persönlichkeiten der Kandidaten aus dem Kreis der Stimmberechtigten zugeschnitten war. Jedoch scheint sicher, daß schon in den 1890er Jahren Sozialdemokraten mindestens als Ersatzleute gewählt wurden. Bei der Gemeindewahl von 1899 trat neben vier Bergleuten und vier Steigern auch Simon Koeppel in den Gemeindeausschuß ein; Ersatzleute wurden Johann Schesser und der Knappschaftsälteste Andreas Barnikel. Aber auch nach der Jahrhundertwende behielten die »Ökonomen« einstweilen großen Einfluß im Ausschuß.

Der Bürgerrechtsverein agitierte seit seinem Bestehen für Ermäßigung der Bürgerrechtsgebühren vor allem auch für die zahlreichen zugewanderten Ausländer im Ort. Insbesondere anläßlich Gemeindewahlen wurden entsprechende Forderungen vorgebracht. Erstmals kamen für Penzberg bei den Gemeindewahlen Ende 1911 die bei Gemeinden mit über 4000 Einwohnern erforderlichen Grundsätze der Verhältniswahl

---

[223] Nach Hesse, a.a.O., S. 169, m. Gesetzestext.
[224] Zusammengestellt nach StaP, Protokolle des Gemeinde-Ausschusses 1886ff., ebenda, Gemeinde-Versammlungs-Protokolle; ebenda, Akt Gemeindewahlen 1876–1911.
[225] Nach den in Anm. 224 genannten Quellen.
[226] StaP, GA 24. 8. 1895.

mit freien und verbundenen Listen zur Anwendung[227], was die parteipolitischen Gegensätze in der Gemeinde erheblich vermehrt haben dürfte. Auf diese Wahl bereiteten sich die Sozialdemokraten sorgfältig vor. Man forderte in einem Flugblatt[228], »Mann für Mann« einzutreten in die »Reihen der Bürger«,

>»welche kämpfen für die Rechte der unteren Klasse und deren Interessen richtig vertreten, zum Wohle der Allgemeinheit.
> Wenn man bedenkt, mit welchen Mitteln die jetzige Gemeindevertretung arbeitet, um zu verhindern, daß die Arbeiterschaft in der Gemeinde zu stark an Einfluß gewinn[t], sofort muß schon zum Trotz jeder sein Möglichstes tun und ihnen zeigen, daß sich der heutige Arbeiter durch nichts abhalten läßt, um zu seinem Rechte zu gelangen, und daß er auch befähigt ist, sich selbst zu vertreten ...
> Bei diesem Kapitel kann man der Gemeinde den Vorwurf nicht ersparen, daß sie hier einseitig handelt, indem sie ausländische Arbeiter abweist, aber alle Ausländer, welche vom Bergwerk in Vorschlag gebracht wurden, auch aufgenommen worden sind ...
> Nur durch eine große Masse können wir erreichen, daß wir bei den nächsten Gemeindewahlen eine für die untere Klasse günstige Vertretung hineinbringen und damit Gewähr geboten ist, daß deren Rechte richtig vertreten werden und daß ein Ausländer, welcher sich hier redlich nährt, auch in der Gemeinde aufgenommen wird«.

Seinen Mitgliedern ermöglichte der Verein durch die Beitragszahlung, früher Bürgerrechtsinhaber zu werden, als dies nach Lage der Dinge bei individuellem Ansparen der Gebühr möglich gewesen wäre. Er tat aber mehr: Offenbar auf Initiative der führenden Sozialdemokraten im Verein wurde eine Unterschriftenliste aufgelegt, in die sich das notwendige Quorum von einem Zehntel der Einwohnerschaft eintrug, um eine Gemeindeversammlung der Stimmberechtigten zu erzwingen, die über einen Antrag auf Senkung der Bürgerrechtsgebühren zu handeln hatte. Auch wenn diese Initiative fehlschlug – die Versammlung der 191 stimmberechtigten Gemeindebürger, von denen 174 anwesend waren, entschied sich mit 77 Stimmen für, mit 97 Stimmen jedoch gegen die Senkung[229] –, so war mit diesem Vorgehen doch die groteske Diskrepanz[230] zwischen dem Willen der weit überwiegenden Einwohnerschaft und jenem ihrer gemeindlichen Vertretungsorgane eindringlich für jedermann demonstriert. Nach dieser Versammlung mehrten sich die Anträge auf Verleihung des Bürgerrechts, so daß Mitte November 1911

---

[227] v. Seydel, a.a.O., S. 591.
[228] In: StAM, LRA 5450.
[229] PA 128/31. 10. 1911. Es handelte sich um eine »erregte« Versammlung.
[230] Ein vergleichender Blick auf Gesamtbayern erhärtet dies:

Gemeinden Einwohnerzahl	Wahlberechtigte pro 1000 Einwohner		
	Reichstag 1912	Landtag 1912	Gemeinden 1911
bis 4 000	221	174	112
4 001 – 10 000	213	170	64
10 001 – 20 000	208	164	63
20 001 – 50 000	197	158	54
50 001 – 100 000	207	146	96
über 100 000	232	182	74
über 4 000	217	169	70
insgesamt	219	172	97

Nach: Arnold, Philipp: Die Gemeindewahlen in Bayern im Jahre 1911, in: ZBSL 44 (1912), S. 483–524. Selbstverständlich traf die hier infolge hoher ländlicher Ansässigkeit für Gemeinden bis 4000 Einwohner dokumentierte hohe Wahlberechtigung für Penzberg zu keinem Zeitpunkt zu.

die Zahl der Stimmberechtigten auf 325 gestiegen war[231]. Die Sozialdemokraten stellten Antrag auf Einsicht in die Wählerlisten und stellten für die Wahl eine eigene Vorschlagsliste auf, die von den Handwerkern Ernst Vetter, Pfalzgraf und Koeppel angeführt wurde; es folgten neben anderen die Bergleute Xaver Himmelstoß, Sebastian Gabler, Josef Reinhard, Wilhelm Bauriedl und Anton Ostler, dann Peter Maier, der als »Geschäftsführer« offenbar in Funktionärsdiensten der Arbeiterbewegung stand, sowie Johann Schnappauf, dessen Bruder Josef auf der aus Zentrumsanhängern und Liberalen gebildeten »bürgerlichen« Liste[232] neben dem Kaufmann Stammler, mehreren Bauern und offenbar dem christlichen Gewerkverein angehörigen Bergleuten kandidierte. Nach dem Wahlrecht waren sowohl die Mehrfachplazierung von Kandidaten (bis zu dreimal) als auch die Häufelung von Stimmen (bis zu drei für einen Kandidaten) sowie das Panaschieren möglich, das Abstimmen mithin ohne Bindung an die Kandidaten eines Listenvorschlags. Gewählt wurden von der sozialdemokratischen Liste die genannten neun Kandidaten, während die »bürgerliche« Liste mit 15 Gewählten weiterhin die Mehrheit in dem 24köpfigen Gemeindeausschuß stellte[233].

»Es waren sozusagen geschlossene Körperschaften«[234], die da abgestimmt hatten – auch bei der gleichzeitigen Bürgermeisterwahl, bei der der für das Zentrum angetretene Buchdruckereibesitzer Höck mit 197 gegen Koeppel mit 123 Stimmen die Mehrheit erlangte; die Wahl zum Beigeordneten gewann der bisherige Amtsinhaber Albin Keller mit 199 gegen die 121 Stimmen für Ernst Vetter. Die Parteiverhältnisse der Nachkriegszeit und deren hoher Konfrontationsgrad fanden sich in dieser Wahl bereits vollständig ausgebildet – mit der Einschränkung, daß die Verzerrungen durch das Wahlrecht sich entscheidend im Wahlergebnis niederschlugen. Noch Ende 1913 beantragten die Sozialdemokraten erneut eine Ermäßigung der Bürgerrechtsgebühren, was die Gemeindeversammlung diesmal mit 139 Neinstimmen gegen 93 Enthaltungen ablehnte; enthalten hatte sich die Gegenseite gewiß, weil sie mit dem Bürgerrecht im Prinzip haderte. Während des Krieges kam Pfalzgraf im Gemeindeausschuß um eine Freistellung aller Kriegsdienstleistenden von der Zahlung von Bürgerrechtsgebühren ein, was zunächst abgelehnt, während einer folgenden Gemeindeversammlung jedoch beschlossen wurde[235]. Nach dem Krieg erledigte das »Gesetz über die Selbstverwaltung« vom 2. Juni

---

[231] PA 134/18. 11. 1911. Über die »rechtlichen Wanderungen« (Aufnahmen in und Entlassungen aus dem Staatsverband) s. für Oberbayern 1911/12 die Statistiken in ZBSL 44 (1912), S. 557; 45 (1913), S. 706.
[232] Auf einer Zentrums-Versammlung am 2. 4. 1911 erwartete man starke Bemühungen der Sozialdemokraten bei den Gemeindewahlen und beschloß, nachdem bereits ein Wahlkomitee bestand, die Gründung eines Zentrums-Vereins Penzberg. PA 125/24. 10. 1911 und folgende Nummern.
[233] StaP, Akt Gemeindewahlen 1876–1911. Das Ergebnis findet sich bei Arnold, a.a.O., S. 66, genau aufgeschlüsselt. Danach entfielen von insgesamt 15 398 abgegebenen Stimmen (von den 326 Wahlberechtigten stimmten 322 ab, was auch im Vergleich mit anderen Gemeinden eine für Gemeinderatswahlen ungemein hohe Wahlbeteiligung bedeutete) 37,4% auf die sozialdemokratische, 62,6% auf die »bürgerliche« Liste und nur 10 Stimmen auf sonstige Kandidaten. Auch hierin drückt sich der hohe Grad kommunalpolitischer Konfrontation bei diesen Wahlen aus.
[234] PA 139/28. 11. 1911.
[235] StaP, Gemeinde-Versammlung 30. 11. 1913 u. 24. 10. 1915 sowie GA 27. 3. 1915, 22. 8. 1917 über kostenlose Verleihung des Bürgerrechts. Ein im GA am 27. 11. 1917 verhandelter Antrag auf endgültige Aufhebung aller Gebühren scheiterte bei Stimmengleichstand am Votum des BM Höck.

1919 durch die Zuerkennung des allgemeinen Wahlrechts das ganze Problem; der Bürgerrechtsverein in Penzberg hatte sich bereits im April 1919 aufgelöst[236].

Die Gemeindewahlen Ende 1911 haben nicht zuletzt den im Streik von 1910 aufgebrochenen gewerkschafts- und parteipolitischen Zwiespalt in der Bergarbeiterschaft vertieft. Sie haben darüber hinaus erstmals die Einwohnerschaft an Fragen der Kommunalpolitik geführt und parteipolitische Gräben bewußt gemacht. Überhaupt war dies eine Zeit mächtig zunehmender Politisierung gewesen, standen doch zugleich im Februar 1912 sowohl Landtagswahlen in Bayern als auch Reichstagswahlen an.

Bei den Reichstagswahlen konnte die Sozialdemokratie im Wahlkreis Weilheim ihren Stimmenanteil seit 1898 von 3,83 Prozent über 10,19 (1903) und 13,51 Prozent (1907) auch im Jahre 1912 deutlich auf 16,22 Prozent – das waren 3794 Wählerstimmen – der gültigen Stimmen steigern. Dieser Anteil blieb jedoch klar unter den Stimmengewinnen der Sozialdemokratie im gesamten Königreich, die im selben Zeitraum von 18,02 auf 27,25 Prozent zunahmen[237]. Zudem waren die sozialdemokratischen Wählerstimmen im Wahlkreis Weilheim auf Penzberg und noch Peißenberg konzentriert:

Tabelle 11
Reichstagswahlen im Wahlkreis Weilheim 1912[238]

Ort	Zentrum	Liberale	Bayer. Bauernbund	Sozial- demokraten
Penzberg	225	66	1	506
Peißenberg	282	12	–	425
Weilheim	431	273	30	171
Wahlkreis Weilheim	14 852	3 121	1 609	3 794
Penzberg	28,2%	8,3%	0,1%	63,4%
Peißenberg	39,2%	1,7%	–	59,1%
Weilheim	47,6%	30,2%	3,3%	18,9%
Wahlkreis Weilheim	63,5%	13,3%	6,9%	16,2%

In Penzberg hatten 85,06 Prozent der nur 944 Wahlberechtigten – das entsprach 17,06 Prozent der Bevölkerung von 1910; gegenüber den 21,9 Prozent in Gesamtbayern erklärt sich die merkliche Differenz aus der relativen Jugendlichkeit und großen Zahl von Ausländern in Penzberg – abgestimmt; die Wahlbeteiligung lag damit ganz erheblich

---

[236] Gesetz- u. Verordnungsblatt für den Freistaat Bayern Nr. 30/2. 6. 1919, S. 239–242; PA 138/1918.
[237] Nach: Ergebnis der Reichstagswahlen vom Juni 1903 in Bayern, in: ZBSL 35 (1903), S. 81–105, sowie: Die Ergebnisse der Reichstags- und Landtagswahlen in Bayern im Januar und Februar 1912, ebd. 44 (1912), S. 220–266; s. auch Thränhardt, Dietrich: Wahlen und politische Strukturen in Bayern 1848–1953. Historisch-soziologische Untersuchungen zum Entstehen und zur Neuerrichtung eines Parteiensystems. Düsseldorf 1973, S. 95. Als Überblick der Reichstagswahlergebnisse in Bayern s. auch Bayerns Entwicklung, a.a.O., S. 132
[238] Zahlen für einzelne Orte nach PA 6/16. 1. 1912; die dort angegebenen Zahlen für den Wahlkreis weichen in vergleichbaren Fällen geringfügig von den amtlichen Daten (Anm. 237) ab, insoweit der Vorzug gegeben wurde Die auf zersplitterte Parteien entfallenen Stimmen betrugen im gesamten Wahlkreis nur wenige Dutzend und wurden daher vernachlässigt. Amtliche Ergebnisse für einzelne Orte lassen sich in der Vorkriegszeit aus den statistischen Veröffentlichungen sowie aus der Presse nicht gewinnen.

über jener im Wahlkreis Weilheim (74,5 Prozent) und in Bayern (80,9 Prozent) und entsprach ungefähr dem im Reich (84,9 Prozent)[239] erreichten Niveau.

Ein Überblick über die Ergebnisse der Landtagswahlen kompliziert sich durch die insbesondere vom bayerischen Zentrum und den Sozialdemokraten betriebene, tiefgreifende Wahlreform des Jahres 1906[240]. Das vorher indirekte Wahlverfahren hatte bei niedrigen Wahlbeteiligungen und einer die regierenden Liberalen ungemein begünstigenden Wahlkreisgeometrie nicht zuletzt seit 1899 die Entstehung von Wahlbündnissen zwischen Zentrum und Sozialdemokratie gefördert. Offenbar sind die Penzberger Sozialdemokraten bei der Rechtfertigung dieser Wahlbündnisse in der Wahlagitation gelegentlich auf Schwierigkeiten gestoßen. Georg Maurer sagte in einer Wahlversammlung am 9. April 1905:

> »Wenn es die Kirche, welche seit 1500 Jahren die Macht in Händen hat, in dieser Zeit nicht vermocht hat, für den Arbeiter zu sorgen oder dessen Lage zu verbessern, tut dieselbe dies auch für die Zukunft um so weniger.
> Es ist ja richtig, das Zentrum war neben den Sozialdemokraten im Landtage die einzige Partei, welche für Abschaffung des veralteten Wahlgesetzes gestimmt hat, und darf man womöglich doch hoffen, daß es wenigstens für diesmal sein in dieser Beziehung gegebenes Wort hält.
> Darum, wo keine sozialdemokratischen Wahlmänner aufgestellt werden können, müßten die Sozialdemokraten bei der diesjährigen Landtagswahl Zentrumswahlmänner wählen; für Penzberg sei dies nicht nötig, da bereits jetzt vier sozialdemokratische Wahlmänner aufgestellt seien und voraussichtlich auch gewählt würden«[241].

Nun, das Zentrum hielt »in dieser Beziehung«, nachdem die Wahlkreiseinteilung bereits im Jahre 1905 seitens der Regierung verbessert worden war und Zentrum sowie Sozialdemokraten eine Zweidrittelmehrheit erlangt hatten, sein Wort, und das neue, trotz weiterhin geltender Wahlrechtsbeschränkungen »eine vergleichsweise faire Vertretung aller politischen Kräfte und sozialen Schichten im Landtag« ermöglichende Wahlgesetz[242] konnte ähnlich den gleichzeitigen Liberalisierungsbestrebungen in den südwestdeutschen Staaten durchgesetzt werden.

Nach der Verabschiedung des Landtagswahlgesetzes von 1906 zerbröckelte das Wahlbündnis des Zentrums mit den Sozialdemokraten, die zwischen den einander scharf ablehnend gegenüberstehenden Blöcken der Katholiken und der Liberalen im bayerischen Landtag die Chance wechselnder Koalitionen wahrnehmen konnten, indessen rasch und machte einer Annäherung der Sozialdemokraten an die Liberalen in einer Reihe von Einzelfragen Platz. Das Bündnis zerbrach insbesondere über das vom Zentrum zum Schutz seiner Klientel in der christlichen Eisenbahnergewerkschaft im Landtag verlangte Verbot der Mitgliedschaft von Beamten in sozialdemokratischen Gewerkschaften. Nachdem über diese Frage der Landtag aufgelöst worden war, bildeten

---

[239] Nach Ritter, Gerhard A. unter Mitarb. v. Merith Niehuss: Wahlgeschichtliches Arbeitsbuch. Materialien zur Statistik des Kaiserreichs 1871–1918. München 1980, S. 42, sowie den in Anm. 237 genannten Quellen.
[240] Vgl. zu den politischen Hintergründen Möckl, Prinzregentenzeit, a.a.O., S. 480–534; Hubbauer, Ludwig: Die geschichtl. Entwicklung des bayer. Landtagswahlrechts mit Beschränkung auf die Kammer der Abgeordneten. jur. Diss. Erlangen. Borna-Leipzig 1908, S. 48–56; knapp: Thränhardt, a.a.O., S. 118–120; Überblick: Ritter/Niehuss, a.a.O., S. 151–153.
[241] Versammlungsbericht: StAM, LRA 3870. Der Wechsel zwischen direkter und indirekter Rede kennzeichnet die zeitgenössischen Versammlungsberichte häufig.
[242] Ritter/Niehuss, a.a.O., S. 153f.

die Sozialdemokraten bereits anläßlich der Reichstagswahlen Bündnisse mit Liberalen und Bauernbündlern im zweiten Wahlgang; bei den Landtagswahlen am 5. Februar 1912 standen sich nunmehr der »Schwarzblaue Block« (Zentrum, Konservative, Bund der Landwirte) und der »Rotblock« (Sozialdemokratie, Liberale, Bauernbund) gegenüber[243]. Es ist gut möglich, daß diese sich Ende 1911 abzeichnende Kräftekonstellation bereits die Penzberger Gemeindewahlen im November 1911 beeinflußt hat. Die Anhänger des Fortschrittlichen Volks-Vereins im Ort waren allerdings bei den Gemeindewahlen mit dem Zentrum zusammengegangen und hatten eine gemeinsame Liste gebildet. Das Ergebnis der Landtagswahlen läßt vermuten, daß sie nunmehr mit den Sozialdemokraten wählten, was ihre Glaubwürdigkeit bei den christlich-katholischen Kräften im Ort gewiß nicht förderte.

Bei den bisherigen Landtagswahlen hatte die Sozialdemokratie im Wahlkreis Weilheim nicht eben gut abgeschnitten. Im Jahre 1899 kamen im Amtsgericht Weilheim ganze 294 sozialdemokratische Stimmen zusammen, und noch 1907 erreichte der Zentrumskandidat Pfarrer Karl Daiser in dem nun aus den Amtsgerichtsbezirken Weilheim und Garmisch gebildeten Wahlkreis mit Leichtigkeit 64 Prozent der 5219 gültigen Stimmen; der Sozialdemokrat, Schuhwarenhändler Johann Hirsch aus Unterpeißenberg, kam auf nur 16,2 Prozent und wurde von dem liberalen Kandidaten noch überflügelt[244].

Im Jahre 1912 drückte sich die höhere Wahlrechtsschwelle bei Landtags- im Vergleich zu Reichstagswahlen in einer die Sozialdemokratie natürlich benachteiligenden geringeren Wahlberechtigung in Penzberg aus: Von den 1910 gezählten 5533 Einwohnern waren nur 13,7 Prozent wahlberechtigt (im Bezirksamt Weilheim: 16,9 Prozent), von denen allerdings mit 92,2 Prozent (Bezirksamt: 83,6 Prozent) ein besonders hoher Anteil an der Wahl teilnahm:

Tabelle 2
Landtagswahlen im Wahlkreis Weilheim 1912[245]

Ort	Schwarzblauer Block	Rotblock
Penzberg	183	516
Peißenberg	221	407
Weilheim	506	307
Wahlkreis Weilheim	3 961	3 394
Penzberg	26,2%	73,8%
Peißenberg	35,2%	64,8%
Weilheim	62,2%	37,8%
Wahlkreis Weilheim	53,9%	46,1%

[243] Vgl. zur Rechtfertigung: Timm, Johannes: Die Bedeutung der bayer. Landtagswahlen 1912, in: Sozialist. Monatshefte 16 (1912), Bd. I, S. 84–91; ferner: Thränhardt, a.a.O., S. 119, 121f.; ausführlich: Hirschfelder, a.a.O., S. 513–519.
[244] Ältere Landtagswahlen: Hauptergebnisse der Landtagswahlen im Juli 1899, in: ZBSL 31 (1899), S. 101–130; Ergebnisse der bayerischen Landtagswahlen vom 31. 5. 1907, ebenda 39 (1907), S. 185–224, hier S. 191, 193; Zusammenfassung der Ergebnisse bes. Ritter/Niehuss, a.a.O., S. 157–162.
[245] Örtl. Ergebnisse nach PA 16/8. 2. 1912; Wahlkreisergebnisse nach: Ergebnisse der Reichstags- und Landtagswahlen (Anm. 237), a.a.O., S. 255ff. Das Ergebnis in Bayern fiel mit 50,7% zugunsten des »Rotblocks« bei 1,2% zersplitterten Stimmen aus.

Ein sozialdemokratischer Kandidat war nicht aufgestellt worden; der Wahlkreis wurde von dem Zentrumskandidaten Dr. Ueberreiter vertreten. Für Penzberg verdient Interesse, daß die Sozialdemokraten durch das Wahlbündnis gegenüber der die wirklichen politischen Kräfteverhältnisse im Ort annähernd spiegelnden Reichstagswahl vom Januar bei der Landtagswahl noch erheblich zulegen konnten, während der durch Wahlrechtseinschränkungen gewiß weniger betroffene Zentrumsblock ein recht blamables Ergebnis erreichte. Penzberg war, so zeigen die Wahlergebnisse an der Jahreswende 1911/12, längst eine zu zwei Dritteln sozialdemokratisch wählende Industriesiedlung geworden, in der konservative Kräfte kaum eine Rolle spielten, während das Zentrum, die im Ort dem Bauernbund zuneigenden ländlichen Wähler und die im gewerbetreibenden Bürgertum verwurzelten Fortschrittswähler unter grotesker Verzerrung der wirklichen Kräfteverhältnisse in der Gemeinde noch eine starke Mehrheit behielten.

Das Landtagswahlbündnis von 1912 war für den Ort untypisch gewesen. Eher entsprach das Reichstagswahlergebnis von 1912 den auch später erkennbaren, mithin bereits vor Kriegsausbruch ausgeprägten Kräfteverhältnissen; auch die starke Polarisierung in der Gemeindepolitik der Weimarer Jahre ist 1911/12 vorweggenommen worden. Dabei war das »bürgerliche« Lager keineswegs einheitlich: Der bäuerliche Anteil unter den Gemeindebevollmächtigten betrug immerhin noch ein Fünftel, sank jedoch nach 1919 weiter ab, während es die selbständigen Gewerbetreibenden 1911 auf rund ein Viertel gebracht haben. Der bergmännische Anteil (Bergleute und Zechenangestellte) betrug bereits über die Hälfte der Gemeindebevollmächtigten[246], war indessen in drei Gruppen geteilt: in die überwiegend zechenhörigen Bergwerksangestellten, in die christlichen und die sozialdemokratischen Bergleute. Die Sozialdemokratie stützte sich auf letztere, aber auch noch auf einige der handwerklichen Vertreter im Gemeindeausschuß.

Die Wahlergebnisse 1911/12 bestätigen im übrigen das inzwischen in dem Ort entstandene Schichtungsbild. Mit dem Antrag auf Stadterhebung im Jahre 1918 wurde die folgende Aufstellung vorgelegt:

Tabelle 13
Berufliche Zusammensetzung in Penzberg um 1910[247]

Bevölkerung	5533
davon:	
im Bergbau beschäftigt	1393
in anderen »Industrien«	17
in der Landwirtschaft	128
im Handwerk	76
als Angestellte (ganz überwiegend im Bergwerk)	230

---

[246] Vgl. den Überblick bei Schaffer, Sozialgeographische Aspekte, a.a.O., S. 95.
[247] Nach Luberger, a.a.O., S. 132f. Die Angaben stützen sich (Luberger datiert 1918), wie ein Vergleich mit den zugrundeliegenden Bevölkerungszahlen zeigt, wahrscheinlich auf die Verhältnisse des Jahres 1910, was nur den Zielen des Antrags auf Stadterhebung entsprochen haben kann. Allgemein zum Strukturwandel in Bayern 1907/1925 s. Kolb, Gerhard: Strukturelle Wandlungen im wirtschaftl. u. sozialen Gefüge der Bevölkerung Bayerns seit 1840. Diss. Erlangen 1966, S. 174–178.

Demnach betrug der Anteil der Bergarbeiter an den überhaupt abhängig Beschäftigten in Penzberg knapp 76 Prozent – ohne Hinzurechnung der Angestellten. Neben 75 Gewerbebetrieben wird die Zahl der landwirtschaftlichen Betriebe in der Stadt zu dieser Zeit auf 37 beziffert; darin sind offenbar Nebenerwerbsbetriebe nicht enthalten. Die Gruppierung der Einkommensteuerpflichtigen bestätigt das bisher gewonnene Schichtungsbild:

Tabelle 14
Einkommensteuerpflichtige in Penzberg um 1910[248]

Zu versteuerndes Jahreseinkommen in Mark	Anzahl der Steuerpflichtigen
bis 1000	370
über 1000 bis 2000	744
über 2000 bis 3000	419
über 3000 bis 4000	49
über 4000 bis 5000	15
über 5000	19
	Summe 1616

Der Vergleich mit den um diese Zeit gezahlten durchschnittlichen Schichtlöhnen ergibt, daß sich die Masse der Bergleute in den Gruppen bis 2000 Mark befunden haben muß, während Zechenangestellte und kleingewerblicher Mittelstand zwischen 2000 und 4000 Mark versteuert haben dürften. Die wenigen Spitzenverdiener gehörten bestimmt entweder zur Grube in deren Führungspositionen oder zu den freien Gewerbetreibenden (Ärzte etc.) und Inhabern größerer Gewerbebetriebe. Es bedarf keines weiteren Vergleichs, um die geringe gewerbliche Differenzierung der Erwerbsbevölkerung und ihre niedrige Steuerkraft zu konstatieren.

Trotz ihrer durch das Schichtungsbild erneut bestätigten Bedeutung für die Gemeinde ist es der Zeche, soviel zeigen Gemeindepolitik und Wahlergebnisse, auch in der Vorkriegszeit keineswegs gelungen, die gemeindlichen Verhältnisse in einer äußerlich sichtbaren, in den politischen Kräfteverhältnissen gespiegelten Weise zu bestimmen. Das war schon in den bergbaulich geprägten Großstädten der Industrielandschaften etwa an der Ruhr nicht der Fall gewesen[249]; es ist nicht selbstverständlich, daß es auch in der Industriekommune Penzberg nicht gelang[250]. Der Höhepunkt des nach außen erkennbaren Zecheneinflusses auf die Kommunalpolitik dürfte, nachdem die bäuerlichen Grund-

---

[248] Nach Luberger, a.a.O., S. 132f.
[249] Vgl. etwa Crew, a.a.O., S. 142, über Bochum: »Workers had the economic and social power to pressure some sections of the local Mittelstand to support them«.
[250] Leider läßt sich in diesem u. E. sehr bedeutsamen Punkt die Analyse nicht durch vergleichende Hinweise auf die anderen oberbayerischen Bergbauorte sowie auf ähnlich punktuell industrialisierende Siedlungen Bayerns erhärten. Beispielsweise verzichtet Landgrebe, a.a.O., in ihrer Arbeit über Kolbermoor völlig auf eine Untersuchung der kommunalpolitischen Kräfteverhältnisse und deren Entwicklung. Eine derart auf die Arbeiterbewegung konzentrierte Sichtweise übersieht vollständig die politischen Entfaltungsspielräume und Wechselverhältnisse im Wandel von Sozialstruktur und sozialer Schichtung; Sozialgeschichte wird auf diese Weise in ihre ehemaligen Schranken einer Wissenschaft der Opposition über die Opposition zurückgewiesen.

besitzer bereits in den Hintergrund getreten waren, in den 1880er Jahren erreicht worden sein; seitdem minderte sich das Gewicht der Zeche durch das aufstrebende Kleingewerbe, das in sich noch sozialdemokratische Kräfte enthielt, sowie durch die emanzipatorische Bewegung der Arbeiterschaft. Dabei ist allerdings kaum zu ermessen, in welchem Umfang die Zeche mittelbar, durch den Sachzwang der Verhältnisse als bei weitem größter Grundbesitzer und nahezu ausschließlicher Arbeitgeber im Ort, die Gemeindepolitik bestimmte. Als Höchstbesteuerte besaß sie darüber hinaus nach der Landgemeindeverfassung beträchtliche kommunale Mitbestimmungsrechte[251]. Es gab, wie angedeutet, vor 1914 wiederholt Reibereien zwischen Gemeindeausschuß und Grubenleitung, und die Zeche ergriff Maßnahmen, um ihren Stimmenanteil im kommunalen Leitungsgremium zu mehren, aber wenn sie auch äußerlich keine Übermacht erlangte, so blieb die Gemeinde vollkommen von einer engen Zusammenarbeit mit der Oberkohle in den maßgeblichen Entscheidungen über die Entwicklung der kommunalen Infrastruktur abhängig – man denke nur an so grundlegende Eingriffe wie Stadtplanung, Straßenbau, Wasser- und Elektrizitätsversorgung.

Der örtliche Mittelstand sah sich in einer schwierigen Position. Zahlenmäßig anwachsend und mit dem christlich-katholischen Lager auf der einen, liberalen Kräften auf der anderen Seite verbunden, blieben seine Aktionsmöglichkeiten doch durch die Abhängigkeit von der Bergarbeiterschaft als dem Konsumenten und entscheidenden Daseinssicherer der kleinen und größeren Geschäfte am Ort begrenzt. Die Uniformierung der Kommune durch den Bergbau schränkte den mittelständischen Einfluß auf die Kommunalpolitik von vornherein ein. Wie weit das ging, erwies sich schlagkräftig während des Streiks von 1910: Während einer großen Frauenversammlung verlangte die Vorsitzende von den Anwesenden sehr konkret, bei welchen Kaufleuten nicht mehr einzukaufen sei – etwa bei Stammler nicht, »nachdem derselbe den Streikenden nichts mehr kreditiert«, und schon gar nicht in der Zechenkonsumanstalt, deren Milch man zumal boykottierte, »so daß die Bauern als Lieferanten von Milch wieder nach Hause fahren müßten«, dann bei dem Flaschenbierhändler Herr nicht, der war schlicht »Streikbrecher«, und von der Hebamme Kadletz wollte man sich auch nicht mehr helfen lassen, »weil ihr Mann [trotz des Streiks in der Grube] arbeitet« und weil sie für die Anhebung der Hebammengebühren verantwortlich gewesen sei[252]. Wie immer wirksam solche Maßnahmen waren, so zeigen sie doch die örtlichen Einflußmöglichkeiten einer solidarisch agierenden Arbeiterschaft.

In dieser hatten die erbitterten Querelen mit dem christlich-katholischen Widerpart einen Vorgeschmack auf künftige Brüche der proletarischen Solidarität gegeben. Die Arbeiterbewegung in Penzberg hat sich, nach späten Anfängen, überraschend schnell entfaltet; wir haben sie im Jahrzehnt vor dem Kriegsausbruch in allen nachgerade klassischen Organisationsgliederungen im Ort unter einigen situationsbedingten Sonderformen kennengelernt. Der Ausbau setzte sich nach dem Weltkrieg in einigen Bereichen noch fort. Doch hatte das richtungsgewerkschaftliche Problem bereits

---

[251] Vgl. Schaffer, Sozialgeograph. Aspekte, a.a.O., S. 96.
[252] StAM, LRA 3917, Versammlungsbericht vom 21. 12. 1910. Eine Boykottbewegung gegen einige Bäcker brachte Pfalzgraf 1914 in Gang; s. StAM, LRA 3915.

Schranken der Entfaltung im gewerkschaftlichen Bereich gewiesen, während die Sozialdemokratie in Penzberg wie reichsweit von Erfolg zu Erfolg schritt. Aufmerksamer betrachtet, deuteten sich freilich auch hier Probleme an, die bald aufbrechen und der Partei eigene Schranken weisen sollten. Das in der Bergarbeiterschaft bereits erkennbare Problem der jugendlichen Unorganisierten mit hoher Konfliktbereitschaft gehörte zu diesen Schranken; man wird die Gründung eines eigenen Jugendvereins 1913 nicht örtlicher Einsicht, vielmehr überregionalen Agitationsschwerpunkten zuweisen müssen. Ähnlich schwierig mußte der auf die sozialdemokratische Führung zukommende Generationswechsel der Nachkriegszeit ausfallen. Die Führer der Arbeiterbewegung in Penzberg gehörten der in den 1870er und 1880er Jahren, spätestens bis zur Jahrhundertwende zugezogenen Generation der zwischen 1860 und 1880 Geborenen an[253]. Unter ihnen überwog der handwerkliche Einfluß bis in die unmittelbare Nachkriegszeit bei weitem. Das war zunächst den Gründungsverhältnissen, darüber hinaus dem anfänglichen Verhältnis von Zeche und Arbeiterbewegung – seit den Maßregelungen um die Jahrhundertwende und nach dem Streik von 1910 hat sich die Zeche in richtiger Einschätzung des Solidarisierungserfolgs nicht mehr nachdrücklich dieses Instruments bedient –, schließlich aber auch den oligarchischen Tendenzen der Parteiorganisation zu verdanken, die einmal gewählte Führer im Amt zu erhalten neigte. Es wäre denkbar, daß die Penzberger Arbeiter schon vor 1914 nicht mehr völlig mit ihrer Parteiführung übereinstimmten. Zum 90. Geburtstag des Prinzregenten hing auch beim Schneidermeister Pfalzgraf eine weiß-blaue Rautenfahne am Haus – sie kam ihm indessen durch Verbrennung abhanden[254].

II. Der Weg zum »roten« Rathaus
Weltkrieg und Revolution in Penzberg 1914 bis 1920

Während des Ersten Weltkriegs hatte das Bergwerk Penzberg in starkem Maße mit betrieblichen Umstrukturierungsmaßnahmen zu tun: Seit 1913 wurde der Nonnenwaldschacht abgeteuft, und die bisher offenbar unter Tage zum Förderschacht verbrachte Förderung aus der Nonnenwaldmulde wurde seit Dezember 1918 unmittelbar aus dem Nonnenwaldschacht gefördert. Der Rückgang der Produktion war jedoch sehr viel mehr auf der durch Einberufungen bedingten Arbeitskräftemangel besonders in den ersten Kriegsjahren als auf betriebliche Veränderungen zurückzuführen:

---

[253] Alle bei Kapsberger, Gewerkschaftsbewegung, a.a.O., Bd. I, S. 84, namentlich erfaßten Gemaßregelten von 1901 (insgesamt 18) sind zwischen 1867 und 1877 geboren; die von den handwerklichen Arbeiterführern überlieferten Daten unterstützen dieses generationelle Bild.
[254] PA 34/14. 3. 1911.

Tabelle 15
Kohlenförderung 1913 bis 1920[1]

Jahr	Grube Penzberg Förderung in t	Belegschaft	Obb. Pechkohlenbergbau Förderung in t	Belegschaft	Bayern Steinkohle Förderung 1000 t	Belegschaft	Bayern Braunkohle Förderung 1000 t	Belegschaft
1913	290 100	1300	947 755	4611	811	4081	1896	5516
1914		1100	787 696	4120	662	3572	1602	4847
1915		900	710 970	3245	528	2652	1595	3892
1916	213 500	1000	682 298	3130	503	2634	1620	3534
1917	224 600	1200	851 905	4145	599	3334	1887	4587
1918	208 277	1296	855 177	4729	639	3838	1800	5289
1919	212 023	1694	800 834	5770	604	4826	2047	8470
1920	223 636	2066	841 595	6668	92	1035	2438	10133

Diese Statistik[2] zeigt zunächst eine tiefgreifende Umstrukturierung der gesamten bayerischen Kohlenförderung infolge des Verlusts der linksrheinischen Steinkohlenförderung an Frankreich nach dem Krieg. Die Kohlenförderung verlagerte sich, schon vor 1914 erkennbar, mehr und mehr auf die Braunkohle, in der auch die oberbayerische Pechkohle mit (1920) 34,5 Prozent der Förderung und 65,8 Prozent der Belegschaften enthalten ist. Hierin kommt die sehr viel höhere Arbeitsintensität des Pechkohlen- gegenüber dem übertägigen Braunkohlenbergbau zum Ausdruck. Dabei sank der Anteil der Grube Penzberg an der gesamten Pechkohlenförderung während des Krieges, wahrscheinlich infolge der betrieblichen Strukturveränderungen, auf etwa ein Viertel leicht ab und stieg nach Kriegsende zunächst wieder an. Der Ausfall der Steinkohlenförderung in den unmittelbaren Nachkriegsjahren wurde insgesamt durch den Anstieg der Braunkohlenförderung den Förderziffern nach – kaum jedoch dem Heizwert der Gesamtproduktion nach – mehr als kompensiert. Die Zahlen spiegeln die Reaktion auf die unmittelbar nach Kriegsende drängende »Kohlennot«, die der bayerischen Braun- und Pechkohle zu einem starken Aufschwung verhalf.

Die Belegschaftsentwicklung der ersten Kriegsjahre bringt den Arbeitskräfteverlust infolge von Einberufungen zum Ausdruck. Er ist, wider Erwarten, nicht durch vermehrte Frauenarbeit in den übertägigen Betriebsstätten kompensiert worden: Nach

---

[1] Statistik für Gesamtbayern nach ZBSL 51 (1919), S. 516–531 sowie 53 (1921), S. 100, 102, 660, 662; für die Pechkohle nach: Die Kohlenwirtschaft Bayerns bis Ende 1920, o. O. o. J. [1921], S. 41f. Belegschafts- und Förderangaben für Penzberg: für 1913–1917 (Belegschaft) ungefähre Angaben nach dem Schaubild bei Hornemann, Albrecht: Medizinalstatistik des Bergwerks Peißenberg, med. Diss. (Ms.), München 1949, nach S. 45; ab 1918: BayHStA, MWi 2380, Statistik der monatlichen Belegschaft und monatlichen Arbeitsleistung von Juli 1918 bis Dezember 1920. Diese Angaben wurden umgerechnet auf die monatliche Förderung, aus der sich die jährliche Förderung ergab; die Berechnung stimmt mit der ebenfalls BayHStA überlieferten Angabe der Durchschnittsförderung für 1919 gut überein. Mithin stützen sich die für 1918 angegebenen Werte auf das »hochgerechnete« 2. Halbjahr 1918, was wiederum hinsichtlich der durchschnittlichen Belegschaft gut mit dem BayHStA, MWi 2275, für 1918 ganzjährig überlieferten Wert (1289) übereinstimmt. Die Penzberger Zahlen für 1913, 1916 und 1917 finden sich in einer eigenen Statistik, MWi 2380; vgl. auch StAM, OK, Werkschronik, Bd. 1, unverz.

[2] Die BayHStA, MWi 2380, überlieferten Werte weichen bedeutend ab.

einer Anfang 1917 durchgeführten Erhebung waren bei der Grube Penzberg 47 Arbeiterinnen beschäftigt[3]; dieser durch die technische Fortentwicklung zum Leseband schon vor Kriegsausbruch gegenüber früheren Jahren niedrigere Stand ist ungefähr in der Zwischenkriegszeit beibehalten worden. Die durch Einberufungen gerissenen Lücken wurden vielmehr, soweit nicht erfolgreich reklamiert wurde, durch Kriegsgefangene, insbesondere Russen, so gut wie möglich geschlossen. Leider läßt sich der Anteil der Kriegsgefangenen an der Penzberger Belegschaft nicht feststellen; sicher ist indessen, daß sowohl in Penzberg als auch in Benediktbeuern russische Kriegsgefangenenlager bestanden[4]. Für August 1917 wird die Gesamtzahl der im bayerischen Bergbau tätigen Kriegsgefangenen auf 3327 beziffert; das waren um 20 Prozent der überhaupt in Bayern beschäftigten 16 222 Kriegsgefangenen[5]. Die Anspannung auf dem bergbaulichen Arbeitsmarkt in Gesamtbayern setzte im September 1914 ein und erreichte einen ersten Höhepunkt mit 410 gemeldeten offenen Stellen im Dezember 1914, einen zweiten Höhepunkt mit 857 offenen Stellen im März 1915, während in der zweiten Jahreshälfte 1915 weniger offene Stellen gemeldet wurden – indessen dürften diese Angaben[6] angesichts der noch sehr unvollkommenen Arbeitsmarktstatistik und der gewiß unterschiedlichen Meldepraxis der Zechen das tatsächliche Bild nur ungenügend spiegeln.

Für die letzten Kriegsmonate sind monatliche Belegschaftsziffern überliefert, die zusammen mit den Angaben über Arbeitsleistung an dieser Stelle zum Teil im Vorgriff auf spätere Ausführungen das bisherige Bild ergänzen sollen:

Tabelle 16
Belegschaft und Arbeitsleistung, Grube Penzberg 1918 bis 1920[7]

Monat	1918 Belegschaft	Leistung	1919 Belegschaft	Leistung	1920 Belegschaft	Leistung
Januar			1489	12,1 t	2006	9,7 t
Februar			1549	10,0 t	2002	9,1 t
März			1601	11,1 t	1962	9,6 t
April			1623	10,1 t	2033	9,3 t
Mai			1638	10,3 t	2060	8,2 t
Juni			1603	9,3 t	2046	4,4 t[8]
Juli	1205	13,1 t	1663	11,8 t	2063	8,3 t
August	1309	13,7 t	1881	9,7 t	2080	9,5 t
September	1322	13,5 t	1865	9,2 t	2130	9,3 t
Oktober	1299	14,6 t	1813	10,5 t	2108	9,8 t
November	1282	13,6 t	1821	9,9 t	2160	10,2 t
Dezember	1359	11,9 t	1781	10,6 t	2144	10,7 t

[3] Die Frau in der bayerischen Kriegsindustrie, nach e. amtl. Erhebung aus dem Jahre 1917, München 1919. S. 24f. (Es handelt sich um eine Zählung in ausgewählten Betrieben, unter denen das Bergwerk Penzberg enthalten ist). Die Zählung erlaubt einen interessanten Einblick in die sonstigen Verhältnisse der Sortiererinnen: Von den 47 Gemeldeten waren 85% ledig und 75% jünger als 30 Jahre; 62% waren bereits vor dem Weltkrieg (sicher ebenfalls auf der Grube) als »Fabrikarbeiterinnen« tätig gewesen – dies unterstützt die geringe Frauenmobilisierung in Penzberg während des Weltkriegs. 79% wohnten bei den Eltern, und alle nahmen ihre tägliche Hauptmahlzeit zu Hause ein; 79% waren kinderlos.
[4] Nach den Berichten über flüchtige Kriegsgefangene, StAM, AR 3959/17a. Demnach befand sich das Stammlager in Puchheim; weitere Gefangenenlager waren z. B. in Peißenberg und Weilheim; knapper Hinweis auf Benediktbeuern: BayHStA, MWi 2243.

Hiernach hängt die Nachkriegs-Belegschaftszunahme recht genau mit der Demobilmachung und Rückkehr kriegsdienstleistender Bergleute zusammen; die Zunahme um die Jahreswende 1919/20 muß dagegen ausschließlich durch Zuzüge bedingt gewesen sein. Die Oberkohle ersuchte Mitte Dezember 1918, weiterhin ihre vielen Ausländer beschäftigen zu dürfen, da die meisten von ihnen gelernte Bergleute und zudem oft bereits in Penzberg geboren seien. Schon Anfang März 1919 war erkennbar, daß die aus dem Heer zurückgekehrten Bergleute für den nunmehrigen Arbeiterbedarf der Zeche nicht mehr ausreichten: Nach einem Brief des Dr. Streeb, als Besitzer eines Sägewerks in Schönmühl einer der mit jetzt einigen Dutzend Arbeitern wenigen größeren Arbeitgeber Penzbergs, klagte man bereits, daß Arbeiter wieder sehr gesucht würden[9]. Angesichts der Kohlennot hat die Demobilmachung mithin in Penzberg kaum zu Arbeitslosigkeit geführt.

Die Arbeitsleistung im Bergwerk, in der Tabelle als Monatsleistung je Bergmann angegeben, betrug noch 1913 213 t jährlich, 1916 dann 214 t und 1917 187 t. Sie addiert sich auf 134 t (auf das Jahr gerechnet) im zweiten Halbjahr 1918, auf 104 t im Jahre 1919 und 90 t 1920. Sie ist damit gegenüber der Vorkriegsleistung sehr deutlich abgefallen – und zwar bereits während der Kriegsjahre, noch deutlicher in der unmittelbaren Nachkriegszeit. Hierin kommt zunächst die Einstellung der zumeist in bergmännischer Arbeit unerfahrenen und sicher nicht sonderlich arbeitswilligen Kriegsgefangenen zum Ausdruck. Der Leistungsabfall verlief im Ruhrbergbau ganz ähnlich, freilich auf einem um etwa ein Drittel höheren Niveau[10]. Eine Rolle haben darin auch die zunehmenden Erschöpfungszustände der Bergarbeiter durch Leistungsdruck und Überschichten[11] gespielt, mehr jedoch erweist sich in der Steigerung der Förderung bis 1915/16 und dem weiteren rapiden Verfall der Arbeitsleistung die Abbauplanung als einflußreich, weil man anfangs mit einem sehr kurzen Feldzug rechnete und demnach weitere Aufschließungsarbeiten vernachlässigte, um zunächst die bereits aufgeschlossenen Flöze zu verhauen. In der geringen Arbeitsleistung seit 1917 schlug sich mithin auch die Wiederinangriffnahme von Aufschließungsprojekten nieder.

Nach Kriegsende drückte dann vor allem die von den Bergleuten reichsweit durchgesetzte kürzere Schichtzeit die Jahresarbeitsleistung erheblich herunter. Im Bergwerk

---

[5] Nach: Die Kriegszählung der gewerblichen Betriebe am 15. August 1917 in Bayern. München 1919, S. 84*. Die Zählung ist nicht nach Regionen oder einzelnen Großbetrieben differenziert und zudem nur bedingt zuverlässig.

[6] Die Lage des Arbeitsmarkts innerhalb der einzelnen Berufsgruppen, in: ZBSL 48 (1916), S. 10; Überblick: Angebot und Nachfrage auf dem bayerischen Arbeitsmarkt während des Krieges 1914–1918, ebenda 51 (1919), S. 242–246 (ohne ausreichende gewerbliche Differenzierung).

[7] Quelle s. Anm. 1; zum Vgl. s. Die Kohlenwirtschaft, a.a.O., S. 43.

[8] In diesen Monat fielen 13 Streiktage.

[9] Generalia zur Demobilmachung in Südbayern s. StAM, AR 3961/39; Antrag der Oberkohle vom 12. 12. 1918 ebenda, AR 3960/26, ebenda Dr. Streeb/BA WM 5. 3. 1919. An Notstandsarbeiten erwog die Gemeinde noch im November 1919, Straßenarbeiten der Baugenossenschaft zu subventionieren; auch diese Maßnahme unterblieb: s. ebenda AR 3961/48. Zur »Kohlenlage« insgesamt s. Königsberger, Kurt: Die wirtschaftliche Demobilmachung in Bayern während der Zeit vom Nov. 1918 bis Mai 1919, in: ZBSL 52 (1920), S. 193–216, 201–205.

[10] Zum Vergleich s. Wiel, Paul: Wirtschaftsgeschichte des Ruhrgebietes. Tatsachen und Zahlen. Essen 1970, S. 131.

[11] Bei den Lohnverhandlungen am 25. 5. 1917 (StAM, OBA 599) wurden Überschichtenzuschläge beraten; die Angaben zu den geleisteten Überschichten beziehen sich jedoch leider nur auf einige sehr kleine Arbeiterkategorien.

Penzberg ist man auch während des Krieges bei Schichtzeiten geblieben, die nur leicht über 8 Stunden lagen[12]. Im Januar 1919 wurden genau 8 Stunden, von Februar bis Juni 1919 7 ½ Stunden und seither bis Ende 1922 7 Stunden täglich gearbeitet. Die erhebliche Zahl der Überschichten in den Weltkriegsjahren kommt darin nicht zum Ausdruck, so daß auch der Leistungsrückgang nach Kriegsende, zu dessen Erklärung die Verkürzung der Schichtzeit nicht ausreicht, durch die Abnahme der Überschichten miterklärt werden muß. Sicher hat jedoch der höhere Leistungsdruck in den Kriegsjahren die Unfallziffern um so mehr in die Höhe getrieben, als bergbauunkundige Kriegsgefangene beschäftigt wurden; die Schlagwetterexplosion vom 16. Dezember 1916 etwa mit 25 Verletzten soll durch unter Tage rauchende Kriegsgefangene verursacht worden sein[13].

Auch für die Kriegszeit läßt sich trotz der gewerblichen und lokalen Eingrenzung des Untersuchungsgegenstands kein sicheres Bild der Einkommenssituation und Lebenshaltung Penzberger Bergarbeiterfamilien gewinnen. Durchschnittslöhne liegen allerdings vor:

Tabelle 17
Durchschnittsschichtlöhne im Pechkohlenbergbau, 1913 bis 1920[14]

Zeitpunkt		Gesamt-belegschaft	»eigentliche« (Untertage-)Bergarbeiter
1913		4,09 – 4,13 Mark	4,66 – 4,87 Mark
1914		4,16 – 4,23 Mark	4,55 – 5,41 Mark
1915		3,97 – 4,55 Mark	4,85 – 5,50 Mark
1916		4,78 – 5,12 Mark	5,58 – 6,27 Mark
1917		6,00 – 6,50 Mark	6,84 – 7,71 Mark
1918	I. Quartal	7,33 – 7,67 Mark	8,20 – 9,00 Mark
	II. Quartal	7,30 – 7,86 Mark	8,25 – 9,20 Mark
	III. Quartal	7,94 – 8,43 Mark	8,85 – 9,80 Mark
	IV. Quartal	8,66 – 10,55 Mark	9,84 – 11,74 Mark
1919	Januar	8,17 – 9,03 Mark	9,21 – 11,33 Mark
	Juli	14,84 – 15,77 Mark	16,60 – 18,48 Mark
1920	Januar	22,96 – 24,29 Mark	18,98 – 28,36 Mark
	Juli	31,98 – 34,75 Mark	38,26 – 40,03 Mark
	Dezember	35,00 – 36,68 Mark	40,43 – 42,38 Mark

Nicht erkennbar ist, inwieweit in diese Nettoschichtlöhne die übrigens während des Weltkriegs nach dem Familienstand gegebenen Teuerungszulagen eingegangen sind und ob sie als Barlöhne aus der jährlich ausbezahlten Lohnsumme zurückgerechnet wurden und mithin, dies ist die wahrscheinlichere Berechnungsform, die geleisteten Überschichten enthalten oder die tatsächlich pro Achtstundenschicht gezahlten Löhne zum Ausdruck bringen. Setzt man den Mittelwert der »eigentlichen« Bergarbeiterlöhne für

---
[12] Nach BayHStA, MWi 2380. Nach den Aufstellungen ebenda MWi 2262 änderten sich auch die Arbeitszeiten für Frauen und jugendliche Arbeiter während des Krieges nicht; auch diese Kategorien erhielten 1918/19 die 8-Stunden-Schicht und arbeiteten 1920 zeitweise 7 Stunden, seit Ende 1921 wieder 8 Stunden.
[13] Bericht des OBA München vom 16. 12. 1916: BayHStA, MWi 2243.
[14] Tabelle »Die Kohlenförderung Bayerns«, BayHStA, MWi 2262; dieselben Werte: Die Kohlenwirtschaft, a.a.O. S. 46.

1913 gleich 100, so beläuft sich die Steigerung bis Januar 1919 auf 215, bis Juli 1919 auf 378. Im Ruhrgebiet betrug diese Steigerung bei einem durchschnittlichen Schichtlohn von (1913) 5,36 Mark bis zum Jahresdurchschnittsschichtlohn (1919) von 18,13 Mark 338. Die Ruhrgebietslöhne lagen, auch wenn sie keine vergleichbare Steigerung erfuhren, nach wie vor deutlich über den Löhnen im Pechkohlenrevier, unter denen, wie betont wurde, Penzberg weiterhin die Spitzenstellung behauptete[15].

Ein umrißhaftes Bild über die Ausgabenseite des Bergarbeiterhaushalts erlauben vom Statistischen Büro erhobene Indexziffern über die Preisentwicklung während der ersten Kriegsjahre auf der Grundlage von allerdings nur fünf, wenngleich besonders wichtigen Grundnahrungsmitteln. Sie wurden im folgenden zu den aus der Lohntabelle zu errechnenden Lohnindices in Beziehung gesetzt:

Tabelle 18
Lohn- und Preisindices 1914 bis 1917[16]

Jahr	Preise Bayern	Durchschnittslöhne Pechkohlen- bergbau	Durchschnittslöhne »eigentliche« Bergarbeiter	Preise Preußen
1914	100	100	100	100
1915	131	101	104	136
1916	137	118	119	153
1917	140	149	126	168

Zunächst wird deutlich, daß in Bayern das Preisniveau um etwa 20 Prozent unter jenem Norddeutschlands geblieben ist. Bringt man die Lohn- in Beziehung zur Preisentwicklung, so ergibt sich ein widersprüchliches Bild: 1917 müssen hiernach die Übertage-Arbeiter auf der Einkommensseite ihren Untertage-Kollegen gegenüber, die natürlich nach wie vor in absoluten Zahlen deutlich höhere Löhne bezogen haben, deutlich aufgeholt haben, so daß die Einkommen zwar 1915/16 klar hinter der Preisentwicklung zurückgeblieben sind, 1917 indessen stark verbessert werden konnten.

Die Angaben verleihen auch deshalb wenig Urteilssicherheit, weil es sich um allerdings in zahlreichen Gemeinden erhobene Preise von wenigen Grundnahrungsmitteln für ganz Bayern handelt; regionale Preise sind aus der offiziell geführten Preisstatistik[17] nicht zu entnehmen. Wahrscheinlich deuten die Indexziffern ein zu günstiges Bild an, wenn auch kaum Zweifel darüber bestehen kann, daß der Krieg in Südbayern sozusagen besser überstanden werden konnte als in Norddeutschland, insbesondere in den schlecht versorgten Industriezentren. So wurde, weil die Bevölkerung angesichts der Inflation das Metallgeld zurückbehielt, in Penzberg seit Anfang 1917 Papier-Notgeld in kleinen Einheiten von der Gemeinde ausgegeben, von dem die letzten Scheinchen erst Ende 1920

---

[15] Wie Anm. 14. Die von Bry, Gerhard: Wages in Germany 1871–1945. Princeton 1960, S. 433, für den bayer. Bergbau 1914 und 1918 angegebenen Lohndaten spiegeln ein deutlich günstigeres Bild als die hier zugrundegelegten Zahlen.
[16] Kriegspreise im Norden und Süden des Reichs, in: ZBSL 50 (1918), S. 91f. In den Tendenzaussagen sehr zurückhaltend ist Patschoky, Franz: Untersuchungen über die Lebenshaltung bayerischer Familien während des Kriegs, ebenda S. 42–58, 592–626, mit einer Fülle von Einzelangaben, deren Generalisierbarkeit zweifelhaft ist.
[17] Preisstatistiken s. ZBSL 49 (1917), S. 225–375, 501–597; 50 (1918), S. 203–485.

zurückflossen[18]. Ende 1916 erwog die Oberkohle die Einrichtung einer Volksküche nach anderwärtigem Vorbild auf der Grube; Anfang 1917 stellte die Gemeindeverwaltung ähnliche Überlegungen an. Beide Male scheiterte das Vorhaben an »dem Widerstand der Bevölkerung, vor allem an der Arbeiterschaft«, deren Arbeiterausschuß auf der Grube sich energisch, wohl in der Befürchtung einer Einengung des Spielraums in der Lohnpolitik, dagegen ausgesprochen hatte[19]. Deutlicher werden die Engpässe in der Lebenshaltung der Bergarbeiterfamilien indessen in den Beschwerden, Klagen und Eingaben des Arbeiterausschusses der Grube, schließlich in den offensiven Arbeitskampfmaßnahmen der Arbeiterschaft in der Kriegszeit.

Der gewerkschaftliche Burgfrieden ist mindestens in den ersten beiden Kriegsjahren auch von den Penzberger Bergleuten akzeptiert worden. Man verzichtete nicht auf Belegschaftsversammlungen und die Formulierung von Forderungen, aber die bisherigen Einrichtungen der Konfliktregelung rückten doch in den Vordergrund. Arbeiterausschuß und Berggewerbegericht wurden während des Krieges, wie sich bereits in der Vorkriegszeit abgezeichnet hatte, die entscheidenden Instanzen der Konfliktregelung.

Das Berggewerbegericht ist während der Kriegsjahre noch seltener als in der Vorkriegszeit, dafür aber in einigen zentralen Streitfällen angerufen worden[20]. Eine erste Eingabe um Lohnerhöhung haben die Penzberger Bergleute schon im Januar 1915 vorgelegt; über das Resultat dieser Lohnbewegung ist nichts bekannt[21]. Im Sommer 1915 standen knappschaftliche Reibereien im Vordergrund: Um die Abberufung eines ungeliebten Knappschaftsarztes und eines Krankenpflegers zu erzwingen, bemühte eine Belegschaftsversammlung am 29. August 1915 den Arbeiterausschuß, dieser den Bezirksleiter des Alten Verbands, Andreas Kaiser in Hausham, dieser wiederum das Bezirksamt Weilheim, dessen Vertreter auch Einigungsverhandlungen mit der Grubenleitung und dem Arbeiterausschuß aufnahm. Bereits jetzt drohte die Belegschaft, so ihre Resolution, im Falle der Nichterfüllung der Forderungen mit der Einschaltung des Bergamts und des Generalkommandos und im Falle des Scheiterns auch dieser Bemühungen mit einem Streik – eine Drohung, die der gewerkschaftliche Bezirksleiter mit der »Erregung und Verbitterung« der Belegschaft in dieser Frage zu erklären suchte. Indessen –

»der Plan von der Niederlegung der Arbeit, wenn den Beschwerden nicht abgeholfen wird, ist des öfteren in den Belegschaftsversammlungen aufgetaucht, und ich muß gestehen, daß es mich große Mühe gekostet ha[t], die Leute von ihrem Vorhaben abzubringen. Jedesmal habe ich wieder auf das Beschwerderecht hingewiesen, um die Erregung zu beseitigen; wenn aber die Arbeiter sehen müssen, daß ihre Beschwerden ignoriert werden, dann kann man es verstehen, wenn solche Beschlüsse zustande kommen, und ich zweifle keinesfalls daran, daß sie zur Ausführung kommen«[22].

---

[18] S. StAM, AR 3960/37, über Notgeldausgabe im Krs. Weilheim (außer Penzberg noch Weilheim und Unterpeißenberg); BM Penzberg/BA WM 5. 4. 1917 ebenda; s. auch: Winkler, Albert (Bearb.): Denkschrift über die Tätigkeit des Stadtrates der Industriestadt Penzberg 1919–1924. Penzberg o. J. [1924], S. 8.
[19] StAM AR 3962/53, BM/BA 25. 11. 1916 u. 20. 9. 1917 (Zitat).
[20] Statistik der Anrufungen s. BayHStA, MWi 2270. Die höchste Zahl der Anrufungen während des Krieges wurde mit 9 im Jahre 1917 verzeichnet. S. auch: Die gewerbe- und Kaufmannsgerichte in Bayern 1914 mit 1918, in: ZfSL 52 (1920), S. 350–361, zum Berggewerbegericht S. 356f.
[21] Nach dem Protokoll der Sitzung des Einigungsamtes am 27. 9. 1916 (StAM, Bergamt München 598), wo auf diese Eingabe knapp verwiesen wird.
[22] StAM LRA 3915, Bezirksleiter Kaiser/BA WM 31. 8. 1915.

Auch in dieser Sache ist der Erfolg der Bemühungen nicht erkennbar. Knappschaftliche Angelegenheiten bildeten jedoch nach wie vor einen besonderen Gegenstand von Reibereien. Darüber hinaus lag den Penzberger Bergarbeitern, nach den Worten ihres gewerkschaftlichen Vertreters, der Streik auch unter den Kriegsbedingungen nicht fern. Im Herbst 1916 kam angesichts der nunmehr zunehmenden Preissteigerungen eine erneute Lohnbewegung bis vor das Berggewerbegericht. Die Verhandlung wurde diesmal jedoch abgesagt, weil es Regierungsvertretern gelungen war, den Generaldirektor der Oberkohle, Weithofer, an sein bereits zurückliegendes Versprechen zu erinnern, daß die Einkünfte aus einer neuerlichen Kohlenpreiserhöhung allein der Verbesserung der Lage der Bergarbeiter dienen sollten. Weithofer stimmte den Lohnforderungen daher in voller Höhe zu. Nur über die geltenden Gedinge wollte er nicht in Verhandlungen treten. Eine Belegschaftsversammlung am 5. November 1916 billigte das Ergebnis[23].

Wenige Monate später waren die Klagen der Belegschaft vor allem über die schlechte Qualität der Lebensmittel erneut bis zum Streikbeschluß gediehen[24]. Die Sache kam auch diesmal nicht vor dem Berggewerbegericht zur Verhandlung, sondern wurde auf Initiative des Staatsministeriums des kgl. Hauses und des Äußeren unter der Leitung des Oberbergrats Spary zwischen den beteiligten Gruben – diesmal hatte sich die Lohnbewegung auch nach Peißenberg und Hausham ausgedehnt – und deren Leitungen sowie Arbeitervertretern beraten. Auch das Kriegsministerium entsandte zwei Vertreter zu den Verhandlungen. Die wesentlichen Forderungen lauteten auf kräftige Lohnerhöhung für die wichtigsten Arbeiterkategorien, auf Feiertags- und Überschichtenzuschläge von 50 bzw. 30 Prozent sowie auf Einführung von Mindestlöhnen für die Gedingearbeiter[25]. Hierbei wurden besonders die großen Differenzen zwischen den Gedingen beklagt; auch kam heraus, daß die Zechen in ihrer offiziellen Lohnstatistik die geleisteten Überschichten in den Schichtlohn einzurechnen pflegten. Vor allem in Penzberg war, wie der Vertreter des Arbeiterausschusses Xaver Himmelstoß betonte, die Praxis eingerissen, die Gedinge stets sehr niedrig zu normieren und gegebenenfalls gleichsam als Gnadenakt der Zeche dem Hauer am Ende des Monats bei allzu geringem Einkommen beispielsweise infolge schlechter Gebirgsverhältnisse eine nicht unerhebliche Zulage zu gewähren, ohne jedoch das Gedinge für den nächsten Monat entsprechend zu erhöhen: »Der größte Teil der Arbeiter ist auf Gnade und Barmherzigkeit der Werksleitung angewiesen«. Vor allem Ingenieur Stinglwagner war in Penzberg ungelitten. Ihm drohte Himmelstoß coram publico eine Belegschaftsversammlung mit entsprechenden Beschlüssen an, falls er sich weiter in der Art »arbeit's mehr und reißt eure Fozen nicht so auf« verhalte.

Von den Stellungnahmen der Arbeitgeberseite ist bemerkenswert, daß Janota aus Hausham die Einschaltung des Berggewerbegerichts als »richtige Instanz« für angemessen hielt. In diesem Punkt wird ein grundsätzlicher Unterschied zu gleichzeitigen Vorgängen im Ruhrgebiet erkennbar, wo Berggewerbegerichte zwar bestanden, aber von Arbeitgeberseite als Einigungsämter weithin ignoriert wurden. In Südbayern

---

[23] StAM, Bergamt München 598, m. versch. Berichten.
[24] Zu dieser Lohnbewegung s. StAM, Bergamt München 599. Ob tatsächlich gestreikt wurde, ist leider nicht erkennbar; vgl. Anm. 31.
[25] Vgl. ebenda, Protokoll der Verhandlung vom 25. 5. 1917; im folgenden nach diesem Protokoll. Zur Forderung nach Mindestlöhnen s. auch MP 205/4. 9. 1917 sowie BayHStA, MWi 2261.

wußten beide Seiten inzwischen die Wirksamkeit dieser Einrichtung zu schätzen, was nicht zuletzt auf die ausgleichenden, besonders bei den Arbeitern anerkannten Bemühungen des Oberbergrats Spary zurückzuführen sein dürfte. Tatkräftig wahrgenommene Schlichtungsbemühungen seitens der Bergbehörden, wie sie schon in der Vorkriegszeit von Erfolg gekrönt gewesen waren, wurden im kleinen oberbayerischen Kohlenrevier rascher anerkannt als im Ruhrgebiet, wo ein mächtiger Bergbauverein und Arbeitgeberverband jegliche Verhandlungen unterband.

Ein Kompromiß zwischen den Werks- und Arbeitervertretern kam zwar zustande, wurde jedoch von Belegschaftsversammlungen sowohl in Penzberg als auch in Hausham Anfang Juli 1917 abgelehnt. Man bestand auf Mindestlöhnen. Dennoch haben die Grubenleitungen die sich anbahnende Zuspitzung offenbar durch deutliche Erhöhung der Teuerungszulagen abfangen können. Gerade diese Praxis, widerrufbare Teuerungszulagen zu gewähren, anstatt die Löhne durchgängig zu erhöhen, stieß jedoch mit Recht auf den Widerspruch der Belegschaften, da damit keine Rechtsansprüche begründet, die Arbeiter vielmehr zunehmend dem Wohlverhalten der Grubenleitungen ausgeliefert wurden. Was man anstrebte, waren Mindestlohngarantien in Form von Tarifverträgen. Gerade hierin erwiesen sich die Arbeitgeber als besonders spröde, wenn auch tatsächlich die beidseitige Anerkennung von Verhandlungsergebnissen, wie sie bereits wiederholt praktiziert war, den Charakter tarifvertraglicher Regelungen trug.

Neue Forderungen kamen schon im November 1917 in Penzberg auf und wurden durch den Arbeiterausschuß vorgetragen. Diesmal kam eine Einigung Anfang Februar 1918 vor dem Berggewerbegericht zustande und wurde von beiden Seiten akzeptiert. Bei den Verhandlungen hatte Himmelstoß erklärt, die Bergleute hätten

»bisher mit allem zurückgehalten und nur für das Leben den verdienten Lohn ausgegeben. Jetzt ist kein Schuhwerk und keine Kleidung mehr vorhanden, und es geht einfach nicht mehr ... Der Arbeiterausschuß lehnt jede Verantwortung ab, wenn die gestellten Lohnforderungen nicht erfüllt werden, er ist der Belegschaft gegenüber machtlos. Die Belegschaft wartet nicht länger. Wenn nicht in ganz kurzer Zeit eine Entscheidung getroffen wird, kann der Arbeiterausschuß für nichts garantieren«[26].

Auch hier wird deutlich, daß die bergmännischen Lebenshaltungen inzwischen ausweglos in die Enge geraten waren. Eine Penzberger Belegschaftsversammlung am 30. Januar 1918 erklärte,

»daß die Grenze des Möglichen in bezug auf die Lebenshaltung bereits überschritten ist ... In Anbetracht des bekannten Verschleppungs-Modus von seiten der Werksherren und der ohnedies den Verhältnissen entsprechenden minimalen Forderung besteht die Versammlung auf deren restloser Durchführung«[27].

Tatsächlich hatte es während der Kriegsjahre jedesmal mehrere Monate gedauert, bis die Arbeitgeberseite ihre Zustimmung zu Verhandlungen erklärte. Man hatte damit Spielraum gewonnen. Manches Mal dürften die Arbeiterforderungen durch die dann gewährten, aufgrund der inflationären Entwicklung auch notwendigen Teuerungszulagen überholt und damit kompromittiert worden sein. Das Ergebnis vom 6. Februar 1918

---

[26] StAM, Bergamt München 600, Protokoll der Verhandlungen des Berggewerbegerichts als Einigungsamt 29. 1. 1918.
[27] Ebenda, Resolution der Belegschaftsversammlung vom 30. 1. 1918.

führte dennoch ein Stück weiter: Hier wurden bereits neue Verhandlungen zu einem bestimmten Termin ins Auge gefaßt, falls die Entwicklung der Lebenshaltungskosten dies erforderlich erscheinen lassen würde. Zugleich wurden Lohnerhöhungen als Bestandteile des Lohns, nicht als Teuerungszulagen ausgemacht, ohne die Weiterzahlung der letzteren zu beeinträchtigen. Die neue Regelung wurde eindeutig als Mindestlohnregelung begriffen. Die oberbayerischen Belegschaften und Arbeitgeber waren vom Tarifvertrag nicht mehr weit entfernt.

Erneute Verhandlungen fanden dann, diesmal im Kriegsministerium, im August 1918 statt[28]. Diese Instanz war von Arbeiterseite angerufen worden, um endlich die gewohnten Verzögerungen in der Behandlung von Lohnforderungen zu vermeiden. Das Verfahren war nicht ungeschickt, wie der wiederum verhandlungsleitende Spary protokollierte:

»Unterdessen ersuchte mich Major Zacherl [in einer Verhandlungsunterbrechung], mich zu den Werksvertretern zu begeben und auf sie einzuwirken, daß sie die Arbeiterforderungen bewilligen. Er erklärte, die Lage sei derart, daß mit allen Mitteln jeder Unruhe vorgebeugt werden müsse. Er ließ keinen Zweifel darüber, daß sonst die Militärbehörde zu Gunsten der Arbeiter entscheiden würde«.

Nach verschiedenen internen Besprechungen zwischen Vertretern des Kriegsamts und der Arbeitgeber erklärte der Bevollmächtigte der letzteren sein Einverständnis mit der vorher leicht ermäßigten Arbeiterforderung: »Verantwortung für die Folgen, welche die Verbraucher dadurch erhielten, müsse er allerdings ablehnen«. Auch hier also durchaus ein Erfolg der Arbeiterseite – freilich deutlich unter dem Druck der Militärbehörden und wohl auch der militärischen Entwicklungen der Augusttage 1918.

Überblickt man die während der Kriegsjahre infolge von Lohnstreitigkeiten anberaumten Verhandlungen und deren Erfolge, so fällt zunächst auf, daß in dieser Zeit der sozialdemokratische Bergarbeiterverband und der christliche Gewerkverein der Bergarbeiter geschlossen agierten. Hierzu hatte der Burgfrieden gedrängt: Die christlichen Gewerkschafter sahen sich in ihrer Skepsis gegenüber Streikaktionen durch die Bedingungen des Weltkrieges bestätigt, die freien Gewerkschafter respektierten auch in Südbayern das Streikverbot. Beide Gruppen bedienten sich der vorhandenen, bereits erprobten Wege der Konfliktregelung vor der Schwelle des Streiks: des Eingaben- und Petitionswesens, der Anrufung der vorhandenen und der Erschließung neuer Instanzen der Konfliktregelung, wie sie sich unter den Weltkriegsbedingungen anboten. Grundlage dieser Konfliktregelung war zunächst die Organisation der Kontrahenten überhaupt, in einem weiteren Sinn jedoch jene eigentümliche Mischform, die sich in den oberbayerischen Pechkohlengruben insbesondere Haushams und Penzbergs ausgeprägt hatte: auf der einen Seite eine ausgeprägte Versammlungsdemokratie, deren Kontinuität in Penzberg jedenfalls bereits in den ersten Monaten nach Kriegsausbruch wieder aufgenommen wurde, und die auf dieser Grundlage und mit solcher Legitimation agierenden Arbeiterausschüsse; auf der anderen Seite die repräsentative Gewerkschaftsdemokratie. Es ist dabei kennzeichnend, daß von den Ortsausschüssen der Bergarbeitergewerkschaften in den aktuellen Konflikten nicht die Rede ist. Handlungsfähig war in

---

[28] Ebenda, Protokoll der Verhandlungen vom 17. 8. 1918; Zitate im folgenden aus diesem Protokoll.

erster Linie der Arbeiterausschuß, der seine Handlungsvollmacht auch bis zur Einigung behielt. Die Gewerkschaften leisteten in den Einigungsverhandlungen Argumentationshilfe; in der Phase der Konfliktartikulation und Bevollmächtigung, auf der Ebene der Versammlungen also, bestand ihre wesentliche Funktion in der Gewährleistung gesetzlicher, d. h. den Kriegsumständen entsprechender Formen der Konfliktregelung, darüber hinaus in der Rückenstärkung durch die Organisationsmacht. Denn ohne flächendeckende Organisation – leider sind über den Organisationsgrad keine Zahlen überliefert, doch wird man nicht fehlgehen, die Penzberger Bergleute schon vor 1914 als mindestens zur Hälfte, wenn nicht zu drei Vierteln organisiert zu vermuten – keine Anerkennung von Vertretungsvollmachten, wie sie faktisch im Weltkrieg endgültig durchgesetzt wurden. Übrigens hat das Hilfsdienstgesetz[29] Ende 1916 für den Bergbau im wesentlichen nur Formen der Konfliktregelung bestätigt, die in Südbayern seit der bayerischen Berggesetznovelle von 1900 mit zunehmendem Erfolg praktiziert wurden.

Das Hilfsdienstgesetz hatte auch die Kompetenzen der mit Kriegsausbruch in eine besonders bedeutsame Rolle hineingewachsenen Gewerbegerichte erweitert. Daß auch die Arbeitgeber das Berggewerbegericht für die in Konfliktfällen nunmehr angemessene Instanz hielten, erklärte sich jedoch in erster Linie aus der andernfalls drohenden Intervention von Regierungs- und Militärbehörden. Dennoch blieb Mißtrauen zurück. Wenn überhaupt, so heißt es in einem Rückblick auf die Arbeit des Münchener Gewerbegerichts während des Krieges[30],

> »die streitenden Parteien sich einigen sollten, so waren die Einigungsämter naturgemäß in der Regel gezwungen, auf eine angemessene Lohnerhöhung unter Ablehnung übertriebener Forderungen der Arbeiter zu drängen. Daß diese sich aus der wirtschaftlichen Lage ganz von selbst ergebende Mission der Gewerbegerichte nicht ganz geeignet sein konnte, ihnen die besonderen Sympathien der zahlreichen Arbeitgeberschaft zu erwerben, dürfte man leicht einsehen. Der Unmut erstreckte sich selbstverständlich auch gegen die Vermittler ...
>
> [Deshalb] werden die Einigungsämter der Gewerbegerichte als soziale Stützpunkte bei einem Teil der Arbeitgeberschaft großem Mißtrauen begegnen, obschon gerade hinsichtlich der einigungsamtlichen Tätigkeit sich in manchen Arbeitgeberkreisen die Tendenz vollzogen hat, Tarifverträge nur unter Mitwirkung der Gewerbegerichte abzuschließen«.

Diese Einschätzung trifft gerade auf das Münchener Berggewerbegericht zu: Faktisch war der Arbeiterseite mit der vertraglichen Festlegung von Mindestlöhnen, die rechtsinhaltlich die bisherigen Verhandlungen über Lohnerhöhungen in den einzelnen Arbeiterkategorien bei weitem in den Schatten stellten, der Durchbruch zum verbindlichen Tarifvertrag gelungen, auch wenn man das Ergebnis, vielleicht um die Gegenseite zu schonen, einstweilen nicht so bezeichnete. Das Berggewerbegericht München hat den Weg zu diesem Gewerkschaftserfolg geebnet, mithin der Arbeiterseite in langjährigen Forderungen Schützenhilfe geleistet. Diese Entwicklung ist grundverschieden von jener im Ruhrgebiet. Man wird für diese Verschiedenheit zunächst den geringeren Einfluß der bayerischen Bergbaulobby, schon aufgrund ihres geringeren volkswirtschaftlichen

---

[29] Vgl. statt zahlreicher Hinweise: Feldman, Gerald D.: Army, Industry and Labor in Germany 1914–1918. Princeton 1966.
[30] Weinauer, Rudolf: Die Tätigkeit des Münchener Gewerbegerichtes während des Krieges, in: ZBSL 52 (1920), S. 362–390, 366; s. auch Anm. 20.

Gewichts, in der bayerischen Wirtschaft und Gesellschaft, darüber hinaus aber die schon für die Vorkriegszeit erkennbaren Tendenzen zur Zurückhaltung und zum Rückzug staatlicher Stellen auf die Position der Neutralität verantwortlich machen müssen.

Daß in Penzberg Streiks im Krieg vermieden werden konnten[31], war auch eine Folge der wohl eindeutig besseren sozialen Lage der bayerischen Arbeiterschaft im Vergleich zu norddeutschen Industrielandschaften. Gewerkschaftliche Organisationen funktionieren besser, wenn Grundbedürfnisse alltäglicher Lebensführung einigermaßen sichergestellt sind. Gleichwohl war in der Penzberger Belegschaft erheblicher Streikwille vorhanden, der insbesondere durch die funktionierende Belegschafts- und Versammlungsdemokratie unter Flankenschutz durch die Verbände kanalisiert werden konnte. Im letzten Kriegsjahr hat sich dabei auch in Penzberg mit der Versorgungslage die Konfliktsituation erheblich zugespitzt. Der Tonfall der Belegschaftsvertreter wurde bitter. Dabei sind die schon vor Kriegsausbruch in Penzberg ausgebildeten klassengesellschaftlichen Gegensätze mit ihren gemeindepolitischen Sonderprägungen (Rolle der Bauern, des Mittelstands, der Kirche) während der Kriegsjahre nicht strukturell[32], wohl aber dispositionell verschärft worden. Denn ein stärkeres Maß an klassengesellschaftlicher Dichotomisierung, als es in der Gemeinde bereits vor 1914 erreicht worden war, ist trotz der oben erwähnten Einschränkungen schwer vorstellbar; die zukünftige Entwicklung würde unvermeidlich eine stärkere, wenn auch unter dem Einfluß der allgegenwärtigen Zeche begrenzte Differenzierung mittelständischer Erwerbsmöglichkeit bringen. Die monoindustrielle Erwerbsstruktur hatte in Penzberg klassengesellschaftliche Verhältnisse stark hervortreten lassen – anders als in den seit ihren Anfängen weit stärker aufgrund der Erwerbsstruktur und des Schichtungsbilds diversifizierten Gesellschaften der großen Industrieregionen, in denen sich der meist bereits traditionell verwurzelte Mittelstand nach einer Schwächephase in den Aufbaujahren der Schwerindustrie stabilisieren und unter dem Einfluß differenzierter Folgegewerbe der »Leitindustrien« stärken konnte[33].

Dispositionell hatte hingegen der grundlegende Interessenkonflikt auch in Penzberg infolge der langjährigen Kriegsermüdung, der Verschlechterung der Daseinsbedingungen, vielleicht auch der Zerrüttung familiärer Verhältnisse durch zahlreiche Einberufungen eine Verschärfung erfahren. Darin dürfte die Vorenthaltung des Streikinstruments angesichts funktionierender, wenngleich unvollkommener und verzögerter Konfliktregelung und einer ungestörten Willensbildung von den Belegschaften bis in die Verhandlungsgremien allerdings eine im Vergleich zu den großen Industrielandschaften, wo gerade das Streikverbot seit 1917 umfangreiche Massenaktionen gefördert und die

---

[31] Die amtliche Statistik »Streiks und Aussperrungen in Bayern in den Jahren 1917, 1918 und 1919«, in: ZBSL 53 (1921), S. 139–143, verzeichnet 1917 3 (2659 Beteiligte), 1918 keine und 1919 9 (2842 Beteiligte) Streiks im gesamtbayerischen Bergbau.

[32] So argumentiert Kocka, Jürgen: Klassengesellschaft im Krieg. Deutsche Sozialgeschichte 1914–1918, 2. Aufl., Göttingen 1978.

[33] Industrieregional hinreichend differenzierte Gewerbestruktur-Vergleiche fehlen leider bisher; vgl. für das Ruhrgebiet Tenfelde, Klaus: Sozialgeschichte der Bergarbeiterschaft an der Ruhr im 19. Jahrhundert. Bonn-Bad Godesberg 1977, S. 604–607, mit dem Nachweis, daß die bergbaulich-schwerindustrielle Prägung der Kernkreise des Ruhrgebiets bereits nach 1875 relativ abgenommen hat.

Ohnmacht der Gewerkschaftsfunktionäre offenbart hatte[34], geringere Rolle gespielt haben. Die Zweigleisigkeit bergmännischer Interessenvertretung zwischen Belegschafts- und Verbandsdemokratie war in Penzberg während des Weltkriegs versöhnt geblieben. Diese Versöhntheit ist auch während der Revolutionsmonate, wiederum abweichend von anderen Großstädten und Industrierevieren[35], nicht aufgebrochen worden: Die, wenn man so will, »klassische« Sozialdemokratie mit ihren alten Arbeiterführern behielt das Sagen. Hierfür waren vorrangig zwei Faktoren entscheidend: zum einen die bereits erwähnte rasche »Erledigung« der Demobilmachungsprobleme durch Wiedereingliederung der zurückkehrenden Bergleute und weit darüber hinausgehende Expansion des Bergwerks, zum anderen die äußerlich jedermann in dem kleinen Ort gegenwärtige, vollständige Befriedigung des Macht- und Emanzipationsstrebens auf der bereits vor dem Krieg stark umkämpften kommunalen Ebene.

Die Arbeiterführer der Vorkriegszeit behielten in Penzberg auch während der Monate revolutionärer Gärung 1918/19 eindeutig die Oberhand, aber die künftige Spaltung der Arbeiterbewegung – eine Ortsgruppe der Unabhängigen Sozialdemokratischen Partei Deutschlands (USPD) ist während des Krieges nicht gegründet worden – zeichnete sich bereits ab. Die Penzberger Bergleute haben große Hoffnungen an die Revolution in München geknüpft. Daß diese Hoffnungen nicht erfüllt wurden, hat den Spaltungsprozeß dann wesentlich beschleunigt und die Autorität der Mehrheitssozialdemokratie im Ort auf die Dauer untergraben.

Die Ereignisse an der Peripherie sind durch die hauptstädtischen Entwicklungen entscheidend in Gang gebracht und beeinflußt worden[36]. Nachdem sich am 8. November 1918 in München der Arbeiter-, Soldaten- und Bauernrat unter Eisner konstituiert und einen Tag später zum »Ersten Parlament der bayerischen Republik« umgebildet hatte, entstand ein »Volksrat« in Penzberg aufgrund eines einstimmigen Votums einer großen Volksversammlung am 10. November. Er trat am 16. November mit einem von Pfalzgraf

---

[34] Die klassische Untersuchung stammt von Feldman, Gerald D. u. a.: Die Massenbewegungen der Arbeiterschaft in Deutschland am Ende des Ersten Weltkrieges (1917–1920), in: Politische Vierteljahrsschrift 13 (1972), S. 84–105; für das Ruhrgebiet s. nach der Streikstudie von Peter von Oertzen an neuerer Literatur u. a. Lucas, Erhard Ursachen und Verlauf der Bergarbeiterbewegung in Hamborn und im westlichen Ruhrgebiet 1918/19. Zum Syndikalismus in der Novemberrevolution, in: Duisburger Forschungen 15 (1971), S. 1–119, sowie Anm. 35. Studien zu anderen Industrielandschaften fehlen weitgehend.
[35] Vgl. bes. Rürup, Reinhard (Hrsg.): Arbeiter- und Soldatenräte im rheinisch-westfälischen Industriegebiet. Studien zur Geschichte der Revolution 1918/19. Wuppertal 1975, mit Beiträgen bes. von Irmgard Steinisch über Mülheim und von Inge Marßolek über Dortmund.
[36] Vgl. Mitchell, Alan: Revolution in Bavaria 1918/19. Die Eisner-Regierung und die Räterepublik. München 1967; Bosl, Karl (Hrsg.): Bayern im Umbruch. Die Revolution von 1918, ihre Voraussetzungen, ihr Verlauf und ihre Folgen. München/Wien 1969, darin bes. die Beiträge von Kritzer, Peter: Die SPD in der bayerischen Revolution von 1918, S. 427–452; Hillmayr, Heinrich: München und die Revolution von 1918/19. Ein Beitrag zur Strukturanalyse von München am Ende des Ersten Weltkrieges und seiner Funktion bei Entstehung und Ablauf der Revolution, S. 453–504; ferner: Schwarz, Albert: Die Zeit von 1918–1933. Erster Teil: Der Sturz der Monarchie. Revolution und Rätezeit. Die Einrichtung des Freistaates (1918–1920), in: Spindler, Max (Hrsg.): Handbuch der bayerischen Geschichte, Bd. 4: Das neue Bayern 1800–1970, 1. Teilbd., München 1974, S. 386–452, mit der zentralen Literatur. Zum Folgenden s. auch Kapsberger, Alois: Chronik des Sozialdemokratischen Vereins, Ortsgruppe Penzberg, o. O. o. J. [Penzberg 1931], S. 14–17, S. 17: »Penzberg wurde von München aus ständig dirigiert, telegraphisch und telephonisch bedient, die Presse vollkommen von dort auf dem Laufenden gehalten«. Knappe Schilderung aus NS-Sicht: Klein, [Karl]: Die Entwicklung der Grube Penzberg innerhalb der letzten 30 Jahre, o. O. o. J. [Penzberg 1938], Kopie StaP, S. 42f.

gezeichneten Aufruf für Ruhe und Ordnung im Ort an die Öffentlichkeit[37], widersprach wenige Tage später allen Gerüchten, daß die Penzberger Geschäftsleute die so dringend benötigten Lebensmittel gehortet hätten[38] und veranstaltete am 20. November eine öffentliche Versammlung, in der es um die Elektrizitätsversorgung der Penzberger Einwohner ging[39]. Fortan veröffentlichten der Gemeindeausschuß und der Volksrat alle weiteren Bekanntmachungen gemeinsam. Eine Bekanntmachung des Volksrats vom 23. November kennzeichnet seine grundsätzlichen Anliegen[40]:

»I. Der hier mit Zustimmung des am 10. November 1918 versammelten Volkes einstimmig anerkannte Volksrat ist eine zur Aufrechterhaltung der Ruhe und Ordnung für die Übergangszeit geschaffene zeitliche Institution, die von der provisorischen Regierung mit dem Recht der Überwachung aller öffentlichen Einrichtungen ausgestattet ist. Der Volksrat steht also auf dem Boden der gegebenen Tatsachen und vereinigt alle Stände, Arbeiter, Bürger, Bauern, Beamte. Aufgabe des Volksrates wird es sein, neben Aufrechterhaltung von Ruhe und Ordnung, Einführung notwendiger gemeindlicher Einrichtungen zu beantragen, dem gefährlichsten Hemmnis aller staatserhaltenden Kräfte, dem Konfessions- und Klassenfanatismus entgegenzutreten. Der Volksrat beansprucht nicht das Recht, für immer endgültige Form des Volkswillens zu sein. Doch ist er bis zur endgültigen Klärung der Lage durch die Nationalversammlung ehrlich und unzweideutig bestrebt, die neue Regierung kräftig zu unterstützen.

II. Bei der am 10. November 1918 an der republikanischen Feier in Penzberg gehaltenen Rede eines Mitgliedes des hiesigen Volksrates ist eine Wendung bez. des bisherigen Schulunterrichtes mißgedeutet worden. Wir erklären hiermit, daß es fernlag, die Resultate der bisherigen Erziehung und des Unterrichtes zu kritisieren. Die geleistete Arbeit aller Erziehungsberechtigten anerkennen wir ganz und voll, fügen aber wie dort, heute in klareren Worten hinzu, daß eine Neuorganisation der Volksschule unbedingt notwendig ist.

III. Wir ermahnen die Jugend auf das eindringlichste, den Anweisungen der Vorgesetzten Folge zu leisten. Die öffentlichen Erziehungsberechtigten aber ersuchen wir, in dieser Zeit straffe Disziplin aufrechtzuerhalten. Der Schulbesuch darf ohne dringenden Grund nicht unterbrochen werden. Dispens muß von der bisherigen Lokalschulinspektion erholt werden. Zur Schulsitzung Geladene haben der Aufforderung nachzukommen.

Penzberg, den 22. November 1918.
Der Penzberger Volksrat.
Vorsitzender: Pfalzgraf.
Außenhofer Thomas, Boos Mich., Freisl, Höck, Krinner, Maier Peter, Mark, Rummer, Winkler, Zimmermann«.

Man hatte sich in Penzberg, anders als in der Hauptstadt, auf sozialdemokratischer Seite erfolgreich bemüht, zusammen mit bürgerlichen Kräften im schon durch seinen Namen kennzeichnenden »Volksrat« ein revolutionäres Ordnungsorgan zu schaffen, in dem alle politischen Richtungen in der Einwohnerschaft gleichermaßen vertreten waren. Es hatte bei dieser durch den amtierenden Bürgermeister Höck mitgetragenen Aktion keinerlei Tumulte und Schäden an öffentlichen oder privaten Einrichtungen gegeben[41]. Das revolutionäre Führungsorgan und der Gemeindeausschuß behielten die Entwick-

---

[37] PA 133/16. 11. 1918.
[38] PA 134/19. 11. 1918.
[39] PA 134/19. 11. 1918.
[40] PA 136/23. 11. 1918.
[41] Über »Tumultschäden« s. StAM, AR 3960/25. Danach forderte die Revolution im Landkreis drei Tote, und zwar in Weilheim aufgrund eines Zwischenfalls mit dem Militär. Aus Penzberg wurde einzig der Verlust von 600 Mark durch den Frauenfürsorgeverein gemeldet, dessen Wäsche von einem großzügigen Volksvertreter verschenkt worden war.

lung in der Hand, auch wenn mit Sicherheit besonders im Bergwerk Übergriffe der Bevölkerung befürchtet wurden. Die Bestrebungen der im Volksrat dominierenden sozialdemokratischen Führer zielten vielmehr auf zweierlei: zunächst auf Befriedigung der unmittelbaren Lebensbedürfnisse der Einwohnerschaft und der Interessen der Bergarbeiterschaft bis hin zur in diesen Tagen im Ort wohl allgemein erwarteten Sozialisierung des Bergwerks, ferner dann auf eine Absicherung des sozialdemokratischen Einflusses in den Organen einer legalen Kommunalverwaltung.

Die Bergarbeiterinteressen wurden teils koordiniert durch Beauftragte der Belegschaften im gesamten oberbayerischen Pechkohlenrevier, teils gesondert durch Penzberger Belegschaftsvertreter wahrgenommen. Eine Delegation aus Verbands- und Belegschaftsvertretern aller Gruben reiste bereits am 25. November nach München, um bei Hans Unterleitner, dem zuständigen USPD-Minister für soziale Angelegenheiten in der Revolutionsregierung, die Wünsche der Bergleute vorzutragen: Die Arbeiter seien wegen der schlechten Ernährung sehr abgespannt, hieß es; sie forderten daher eine Verkürzung der Arbeitszeit, würden freilich statt dessen auch eine Lohnerhöhung akzeptieren[42]. Schließlich forderte man, wie bereits während des Weltkrieges, eine Reform des Ausbildungssystems beim oberbayerischen Bergbau. Tatsächlich war der hier vorgesehene Aufstieg zum Hauer ein dornenreicher Weg: Üblich war auf manchen Gruben sogar eine zwölfjährige »Lehrzeit«, während derer man vom Pferdejungen, vom Schlepper in verschiedenen Graden über den Lehrhauer zum Hauer aufstieg. In Penzberg wurde acht Jahre »gelernt«, davon vier Jahre als Schlepper (7/10 des Vollhauerlohns), drei Jahre als Lehrhauer II. Klasse (8/10) und ein Jahr als Lehrhauer I. Klasse (9/10). Der im Bergbau traditionell fest verwurzelte Aufstieg nach Gesichtspunkten der Anciennität[43], im Ruhrgebiet in diesem Ausmaß niemals gebräuchlich, war in Oberbayern noch ein wirksames Instrument der Statuskontrolle durch die Zechenleitung. Von »Lehrzeit« im modernen Sinn konnte dabei keine Rede sein – die bergmännischen Arbeiten sind nicht so kompliziert, als daß sie nicht durch eine zwei- bis dreijährige Grubenarbeit an verschiedenen Betriebspunkten erlernt würden; theoretisches Wissen nimmt darin wenig Raum ein.

Die oberbayerischen Pechkohlenbergleute forderten nun eine dem Ruhrgebiet angeglichene zweijährige Arbeitszeit als Schlepper, der sich eine einjährige Tätigkeit als Lehrhauer bis zur Beförderung zum Hauer anschließen sollte. Der Gewinn hätte darin bestanden, daß die höchste Schichtlohn- und Gedingebeteiligungsstufe sehr viel früher als bisher erreicht worden wäre. Allerdings konnte dieses Reformziel auch in den folgenden Jahren nicht durchgesetzt werden.

Unterdessen stellte die Zeche in großem Umfang Bergarbeiter ein; allein Anfang Dezember wurde die Neueinstellung von 350 Arbeitskräften angemeldet[44]. Diese Entwicklung haben die Bergleute begrüßt und durch eigene Schritte vorangebracht.

---

[42] BayHStA, MH 13 937, Protokoll vom 25. 11. 1918; zur Ausbildung s. StAM, OBA München 600, Protokoll vom 15. 8. 1918.
[43] Vgl. Tenfelde, Klaus: Bildung und sozialer Aufstieg im Ruhrbergbau vor 1914. Vorläufige Überlegungen, in: Conze Werner und Ulrich Engelhardt (Hrsg.): Arbeiter im Industrialisierungsprozeß. Herkunft, Lage und Verhalten. Stuttgart 1979, S. 465–493.
[44] PA 145/14. 12. 1918.

Noch Ende Dezember wurden Johann Rummer und etwa 50 weitere Bergleute in München mit einem Antrag auf sofortige Steigerung der Kohlenförderung Oberbayerns vorstellig, der vom »Provisorischen Nationalrat des Volksstaates Bayern« auch angenommen wurde[45]. Weniger dauerhaft war der wohl mit einigem Druck von seiten der sozialdemokratischen Bergarbeiterschaft betriebene und bereits im November auf den Widerstand des christlichen Gewerkvereins gestoßene, Ende Februar 1919 jedoch einstimmig gebilligte Übertritt des letzteren in den Alten Verband. Eine Neugründungsversammlung des christlichen Gewerkvereins am 29. Juni 1919 erklärte, man sei seinerzeit nur »der Gewalt gewichen«[46] – inzwischen waren die Schreckenswochen der Münchener Revolutionsherrschaft überstanden, und die bürgerlichen Kräfte im Lande hatten sich stabilisiert. Ansätze zur Neuordnung des Gewerkschaftswesens in Penzberg lassen sich auch neben diesem Versuch zur Überwindung der richtungsgewerkschaftlichen Spaltung feststellen: Am 1. März 1919 entstand unter dem Vorsitz von Rummer das Gewerkschaftskartell Penzberg[47], und auch neue Verbandsgründungen fanden statt, darunter jene des späterhin einflußreichen Verbands der Gemeindebeamten. Ähnlich reorganisierten sich die nichtsozialistischen Parteien schon bald nach den Novembertagen. Am 24. November 1918 gründete sich der zu dieser Zeit noch recht radikale Bayerische Bauernbund (BBB) in Penzberg, und wenig später entstand auf der Grundlage der früheren Zentrumsangehörigen ein Ortsverein der am 12. November in Regensburg gegründeten Bayerischen Volkspartei (BVP).

Der Januar 1919 war Wahlmonat; kein Zweifel, daß sich viele Reformhoffnungen gerade der Penzberger Einwohnerschaft auf Erfolge bei den anstehenden Wahlen zum Landtag am 12. Januar und zur Nationalversammlung am 19. Januar konzentrierten.

Tabelle 19
Wahlen zum Landtag (LT) und zur Nationalversammlung (NV) im Januar 1919[48]

Ort	MSP LT	MSP NV	USP LT	USP NV	BVP LT	BVP NV	BBB LT	BBB NV	DVP LT	DVP NV	andere LT	andere NV
Penzberg	1552	1779	16	2	364	366	85	64	74	68	6	7
Sindelsdorf	139	138	6	0	22	22	218	190	2	6	0	0
Peißenberg	1336	1372		0	448	455	350	289	12	33		0
Weilheim	748	715	11	0	1175	1037	547	561	304	289	1	0
	in %		in %		in %		in %		in %		in %	
Penzberg	73,7	77,8	0,8	0,1	17,3	16,0	4,0	2,8	3,5	3,0	0,3	0,3
Sindelsdorf	35,9	38,8	1,6	0	5,7	6,2	56,3	53,4	0,5	1,7	0	0
Peißenberg	62,3	63,8		0	20,9	21,2	16,3	13,4	0,6	1,5		0
Weilheim	26,4	27,5	0,4	0	41,8	39,9	19,5	21,6	10,8	11,1	0,7	0
Krs. Weilheim	30,7		0,6		35,2		24,1		8,5		0,5	
Oberbayern	35,5		2,7		35,3		12,2		11,8		1,3	

[45] BayHStA, MWi 2261, Antrag vom 30. 12. 1918.
[46] PA 136/1918, 73/1919. In einer Zuschrift dazu (ebenda 74/1919) hieß es: »Wer die ruhige und mustergültige Haltung Penzbergs während der ganzen Revolution, besonders aber während der Räterepublik kennengelernt hat, der wird zugeben, daß zu Unrecht von einem Terror gesprochen wird«.
[47] PA 24/1919, im folgenden nach den November- und Dezemberausgaben 1918 des PA.
[48] Quellen: Für Penzberg, Weilheim, Krs. Weilheim und Oberbayern nach Schick, Emil: Die Landtagswahlen und die Wahlen zur verfassunggebenden Deutschen Nationalversammlung in Bayern im Januar und Februar

Die Stabilität der Stimmenanteile zwischen Landtagswahlen und Wahlen zur Nationalversammlung in den aufgeführten Kreisorten ist bemerkenswert. Abweichungen der Ergebnisse einzelner Parteien dürften ausschließlich auf die Besonderheiten im bayerischen Parteiensystem zurückzuführen sein, die den Bauernbund bei der Nationalversammlung geringfügig schlechter abschneiden ließen. In der Wahlbeteiligung (bei den Landtagswahlen) brachte es Penzberg auf hohe 93,6 Prozent, Weilheim hingegen nur auf 88 Prozent und Oberbayern auf 87,5 Prozent.

Im Vergleich zu den Wahlen im Jahre 1912 haben die Sozialdemokraten im Kreisgebiet wie in Gesamtbayern sehr deutlich, in Penzberg noch leicht zulegen können, und zwar zumeist auf Kosten der Liberalen. Besonders bemerkenswert ist das außerordentlich schlechte Abschneiden der Unabhängigen Sozialdemokraten im Kreis Weilheim, besonders auch in Penzberg selbst. Ihre knappen Prozente in Oberbayern, die ihrem gesamtbayerischen Ergebnis nahekamen[49], sind allein auf ihre Bastion in der Hauptstadt zurückzuführen.

Die hauptstädtischen Ereignisse im Februar 1919 haben die Gemüter in der Provinz bewegt. Seither datierte auch in Penzberg ein Radikalisierungsprozeß in der Arbeiterschaft, der zugleich tiefere, »hausgemachte« Ursachen hatte. Das begann mit der Aufregung, die die Ermordung Eisners und das Attentat auf den in Penzberg hochgeachteten Landtagsabgeordneten Erhard Auer unter den Bergarbeitern verursachten. Die Arbeit auf der Zeche ruhte, die Bergleute schlossen sich dem landesweit angeregten, jedoch nicht überall durchgesetzten dreitägigen Generalstreik vollständig an und veranstalteten eine mächtige Demonstration mit eintausend Teilnehmern, die eine große Abordnung zur Teilnahme an Eisners Beerdigung nach München entsandte. Wenig später beschloß die Ortsverwaltung die Umbenennung der Karlstraße vor dem Rathaus in Kurt-Eisner-Straße[50].

Die dringendsten materiellen Forderungen der Bergarbeiter waren hinsichtlich Arbeitszeit und Löhnen bereits in den Dezemberwochen von den oberbayerischen Grubenverwaltungen gewiß auch in der Befürchtung von Schlimmerem rasch bewilligt worden. Die Lohnbewegungen im Frühjahr 1919 lassen sich nicht mehr eindeutig von der nurmehr allenthalben erhobenen Sozialisierungsforderung trennen. Schon die Eisner-Regierung hatte unter dem 15. November die Sozialisierung des Bergbaus und anderer Rohstoffindustrien zum Programm erhoben[51]. Dies war eine der zahlreichen Forderungen der verschiedenen Revolutionsregierungen, die letztlich »im Stadium der Proklamation stecken« blieben[52], wenn sich auch nachweisen läßt, daß noch in den Wochen der Eisner-Regierung der Entwurf eines »Gesetzes über die Sozialisierung des

---

1919, in: ZBSL 51 (1919), S. 601–960, 865, 874; andere Angaben nach PA 4/1919 u. 7/1919; für Krs. Weilheim u. Oberbayern s. auch: Die Ergebnisse der Landtagswahlen in Bayern am 12. Januar 1919, in: ZBSL 51 (1919), S. 247–25. Die Ergebnisse für die Kreisorte sind lückenhaft; die Gesamtzahl der abgegebenen gültigen Stimmen wurde aus der Summe der für die einzelnen Parteien abgegebenen Stimmen errechnet. Fehlende Angaben kennzeichnen die Lücken. Additionen der Prozentangaben enthalten Rundungsfehler.

[49] Vgl. Thränhardt, Dietrich: Wahlen und politische Strukturen in Bayern 1848–1953. Historisch-soziologische Untersuchung zum Entstehen und zur Neuerrichtung eines Parteiensystems. Düsseldorf 1973, S. 147.

[50] PA 22/ 919 sowie Februar-Nummern der PA. Die Umbenennung muß bald zurückgenommen worden sein. »Inoffiziell« hieß in den 1920er Jahren die Sindelsdorfer Str. Kurt-Eisner-Str.

[51] Vgl. Schwarz, Die Zeit von 1918 bis 1933, a.a.O., S. 409.

[52] Hillmayr, a.a.O., S. 481.

Bergbaues« in Bayern entstand[53], der die Leitungsbefugnis über den Bergbau unter der Beratung durch einen Bergarbeiter- und einen »Fachrat« einem Zentralwirtschaftsamt zuwies. Auch das Oberbergamt legte Ende März 1919 einen eigenen Entwurf eines Sozialisierungsgesetzes für den bayerischen Bergbau vor[54], der auf das »Direktorialprinzip« der älteren Bergordnungen zurückgriff und zugleich, widersprüchlich genug, auf dem Grundsatz der Gleichberechtigung von Kapital und Arbeit beruhte. Am 9. April 1919 tagte schließlich eine Ministerialkommission im Wirtschaftsministerium über diese Frage. Ein Bergrat Schaefer berichtete hier, daß es besonders die Penzberger Bergleute seien, die in Bayern die Bergbausozialisierung verlangten; sie verstünden darunter indessen die »Überführung des Betriebes auf den Staat«, und ihr Motiv sei hauptsächlich, damit Staatsangestellte zu werden. Man habe den Penzberger Bergleuten erklärt, »daß nur gemeinsam mit dem Reich sozialisiert werden könne«[55].

Darin wurden die Grundlinien der Sozialisierungsdiskussion überhaupt, bezogen auf Bayern, deutlich[56]: Obwohl der Bergbau bisher noch allerorten Angelegenheit der Bundesstaaten gewesen war und Ansätze zur Beratung eines Reichsberggesetzes schon in der Vorkriegszeit regelmäßig gescheitert waren, zog man sich nunmehr auf den allerdings durch gewichtige wirtschaftliche Argumente gestützten Grundsatz zurück, daß die Bergbausozialisierung Reichsangelegenheit sei und Bayern hier keinesfalls den Vorreiter spielen dürfe. So nahm man innerhalb der Ministerialbürokratie die ersten Protokolle der Berliner Sozialisierungskommission vom Januar 1919 zur Kenntnis, brachte auch die Beratungen eines vom neugewählten bayerischen Landtag eingesetzten Sozialisierungsausschusses vor und formulierte gar einen eigenen Ministerialentwurf über die Sozialisierung[57], verzichtete jedoch seit etwa April 1919, wohl auch unter dem Eindruck der aufwühlenden Ereignisse in der Landeshauptstadt, angesichts der Beratungen der übergeordneten Gremien in dieser Frage auf weitergehende Maßnahmen. Die seit Anfang Mai gewaltsam restituierte Regierung Hoffmann hielt sich an diese Direktive. Seither galt, was reichsweit in der Sozialisierungsfrage geschah, auch in Bayern und für die bayerische Staatsregierung, die über ihren Reichsratsvertreter in Berlin noch Anfang 1921 regelmäßig über die Fortschritte in der Sozialisierungskommission instruiert wurde – Fortschritte, die dann beraten und verworfen, von den zuständigen

---

[53] Undatierter, handschriftlich korrigierter Entw. in: BayHStA, MH 13915; ebd. Abschrift des Entwurfs als Verordnung, gez. Der Revolutionäre Zentralrat, Unterschrift Toller; vgl. Verordnung über die Sozialisierung des Bergbaues, in: Bayerische Staatszeitung 94/10. 4. 1919, Ausschnitt: BayHStA, MWi 2051. Allem Anschein nach hat diese Verordnung Rechtskraft allein durch revolutionäres Recht, jedoch keine praktischen Auswirkungen erlangt.
[54] Undatierter Entw. d. Oberbergamts: BayHStA, MWi 2051. Annähernde Datierung nach den Begleitakten.
[55] Konferenzprotokoll: BayHStA, MWi 2051.
[56] Eine Darstellung der Sozialisierungspläne und -maßnahmen der bayerischen Revolutionsregierungen vom November 1918 bis April 1919 fehlt m.W. bisher. Vgl. zu neueren Schriften zur reichsweiten Sozialisierungsdiskussion bes.: Schieck, Hans: Der Kampf um die deutsche Wirtschaftspolitik nach dem Novembersturz 1918, phil. Diss. Heidelberg 1958, S. 46ff. für die erste, Wulf, Peter: Die Auseinandersetzungen um die Sozialisierung der Kohle in Deutschland 1920/21, in: VfZ 25 (1977), S. 46–98, für die zweite Phase der Sozialisierungsdiskussion.
[57] Protokolle, Berichte und Niederschriften der Sozialisierungskommission seit Januar 1919 sowie des Landtagsausschusses s. in BayHStA, MWi 2051; ebenda Ministerialentw. Die Folgeakten, insbes. Briefwechsel des Schwandorfer Kommerzienrats Kösters mit dem Staatsminister Hamm über die Sozialisierungsfrage sowie Gutachten der Handelskammern, Berichte des bayerischen Vertreters im Reichsrat sowie Gutachten des OBA München s. BayHStA, MWi 2052, für das Jahr 1920/21.

Instanzen begutachtet und verschleppt, im ganzen schließlich zu den Akten gelegt wurden. Für Bayern hielt das Münchener Oberbergamt etwa die Vorschläge der Sozialisierungskommission im Oktober 1920 für »gefährlich« und die Existenz des bayerischen Bergbaus bedrohend[58].

Wir können an dieser Stelle die Wege und Irrwege in der Frage der Bergbausozialisierungskommission nicht im Detail aufzeigen. Die zahlreichen Stockungen und Verzögerungen sind weder den Bergleuten der großen Montanreviere, wo die Sozialisierungsfrage wiederholt große Massenbewegungen vor allem im Frühjahr 1919 und 1920 in Gang brachte, noch jenen in Penzberg verborgen geblieben. Es lag nahe, sich, soweit die ministeriellen und reichsweiten Verhandlungen keine Entwicklungen im Interesse der Bergleute erkennen ließen, im weiteren Verfolg der Frage jener Einrichtungen zu bedienen, deren Übernahme die Bergarbeiter als Erfolg der Revolution feiern durften. So wurde der Gemeindeausschuß, wenig später der Stadtrat der im Februar 1919 zur Stadt erhobenen Gemeinde in die Sozialisierungsziele eingespannt.

Die Stadterhebung war von dem führenden Sozialdemokraten im Gemeindeausschuß, Michael Pfalzgraf, am 2. April 1918, also noch während des Krieges, beantragt und von einer anschließenden Gemeindeversammlung der Stimmbürger – zu dieser Zeit waren 386 Penzberger stimmberechtigt – mit großer Mehrheit gebilligt worden[59]. Pfalzgrafs Motiv für diese Initiative dürfte insbesondere in der Eindämmung des Einflusses der Grubenverwaltung auf die Kommunalverwaltung zu suchen sein, den erstere als Höchstbesteuerte aufgrund des Umlagengesetzes nach der Gemeindeordnung wahrzunehmen vermochte. Die Oberkohle sprach sich auch in aller Klarheit gegen die Einführung der städtischen Verfassung in Penzberg aus, und es ist fraglich, ob die Initiative unter einer königlichen Regierung von Erfolg gekrönt worden wäre. In den Revolutionstagen hatte man sich naturgemäß mit der Frage nicht beschäftigen können. Es ist jedoch kennzeichnend, daß auf eine Nachfrage der Gemeindeverwaltung vom 12. Februar 1919 schon am 15. Februar das Glückwunschtelegramm des Innenministers Auer zur Stadterhebung eintraf, die dann unter dem 4. März bezirksamtlich bestätigt wurde. Einmal erinnert, reagierte die Revolutionsregierung, weil die Interessen der Arbeiterschaft auf der Hand lagen, binnen Stunden.

Die Stadterhebung, die die Ortsverwaltung der oft langwierigen Willensbildung durch die nach der Gemeindeordnung in bestimmten Fragen zwingend vorgeschriebenen Gemeindebürgerversammlungen entledigte, konnte der Penzberger Einwohnerschaft als ein bedeutender Erfolg sozialdemokratischer Politik gelten, an dem indessen die »bürgerliche« Fraktion im Gemeindeausschuß Anteil hatte. Sie war zweifellos Grundlage eines auch in den ersten Revolutionswochen durch den Volksrat bekräftigten Gemeinsamkeitserlebnisses der politischen Kräfte in der Stadt. So waren auch die besonders rasch, auf den 30. März 1919, ausgeschriebenen Gemeindewahlen nicht von Konfrontation gekennzeichnet: Es wurde nur eine Liste vorgelegt[60], die auf einer

---

[58] Bericht des OBA, 22. 10. 1920, in: BayHStA, MWi 2051.
[59] Vgl. zum Folgenden ausführlich Karl Luberger: Geschichte der Stadt Penzberg, 2. Aufl., Kallmünz 1975, S. 126–135.
[60] Vgl. StAM, LRA 3461 (Wahlberichte), sowie StaP, Akt Gemeindewahlen 1876–1919; PA 27 u. 37/1919; Parteizugehörigkeit der Gewählten: Kapsberger, Alois: Gewerkschaftsbewegung in Penzberg, (Ms.), o. O. o. J. [Penzberg 1948], Bd. II, S. 3; ders.: Chronik, a.a.O., S. 18; Winkler, Denkschrift, a.a.O., S. 23f.

13. Penzberg empfängt seine Kriegsheimkehrer (Ostern 1919). Das neue Stadtwappen wird erstmals gezeigt.

Einigung zwischen bäuerlichen, bürgerlichen, katholischen und proletarischen Kräften beruhte. Von den gewählten 24 Gemeindebevollmächtigten gehörten 15 den Sozialdemokraten und 5 der bürgerlich-christlichen Fraktion an; ein Mitglied des Gremiums firmierte als Werksangestellter. Bei der (indirekten) Bürgermeisterwahl entfielen 17 Stimmen auf Johann Rummer als 1. Bürgermeister. Das Ergebnis entsprach recht genau den Kräfteverhältnissen bei den Januarwahlen. Mit der sozialdemokratischen Mehrheit gelangte im übrigen der stets als »Säcklermeister« bezeichnete, führende Kaufmann am Platz und bis in die Zeit des Nationalsozialismus maßgebliche Vertreter des gewerblichen Mittelstands, Johann Mühlpointner, in den Magistratsrat der jungen Stadt.

Johann Rummer, am 24. Juni 1880 in Penzberg geboren, in der Bergarbeiterkolonie und mit dem Bergwerk aufgewachsen und Hauer im Bergwerk Penzberg bis zur Bestallung als zunächst ehrenamtlicher, seit 1921 hauptamtlicher Bürgermeister, war die beherrschende Persönlichkeit sowohl der örtlichen Arbeiterbewegung als auch der Gemeindepolitik bis zum Machtantritt der Nationalsozialisten. Sein Bild wurde den Nachlebenden durch seinen Opfertod Ende April 1945 verfärbt, und es ist auch aus den Quellen nicht mit letzter Sicherheit zu rekonstruieren. Rummer scheint eine zugleich kluge und robuste Persönlichkeit gewesen zu sein; ihm ging seit seinem Wirken in den Streiks der Vorkriegszeit und, während der Kriegsjahre, im Arbeiterausschuß der Zeche der Ruf kraftvoller Vertretung von Bergarbeiterinteressen voran. Insbesondere, und dies scheint ihn wie in dieser Zeit üblich für größere Aufgaben aus der Sicht der Arbeiter prädestiniert zu haben, wußte man um seine Rede- und Schriftfertigkeit, letztere ein Vorzug schon des Vaters, der den Bergleuten bei der Abfassung ihres Schriftkrams geholfen haben soll[61]. Sein Amt trat Rummer mit dem Versprechen an, es für das Gehalt eines Hauers zu versehen. Kommunalpolitisch war er schon in der Kriegszeit, im Februar 1919 dann als Bezirksobmann des Verbandes der Landgemeinden Bayerns hervorgetreten[62]. Der Stadtrat hatte, kaum daß Rummer ihm präsidierte, mit wiederholten Geldforderungen für Reisekosten u. ä. zu tun, wogegen sich bald Widerstand regte. Erstmals im Juni 1919 strengte der Bürgermeister eine Beleidigungsklage gegen einen Dr. Schön in Tutzing an. Im November 1920 wollte Rummer hauptamtlicher Bürgermeister werden. Mühlpointner verlangte hierüber in Kenntnis von dem Hauergehaltsversprechen eine Volksabstimmung, und Lehrer Winkler als führender Kopf der sozialdemokratischen Fraktion zeigte sich befremdet. Die Sache war äußerst umstritten und wurde schließlich von sozialdemokratischer Seite durchgeboxt[63]. Man hatte in dieser Zeit schon mit »peinlichen Sitzungen«[64] über die Probleme Rummers mit seinen Untergebenen in der Stadtverwaltung zu tun, und Robustheit zeigte der Bürgermeister auch im Umgang mit dem örtlichen Gendarmerieführer, dessen Versetzung er verlangte, »weil er nicht hierher passe«[65], schließlich dann mit der eigenen Fraktion, deren angesehenes, im Januar 1919 als Revolutionserfolg zum örtlichen Schutzmann bestelltes Mitglied Ernst Vetter er

---
[61] Würdigung bei Kapsberger, Gewerkschaftsbewegung, a.a.O., Bd. II, S. 1f., 9f.
[62] Vgl. StAM, AR 3959/18.
[63] StaP, Stadtrat (=SR) 31. 8. 1920, 23. 11. 1920, 4. 1. 1921.
[64] StaP, SR 12. 7. 1921, Gemeindesekretär Graf.
[65] StaP, SR 2. 11. 1921; dazu Stadtrat Weigl: »Man kann sehen, daß Terror ausgeübt wird, weil [der Gendarmeriewachtmeister] der sozialdemokratischen Partei nicht beigetreten ist«.

sich erstmals 1921, unter großem Aufsehen dann 1926 zum Gegner macht: Vetter beschwerte sich »als Beamtenvertreter wegen übler Behandlung«, »als Stadtratmitglied wegen Nichteinhaltens der Beschlüsse« über Rummer, der seinerseits konterte, Vetter vernachlässige seinen Polizeidienst[66]. Bereits 1925 hatte sich Rummer veranlaßt gesehen, gegen sich ein Disziplinarverfahren einzuleiten[67]. Strafrechtlich geahndet wurde sein Verhalten in einer privaten Angelegenheit: Seiner von ihm geschiedenen geisteskranken Ehefrau Magdalena Rummer versuchte er in den Jahren 1929/30 unter Ausnutzung seiner Dienststellung, eine billigere, sein Diensteinkommen weniger belastende Herkunft zu verschaffen. Als die Sache Anfang 1933 ans Licht kam, entledigte er sich aller Unterlagen kurzerhand durch Verbrennung der hierüber geführten Akte, wobei ihm ein städtischer Obersekretär noch behilflich war[68].

Dies ist die eine Seite von Rummers Wesen: hartnäckig und gelegentlich skrupellos, die ganz persönlichen Interessen nicht aus den Augen verlierend. Er schuf sich Feinde in der Stadt, etwa durch sein Wirken in der Wohnungskommission oder auch, später, in Arbeitslosenangelegenheiten und natürlich allemal bei den »Bürgerlichen«, denen der »Sozi« ein Dorn im Auge war. Auch wenn Rummers Ansehen besonders unter den Stößen der Wirtschaftskrise Einbußen erlitt – er blieb populär, so populär, daß ihn die Sozialdemokraten im Oberland auch in übergeordnete Parteigremien und Mandate entsandten und 1932 sowie noch zum 5. März 1933 zum Reichstagskandidaten in allerdings aussichtsloser Position kürten[69].

Man munkelte wohl über Ungerechtigkeiten, Härten und Maßlosigkeiten, aber Rummer blieb der Star in der Partei, auf Ortsvereins- und vor allem Wahlversammlungen ein begehrter, auch auswärts gesuchter Redner und darüber hinaus ein etwa in städtebaulichen Angelegenheiten gewiß auch erfolgreicher Verwaltungschef, dessen Loyalität gegenüber der Arbeiterschaft niemals, oder doch allenfalls von kommunistischer Seite, in Zweifel stand.

Nicht eindeutig feststellen läßt sich Rummers politische Position innerhalb der Sozialdemokratie – auch dies wohl ein Zeichen seiner parteitaktischen Geschicklichkeit, zu der sich freilich die kommunalpolitischen Erfahrungen gesellten. Seine Heimat war die alte Sozialdemokratie, und er ist bei ihr, trotz gelegentlicher Flirts mit radikaleren Anschauungen ungefähr bis zur Auflösung der USPD, sein Leben lang geblieben. Gerade aus seinen Taten bis zum Ende der Diktatur spricht der konstruktive soziale Demokrat, dessen Anschauungen durch Schutzhaft und völlige Abseitsstellung eher bestärkt wurden.

Vor allem in den bewegten Frühjahrstagen des Jahres 1919 begann die Linie Rummers und seiner örtlichen Partei deutliche Abweichungen von der Auerschen Linie der

---

[66] StaP, SR, Personalausschuß 8. 2. 1926, Beschwerde vom 7. 2. 1926; s. bereits SR, 13. 9. 1921, sowie GA, 25. 1. 1919.
[67] Ebenda; Anlaß und Ausgang des Verfahrens sind nicht erkennbar.
[68] Vgl. StAM, LRA 3857, sowie PA 130/8. 6. u. 218/21. 9. 1933. Rummer wurde rechtskräftig zu einer Geldstrafe von 200 Mark verurteilt.
[69] Vgl. PA 223/27. 9. 32. Rummer stand am 5. 3. 1933 an 12. Stelle der SPD-Wahlkreisliste. Die ersten drei Kandidaten zogen in den Reichstag ein.

Wahrung von »Ruhe und Ordnung« aufzuweisen[70]. Daß die extreme Linke unter Einschluß der USPD, deren überaus enttäuschende Ergebnisse bei den Landtagswahlen die wirkliche Machtbasis der Revolution in Bayern längst erwiesen hatten, nunmehr ungemein an Zulauf gewann, dürfte in erster Linie auf die Erkenntnis unter den Bergarbeitern zurückzuführen sein, daß eine Sofortsozialisierung »von oben« so bald nicht zu erwarten stand. In den aktuellen Lohn- und Arbeitszeitforderungen, wie sie in einer erneuten Lohnbewegung im April 1919 vorgebracht wurden[71], schielte man auch wohl nach den Erfolgen der Bergleute im Ruhrgebiet, aber die Sozialisierungsfrage stand doch im Mittelpunkt der Wünsche und Hoffnungen der Penzberger Arbeiter.

Bisher hatte die Mehrheitssozialdemokratie in Penzberg das revolutionäre Heft völlig ungestört von Linksgruppen in der Hand behalten können. Am 2. März 1919 entstand um die stadtbekannten Sozialdemokraten Josef Eisend und Ludwig Roith eine Ortsgruppe der USPD, die binnen einer Woche einen Zulauf von 200 bis 300 Mitgliedern gehabt haben soll[72]. Man munkelte auch bereits von spartakistischen Umtrieben, von geplanten Ausschreitungen, Gewaltmaßnahmen und Anschlägen auf die Zeche – ein Gerücht, das Rummer dem Bezirksamt gegenüber mit der in dieser Zeit gängigen Formulierung abtat, es könne sich allenfalls um einige »junge, unreife und wohl zum großen Teil neu zugezogene Burschen handeln«[73]. Am 16. März suchten mehrere Münchener USPD-Führer eine überfüllte MSPD-Versammlung in Penzberg über das Thema »Was wir wollen – Arbeit und Untergang« auf und stritten um das Für und Wider des Bolschewismus. Hier ließ Rummer verlauten, »das Rätesystem müsse revidiert werden, aber es [sei] gerecht«, und der Rätekongreß möge »endlich einmal mit praktischer Arbeit beginnen«[74]. Dies war mehrheitssozialistische Tendenz mit leichten Konzessionen nach links.

Arbeiter- und Bauernräte bestanden zwar in der Umgebung in nahezu jedem größeren und kleineren Ort, und schon in den ersten Revolutionstagen hatte sich ein Bezirksbauernrat konstituiert[75]. Auch ein Bezirkslehrerrat entstand im Frühsommer 1919 unter Führung des Penzberger Lehrers und Sozialdemokraten Albert Winkler[76]. Die sozialdemokratischen Stadtratsmitglieder mögen indessen nach ihrer Wahl in Penzberg Ende März die Notwendigkeit eines »Volksrats« nicht mehr recht eingesehen haben, da man allemal die Macht in Händen hielt. Tatsächlich ist in der Folgezeit von Einwirkungen des Rats auf die Ortspolitik nichts mehr zu spüren gewesen. Allerdings bestanden die Räte in Penzberg und Umgebung bis in den Sommer 1920 hinein fort – in der späteren Phase jedoch nur, wenn die Gemeinden oder Bezirksämter hierfür Gelder bewilligten. Die räterevolutionäre Wirksamkeit glitt schon bald auf Nebengleise ab, wurde von den behördlichen Instanzen gerade noch toleriert und gab sich dann auch manchmal der Lächerlichkeit preis, so wenn der Vorsitzende des Bezirksbauernrats im September 1919

---

[70] Vgl. bei Kritzer, Die SPD, a.a.O., S. 438–440; s. auch ders.: Die bayerische Sozialdemokratie und die bayerische Politik in den Jahren 1918 bis 1923. München 1969, S. 22–29.
[71] Vgl. bei BayHStA, MWi 2261, Protokoll vom 20. 4. 1919.
[72] StAM, AR 3960/25, Geheimbericht PP 21. 3. 1919; s. auch Kapsberger, Chronik, a.a.O., S. 16f.
[73] Ebenda
[74] PA 30/3 1919, zu dieser Versammlung s. auch die Anm. 72 zit. Quelle.
[75] Vgl. StAM, AR 3961/50, u. a. mit Kostenaufstellung der Arbeiterräte für 1919.
[76] Nach StAM, AR 3960/29.

das Bezirksamt Weilheim ersuchte, dafür zu sorgen, daß der Verkehr mit »Luxusautomobilen« nicht länger »in schamloser Weise« zunehme[77].

Mit den Räten ließ sich im Oberland kein Staat machen – auf dem Lande nicht, weil Bauern und die wenigen Arbeiter nicht so recht von der Bedeutung dieser Einrichtungen zu überzeugen waren; in Penzberg nicht, weil man den wirklichen und bedeutenden, den Gemeinderat, in der Hand hatte und dort Rätepolitik treiben konnte. Die ersten Taten des neuen Stadtrats und Magistrats ließen denn auch wissen, woher der Wind künftig wehen sollte. Kaum gewählt, richtete der Magistrat am 4. April 1919 einstimmig, also mit der Stimme Mühlpointners und unter einstimmiger Billigung durch den Gemeindeausschuß, den dringenden Antrag an die Regierung des Volksstaates Bayern, von der Oberkohle sofort und entschädigungslos das Knaben- und das Mädchenschulhaus, die Hilfsschule, die Milchschenke und die Grubenschenke zu enteignen. Wenige Tage später schloß man die Forderung nach Enteignung einiger zum von Maffeischen Großgrundbesitz gehöriger Höfe im Raum Penzberg an[78]. Während einer großen Volksversammlung am 7. April begrüßte Rummer die Räterepublik und den Umstand, daß damit »die ewige Kompromißschließerei« im Landtag beendet sei, und forderte auf, in Penzberg »eine revolutionäre Arbeitsgemeinschaft« zu bilden, freilich: »Ruhe und Ordnung sei vor allem hochzuhalten und durchzuführen«[79]. Die Versammlung richtete, ausdrücklich unter Bezug auf die Vorstellungen beider örtlicher Linksparteien, ein Grußtelegramm an den Zentralrat in München.

Ereignisse und Forderungen drängten sich nun: Noch am selben Tage bildeten MSPD und USPD, in Penzberg jedenfalls des hauptstädtischen Haders müde, eine »sozialistische Einheitsfront« unter einem »Revolutionären 15er-Ausschuß«. Am 9. April wurde der »verschärfte Belagerungszustand« wohl noch vom Volksrat über die Stadt verordnet; wenige Tage später mißlang ein Versuch, die örtliche Gendarmerie zu entwaffnen. Man stellte, nachdem es erstmals in den Novembertagen eine Sicherheitswache zum Schutz des Bergwerks gegeben hatte, nun erneut, vielleicht auch unter dem Eindruck des Bamberger Aufrufs der Regierung Hoffmann zur Bildung von Volkswehren vom 14. April 1919, eine Schutztruppe auf[80].

Aus dem Magistrat erging unterdessen ein wiederum einstimmiger Antrag, der so recht den Überschwang der sozialistischen Machtfülle dokumentiert[81]: Die Stadt ersuchte, kraft eigenen Rechts auf jeden Zentner geförderter Kohle in Penzberg zur Besserung der städtischen Finanzen eine Abgabe von 10 Pfennigen zu erheben. Aus dem Handelsministerium bat man hierauf den Zentralrat in München sehr eilig, darauf hinzuwirken, daß dies nicht geschehe: Es liege »nicht im Interesse der werktätigen Bevölkerung«[82]. Am 20. April forderte eine Vertrauensmännerkonferenz des Alten

---

[77] StAM, AR 3961/50, Schreiben vom 10. 9. 1919.
[78] StaP, Magistratsprotokolle 4. 4. u. 9. 4. 1919; zum Folgenden s. die Aprilausgaben des PA 1919. Zu den Sozialisierungsanläufen der Regierung Hoffmann im März 1919 s. Kritzer, Die bayerische Sozialdemokratie, a.a.O., S. 102–105.
[79] Bericht PA 40/1919.
[80] Vgl. StAM, AR 3961/50, Kostenrechnung der offenbar im April neu aufgestellten Sicherheitswache Penzberg, sowie PA 40–46/1919.
[81] StaP, Magistratsprotokoll 9. 4. 1919.
[82] BayHStA, MH 13 915, Handelsmin./Zentralrat München 10. 4. 1919.

Verbands neben Arbeitszeitverkürzung und höheren Löhnen vor allem eine »Demokratisierung und Sozialisierung der Bergwerke«[83]. Der Penzberger Gemeindeausschuß zog am 30. April mit der Bildung seiner »Sozialisierungskommission«[84], der neben den sozialistischen auch bürgerliche Stadträte angehörten, nach. Man wollte ohne Zweifel, nach der bereits mehrmonatigen Verschleppung der Sozialisierungsangelegenheit, nunmehr Nägel mit Köpfen machen und selbst, scheinbar begünstigt durch die Entwicklungen in München, die notwendigen Maßnahmen ergreifen. Solche Selbsthilfe kam angesichts der erfolgreichen Gegenrevolution in den ersten Maitagen in München reichlich spät.

Die letztgenannte Entwicklung[85] hat die revolutionäre Euphorie auch der Penzberger Bergleute gestoppt. Auf Hilfe seitens der zentralen Instanzen war in den entscheidenden Anliegen der Bergarbeiter nun so bald nicht mehr zu hoffen; der Stadtrat war deshalb mit seinem Sozialisierungslatein, kaum daß es zu ernsthaften Maßnahmen gekommen wäre, bereits am Ende, weil die politische Taktik einer reichsweiten Regelung der Sozialisierungsfrage mit der Restituierung der Regierung Hoffmann wieder die Oberhand gewann. Das Problem wurde nunmehr in die Lohn- und Arbeitszeitverhandlungen der Gewerkschaften verlagert, wo es bis in das Jahr 1921 noch eine bedeutende Rolle spielte.

Gleichwohl hat man in Penzberg versucht, die kommunale Revolution zu verstetigen, ihr trotz der Münchener Vorgänge Dauer und festen Rückhalt zu verschaffen. Dem erwähnten »Revolutionären 15er-Ausschuß« gelang am 13. Mai die Einigung von USPD und MSPD, und zwar in deutlicher Kritik an den landesweiten Zerwürfnissen beider Parteien:

»Die junge Stadt Penzberg nimmt für sich das Recht und das Verdienst in Anspruch, in dieser drangvoller Zeit zuerst den richtigen Weg gegangen zu sein und gibt sich der sicheren Hoffnung hin, daß ihrem Beispiel bald die übrigen Genossen auf dem Lande und in der Stadt folgen werden«.[86]

Die beiden Parteien wählten einstweilen einen gemeinsamen Ausschuß und eine Pressekommission und erließen noch im Mai ein gemeinsames Flugblatt[87], in dem es hieß, die Einigung sei aus der Großstadt erwartet worden, doch habe man sich darin »bitter getäuscht« gesehen:

»Statt des ersehnten Ausgleichs auf einer geeigneten Basis kamen wir allenthalben im Lande zu einem grauenhaften Tohuwabohu, und die alten Gewerkschafter und Parteigänger sahen die leuchtenden Früchte der Revolution in einem fürchterlichen Brudermorden und Bürgerkrieg blutig verschwinden ... Wenn die Rettung vom Proletariat der Großstadt nicht kommt und kommen kann, dann sind wir uns, unseren Familien und Kameraden schuldig, selbst vorzugehen«.

Der mit dem Flugblatt ausgesprochene Appell an Stadt und Land, diesem Beispiel zu folgen, verhallte einstweilen ungehört. Ministerpräsident Hoffmann bildete Mitte Mai 1919 eine Koalitionsregierung mit den Demokraten und der Bayerischen Volkspartei – die USPD blieb unbeteiligt, obwohl sich, wie die Gemeindewahlen im Juni 1919 zeigten,

---

[83] BayHStA, MWi 2261, Protokoll v. 20. 4. 1919.
[84] StaP, SR 30. 4. 1919.
[85] Vgl. im Überblick: Schwarz, a.a.O., S. 425ff.
[86] PA 53/1919.
[87] PA 58/1919.

inzwischen ein im Vergleich zu den Januarwahlen außerordentlicher Stimmungsumschwung in der Bevölkerung zugunsten der Unabhängigen vollzogen hatte.

In Penzberg traten die Gegensätze der Linksparteien bei diesen Wahlen nicht hervor. Die vereinigte sozialistische Ortspartei legte zu der auch hier wegen der durch das »Gesetz über die Selbstverwaltung«[88] trotz eben vollzogener Neuwahlen erforderlichen Abstimmung eine geschlossene Kandidatenliste vor, die mit einer Liste »Hausbesitz«, in der sich Bauern und gewerblicher Mittelstand vereinigt hatten, und mit einer auf die christlichen Bergarbeiter zielenden Liste »Lorenz Weigl« konkurrierte.

Tabelle 20
Gemeindewahlen in Penzberg am 15. Juni 1919[89]

Liste	Stimmen	Prozent	Sitze
Sozialdemokratie	951	65,4	10
Hausbesitz	276	19,0	3
Lorenz Weigl	228	15,7	2

Die Wahlbeteiligung war mit rund 65 Prozent erheblich niedriger als im Januar. Auch hierin schlug sich manche Enttäuschung über die Mißerfolge der Revolution in München nieder. Der Erfolg der Sozialdemokraten bei den gleichzeitigen Kreis- und Bezirkstagswahlen stellte jenen bei den Gemeindewahlen in den Schatten, weil auf regionaler Ebene keine Ortslisten kandidierten. Bei beiden Wahlen erlangte die Penzberger Sozialdemokratie leicht über 76 Prozent, die BVP nur knapp 20 Prozent der gültigen Stimmen.

Im neuen Stadtrat waren als ausgesprochene Unabhängige die Bergleute Roith und Eisend vertreten. Die restliche sozialistische Fraktion ließ trotz der wahlrechtsbedingten Dezimierung des Stadtrats von 24 auf 15 Köpfe noch einige Kontinuität zu den Gemeindewahlen im März erkennen. Eine Neuwahl von Rummer war nicht erforderlich gewesen. Vertreten blieb die ältere sozialdemokratische Führungsgarnitur mit Peter Maier, Schauer und Ostler; hinzu kamen jetzt Lehrer Winkler und der Buchdrucker und spätere Vorsitzende des Gewerkschaftskartells Fritz Rebhahn sowie Steiger Bernhard und zwei Bergmannsfrauen. Pfalzgraf war nicht wiedergewählt worden, was man behob, indem man ihn zum 2. Bürgermeister bestellte. In der Liste »Hausbesitz« blieb Mühlpointner führend.

Der Stadtrat hat im ersten Jahr seiner Wirksamkeit die Revolution fortzusetzen versucht, darin jedoch auch bemerkenswerte Entscheidungen zugunsten der Bergarbeiterbevölkerung getroffen. Im Juli entschied man, die Penzberger Geschäftsleute für 1918 nachträglich steuerlich neu zu veranlagen, weil man der Ansicht war, daß zu wenig gezahlt worden sei[90] – ein Vorgehen, das gewiß den inzwischen ja durch die Einheitsfront beendeten Volksfrontversuch der ersten Revolutionstage endgültig in Vergessenheit geraten ließ. Im August 1919 wurde durch Stadtratsbeschluß die Lernmittelfreiheit an der Volksschule eingeführt[91].

---

[88] Gesetz- und Verordnungsblatt für den Freistaat Bayern Nr. 30/2. 6. 1919, S. 239–242.
[89] Nach PA 66/1919 sowie StaP, Akt Gemeindewahlen 1876–1919. Zum Umschwung zugunsten der USPD in den größeren Städten Bayerns s. die Aufstellung bei Kritzer, Die bayerische Sozialdemokratie, a.a.O., S. 141.
[90] StaP, SR 12. 7. 1919.
[91] Ebenda, 29. 8. 1919.

Proletarische Provinz: Penzberg

Einstimmig war noch im Juli der Beschluß zur Einrichtung einer Einwohnerwehr ergangen, und man forderte tatsächlich eine Armierung mit 500 Gewehren, 5 Maschinengewehren und 500 Handgranaten an[92]. Dies war allerdings eine überaus zweischneidige Angelegenheit: Anders als die durch Erlaß des Militärministers Roßhaupter am 23. November 1918 eingerichteten »Sicherheitswehren«[93], wurden die auf der Rechtsgrundlage eines Erlasses des bayerischen Staatsministeriums vom 17. Mai 1919 sehr bald unter Leitung des Forstrats Escherich mit Hilfe zersplitterter Freikorps aufgestellten bayerischen Einwohnerwehren zu bewaffneten konterrevolutionären Wehrverbänden nicht ohne »radaupatriotische Züge« geformt, deren Aufgabe im wesentlichen darin bestehen sollte, spartakistisch-kommunistischen Umtrieben entgegenzuwirken[94]. Man scheint dies in Penzberg zunächst nicht verstanden zu haben, war auch wohl von der Aussicht angetan, in den Besitz von Waffen zu gelangen, und hatte überdies anscheinend die gewichtigen Auseinandersetzungen zwischen Auer und Eisner in der sogenannten »Bürgerwehrkrise« im Januar/Februar vergessen oder nicht wahrgenommen – jedenfalls sah man sich sehr bald zur Korrektur der Maßnahme gezwungen: Schon Ende August lehnte der Stadtrat[95] einen Zuschuß zur Einwohnerwehr entgegen einer entsprechenden bezirksamtlichen Verfügung ab, weil bereits ein Reichsgesetz über die Entwaffnung der Bevölkerung in Rechtskraft war. Während seit dem Sommer 1919 die Wehrverbände ringsum auf dem Lande aufblühten, ist in Penzberg, eher in Übereinstimmung mit der USPD-Linie als mit der bayerischen und der Reichs-Sozialdemokratie, zunehmend deren reaktionäre Tendenz wahrgenommen worden. Darin fand in mancher Hinsicht der alte Gegensatz der industriekommunalen Bevölkerung zum umliegenden Bauerntum einen neuen organisierten Ausdruck, der sich in der Folgezeit, auch nachdem die bayerischen Einwohnerwehren im Juli 1921 aufgelöst wurden, noch vertiefen sollte. Im Mai 1920 haben dann, dies sei hier vorweggenommen, die Penzberger Bergleute ausdrücklich gegen die Verwendung öffentlicher Mittel zur Unterstützung des Gebarens der Einwohnerwehren, hier aus Anlaß eines erstmals schon im Oktober 1919 in Garmisch veranstalteten erneuten »Festschießens«, protestiert[96]:

> »Mit aller Deutlichkeit lassen die Versammelten erkennen, daß sie nicht gewillt sind, für derartige Zwecke Lasten auf sich zu nehmen«.

Zu diesem Zeitpunkt dürfte in Penzberg bereits keine Einwohnerwehr mehr bestanden haben. Für Gesamtbayern erging unter dem 8. Juni 1921 auf Druck der Entente und des Reichs die Verordnung zur Auflösung der Einwohnerwehren. Die Überlieferung ist

---

[92] Ebenda, 18. 7. 1919.
[93] Erlaß in StAM, AR 3959/18, ebenda Ausführungsbestimmungen vom April 1919.
[94] Zitat: Schwarz, a.a.O., S. 462. Zu den bayerischen Einwohnerwehren s. Archivalien u. a. StAM, RA 57815 (Generalia); ausführlich: Fenske, Hans: Konservatismus und Rechtsradikalismus in Bayern nach 1918. Bad Homburg v. d. H./Berlin/Zürich 1969, S. 83–108; Könnemann, Erwin: Einwohnerwehren und Zeitfreiwilligenverbände. Ihre Funktion beim Aufbau eines neuen imperialistischen Militärsystems (November 1918 bis 1920) o. O. o. J. [Berlin (O) 1970], S. 146–157, sowie, mit einer allerdings sehr verzerrenden Interpretation, S. 261–288 über die Haltung der SPD. Knappe Bemerkungen auch bei Kritzer, Die bayer. Sozialdemokratie, a.a.O., S. 173, 175–178.
[95] StaP, SR 31. 8. 1919, sowie StAM, AR 3959/18, BM Rummer/BA WM 3. 9. 1919; zur »Bürgerwehrkrise«: Mitchell, a.a.O., S. 172–179.
[96] »Protest der Bergarbeiter in Penzberg« vom 9. 5. 1920, in: StAM, AR 3959/18. Diese Quelle orientiert über die Verbreitung der Einwohnerwehren in nahezu jedem Kreisort sowie über deren überregionale Organisationen.

lückenhaft, doch spricht viel dafür, daß sich mindestens die Bergleute an dieser Einrichtung nicht beteiligen wollten.

Der Umstand, daß in Penzberg, während andernorts die Restauration fortschritt und insbesondere auf dem Lande die ruhigen Vorkriegsverhältnisse wiederkehrten, die rote Stadtherrschaft während der republikanischen Zeit immerhin einen revolutionären Erfolg signalisierte und sich in ihren Entscheidungen oft auch so gebärdete, hat maßgeblich dazu beigetragen, daß die revolutionäre Erinnerung in der Stadt fortan lebendig blieb. Das Protestpotential der Bergarbeiter kam bis zum Niedergang der Republik nicht mehr zur Ruhe. Noch 1919 löste eine Lohnbewegung die andere ab, und neben den Verbänden sprach die Belegschaftsdemokratie, etwa bei den Lohnverhandlungen im August 1919, ein gewichtiges Wort mit: Das Verhandlungsergebnis wurde nicht akzeptiert, die Belegschaft erzwang eine höhere Teuerungszulage, desavouierte damit ihre Interessenvertreter und machte jedermann klar, daß man nicht mehr durchweg mit den gewerkschaftlichen Bezirksvertretern an einem Strang zu ziehen bereit war[97]. Um die Jahreswende 1919/20 trat neben die wegen der Teuerung beständigen Lohnforderungen die Verkürzung der Arbeitszeit zur Sechsstundenschicht in den Vordergrund. Hier gelang es, unter Hinweis auf die ungünstige Lage des bayerischen Bergbaus – eine sechsstündige Arbeitszeit werde, wie es hieß, »in der Tat den endgültig tödlichen Dolchstoß in den Rücken des Volkes bedeuten«[98], sie brächte die »unrettbare Katastrophe«[99] – die Bergarbeiter von ihrem Vorhaben abzubringen. Staatlicherseits war schon unter dem 26. Mai 1919 mit einer Arbeiterkammer für den Bergbau im rechtsrheinischen Bayern in München versucht worden, die Vorkriegspolitik einer Institutionalisierung der Konfliktregelung fortzusetzen. Diese Arbeiterkammer hat jedoch in den kommenden Lohnverhandlungen kaum eine Rolle gespielt[100]. Bis zum Spätherbst 1923 ist die Bergarbeiterschaft in Penzberg schon wegen der anhaltenden Teuerung in ständiger Erregung geblieben.

In der Sozialisierungsforderung gegen die städtischen Einrichtungen der Zeche kam es zu einem Teilerfolg – nicht aufgrund ministerieller oder sonstiger Entscheidung, sondern weil die Oberkohle sich der Schulhäuser und der Straßen der Stadt, die noch in ihrem Besitz waren, vielleicht wegen der Unterhaltslasten nicht ungern, durch Geschenk entledigte und noch einige Grundstücke gegen billiges Entgelt draufgab[101]. Die Zechenkonsumanstalt wurde im Mai 1919 in die Verwaltung der Konsumgenossenschaft, die Milchverkaufsstelle und die Grubenschenke in jene der Stadt übergeben. Im Oktober 1919 sprach sich eine Belegschaftsversammlung für die Beibehaltung dieses Zustandes aus[102]; dennoch sind diese Einrichtungen offenbar im Spätherbst 1919 an die Oberkohle

---

[97] Nach BayHStA, MWi 2261, Verhandlungen vom 30. 5. 1919, 26. 8. 1919, Verhandlungsergebnisse vom 4. 9. 1919.
[98] Ebenda, Min. f. Handel etc. Hamm/stellv. bayer. Bevollmächtigter b. Bundesrat Rohmer 26. 1. 1920. In Penzberg war um diese Zeit längst tägliche Überarbeit von 1 Stunde, im November 1919 beispielsweise an 14 Tagen, üblich geworden; faktisch war damit die Achtstundenschicht wiederhergestellt.
[99] Bayerischer Staatsanzeiger 23/29. 1. 1920, Ausschnitt BayHStA, MWi 2261.
[100] Vgl. interministeriellen Beschluß: BayHStA, MWi 2261; die Kandidatenlisten zur ersten Vertreterwahl finden sich Bayer. Staatsanzeiger 160/29. 6. 1919, Sonderdruck s. StAM, LRA 3915.
[101] Nach StaP, SR 25. 10. 1919.
[102] Nach PA 122/1919; vgl. StaP, SR 25. 10. 1919.

zurückgegeben worden. In der Gemeindepolitik hielt die Gemeinsamkeit von linken und rechten Sozialisten nicht sehr lange an. Im November 1919 vereinigten sich die beiden sozialistischen Parteien, die trotz äußerer Einigkeit in eigenen Organisationen fortbestanden, noch einmal zusammen mit dem jetzt Arbeiterrat genannten Volksrat unter Pfalzgraf – mit Sicherheit waren die nichtsozialistischen Mitglieder inzwischen ausgetreten – zu einem Aufruf, um sich in aller Schärfe gegen die »reaktionären kapitalistischen Machenschaften« am Beispiel jener Zechenbeamten zu wenden, die in der Sozialisierungsfrage mit aller Kraft die Interessen der Zeche wahrnahmen[103]. Die Sammlung der bürgerlichen Kräfte schritt unterdessen fort: Mühlpointner organisierte erstmals am 22. Juli 1919 eine Versammlung der »nicht im Bergwerk beschäftigten Bevölkerung«[104]. Noch hielten USPD und SPD dagegen zusammen, hielten gemeinsame Veranstaltungen etwa zum Thema »Simultan- oder Konfessionsschule«[105] ab und mühten sich um einen Ausbau des sozialdemokratischen Vereinswesens: Winkler gründete die zeitweise bedeutende Volkshochschule Penzberg[106], und auch mit bürgerlichen Kräften kam es zur Zusammenarbeit auf Vereinsebene. So entstand der Hausbesitzer-Verein im Juli 1919 als Gründung des Sozialdemokraten Xaver Schöttl und des führenden Gewerbetreibenden Mühlpointner. Auch überlegte man zeitweise, die konkurrierenden Gesangvereine zusammenzulegen[107]. Die desintegrierenden Tendenzen standen jedoch im Vordergrund, und im September 1919 brachen Konflikte zwischen den sozialistischen Parteien vor allem in der Kritik an Bürgermeister Rummer auf – seit Dezember 1919 hielt man dann durchweg wieder getrennte Versammlungen ab[108]. »Laßt die Hände weg von dem Gezänke«, hieß es in einer Leserzuschrift im *Penzberger Anzeiger*[109] zu dieser Entwicklung, und deren Verfasser nahm Rummer in Schutz:

> »Aus einer total verarmten Gemeinde Verbesserungen für die unteren Schichten ohne jeglichen Aufwand an Geldmitteln herauszuwirtschaften wäre freilich eine Kunst«.

Dies sollte in der Tat das Kernproblem der jungen Stadt werden: das Problem, trotz einer großen, kaum steuerkräftigen Bevölkerung ausreichende öffentliche Einrichtungen aufzubauen, die städtische Infrastruktur zu verbessern und damit möglichst rasch die Mäkel der eintönigen, von immer demselben Haustyp gezeichneten Industriekommune zu mindern, wenn nicht zu beseitigen. Hier harrte ein großer Posten an harter kommunalpolitischer Arbeit, und die Sozialdemokraten haben sich unter Rummer nicht ohne Elan an diese Arbeit gemacht, auch wenn die finanzpolitischen Engpässe sie immer wieder zwangen, kürzer zu treten, dringende Vorhaben zurückzustellen. Manches Mal waren dafür allerdings nicht nur Engpässe, sondern auch Vorurteile maßgebend.

So war über die kommunalpolitische Arbeit um die Jahreswende 1919/20 immerhin einige Ruhe in Penzberg eingekehrt, als wiederum überregionale Ereignisse ihre Schatten

---

[103] PA 78/1919.
[104] PA 82/1919.
[105] Nach EA 101/1919; vgl. Nr. 88/1919. Der Schriftsteller Hanns Eric Kraus, offenbar Mitglied der Penzberger MSPD ließ sein »Revolutionsschauspiel« aufführen und im Druck vertreiben.
[106] Vgl. PA 108/1919; die Gründungsversammlung fand am 26. 9. 1919 statt.
[107] Vgl. PA 46/1919 (Gesangvereine), 78/1919 (Hausbesitzer).
[108] Vgl. PA 110/1919.
[109] PA 116/14. 10. 1919.

auf die Bergarbeitergemeinde warfen: Der Kapp-Putsch veranlaßte die Bergleute zur vollkommenen Arbeitsruhe. In diesen Tagen sprach man von einer »immer mehr überhandnehmenden Unsicherheit« in der Stadt[110]. Die Forderungen und Verhandlungen, die sich an den Generalstreik knüpften, zogen sich bis in den Sommer 1920 hin[111]. In einer Besprechung von Penzberger und Haushamer Bergleuten im Handelsministerium kam am 20. März wieder die Verstaatlichungsforderung an erster Stelle auf; darüber hinaus wollte man höhere Knappschaftspensionen, stärkeren Wohnungsbau und vor allem auch eine Gleichstellung aller oberbayerischen Bergleute in Lohnfragen schließlich: Unter keinen Umständen dürfe das Militär eingreifen. Ein Schiedsspruch im Juni - zwischenzeitlich war gearbeitet worden - wurde wiederum von einer Belegschaftsversammlung zunächst nicht, nach Modifikationen dann mit überzeugenden Mehrheiten gebilligt. Immer wieder zeigten die Abstimmungen den hohen Mobilisierungsgrad der Penzberger Bergleute: Von etwa 2000 Penzberger Bergleuten nahmen an der ersten Abstimmung am 20. Mai rund 84 Prozent teil, von denen sich 93 Prozent für den Streik entschieden. Der Stadtrat ließ dabei keinen Zweifel an seinen Sympathien. Er beschloß auf Antrag von Stadtrat Ostler, an die Streikenden, weil der Ausstand »nicht unberechtigt« sei, 10 000 Mark Streikgelder zu zahlen[112]. Schon am 27. April hatte der Stadtrat, im übrigen einstimmig auf SPD-Antrag, die völlige Arbeitsruhe für den 1. Mai 1920 beschlossen[113]. Man scherte sich wenig um die Rechtmäßigkeit und Zulässigkeit solcher Anordnungen. Die Revolution war in Penzberg in eine Art Permanenz übergegangen - eine Entwicklung, die, trotz sehr viel milderer Formen, deutliche Parallelen mit den meisten deutschen Bergbaurevieren[114] erkennen läßt.

Betrachtet man die Penzberger Ereignisse aus der Sicht des Zusammenhangs von Zentrum und Peripherie, Hauptstadt und Provinz, so lassen sich im Revolutionsverlauf induzierte von »hausgemachten« Entwicklungen unterscheiden. Zu ersteren gehören insbesondere die Novemberereignisse und die Phasen des Radikalisierungsprozesses, während die besonderen Färbungen des letzteren eher auf örtliche Probleme zurückzuführen sind. Hier war es die mit hohen emotionalen Investitionen überbürdete Sozialisierungsfrage, in der Hoffnungen und Enttäuschungen der Bergarbeiter aufgingen. In deren Behandlung, aber auch in ihrer allgemeinen Haltung in den Münchener Ereignissen verspielte die alte Sozialdemokratie reichsweit entscheidendes Vertrauenskapital, was

---

[110] StaP, SR 19. 3. 1920. In dieser Sitzung wurde auch beschlossen, künftig Zuhörern das Wort nicht mehr zu erteilen.
[111] Im folgenden nach BayHStA, MWi 2261 u. 2262.
[112] StaP, SR 2. 7. 1920. Das aufsichtsführende BA WM hob den Beschluß am 23. 8. 1920 auf. Der SR ging am 7. 9. 1920 nach Kenntnisnahme dieser Aufhebung schlicht zur Tagesordnung über.
[113] Ebenda, 27. 4. 1920.
[114] o.O. 1930, Neudruck Berlin 1972, Schumann, Wolfgang: Oberschlesien 1918/19. Vom gemeinsamen Kampf 1930, Neudruck Berlin 1972; Schumann, Wolfgang: Oberschlesien 1918/19. Vom gemeinsamen Kampf deutscher und polnischer Arbeiter. Berlin (0) 1961; Lucas, Erhard: Märzrevolution im Ruhrgebiet, Bd. I, Vom Generalstreik gegen den Militärputsch zum bewaffneten Arbeiteraufstand März-April 1920,, 2. erg. Aufl., Frankfurt a. M. 1974, Bd. II, Der bewaffnete Arbeiteraufstand im Ruhrgebiet in seiner inneren Struktur und in seinem Verhältnis zu den Klassenkämpfen in den verschiedenen Regionen des Reiches. Frankfurt . M. 1973, Bd. III, Die Niederlage. Verhandlungsversuche und deren Scheitern, Gegenstrategien von Regierung und Militär, die Niederlage der Aufstandsbewegung, der weiße Terror. Frankfurt a. M. 1978. In Bd. II, . 132-177, versucht Lucas eine vergleichende Analyse der Widerstandsbewegungen gegen den Kapp-Putsch in verschiedenen Regionen des Reichs, ohne speziell auf Bergbauregionen Bezug zu nehmen.

sich, in Penzberg allerdings mit erheblicher zeitlicher Verzögerung – der Vereinigungsversuch von MSPD und USPD im Ort bleibt bemerkenswert –, in zunehmender Erregtheit der Bergarbeiter ausdrückte. Ihren eigenen Führern hatten die Penzberger Bergarbeiter noch die geringsten Vorwürfe zu machen. Man kann sagen, daß der in Penzberg nur zögernd vollzogenen Parteispaltung erst im nachhinein auch solche politischen Potentiale zuwuchsen, die in den inneren Widersprüchen der Arbeiterschaft begründet waren – auch wenn sich diese Widersprüche z. T. bereits in der Vorkriegszeit abgezeichnet hatten.

Aus allem entsteht ein widersprüchliches Bild. Die in die Stadt getragene Revolution war gescheitert, aber in der Stadt doch auch geglückt: Man hatte die Stadtverfassung erlangt, und eine sozialistische Mehrheit bestimmte fortan die kommunalen Geschicke. Das ließ die Mißerfolge leichter ertragen, verschuf auf mittlere Sicht jedoch der alten Sozialdemokratie nicht eben größeren Zulauf. Man hatte durch eigene Kraft Sozialisierungserfolge aufzuweisen, die indessen Stückwerk blieben und überdies zum Teil rückgängig gemacht wurden. Gewiß, die Omnipotenz der Oberkohle war in gewisse Schranken allein durch den Gegenpol im nunmehr »roten« Rathaus verwiesen worden, aber das half wenig angesichts der weiterbestehenden Wirkungskraft des alleinigen Arbeitgebers, größten Steuerzahlers und Grundbesitzers. Ohne Zweifel hat die Grubenleitung in den Revolutionstagen das Schlimmste befürchtet; das förderte ihre Bereitschaft zu weitgehenden Zugeständnissen in der Lohn- und Arbeitszeitfrage. Trotz Inflation verdienten die Bergarbeiter in diesen Monaten wohl besser denn je und arbeiteten weniger denn je für mehr Geld. Es war eher die zeitweise katastrophale Versorgungslage, die materielle Engpässe schuf, derer man sich indessen, anders als in der Hauptstadt, durch Versorgung auf dem nahen Land leichter zu entledigen vermochte.

Die Ereignisse in Penzberg hingen an unsichtbaren Fäden: am hauptstädtischen Revolutionsverlauf, an der reichsweiten Behandlung der Sozialisierungsfrage, an der politischen Position der Mehrheitssozialisten und deren in Bayern nicht eben geschickter Revolutionspolitik. Darüber hinaus ist am Ort im Überschwang der revolutionären Tat manches geschehen, was trotz zeitweise dezidiert gegenteiliger Bemühungen der Arbeiterführer auf mittlere Sicht die Gegensätze zum gewerblichen Kleinbürgertum, wie sie sich in der Vorkriegszeit bereits abgezeichnet hatten, verschärfen mußte. Parteipolitik war fortan mehr und mehr Klassenpolitik, war mangelnde Kompromißfähigkeit und Interessenwahrung um jeden Preis – bis hin zum Kalkül der Korruption, wenn man das gegenseitige Unterstützen und Fördern auch mit Geldes Hilfe so bezeichnen darf. All dies vertiefte natürlich die Gegensätze zum bäuerlichen Umland – und die schon jahrzehntealten Unterschiede im sozialen Habitus der ländlichen und industriellen Bevölkerung erreichten mit der Revolution eine neue Ebene der politischen Auseinandersetzungen, die ihrerseits den gegenseitigen Verständnismangel erneut förderten. Dieses Problem würde der jungen Stadt noch zu schaffen machen.

III. Inflation und Stabilisierung 1920 bis 1929

1. Zeche und Belegschaft. Die Lage der Arbeiter in den 1920er Jahren

Nach dem etwa bis 1922 anhaltenden Aufschwung unter starker Belegschaftsvermehrung ist der oberbayerische Pechkohlenbergbau in eine tiefe Strukturkrise geraten, die auch in den Jahren der relativen Stabilisierung der Gesamtwirtschaft nicht wirklich überwunden werden konnte. Erst in nationalsozialistischer Zeit ist zwar die Strukturkrise nicht bereinigt, die Lebenskraft des oberbayerischen Bergbaus jedoch durch marktregulative Maßnahmen gestärkt worden. Die Schwächen des oberbayerischen Kohlenbergbaus: die wenig mächtigen Flöze, die widrigen Lagerungsverhältnisse und technischen Probleme, insbesondere aber die geringe Kohlequalität wirkten sich vor allem in den 1920er Jahren und in der Weltwirtschaftskrise ungemein destabilisierend aus. Für Penzberg drohte zudem angesichts der baldigen Auskohlung der Penzberger Mulde die Stillegung des Gesamtbetriebs. Anscheinend Ende der 1920er Jahre ist dann die Entscheidung zugunsten einer völligen Erschließung der Nonnenwaldmulde und Verlegung des gesamten Förderbetriebs in dieses Grubenfeld gefallen – Grube und Stadt Penzberg hätten ansonsten »dem völligen Zusammenbruch« entgegengesehen[1]. Völlig richtig hat das Münchener Oberbergamt Ende 1920 die Zukunftsaussichten der Grube Penzberg skizziert:

> »Diese Grube wird in der freien Wirtschaft infolge nicht günstiger Flözverhältnisse einen schweren Stand haben und sich nur dann halten können, wenn die Löhne und Flözverhältnisse durch den Vorsprung in den Bahnfrachten ausgeglichen werden können«.

– dies gelte selbst bei großen technischen Aufwendungen; im übrigen stehe auch die Grube Hausham vor der baldigen Auskohlung[2]. Mit technischen Innovationen scheint man sich denn auch in Penzberg nicht so sehr in der eigentlichen Kohlengewinnung – hier bewirkte, wie im Ruhrgebiet, die Einführung des Abbauhammers in den 1920er Jahren eine sehr merkliche Steigerung der Arbeitsleistung – als vielmehr, nachdem der Nonnenwaldschacht in Betrieb genommen war, bei den teueren Förderanlagen unter und über Tage zurückgehalten zu haben, bis die Entscheidung über den Ausbau des Nonnenwaldfeldes gefallen war. Eiserne Förderwagen sind in Penzberg erst 1933 eingeführt worden; in den 1920er Jahren verbesserte man daneben vor allem die übertägige Verbindung zwischen den Schächten durch eine Kohlen-Drahtseilbahn vom Nonnenwaldschacht zur alten Aufbereitung (1923) und eine Fern-Druckluftleitung (1929).

Veredelungsmöglichkeiten der Pechkohle[3] standen dabei immer wieder zur Debatte –

---
[1] Rede des Bergwerksdirektors Klein während der Maifeier 1933, StAM, OK 149. Über die marktwirtschaftlichen und bergtechnischen Probleme der Grube in der Zwischenkriegszeit s. ausführlich ders.: Die Entwicklung der Grube Penzberg innerhalb der letzten 30 Jahre, (Ms.) o. O. o. J. [Penzberg 1938], Kopie StaP.
[2] BayHStA, MWi 2052, Gutachten des OBA München vom 14. 12. 1920.
[3] Im folgenden nach BayHStA, MWi 2380–2382, mit umfänglichen Gutachten, Verhandlungen und Vorstößen zur Verbesserung der Absatzlage seitens der OK.

sie sind jedoch niemals über das Versuchsstadium hinausgekommen. Die industrielle und die Hausbrand-Kundschaft der Pechkohle waren und blieben mit dem Rohstoff unzufrieden. 1929 weigerten sich beispielsweise die Bäcker, weiterhin ihre Öfen mit Pechkohle zu heizen. Die Oberkohle selbst drängte immer wieder auf Absatzgarantien durch staatliche Kohlenverbraucher sowie auf Frachtvergünstigungen. 1926 gelang es, sich den bayerischen Kasernenbedarf zu sichern; 1932 erhielt die Oberkohle Sonderfrachtsätze zu bestimmten Bahnhöfen zugebilligt. Bis 1933 und zum Teil noch, mit größeren Erfolgsaussichten, bis zur Mitte der 1930er Jahre war dies eine lange Geschichte von Bettelgängen und ministeriellen Beratungen, wobei sich letztlich der Hinweis auf die schmale Rohstoffbasis des Freistaats und die katastrophalen Folgen eines Abzugs des Bergbaus aus dem Oberland als erfolgreich erwies.

Die Strukturschwäche des Pechkohlenbergbaus, die auch durch die Tätigkeit eines eigenen Kohlensyndikats für das rechtsrheinische Bayern nicht beseitigt werden konnte, wirkte sich über die Kohlenpreis- und Frachtkostensensibilität sowie durch die Lagerschwäche der Pechkohle in der Konkurrenz mit der Ruhrkohle insbesondere zu Lasten der Arbeiterschaften insoweit aus, als Marktschwankungen unmittelbar und unverkürzt an den Arbeitsmarkt und die Löhne weitergegeben wurden. Ein präzises Urteil über diesen Zusammenhang hätte die jährliche Betriebskostenkalkulation der einzelnen Werke zugrunde zu legen und neben den Absatzschwankungen und politischen Einflüssen, darunter vor allem die Haltung der Unternehmerschaft gegenüber den sozialstaatlichen Maßnahmen der Weimarer Republik, zu berücksichtigen. Indessen liegt angesichts der unternehmerischen Taktik in der Arbeitszeitfrage, in der Anordnung von Überschichten so sehr wie in der Veranlassung von Feierschichten und schließlich in den Lohnbewegungen der Verdacht nahe, daß man sich dieser betrieblichen Instrumente gelegentlich auch zur gezielten Disziplinierung der Arbeiterschaft bedient haben könnte. Man hatte es schließlich in Penzberg mit

»eine[r] zum großen Teil dem Marxismus und Kommunismus ganz und gar ergebene[n], von deren Lehren verblendete[n] (Steigerschaft und) Belegschaft«

zu tun, und es war »selbstverständlich«, daß jede Gegenmaßnahme

»bei der damals vorherrschenden Gesinnung des größten Teils der Penzberger Bevölkerung keine Sympathien hervorrufen konnte«[4].

Man wird die sonstigen wirtschafts-, innen- und außenpolitischen Bürden der Weimarer Jahre gerade im Blick auf die Möglichkeiten und Grenzen wirtschaftlicher Stabilisierung nicht geringschätzen dürfen. Für die Penzberger Bergleute gilt jedoch, daß sie selbst in der Stabilisierungsphase der Republik von Unstetigkeit in den Einkommens- und Beschäftigungsverhältnissen gebeutelt wurden. Niemals in der Vorkriegszeit haben die Klagen über niedrige Löhne, Feierschichten, Versorgungsmängel und Wohnungsnot ein solches Ausmaß erreicht wie in den 1920er Jahren, und dies alles wurde noch übertroffen von den Folgeerscheinungen der auch in Penzberg katastrophalen Weltwirtschaftskrise seit 1929. Selbst wenn man in Rechnung stellt, daß eine durch äußere,

---

[4] StAM, OK 149, Rede anläßlich des Ausscheidens von Direktor Klein, undatiert (ca. 1938). Einschub in runden Klammern: im Ms. kassiert.

politische Einflüsse gegenüber den Notlagen des täglichen Daseins vermehrt sensibilisierte Arbeiterschaft größere Bereitschaft zur Klage und interessenpolitischen Auseinandersetzung mitbrachte, sprechen doch die sonstigen Quellen insoweit eine deutliche Sprache.

Die relative Stabilität der Vorkriegsentwicklung war dahin. Während der Scheinblüte nach Kriegsende stiegen in Penzberg die Förderziffern zunächst bis 1923 auf rund 280 000 t an, und der Belegschaftsstand hielt sich bis Januar 1924 auf zeitweise weit über 2000 Beschäftigten. Er fiel seither deutlich zurück, während die einigermaßen auf dem erreichten Niveau gehaltene Förderung vielmehr der Rationalisierung und technischen Verbesserung der eigentlichen Abbauarbeit zu danken war.

Tabelle 21
Monatliche Förderung und Belegschaft der Grube Penzberg 1925 bis 1933[5]

Jahr	Förderung	Belegschaft
	zwischen	zwischen
1925	18 000 und 28 000 t	1250 und 1850 Mann
1926	21 000 und 31 000 t	1250 und 1650 Mann
1927	21 500 und 31 000 t	1450 und 1650 Mann
1928	24 500 und 33 000 t	1400 und 1600 Mann
1929	27 500 und 33 500 t	1400 und 1600 Mann
1930	28 500 und 33 000 t	1400 und 1550 Mann
1931	16 500 und 30 000 t	1250 und 1500 Mann
1932	26 000 und 32 000 t	1350 und 1500 Mann
1933	21 000 und 31 000 t	1150 und 1600 Mann

In diese Aufstellung gehen die noch erheblichen saisonalen Schwankungen – sie sind erst seit 1933 deutlich nivelliert worden – der Kohlenförderung, aber auch betriebstechnisch bedingte Ausfälle, darunter besonders eine zeitweilige Stillegung Anfang 1931 und die Umstellung auf die Nonnenwaldförderung Mitte 1933, ein. Der Rückgang der Belegschaft von 1923 bis 1925 betrug um 500 Mann. Die Kohlenförderung konnte trotz starker Schwankungen bis 1930 noch hochgehalten werden, sank aber im Winter 1930/31 rapide ab.

Die wirtschaftliche Lage der gesamten bayerischen Pechkohle dürfte ungefähr von denselben Grundlinien bestimmt worden sein: Auch hier wurde der höchste Belegschaftsstand im Jahre 1923 erreicht, der dann bis 1925 auf 70,6 Prozent reduziert wurde[6]. Von 9024 im Jahre 1923 durchschnittlich Beschäftigten waren 126 im kaufmännischen und 307 im technischen Bereich, zusammen rund 4,9 Prozent als Rechnungsführer,

---

[5] Nach Klein, Entwicklung, a.a.O., Schaubilder nach S. 53, 73. Es wurden jeweils die Jahreshöchst- und Tiefstpunkte annähernd wiedergegeben. Weitere Angaben für Hausham und Penzberg s. StAM, OK, Notizbücher und Wirtschaftstabellen, unverzeichnet (bes. 1924–1931).

[6] Nach verstreuten archivalischen Funden: BayHStA, MWi 2380 u. 2264. Es ist zumeist nicht erkennbar, ob Gesamtbelegschaften oder die Gruppe der Arbeiterschaften bei den Angaben für den Pechkohlenbergbau insgesamt sowie über einzelne Zechen gemeint sind, ob es sich um Jahresdurchschnitte handelt und auf welcher Grundlage diese errechnet wurden oder ob Einzelangaben zu bestimmten Daten vorliegen. Überdies verschleiert selbst eine auf Jahresdurchschnitten beruhende Förder- und Belegschaftsstatistik die wiederholt extremen Schwankungen im Beschäftigtenstand. Ein Beispiel: In Penzberg wurde im Januar 1924 ein Belegschaftsstand von 2212 erreicht, der bis August auf 1718 dezimiert wurde; im Dezember 1924 wurden wieder 2049 erreicht.

Bürobedienstete, Führungspersonal über Tage und insbesondere unter Tage (Steiger, Obersteiger, technische Steiger, Betriebsführer) angestellt[7].

Diese Verhältnisse werden ungefähr auch für Penzberg zugetroffen haben. Dabei ist besonders bemerkenswert, daß Weltkrieg und Revolution, wie dies auch andernorts feststellbar ist, in besonderem Maße die bergbauliche Angestelltschaft zur Vertretung ihrer wirtschaftlichen Interessen veranlaßt hatten: Vor allem zu Beginn der 1920er Jahre wurden Gehaltsforderungen erhoben und Tarifverhandlungen in Gang gebracht[8]. Über den Organisationsgrad und die Formen der Organisation im Ort läßt sich nichts Genaueres feststellen. Sicher übertrieb die *Münchener Post*, wenn sie 1931 rückblickend behauptete, mit den »politischen Wellen nach dem verlorenen Kriege« seien »99 Prozent der damaligen Werksangestellten mit einem Schlag Mitglieder der Sozialdemokratischen Partei in Penzberg geworden«, jedoch »nach und nach wieder aus der SPD verschwunden«. Ein Kern Wahrheit lag jedoch in diesen Feststellungen[9]:

»Denn vor dem Kriege waren diese Herrschaften ... Förderer der gelben Gewerkschaft in Penzberg wurden unter dem Kriege Annexionisten, nach dem Kriege Mitglieder der Sozialdemokratischen Partei, traten später in den deutschen Werkmeisterverband ein zur Förderung ihrer wirtschaftlichen Interessen und sind heute glücklich beim Stahlhelm gelandet«.

Dieser Weg mit der Endstation Nationalsozialismus entsprach in Penzberg, wie noch zu zeigen ist, durchaus den Tatsachen – allerdings in erster Linie bei den kaufmännischen Angestellten der Grube. Dabei waren für die Bergbauangestellten, anders als für den kleingewerblichen Mittelstand[10], weniger die Erfahrungen von Inflation und Weltwirtschaftskrise entscheidend. Steiger und Rechnungsführer überstanden Kriseneinbrüche auch leichter als die Arbeiterschaft: Sie genossen eine vergleichsweise hohe Arbeitsplatzsicherheit, wohnten in zum Teil komfortablen, stets jedoch billigen Zechenwohnungen und wurden durch die Inflation allenfalls in ihren Ersparnissen, nicht jedoch in ihrer Existenz getroffen. Es erscheint, als ob das Schwimmen zwischen den Fronten das politische Pendel in dieser »wert-parasitären« Beschäftigungsgruppe, besonders jedoch unter den kaufmännischen Angestellten der Zeche, leicht nach der Seite der jeweils Mächtigen ausschlagen ließ[11].

Anders dagegen die Arbeiter, das Gros der Penzberger Einwohnerschaft: An ihrer durchgängigen Loyalität gegenüber den Linksparteien bestand selbst über 1933 hinaus

---

[7] Nach BayHStA, MWi 2264.
[8] Vertragsangelegenheiten etc. der Angestellten in StAM, OK 107 sowie, für die spätere Zeit, in OK 669.
[9] MP 302/31. 12. 1931. Auch Klein, Entwicklung, a.a.O., betont S. 42f. den Frontwechsel der Angestellten: In einer ihrer Versammlungen erhielt er als Bergwerksdirektor nicht das Wort. Nach Kapsberger, Alois: Chronik des Sozialdemokratischen Vereins, Ortsgruppe Penzberg, o. O. o. J. [Penzberg 1931], S. 16, sollen 1919 65 Werksangestellte der SPD beigetreten sein. Dagegen hebt Klein hervor (S. 43), daß ihm »aller Unterdrückung zum Trotz« eine »Gesellschaftsschicht« die Stange hielt, »die anders dachte und die sich für jene Zeit reaktionär betätigte«: die kaufmännischen und einige technische Angestellte. Vgl. hierzu unten S. 199ff.
[10] Hierzu Winkler, Heinrich August: Mittelstand, Demokratie und Nationalsozialismus. Die politische Entwicklung von Handwerk und Kleinhandel in der Weimarer Republik. Köln 1972, S. 76–83.
[11] Vgl. bes. Speier, Hans: Die Angestellten vor dem Nationalsozialismus. Ein Beitrag zum Verständnis der deutschen Sozialstruktur 1918–1933. Göttingen 1977, S. 20, wo der Mangel an schichteigenen Wertschätzungen in der Angestelltenschaft konstatiert wird. Zum jüngeren Forschungsstand s. d. Bericht Fleming, Jens, u. a.: Sozialverhalten und politische Reaktionen von Gruppen und Institutionen im Inflationsprozeß, in: Büsch, Otto und Gerald D. Feldman (Hrsg.): Historische Prozesse in der deutschen Inflation 1914–1924. Ein Tagungsbericht. Berlin 1978, S. 239–263, bes. S. 249ff.

kein Zweifel. Die Einkommenssituation der Arbeiterfamilien läßt sich für die frühen 1920er Jahre bis zum Höhepunkt der Inflation im Sommer und Herbst 1923 nicht präzisieren[12]; sie hat sich jedoch, nach den temporären Revolutionsgewinnen, katastrophal verschlechtert. Um einen ungefähren Anhaltspunkt zu bekommen, seien Löhne und Preise in einer noch relativ gemäßigten Phase der Inflation, für das Jahr 1921 und das erste Halbjahr 1922, verglichen:

Tabelle 22
Löhne und Preise 1913/1921–22[13]

	1913	Quartale 1921 I.	II.	III.	IV.	1922 I. Quartal	März	April	Vielfaches
Durchschnittsschichtlohn im bayer. Bergbau		4,17	40,39	41,05	44,48	62,99	79,30		19,0
Durchschnittspreise in Bayern für:									
½ kg Brot	0,16						3,50	3,50	21,8
½ kg Ochsenfleisch	0,98						26,50	41,—	41,8
50 kg Kartoffeln	2,97						120,—	230,—	77,4
1 l Milch	0,20						4,90	5,70	28,5
½ kg Butter	1,31						39,50	46,—	35,1
½ kg Schmalz	1,34						47,—	56,—	41,7
1 Ei	0,07						3,—	3,50	50,0

Die Aufstellung zeigt zunächst, wie sehr sich die Inflation seit dem III. Quartal 1921 beschleunigte. Bis Ende 1922 wurde rund der 15fache Schichtlohn des I. Quartals 1922 erreicht, der Durchschnittsschichtlohn betrug 1922 462,85 Mark. Auch auf der Preisseite verlief die Entwicklung rasant: Der ungewichtete Durchschnitt einer Gruppe verschiedener Kleinhandelspreise für Lebensmittel am Markt München nahm zwischen dem 11. Oktober 1922 und dem 25. April 1923 um das Zwanzigfache zu[14].

Damit liegt auf der Hand, daß während der Inflationsmonate die gewohnten Methoden der Reallohn- oder Haushaltsberechnung zur möglichst präzisen Bestimmung der proletarischen Einkommensverhältnisse versagen[15]. Ohne Zweifel geriet der

---

[12] Die Quellenlage kompliziert sich zusätzlich durch ein 1921 in Kraft getretenes neues lohnstatistisches Formular, s. BayHStA, MWi 2271; hierzu auch Zeitschrift für das Berg-, Hütten- und Salinenwesen 69 (1921), S. 1–31. Zur Problematik der Reallohnstatistik in der Inflation s. ferner Bry, Gerhard: Wages in Germany 1871–1945. Princeton 1960, S. 54ff. u. passim.

[13] Zusammengestellt und errechnet nach: Preisaufstellung, datiert 9. 6. 1922, BayHStA, MWi 2262; Bergarbeiterlöhne, ZBSL 54 (1922), S. 459–461 und 55 (1923), S. 154–159. Die Lohnangaben für die 4 Quartale 1921 sind Löhne des Pechkohlenreviers, die indessen angesichts der nur noch geringen Zahl der (niedriger entlohnten) Bergarbeiter im bayerischen Steinkohlenbergbau (1921: 740) die Werte nur geringfügig verzerren. Ein Versuch zur Berechnung eines Lebenshaltungskosten-Indexes 1920–1930 findet sich ZBSL 56 (1924), S. 216.

[14] Errechnet nach den Angaben ZBSL 55 (1923), S. 161f.

[15] Leider liegt u. W. keine detaillierte Studie über die Lage der Arbeiterschaft in der Inflation vor, wie überhaupt entsprechende Forschungen für die Zeit der Weimarer Republik selten sind. Vgl. noch am ausführlichsten: Kuczynski, Jürgen: Darstellung der Lage der Arbeiter in Deutschland von 1917/18 bis 1932/33. Berlin [O] 1966, S. 150–180. Neuere Arbeiten mit knappen Hinweisen stammen von Reulecke, Jürgen: Phasen und Auswirkungen der Inflation 1914 bis 1923 am Beispiel der Barmer Wirtschaft, in: Büsch und Feldmann (Hrsg.), a.a.O., S. 175–187; Gladen, Albin: Der Ruhrbergbau in der Inflationsperiode, ebenda, S. 188–196. Von dem in diesem Sammelband vorgestellten Forschungsprojekt sind künftig mehrere fundierte Beiträge zu diesem Problemkreis zu erwarten.

Arbeiterhaushalt jedoch hoffnungslos ins Hintertreffen. Dabei lagen die Pechkohlenlöhne[16] im März 1922 sogar noch um knapp 30 Prozent unter jenen der Ruhrbergarbeiter. Allerdings dürfte auch die Preisentwicklung in Bayern im Vergleich mit den reichsweiten Trends Verzögerungen aufgewiesen haben. Im Frühsommer 1923 war die Lohnsteigerung so weit fortgeschritten, daß man während einer Verhandlung in Berlin am 26. Juli nicht, wie angekündigt, um 30 Prozent, sondern um 70 Prozent Lohnerhöhung stritt; die Hauerschichtlöhne wurden jetzt wöchentlich ausgehandelt und vervierfachten sich etwa im August 1923 von einer Woche zur anderen.

Die Pechkohlenzechen kündigten im September 1923 Kurzarbeit und Feierschichten an und drohten im November, wenn die Arbeitsleistung nicht steige, mit Stillegung und Massenentlassungen. Die Löhne ließen sich nicht mehr auszahlen. Schon am 17. Januar 1923 waren rund 500 Bergleute wegen nicht ausgezahlter Dezemberlöhne demonstrativ zum Bergwerk marschiert[17]; fortan verzögerten sich die Lohnzahlungen regelmäßig, weil die Zeche aus jedem Verzögerungstag Gewinn zog. Anfang Oktober schuldete man in Hausham an jeden Bergmann durchschnittlich 600 bis 700 Millionen Mark. Seit dem 19. November wurden dann die Löhne in Goldmark fixiert; der letzte Schichtlohn in der Woche vom 12. bis 19. November betrug 1,470 Billionen Mark und wurde gleich 2,45 Goldmark gesetzt.

Maßnahmen der Preiskontrolle mögen 1920 noch gegriffen haben; sie erwiesen sich seit dem Spätsommer 1921 zunehmend als ein Schattenboxen. Schon im Sommer 1920 gingen zahlreiche Proteste gegen die maßlos gestiegenen Preise für landwirtschaftliche Erzeugnisse ein, die sich bei einem Vergleich als in Penzberg besonders hoch erwiesen[18]. Der Stadtrat kontrollierte 1920 und 1921 die Fleischpreise und drohte den örtlichen Metzgern schon im Juli 1920 an, man werde »schlimmstenfalls«[19] auf städtische Rechnung im Schlachthof schlachten lassen. Seit 1920 fanden regelmäßig »Quäkerspeisungen« auf Veranlassung einer amerikanischen Hilfsorganisation statt, und in den Bergarbeiterstädten im Oberland wurden Schulspeisungen eingerichtet[20]. Im Mai 1921 setzte die Stadt angesichts des Kleingeldmangels wieder Notgeld in Umlauf[21] – eine Maßnahme, die nur wenige Monate genutzt haben dürfte. Im Sommer 1924 druckte die Zeche aus eigenem Recht Notgeld, das jedoch in einigen umliegenden Orten nicht akzeptiert wurde; das Bezirksamt drohte diesen Orten daraufhin »in erster Linie Ausweisung sämtlicher Sommerfrischler« an. Man wollte »in der jetzigen kritischen Zeit keinen Anlaß zu Unruhen geben«[22]. Daß die Inflation die in Penzberg stets latenten Stadt-Land-Gegensätze verschärfte, lag auf der Hand, denn den umliegenden bäuerlichen Gütern mangelte es kaum an den Grundbedürfnissen des täglichen Lebens.

---

[16] Zum Folgenden s. die recht detaillierte Dokumentation der Lohnverhandlungsergebnisse 1922/23 in: BayHStA, MWi 2263. Über Maßnahmen der Grubenverwaltung Penzberg s. StAM, LRA 9754, Bekanntmachung vom 20. 11. 1923.
[17] Bericht StAM, LRA 3915, SR/BA WM 18. 1. 1923; vgl. ü. ähnliche Vorkommnisse LRA 3897, PP/BA WM 4. 12. 1922 sowie unsere Darstellung unten S. 135ff.
[18] Zum Folgenden s. StaP, SR 2. 7. 1920, 12. 5. 1921, 6. 7. 1921.
[19] Ebenda, 26. 7. 1920; zur späteren Zeit (Brotversorgung): 28. 11. 1922.
[20] Ebenda, 11. 1. 1921, 7. 6. 1921, 10. 7. 1924 u. 12. 7. 1924 sowie PA 21/19. 2. 1921.
[21] StaP, SR 24. 5. 1921, sowie ausführliche Dokumentation in StAM, AR 3960/37.
[22] BA WM am 18. 8. 23, in: StAM, AR 3960/37.

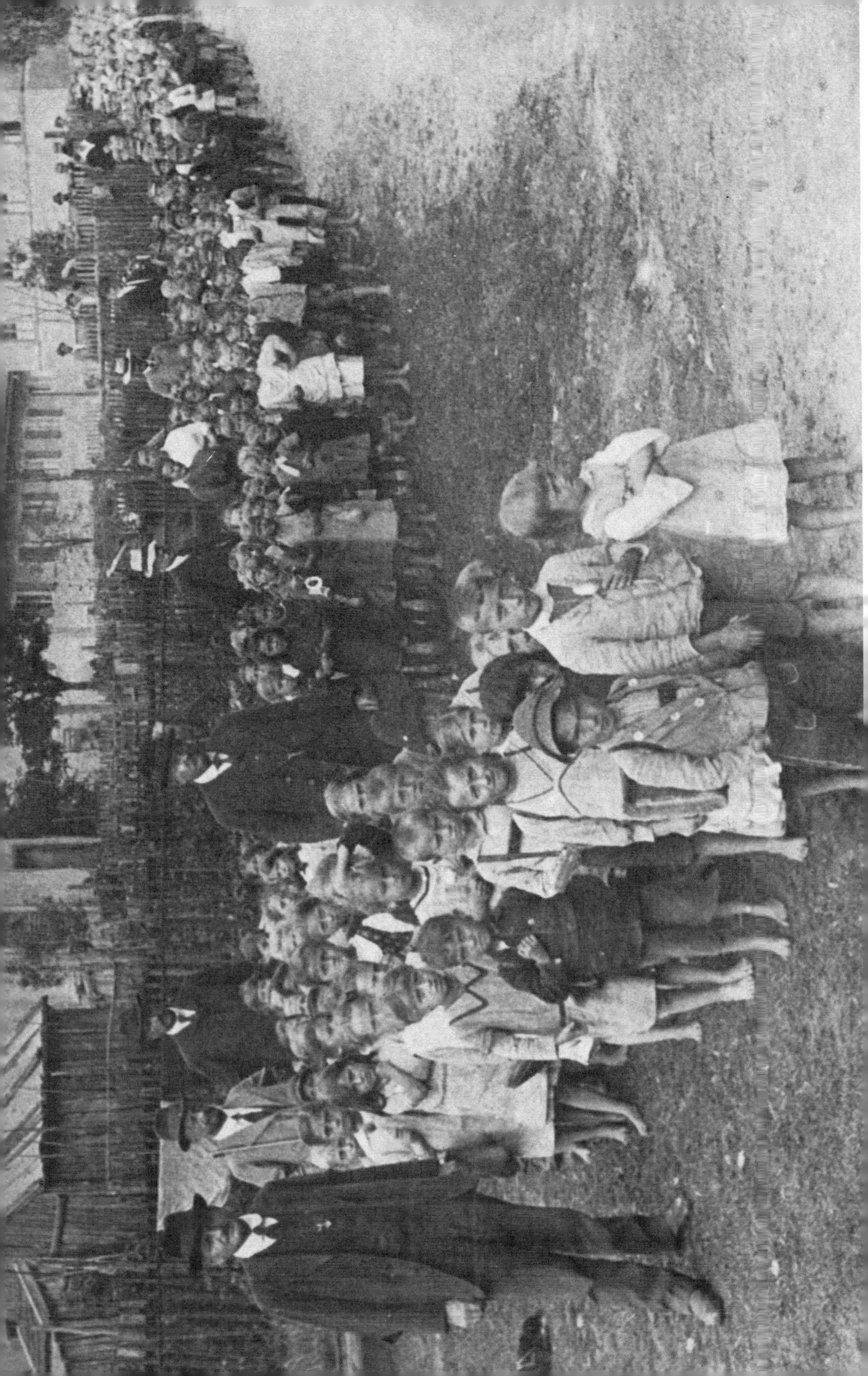

Anläßlich der Oberammergauer Passionsspiele Ende 1921 schritt der Schongauer Stadtrat mit aller Schärfe gegen den »Ausverkauf« an Lebensmitteln ein, und im Penzberger Stadtrat kam es zu einer harten Kontroverse zwischen dem Bauern Gstrein und den bergmännischen Mitgliedern, in der alle Ressentiments gegen die preistreibenden Landwirte aufbrachen[23].

Die junge Stadt Penzberg erlebte in der unmittelbaren Nachkriegszeit ein erneutes stoßhaftes Bevölkerungswachstum.

Tabelle 23
Bevölkerungsentwicklung 1914 bis 1933[24]

Jahr	Geborene	Geborenen- überschuß	Bevölkerung laut Zählung	Bevölkerung »hochgerechnet«	
1914	139	63	4650		
1915	94	−13	4770	auf der	
1916	86	− 9	4863	Grundlage von	
1917	67	0	4914	1919	1925
1918	80	6	5340	(= 5626)	(= 5845)
1919	139	46	5626		
1920	190	99		(5725)	
1921	176	114		(5839)	
1922	173	106		(5945)	
1923	164	90		(6035)	
1924	139	67		(6102)	
1925	139	74	5845	(6176)	
1926	127	66		(6242)	(5911)
1927	104	29		(6271)	(5940)
1928	109	52		(6323)	(5992)
1929	127	45		(6368)	(6037)
1930	106	32		(6400)	(6069)
...					
1933			6491		

Zunächst zeigt diese Tabelle den – mit Ausnahme der Kriegsjahre – anhaltend hohen Geborenenüberschuß der Stadtbevölkerung; die Geborenenrate betrug beispielsweise im Jahre 1919 2,5 Prozent und 1925 2,4 Prozent (die Vergleichszahlen[25] lauten: 2,0 Prozent 1919 und 2,1 Prozent 1925 im Deutschen Reich); sie ist seither allerdings deutlich zurückgefallen. Der Rückstrom der Kriegsteilnehmer kommt in der Aufstellung klar zum Ausdruck. Allerdings dürfte der Zustrom von Neubergleuten seit Kriegsende nur in einer monatsweisen Statistik angemessen erkennbar werden. Die niedrigen Kriegswerte erklären sich auch durch den über Reklamationen nicht kompensierten Rückstrom vieler Ausländer in ihre Heimatländer mit Kriegsbeginn. Zu berücksichtigen

---

[23] Ausführlich: StaP, SR 29. 11. 1921. Zeitweise ist übrigens in Penzberg die Bildung einer Verbraucherorganisation erwogen worden, s. ebenda, 6. 7. 1921.
[24] Einwohnerzahlen nach: Historisches Gemeindeverzeichnis. Die Einwohnerzahlen der Gemeinden Bayerns in der Zeit von 1840–1952. München 1953, S. 45f.; für 1914 bis 1918 nach StAM, AR 3964/69z, Bericht vom 24. 6. 1919; Geborenenüberschuß errechnet nach StaP, SR 9. 1. 1931.
[25] Nach Petzina, Dietmar u. a.: Sozialgeschichtliches Arbeitsbuch, Bd. III, Materialien zur Statistik des Deutschen Reiches 1914–1945. München 1978, S. 32.

ist jedenfalls, daß die Zählungen jeweils zum Jahresende stattfanden – 1925 und 1933 hingegen im Juni –, so daß auch saisonale Schwankungen im Belegschaftsstand, etwa durch den Zustrom von Ledigen, die in den Wohnheimen der Zeche Unterkunft fanden, einfließen. Selbst wenn man diese differenzierenden Hinweise berücksichtigt, wird in der »Hochrechnung« der Geborenenüberschüsse indirekt erkennbar, daß Penzberg, nachdem 1918/19 eine erhebliche Zuwanderung zu verzeichnen gewesen war, wahrscheinlich seit 1923 deutliche Wanderungsverluste erlitt, die sich seit dem Ende der 1920er Jahre in leichte Wanderungsgewinne umkehrten[26] – anders läßt sich die erhebliche Differenz zwischen der auf der Grundlage von 1925 mit dem Geborenenüberschuß »hochgerechneten« Bevölkerung für 1930 und der 1933 gezählten Bevölkerung angesichts des in der Krise gewiß weiter sinkenden Geborenenüberschusses nicht erklären.

Die Bevölkerungsentwicklung hat in der Gemeinde wegen der Zuwanderung nach Kriegsende und der bald hohen Geborenenüberschüsse insbesondere hinsichtlich der Wohnungsfürsorge zu bedrückenden Notständen geführt. Dabei wirkte sich für die Gemeindepolitik äußerst beengend aus, daß die Oberkohle über die meisten Wohnungen am Ort verfügte. Deshalb scheiterte schon 1917 der Versuch zur Einrichtung eines Mietereinigungsamtes. Anfang 1919, als sich das wirkliche Ausmaß des Engpasses auf dem Wohnungsmarkt abzuzeichnen begann, hieß es dann, die Wohnungslage in Penzberg sei »schon seit langer Zeit äußerst mißlich«[27]. Eine im Juni 1919 angefertigte Aufstellung ergibt folgendes Bild:

Tabelle 24
Wohnungen in Penzberg 1919[28]

Gesamtzahl der Wohnungen	1370
davon: Zechenwohnungen	490
davon: 6-Zimmer-Wohnungen	5
3-Zimmer-Wohnungen	72
2-Zimmer-Wohnungen	413

Der Gesamtwohnungsbestand hatte im Jahre 1913 1334 betragen. Demnach war in Penzberg jede Wohnung 1913 durchschnittlich mit 4,1, im ersten Halbjahr 1919 mit 4,2 Personen belegt. Sehr viel abträglicher wirkte sich jedoch die völlige Vernachlässigung der Wohnungsinstandhaltung während der Kriegsjahre aus. Im Frühjahr 1920 wurden 100 Wohnungen als »vollständig ungenügend«, 95 als »ungenügend« bezeichnet[29]. Die scheinbar nicht sehr hohe Belegungsziffer enthüllt das dahinterstehende soziale Elend allerdings im vollen Umfang erst dann, wenn man berücksichtigt, daß ein hoher Anteil der Penzberger Wohnungen aus nur einem Zimmer bestand[30]. Und selbst die alte Bergarbeiterkolonie war baufällig; in den Bergarbeiterwohnungen fehlte überall ein

---

[26] Vgl. unten Anm. 63.
[27] StAM, AR 3961/39, BM Höck/BA WM 30. 1. 1919.
[28] Nach StAM, AR 3964/69z, Reg. Obb./Staatsmin. f. soz. Fürsorge 24. 6. 1919.
[29] Undatierte Übersicht: BayHStA, MWi 2275.
[30] Ebenda wird behauptet, 64% der Penzberger Wohnungen seien Einzimmerwohnungen. Nach der Reichswohnungszählung vom 16. 5. 1918 (Quelle: ZBSL 50 [1918], S. 666–668) bestanden von 1165 gezählten Penzberger Wohnungen 0,3% nur aus einer Küche, 14,2% aus 1 Zimmer ohne Küche, 10% aus 1 Zimmer mit Küche, 50% aus 2 Zimmern ohne Küche (Grundtyp der Zechenwohnung) und 25,5% aus 2–3 Zimmern mit Küche.

Wasseranschluß ebenso wie Speicher und Waschküchen. Meist gab es nur einen Kellerraum für alle Bewohner der Zechenhäuser, deren Küche immer zugleich Wohnraum und oft auch Schlafraum für 1 bis 2 Personen war.

»Zahlreiche Wohnungen sind übervölkert, schon die große Anzahl von Wohnungen mit nur 2 Räumen läßt eine ordnungsgemäße Trennung der Familienmitglieder nach Alter und Geschlecht nicht zu. So wohnen in einem Hause . . . 5 Personen in einem einzigen, durch eine mannshohe Bretterwand geteilten Zimmer, in welchem zugleich gekocht wird. Ebendort sind 2 schlechte Zimmer an je 2 Personen um den viel zu hohen Mietpreis von 10,20 bzw. 8,20 M. monatlich vermietet . . .«[31].

Im Vergleich hierzu waren Zechenwohnungen billig: Sie kosteten um diese Zeit durchgängig 4 Mark je Zimmer. Von einer Wohnungsbesichtigung aufgrund einer Beschwerde Ende 1917 ist überliefert, daß in einem nur als Kaserne zu bezeichnenden privaten Wohnhaus 29 Parteien mit 168 Personen, darin 60–70 Kinder, lebten. Für je 21 Personen gab es in diesem Haus einen Abort, für 42 Personen einen Wasserhahn:

»Die Luft in den Kochzimmern war meist schauderhaft schlecht, ebenso mit wenigen Ausnahmen die Reinlichkeit. Als gesundheitlich sehr bedenklich ist es zu bezeichnen, daß keine Räume für Aufbewahrung von Lebensmitteln vorhanden sind, so daß also alles, was zum Haushalt benötigt wird, in den Wohn- oder Schlafräumen aufbewahrt werden muß. Einige Wände sind feucht, teils infolge Undichtigkeit des Daches, teils aus anderen Gründen. Für den Fall des Auftretens übertragbarer Krankheiten würde das Haus wohl einen Seuchenherd übelster Art abgeben«[32].

Die Beschreibungen lassen sich vermehren. Auch das Bezirksamt war sich

»selbstverständlich darüber klar, daß die katastrophale Wohnungsnot, wie sie in Penzberg herrscht, nicht durch papierne Maßregeln bekämpft werden kann«[33].

Man tat auch einiges: Die Stadt erlangte erhebliche staatliche Zuschüsse zur Errichtung von 22 Wohnungen in eilig herbeigeschafften Großbaracken aus Heeresbeständen[34], und sie versuchte, der Not durch Sondermaßnahmen abzuhelfen: Am 9. Juli 1920 erließ der Stadtrat eine Zuzugssperre und hielt sie gegen die Intervention der Grubenverwaltung, schließlich auch gegen die Verfügung des Bezirksamtes aufrecht; erst ein Erlaß der Regierung von Oberbayern belehrte über die Notwendigkeit einer Rücknahme dieser

---

[31] Wie Anm. 27. In dem Bericht wurde noch hervorgehoben, »der Ernährungszustand der Kinder sei durchwegs gut«; vgl. dazu die weiter unten zitierten Stellungnahmen.
[32] StAM, AR 3964/69z, Bericht d. Kgl. Bezirksarztes/BA WM 17. 12. 1917. Weitere Beschreibungen s. ebenda, Bericht undat. (Eing. 23. 4. 1924): Seit 1910 wurden keine Zechenwohnungen mehr gebaut. »Familie Nachtmann in Neufischhaber bewohnt eine Mansarde von ca. 2,5 zu 3 m; Zimmer feucht, das kleine Dachfenster zum Teil statt mit Glas mit Brettern versehen, Fensterstock vermorscht; der Eingang, unmittelbar auf eine steile Stiege mündend, so schmal und mit Möbeln verstellt, daß im Fall eines Brandes niemand mehr herauskäme. Dort wohnen, schlafen und kochen die Eheleute mit 8 Kindern (2 Betten). Bei Kaucic und Ganslmeier zwei fast gleiche Fälle: Typenwohnung, Küche und ein Zimmer. Im einen Fall 7, im anderen 9 Personen, mehrere Familien gemischt. In dem einen Zimmer ein junges Ehepaar, ein erwachsener Bruder des Mannes, ein Sohn und eine Tochter – beide schulpflichtig – (4 Betten, 1 Kanapee). In der einen Küche – natürlich zugleich Schlafzimmer verschiedener Leute – hat eine Frau bis zu ihrer Entbindung auf einer Kiste geschlafen, die nachts durch einen Stuhl verlängert wurde. Entbunden hat sie dann auf dem Hausgang in einem Bretterverschlag und zwar im Bett eines nicht dazugehörigen Mannes. In beiden Häusern ein Ende des Ganges durch Bretter abgetrennt. Im einen Haus schlafen in dem Bretterverschlag ein Ehepaar mit ihrem ca. 6jährigen Kind« Bei dieser Beschreibung handelt es sich um die Belegungspraxis im Zechenhaus (Typenwohnung!).
[33] Aktennotiz d. BA WM vom 24. 4. 1923, StAM, AR 3964/69z.
[34] Vgl. BayHStA, MWi 2275.

zweifellos verfassungswidrigen Maßnahme[35]. Ein ähnliches Schicksal erlitt das vom Stadtrat unter dem 10. August 1920 erlassene Eheverbot, mit dem man der Vermehrung der Anzahl der Wohnungssuchenden entgegenwirken wollte. Sie hat während der gesamten Jahre bis zum Machtantritt der Nationalsozialisten um die Zahl 200 gelegen; im Frühjahr 1919 suchten 320 Personen eine Wohnung. Man erwog, gegen den harten Protest des Stadtpfarrers, zeitweise die Beschlagnahme des katholischen Jugendheims für Notquartiere, und Rummer konnte vorübergehend die »Zwangsbelegung« aller Vier-Zimmer-Wohnungen mit zwei Familien durchsetzen, was, so der Bürgermeister, »von der Arbeiterschaft als Notmaßnahme gutwillig hingenommen« wurde[36]. Darüber hinaus wurden durch städtische und staatliche Maßnahmen die beiden am Ort konkurrierend entstandenen Wohnungsbaugenossenschaften unterstützt – Hilfestellungen, die allerdings nur längerfristig den Wohnungsmarkt entlasten konnten[37]. Die Errichtung eines Mieteinigungsamtes scheiterte nach wie vor, jetzt jedoch vor allem am Mangel einer geeigneten, juristisch gebildeten Persönlichkeit für den Vorsitz – in eine um so bedeutendere Position und Funktion rückte die Wohnungskommission[38] des Stadtrats, die im Brennpunkt jeglicher Auseinandersetzungen um Wohnungsprobleme stand, auf die sich mithin die Kritik der Arbeiter sehr bald konzentrierte und deren Vorsitz deshalb zu einem rechten Schleudersitz werden sollte.

Die Geschichte der Not in Penzberg während der Inflationszeit ist mit diesen Hinweisen noch nicht zu Ende: Auch Arbeitslosigkeit begann, nachdem im Januar 1919 noch ziemlich jeder arbeitsfähige Mann eingestellt worden war, sich seit 1920/21 wiederholt bemerkbar zu machen[39] – hier sollten die wirklichen Probleme allerdings erst im Jahre 1924 und in der Weltwirtschaftskrise auftreten. Das Gesamtbild der Lage der Arbeiterschaft in der Inflation ist erschreckend genug, und dies ist den Zeitgenossen auch fern der Stadt nicht verborgen geblieben. Schon Anfang 1919 konstatierte der Bezirksarzt die Zunahme der bisher seltenen Tuberkulose-Fälle in Penzberg. Ende 1923 vermerkte ein Bericht der Regierung von Oberbayern[40]:

»Die Zustände erfahren eine grelle Beleuchtung beim Durchwandern von Penzberg. Nur hohlwangige, blasse Kinder sind zu sehen. Auch die Bergarbeiter sind körperlich so herunten, daß sie unmöglich länger als ihre 7 Stunden arbeiten können, auch nicht beim besten vorhandenen Willen«.

Ein weiterer, im Frühjahr 1924 verfaßter Bericht hob hervor[41]:

---

[35] StaP, SR 9. 7. bis 7. 9. 1920.
[36] Notiz über Ortsbesichtigung in Penzberg 3. 10. 1919, in: BayHStA, MWi 2275. Über 1919 gezahlte staatliche Unterstützungen vgl.: Die Kohlenwirtschaft Bayerns bis Ende 1920, o. O. o. J. [1920], S. 48.
[37] Zu diesen Hilfen s. Berichte u. ä. in BayHStA, MWi 2275 u. 2276.
[38] Vgl. bes. die Anm. 33 zit. Aktennotiz sowie StaP, SR 21. 9. 1920, 16. 11. 1920. Zur späteren Wohnungsnot s. etwa PA 189/18. 8. 1932: Nach wie vor 200 Wohnungsuchende in Penzberg.
[39] Genaue Angaben liegen nicht vor. Global für Bayern stellt Nothaas, Josef: Der Arbeitsmarkt in Bayern in den Jahren 1921, 1922, 1923 und 1924, in: ZBSL 57 (1925), S. 249–262, ab März 1923 für den bergbaulichen Arbeitsmarkt eine das Stellenangebot bei weitem übertreffende Zahl von Arbeitssuchenden fest; vgl. auch für die Entwicklung der öff. Notstandsarbeiten ders.: Die produktive Erwerbslosenfürsorge in Bayern, ebenda 58 (1926), S. 32–39; allg. zur Arbeitslosenstatistik ebenda 55 (1923), S. 148 (unterstützte Erwerbslose).
[40] BayHStA, MWi 2263, Bericht vom 7. 12. 1923 (die Vorlage hierzu: StAM, LRA 9554, Bericht der Landespolizei Weilheim vom 7. 12. 1923), sowie StAM, AR 3964/69z, Bezirksarzt/BA WM 27. 2. 1919.
[41] Dem BA WM vorgelegt: 23. 4. 1924, in: StAM, AR 3964/69z.

»Auffallend ist das schlechte Aussehen der meisten Kinder. Sie sind auch zum großen Teil für ihr Alter zu klein. Der Herr Bezirksarzt hat bei der letzten Tuberkulinprobe der Schulkinder festgestellt, daß 45 Prozent tuberkulös infiziert sind. Er glaubt, daß dieser Prozentsatz schon jetzt weit überschritten ist, denn die Verarmung mache sich jetzt außer in den Wohnungsverhältnissen auch in der sonstigen Lebenshaltung so stark bemerkbar, daß die Tuberkulose auch dadurch stark zunehme«.

Sehr präzise Angaben wurden für die Jahre 1919 bis 1924 aus mehreren Klassen der Penzberger Volks- und der Berufs-Fortbildungsschule erhoben[42]. Im Februar 1921 wurden 900 Schulkinder ärztlich untersucht:

Tabelle 25
Gesundheitszustand der Penzberger Schulkinder im Jahre 1921

1. Gruppe: »gesund und gut ernährt«	135 Kinder, 15%
2. Gruppe: »leicht unterernährt«	287 Kinder, 32%
3. Gruppe: »unterernährt«	364 Kinder, 40%
4. Gruppe: »schwer unterernährt«	114 Kinder, 13%

Zu diesen bestürzenden Angaben gesellen sich weitere: 50 Prozent der 7. Mädchenklasse 1922 hatten schlechte Zähne, und 60 Prozent derselben Klasse litten an Kropf; in der 1. Mädchenklasse 1924 litten 23 Prozent an Tuberkulose und 17 Prozent an Rachitis sowie 20 Prozent an Kropf und 17 Prozent an schlechten Zähnen. Das waren auch für die anderen Klassen keine außergewöhnlichen Befunde. Insgesamt galten von 2131 Kindern an den Schulen in Peißenberg, Penzberg und Weilheim im Jahre 1923 nach ärztlicher Feststellung 1616 bzw. 75,8 Prozent als unter- oder fehlernährt. Das Bild wird ergänzt durch Erhebungen über häusliche Umstände in Penzberg am 29. September 1924. Danach schliefen – die Gesamtzahl der jeweils Befragten lag zwischen 528 und 611 Kindern – 17 Prozent der Kinder in eigenen Zimmern, 54 Prozent in 2- und 3-Bett-Zimmern und 29 Prozent in Schlafräumen mit 4 bis über 7 Personen; 43 Prozent hatten nur ein Paar Schuhe, 20 Prozent nur ein Paar Strümpfe. 205 Kinder hatten keinen Wintermantel, und nur 2 erhielten (privaten) Unterricht in fremden Sprachen[43].
Es waren mithin – diese Feststellung kontrastiert zu dem bisher über die Lage der Arbeiterschaft zwischen Jahrhundertwende und frühen 1920er Jahren Bekannten – in Penzberg nicht oder nicht in erster Linie die Weltkriegsjahre[44], die durch wirtschaftsstrukturelle Veränderungen, Verluste an Realeinkommen und Versorgungsmängel einen Verarmungsprozeß der Arbeiterschaft beschleunigt hätten. In den Kriegsjahren profi-

---

[42] Daten im folgenden nach Winkler, Albert (Bearb.): Denkschrift über die Tätigkeit des Stadtrats der Industriestadt Penzberg 1919–1924. Penzberg o. J. [1924], S. 28–33, sowie BayHStA, MWi 2264, Gutachten vom 3. 6. 1925.
[43] Nach Winkler, a.a.O., S. 28–32.
[44] Vgl. mit zahlreichen weiteren Hinweisen: Kocka, Jürgen: Klassengesellschaft im Krieg. Deutsche Sozialgeschichte 1914–1918, 2. Aufl., Göttingen 1978, S. 12, 21. Kocka differenziert selbst durch die Unterscheidung der Kriegs- von den Friedensindustrien.

tierten die Bergarbeiter von hoher Arbeitsplatzsicherheit, einigermaßen mit den Preisen mithaltenden Löhnen, Schwerarbeiterzulagen und Behebung der Versorgungsengpässe durch das nahe bäuerliche Umland. In der Inflationszeit suchten sich die Bauern hingegen die zahlungskräftigsten Abnehmer für ihre Produkte, verfielen die Realeinkommen drastisch, vermehrte sich das Arbeitsplatzrisiko und nahmen unhaltbare hygienische Zustände erheblich zu. Die Not hat erfinderisch gemacht, hat zur Selbsthilfe greifen lassen und darin Wertvorstellungen und Verhaltensmaßstäbe gehörig durcheinandergewirbelt – doch sei dies an anderer Stelle genauer beschrieben.

Die Stabilisierung der Währung besserte die Situation der Bergarbeiterfamilien keineswegs durchgehend. Sie hat indessen zur Festigung der Versorgungslage und, im Arbeiterhaushalt, zur Wiederherstellung möglichst rationeller Kalkulationsgrundlagen beigetragen – wenigstens solange der Arbeitsplatz ungefährdet blieb. In Penzberg wurden seit 1924 die folgenden, auf der Grundlage von Monats-Schichtlöhnen errechneten durchschnittlichen Jahresschichtlöhne aller Bergarbeiterkategorien gezahlt:

Tabelle 26
Löhne in Penzberg und Lebenshaltungskosten 1924 bis 1933[45]

	1924	1925	1926	1927	1928	1929	1930	1931	1932	1933
Schichtlöhne	4,09	4,79	5,29	5,67	6,05	6,61	6,54	6,04	5,16	5,21
Index-Schichtlöhne	100	117	129	139	148	162	160	148	126	127
Index-Lebenshaltung	100	108	108	113	116	117	113	103	93	91

Zwischen den einzelnen Monatslöhnen ergeben sich dabei im Vergleich nur noch geringe saisonale Schwankungen. Die höchsten Löhne wurden im zweiten Halbjahr 1929 erreicht. 1930 konnte das Lohnniveau durchgängig mit leichten Abstrichen gehalten werden; im Februar 1931 mußte eine Einbuße um 8 Prozent, im Oktober 1931 eine weitere Einbuße um 6,7 Prozent und im Januar 1932 schließlich um 9,4 Prozent hingenommen werden. Seither blieben die Löhne bis zu ihrem erneuten leichten Anstieg seit September 1933 recht konstant.

In der betrieblichen Lohnstruktur haben die Gewerkschaften in der zweiten Hälfte der 1920er Jahre, geht man von den tarifvertraglichen Absicherungen aus, immerhin eine starke Annäherung der früher recht großen Lohnschere erreicht. Dabei handelte es sich freilich um Fixierungen auf der Grundlage von Schichtlöhnen. Die tatsächlich, also unter Einbezug der Gedingelöhne gezahlten Löhne sahen ganz anders aus:

---

[45] Nach StAM, OK 233–245 sowie 777, aus Monatslöhnen errechnet. Eine gesamtbayerische Lohntabelle der verschiedenen Bergbaue s. in BayHStA, MWi 2272, für 1926 bis 1934. Index der Lebenshaltungskosten (umgerechnet auf das Basisjahr 1924) nach Petzina u. a., Sozialgeschichtl. Arbeitsbuch, Bd. III, a.a.O., S. 107. Ein für Bayern 1924 bis 1926 verfügbarer Index zeigt dieselbe Tendenz bei einem um etwa 2 Punkte erhöhten Niveau: Die Entwicklung der Lebenshaltungskosten, Löhne und Gehälter in Bayern 1924–1926, in: ZBSL 59 (1927), S. 106–108. Eine Statistik der Preise am Platz Weilheim 1924–1931 findet sich StAM, AR 3962/57.

Tabelle 27
Tarifvertragslöhne und tatsächlich gezahlte Löhne 1928 und 1933[46]

Arbeiterkategorie	Tarifvertrag 1928	tatsächlich 1928	tatsächlich 1933
Hauer (Zimmerhauer, Schießmeister, Wettermänner)	100%		
Aus- und Vorrichtung:			
Hauer		8,54 = 100%	6,78 = 100%
Schlepper		78%	77%
Hilfsarbeiter		56%	62%
Schießmeister		69%	89%
Abbau:			
Hauer		95%	93%
Schlepper		65%	71%
Hilfsarbeiter		58%	61%
Lehrhauer	98%		
Schlepper Bergeversetzer	95%		
Hauptschachtbedienung	92%		
Sonstige Grubenarbeiter:			
16–17 Jahre	44%		
17–18 Jahre	56%		
18–19 Jahre	64%		
19–20 Jahre	73%		
20–21 Jahre	80%		
21–24 Jahre	90%		
über 24 Jahre	92%		
Grubenerhaltung		78%	81%
Förderung:			
Grube		59%	66%
über Tage		56%	61%
Fördermaschinisten	100%	74%	79%
Sortierung, Verladung	94%	50%	53%
Sonstige Tagarbeiter:			
14–16 Jahre	33%		
16–17 Jahre	38%		
17–18 Jahre	50%		
18–19 Jahre	58%		
19–20 Jahre	69%		
20–21 Jahre	78%		
21–24 Jahre	88%		
über 24 Jahre	90%		

Die Tabelle erlaubt, auch wenn sich die tarifvertraglichen Arbeiterkategorien besonders wegen der Gedingeregelungen und der Besonderheiten der Ausrichtungs- und Abbauorganisation im ganzen nicht mit den tatsächlich in diesen Bereichen beschäftigten Arbeiterkategorien in Einklang bringen lassen, zwei bemerkenswerte Feststellungen:

---

[46] Nach dem »Tarifvertrag für das Gebiet des obb. Pechkohlenbergbaues«, Stand: 1928 (BayHStA, MWi 2262), sowie einem Lohnvergleich 1928/1933, in: StAM, OK 233.

1. Die tatsächlichen Lohnrelationen weichen beträchtlich von den tarifvertraglich fixierten insbesondere wegen der erheblich über den Schichtlöhnen verdienenden Gedingehauer ab. Dabei ist zu berücksichtigen, daß die große Mehrheit der Hauer und Schlepper im Gedinge arbeitete; tatsächlich erreichten jedoch die nachgeordneten Arbeiterkategorien im Gedinge keineswegs die auf Schichtlohnbasis vorgesehenen Lohnrelationen. Die Hauer waren die höchstverdienende Arbeiterelite im Bergwerk.

2. In konjunkturellen Blütejahren (1928) öffnete sich die Schere der Lohnrelationen zwischen den einzelnen Arbeiterkategorien weit; im konjunkturellen Abschwung (1933) schloß sie sich: Die tatsächlich gezahlten Löhne rückten einander der Höhe nach näher. Im Abschwung büßten vor allem die Hauer ihre Position als Lohnelite ein. Die Einbußen nachgeordneter Arbeiterkategorien waren durchweg deutlich geringer.

Gegenüber den tariflichen Löhnen werden die tatsächlich gezahlten Löhne naturgemäß vornehmlich (im Gedinge) durch die Arbeitsleistung und durch die Arbeitszeit bestimmt. In der Arbeitszeitfrage erlitt die Arbeiterschaft zu Beginn des Jahres 1924 jedoch auch in Südbayern eine entscheidende Niederlage.

Einzelheiten der reichsweiten Diskussion und des Verhaltens von Arbeitgebern und Arbeitnehmern in der Frage der Überschichten und der Schichtdauer im Bergbau brauchen hier um so weniger erörtert zu werden, als hierzu jüngere außerordentlich detaillierte Forschungen vorliegen[47]. Im ganzen spiegelt die Entwicklung der Arbeitszeit in den frühen 1920er Jahren auch im Pechkohlenbergbau den Wiedergewinn früherer Machtpositionen im Arbeitgeberlager, hier im »Arbeitgeberverband der bayerischen Kohlenbergwerke«. In der Überschichtenfrage haben die bayerischen Bergarbeiter während der Jahre der Inflation wohl größere Nachgiebigkeit[48] gezeigt als ihre Kollegen an der Ruhr; in der Anfang 1924 faktisch auf Dauer durch ein »Abkommen über Überarbeit« im oberbayerischen Bergbau fixierten Arbeitszeitverlängerung entsprach man der Entwicklung an der Ruhr[49]. Bis Ende 1923 verfuhr man in Penzberg 7stündige Schichten einschließlich der Ein- und Ausfahrt, was einer tatsächlichen Arbeitszeit vor Ort von gut 6 Stunden, gelegentlich weniger, entsprochen haben dürfte – allerdings ohne Einrechnung der zahllosen Überschichten. Seit Januar 1924 arbeitete man 8 ½ Stunden täglich, über Tage 12 Stunden (bisher 10). Die Vorkriegs-Arbeitszeit war damit annähernd wiederhergestellt.

---

[47] Vgl. Feldman, Gerald D. und Irmgard Steinisch: Die Weimarer Republik zwischen Sozial- und Wirtschaftsstaat. Die Entscheidung gegen den Achtstundentag, in: AFS 18 (1978), S. 353–439; Feldman, Gerald D.: Arbeitskonflikte im Ruhrbergbau 1919–1922. Zur Politik von Zechenverband und Gewerkschaften in der Überschichtenfrage, in: VfZ 28 (1980), S. 168–223.

[48] Am 13. 3. 1923 organisierte der Alte Verband eine Urabstimmung in der Frage der Überschichten. In Penzberg lehnte eine Belegschaftsversammlung bereits diese Urabstimmung ab und sprach sich einstimmig für die Beibehaltung der Überschichten aus. Nach BayHStA, MWi 2267. (Ähnlich hat die Belegschaft 1925 aus eigenem Antrieb die Maifeier, die in Penzberg offenbar bereits regelmäßig am Werktag gehalten wurde, diesmal auf einen Sonntag verlegt, s. ebenda, Nr. 2264). Das Beispiel zeigt nicht nur erneut die bereits aus der Vorkriegs- und Kriegszeit bekannte, bemerkenswerte Unabhängigkeit der Belegschafts- von der Verbandsdemokratie, sondern auch und vielmehr, daß in der Arbeiterschaft selbst offenbar die verringerte Arbeitszeit als durch Überschicht kompensiert begriffen und darüber hinaus geglaubt wurde, ein finanzieller Vorteil lasse sich nicht durch eine verlängerte Arbeitszeit erzielen.

[49] In: BayHStA, MWi 2263; die weiteren Vorgänge s. ebenda Nr. 2262, 2264, 2267.

Das »Abkommen über Überarbeit« vom 3. Januar 1924 ist von den Verbänden am 20. Mai 1924 zum 3. Juni 1924 gekündigt worden[50]. Die Zechen in Oberbayern änderten die Arbeitszeit jedoch nicht, ließen vielmehr ihre Erwartung durchblicken, daß kündigen möge, wer sich nicht anpasse. Nach einem nicht anerkannten Schiedsspruch fuhr der Arbeitgeberverband grobes Geschütz auf. Den Gesamtbelegschaften wurde zum 26. Juni gekündigt und Betriebsstillegung[51] beantragt. Diese Angriffsaussperrung führte zu starkem öffentlichem Widerspruch und Landtagsinterpellationen, darunter ein erneuter Antrag auf Enteignung des bayerischen Bergbaus. Die am Tag der Wirksamkeit der Kündigung – die Grube Penzberg hatte bereits 450 Bergleute, wie es hieß, »beurlaubt«[52] – erreichte Vereinbarung glich einer totalen Niederlage der Gewerkschaften: Das Abkommen vom Jahresbeginn blieb bis auf weiteres in Kraft. Entscheidungen über Lohnerhöhungen wurden »angesichts der wirtschaftlichen Lage« zurückgestellt, Härten in der Lohnordnung sollten innerhalb von 14 Tagen verhandelt werden[53]. Zweifellos war die Bewegung zu einem außerordentlich ungünstigen Zeitpunkt, nämlich angesichts hoher Lagerbestände der Zechen in Gang gesetzt worden. Doch zugleich spiegelt die Entwicklung, welche Machtposition von den Arbeitgebern wieder erreicht worden war.

Die Anfang 1924 geregelte Arbeitszeit hat bis in die nationalsozialistische Zeit gegolten. Widersprüche von seiten der Arbeiter erschienen in den Jahren nach 1924 wegen der trotz einer relativ günstigen Entwicklung des Pechkohlenbergbaus nach wie vor schwierigen Lage der Grube Penzberg aussichtslos. Feierschichten blieben vor allem während des Sommers 1925 an der Tagesordnung, und im Frühjahr 1926 entließ die Grube, in Übereinstimmung mit dem Betriebsrat, um eine weitere Zunahme der Feierschichten zu vermeiden, 210 Bergleute[54]. Anfang 1928 wurde in Oberbayern von den Bergarbeiterverbänden erneut die Arbeitszeitfrage aufgerollt. Man erreichte einen Schiedsspruch mit einer 8stündigen Schichtzeit unter und 8 ½ Stunden über Tage[55]. Die Arbeitgeber lehnten ab; das Schiedsgericht befuhr die Gruben[56], und eine Penzberger Belegschaftsversammlung resolvierte:

»Wenn die Arbeitszeit nicht verkürzt wird, dann wird ein Wirtschaftskampf entbrennen, für den die Verantwortung auf die Arbeitgeber fällt, weil sie heute mehr denn je auf dem Standpunkt stehen: Macht geht vor Recht«[57].

Auch der Umstand, daß in dieser wie in der früheren Arbeitszeitbewegung die beiden großen Bergarbeiterverbände Schulter an Schulter vorgingen, konnte eine Korrektur der Arbeitszeit nicht bewirken. Seit 1930 löste die Krise auf ihre Weise das Problem.

---

[50] Nach: BayHStA, MWi 2263.
[51] Zur Rechtsgrundlage u. a. s. bes. StAM, LRA 3915.
[52] Nach StaP, SR 27. 6. 1924.
[53] Verhandlungsergebnis vom 26. 6. 1924, in: BayHStA, MWi 2263.
[54] Nach StaP, SR 7. 5. 1925, und StAM, LRA 3915, OK/BA WM 29. 4. 1926. Anlaß war neben den hohen Haldenbeständen ein den Betrieb empfindlich störender Grubenbrand. Weitere Hinweise s. StAM, OK, Notizbücher u. Wirtschaftstabellen, unverz. (Feierschichten); zur strukturellen Arbeitslosigkeit vgl. Blaich, Fritz: Die Wirtschaftskrise 1925/26 und die Reichsregierung. Von der Erwerbslosenfürsorge zur Konjunkturpolitik. Kallmünz 1977, S. 15–21.
[55] Nach: BayHStA, MWi 2267.
[56] Hierzu AP 62/14. 3. 1928: »Das Schiedsgericht wird . . . herumgeführt« (Titelzeile, gemeint: »an der Nase«).
[57] Resolution der Versammlung vom 19. 2. 1928, in: BayHStA, MWi 2267.

15. Holzausbau im Streb unter den Wirkungen des Gebirgsdrucks.

16. Gebirgsdruck in der Abbaustrecke (1937).

17. Streckenvortrieb.

18. Vor Kohle.

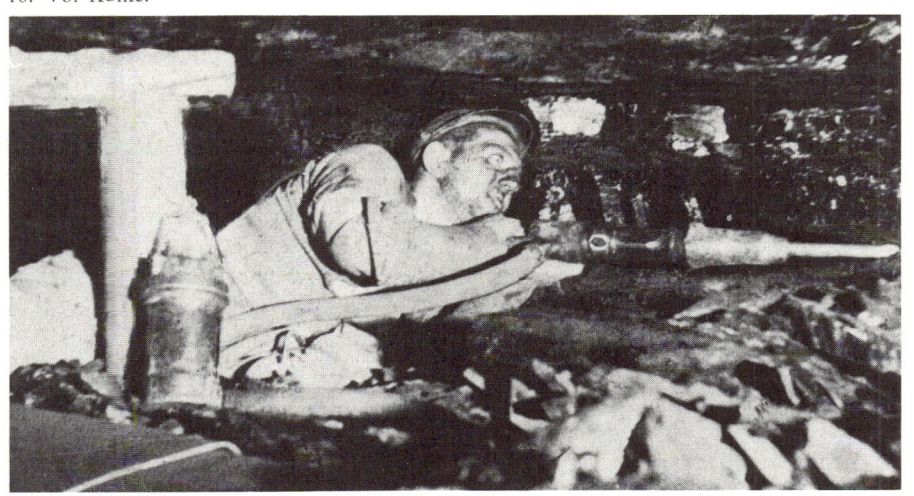

19. Jugendliche am Leseband (über Tage).

Dabei blieb innerhalb der betrieblichen Arbeitsorganisation, vielleicht mit Lockerung in der Revolutionsphase, die schon vor Kriegsausbruch erkennbare rigorose Belegschaftspolitik der Oberkohle erhalten. Die Arbeitsordnungen – nach jener von 1912 wurde 1921 eine erneute, Ende der 1920er Jahre revidierte Arbeitsordnung erlassen[58] – spiegeln diesen Zustand um diese Zeit nur noch bedingt, da sie nach berggesetzlicher Vorschrift vom Betriebsrat und der Bergbehörde zu genehmigen waren. Allenfalls die nach wie vor detaillierten Strafbestimmungen brachten die disziplinarische Unterordnung zum Ausdruck. Die Strafgelder gingen an die Werksunterstützungskasse, die sie in Form von Unterstützungen, jedoch weit überwiegend an aktive Bergleute, weitergab[59]. Die daneben bedeutendste Sozialleistung der Grube in der Zeit der Weimarer Republik – Fortschritte der Sozialpolitik etwa in der Regelung der Knappschaftsversicherung durch ein reichsweites Knappschaftsgesetz sollen damit nicht übersehen werden – war die jetzt besonders belebte Barbarafeier jährlich im September. Sie bestand im wesentlichen aus einer »Feldmesse«, der Jubilarehrung und einer Fest- und Unterhaltungsfolge unter Mitwirkung ausschließlich der bürgerlichen, keinesfalls der proletarischen, Unterhaltungs-, Geselligkeits- und Sportvereine am Ort. Der Großmut der Grube äußerte sich an diesen Festen in einer reichlichen Ausgabe von Biermarken. Sie sind von der Arbeiterschaft mit gemischten Gefühlen betrachtet, wenn nicht gemieden worden:

»Der Widerstand [der Gewerkschaften] gegen dieses Fest der Versöhnung [den Barbaratag] ging sogar so weit, daß selbst verdiente alte treue Arbeiter sich schämten, an ihrem Jubeltage das Ehrengeschenk in Empfang zu nehmen und nur verstohlen am folgenden Tag in das Büro kamen, um ihren materiellen Lohn in Empfang zu nehmen, denn darauf verzichten wollten sie nicht«.

»Fast nur inkognito« hätten die Jubilare teilnehmen können – ein wichtiger Hinweis auf den vollkommenen Verlust an »Firmensolidarität«, an Betriebstreue und Loyalität in der Arbeiterschaft zugunsten der außerbetrieblichen gewerkschaftlichen und sozialdemokratischen Solidarität[60].

Im tagtäglichen Grubenbetrieb, aber auch außerhalb der Arbeit waren Übergriffe der Grubenbeamten nicht selten[61]. Daß die Oberkohle mit ihren Arbeitern nicht gerade freundlich umsprang, war dabei auch innerhalb der Behörden wohlbekannt. So hieß es anläßlich erneuter Feierschichten im Frühjahr 1925[62]:

»Wir sind allerdings solche Rücksichtslosigkeiten und solche reinem Egoismus entspringende Maßnahmen dieser Gesellschaft schon längst gewohnt, da sie soziale Gesichtspunkte überhaupt nicht kenne ... Andererseits ist sie aber auch die erste, die bei Beunruhigungen der Belegschaft den Schutz der Behörden fordert«.

Versucht man für die Jahre seit der Inflation bis zum Beginn der Weltwirtschaftskrise ein Urteil über die Lage der Arbeiterschaft, so tritt als bestimmendes Moment der

---

[58] Druckexemplare der erwähnten Arbeitsordnungen sowie begleitender Schriftwechsel s. in StAM, OK 11; zum Verfahren s. bes. BayHStA, MWi 2264, Übersicht aufgrund § 80 des Betriebsrätegesetzes.
[59] Abrechnung der Werksunterstützungskasse für 1931 s. in StAM, OK 11.
[60] Zitate: Ansprache von Bergwerksdirektor Klein zu den Maifeiertagen (!) 1933 und 1934, in: StAM, OK 345/IX; weitere Hinweise zu Festprogrammen, Einladungen etc. s. ebenda, sowie für 1931: StAM, LRA 9554; Festbeschreibungen u. a. PA 203/3. 9. 1929, 208/9. 3. 1930.
[61] Über das Verhalten des (angetrunkenen) Obersteigers Franz Schäfer s. den Bericht PP/BA WM 17. 1. 1932, in: StAM, LRA 3870.
[62] BayHStA, MWi 2264, BA Miesbach/Reg. Obb. 7. 3. 1925 über die Leitung der OK.

Wiedergewinn der Unternehmermacht nach dem Rückfall in der Revolutionsphase hinsichtlich Arbeits- und Betriebsorganisation sowie Markt-, Lohn- und Arbeitszeitpolitik in den Vordergrund. Stabilisierende Entwicklungen zeigten sich im Arbeiterhaushalt: Die Lohnsteigerungen lagen zwischen 1924 und 1930 stets deutlich über den in diesen Jahren vergleichsweise gelinden Preissteigerungen für die Lebenshaltung. Der Bergarbeiterhaushalt vermochte sich in dem Jahrfünft nach der Inflation zu konsolidieren. Auch in der Wohnsituation wurden durch genossenschaftliche Bauten, insbesondere jedoch durch die partielle Entlastung des Wohnungsmarkts infolge der Wanderungsverluste[63] seit 1923 vorübergehend Erleichterungen, jedoch keine durchgreifenden Strukturverbesserungen erzielt: Das baulich und hygienisch längst veraltete große Zechenhaus bestimmte weiterhin den Wohnungsmarkt. Nebenerwerb durch eigene Landwirtschaft hat im Bergarbeiterhaushalt auch in Penzberg nach 1918 wohl vornehmlich in Gestalt kleiner Gartenbestellungen eine Rolle gespielt, die sich leider nicht präzisieren läßt[64]. Bei allem beherrschend blieb allerdings der unsichere Arbeitsmarkt. Die permanente Strukturkrise der oberbayerischen Pechkohle, in Penzberg durch die besonderen betrieblichen Bedingungen eher verschärft, schlug sich in stetiger Bedrohung des Arbeitsplatzes nieder.

2. Sozialer Protest und soziale Bewegung

Wir haben zu Beginn dieses Kapitels eine Geschichte zu erzählen, aus der wie aus keinem anderen Zeugnis Elend und Selbstbehauptungskraft der jungen Bergarbeiterkommune Penzberg in der Inflationszeit sprechen.

Am Nachmittag des 15. Oktober 1923[65], einem Montag, wurde die Polizeistation Penzberg telefonisch vom Vorstand des Staatsguts Benediktbeuern um Schutzmaßnahmen ersucht, weil man festgestellt hatte, daß beidseits der Straße von Sindelsdorf nach Bichl, ungefähr 3 bis 4 km südlich der Bergarbeiterstadt, sich um 30 Menschen eigenmächtig auf den Kartoffelfeldern bedienten. Die dort aufgestellten Flurwächter konnten die erkannten Diebe einstweilen verjagen.

Nach dieser Mitteilung machten sich mit Einbruch der Dämmerung drei Penzberger Polizeibeamte auf den Weg nach Benediktbeuern. In der Höhe des Wasserwerks an der Loisachbrücke begegneten ihnen

---

[63] Die demographisch erkennbaren Wanderungsverluste lassen sich archivalisch verifizieren, jedoch nicht präzisieren. Nach einer Notiz BayHStA, MWi 2264, sind in der Absatzkrise 1924/25 viele obb. Bergleute in das Ruhrgebiet und andere Bergbaugebiete abgewandert. Vgl. auch StaP, SR 26. 2. 1925, über Abwanderungen. Über Pendelwanderungen im Raum Penzberg s. Herkommer, Franz: Pendelwanderungen in Oberbayern unter bes. Berücksichtigung von München im Jahre 1923, in: ZBSL 57 (1925), S. 275–302, 291.
[64] Eine Nebenerwerbsstatistik für den obb. Bergbau wurde nicht geführt; s. BayHStA, MWi 2264, Bericht des OBA vom 3. 6. 1925. Der Betriebsratsvorsitzende Schöttl wies in seinem Schreiben vom 9. 5. 1926 (StAM, LRA 3915) immerhin auf solche Arbeiter hin, »welche größere Ökonomie haben« und deswegen alljährlich Urlaub genommen hätten, mithin also den saisonalen Produktions-Rhythmus der Zeche stützten. Schöttl war der Ansicht, daß diesen Arbeitern bei Absatzmangel als ersten gekündigt werden sollte.
[65] Nach dem Polizeibericht/BA WM 15. 10. 1923, in: StAM, LRA 3918.

»zunächst einzelne Penzberger Bergleute mit Rucksäcken oder Säcken voll Kartoffeln im Gewicht von ca. 20 bis ca. 100 Pfund. In der nächsten Viertelstunde vermehrten sich aber die mit entwendeten Kartoffeln und Kraut beladenen Personen in die Hunderte, welche größtenteils mit Handziehkarren teilweise 7, 8 und einzelne noch mehr Zentner bei sich führten und Richtung Penzberg heimfuhren. Es waren größtenteils männliche Personen, teilweise in Begleitung von Frauenspersonen und teilweise auch nur Frauenspersonen und auch Jugendliche beiderlei Geschlechts, doch dürfte keiner der Beteiligten unter 15 Jahren gewesen sein«.

Der das Kommando führende Beamte versuchte zunächst, die Personalien der Diebe und die Menge der entwendeten Feldfrüchte festzustellen,

»wobei eine Prüfung ob der Richtigkeit der angegebenen Namen etc. nicht mehr möglich war . . ., da inzwischen ziemliche Dunkelheit eintrat und die herankommende Menge immer größer wurde . . . Es dürften nach Schätzung etwa 300 bis 400 Personen gewesen sein, die teils mit Rucksäcken, teils mit insgesamt schätzungsweise 120-150 Ziehkarren Kartoffeln und Kraut Richtung Penzberg fuhren«.

Das Bemühen um Personalienfeststellung ließ einen regelrechten Menschenstau auf der Straße entstehen. Die hintenstehenden »Feldfrevler« machten sich dann auch bereits Richtung Bichl davon, »andere schoben und drängten« und riefen aus der Menge: »Gebt's uns 'was zu fressen, dann brauchen wir nicht zu stehlen«, oder auch: »Morgen bringen wir ihnen unsre Kinder, dann sollen die sie füttern«; schließlich brachen die Vornstehenden an der Polizei vorbei Richtung Penzberg durch »und flohen mit den entwendeten Feldfrüchten«.

Noch immer schien die Menge zuzunehmen, als das Polizeikommando kapitulierte – man mußte »in Anbetracht der Sachlage von einem schärferen Einschreiten Abstand nehmen«. Es war Betrieb in dieser Nacht. Links und rechts der Straße ertönten aus den Kartoffelfeldern »Schreie und Pfiffe«, überall »regten sich wohl Flüchtende«, und die Polizisten versuchten wenigstens, weitere Diebereien zu verhindern, indem sie sich auf den Feldern postierten. Ein weiteres Mal setzten sie an, nachdem die erste Diebesschar bereits abgezogen war, die noch immer Nachkommenden aufzuhalten, doch »war dies mit dem gleichen Erfolg gekrönt« wie vorher. Bei einer dritten Gruppe, in der offenbar ganze Familien mit einzelnen Wagen zusammenfuhren, wurde wiederum Beschlagnahme und Personalienfeststellung versucht, und wiederum vergeblich, man sah sich eher »einer Lächerlichmachung ausgesetzt«.

»Bedrohlich« war die ganze Situation, wie ausdrücklich hervorgehoben wurde, nicht, obwohl die Diebe Hacken und ähnliche Geräte zur geschwinden Ernte mit sich führten. Offenbar erst am späten Abend waren die Felder geräumt. Die Polizisten hatten sich inzwischen mit zivilen Mitarbeitern des Staatsguts vereinigen können. Doch die Penzberger Bergleute hatten einen gewiß beachtlichen Teil ihrer Winterbevorratung an Kartoffeln getätigt.

Zur unmittelbaren Vorgeschichte dieses kollektiven Kartoffelklaus gehörte, daß das Staatsgut Benediktbeuern etwa 150 Personen die Erlaubnis zur Kartoffelnachlese auf den abgeernteten Feldern erteilt hatte[66]; von dort bis zum Füllen der Säcke und Karren auf den noch unbestellten Feldern war der Weg nicht weit. Der Stadtrat und Rummer erließen am Tage nach der Aktion eine Bekanntmachung, in der Kartoffeldiebstahl »in

---
[66] Nach PA 84/20. 10. 1923.

noch nie dagewesener frechster Weise« beklagt und »vor der weiteren Verübung von Kartoffeldiebstählen ernstlich gewarnt«, im übrigen Nachteiliges bei weiteren Aktionen dieser Art angedroht wurde[67]. Im amtlichen Schriftverkehr blieb es bemerkenswert ruhig; es scheint, daß auch gegen solche Kartoffeldiebe, deren Personalien sicher festgestellt werden konnten, kein Verfahren eröffnet wurde. Die Behörden taten offenbar das in dieser Situation angesichts des Versagens der Polizei Klügste: Sie schwiegen die Sache hinweg. Immerhin erging drei Tage nach dem Vorfall ein Aufruf[68] des Bürgermeisters zur »Hilfsaktion für die notleidende Bevölkerung« durch Naturalien, und nach weiteren 2 Tagen wurde eine »Anordnung über die Versorgung der Bevölkerung mit Kartoffeln« von höchster Stelle veröffentlicht, wonach jeder Landwirt unter Strafandrohung 30 Prozent seiner Kartoffelernte in Warenform an den Verbraucher abzugeben hatte; alle nicht derart abgegebenen Kartoffeln konnten enteignet werden[69]. Eine besonders bemerkenswerte, vor dem Hintergrund der Aktion nicht mehr rätselhafte Stellungnahme erschien dann Anfang November in der Stadtzeitung unter dem Titel »Selbsthilfe«[70]:

»Was tun? Vor allem nicht jammern und ängstigen ... Angst ist Flucht ... Unser größter Feind ist Feigheit und Leidensscheue. Ergebt Euch nicht in Euer Schicksal, sondern kämpft! ... Leisten wir Widerstand, so wächst unsere Kraft und wir sind viel schwerer umzubringen«.

Lieber die Möbel versetzen, »lieber eine leere Wohnung als ein leerer Magen«, hieß es an dieser Stelle.

Auch wenn man in Rechnung stellt, daß die Angaben des berichterstattenden Polizisten über die Zahl der Diebe – die Beamten hatten allen Grund, das Versagen der Polizeimacht überzeugend zu begründen – übertrieben sind, so bleibt dieser gemeinsam von fast einer ganzen Stadt, von ganzen Familien und Nachbarschaften mindestens, begangene Mundraub ein einzigartiges Ereignis. Wie weit mußten diese Menschen in Not und Elend getrieben worden sein, um den Mut und die Selbstüberwindung zu solcher Selbsthilfe zu finden! Weitere Fragen schließen sich an: Gab es Vorbilder für diese Aktion, und wie hielten es die Penzberger überhaupt mit der Kriminalität? Welche Voraussetzungen und Bedingungen ermöglichten die der eigentlichen Aktion zweifellos vorausgehende insgeheime Verständigung, an der selbstverständlich Vereine, Gewerkschaften oder Parteien keinen Anteil haben konnten? Und was sagen die Vorgänge über die Formen dieser Verständigung, über Werthaltungen, über die Solidarität der Bergarbeiterkommune aus?

Über die materiellen Ursachen der »große[n] Erbitterung«[71], die unter den Penzberger Bergarbeitern spätestens seit dem Herbst 1922 herrschte, sind in den Abschnitten über die Folgen der Inflation für den Bergarbeiterhaushalt und über die Penzberger Wohnsituation bereits ausführliche Hinweise gegeben worden. Auch daß seit der Revolution im eher politischen Bereich der Auseinandersetzungen die Spannung nicht nachgelassen hat, wurde verschiedentlich angedeutet. Vor Gewaltmaßnahmen, Widerstands- und Rache-

---

[67] Durchschrift der Bekanntmachung vom 16. 10. 1923: StAM, LRA 3918.
[68] PA 84/20. 10. 1923.
[69] Text: PA 85/24. 10. 1923, »Anordnung« vom 19. 10. 1923.
[70] PA 88/3. 11. 1923.
[71] Referentennotiz Reg. Obb. n. einem Bericht der Landespolizei Weilheim, 7. 12. 1923, in StAM, LRA 9554.

akten der Bergleute bestand tatsächlich bei Bauern und Behörden in der Umgebung und vor allem im Bergwerk selbst große Angst – ähnlich wurden immer wieder Gerüchte über Putschpläne der in Kochel an der Großbaustelle des Walchenseekraftwerks beschäftigten Arbeiter laut[72]. Im März 1921 befürchtete die Zeche, daß von Anhängern der Linken »die Schächte des hiesigen Bergwerks durch Hineinwerfen von Hunten außer Betrieb gesetzt würden«; die Rede war ferner von einem »Putschplan« der KPD, wonach diese eine Brandstiftung am unteren Ende der Stadt plane[73],

> »um dadurch die Menschenmenge und hilfsbereiten Männer dahin zu locken. Währenddessen sollen die Dampfrohre der Maschinerie am Bergwerk gesprengt werden, wodurch die Grube vollständig vernichtet würde: Sie würde ersaufen«.

Die Grubendirektion hatte deshalb tatsächlich eine bewaffnete Schutztruppe aufgestellt, die, ausdrücklich im Fall eines Brandes in der Stadt, die Maschinenanlagen zu bewachen hatte und deren Aufbau wahrscheinlich in Kontakten mit den unten zu erörternden Rundummaßnahmen gegen das »rote« Penzberg stand.

Es gibt keinerlei Hinweise darauf, daß diese Maßnahmen wohlbegründet gewesen sein könnten. Sabotageakte irgendwelcher Art lassen sich nicht nachweisen; im Gegenteil, gerade die Sozialdemokraten der Stadt einschließlich ihrer Parteigänger am linken Rand hatten in den Revolutionstagen mit als erstes den Schutz der Zeche als der entscheidenden Erwerbsquelle veranlaßt. Gerüchte dieser Art waren die Ausgeburt von Schauermärchen über die Linken und hatten ihre wichtigste Nahrung durch die Übergriffe während der Räteherrschaft in München erhalten. Der stets latente Stadt-Land-Gegensatz hat sie vor allem in Krisensituationen entfacht und gefördert. Da mochte manche schauerliche Geschichte über die roten Penzberger unter den Bauern der Umgebung im Schwange sein; wir werden an anderer Stelle darauf zurückkommen.

Daß sich der Ort in einem Zustand drängender Erregung befand, daran konnte kein Zweifel sein. Dies galt für das ganze Südbayern in diesen dem Hitler-Putsch vorausgehenden Wochen. In Penzberg hatte die Rechte erst im August 1923 mittels einer provokativen Festveranstaltung des Handlungsgehilfenverbands einen Eklat verursacht, der den Stadtrat zur Bildung einer »Notpolizei« veranlaßte – auch diese Vorgänge sind noch an anderer Stelle zu erörtern[74]. Wichtiger für die Deutung des Großdiebstahls Mitte Oktober erscheint die in Not und Elend drängende Widerstandsstimmung in der Bergarbeiterkommune.

Die Bergleute waren an die Abgabe billiger Kartoffeln durch die Zeche gewöhnt; jedoch hatte es bereits im Herbst 1921 Beschaffungsschwierigkeiten gegeben, infolge derer die Oberkohle die Staatsregierung um Hilfe anrief[75]. Dabei besaß der Mundraub in Gestalt des Felddiebstahls in Penzberg Vorbilder. In den Kriegsjahren, zum Teil wohl schon vor 1914[76], waren Vorfälle dieser Art bekanntgeworden:

---

[72] StAM, RA 57 804, BA WM/Reg. Obb. 30. 8. 1923, Bericht über die Walchenseearbeiter.
[73] StAM, LRA 3883, PP/BA WM 30. 3. 1921.
[74] Vgl. unten III. Kap., 4, S. 179f.
[75] BayHStA, MWi 2262, OK/Min. f. Handel etc. 17. 10. 1921.
[76] Vgl. etwa PA 4/10. 1. 1911.

»Die sich mehrenden gemeinschädlichen Felddiebstähle insbesondere von unreifen Kartoffeln und von Obst machen in einigen Gegenden, besonders in der Umgebung größerer Orte, einen erhöhten Schutz notwendig«,

hieß es in einem Bericht des Einberufungs- und Schlichtungsausschusses 1917[77]. Im August 1920 nahmen die Feld- und Obstdiebstähle »in einer ganz gemeinen Weise überhand«. »Verwüstungen von Kartoffelfeldern« durch Diebstahl wurden bekannt, und in einer Wohnbaracke fand man frischgestohlene »Filzkartoffeln«[78]. Im August 1921 lehnte der Stadtrat die Bestellung von Flurwächtern noch ab, verlegte sich vielmehr auf öffentliche Warnungen[79]. Im September 1922 wurden große Obstdiebstähle in Kirnberg bekannt; diesmal verlauteten Unruhebefürchtungen wegen der schlechten Versorgungslage auch seitens der Ortspolizei[80]. Und wenige Tage nach der Kartoffelaktion mehrten sich die Viehdiebstähle: Man griff das Vieh von den Weiden und schlachtete es noch im nahegelegenen Wald[81]. Auch nach den Inflationsjahren sind Klagen über Feldfrevel und Gartendiebstähle laut geworden. Im Sommer 1933 soll es dann zu einer wirklichen »Wilderer-Seuche« unter den Penzbergern gekommen sein[82] – dies war nun freilich ein Delikt, das auch in den ländlichen Gemeinden Oberbayerns gleichsam auf der Tagesordnung stand. »Bäuerliche Selbsthilfe- und Widerstandsaktionen« dieser und anderer Art[83] hatten in Bayern eine lange Tradition.

Leider liegen Daten über die Vermögenskriminalität, überhaupt über die Kriminalität in Penzberg nicht vor. Mit Ausnahme der Vermögensdelikte besteht jedoch eher Anlaß für die Annahme, daß die »traditionellen« Delikte in der bayerischen Landbevölkerung, etwa Gewalt- und Sexualdelikte, unter der Arbeiterbevölkerung relativ selten waren. Ein Zusammenhang zwischen Weizen-, Roggen- und Kartoffelpreisen und Vermögensdelikten ist dagegen für Bayern schon 1908 nachgewiesen worden[84]. Im Vergleich der Jahre 1913 und 1924[85] läßt sich darüber hinaus in der gesamtbayerischen Kriminalität eine Verschiebung zu Lasten von zwei Deliktgruppen beobachten: Die »Delikte wider die öffentliche Ordnung« nahmen von 8,1 Prozent auf 27,5 Prozent, »Diebstahl und Unterschlagung« von 18,6 Prozent auf 28,3 Prozent aller verurteilten Erwachsenen zu. Man wird nicht fehlgehen, im ersteren Fall Folgen und Erscheinungen der politischen Umwälzung, im zweiten Fall Folgen der Inflation zu vermuten.

Ein anderer Vorfall in Penzberg im Sommer 1923 trägt ebenfalls zum Verständnis der Stimmung im Ort bei. Die Polizei fand einen handschriftlichen Aufruf zu einer

---

[77] An BA WM 3. 8. 1917, in: StAM, AR 3961/46.
[78] Zitate: StaP, SR 20. 8. 1920. Der SR beschloß, in solchen Fällen die Zeche zur Entlassung zu veranlassen und die Täter auszuweisen.
[79] Ebenda, 2. 8. 1921.
[80] Vgl. ebenda, 1. 9. 1922 sowie StAM, LRA 3897, PP/BA WM 4. 12. 1922.
[81] Nach PA 25/24. 10. 1923.
[82] Vgl. PA 209/10. 9. 1930 u. 210/12. 9. 1933 sowie StaP, SR 7. 8. 1926.
[83] Blessing, Werner K.: Umwelt und Mentalität im ländlichen Bayern. Eine Skizze zum Alltagswandel im 19. Jahrhundert, in AFS 19(1979), S. 1–42, 19 (Zitat), 29.
[84] Vgl.: Verbrechen und Vergehen in Bayern gegen die Reichsgesetze während der Jahre 1896 bis 1905, in: ZBSL 40 (1908), S. 320–328, 325f.
[85] Nach ZBSL 56 (1924), S. 219, »Kriminalität in Bayern«; s. ebenda 57 (1925), S. 190. Zusammenfassend s. Schwarze, Johannes: Die bayerische Polizei und ihre historische Funktion bei der Aufrechterhaltung der öffentlichen Sicherheit in Bayern von 1919–1933. München 1977, S. 135–140.

Demonstration vor, an den ein, diese Gebärde spricht für die Zeit, mit Kot verunreinigter Fünfzigmarkschein geheftet war. Der Aufruf lautete[86]:

»Frauen wacht auf.

Sollen wir uns dies gefallen lassen, daß sie uns das mit hungrigen Magen von unsern Männern verdiente Geld bankenweise hinschmeißen bis wir am Montag das andere Geld bekommen steigen die Geschäfte über Nacht wie es nur hier Sitte ist ums zehnfache so haben wir nichts sollen wir uns gar nicht ein wenig aufschnaufen dürfen. Warum haben sie für die Beamten u. Steiger Geld für einen armen Arbeiter hat man nichts nicht einmal seinen sauerverdienten Lohn. Warum dürfen die Geschäfte über Nacht steigen der Lohn steigt nicht über Nacht. Wir sind sehr elend. Dann die Kinder müssen hungern und darben. Raus ihr Frauen mit Kindern zu einem Demonstrationszug. Männer helft uns mit hin zu den Geschäften hin zum Oberbayerischen [Konsumverein] heute Nachmittag 3 Uhr«.

Der Berichterstatter fügte hinzu: »Gereizte Stimmung wegen der Teuerung und wegen der verzögerten Lohnauszahlung tritt recht deutlich zu Tage«.

Dies war eine der wesentlichen Voraussetzungen für die Möglichkeit einer Aktion wie den Kartoffeldiebstahl: die in den proletarischen Daseins- und Wertzusammenhang festeingefügte Bergarbeiterfrau. Für diese feste Einfügung war weniger der Umstand verantwortlich, daß es unter den Frauen einen »harten Kern« in Gestalt der arbeits- und protesterprobten Sortiererinnen gab. Vielmehr stand die Bergarbeiterfrau als Mutter und Haushaltsführerin im Zentrum des nachbarlichen Lebens in der Kommune. Ebenso wenig wie ihr Mann erfuhr und erlebte sie Daseinsalternativen; ebenso sehr wie ihr Mann blieb sie der Aussichtslosigkeit des Proletarierdaseins unentrinnbar ausgeliefert und erlebte die vor 1914 entstandene proletarische Subkultur als Heimat und Orientierungshilfe, hatte von dort gar Impulse zu politischem Verhalten bezogen.

Über die Größe der Bergarbeiterfamilien, den Anteil der Verheirateten an der Belegschaft, die Nebenerwerbstätigkeit der Bergarbeiterfrauen und ähnliche Fragen ist leider für die 1920er Jahre keine präzise Information überliefert. Die Chancen für Nebenverdienste der Frauen waren in der geringdifferenzierten Erwerbsbevölkerung nicht groß. Über die Familiengröße läßt sich eine Annäherung aus der Berufsstatistik von 1925 gewinnen[87]: Demnach gehörten zu den 6847 männlichen Arbeitern der Berufsgruppe »Bergbau, Salinenwesen und Torfgräberei« im Regierungsbezirk Oberbayern 3721 Ehefrauen und 6538 »übrige Angehörige ohne Haupterwerb«; mithin betrug die durchschnittliche Familiengröße der oberbayerischen Bergarbeiterfamilie – die genannte Berufsgruppe dürfte zu 85 bis 90 Prozent aus Beschäftigten in den Pechkohlengruben bestanden haben – unter Abzug des aus der Zahl der Ehefrauen erkennbaren Anteils der Ledigen (47,8%) von den hauptberuflich Erwerbstätigen knapp 3,8. Unverheiratete Familienväter oder im Haushalt lebende Pensionäre und ähnliche Differenzierungen können hierin leider nicht berücksichtigt werden. Jedenfalls dürfte auf der Hand liegen,

---

[86] Abschr. d. Aufrufs (buchstäblich wiedergegeben), in: StAM, LRA 3897, ebenda, Berichterstattung PP/BA WM 28. 6. 1923.
[87] Nach: Bayerische Berufsstatistik 1925. München 1926, S. 292f.; die Gesamtwerte weichen von der Gewerbestatistik (Gewerbe und Handel in Bayern. Nach der Betriebszählung vom 16. Juni 1925. München 1927, S. 100f.) wegen der anderen Zählweise leicht ab. Es wurden nur die männlichen sog. »c-Personen« zugrundegelegt. Nach BayHStA, MWi 2264, Bericht des OBA vom 3. 6. 1925, wurde eine Familienstatistik der Bergarbeiter nicht geführt.

daß die Bergarbeiterfamilie noch keineswegs zur Einkindfamilie tendierte[88], daß vielmehr die bergmännische Großfamilie – in der angegebenen Zahl sind bereits erwerbstätige Kinder nicht enthalten! – noch bei weitem überwog. Die bereits konstatierte, nach wie vor hohe Geborenenrate unterstützt diese Feststellung.

Diese bergmännische Großfamilie als, wie wir allerdings nur vermuten können, Zweigenerationenfamilie wohnte in den allermeisten Fällen unter äußerst beengten Raumbedingungen und vor allem unter Nachbarschaftsverhältnissen, die durch Haus- und Straßengemeinschaft infolge der Wohnformen enger als üblich zusammengekettet waren. Der in Penzberg weithin vorherrschende Zechen-Wohnhaustyp war 2½stöckig und bestand aus 6 Zweizimmerwohnungen. Fast alle Straßen waren bis in die nationalsozialistische Zeit hinein unbefestigt, wurden allenfalls von der Zeche durch gelegentliche Schlackenablagerung ausgebessert; Bürgersteige gab es selbst in den Hauptstraßen, der Karl- und der Bahnhofstraße, nicht. Haus- und Straßenbild waren rechteckig geordnet und strahlten große Eintönigkeit[89] aus. Die Anzahl der in einem dieser Zechenhäuser wohnenden Personen dürfte gewöhnlich über 30 gelegen haben; sie verfügten über kaum mehr als zwei Wasserentnahmestellen im Haus. Die sanitären Installationen wurden erst während der nationalsozialistischen Zeit ausgebaut.

Wer immer in diesen Häusern wohnte – er konnte an seinen Nachbarn nicht vorbei. Die Häuser waren voller Geschäftigkeit, geräuschvoll, mit Scharen von Kindern, die auf den Straßen spielten, von Jugend an mit ihresgleichen Kontakt hatten, zusammen zur Erstkommunion gingen, dieselbe Schulbank drückten, miteinander die Zechenarbeit aufnahmen und in denselben Arbeitsgruppen und Ortskameradschaften arbeiteten, schließlich einander heirateten, wieder in denselben Wohnungen denselben Lebenszyklus eröffneten. Natürlich ist darin viel Übertreibung: Es gab Fluktuation und Abwanderung; manch einer schaffte den Ausstieg, andere kamen neu hinzu – das kam und ging in der Bergarbeiterkommune. Aber es gab in den 1920er Jahren einen großen Bevölkerungskern, in dem nur noch die Alten von ihrer anderen Heimat zu erzählen wußten, die überwiegende Mehrheit jetzt hingegen ansässigen Bergarbeiterfamilien entstammte. Die Verweildauer war, auch wenn viele Bergleute ihre Dienstzeit wiederholt unterbrachen, inzwischen deutlich gestiegen:

---

[88] Vgl. oben Kap. I, Anm. 44.
[89] Vgl. die Abb. bei Luberger, a.a.O., S. 235, 245, 248f. u. bes. S. 299.

Tabelle 28
Jubilare der Grube Penzberg 1929 bis 1941 und 1951 bis 1958[90]

Jahr der Ehrung	\multicolumn{4}{c}{Arbeiter}	\multicolumn{4}{c}{Angestellte}
	25	30	40	50	25	30	40	50
1929		19	2					
1930		26	9					
1931		4						
1932	65	4			13	2	1	
1933	17	10	2		5	2	1	
1934	13	8			1	2	2	
1935	16	6	1		1		1	
1936	13	12	3		1	5	1	
1937	32		1					
1938	42		1					
1939	13		7					
1940	26		4					
1941	9		2					
1951	56		3		2	2	1	
1952	59		10		6	1		
1953	29		18	1	5	4		
1954	65		6	1	8			
1955	25		5		1	2		
1956	18		5		2		1	
1957	17		8		1	1		
1958	9		12		2	2	1	

Naturgemäß war die Verweildauer der Angestellten deutlich höher als jene der Arbeiter. Man wird zudem bei der Auswertung wegen der in der Aufstellung sicher verborgenen, jedoch zahlenmäßig gewiß unbedeutenden Mehrfachehrungen Zurückhaltung üben und gruppenweise zusammenfassen müssen. Bei den bis 1941 geehrten Jubilaren lassen sich wegen der Ehrungsabstände jedoch Mehrfachehrungen ausschließen. Demnach gehörten 405 der zwischen 1929 und 1941 Beschäftigten dem Werk mindestens 22 Jahre (da 25jährige Verweildauer erst ab 1932 geehrt wurde) an. Rechnet man den Anteil der Arbeitnehmer von 1932 bis 1936 hoch, dann waren über 330 Arbeiter zwischen 1929 und 1941 mindestens 22 Jahre im Werk beschäftigt. Konzentriert man sich, um die gewiß höhere Mortalität der Jubilare möglichst auszuschließen, auf einen kleineren Zeitraum, so ergibt sich für das Jahr 1936, daß mindestens 170 Arbeiter mindestens 25 Jahre im Werk arbeiteten. Tatsächlich ergab im Jahre 1938 eine Aufstellung, daß 260 Arbeiter und 50 Angestellte bereits vor 1916 in die Dienste der Oberkohle eingetreten waren[91].

Die zwischen 1951 und 1958 für 25jährige Verweildauer Geehrten werden kaum zu der Zuwanderergruppe der Jahre 1918 bis 1920 gehört haben, dürften mithin ganz überwie-

---

[90] Nach den »Bergfest«-Akten StAM, OK 345 I-IX. 25-jährige wurden erst ab 1932, 30jährige daher seit 1937 nicht mehr geehrt. Bis 1931 sowie 1937–1941 sind Angestellte bei den Arbeitern enthalten.
[91] Nach StAM, OK 381; s. auch OK 289, Liste der mehr als 50 Jahre alten Belegschaftsmitglieder 1933; s. ferner unten S. 295 f.

gend in Penzberg aufgewachsen sein. So läßt sich sagen, daß die zwischen 1926 und 1933 in Bergarbeit getretenen Penzberger in den meisten Fällen (278) der Zeche weit über den Krieg hinaus treu blieben. Rechnet man für diese Gruppe ein, daß die Bergarbeit gewöhnlich mit 14 Jahren aufgenommen wurde, so läßt der Vergleich mit den bereits mitgeteilten jährlichen Geborenenzahlen ab 1914 eine sehr hohe Ortsrekrutierung der Belegschaft vermuten.

Natürlich können solche Berechnungen nur Annäherungen vermitteln, sind mit vielen Unwägbarkeiten belastet. Zusammen mit den andernorts indirekt ermittelten Wanderungsbewegungen erlauben sie jedoch die Feststellung, daß die Phase der Fremdrekrutierung der Penzberger Belegschaft in den 1920er Jahren in eine Phase der Ortsrekrutierung überging. Und die jungen Menschen, die in diesen Jahren die Bergarbeit aufnahmen, kannten einander, waren sich unzählige Male begegnet, oft auch wohl miteinander verwandt, denn die Bergarbeiterkommune blieb in ihren Dimensionen übersichtlich. Man wußte, wer wessen Sohn, wessen Verwandter war. Die Beziehungen untereinander, durch bergbauliche Arbeitssituation und Wohnverhältnisse allemal bestimmt, waren verwandtschaftlich und nachbarlich eingefärbt. Dies bedeutete neben anderem, daß auch Feindschaften bekannt waren und Wirkungen zeitigten, daß insgesamt die Kommune selbst familiäre Züge annahm[92], und die Wohnverhältnisse sorgten überdies dafür, daß der Bergarbeiterfamilie nur wenig Privatheit gegönnt wurde. Sie behielt eine zur Kommune hin offene Flanke, an der über Privates getuschelt wurde, vieles nach außen drang und bald auch wenig verheimlicht wurde[93].

Die Wohnsituation wies zudem eine breite Konfliktzone hin zur Zeche und zur Kommunalpolitik auf. Bedeutendere Reibungen entstanden in der Phase der akutesten Wohnungsnot nach dem Kriege infolge des bereits ausführlich beschriebenen Zustands vieler Wohnungen und der Wohnungspolitik der Stadtverwaltung. Ihr war es während der Revolution gelungen, die Zuständigkeit über die Vergabe auch der Zechenwohnungen an sich zu ziehen; 1927 forderte und erhielt die Oberkohle diese Kompetenz zurück[94]. Es ist eine lange Reihe von Beschwerden in Wohnungsangelegenheiten überliefert, in der sich ganze Hausgemeinschaften als Urheber finden. In einer solchen Bittschrift, die von 23 Hausbewohnern unterzeichnet wurde, hieß es Ende 1917[95], die Wohnungen seien

»nicht in dem Zustande, der eine Mietsteigerung gerechtfertigt erscheinen lassen würde, alles ist reparaturbedürftig, schon vor dem Kriege wurde nichts hergerichtet und jetzt erst recht nicht. Kein Garten, kein Keller, man kann nicht einmal die Kartoffeln aufbewahren«.

Viele dieser Beschwerden richteten sich gegen die städtische Wohnungskommission und deren Vergabepraxis, und aus zahlreichen Quellen dieser Art sprechen erbärmliche familiäre Umstände – in der Inflation vom Hunger, in der Wirtschaftskrise nach 1929 von

---

[92] Pfalzgraf sprach (StaP, SR 23. 1. 1932) von einer »Familiengemeinschaft der Stadt und ihrer Bergarbeiter«.
[93] Vgl. die Kap. I, Anm. 101, genannte Literatur. Niethammer/Brüggemeier stützen ihre These von der »halboffenen« Familienstruktur vorwiegend auf die hohen Schlaf- und Kostgängerzahlen. Ledige wohnten in Penzberg jedoch meistens in den Ledigenwohnheimen der Zeche.
[94] Diese Vorgänge und zahlreiche Beschwerden s. in StAM, AR 3964/69z. Es ist zu berücksichtigen, daß das BA WM in Wohnungsangelegenheiten erst zweite Beschwerdeinstanz – nach der städtischen Wohnungskommission – war.
[95] Ebenda, »Bittschrift« vom 3. 12. 1917.

der Erwerbslosigkeit diktiert. Manches Mal woben die Verfasser auch Politik in ihre Beschwerden, etwa jene lungenkranke Frau, die 1931 den Weilheimer Amtsvorsteher auf Mißstände in der Stadt »mit den Ärmsten der Armen, wie es immer so schön heißt«, hinwies und Rummers Hauerlohn-Versprechen nicht zu erwähnen vergaß, während die Kommunisten immerhin handfeste Anträge auf Einrichtung von Notquartieren gestellt hätten[96].

Die Wohnungsverhältnisse sind in den 1920er Jahren zu einem besonders wichtigen kommunalpolitischen Reibungspunkt geworden. Mit dem Wohnen verband sich schon seit längerem der Protest gegen Engpässe und Bedrückungen. Die engsten familiären und nachbarlichen Beziehungen waren bereits mit Konflikten nach außen aufgeladen.

Wir sehen in der Dichtigkeit und Art dieser Bindungen und Beziehungen innerhalb der Kommune – darin wird deutlich, weshalb wir diesen Ausdruck anstelle von »Stadt« zur Umschreibung der sozialen Verhältnisse bevorzugen – die wichtigste Voraussetzung für das im Kartoffeldiebstahl von 1923 und in der offenkundigen Traditionslinie solcher Delikte wie auch im Wohnungsprotest erkennbare Sozialverhalten. In diesem Bereich waren parteipolitische Einflüsse, die im übrigen hinsichtlich des Kartoffeldiebstahls nicht nur nach Ausweis der Quellen, sondern auch aus allgemeinen Überlegungen auszuschließen sind, nur begrenzt wirksam, wie umgekehrt allerdings das Milieu unter bestimmten Bedingungen sehr rasch vor allem dem (partei-)politischen Extremismus zuwachsen konnte. Dem proletarischen Milieu galten Werte wie Eigentumssicherheit und Ehrlichkeit sehr wohl hoch, höher galt ihm indessen das Überleben – eine Alternative, vor die die Besitzenden allemal selten gestellt wurden. Dieser Diebstahl war Protest und Widerstand[97] unter kollektiver Verständigung und Verselbständigung; er war Ausdruck einer bürgerlichem und bäuerlichem Verhalten zutiefst fremden Daseins-

---

[96] Ebenda, Beschwerde vom 9. 2. 1931.

[97] Über das (Protest-) Verhalten der Arbeitnehmerschaft in der Inflation existieren m. W. bisher keine detaillierten Studien. Zu den Problemen solcher Forschung nehmen knapp Flemming u. a., a.a.O., S. 247f., Stellung. Vergleichsmöglichkeiten eröffnet insbesondere die Analyse von Plum, Günter: Gesellschaftsstruktur und politisches Bewußtsein in einer katholischen Region 1928–1933. Untersuchungen am Beispiel des Regierungsbezirks Aachen. Stuttgart 1972. Der Bergbau in der Aachener Region stand nach dem Krieg in einer ähnlichen, frachtkosteninduzierten Strukturkrise (S. 55). Seit August 1923 mehrten sich Hungerunruhen, vor allem in Gestalt von Plünderungen und Felddiebstählen (S. 49f.); einen Versuch der Beschreibung des zugrundeliegenden proletarischen »Milieus« (R. M. Lepsius) schließt Verf. nicht an. Kennzeichnend war für den Raum Aachen, daß man die Unruhen den Kommunisten anlastete. Dies wagte die sozialdemokratische Penzberger Stadtführung nicht, wenn es auch den Reaktionen der umgebenden Landbevölkerung nahegelegen haben wird. Weitere Hungerrevolten fanden im Spätsommer und Herbst 1923 übrigens besonders im Ruhrgebiet, im Raum Berlin und Frankfurt a. M. statt; das Beispiel Penzberg zeigt jedoch, daß großstädtische Verhältnisse nicht zu den Voraussetzungen gehörten. Den parteipolitischen Einfluß auf die Aufstandssituationen der Nachkriegszeit untersucht Ludewig, Hans-Ulrich: Arbeiterbewegung und Aufstand. Eine Untersuchung zum Verhalten der Arbeiterparteien in den Aufstandsbewegungen der frühen Weimarer Republik 1920–1923. Husum 1978, bes. S. 48ff. u. 151ff. Ludewig unterscheidet jedoch u. E. nicht hinreichend zwischen Protestaktionen wie Hungerrevolten, die vernachlässigt werden (vgl. S. 56f., 80), und den großen Aufstandsaktionen der frühen republikanischen Zeit, denen alle Aufmerksamkeit gilt (vgl. etwa S. 71f.). Dabei läßt sich proletarisches Verhalten mit Sicherheit sehr viel eindringlicher an den weniger spektakulären, jedoch wirklichkeitsnahen Protesten aufweisen; darin liegt erneut ein Plädoyer für sozialgeschichtliche Feldforschung über die Zwischenkriegszeit. – Der von uns verwendete Protestbegriff schließt sich an die jüngeren Protestforschungen insbesondere über den Vormärz an; vgl. die Beiträge in Geschichte und Gesellschaft 3 (1977), Heft 2, »Sozialer Protest«. Über Eigentumskriminalität als Protestverhalten ist, z. T. im Anschluß an Marx' Untersuchung der Holzdiebstähle, bisher vornehmlich am Beispiel des Vormärz gehandelt worden; vgl. Blasius, Dirk: Bürgerliche Gesellschaft und Kriminalität. Zur Sozialgeschichte Preußens im Vormärz. Göttingen/Zürich 1976.

not, eines Strebens nach Überleben, in dem Selbsthilfe nicht im Mittelkalkül bestand, sondern nur noch ultima ratio war. Wir glauben, daß der zitierte rätselhafte Kommentar der Ortszeitung mit viel Verständnis die Wahrheit verschlüsselt hat. Penzberg war in der Tat sehr verschieden von dem, was den Ort umgab.

Für die weitere Darstellung ist als Ergebnis festzuhalten, daß sich in der Frühzeit der Weimarer Republik in Penzberg eine erwerbs- und wohnungsstrukturell ungemein begünstigte Protestbereitschaft eingegraben und in sehr konkreten Aktionen formal verfestigt hatte, die an den nach außen erkennbaren Konfliktlinien der Gesellschaft nur bedingt teilhatte. Der einmal geweckte und formalisierte Überlebensdrang war im Kern nicht klassenkämpferisch. Er konnte diese Nuancierung, auf das Feld der politischen Auseinandersetzungen gehoben, jedoch sehr rasch gewinnen. Dabei hat sich bereits in unserer bisherigen Untersuchung der Streikaktionen erwiesen, wie selbständig die Belegschaftsdemokratie neben den Verbänden und gegen sie agieren konnte[98]. Die Autonomie dieser Willensartikulation stützte sich, so läßt sich jetzt feststellen, auf eine autonome auch begrenzt aktionsfähige Beziehungsvielfalt und Verständigungsform. Wir halten in der Interpretation des Kartoffeldiebstahls einen Schlüssel sowohl für das Verhalten der Penzberger in der kommenden Wirtschaftskrise als auch in den Jahren der Diktatur in der Hand: Die im proletarischen Milieu verwurzelte, nur bedingt in den Arbeiterorganisationen verhaftete und personifizierte Solidarität konnte Gegenbewegungen erzeugen und unterstützen oder auch auf die Organisation verzichten, ohne an Zusammenhalt und Widerstandskraft notwendig zu verlieren. Sie hing jedoch, dies bleibt ebenfalls im Blick auf die Zeit des Nationalsozialismus hervorzuheben, in eher diffusen Bindungen und Beziehungen zusammen und entfaltete nicht notwendig aus sich selbst die Fähigkeit zu zweckrationalem Zusammenschluß.

Die Untersuchung der im ganzen wenigen Streikaktionen auf der Zeche in den 1920er Jahren kann dem bisher gewonnen Bild noch einige Facetten zufügen. Dabei entsprach der nach Vorstehendem gesicherten hohen Protestbereitschaft in der Bergarbeiterkommune nicht etwa auch eine besonders große Streikbereitschaft, die im übrigen ja auch die deutschen Bergarbeiter insgesamt nicht auszeichnete[99]. Bergarbeiterstreiks waren spektakulär, weil sie stets eine große Zahl von Streikenden umfaßten und den wirtschaftlichen Zusammenhang an einer entscheidenden Stelle lahmlegten – nicht etwa, weil sie besonders häufig stattgefunden hätten; dies gilt für die Vor- wie für die Nachkriegszeit.

Insgesamt wurde im bayerischen Bergbau in den nachrevolutionären Jahren noch am häufigsten gestreikt. Bereits 1923 flachte die Bewegung stark ab, und in den Jahren 1926 bis 1930 fanden überhaupt keine Streiks statt[100]. Diese Feststellung muß vor dem Hintergrund der konjunkturellen Entwicklung überraschen: Die Abhängigkeit der

---

[98] Vgl. Kap. I, 3, Kap. II sowie oben Anm. 48.
[99] Auf eine zusammenfassende Diskussion und Wertung der von der internationalen Forschung erarbeiteten Hypothesen (»isolated mass«, »occupational community«) und Ergebnisse über den Bergarbeiterprotest soll an dieser Stelle verzichtet werden; vgl. als bes. eindringliche empirische Studie: Campbell, Alan B.: The Lanarkshire Miners. A Social History of their Trade Unions, 1775–1874. Edinburgh 1979, S. 145ff.
[100] Vgl. die regelmäßigen Streikstatistiken ZBSL 54 (1922), S. 355–362; 55 (1923), S. 118f.; 56 (1924), S. 128–133; 57 (1925), S. 270–274; 58 (1926), S. 163–167 für Bayern nach Regierungsbezirken und Berufsabteilungen; für 1926 bis 1930 s. zusammenfassend die statist. Notiz BayHStA, MWi 2265. Vgl. auch Kritzer, Peter: Die bayerische Sozialdemokratie und die bayerische Politik in den Jahren 1918 bis 1923. München 1966, S. 166.

Streikbewegungen von den konjunkturellen Rhythmen im Sinne einer Zunahme der Streikaktivität in Aufschwungphasen ist mindestens in der Vorkriegszeit evident[101] und auch in der Weimarer Zeit seit etwa 1920 erkennbar[102]. Daß der bayerische Bergbau, insonderheit der ihn maßgeblich prägende Pechkohlenbergbau, dieser Entwicklung nicht entspricht, beleuchtet einerseits mehr die Strukturprobleme dieser Branche in der Zwischenkriegszeit, die sich auch im Aufschwung in wiederholten Einbrüchen in der Beschäftigtenlage äußerten, zum anderen den Ausnahmecharakter der Jahre 1919 bis 1923, als relativ häufig gestreikt wurde und die Umwälzungen der Nachkriegszeit sich in höherer Konfliktbereitschaft niederschlugen. Manche der Streiks sind statistisch als »politisch« bezeichnet worden[103]; indessen empfiehlt sich Vorsicht gegenüber dieser Kategorisierung[104], unter anderem weil, wie auch das Beispiel Penzberg zeigt, politische Streiks im allgemeinen in Lohnbewegungen aufgingen.

Da ist bereits anhand des Kapp-Putsches Anfang 1920 gezeigt worden. Diese nach dem dreitägigen, in Penzberg so vollständig wie diszipliniert befolgten Generalstreik entfachte Lohnbewegung hatte im Juni/Juli 1920[105] zu einer knapp dreiwöchigen Arbeitsniederlegung geführt, an der sich ausnahmslos alle 1850 Arbeiter der Grube Penzberg, aber auch die 220 Braunkohlenarbeiter im nahegelegenen Großweil beteiligten.

Erneut waren es politische Vorgänge – die Ermordung des USPD-Fraktionsführers im Landtag, Karl Gareis, am 8. Juni 1921 –, die am 13. Juni 1921 zur Arbeitseinstellung von 92 Prozent der Penzberger und 70 Prozent der Peißenberger Belegschaft führten. Die Bergarbeiter folgten einem gemeinsamen Aufruf von MSPD, USPD und KPD. Die folgenden Monate, insbesondere auch die Zeit der Hyperinflation, brachten wöchentliche Lohnverhandlungen, aber keine Streikbewegungen. Erst in den Wochen nach der Währungsreform wehrten sich die Arbeiter gegen offenkundige Lohneinbußen durch die neuerlichen tariflichen Abmachungen, und es waren im Februar 1924 wiederum vorrangig die Sortiererinnen, die in zwei kurzen Streiks für einige Tage den gesamten Betrieb lahmlegten. Unter den 224 streikenden Übertage-Arbeitern waren 127 Sortiererinnen, von denen 63 noch nicht das Alter von 21 Jahren erreicht hatten. Auch der Verlauf war kennzeichnend: Eine Lohnkürzung wurde offenbar mit dem Betriebsrat der Grube Anfang Januar vereinbart; als es freilich am 15. Februar zur Lohnzahlung kam,

---

[101] Vgl. bes. Kaelble, Hartmut und Heinrich Volkmann: Konjunktur und Streik während des Übergangs zum Organisierten Kapitalismus in Deutschland, in: Zeitschrift für Wirtschafts- und Sozialwissenschaften 92 (1972), S. 513–544.
[102] Vgl. Volkmann, Heinrich: Modernisierung des Arbeitskampfs? Zum Formwandel von Streik und Aussperrung in Deutschland 1864–1975, in: Kaelble, Hartmut, u. a.: Probleme der Modernisierung in Deutschland. Opladen 1978, S. 110–170, 157.
[103] Als Beispiel sei das Jahr 1921 angeführt (Quelle s. Anm. 100):

Bayer. Bergbau	Anzahl	betroffene Beschäftigte	Streikende
Streiks	15	4917	3817
Aussperrungen	1	160	30
politische Streiks	5	6200	5214

[104] S. auch die Bemerkung bei Flemming u. a., a.a.O., S. 248.
[105] Hier und im folgenden nach StAM, LRA 3915; s. ferner Kritzer, a.a.O., S. 184f. z. polit. Situation.

legten die Arbeiterinnen angesichts der dünneren Lohntüten die Arbeit nieder – übrigens mit Erfolg und eigenmächtig, also entgegen den Anstrengungen des Betriebsrats.

Dies war offenbar für Jahre die letzte Streikaktion der Penzberger Bergarbeiter. Auch gegen die einsetzende Rationalisierung sind keine kollektiven Maßnahmen ergriffen worden. Unter den sonstigen Arbeitern der Stadt erlitten die Bauarbeiter 1921 eine Aussperrung[106]; immer rühriger mit Gehaltsforderungen wurde die Ortsgruppe der Gemeindebeamten[107]. Offene Konflikte gab es in der Folgezeit wohl allenfalls noch um die Maifeier, anläßlich derer in den ersten Jahren nach der Revolution nach entsprechenden Belegschaftsbeschlüssen niemand zur Arbeit erschienen ist. 1923 verlegte man sie freiwillig auf einen Sonntag, und 1924 ließ sich die ehemalige Solidarität in dieser Frage nicht mehr aufrechterhalten: Von den 2190 Belegschaftsmitgliedern der Grube arbeiteten immerhin 800 wie gewohnt weiter[108]. Dies dürften vornehmlich dem christlichen Verband nahestehende und »indifferente« Arbeiter gewesen sein.

Die Auseinandersetzungen zwischen den Verbänden sind nach 1918 deutlich in den Hintergrund getreten. Man konkurrierte selbstverständlich weiter um dasselbe Organisationspotential und beargwöhnte regelmäßig die Maßnahmen und Erfolge des Gegners, berief etwa Konkurrenzversammlungen ein, die den Veranstaltungen des jeweils anderen das Wasser abgraben sollten[109]. Aber wirkliche Organisationskämpfe hat es um so weniger gegeben, als der Anteil der noch Organisierbaren inzwischen sehr zusammengeschrumpft war. Ende 1923 hieß es, von den oberbayerischen Bergleuten seien etwa 90 Prozent im Alten Verband, jedoch nur 10 Prozent im christlichen Gewerkverein organisiert – »ein auffälliges Ergebnis angesichts der konfessionellen Verhältnisse der Gegend«[110]. Allgemein habe man großes Vertrauen zum Bochumer Vorsitzenden des Alten Verbands, August Schmidt. Nicht ganz klar war man sich übrigens über den Einfluß der Kommunisten auf die Penzberger Bergleute: Während die Grubendirektion in Penzberg deren Wirkung für »unbedeutend« hielt, widersprach dem schon das Oberbergamt, das im Dezember 1923 400 bis 500 Kommunisten in Penzberg zählte, und die Regierung von Oberbayern brachte es gar auf 900 derartige Parteigänger[111]. Die Wahrheit lag nicht einfach zwischen den beiden Extremen. Die KPD hatte, wie sich noch zeigen wird, schon 1923/24 eine große Anhängerschaft, verfügte aber über einen im Vergleich zur Sozialdemokratie schwachen Organisationsapparat und hatte in der Gewerkschaftspolitik wenig Fortschritte gemacht.

Es hat 1924 und 1925 weitere Tarifbewegungen gegeben, die von Arbeitgebern und Schlichtern zeitweise verschleppt wurden. Auch stemmte sich die Oberkohle gegen die

---

[106] Vgl. StaP, SR 16. 8. 1921.
[107] Vgl. etwa ebenda, Personalausschuß 23. 5. 1922; PA 178/3. 8. 1930.
[108] Nach StAM, LRA 861. Der Beschluß der Belegschaft, am 1. 5. 1922 zu feiern, führte zu einem Konflikt mit der Zeche, die auch den 40 Arbeitswilligen einen Schichtlohn abzog, die daraufhin Klage beim Berggewerbegericht erhoben. Die OK unterlag in diesem Fall; s. StAM, Bergamt München 601.
[109] Vgl. etwa eine Notiz StAM, LRA 3898 (undatiert, Herbst 1924) über konkurrierende Versammlungen.
[110] BayHStA, MWi 2263, Befahrungsbericht Dr. Tiburtius, 10. 9. 1923, mit derselben Angabe auch Klein, a.a.O., S. 61. Kapsberger, Gewerkschaftsbewegung, Bd. II, a.a.O., beziffert die Organisierten im Alten Verband in den 1920er Jahren auf 1000.
[111] Ebenda. Stellungnahmen des OBA (17. 12. 1923) und der Reg. Obb. (7. 12. 1923).

seit 1923 wirksame staatliche Zwangsschlichtung[112]. Ende 1928 warf dann die Arbeitszeitfrage, die reichsweit in der Schwerindustrie bereits 1927 zu harten Auseinandersetzungen geführt hatte, auch im Pechkohlenbergbau erneut Staub auf, jedoch eher aufgrund von Initiativen der *Münchener Post*, die eine Angleichung der oberbayerischen Bergarbeiterschicht an das andernorts Übliche, also eine Verkürzung um ½ Stunde forderte[113].

Das Berggewerbegericht hat, ganz im Gegensatz zur Vorkriegszeit und zu den Kriegsjahren, nach 1918 kaum noch einen augenfälligen Anteil an der Regelung von Arbeitskonflikten im oberbayerischen Bergbau gehabt. Die Zahl der Anrufungen erreichte nur noch ausnahmsweise das bisher übliche Ausmaß, und in den Streikaktionen hat man anscheinend nicht mehr zu diesem Instrument gegriffen[114]. Hierfür war in erster Linie der erreichte Zustand tarifvertraglicher Regelungen verantwortlich, der notwendig Arbeitgeber und Arbeitnehmer in Abständen zu Neuverhandlungen zusammenführte. Nach wie vor spielte der Betriebsrat der Grube unter Beratung durch die Verbandsvorstände in diesen Verhandlungen eine entscheidende Rolle. Anders als etwa im Ruhrgebiet, wirkte sich hierin die punktuelle Lokalisierung der oberbayerischen Förderstätten aus, die keine Flächendeckung der Verbandsorganisation im Sinne des im Ruhrgebiet bei Zechennachbarschaften von oft nur einigen hundert Metern Möglichen erlaubte.

Der Arbeiterrat, seit 1920 Betriebsrat[115], der Zeche bestand aus, wechselnd mit dem Umfang der Belegschaft, 11 bis 18 Arbeiter- und (seit 1920) zumeist 5 Angestelltenvertretern. Seine zumeist 6 Vertrauensmänner unternahmen weiterhin regelmäßige Grubenbefahrungen nach bestimmter Reviereinteilung. Etwa wurden 1919 245 Befahrungen mit 28 Beanstandungen durchgeführt; 1920 unternahmen die Vertrauensmänner 412 Befahrungen. Es scheint, als ob sich dieses Instrument unter bergbehördlicher Unterstützung zu einem festen Bestandteil der Grubensicherheit und Kontrolle der Arbeitsorganisation etabliert hätte. Differenzen der Grubenleitung mit dem Betriebsrat kamen erstmals im Mai 1920 auf: Seit den Tagen der Revolution war der Arbeiterratsvorsitzende der Grube von der Arbeit freigestellt worden; die Zeche versuchte nun, diese Freistellung rückgängig zu machen. Man betrachtete die Tätigkeit als »Ehrenamt« und hatte nach einem erstinstanzlichen Schiedsspruch auch Erfolg. Eine Belegschaftsversammlung und der Rücktritt des gesamten Betriebsrats führten zu neuen Verhandlungen, die wahrscheinlich mit einem Kompromiß endeten[116].

---

[112] BayHStA, MWi 2264, OK/Ministerpräsident 6. 10. 1925, heftige Beschwerde gegen den eben erlassenen Schiedsspruch sowie allgemein gegen weitere Belastungen durch die Sozialgesetzgebung – wohl zielend auf die gleichzeitige Knappschaftsreform.

[113] Vgl. MP 219/21. 9. 1929; Weisbrod, Bernd: Schwerindustrie in der Weimarer Republik: Interessenpolitik zwischen Stabilisierung und Krieg. Wuppertal 1978, S. 333–363.

[114] Anrufungen des Berggewerbegerichts München 1918 bis 1926 s. in BayHStA, MWi 2270. Ende der 1920er Jahre erhielt München ein Arbeitsgericht mit einer eigenen, räumlich getrennt zuständigen »Bergarbeiterkammer«.

[115] Zum Folgenden s. bes. die Aufstellungen über Betriebsräte im Pechkohlenbergbau, in: BayHStA, MWi 2261, 2262 u. 2264; Stümpfig, Adam: Die Stellung der Arbeitnehmerschaft Bayerns zum Betriebsrätegesetz, staatswiss. Diss. München 1927, S. 17f.

[116] Vgl. BayHStA, MWi 2262, Eingabe des Verbands d. Bergarbeiter Deutschlands vom 7. 1. 1921, sowie ebenda, Verfügung des hier zuständigen BA WM vom 15. 12. 1920.

Es gibt keine Anhaltspunkte dafür, daß zwischen dem Betriebsrat der Grube und den örtlichen Verbandsleitungen tiefgreifende Konflikte entstanden wären[117]. Schon vor dem Krieg hatte sich die Verbands- gegenüber der Belegschaftsdemokratie von bemerkenswerter Zurückhaltung erwiesen. Einem wenig konflikträchtigen Verhältnis kam zustatten, daß die Betriebsratsmitglieder in großer Mehrheit – die genauen Parteiverhältnisse lassen sich nicht feststellen – sowohl der örtlichen Sozialdemokratie angehörten als auch in den Verbandsleitungen bestimmten sowie das Gewerkschaftskartell prägten. Erst die kommunistischen Gewerkschafter haben hier in den frühen 1930er Jahren Unordnung gestiftet.

Viel spricht dafür, daß die Autorität der schon in der Vorkriegszeit tätigen Arbeiterführer zusammen mit ihrer personellen Verankerung in so gut wie allen wichtigeren Arbeiterorganisationen am Ort die Reibungsflächen zwischen dem in den frühen 1920er Jahren verfestigten Protestverhalten der Arbeiterkommune, der eingeübten Belegschaftsdemokratie und dem regionalen und überregionalen partei- und gewerkschaftspolitischen Einfluß verdeckt und in den Hintergrund gedrängt hat. Zerfiel die Autorität dieser Arbeiterführer und löste sich der teilorganisierte Zusammenhang der proletarischen Subkultur auf, dann mußten, wie das schon die Inflationskrise in Ansätzen gezeigt hatte, die je eigenen Formen der Protestäußerung und Willensartikulation hervorbrechen. Die Wirtschaftskrise seit 1929/30 brachte die Rahmenbedingungen für eine solche Entwicklung.

3. Parteien, Wahlen und Kommunalpolitik

»Die überwiegende Mehrzahl der hiesigen Bevölkerung ist politisch marxistisch orientiert und haßt erziehungsgemäß alles Bürgerliche. Immerhin muß die hiesige Bevölkerung bei halbwegs ausreichender Verdienstmöglichkeit als friedliebend bezeichnet werden«.

Diese Stellungnahme der Penzberger Polizeistation aus dem Jahre 1923[118] kennzeichnet die kommunale Parteienlandschaft so sehr wie das proletarische Milieu. Die nichtsozialistischen Parteien waren nach der Revolution hoffnungslos ins Hintertreffen geraten, und sie haben in der Folgezeit in erster Linie wegen der Zerstrittenheit der Linksparteien, nicht jedoch aus eigener Kraft eine Rolle spielen können, auch wenn sich ihre Stärke bei rund 35 Prozent der Wählerstimmen einpendelte. Ihre Aktivität selbst bei Wahlen blieb gering, und weder die Demokraten noch die Bauernbündler, am ehesten noch die Volksparteiler fanden Resonanz im örtlichen Vereinswesen – letztere wegen ihrer traditionellen Nähe zur christlich-katholischen Vereinskultur. Neben den Genannten entfalteten vor allem die deutschnationalen Handlungsgehilfen, wohl hauptsächlich mit Hilfe der Bürobeamten des Bergwerks, einige Aktivität. Parteilosen-Bewegungen hat es anläßlich der Kommunalwahlen zwar gegeben; sie sind indessen zumeist im

---
[117] Vgl. etwa Brigl-Matthiaß, Kurt: Das Betriebsräteproblem in der Weimarer Republik, ND m. e. Vorw. v. Reinhard Hoffmann. Berlin 1978, S. 22–36.
[118] PP/BA WM 4. 12. 1923, in: StAM, LRA 3918.

bürgerlich-katholischen Block aufgegangen und dienten allenfalls als Stimmenfänger für die wenigen »Indifferenten« in der Stadt[119].

An der Schwäche der bürgerlich-katholischen und insbesondere konservativen Kräfte in der Stadt hatten auch die Nationalsozialisten teil; gerade ihnen blieb es bis über 1933 hinaus ein Dorn im Auge, daß in Penzberg so wenig Einfluß zu gewinnen war. Schon die frühesten Ausbreitungsversuche der NSDAP außerhalb Münchens zielten auf die auch kleineren bayerischen Industrieorte; mit die ältesten Ortsgruppen wurden Mitte 1920 in Kolbermoor und Rosenheim gegründet. Ein ähnlicher Versuch wurde mittels Versammlungseinladung, unter dem Briefkopf »Deutsche Arbeiter-Partei«, am 27. September 1920 in Penzberg unternommen[120]. Die Versammlung wurde genehmigt und fand am 3. Oktober statt, stieß allerdings offenkundig auf geringes Interesse. Nach einem späteren NS-Bericht bestanden während der 1920er Jahre im gesamten Kreis Weilheim nur zwei, zeitweise – nach dem Putsch vom November 1923 – nur eine Ortsgruppe der NSDAP; diese dürften die aktiveren Nationalsozialisten von Weilheim und Murnau gebildet haben[121]. Das ländliche Kreisgebiet südlich des Starnberger Sees gehörte, wenn auch Weilheim nach der »Machtergreifung« ein Zentrum der Bewegung bildete, noch bis in die frühen 1930er Jahre zu den weißen Flecken auf der organisatorischen Landkarte der NSDAP[122]. Rechtsradikale Kräfte haben sich hingegen, wie wir am Ende dieses Kapitels hervorheben werden, gerade in den frühen 1920er Jahren in der Umgebung Penzbergs durchaus formiert.

Schon der nächste NS-Ausbreitungsversuch nach Penzberg, der sich nachweisen läßt: eine Volksversammlung des »Völkischen Blocks« am 4. April 1924, ließ erkennen, wie sehr Penzberg künftig als ein wunder Punkt im Organisationsgefüge der NSDAP gelten würde. Der Redner erklärte, der »heiße Boden in Penzberg wäre [!] ihm wohlbekannt«, was sich auf der Stelle bewahrheitete: Rummer griff während dieser Versammlung die völkische Bewegung in aller Schärfe an[123]. In der Folgezeit konzentrierten sich die Ausbreitungsbestrebungen auch auf die ländlichen Kreisorte wie Seeshaupt, Sindelsdorf, Bernried oder Benediktbeuern, wo seit 1926 die Versammlungsagitation, bald unter Führung des agilen Starnberger Kreisleiters Buchner, mit einem ersten Höhepunkt anläßlich der kommunalpolitischen Initiative der NSDAP im Jahre 1929 zunahm. Deren Kritik konzentrierte sich fortan auf Rummer. Als im Juni 1929 eine große provokative Versammlung der Nazis in Penzberg angekündigt wurde, erging an den Bürgermeister gesonderte Einladung: »Ihr persönliches Nichterscheinen würden wir nur durch Ihre Furcht . . . erklärlich finden« – Rummer hingegen sprach nach dem Spektakel der Bevölkerung seinen »öffentlichen Dank für das disziplinierte Verhalten gegenüber den vielen braunen Uniformen« bei dieser Veranstaltung aus[124].

---

[119] Vgl. öff. Versammlung d. Parteilosen 16. 11. 1924, selbstgefertigtes Plakat: StAM, LRA 898; zu den Handlungsgehilfen u. a. StAM, LRA 3899; ebenda, Bayer. Bauern- und Mittelstandsbund sowie Demokraten u. BVP; Gründungsversammlung der Christlich-Sozialen Partei vom 24. 2. 1924: LRA 3898.
[120] Anmeldungsschreiben: StAM, LRA 3897; ebenda Genehmigung BA WM 24. 9. 1920, keine Berichterstattung.
[121] StAM, NS 248, Bericht vom März 1935; ü. Murnau ebenda, LRA 3897, Versammlung vom -. 2. 1923.
[122] Vgl. Pridham, Geoffrey: Hitler's Rise to Power. The Nazi Movement in Bavaria, 1923–1933. New York 1973, S. 47f., 83f. (»lack of organization in country areas«).
[123] PA 29/9. 4. 1924.
[124] Zitate: PA 143/23. u. 145/26. 6. 1929; zahlreiche Versammlungsberichte ab 1926: StAM, LRA 885, 3886 u. 3899; zur Kommunalpolitik ab 1929 s. Pridham, a.a.O., S. 86f.

So hat die sozialistische Mehrheit in Penzberg seit den Anfängen der Hitlerbewegung keinen Zweifel an ihrer absolut entgegengesetzten, kämpferischen Haltung ihr gegenüber gelassen. Dies entsprach im ganzen auch ihrer in den Jahren der Auseinandersetzung zwischen Bayern und dem Reich wohl eher reichsfreundlichen Position: Für die Politik der bayerischen Rechtsregierungen ließen sich in Penzberg kaum Stimmen gewinnen. Die Penzberger Mehrheitssozialisten haben regelmäßig im August »ihren« Verfassungstag unter oft großem Aufwand, 1929 mit einem Feuerwerk, begangen[125]; dies wurde in der republikanischen Zeit neben der Maifeier der wichtigste »Festakt« der örtlichen Arbeiterführer – selbstredend mit Ausnahme der KPD.

Die seit Anfang März 1919 organisierten Unabhängigen haben, nach der Phase des Einheitsfrontversuchs mit den Mehrheitssozialisten, besonders seit Ende 1920 eine rührige Versammlungsagitation entfaltet, in der nach guter sozialistischer Tradition stets möglichst bekannte Redner von auswärts, am 3. Dezember 1922 etwa niemand geringerer als der Reichstagsabgeordnete Ledebour[126], vor oft dichtgefüllten Sälen sprachen. In den Monaten der Hyperinflation sah sich die Linke zweifellos gestärkt. Die Penzberger Unabhängigen unternahmen beispielsweise unter dem Vorsitz des Bergmanns Sebastian Klein Anfang 1923 Ausbreitungsversuche nach Kochel mit dem Ziel der Erfassung der Walchenseekraftwerk-Arbeiter, und im Sommer des Jahres dokumentierten sie ihre Vereinstradition durch ein Waldfest mit Fahnenenthüllung. Die Penzberger USPD blieb jedoch ihrer größeren Bruderpartei nahe. Es gab keine Versuche der Spaltung in der nach wie vor mehrheitssozialistisch beherrschten Vereinskultur am Ort. Die MSPD behielt im übrigen das Heft sowohl im Betriebsrat der Zeche als auch im Stadtrat in der Hand; sie erfuhr unter dem Vorsitz des Bergmanns Josef Schesser nach wie vor den größten Zulauf und bediente sich darin gleichfalls möglichst prominenter Redner[127]. Temporäre Versammlungsverbote wie das angesichts der politischen Situation Ende Januar 1923 ausgesprochene[128] konnten die beiden festverwurzelten Linksparteien in Penzberg dabei kaum behelligen. Die Versammlungstätigkeit blieb jetzt und später ausgesprochen rege, und die Penzberger MSPD erfreute sich darin ihrer besonders engen Verbindungen nach München, die sich in häufigen Auftritten des prominenten Parteiführers und Landtags-Vizepräsidenten Erhard Auer dokumentierten[129].

Auch eine Ortsgruppe der KPD[130] ist in Penzberg wahrscheinlich im Sommer oder Herbst 1920, möglicherweise eher, entstanden. In ihrer Leitung trat anfangs Bergmann

---

[125] Vgl. PA 136/13. 8. 1929 u. 209/10. 9. 1929 sowie 185/12. 8. 1930; Verfassungsfeier stets gemeinsam mit dem Reichsbanner, 1929 als »republikanischer Abend«.
[126] Versammlungsberichte: StAM, LRA 3897; zum Folgenden ebd. sowie RA 57804, Bericht des BA Tölz vom 19. 2. 1923.
[127] Vgl. StAM, LRA 3897.
[128] Verbot des Staatskommissars f. d. Regierungsbez. Obb. vom 26. 1. 1923, in: StAM, LRA 3897.
[129] Vgl. Versammlungsberichte in StAM, LRA 3898, bes. im Zusammenhang des Volksentscheids über die Enteignung der Fürsten. Verbindungen zu München pflegten vor allem auch die Reichsbannerangehörigen, die beispielsweise Anfang Juli 1929 200 Münchener Genossen bewirteten (PA 163/17. 7. 1929).
[130] Zum Folgenden s. StAM, LRA 3883 (bes. Generalia), vertraul. Rundschreiben der Reg. Obb. vom 14. 3. 1921 sowie Bericht v. 29. 3. 1921; Versammlungsberichte in LRA 3897 (16. 1. 1921: 21 Punkte; 6. 3. 1920: Sozialisierung; Auflösung 8. 5. 1921); über Funktionäre: StAM, AR 3965a/116, PP/BA WM 20. 10. 1921, 13. 6. 1922, wo neben den im Text Erwähnten bes. die Bergleute Dilthey und Scheweck sowie, als sozialdemokratischer Sympathisant, Michael Boos genannt werden. Der erste Aufschwung der KP 1920/21 löste gewiß die bereits erwähnte Sabotagefurcht auf der Zeche aus.

Georg Weingart, bald jedoch auch Bergmann Adam Steigenberger hervor. Seit Anfang 1921 fanden regelmäßig Mitgliederversammlungen statt. Vor allem in diesen Versammlungen wurde der Gedanke der Sozialisierung des Bergbaus fortgetragen. Unter anderem wurden die berühmten Moskauer 21 Bedingungen in Penzberg angeregt diskutiert. Im März 1921 wurde Penzberg im Rahmen einer Neugliederung des KP-Bezirks Südbayern zum Unterbezirk mit Weingart als Kurier und Vertrauensmann erhoben. Unter dem Eindruck der schweren innerparteilichen Differenzen nach der Vereinigung mit dem linken Flügel der USPD und nach der mißglückten »März-Aktion« der KPD in Mitteldeutschland, die zum Ausschluß Levis und zum Austritt einer Reihe prominenter ehemaliger USPD-Führer führte[131], hat sich die Penzberger KPD-Ortsgruppe dann am 8. Mai 1921 mit 17:12 Stimmen aufgelöst. Den neuen Kurs der KP-Führung mochten die Penzberger Bergleute zunächst nicht mitmachen.

Im Herbst 1923 existierte wieder eine Ortsgruppe der KPD, deren geplante Großversammlung mit Clara Zetkin am 29. September über »Deutschland und Versailles« allerdings in Anbetracht der Referentin verboten wurde[132]. Ähnlich der USPD hatte auch die KPD im Ort mit der Hyperinflation einen Aufschwung erfahren. Sie bemühte sich vor allem um Einfluß innerhalb der Belegschaft und des Betriebsrats. Ende 1923 wurde dann der Organisationsstand der Arbeiterbewegung in Penzberg unter Einschluß der inzwischen reichsweit verbotenen KPD[133] mit folgenden Gruppen umschrieben[134]:
- Sozialdemokratischer Verein (MSPD);
- Freier Turn- und Sportverein;
- Alpenverein »Naturfreunde« mit Sängerabteilung;
- Freier Jugendverein;
- Proletarischer Freidenkerverein;
- Radfahrerverein »Morgenrot«;
- Ortsgruppe der USPD;
- Ortsgruppe der KPD.

Die Aufstellung ist unvollständig; sie vernachlässigt unter anderem die gewerkschaftlichen Verbände am Ort. Es überrascht besonders, daß die reichsweit auf dem Nürnberger Parteitag am 24. September 1922 beschlossene Wiedervereinigung von MSPD und USPD in Penzberg allem Anschein nach zunächst nicht vollzogen wurde. Wahrscheinlich widerstrebten zahlreiche ehemalige KPD-Mitglieder, die nach deren Selbstauflösung am Ort zur USPD gestoßen waren, der Vereinigung. In der Person Georg Weingarts, der bereits 1919/20 als SPD-Vorsitzender genannt wurde, Mitte 1920 oder später dann die Führung der KPD übernahm und 1925–1927 wieder SPD-Vorsitzender war, dürften sich

---

[131] Zur Frühgeschichte der KPD s. bes. Flechtheim, Ossip K.: Die Kommunistische Partei Deutschlands in der Weimarer Republik. Offenbach a. M. 1948, hier S. 73–77; auch Weber, Hermann: Die Wandlung des deutschen Kommunismus. Die Stalinisierung der KPD in der Weimarer Republik. Frankfurt a. M. 1969, Bd. I, S. 40f.

[132] Zum Folgenden s. StAM, LRA 3883 u. 3884 sowie 3898; zur KP Kochel Ende 1923 (Gerüchte über Sprengung des Kraftwerkstollens) LRA 3918; Generalia bes. LRA 3867. In der Verbotszeit ähneln die Generalia stark jenen über die Sozialdemokratie während des Sozialistengesetzes: Sie sind angefüllt mit verbotenen und beschlagnahmten Schriften, Berichten über Presse und Leihbüchereien und bes. »Signalements« führender Funktionäre.

[133] Vgl. Flechtheim, a.a.O., S. 97, 138.

[134] Nach PP/BA WM 4. 12. 1923, in: StAM, LRA 3918, mit Kurzbiographien der führenden 23 Funktionäre.

sowohl der Linksruck der Penzberger Arbeiterbewegung bald nach der Revolution als auch die Rückkehr zu »gemäßigten« Verhältnissen in der zweiten Hälfte der 1920er Jahre verkörpern. Weingart wird erst nach Wiedergründung der KPD unter gleichzeitiger Rückkehr vieler USPD-Mitglieder zur KPD mit anderen USPD-Mitgliedern die Vereinigung mit der SPD nur zögernd vollzogen haben; sie fand um genau ein Jahr verspätet, im September 1923, statt[135]. Auch parteipolitisch brachte das Jahr 1923 daher in Penzberg eine tiefgreifende Umwälzung. Anfang 1924 begannen dann die Jahre der schweren Bruderkämpfe, der gegenseitigen Bespitzelungen und Diffamierungen in der Arbeiterbewegung auch in Penzberg.

Die Ortsgruppe der KPD breitete sich, obwohl das reichsweit am 1. März 1924 aufgehobene Verbot in Bayern bis zum 14. Februar 1925 fortgalt, unter der Führung des Hilfsarbeiters Josef Kobler sowie der Bergleute Sebck und Petric nunmehr stärker aus[136]. Noch im Herbst 1923 hatte sich eine kommunistische Jugendgruppe mit dem Bergmannssohn Ludwig Tauschinger an der Spitze gebildet, unter deren Mitgliedern sich im Herbst 1924 späterhin stadtbekannte Namen wie Josef Raab und Ludwig Hunger, aber offenbar auch Söhne alter sozialdemokratischer Familien (Eder, Wagoun) fanden[137]. Man tagte, ebenso wie die Ortsgruppe, illegal in Nebenräumen der Gastwirtschaften oder privat, verbreitete Flugblattmaterial, wo immer dies anging, und schreckte, um die notwendige Genehmigung für Plakataktionen seitens des Stadtrats zu erhalten, nicht davor zurück, die Behörden zu hintergehen. Die Ortsgruppe selbst zielte von vornherein auf einen möglichst starken Gewerkschaftseinfluß. Es müsse »überraschen«, hieß es hierzu[138],

> »daß die hiesigen Gewerkschaftsmitglieder, die sich zur Sozialdemokratie bekennen, sich von Kommunisten führen lassen, obwohl doch gerade die Sozialdemokratie in der gehässigsten Weise von den Kommunisten angegriffen wird«.

Tatsächlich scheint Kobler zeitweise in der örtlichen Führung des Alten Verbands wichtige Funktionen wahrgenommen zu haben. Im Mai 1924, anläßlich des Bezirksparteitags in München, wurde er vorübergehend festgenommen. Neben ihm wirkte vor allem der kommunistische Bergmann Franz Sebck in der Bergarbeiteragitation; er wird Ende Mai 1924 sogar als Vorsitzender der Ortsgruppe des Alten Verbands genannt[139]. Damit war der KPD sehr früh und rasch ein bestimmender Einfluß auf die Bergarbeiterorganisation zugefallen, was sich wegen der längeren Wahlperioden nicht gleich auf die betriebliche Arbeitervertretung auswirken mußte. Belegschaftsversammlungen dürften indessen von nun an auch von erbitterten Gegensätzen zwischen konkurrierenden Parteiführern geprägt worden sein. Ohne daß dies sehr aufgefallen wäre, hatten führende Kommunisten zudem längst festen Fuß in der örtlichen Vereinslandschaft, und zwar vor

---

[135] Erste Penzberger Versammlung der Vereinigten SPD mit dem Landtagsabgeordneten Alwin Saenger über »Deutschland in der Not« am 30. 9. 1923, Bericht: StAM, LRA 3897.
[136] Vgl. bes PP/BA WM 14. 9. 1927, in: StAM, LRA 3883, m. Verzeichnis v. beschlagnahmten Schriften und Personalien.
[137] Liste (Auszug!) von 26 namentlich genannten Mitgliedern v. 17. 10. 1924 ebenda; s. anliegend in Abschrift einen Brief Tauschingers vom 28. 4. 1924 an die Münchener Genossen.
[138] Quelle wie Anm. 136.
[139] StAM, AR 3965a/116, Kurzbericht PP 28. 5. 1924 ü. Personalien. Kobler war 60% kriegsbeschädigt und verrichtete auf der Zeche leichte Arbeit.

allem im Athletenklub Bayerisch-Fels und in der Freidenker-Ortsgruppe, gefaßt. Die Mitte der 1920er Jahre oder später führenden KP-Funktionäre in Penzberg fanden sich hier in zum Teil wichtigen Positionen, so etwa Josef Raab, Gottlieb Belohlavek und Hans Kuck bei den Athleten[140]. Indessen blieb auch in diesen Vereinen die Einheit der proletarischen Subkultur bis Ende der 1920er Jahre erhalten; erst seither setzten Spaltungsversuche ein.

Der Einfluß der Ortsgruppe ging allerdings seit Ende 1924 rapide zurück[141]. Vorläufig entstanden keine weiteren Nebenorganisationen. Bei den kommunistischen Versammlungen gegen die Fürstenabfindung im Frühsommer 1926 waren zumeist mehr Sozialdemokraten als Parteifreunde anwesend; gleichzeitige Ausbreitungsversuche endeten etwa in Sindelsdorf in einem Fiasko. Während die Sozialdemokratie gleichzeitig ihre Säle problemlos füllte, fiel die Zuhörerschaft der Kommunisten oft auf ein paar Dutzend zurück. Auch der neue Vorsitzende Philipp Wiedemann konnte diesen Verfall zunächst nicht aufhalten. Das wiederholte Lob der Sowjetregierung in den kommunistischen Parteiversammlungen in dieser Phase der Stalinisierung der KPD mochte den Penzberger Bergleuten jedenfalls insofern nicht sonderlich in den Ohren klingen, als der Verdienst einigermaßen gesichert war oder gar aufsteigende Tendenz aufwies und sich insbesondere reichsweit unter Führung der Weimarer Koalition die innenpolitischen Verhältnisse konsolidiert hatten. Um die Wende zu den 1930er Jahren sollte sich der Rückgang der KPD binnen Wochen in eine steile Aufwärtsbewegung umkehren.

Die Skizze der örtlichen Linksparteien während der 1920er Jahre bliebe unvollständig ohne Berücksichtigung des umfangreichen Vereinswesens, das im Sinne von Vor- oder Nebenorganisationen zur Arbeiterbewegung zum Teil auf bereits alte Traditionen zurückblickte, zum Teil aber auch in den 1920er Jahren neu entstand. Die von der Arbeiterbewegung in der Vereinskultur entfaltete schöpferische Leistung in diesen Jahren ist schlechthin beeindruckend; gerade die auf kleine Räume konzentrierte Feldstudie stellt dies immer wieder unter Beweis[142]. Der Vorrang der proletarischen gegenüber den bürgerlichen und katholischen Vereinsorganisationen hatte sich in Penzberg, wie gezeigt wurde, bereits vor 1914 herausgebildet; nach 1918 wurde aus dem Vorrang ein solches Übergewicht, daß demgegenüber alle nichtproletarischen Organisationen in den Hintergrund traten. Die Ortszeitung verzeichnete beispielsweise an nur einem Tag[143], und allemal noch unvollständig – viele Vereine verzichteten aus Kostengründen auf öffentliche Inserate –, die folgenden Vereinsveranstaltungen: einen Jugendlauf der Naturfreunde, eine Fuchsjagd des Wintersportvereins von 1907, eine Generalversammlung der SPD und eine solche des ebenfalls von Sozialdemokraten wie Ludwig

---

[140] Nach PA 113/1919, führende Mitglieder Bayerisch-Fels, sowie 250/1930, Ehrung von Kuck und Raab; über Freidenker-Versammlungen s. StAM, LRA 3898: Vorsitzender der Ortsgruppe war seit 1926 der bereits Anfang der 1920er Jahre als Kommunist genannte Bergmann Adam Steigenberger. Regelmäßig hielt Landtagsabg. Prof. Mager aus München Vorträge. Aber auch führende Sozialdemokraten, etwa Promberger und Alois Kapsberger, hielten den Freidenkern noch die Treue.

[141] Zum Folgenden s. StAM, LRA 5170 (Umfrage Kinderfreunde) und 5168 (Schulkinder-Agitation) sowie bes. 3884 (Versammlungsberichte).

[142] Aus der neueren Literatur, die sich diesem Gegenstand besonders gewidmet hat, s. für die Weimarer Zeit bes. AFS Bd. 14 (1974), sowie Wunderer, Hartmann: Arbeitervereine und Arbeiterparteien. Kultur- und Massenorganisationen der Arbeiterbewegung (1890–1933). Frankfurt a. M./New York 1980.

[143] Nach PA 35/13. 2. 1932, Inserate f. 14. 2. 1932.

Roith mitbestimmten Haus- und Grundbesitzervereins, eine Vorständekonferenz des Reichsbanners und eine Hauptversammlung des Turn- und Sportvereins von 1898. Das waren vier wichtige proletarische und zwei bürgerliche Veranstaltungen an einem ganz normalen Sonntag. So mancher sozialdemokratische Arbeiterführer wird an Wochenenden die Qual der Wahl verspürt haben, in welchem Verein er nun sein wichtiges Vorstandsamt oder auch nur Mitgliederrechte wahrnehmen sollte. Aus und neben den Hauptvereinen entstanden Stadtteilvereine[144], und neben allem hatten auch freie religiöse Vereinigungen, wie dies bereits die Größe der atheistischen Freidenkergruppe mittelbar dokumentiert, regen Zulauf[145]. Die Randzonen des Politischen blieben in vielen Vereinen unscharf, ging es doch den Arbeitern zu allererst um Freizeitunterhaltung, Sport und Geselligkeit – ob in Form großer öffentlicher Veranstaltungen, regelmäßiger Mitgliederversammlungen oder kleiner vereinsinterner Geselligkeitsabende. Alles an Freizeit kam von den Vereinen, auch wenn mancher Bergmann daneben noch seinen Garten in der arbeitsfreien Zeit bestellte, Bücher und insbesondere die Ortszeitung las. Als dann der Rundfunk groß wurde und sich darin eine erste »Medienkonkurrenz« abzeichnete, griff man wieder zum Verein: Es entstand ein Radioklub, übrigens unter Hilfe eines führender Sozialdemokraten und zweier späterer Nationalsozialisten; eine proletarische Konkurrenzorganisation blieb in diesem Falle aus[146].

Es sei knapp versucht, die wichtigeren Vereine nach gesellschaftlich-politischen Kriterien einander zuzuordnen. Unter den Gesangvereinen standen sich der alte bürgerliche Klub »Glückauf«, der sozialdemokratische »Volkschor« und die Gesangabteilung der »Naturfreunde« gegenüber[147]. Im »Turn- und Sportverein von 1898« war seit jeher das gewerbliche Bürgertum führend gewesen; Anfang der 1930er Jahre trat die inzwischen nationalsozialistische Rechnungsführergruppe der Zeche mit Josef Skanta und Josef Kapfhammer an die Vereinsspitze. Gegen diesen Verein bestand als anfangs gemischte, später mehr und mehr sozialdemokratische, dann kommunistische Gruppe der erwähnte »Athletenklub Bayerisch-Fels« für Ringer und Gewichtheber. Eine Arbeitergründung gegen den TuS 1898 war der »Freie Turn- und Sportverein« von 1920, der auch Stadtteilgruppen entwickelte; darüber hinaus entstand in den frühen 1920er Jahren ein Arbeitersportkartell für alle Arbeitersport-Vereine der Stadt[148]. Der Radfahrerverein »Solidarität«, in Penzberg unter dem Namen »Morgenrot«, war höchst populär wie offenbar auch sein bürgerliches Gegenüber »Concordia«. Im »Morgenrot« waren im Jahre 1930 670 Mitglieder; hier gab es überregionale Meisterschaften und Varieté-Veranstaltungen[149]. Die »Freidenker« waren den Kirchen ein Dorn im Auge:

---
[144] Vgl. StaP. SR 28. 6. 1921 ü. Maxkron.
[145] Die Quellen hierzu sind leider rar. Eine sektenähnliche Gruppe um den Zwickauer Hermann Klette zog beispielsweise 1923/24 nach Penzberg. Die Polizei vermutete in der Gruppe amerikanische Vorbilder. Vgl. StAM, AR 3965a/116, PP/BA WM 8. 1. 1924.
[146] Vgl. PA 1 u. 4/23. 8. 1930; zur Zahl der Rundfunkteilnehmer in Bayern s. ZBSL 59 (1927), S. 181, 337; 72 (1940), S. 527; sie nahm während des Jahres 1925 auf 78 000 zu und überschritt Anfang 1927 die 100 000; im Jahre 1937 war die Million überschritten.
[147] Ein Protokollbuch des »Glückauf« seit dessen Gründung befindet sich in privater Hand und konnte vom Verf. eingesehen werden.
[148] Zu den Sportvereinen und zum Folgenden s. stets die Jgg. 1920–1932 des PA.
[149] Vgl. StAM, LRA 3884; Mitgliederzahlen: PA 256/1930, 259/1932; die »Concordia« hatte bedeutend weniger Mitglieder.

20. Ausflug der Naturfreunde (1922): Floßfahrt auf der Isar.

21. Fahnengruppe der Freien Turnerschaft in den 1920er Jahren.

Selbst der Stadtdekan ließ es sich nicht nehmen, auf Freidenkerversammlungen Gegenrede zu üben[150]; wohl als gezielte Maßnahme entstand überdies ein katholischer Begräbnisverein[151]. Ähnlich stand dem katholischen Theaterverein, offenbar im Rahmen des Jugendvereins, die ebenfalls sehr populäre »Volksbühne Penzberg« gegenüber, die regelmäßig Theateraufführungen auswärtiger Schauspielgruppen bis hin zu Liederabenden und Operetten arrangierte[152]. Ein »Bauverein« bestand schon länger im Ort; der Verein wurde Ende 1918 als politisch »einseitig« erkannt, weshalb man ihm eine eher sozialdemokratische »Baugenossenschaft« zur Seite stellte[153]. Der »Haus- und Grundsitzer-Verein« war auch von Sozialdemokraten gebildet worden; indessen trat ihm seit Ende 1922 ein »Mieterschutz-Verein« gegenüber, in dem u. a. der bekannte Kommunist Kobler führend mitwirkte[154]. Der gegen die Zechenkonsumanstalt gegründete Konsum-Verein ist in den 1920er Jahren zu einem stattlichen Unternehmen mit insgesamt 10 Filialen im ganzen Oberland und (1919) 2700 Mitgliedern angewachsen. In ihm wurden die Sozialdemokraten Rummer, Josef Eisend, Eduard Zimmermann, Josef Promberger, aber auch die Kommunisten Steigenberger und Franz Reitmeier groß. Steigenberger als prominentes KP-Mitglied und Stadtrat führte den Verein 1932 an[155]. Eine Ortsgruppe des Ende Februar 1924 in Magdeburg gegründeten »Reichsbanners Schwarz-Rot-Gold« entstand in Penzberg im August 1924 und wuchs später zu beachtlicher Größe an[156]; ihr blieben die bürgerlichen Gruppen offenbar die Antwort schuldig, und auch eine Gruppe des »Rotfrontkämpferbundes« blieb Penzberg einstweilen erspart. Spezifisch sozialdemokratische Gruppen blieben die »Arbeiterwohlfahrt«, der »Mutterschutz-Verein« und die »Naturfreunde«, die mit Sonnenwendfeiern, Alpenhütten und zahlreichen Wanderveranstaltungen für Kinder, Jugendliche und Familien im Jahresablauf ebenfalls große Resonanz erfuhren[157]. Der Volkshochschule trat insbesondere die katholische Kirche mit zahlreichen Bildungsveranstaltungen in ihrem auch in Penzberg ausgedehnten Laien-Vereinswesen für Frauen, Mädchen, Arbeiter und Jugendliche zur Seite. Diese Organisationen waren in den 1920er Jahren in einem »Kartell der Katholischen Vereine«

---

[150] Vgl. StAM, LRA 3884 (Diskussion mit Stadtdekan Pfeiler 6. 3. 1926) sowie LRA 3897 u. 3898; über die Haltung der Kirchen s. Mock, Ehrenfried: Geschichte der Evangelisch-Lutherischen Kirchengemeinde Penzberg-Kochel-Seeshaupt. Festschrift. Penzberg o. J. [1979], S. 27; allgemein zur Geschichte der Freidenker: Kaiser, Jochen-Christoph: Arbeiterbewegung und organisierte Religionskritik: Proletarische Freidenkerverbände in Kaiserreich und Weimarer Republik, phil. Diss. Münster 1979; Wunderer, Hartmann: Freidenkertum und Arbeiterbewegung. Ein Überblick, in: IWK 16 (1980), S. 33–57. Herrn Kaiser danke ich für die Erlaubnis zur Einsichtnahme in seine Arbeit vor deren Drucklegung.
[151] Vgl. PA 186/1932.
[152] Inserate regelmäßig im PA; führend im Verein zu Anfang der 1930er Jahre: Lehrer Winkler und Oberinspektor Graf.
[153] StaP, GA 20. 12. 1918 u. SR 10. 3. 1919, Baugenehmigung.
[154] Gründungsanzeige, gez. Kobler u. a.: StAM, AR 3964/69z, lt. LRA 3897 jedoch April 1923 gegründet.
[155] Der genaue Vereinsname lautete: »Bezirks-Konsum-Verein für das bayerische Oberland, Sitz Penzberg. Eingetragene Genossenschaft mit beschränkter Haftpflicht«. Die Bilanzsumme überschritt 1918 300 000 Mark und hat in den Weimarer Jahren wesentlich höher gelegen; vgl. PA 146/1918. Über Konflikte mit Einzelhändlern (Streit um Nichtmitglieder, die im Konsum-Verein einkauften) s. StAM, LRA 9609 unter falscher Provenienz (Zechen-Konsumanstalt).
[156] Hinweise: StAM, Polizeidirektion München 6888 (August 1924 in Penzberg: 35 Mitglieder); erste nachweisbare öffentl. Versammlung: 12. 10. 1924, s. StAM, LRA 3898.
[157] Bericht ü. Aktivitäten 1932: PA 19/1933; Satzungen: StAM, LRA 5170. 1930 gründeten die Naturfreunde eine eigene Genossenschaft zum Bau einer alpinen Schutzhütte. Zusammenfassend s. Wunderer, Hartmann: Der Touristenverein »Die Naturfreunde«, in: IWK 13 (1977), S. 506–520.

zusammengeschlossen, das u. a. mit Protesterklärungen über die in den proletarischen Vereinen oft gezeigte Religionsverachtung an die Öffentlichkeit trat[158]. Daß die Arbeiterjugend auch überregional in Penzberg bestens organisiert war, blieb den Kirchen ein Dorn im Auge. In der Jugendfürsorge half indessen die Obrigkeit: Vereine, die sich Jugendabteilungen angliedern wollten, bedurften hierzu der bezirksamtlichen Genehmigung. Die »Concordia« unter Leitung des rechtsstehenden Kapfhammer erhielt sie nach der Versicherung der »Achtung vor der Staatsautorität« sofort, dem »Bayerisch-Fels« wurde sie entzogen, bei den »Naturfreunden« zog man gesonderte Erkundigungen ein. Anfang der 1930er Jahre wurde gleichfalls den Schulpflichtigen die Beteiligung am NS-Jungvolk und Bund deutscher Mädchen verboten, wie auch die »Wandervögel« ebenso wie die »Pioniere« zunächst nicht entstehen durften.

Selbstverständlich erschöpfte sich die Penzberger »Hundertschaft von Vereinen«[159] damit nicht, aber ihre Konturen werden nach dem Gesagten schärfer. Es gab noch eine Fülle weiterer Vereinsgruppen, die politisch nicht in den Vordergrund getreten sind; darunter vor allem die Krankenunterstützungs- und Beerdigungsvereine, die Musikvereine, die Trachtenvereine und die Kriegervereine. Drei Kerne des Vereinswesens lassen sich ausmachen: die katholische Kirche, die Sozialdemokratie und der inzwischen längst von Sozialdemokraten freie Gewerbeverein, der als mittelständischer Honoratiorenclub Verbindungen in die bürgerlichen Sport- und Gesangvereine hatte und in der Gemeindepolitik stets aufs neue den »Wirtschaftsflügel« sammelte. In manchen Vereinen darunter besonders die Feuerwehr unter dem langjährigen Vorsitz Ernst Vetters, funktionierte die Zusammenarbeit zwischen Sozialdemokraten und örtlichem Bürgertum reibungslos. Die sozialdemokratische Vereinskultur blieb noch ungespalten; indessen ist das Bestreben kommunistischer Arbeiterführer erkennbar, in diesen Vereinen Fuß zu fassen.

Die Bedeutung des Vereinswesens erschöpfte sich nicht in Freizeit und Geselligkeit oder Sport. Man wird nicht fehlgehen, den Koloß des vielfach ineinander verschränkten, jedoch entlang den geschilderten Gruppen geordneten Vereinswesens als die neben Arbeitsplatz, Familie und Wohnung dritte Schule von Solidarität zu deuten. Jede Gruppe unterstützte »ihre« Vereine nach Kräften, und da kamen die sozialdemokratischen Vereine allemal am besten weg, ob es sich nun um ein Sportplatzgelände für die Arbeiterjugend[160], um Unterstützungen für den Konsumverein, Geldhilfen für die Baugenossenschaft oder auch nur um städtische Repräsentation mit Ehrengaben bei den zahllosen Vereinsfestlichkeiten handelte – der Stadtrat war für alle, für die Arbeitervereine aber ganz besonders da. Wie noch heute in bayerischen Landgemeinden, waren Vereinsmitgliedschaft und Vereinsfunktionen zudem eine unabdingbare, den hiernach Strebenden wohlbekannte Voraussetzung für politische Ämter, und wer einmal in den Vereinen angesehen war, den ließen sie nicht mehr los. Jeder Bergmann dürfte nach einer

---

[158] Z. B. PA 103/6. 12. 1924; zum Folgenden vgl. die Genehmigungsverfahren: StAM, LRA 5170
[159] PA 214/16. 9. 1932 unter dem Titel: »Stadt der Vereine«. Der Bericht von [Albert Winkler]: Aus dem Vereinsleben der Stadt Penzberg, in: Der Heimatspiegel. Heimatgeschichtliche Beilage zum PA Nr. 26–36/1933, ist für die Zeit nach 1918 recht unergiebig.
[160] Vgl. StaP, SR 1920; kennzeichnend auch die Vergabe von Friedhofsraum für Urnenbegräbnisse an die Freidenker, wobei man den Widerstand des kath. Stadtpfarrers zu gewärtigen hatte, s. SR 16. 5. 1930: »Im übrigen ist auch unser Dekan so vorsichtig und besprengt nicht solche Urnen-Gräber mit Weihwasser, wo keines hingehört« (Stadtrat Schöttl).

zurückhaltenden Schätzung – abgesehen von Gewerkschaft und Sozialdemokratie bzw. Linkspartei – zwei-bis dreimal Vereinsmitglied gewesen sein; die Arbeiterführer waren es bestimmt fünfmal und nahmen mindestens zwei Funktionen wahr. Es war klar: Wer etwa Stadtrat werden wollte, der tat gut daran, sich in den Vorstand des Konsumvereins, möglichst zugleich in jenen des »Morgenrot« und des »Freien Turn- und Sportvereins« wählen zu lassen. Die »Ochsentour« zu solcher Wahl verlief gewöhnlich über den Schriftführer- oder Kassiererposten; ein Beisitzeramt erhielt, wer bekanntermaßen im Verein oder anderwärts Meriten hatte.

Die Gruppe der sozialdemokratischen Vereine hing wie Kletten aneinander. Ein jeder verschönte das Fest des anderen in der Gewißheit eines Gleichen; nach Mitgliederzahlen und Vereinsfahnen wetteiferte man stets neu. Fahrradkünste, Fußballspiele und Theatervorführungen gehörten in Penzberg zum Repertoire der größeren Feste, bestritten von den befreundeten Vereinen – abgesehen natürlich von Zapfenstreich, Weckruf, Festkonzert, Musik im Festzug und Gesangsdarbietungen, abgesehen auch von einem möglichst annehmbaren Festredner, der die Massen lockte[161]. Und sie kamen, die Arbeiter: in hellen Scharen, gerade zu den Festen. Hier war man wieder unter sich, kannte einander ja, war eine große »Familie«. Als der Stadtrat und Hauer Josef Eisend Anfang Februar 1932 verunglückt war, traten zu seiner Beerdigung der vollständige Stadtrat mit allen drei Bürgermeistern, eine Knappschaftsabordnung mit Fahne und Musik, die Angestellten der Zeche und uniformierte Bergleute, das Reichsbanner, die Solidarität und der Volkschor an; von insgesamt 13 Organisationen wurden Kränze abgelegt. Eisend war darüber hinaus in der Baugenossenschaft, in der Sparkasse und selbstverständlich im Bergarbeiterverband prominentes Mitglied gewesen. Rummer gedachte seiner im Stadtrat: »Es gab nicht eine Kommission, wo Kollege Eisend nicht mitvertreten war«[162]. Heute blicken die Eisends, die Schöttls oder Biersacks und viele andere Familien in Penzberg auf meist drei Generationen sozialdemokratischer Vereinsarbeit zurück.

Es soll nicht der Eindruck entstehen, als ob die Aktivität im Vereinsleben bloße Vereinsmeierei gewesen wäre. Gerade unter den Arbeiterführern war die Vereinsarbeit, wie das Beispiel Eisends zeigt, Ausdruck ihres starken Engagements für die Arbeitersache; für die Mitgliedschaften mag demgegenüber der Unterhaltungsaspekt eine größere Rolle gespielt haben. Gleichwohl sind auch bei letzteren mittelbare Folgen der Vereinsteilnahme erkennbar: anfangs die Eingewöhnung in das kommunale Leben der kleinen Industriestadt, später zunehmend die Einübung in demokratische Formen der Willensbildung – kurz: die »zivilisatorische« Wirkung der Vereine darf nicht unterschätzt werden. Man mag es dabei als unheilvoll bezeichnen, daß sich solche Eingewöhnung und Zivilisation entlang den gesellschafts- und parteipolitischen Kräftegruppierungen vollzog. Dies war jedoch so sehr eine Folge der industriegesellschaftlichen Schichtungsverhältnisse wie, in der Schärfe der Konfrontation und der Ausgeprägtheit der sozialdemokratischen Vereinskultur, eine Erbschaft des Kaiserreichs.

Naturgemäß hat insbesondere das sozialdemokratische Vereinswesen für die Mobilisierung der Bevölkerung anläßlich Wahlen und politischer Entscheidungen eine bedeu-

---

[161] Zahllose Beispiele im PA; hier nach d. Bericht über das »Bezirks-Sommerfest« der SPD am 14. u. 15. 8. 1925, Bericht in StAM, LRA 3898.
[162] Nach PA 31–40/1932.

tende Rolle gespielt. Umgekehrt schlugen sich politische Auseinandersetzungen und Verschiebungen der Kräfteverhältnisse im Vereinswesen besonders sensibel, und zwar nicht zuletzt in Gestalt persönlicher Querelen und Diffamierungen, nieder. In Penzberg erwies sich dies in den Krisenjahren seit 1930, während in der Nachkriegskrise, wie erwähnt, die Einheit der Arbeitervereinskultur trotz zum Teil erfolgreicher Infiltration durch Kommunisten erhalten blieb. Im übrigen zeigt die Entwicklung der politischen Kräfteverhältnisse in der Gemeinde zwischen 1920 und 1933 jeweils für die Krisenjahre geradezu frappierende Analogien auf. Wir beschränken uns an dieser Stelle auf eine Untersuchung des Wählerverhaltens zwischen 1920 und 1930:

Tabelle 29
Reichstags- und Landtagswahlen in Penzberg 1920 bis 1930[163]

Wahl	Wahlberechtigte	Wahlbeteiligung %	abgegebene gültige Stimmen	MSP	SPD	USP	KPD	BVP	BBB	Völkischer Block/NSDAP	DNVP	Sonstige
LT 6. 6.20	2763	83,2	2281	24,1		25,9	21,3	19,0	2,8			2,5
RT 6. 6.20			(2167)	25,2		27,0	19,4	23,3	1,8			
LT 6. 4.24	3629	81,1	2908		33,4		34,6	15,7	2,4	5,0		9,0[164]
RT 4. 5.24	3644	74,3	2711		35,5		38,4	13,1	1,8	5,2	1,1	4,9
RT 7.12.24			(3094)		45,0		21,5	18,5	3,6	1,3	5,1	5,0
LT 20. 5.28			(2888)		59,6		10,8	13,3	9,6	0,9	2,5	
RT 20. 5.28			(2998)		58,5		10,5	13,1	9,0	1,0	2,0	
RT 14. 9.30	3903	89,1	3476		45,7		24,8	15,4	5,7	2,6	0,8	4,9

Die Aufstellung zeigt: In Penzberg war der Block der Arbeiterbewegung nach dem von der Revolution getragenen Ergebnis zu den Nationalversammlungs- und Landtagswahlen im Januar 1919, zu denen die KPD nicht kandidierte, zerfallen, und der Zerfall war in allerdings nur geringem Umfang zu Lasten der gesamten Blockstärke gegangen: Sie bezifferte sich 1920, obwohl zum Landtag mit dem Geschäftsführer Peter Maier ein Penzberger Mehrheitssozialist kandidierte, nur noch auf leicht über 70 Prozent. Dabei mußte die MSPD nicht nur durch die hohen Ergebnisse der KPD, sondern insbesondere auch jene der USPD angesichts deren Schwäche als Parteiorganisation in der Stadt gewarnt sein. Tatsächlich hat der Umstand, daß man in Penzberg zwischen MSPD und USPD anfangs auf Vereinigungskurs gegangen war und die USPD-Stadträte im Gemeinderat wirkten, die bei überregionalen Wahlen zutage tretenden Kräfteverhältnisse in der

---

[163] In den Landtags- und Reichstagswahlergebnissen folgen wir zwei gelegentlich leicht voneinander abweichenden Quellengruppen: Zum einen den regelmäßigen wahlstatistischen Veröffentlichungen in ZBSL, die zwar nur auf die Ebene der Bezirksämter und kreisfreien Städte »herunter«-reichen, für Penzberg durch den Glücksfall einer dort getrennt nach Geschlechtern vorgenommenen Zählung (ähnlich übrigens auch Weilheim) jedoch dennoch mitüberliefert sind. Letzteres gilt allerdings leider nicht für alle Jahre. Wo immer möglich, wurde den Angaben in ZBSL der Vorzug vor den vielfach lückenhaften, ungenauen und anders geordneten Ergebnissen gegeben, wie sie im PA überliefert sind. Im einzelnen vgl. für 1920: PA 64/8. 6. 1920 und Schick, Emil: Die Wahlen zum Bayerischen Landtag am 6. 6. 1920, in: ZBSL 53 (1921), S. 294–384; für 1924: PA 29/9. 4. und 104/9. 12. 1924 sowie ders.: Die Reichstagswahl vom 7. 12. 1924 in Bayern, ebenda 57 (1925), S. 155–184, und Reiner, Hans: Die Reichstagswahl vom 4. 5. 1924 in Bayern, ebd. 56 (1924), S. 294–323; ders.: Die Wahlen zum Bayerischen Landtag im Jahre 1924, ebenda S. 221–293; für 1928: PA 118/22. 5. 1928; für 1930: PA 214/16. 9. 1930; zusammenfassend s. Thränhardt, Dietrich: Wahlen und politische Strukturen in Bayern 1848–1953. Düsseldorf 1973, S. 129–151.
[164] Enthält 3,1% Christl.-Soziale Partei (Bayerisches Zentrum) und 2,9% Rest-USPD.

Kommune und Kommunalpolitik verdeckt. Dies ließ die Krise bis Ende 1923 kommunalpolitisch leichter überstehen, da ja die sozialistischen Parteien deutlich über die Hälfte der Wählerstimmen verfügten. Für die KPD brachte das Jahr 1924 in Penzberg wie in Bayern und im Reich die bei weitem besten Ergebnisse. Ihre goldenen Jahre erlebte die SPD in Penzberg und reichsweit in der zweiten Hälfte der 1920er Jahre.

Zwischen den Mittel- und Rechtsparteien fand ein Wähleraustausch um stets einige Prozentpunkte statt, der das Wählerpotential der Linksparteien, das sich seit 1920 bemerkenswert konstant zwischen 66,5 Prozent (Reichstag Dezember 1924) und 73,9 Prozent (Leichstag Mai 1924) hielt, wenig berührt hat. Dabei brachte die Phase der relativen Stabilisierung Gewinne nicht etwa für die BVP, sondern für den Bayerischen Bauern- und Mittelstandsbund. Im übrigen erwies sich die BVP in Penzberg seit ihrem Rückgang nach den Wahlen von 1920 mit Ausnahme der Reichstagswahl Ende 1924, die dem Zentrum reichsweit ein günstiges Ergebnis bescherte, als ähnlich stabil wie in Bayern insgesamt, jedoch auf einem nur weniger als halb so hohen Niveau. Eine konfessionell begründete Präferenz für die BVP wirkte sich in Penzberg allenfalls marginal aus. Die Arbeiterwähler entschieden nicht nach konfessions-, sondern nach interessenpolitischen Gesichtspunkten. Die in den 1920er Jahren etwa 12 Prozent Protestanten in der Stadt waren für die Wahlentscheidungen von geringer Bedeutung. 70 Prozent war die Wählermarge der Arbeiterparteien in Penzberg; jene der BVP lag bei 15 Prozent, während die DDP/DVP auch zu Beginn der 1920er Jahre nur schwache Ergebnisse erzielte. Der bedeutendste Wähleraustausch vollzog sich zwischen der DNVP, dem Völkischen Block/NSDAP und der Bauernpartei.

Ein Vergleich der Entwicklung der wichtigsten Parteien in Penzberg mit jener in einigen Kreisorten und überregional weist die Besonderheit des Penzberger Wählerverhaltens auf. Wir beschränken uns hierbei auf einige Wahlen:

Tabelle 30
Linksparteien 1920, 1924 und 1928[165]

Ort	Landtag 1920			Landtag 1924		Landtag 1928	
	MSP	USP	KPD	SPD	KPD	SPD	KPD
Penzberg	24,1	25,9	21,3	33,4	34,6	59,6	10,8
Peißenberg[166]	35,4	14,3	9,9	46,5	9,4	53,0	2,8
Weilheim	11,5	6,5	0,3	13,9	1,5	20,8	7,1
Bayern	16,4	12,9	1,8	17,3	8,3	24,2	3,9

Im Wählerverhalten der drei Vergleichsorte zeigt sich die Stärke der Mehrheitssozialisten in einer älteren, von Ansässigkeit geprägten Arbeitergemeinde wie Peißenberg und eine Penzberg vergleichbare Stabilität der Linksparteien in diesem Ort, freilich bei einer bedeutend schwächeren KPD. Der Anteil der Linksparteien in Weilheim blieb weit unter dem Landesdurchschnitt, nahm jedoch vor allem zugunsten der SPD bis 1928 erheblich

---

[165] Quellen wie Anm. 163; bayer. Ergebnisse nach Hagmann, Meinrad: Der Weg ins Verhängnis. Reichstagswahlergebnisse 1919 bis 1933, bes. aus Bayern. München 1946, S. 28.
[166] Für Peißenberg 1920 und 1928 Reichstagswahlergebnisse vom selben Tag.

zu. Weilheim war als Kreisstadt gewerblich und durch Behördenvielfalt geprägt und verfügte darüber hinaus über einen stärkeren Anteil an landwirtschaftlichen Betrieben, der sich bei den Mittel- und Rechtsparteien auch in Peißenberg niederschlug:

Tabelle 31
Mittel- und Rechtsparteien 1920, 1924 und 1928[167]

Ort	Landtag 1920 BVP	BBB	Landtag 1924 BVP	BBB	V. Bl.	Landtag 1928 BVP	BBB	DVP	DDP	DNVP	NSDAP
Penzberg	19,0	2,8	15,7	2,4	5,0	13,3	9,6	1,4	1,9	2,5	0,9
Peißenberg[168]	23,8	13,8	26,2	10,8	7,1	19,9	16,0	0,6	1,7	2,8	2,1
Weilheim	57,4	15,0	42,2	9,6	14,1	35,2	10,0	1,6	10,3	7,1	13,9
Bayern	39,4	7,9	32,9	7,1	17,1	31,6	11,5	3,3	3,3	9,3	6,3

Auch hier wieder ein zwischen den Orten und vom bayerischen Ergebnis stark abweichendes Wahlverhalten, wobei für das vor dem Ersten Weltkrieg unbedingt zentrumstreue Weilheim der Verfall des BVP-»Turms« in einigem Umfang zugunsten der SPD, weitgehend jedoch zugunsten der Rechtsparteien bei einer sich auf niedrigem Niveau behauptenden bürglich-demokratischen Mitte auffällt. Vor allem die Nationalsozialisten errichteten in Weilheim, wie die späteren Wahlen zeigen sollten, eine Hochburg; ihnen gegenüber erwies sich Peißenberg ähnlich, jedoch in geringerem Maße resistent wie Penzberg.

Dort war die »Weimarer Koalition« während der relativen Stabilisierungsphase stark, ihre Bastionen stabil und uneinnehmbar. Sie standen allerdings auf den tönernen Füßen einer strukturschwachen Erwerbsquelle. Versagte diese und destabilisierte sich das Parteiengefüge, so würde auch Penzberg in Mitleidenschaft gezogen werden – jedoch, soviel war nach den Wahlerfahrungen der Nachkriegsjahre zu erkennen, mit großer Wahrscheinlichkeit durch Fraktionierungen im Linksblock, nicht etwa durch Stimmengewinne der Rechtsparteien. Stabilität wiesen die Wahlergebnisse der späten 1920er Jahre im übrigen auch im Vergleich zur Vorkriegszeit auf: Schon 1912 hatten sich die Sozialdemokraten bei rund 65 Prozent eingependelt – ein bei den für 1910 nachgewiesenen Schichtungsverhältnissen, in denen sich in der Weimarer Zeit kein grundlegender Wandel vollzog[169], kaum überraschendes Ergebnis.

Das Wählerverhalten bei den Reichspräsidentenwahlen und Volksabstimmungen kann die Entwicklung der Parteipräferenzen zwischen den Parlamentswahlen andeuten. Auch hier verhielten sich die Penzberger Wähler recht eindeutig: Bei der Reichspräsidentenwahl im März 1925 erhielt Braun in Penzberg 59,8 Prozent, Thälmann hingegen 10,3, Held 18,3 und Jarres 8,1 Prozent; im zweiten Wahlgang errang Hindenburg 31,6, Marx

---

[167] Quellen wie Anm. 163, 165; NSDAP-Ergebnisse für Bayern nach Regierungsbezirken s. bei Pridham, a.a.O., S. 322f.
[168] S. Anm. 166.
[169] Die Ergebnisse der Berufs- und Betriebszählung und Volkszählung von 1925 (Quellen s.o. Anm. 87) sind leider nicht für die mittleren Gemeinden veröffentlicht und ließen sich auch archivalisch nicht feststellen. Die Fabrik-Nachweisung von 1920 (StAM, LRA 7347) sowie der Gewerbekataster 1923–1925 (StAM, LRA 7348) erwiesen sich als unbrauchbar. Knappe weitere Hinweise s. Kap. VI, Anm. 2.

56,7 und Thälmann 11,6 Prozent[170]. Offenbar waren die Penzberger Wähler im ersten Wahlgang der Marschrichtung ihrer Parteien gefolgt, während im zweiten Wahlgang nur die Kommunisten loyal blieben. Ebenfalls den eingeübten Parteipräferenzen entsprachen die Ergebnisse bei Volksentscheiden; jener vom Dezember 1929 über den Young-Plan etwa erbrachte in Penzberg wegen der Wahl-Abstinenz der Linken und der in dieser Frage unterschiedlichen Auffassungen von BVP und Zentrum ganze 39 Ja- gegen 2 Neinstimmen, in Weilheim hingegen 392 und in Murnau 684 Ja-Stimmen bei nur wenigen Nein-Stimmen; das Peißenberger Ergebnis ähnelte jenem in Penzberg[171].

Der Glücksfall einer in Penzberg nach Geschlechtern getrennten Zählung der Stimmenanteile erlaubt nun, soweit diese getrennten Zählungen auch veröffentlicht wurden[172], eine im Hinblick auf die Untersuchung der Rolle der Bergarbeiterfrau im sozialen Protest interessante Ergänzung der Wahlergebnisse nach den geschlechtsspezifischen Parteipräferenzen.

Tabelle 32
Wählerverhalten nach Geschlecht 1919 bis 1924 (Angaben in Prozent)[173]

	Landtagswahl 1919 männl.	weibl.	Landtagswahl 1920 männl.	weibl.	Landtagswahl 1924 männl.	weibl.
Wahlbeteiligung						
Penzberg	92,6	94,6	84,0	82,3	82,6	79,3
Weilheim	87,9	88,1	64,8	59,8	67,4	61,4
alle Stimmbezirke	83,0	87,1	80,3	76,3	77,8	70,8
Parteipräferenzen						
SPD (und USPD)						
Penzberg	78,0	71,5	50,4	49,7	33,0	34,0
Weilheim	34,7	21,0	25,2	11,2	18,9	9,1
alle Stimmbezirke	49,7	33,2	35,7	25,4	19,4	15,9
KPD						
Penzberg			25,2	16,6	37,1	31,7
Weilheim			0,6	–	2,1	0,9
alle Stimmbezirke			7,2	3,6	17,9	11,8
BVP						
Penzberg	13,9	20,9	19,3	28,2	12,7	19,6
Weilheim	30,6	50,8	45,0	68,8	32,4	51,9
alle Stimmbezirke	30,9	50,1	38,9	56,8	17,2	27,8
Völkischer Block						
Penzberg					5,8	3,9
Weilheim					16,4	11,9
alle Stimmbezirke					32,0	31,4

[170] Nach PA 59/31. 3. u. 50/28. 4. 1925; für überregionale Ergebnisse s. Schick, Emil: Die Wahl des Reichspräsidenten in Bayern am 29. März und 26. April 1925 in: ZBSL 57 (1925), S. 339–353.
[171] Nach PA 292/17. 12. 1929.
[172] Dies gilt leider nicht für alle Wahlen; vgl. Anm. 163.
[173] Quellen s. Anm. 163 sowie Schick, Emil: Die Landtagswahlen und die Wahlen zur verfassunggebenden Deutschen Nationalversammlung in Bayern im Januar und Februar 1919, in: ZBSL 51 (1919), S. 601–960, 874f.

Bei der in Penzberg im übrigen stets hohen Wahlbeteiligung zeigt sich hier im Jahre 1919 die nach Erlangung des Frauenwahlrechts charakteristische höhere Abstimmungsquote der Frauen. Indessen standen in Penzberg die Frauen den Männern auch später beim Urnengang nur wenig nach, während sich andernorts deutliche Abstände in der Wahlbeteiligung zwischen Männern und Frauen einstellten. Penzberg hatte von allen nach Geschlechtern gezählten Stimmbezirken 1924 die höchste Wahlbeteiligung der Frauen.

Erkennbar war die BVP auch in Penzberg die Partei vieler Frauen – freilich keineswegs in dem Umfang, wie dies etwa in Weilheim und in allen Stimmbezirken, die nach Geschlechtern gezählt wurden[174], der Fall war. Die Linksparteien waren Männerwählerparteien – dies nun allerdings mit einer charakteristischen Abweichung in Penzberg: hier galt diese Feststellung nur für die KPD, und auch bei dieser Partei ist der Anteil der Frauenstimmen sehr hoch gewesen. Dagegen war die Mehrheitssozialdemokratie bei der Landtagswahl von 1920 in Penzberg – ganz anders als im allgemeinen – bereits eine, wenn man so will, Frauenwählerpartei. Der auch in der Zwischenkriegszeit in Penzberg noch infolge der Zuwanderungen vergleichsweise niedrige Bevölkerungsanteil der Frauen – Penzberg blieb noch bis weit in die 1930er Jahre »Männerstadt«[175], in der der männliche Bevölkerungsteil infolge der Wanderungen und der bergbaugeprägten, »frauenfeindlichen« Erwerbsstruktur überwog – verleiht diesem Ergebnis besonderen Nachdruck. In der »Zuneigung« der Frauen hob sich die MSPD auch von der USPD ab. So wählten 1920 23,1 Prozent der Männer, aber 25,4 Prozent der Frauen die Mehrheitssozialisten, jedoch 27,3 Prozent der Männer und 24,3 Prozent der Frauen die Unabhängigen. Am linken Rand des Parteienspektrums stellte sich auch in Penzberg die konservative Präferenz der Frauen ein, jedoch auch dort nur in sehr viel geringerem Maße als andernorts. Im ganzen wählten die Penzberger Frauen eher wie ihre Männer, oder, besser, sie orientierten sich an deren Wahlverhalten: Manche Ehefrau eines Kommunisten wird sozialdemokratisch,

---

[174] Das unter »alle Stimmbezirke« erfaßte Ergebnis bezieht sich 1919 auf 40 und 1920 auf 18 oberbayerische Stimmbezirke, 1924 hingegen auf 10 kreisunmittelbare Städte (darunter München, Rosenheim) und 17 mittelbare Landgemeinden (darin Hausham, wo die SPD-Präferenz der Frauen noch ausgeprägter als in Penzberg war). Die 27 differenziert gezählten Gemeinden umfaßten 399 416 Stimmen bzw. (nach Hagmann, a.a.O., S. 28) 11,64% aller in Bayern abgegebenen Stimmen. Die Stichproben waren jedoch keinesfalls repräsentativ: Sie erfaßten tendenziell ausgeprägte Groß- und Industriestädte auf der einen, ausgeprägte Landgemeinden auf der anderen Seite, so daß bereits die Wahlbeteiligung deutlich über dem bayerischen Durchschnitt lag, die durchschnittliche Parteipräferenz jedoch nur bei der SPD getroffen wurde. Sowohl die Ergebnisse der KPD als auch jene des Völkischen Blocks lagen in der Stichprobe von 1924 sehr deutlich über, die der BVP ebenso deutlich unter dem Gesamtergebnis. Daher spiegelt die Rubrik »alle Stimmbezirke« ein für das gesamte Frauen-Wahlverhalten in Bayern nicht zutreffendes Ergebnis; die für Weilheim angegebenen Zahlen kommen dem bayer. Durchschnitt erheblich näher.

[175] Auf 1000 Männer kamen Frauen:

	1925	1933	939
Penzberg	970	927	011
Kreis Weilheim	1024	1006	014
Regierungsbezirk Oberbayern	1086	1090	042
Bayern	1077	1066	031

Errechnet nach: Burgdörfer, Friedrich: Die Volks-, Berufs- und Betriebszählung 1939. Aufbau, Organisation und erste Ergebnisse für Bayern; weitere Ergebnisse, in: ZBSL 71 (1939), S. 1–45, 543–585, hier S. 13, 45, 413, 468.

manche Frau eines Sozialdemokraten christlich gewählt haben. Es schien schon immer besser, ein bißchen konservativer als der Ehemann zu sein. Das Gesamtergebnis liegt im übrigen auf der Hand: Der Mobilisierungsgrad der Penzberger Frauen war sehr erheblich, und sie haben durch ihr Wahlverhalten das sozialdemokratische Erscheinungsbild der Stadt gestützt und zugleich zu einem deutlich verbesserten Ergebnis der BVP beigetragen.

Während der Nachkriegszeit hat die kommunale Sozialdemokratie ohne Zweifel erheblichen Nutzen aus dem Umstand gezogen, daß sie die kommunalpolitische Führung in einer Phase reichsweiten, in Penzberg zudem besonders ergiebigen Aufschwungs der sozialdemokratischen Parteien übernahm und durch Kommunalwahlen nicht etwa in Krisenzeiten, sondern in Jahren einer vergleichsweise ausgeprägten Stabilität behaupten mußte. Mit Sicherheit hätte das Parteigefüge der Stadt am linken Flügel andere Konturen angenommen und wären die Ergebnisse der überregionalen Wahlen anders ausgefallen, wenn in Penzberg beispielsweise Anfang des Jahres 1923 (vor der Vereinigung der sozialistischen Parteien) gewählt worden wäre. Allerdings haben sich jedenfalls in den frühen Nachkriegsjahren die Zwistigkeiten zwischen den Arbeiterparteien bei weitem nicht in dem Maße kommunalpolitisch niedergeschlagen, wie dies nach 1929/30 der Fall sein sollte. Allen war bewußt, daß man schließlich derselben politischer »Heimat« zugehörte; viele hielten die Spaltungsprozesse, die man in Penzberg gewiß gern vermieden hätte, für reversibel, und den wenigsten war bewußt, welche politischen und programmatisch-ideologischen Grenzen eigentlich zwischen den Richtungen bestanden. Zu heterogen stellten sich die Unabhängigen und auch, in der ersten Zeit, die Kommunisten ihren Betrachtern dar, und die parteipolitischen Gruppen und Grüppchen, deren Flügelwechsel und die Metamorphosen der politischen Hauptrichtungen erregten mehr Unzufriedenheit als Verständnis und verfestigten keine Überzeugungen. Man kann sagen, daß die Spaltung der Arbeiterbewegung in den ersten Nachkriegsjahren in Penzberg – wie wahrscheinlich in den meisten kleineren Gemeinden an der Peripherie – im Bewußtsein jedenfalls nicht bis zur letzten Konsequenz mitvollzogen worden ist. Es ist beispielsweise aus den Stadtratsprotokollen und Versammlungsberichten keineswegs erkennbar, welcher Stadtrat und Diskutant der Linken sich welcher Richtung zurechnete. Vor allem hatte die Spaltung längst nicht jene Ebene persönlicher Zerwürfnisse erreicht, die nach 1930 die Situation kennzeichnete.

Bei der Gemeinderatswahl am 7. Dezember 1924[176] wirkte sich die wirtschaftliche Stabilisierung bereits leicht auf das Ergebnis aus. Von den 20 zu wählenden Stadträten gehörten, bei einer mit 89,7 Prozent hohen Wahlbeteiligung, einschließlich des Bürgermeisters 55 Prozent der Vereinigten Sozialdemokratie und 10 Prozent der KPD an. Die restlichen 7 Sitze erhielt eine unter dem Namen »Vereinigter Wirtschaftsbund« zur Wahl angetretene bäuerlich-bürgerlich-christliche Sammelbewegung, in der drei örtliche Gewerbetreibende, der Bergwerksdirektor Klein und Rechnungsführer Praschnikar von der Zeche, der Bauer Hartl und ein christlicher Bergmann gewählt wurden. Für die Sozialdemokraten zog neben Rummer die alte Führungsgruppe mit Pfalzgraf, Vetter,

---

[176] Nach PA 105/11. 12. 1924; Stimmenanteile sind leider nicht überliefert. Auch Schick, Emil: Die Gemeindewahlen in Bayern am 7. 12. 1924, in: ZBSL 57 (1925), S. 407–422, bringt S. 420 nur die Sitzverteilung.

22. Der Penzberger Stadtrat im Jahre 1928. Von links (obere Reihe): Josef Bierl (Aufseher), Josef Schesser (Bergmann), Ernst Vetter (Polizeibeamter), Albert Pröbstl (Verwaltungsangestellter); (mittlere Reihe): Johann Eichner (Zimmermeister), Josef Loew (Kaufmann), Ferdinand Praschnikar (Knappschafts-Zahlstellenleiter), Mathias Wörle (Bergmann), Georg Biersack (Bergmann), Albert Winkler (Lehrer), Ignaz Truger (Bergmann), Georg Hartl (Landwirt), Fritz Rebhahn (Buchdrucker); (untere Reihe, sitzend): Josef Eisend (Bergmann), Xaver Schöttl (Bergmann), Agathe Promberger (Hausfrau), Hans Schwer (Spenglermeister), Karl Bandner (Bergmann), Adam Seigenberger (Bergmann).

Winkler, Schöttl, Eisend, Boos und dem Buchdrucker Rebhahn wieder in den Stadtrat ein. Noch war diese Führungsgruppe nicht so alt, daß sie hätte ersetzt werden müssen; alle genannten Arbeiterführer genossen zudem – mit Ausnahme Winklers, der erst während des Weltkriegs zur Sozialdemokratie gestoßen ist und als Akademiker und »Gebildeter« gewiß willkommen war – den Ruf des Kämpfertums für die soziale Sache noch vor Kriegsausbruch. Für die KPD zogen jetzt Adam Steigenberger und Josef Kobler in das Gremium ein.

Der Wirtschaftsbund wurde nicht nur aus wahltaktischen Erwägungen geboren; er war auch eine Folge des Überdrusses an der »roten Herrschaft«. Er blieb »in seiner alten Zusammensetzung«[177] unter Angliederung einer Liste der christlich-nationalen Wähler und einer als »Arbeitnehmer- und Angestelltengruppe« von der BVP abgespaltenen Liste auch zur Gemeindesratswahl am 8. Dezember 1929 die Sammlungsbewegung der bürgerlichen Mitte und Rechtsgruppen. Zu dieser Wahl hatte die Stadtratsmehrheit, um die Wahlaussichten der Kommunisten zu mindern, das Stadtratsgremium auf 15 Sitze verkleinert[178]. Die Kommunisten traten mit einer reinen Arbeiterliste, die Sozialdemokraten im wesentlichen – für sie kandidierte jetzt auch der spätere NS-Vertrauensratsführer Andreas Daiser – wieder mit der alten Führungsgarnitur an, und auch im Wirtschaftsbund hatte sich mit den Spitzenkandidaten Mühlpointner, Klein und Hartl, zu denen der Fahrhauer Gstrein trat, wenig geändert. Das bei einer Wahlbeteiligung von etwa 87 Prozent entstandene Ergebnis brachte die sich seit dem Sommer abzeichnenden Verschiebungen in den überregionalen Kräfteverhältnissen zum Ausdruck:

Tabelle 33
Gemeindewahlen in Penzberg, 7. Dezember 1929[179]

	Stimmen	Prozent	Sitze
gültige Stimmen	3045	100	15
SPD	1402	46,0	7
KPD	389	12,8	2
Verbundene Listen:			
Wirtschaftsbund	753	24,8	4
Christlich-nationale Wähler	253	8,3	1
Arbeiter und Angestellte	248	8,1	1

Die verbundenen Listen hatten mit einer Reihe auch in der Arbeiterschaft angesehener Persönlichkeiten aufgewartet, und auch in Penzberg waren Gemeindewahlen Persönlichkeitswahlen. Damit waren die Sozialdemokraten in Not geraten – wie übrigens ihre Genossen in Peißenberg, die bei nur acht Mandaten die Stadtführung der »Wirtschaftlichen Vereinigung« mit elf Mandaten überlassen mußten. Man half sich mit der

---

[177] PA 276/28. 11. 1929.
[178] StaP, SR 15 10. 1929.
[179] Ergebnisse nach PA 286/10. 12. 1929.

Gemeindeordnung[180]: Rummer, der bereits am 28. Mai 1929 wiedergewählt worden war, daher Mitglied des Stadtrates war und nicht auf der sozialdemokratischen Liste zu kandidieren brauchte, stellte zunächst den Stimmengleichstand gegen die kommunistische und bürgerliche Opposition her, und als zweiten Bürgermeister wählte man Pfalzgraf, für den von der sozialdemokratischen Liste ein weiterer Kandidat nachrückte. Die Bürgermeister waren selbstverständlich im Stadtrat stimmberechtigt. Die Wahl Pfalzgrafs war dabei nur gelungen, weil von der Fraktion Wirtschaftsbund sechs weiße Stimmzettel abgegeben worden waren, womit die einfache Mehrheit gegen den kommunistischen Kandidaten für dieses Amt, Steigenberger, erreicht wurde. Einige Monate nach der Wahl bereinigte man dann Probleme, die wohl bei Abstimmungen entstanden waren, und wählte sicherheitshalber mit Zimmermann einen dritten Bürgermeister hinzu. Für diese Wahl gab es mit dem Stimmrecht von Pfalzgraf und Rummer keine Schwierigkeiten. Sie läutete jedoch Jahre scharfer Konfrontation mit der Gegenseite ein. Stadtrat Schöttl hatte die Wahl Zimmermanns freimütig »lediglich« damit erklärt, daß es »einfach nicht möglich« war, unter den Umständen einer »schwachen Mehrheit ... die Geschäfte des Stadtrates ohne größere Schwierigkeiten zu erledigen«. Mühlpointner dazu: »So etwas, eine solche Frivolität« sei ihm

»bis jetzt selten vorgekommen. Da erübrigt sich einfach jede Kritik ... Ein Kasperltheater sondergleichen. Die Art und Weise dieses Vorgehens spottet ja jeder Beschreibung. In der deutschen Sprache finde ich kein Wort, um ein solches Handeln zu charakterisieren«[181].

Koalitionsgespräche mit der bürgerlichen Fraktion oder manchen ihrer Mitglieder sind den Sozialdemokraten so wenig in den Sinn gekommen wie eine Art kommunalpolitischer Einheitsfront mit der KPD. Hier begegnet ein Verhalten, das die sozialdemokratische Stadtratsfraktion während der Weimarer Jahre wiederholt gekennzeichnet hat: das Beharren auf Standpunkten und Machterhaltung um jeden Preis, bis hin zur Rechthaberei; ein Verhalten, das nach den in der Revolutionszeit erkennbaren Koalitionsbestrebungen vor allem durch die erbitterte Opposition der Kommunisten, die in den frühen 1920er Jahren zeitweise eine Mehrheit unter den Arbeiterstimmen auf sich gezogen hatten und mit Wiedereintritt der Krise auf dasselbe Ziel zusteuerten, erklärlich wird. Sowohl von dort als auch von bürgerlicher Seite fühlten sich die sozialdemokratischen Stadträte in die Enge getrieben, wenn ihre politischen Auseinandersetzungen entsprechend den gemeindlichen Verhältnissen auch vorwiegend mit den letztgenannten geführt wurden. Mit der KPD kämpfte man um Ideologien und Arbeiterstimmen, mit den Bürgerlichen um Sachen, und die waren im gemeindepolitischen Alltag allemal wichtiger.

Die Grundprobleme der Gemeindepolitik in der Zwischenkriegszeit hatten sich wenn nicht bereits vor 1914 und in den Weltkriegsjahren, so doch angesichts der zahlreichen Zuzüge in den Jahren 1919/20 abgezeichnet. Vor dem Hintergrund einer im Vergleich zu

---
[180] Gemeindeordnung vom 17. 10. 1927 f. Bayern s. in: Engeli, Christian, und Wolfgang Haus (Hrsg.): Quellen zum modernen Gemeindeverfassungsrecht in Deutschland. Stuttgart 1975, S. 610-658; s. u. a. Art. 13, III: »Der Gemeinderat kann beschließen, daß ein oder zwei weitere Bürgermeister in den Gemeinderat zugewählt werden; sie haben unbeschadet der besonderen Bestimmungen dieses Gesetzes die Rechte und Pflichten der Gemeinderatsmitglieder«.
[181] StaP, SR 11. 3. 1930.

anderen Gemeinden dieser Größe schwachen Steuerkraft unter nahezu ausschließlicher Abhängigkeit von der Wirtschaftskraft der Zeche standen der Wohnungsbau, die Verbesserung der städtischen Infrastruktur durch Anlage eines auch für den wachsenden Kraftfahrzeugverkehr benutzbaren Straßennetzes, Ausbau und Neuerrichtung öffentlicher Einrichtungen und Ausbau der Dienstleistungen sowie, in Krisenzeiten, die Bewältigung der Arbeitslosigkeit im Mittelpunkt der Gemeindepolitik. Man kann dem sozialdemokratischen Stadtrat nicht absprechen, in diesen Bereichen tatkräftig gearbeitet zu haben.

Es seien einige Beispiele für solche Erfolge, aber auch für die oft nahezu unheilbare Zerstrittenheit zwischen der bürgerlichen Mitte und den sozialdemokratischen Stadträten angeführt. Insbesondere die mittelbare und unmittelbare, vor allem finanzielle Abhängigkeit von der Oberkohle hat den sozialdemokratischen Stadträten in nahezu jeder Sitzung die Grenzen ihrer Arbeit vor Augen geführt. Dies galt gerade auch in der zweiten Hälfte der 1920er Jahre, als das Bergwerk schwer unter Absatzschwierigkeiten litt: »So schlecht wie jetzt« war es »noch nie«, hob Rummer im April 1926 hervor; dabei sei der städtische »Etat ganz auf das Bergwerk aufgebaut«[182]. Bergwerksdirektor Klein erklärte mit Nachdruck: »Es muß allen klar sein, daß die Lebensfrage von der Absatzfrage abhängt«, doch werde die oberbayerische Kohle »überall glatt boykottiert«. Den Arbeitern aber »möchte ich sagen, daß es um den schwersten Kampf geht, der je geführt wurde«[183]. Noch ein Jahr später betonte Klein, es müsse »mit der Auflassung des Bergwerks Penzberg gerechnet werden«, denn »das Kohlenmaterial ist furchbar schlecht«, und drei Pechkohlenzechen im Oberland würden künftig kaum nebeneinander existieren können – komme es aber zur Stillegung, so sei die Reihe zuerst an Penzberg[184]. Selbst nach den Belegschaftsreduktionen 1924 waren 1925 und 1926 zahlreiche Feierschichten erforderlich, und Stillegungsgerüchte machten immer wieder die Runde. In dieser Lage beschloß der Stadtrat im Mai 1925, in zweierlei Richtung die Initiative zu ergreifen[185]: zum einen durch eine Delegation nach München, die dem Ministerpräsidenten Held die Probleme der Stadt vortrug und das Ersuchen der Oberkohle um Staatskredit unterstützte, zum anderen durch großzügige Angebote zur Ansiedlung neuer Industrien. Die erstgenannte Maßnahme wurde von der Oberkohle selbstverständlich begrüßt, die zweite, im Grunde langfristig richtigste, lehnte der Zechenvertreter im Stadtrat mit fadenscheinigen Gründen ab: Es seien keine ausreichenden Wohnungen vorhanden, auch könne es sich die Stadt nicht leisten, Grundstücke zur Industrieansiedlung schlicht zu verschenken[186]. Es lag auf der Hand, daß jeder größere nichtbergbauliche Betrieb am Ort das Arbeitsmarktmonopol der Zeche und ihren Einfluß auf die Gemeindepolitik stören und mindern mußte, und zwar unabhängig von der konjunkturellen Situation. Das Interesse der Grube blieb daher, die Steuerkraft der Gemeinde möglichst Einrichtungen zugute kommen zu lassen, die den Grubenbetrieb stützten; wo dies nicht der Fall schien, hat sie sich stets ablehnend verhalten. Rummer

---
[182] Ebenda, 22. 4. 1926.
[183] Ebenda, 5. 5. 1926.
[184] Ebenda, 24. 5. 1927.
[185] Ebenda, 7. 5. 1925; Bericht über die Audienz: 1. 6. 1926.
[186] Ebenda, 20. 5. 1925.

bemerkte dann auch, übertreibend, im Mai 1927, das Bergwerk stehe nun schon länger als 50 Jahre, aber »geschaffen für die Stadt ist während dieser Zeit nichts«[187]. Das ließ sich für die Zeit nach 1918 auch beweisen: Das Bergwerk verwandte sich sowohl gegen den Bau des neuen Bahnhofs als auch gegen jenen der Turnhalle, der Stadthalle und, was auf sozialdemokratischer Seite größte Empörung auslöste, gegen die Errichtung des Pfründnerheims, eines städtischen Altersheims, dem die Oberkohle unter Hinweis auf ihre schlechte Finanzlage sogar jegliche Spende verweigerte[188]. Die Abhängigkeit von der Zeche ging so weit, daß Rummer, da die Auszahlung der Beamtengehälter für Mai 1926 gefährdet war, der Grubenverwaltung »Zwangsmaßnahmen« androhen mußte, weil sie mit der Zahlung des Wasserzinses gezielt in Verzug getreten war. Die hierzu abgegebenen Stellungnahmen beleuchten die Härte der Konfrontation zwischen örtlichen Sozialdemokraten und Grubenleitung. Bergwerksdirektor Klein hielt Verständigung für unmöglich, solange »einem ständig der Revolver auf die Brust gesetzt wird«. Rummer hielt dagegen, »die Zeiten von früher ..., wo das Bergwerk noch diktierte und seine Bürger aus den Arbeitern gekauft hat«, seien »eben heute anders«[189]. Das Beharren auf Standpunkten gehörte zunehmend zum kommunalpolitischen Alltag in Penzberg.

Die Grube behauptete sich nicht nur bei den Wassergebühren mit unangemessenen Mitteln. Etwa galt ihr die werkseigene Konsumanstalt, wenn es um die Wahl des Arbeiterausschusses ging, nicht als Zechenbetrieb, wenn es jedoch um die Besteuerung ging, dann waren Grube und Konsumanstalt eins. Das nun rief die Gewerbetreibenden Penzbergs auf den Plan, die hierin einen in der Tat fragwürdigen Konkurrenzvorteil der Konsumanstalt erblickten. Gegen die Arbeiterschaft habe man im übrigen »nichts«, sei man doch auf diese »auf Gedeih und Verderb angewiesen«[190]. Das handwerkliche Kleingewerbe saß in der Tat oftmals zwischen den Stühlen, denn auch von der Zeche kamen Aufträge etwa für das Bau- und Installationsgewerbe; von der Arbeiterschaft kam hingegen für die Bäcker und Metzger, die Lebensmittelhändler und Gastwirte das tägliche Brot.

Weitgehende Übereinstimmung im Stadtrat herrschte in erster Linie bei allen Maßnahmen zur Bekämpfung der Wohnungsnot. Hier gab es kaum Rangeleien um die Notwendigkeit von Kreditaufnahmen oder um die Bevorzugung und Benachteiligung dieses oder jenes Bauträgers, dieses oder jenes Mieters; selbst die stets in der Öffentlichkeit umstrittenen Entscheidungen der Wohnungskommission fanden im Stadtrat einschließlich der wiederholten Rücktritte der Vorsitzenden dieser Kommission Verständnis von allen Seiten. Die Stadtverwaltung ist denn auch nicht müde geworden, Finanzquellen für den Wohnungsbau zu erschließen, wobei ihr die seit der Verabschie-

---

[187] Ebenda, 24. 5. 1927.
[188] Ebenda, 2. 2. 1926; zum Pfründnerheim s. auch BayHStA, MWi 2276. Im Stadtrat entbrannte zwischen Winkler und Klein über das Verhalten der Zeche in Sachen Pfründnerheim eine überaus erregte, für den Ton zwischen den Kontrahenten kennzeichnende Kontroverse, die der Protokollant nur fragmentarisch zu dokumentieren imstande war: »raffinierte Tat«, »in perfider Weise«, »Unverfrorenheit« (Bergwerksdirektor Klein); »Rücktrittbremse der Zeche«, »perfid« (Sozialdemokrat Winkler); »bei jeder Gelegenheit wurde Sabotage [von Seiten der Zeche] getrieben«; mit der Oberkohle »kann man einfach nicht zusammenarbeiten« (Rummer).
[189] Ebenda, 22. 4. 1926; Zitate: 7. 8. 1926.
[190] Ebenda, 24. 5. 1927, vgl. 22. 4. 1926.

23. Notstandsarbeiten nahe dem Stadthallengelände (1927).

24. Die neuerbaute Stadthalle (1929) inmitten der 1919 errichteten Notbaracken-Siedlung; im Vordergrund Bergmannsgärten.

dung des »Bergmanns-Wohnstättengesetzes« noch durch die Nationalversammlung 1919 forcierten staatlichen Bemühungen zur Förderung der Ansiedlung von Bergarbeitern zustatten kamen. Die Programme der auch in Bayern wirksamen Bergmannssiedlungsgesellschaften[191] erlaubten neben dem Bau von Einfamilienhäusern seit 1926 auch die Errichtung von Mehrfamilienhäusern, so daß dem Übergewicht des Zechenwohnungsbaus auf diesem Wege Schritt für Schritt entgegengetreten werden konnte. Überdies hatte das Reichsheimstättengesetz von 1920 durch Belassung der Wohnungsbaupolitik in den Händen der Gemeinden eine kommunale Bodenbevorratungspolitik ausgelöst und während der 1920er Jahre eine in der Krise freilich stockende, zeitweise erhebliche Bautätigkeit begünstigt.

Für den Mieterschutz hatte sich in Penzberg insbesondere die KPD engagiert; daneben galt ihr Augenmerk frühzeitig den Problemen der Erwerbslosen. Diese haben sich in Penzberg bereits im Frühjahr 1926, mit Sicherheit unter Schützenhilfe der KPD, mindestens in Form regelmäßiger Versammlungen organisiert; schon im April 1926 ging ein erster gemeinsamer Antrag der Erwerbslosen und der KPD auf Entlastung der unterstützten Arbeitslosen von der Verpflichtung zur Ableistung schwerer Arbeiten beim Stadtrat ein und hatte in dieser Form Erfolg. Dabei wurde die Arbeitslosenfrage, späterhin im Zentrum der kommunalpolitischen Auseinandersetzungen, von der Kommune beispielsweise durch nachsichtige Behandlung der täglichen Meldepflicht durchaus arbeiterfreundlich gehandhabt. Im Juni 1926 machte schließlich ein »Erwerbslosenausschuß« unter Hilfe der KPD über den Stadtrat die Öffentlichkeit darauf aufmerksam, daß mittellose Mieter ihren Hausbesitzern u. U. Steuervorteile einbringen konnten[192]. Die Kommunisten haben sich in der Stadt wie auch reichsweit frühzeitig mit den Problemen der Arbeitslosen identifiziert und hierin später, neben der Gewerkschaftsarbeit, ihre wichtigste Aufgabe gesehen. Ihre Mitarbeit im Stadtrat blieb hingegen bis 1929, sieht man von den Arbeitslosenfragen ab, im Verbalradikalismus stecken. Kobler und Steigenberger übertrafen sich, wenn sie das Wort nahmen, in der Rezitation von allerorten Wohlbekanntem – so, wenn Kobler erklärte[193],

»daß die Regierung an der Arbeitslosigkeit schuld ist und nur das Großkapital unterstützt; er erachtet es auch für notwendig, daß etwas unternommen wird, glaubt aber, daß nicht viel erreicht wird«;

oder wenn Steigenberger betonte, »das ganze System der Großkapitalisten geht nur auf Kosten der Arbeiterschaft«[194], und durch »das Anschwellen der großkapitalistischen Industrie« würden »die kleinen Unternehmen aufgesogen«[195]. Solche Auslassungen waren nicht sonderlich hilfreich. Die Sozialdemokraten haben dann auch spätestens seit Ende 1924 auf jeden Versuch der Zusammenarbeit mit den kommunistischen Stadträten

---

[191] Zahlreiche Hinweise (u. a. Jahresberichte der Bayer. Treuhandgesellschaft für Bergmannssiedlungen) s. in BayHStA, MWi 2275 u. 2276; zum Ganzen s. bes. Peltz-Dreckmann, Ute: Nationalsozialistischer Siedlungsbau. Versuch einer Analyse der die Siedlungspolitik bestimmenden Faktoren am Beispiel des Nationalsozialismus. München 1978, S. 66f., 72f.
[192] Vgl. StaP, SR 22. 4. u. 1. 7. 1926.
[193] Ebenda, 6. 5. 1926.
[194] Ebenda, 7. 5. 1925.
[195] Ebenda, 20. 5. 1925.

verzichtet: Kobler hatte sich um Verbreitung von in der Stadt umlaufenden Gerüchten, wonach Rummer im Zusammenhang der Prozesse über die Münchener Räterepublik einen Meineid verübt haben sollte[196], durch Vorlage eines Antrags auf Amtsenthebung bei den übergeordneten Behörden für seine Partei verdient gemacht. Von sozialdemokratischer Seite fand man, »daß die größte Gemeinheit in einem solchen Antrag steckt«. Er zwang Rummer immerhin zu wiederholten Strafanzeigen gegen vorlaute Arbeiterstimmen in dieser Sache, bis durch eine regierungsamtliche Verfügung, freilich erst nach 1½ Jahren, auf ein dienstaufsichtliches Einschreiten verzichtet, die Sache mithin formell aus der Welt geschafft wurde. Gerüchte waren jedoch auch in Penzberg von zählebiger Natur. Im übrigen war dies nicht das einzige Mal, daß von behördlicher Seite der Stadt Penzberg wenig Entgegenkommen bekundet wurde[197].

Wenn es um die eigene Klientel ging, dann hat die stadtführende Sozialdemokratie nicht gezögert, ihr politisches Gewicht in die Waagschale zu werfen. Allerdings war mit dem Aufschwung der KPD klargeworden, daß sich diese Klientel nicht mehr so eindeutig eingrenzen ließ wie vor 1914. Dennoch war diesen Arbeiterführern bewußt, daß in erster Linie dafür zu sorgen war, den Arbeitern auskömmliche Verdienstmöglichkeiten zu sichern; die Inflationserfahrung hatte sie hierin bestärkt. Wann immer es um Bergarbeiterangelegenheiten ging, zeigte die sozialdemokratische Fraktion im Stadtrat daher ein offenes Ohr – oft genug zum Mißfallen ihrer Gegner in der Zechenleitung und im gewerblichen Bürgertum. Es war freilich auch für die letztgenannte Gruppe schwer, im Stadtrat gegen die Wünsche der Bergarbeiter zu stimmen. Als sich daher im Juli 1922 der politische Konflikt zwischen Bayern und dem Reich zugespitzt und die Bergarbeiterschaft die sozialdemokratische Fraktion im Stadtrat »beauftragt« hatte, mittels einer Resolution ihre Abneigung gegen das Gebaren der bayerischen Staatsregierung zu bekunden, schlossen sich dem empörten Aufruf, den der »Stadtrat der Bergarbeiterschaft Penzberg« (!) darauf erließ, mit zwei Ausnahmen auch die bürgerlichen Stadträte an[198]. Ein von der sozialdemokratischen Fraktion und dem örtlichen Gewerkschaftskartell vorgelegter Antrag auf Preisabbau im Oktober 1925, den Rummer recht geschickt zu einer Eingabe an das Bezirksamt, den Landtag und den Reichstag umformulierte, fand die einstimmige Billigung des Stadtrates, dem die Entscheidung in diesem Fall sicher leichter fiel[199]. Anders war die Lage in Fragen der Personalpolitik. Hier hat die Sozialdemokratie die Chance der Stadterhebung rigoros zu einem stromlinienförmigen Ausbau des städtischen Personalwesens im Sinne der Partei genutzt. Nicht nur, daß die führenden Verwaltungspositionen bald mit parteinahen Personen besetzt wurden; man bevorzugte auch bei der Besetzung der Nachwuchsstellen die Kinder von Parteimitglie-

---

[196] Die genauen Vorgänge lassen sich nicht rekonstruieren; in den verfügbaren Quellen ist stets auf »die bekannten Vorgänge« o. ä. rekurriert worden. Vgl. erstmals ebenda, 13. 1. 1925, wonach Rummer sich gegen Aussprüche wie »gestern hat er einmal keinen Meineid geleistet« zur Wehr zu setzen hatte. Zum Regierungsbescheid s. ebenda 5. 7. 1926 (Zitat). Koblers Antrag war am 27. 12. 1924 gestellt, der Bescheid am 2. 7. 1926 ergangen. Pikant wurde die Angelegenheit auch dadurch, daß Rummer den inzwischen im Gemeindedienst angestellten Kobler fristlos entlassen hatte, was die sozialdemokratische Fraktion nicht billigte.
[197] Z. B. stellte das BA WM angesichts der von der bürgerlichen Fraktion bekämpften Kreditaufnahme für den Stadthallenbau die Kreditwürdigkeit der Gemeinde in Frage; s. ebenda, 24. 5. 1927.
[198] Ebenda 27. 7. 1922.
[199] Ebenda 29. 10. 1925.

dern oder mindestens Bergleuten. Die Eingriffe von Bürgermeister und Sozialdemokraten gingen jedoch noch weiter: Als sich in der Volksschule der Lehrer Böck offenbar durch nationale Worte hervortat, wurde dessen Versetzung gegen scharfen Widerspruch aus dem anderen Lager gefordert. Stadtrat Schöttl hierauf knapp: »Wir haben jetzt die republikanische Staatsverfassung und fordern daher, daß auch die Kinder in der Schule hiernach erzogen werden«[200]. Proteste der anderen Seite in Personalangelegenheiten fruchteten wenig – ob es nun um die Neubesetzung von Stellen oder die Einkünfte des Bürgermeisters ging. Kennzeichnend war auch das kommunalpolitisch freilich immer diffizile Problem der Straßenbenennungen, bei dem, nach Eberts Tod, die Sozialdemokraten allerdings die Wiederherstellung der Sindelsdorfer aus der Kurt-Eisner-Straße und die Gewißheit einer Hindenburgstraße für den nächsten Fall einer Benennung hinnehmen mußten, um ihre Friedrich-Ebert-Straße durchzudrücken[201].

Auch in der eigenen Fraktion ging es bei den Sozialdemokraten nicht immer ohne starke Reibungen zu. Mochte das Verhältnis zwischen USPD und MSPD im Stadtrat noch einigermaßen unter Kontrolle gehalten werden[202], so bildete Rummers Persönlichkeit und Handeln vielfach auch in der Partei selbst einen Stein des Anstoßes. Wenn auch versucht wurde, solche Probleme unter den Teppich zu kehren, so ließ sich doch nicht alles verbergen. Beispielsweise trat der 2. Bürgermeister Pfalzgraf 1922 in geheimer Sitzung mit der Behauptung hervor, wenn er wolle, werde der Rummer eingesperrt, und auf Ersuchen wiederholte Pfalzgraf diese Ansicht. Der Betroffene bestritt den zugrunde liegenden Fall, und die Sozialdemokraten gaben bekannt, sie wollten dieses Problem in einer Fraktionssitzung klären[203]. 1924 stimmten mehrere sozialdemokratische Stadträte in Personalfragen gegen die Fraktion; in einem Fall endete dieser Konflikt, der sich schon vorher in der Frage der Nichterledigung eines Stadtratsbeschlusses abgezeichnet hatte, mit dem Parteiaustritt eines Stadtrats.

In vieler Hinsicht kennzeichnend für die zwischenparteilichen Auseinandersetzungen war der Anfang 1927 gegen die Stimmen des Wirtschaftsbundes beschlossene Stadthallenbau[204]. Das Vorhaben war gleich aus mehrerlei Sicht zu einem Prestigeobjekt hochgeredet worden: Rummer, der sich, wie viele Bürgermeister, gern mit Verdiensten an großen kommunalen Bauvorhaben schmückte, wollte mit diesem Bau sein Ansehen stabilisieren; den Sozialdemokraten ging es mehr um eine Demonstration der Willenskraft und Stärke der Arbeiterbewegung. Denn die Zeche hatte zuvor dem von ihr stark protegierten Turn- und Sportverein von 1898 eine Turnhalle mit allen modernen Einrichtungen und Möglichkeiten auch zur Abhaltung von Festen erbaut. Es ging nun darum, der Arbeiterschaft ein ähnliches Denkmal zu setzen. An sich hatte man lange

---

[200] Ebenda, geheime Sitzung 26. 11. 1926.
[201] Ebenda, 26. 11. u. 10. 12. 1925.
[202] Etwa gab man gemeinsame Erklärungen ab, so anläßlich der Ermordung Rathenaus: »Das ist der Weg zum Abgrund«. Ebenda, 30. 6. 1922.
[203] Ebenda, geheime Sitzung 18. 9. 1922; vgl. ebenda, 17. 5. 1923, 4. 9. 1924 und 12. 9. 1924 (Austritt Roiths aus der Partei, nicht aus dem Stadtrat).
[204] Zum Folgenden s. ebenda, 5. 4. u. 27. 5. 1927. Als ähnliches Beispiel s. die Auseinandersetzungen um die Gewerbebank 1926: Die SPD beschloß, die Sparkassenleitung, die unter ihrer Kontrolle stand, »von Personen, die die Gründung der Gewerbebank unterstützten, zu säubern«. Kapsberger, Alois: Chronik des Sozialdemokratischen Vereins, Ortsgruppe Penzberg. o. O. o. J. [Penzberg 1931], S. 26.

Jahre ein Gewerkschaftshaus geplant, war aber wohl an den finanziellen Problemen eines solchen Vorhabens gescheitert. Nun sollte die Stadthalle als »Trutzbau« erstehen. In den Vorplanungen hielt man die Baukosten aus optischen Gründen bewußt niedrig und versuchte, die Aufmerksamkeit von den Folgekosten dieses gewiß unrentablen Projekts abzulenken. Der Bau kam tatsächlich teurer als geplant zu stehen, und die Nationalsozialisten haben es später als Erfolg verbucht, daß ihnen die Veräußerung gelang.

Ein Bedürfnis für das Gebäude ließ sich angesichts der Festfreude und Theaterlust der Penzberger allerdings nicht ganz bestreiten. Die Zeche argumentierte wie immer gegen öffentliche Großbauten, und die mittelständischen Stadtratsmitglieder hielten die in der Tat bereits hohe Verschuldung der Stadt für unhaltbar. Von beiden Seiten kam ein glattes Nein. Die Kommunisten stimmten ausnahmsweise, wohl weil die Tendenz des Baus jedermann offenbar war, dafür. Die Sozialdemokraten und Gewerkschafter im Stadtrat hatten nicht nur mit der Arbeitsbeschaffung für das darniederliegende örtliche Handwerk und mit Erwerbslosenbeschäftigung argumentiert, sondern auch die umfassende Mithilfe der Arbeiterschaft bei der Erstellung des Bauwerks angekündigt. Und in der Tat gelang es für die groben Arbeiten an der Baustelle an Wochenenden eine Unzahl freiwilliger Helfer zu gewinnen. Somit wurde die Stadthalle nicht nur in der Vorbereitung, sondern auch in der Ausführung eine echte, vom Willen der Arbeiter getragene Gemeinschaftsleistung – freilich »mit Absicht ganz einseitig für eine politische Richtung gedacht«, wie der Bergwerksdirektor hervorhob, aber doch auch für alle: »Das Gros in Penzberg bildet die Arbeiterschaft«, und diese rechnete Rummer »für die Allgemeinheit«[205].

Wenn man noch in den 1920er Jahren in vielen Sachproblemen zwischen den Fraktionen, meist mit Ausnahme der beiden kommunistischen Stadträte, zusammengearbeitet hatte, so zerbrach diese partielle Gemeinsamkeit in den Krisenjahren rasch und gründlich. Die Robustheit Rummers und mancher Eigensinn in seiner Fraktion trugen hierzu ebenso bei wie die stets interessenbewußte Haltung des führenden Zechenvertreters im Stadtrat und der fortwährende, erst Mitte der 1920er Jahre vorübergehend abklingende Druck von seiten der Kommunisten, die sich bis 1924 unter der Penzberger Arbeiterschaft, von der Zerrüttung der wirtschaftlichen und sozialen Verhältnisse profitierend, selbstbewußt auf eine Mehrheit stützen konnten. Seit 1929/30 gewannen die Kontroversen im Stadtrat im Zusammenhang mit der Wahl des dritten Bürgermeisters, aber auch bei bloßen Geschäftsordnungsfragen die Oberhand, etwa wenn Rummer ohne ersichtlichen Grund keinen Einblick in die Sitzungsunterlagen mehr gewährte. Die bürgerliche Fraktion erschien darauf nicht im Plenum, und Steigenberger erklärte, »daß die Masse einst urteilen werde über das, was geschehe«[206].

---

[205] StaP, SF 5. 4. 1927. Interesse verdient, daß Stadtrat Schöttl im Anschluß an die Stadthallen-Kontroverse im Stadtrat die Einberufung einer Volksversammlung beantragte, »in welcher über die bisher gemachten Schwierigkeiten für das Projekt Aufklärung gegeben werden soll«. Schöttl, von der Belegschaftsdemokratie plebiszitäre Formen der Willensbildung gewohnt, suchte die kämpferische Legitimation politischen Handelns in der proletarischen Öffentlichkeit.
[206] Ebenda, 27. 5. 1930.

4. Stadt und Umgebung

Was die Sozialdemokraten in Penzberg auch an Erfolgen in der Wohnungspolitik und Verbesserung der städtischen Infrastruktur unbestreitbar aufzuweisen hatten, in der Kreisöffentlichkeit außerhalb der Stadt wurde schlechterdings alles mit Argwohn aufgenommen, was an Nachrichten aus der Stadt kam[207]. Bis weit nach dem Zweiten Weltkrieg hat sich Penzberg nicht von dem Stigma des »roten Rathauses« und der Andersartigkeit der dort Ansässigen, die jedem Durchreisenden durch das Bild einer trostlosen Stadt im schönen Voralpenland augenfällig werden mochte, befreien können. Zum Teil gründete sich dies, wie gezeigt, auf nunmehr bald hundertjährige Auseinandersetzungen zwischen Bauern und Arbeitern; zum Teil war es Ausfluß und Erscheinungsform der tatsächlich vorhandenen Andersartigkeit in den sozialen und politischen Verhaltensweisen. Die Penzberger hatten auch von sich aus hierzu gelegentlich Veranlassung geboten, so, als in den Revolutionswochen eine Schar von 30 bis 40 Bergleuten unter Führung Rummers und Boos' nach Sindelsdorf aufgebrochen war, vom Pfarrer ein Glockenläuten zur Ehre des ermordeten Eisner vergeblich gefordert, ihn daraufhin mißhandelt hatte und erst nach Auseinandersetzungen mit dem Ortsbürgermeister abgezogen war[208]. In den Rahmen politischer Streitigkeiten trat dieser Konflikt durch die sozialdemokratische Stadtherrschaft in der Weimarer Zeit. Was bisher an gegenseitigen Ressentiments latent vorhanden und gelegentlich hervorgebrochen war, das verfestigte sich nun in Gestalt von Kritik an der städtischen Arbeiterherrschaft und nahm selbst programmatische Konturen an: Penzberg war reichstreu, vertraute wenigstens innerhalb der gewerkschaftlichen und sozialdemokratischen Führungsgruppen unerschütterlich auf die Weimarer Republik als das Werk der deutschen Sozialdemokratie – das ländliche Umland war hingegen monarchisch gesinnt, gedachte mit Grauen des Spuks der Räteherrschaft von 1919 und zeigte separatistische Tendenzen. Die Frontstellung rückte mit der konterrevolutionären Radikalisierung in Bayern nach dem Scheitern der Revolution in die Nähe jeweils bewaffneter Organisiertheit und kämpferischer Auseinandersetzungen.

Penzberg hatte seine Loyalität zum Reich im Juli 1922 in einer eindeutigen Resolution des Stadtrats dokumentiert[209]:

»Die frei organisierte Bergarbeiterschaft in Penzberg spricht ihre lebhafte Genugtuung über das energische Vorgehen der Reichsregierung gegen die Bedrohung der Rechtssicherheit durch die Tätigkeit der politischen Organisationen aus, die durch ihre planmäßige Hetze gegen die Republik die Mordatmosphäre geschaffen und den Boden für die politischen Verbrechen der letzten Zeit

---

[207] Als Vorkriegsbeispiel sei erwähnt, daß im Weilheimer Tagblatt 1911 zu lesen war, die Penzberger Bergleute hätten die Beerdigung eines verunglückten Kameraden mit roten Fahnen verschönt. Den energischen Widerspruch s. PA 27/4. 3. 1911.
[208] StAM, AR 3960/25, PP/BA WM 27. 2. 1919. Penzberger Sozialdemokraten haben auch später in Auge auf Landwirte der Umgebung hinsichtlich deren sozialen Verhaltens gehabt, vgl. etwa Vetter über einen Bauern, der seinen Arbeitern den Lohn vorenthalte und nicht für ihre Versicherung sorge: PA 193/22. 8. 1929.
[209] StaP, SR 27. 7. 1922. Zum Hintergrund des Aufrufs gehört, daß der bayer. Ministerpräsident Lerchenfeld bereits die erste von zwei Notverordnungen des Reichspräsidenten zum Schutze der Republik (26. u. 29. 6. 1922) und schließlich das Reichsgesetz v. 21. 7. 1922 für Bayern rechtswidrig suspendiert hatte, was jedoch keine Reichsexekution auslöste. Vgl. etwa Schwarz, a.a.O., S. 467, zum Folgenden S. 468–470 im Überblick.

bereitet hat«. Die frei organisierten Bergarbeiter begrüßen die Verabschiedung der von der Reichsregierung für den Kampf gegen das politische Verbrechertum für erforderlich erachteten republikanischen Schutzgesetze durch eine den Anforderungen der Verfassung entsprechende Mehrheit des deutschen Reichstages. Damit sind diese Schutzgesetze ein materieller Bestandteil des Reichsrechts geworden, der für alle deutschen Länder, also auch für Bayern, in vollem Umfang rechtsverbindlich ist.

Die frei organisierten Bergarbeiter erklären es als Pflicht aller reichstreu gesinnten Volkskreise Bayerns ohne Unterschied der Partei, im Interesse der Erhaltung des inneren Friedens im deutschen Volke, des Ansehens Deutschlands vor der ganzen Welt und der Bewahrung Bayerns und unseres gesamten Vaterlandes vor schwersten wirtschaftlichen Erschütterungen den Standpunkt der Reichsregierung zu unterstützen und die drohende Anarchie und Rechtsunsicherheit von Bayern abzuwehren«.

Die Resolution schloß mit der Aufforderung an die Sozialdemokratie, in diesem Sinne tätig zu sein »und die gesamte Bevölkerung in dem geeignet erscheinenden Augenblick zur Anteilnahme an dieser Abwehr aufzurufen«. Dies war in der Zeit des Fechenbach-Prozesses, der öffentlichen Diffamierung der jungen deutschen Republik durch den monarchistischen Kardinal Faulhaber, der aufstrebenden rechtsradikalen Wehrverbände und politischen Morde eine klare Sprache, der sich auch der im September 1922 in Augsburg tagende sozialdemokratische Parteitag anschloß. Es war jedoch nicht die Sprache der unmittelbaren Nachbarn der Penzberger.

Vorbeugende Maßnahmen gegen eventuelle Unruhen waren amtlich, nachdem die Einwohnerwehren der Auflösung anheimgefallen waren, besonders seit Mai 1922 unter großer Vertraulichkeit eingeleitet worden. Die Regierung von Oberbayern erließ unter dem 28. April 1922 einen »Unruhe-Kalender« über solche Maßnahmen und ließ bereits Plakate für den Unruhefall drucken. Man erstellte eine Liste der Telefonteilnehmer, die zu überwachen wären – darunter der Bezirkskonsumverein und 13 Penzberger Gastwirtschaften – und hielt zur Befriedung dieses mutmaßlichen Unruheherds die ehemalige Sindelsdorfer Einwohnerwehr für besonders geeignet[210]. Die Beziehungen zwischen den administrativen Vorbeugungsmaßnahmen und den örtlichen Resten der ehemaligen Wehrverbände, den Kriegervereinen und Freikorps-Anhängern wie dem Bund Oberland lassen sich allerdings für diese Phase nicht klären.

Anders hingegen die Polizeiliche Nothilfe Bayerns, die aufgrund innenministeriellen Erlasses vom 28. Februar 1923[211] vom Bund Oberland, der sich im Verlauf des Jahres 1922 mehr und mehr zu einem rechtsradikalen Wehrverband entwickelt und der NSDAP angenähert hatte[212], zu organisieren war. Zur Vorbeugung und Bekämpfung von Unruhen wurde auf der Strecke Tutzing-Kochel ein Bahnschutz eingerichtet, dessen 13 Wächter in Benediktbeuern rekrutiert wurden. Die »Notpolizei Gruppe Penzberg« bestand aus Männern der Gemeinden Iffeldorf, Antdorf, Dürnhausen, Habach, Sindelsdorf, Großweil, Kleinweil und Schlehdorf und stand unter Führung von Fritz Bauer aus

---

[210] StAM, AR 3965a/106, dort bes. Schreiben des ehemaligen Sindelsdorfer Kommandanten der Einwohnerwehr, v. Taeuffenbach, sowie AR 3965a/107, Generalia mit »Unruhe-Kalender«.
[211] StAM, AR 3965a/100, zum Folgenden ebenda.
[212] Vgl. Diehl, James M.: Paramilitary Politics in Weimar Germany. Bloomington/London 1977, S. 104f., sowie Fenske, Hans: Konservatismus und Rechtsradikalismus in Bayern nach 1918. Bad Homburg etc. 1969, S. 159-164, zur Entstehung und Entwicklung des Bundes Oberland. Generalia zum Bund s. in StAM, AR 3965a/115.

Benediktbeuern. Ein Penzberger war nicht Mitglied dieser Nottruppe. Ihr Ziel war eindeutig: Sie sollte, wie die Vertreter der genannten Gemeinden betonten, eine »einheitliche Organisation und Leitung der Notpolizei in der Nähe der Unruheherde Penzberg und Kochel«, in letzterem Ort wegen der Arbeiten am Walchenseekraftwerk, »im dringenden Interesse der beteiligten Gemeinden« bewerkstelligen, und ein »Aufrufplan für die Notpolizei« sah die Abriegelung von Unruheherden, zu denen ferner Peißenberg, Kleinweil (Braunkohle), die Torfkultur bei Murnau und die Ammerkorrektion gerechnet wurden, unter anderem durch Straßensperren vor[213].

Diese Vorgänge blieben geheim; es scheint, als habe auch die Stadtführung in Penzberg jedenfalls keine präzisen Informationen über die entstehende Schutztruppe gehabt. Nur die Zeche war bestens informiert und unterstützte das Vorhaben. Bergwerksdirektor Klein erinnerte sich 15 Jahre später[214]:

> »Immer war es die Insel der Reaktionäre am Bergwerk, die von den verschiedenen Verbänden, Einwohnerwehr, Bund Oberland usw. zur Unterstützung herangezogen wurde.
> Heimlich wurden Handgranaten und Schußwaffen nach Penzberg geschafft und verteilt. Ich selbst war überall als Vertrauensmann tätig, und manche nächtliche Radfahrt brachte uns einmal dahin, einmal dorthin außer Penzberg zu Beratungen, wie im Falle eines kommunistischen Aufstandes Penzberg als rote Hochburg von allen Seiten konzentrisch angegriffen werden konnte. Wir wenige im Bergwerk vorhandenen zuverlässigen Leute sollten Penzberg solange halten, bis von allen umgebenden Orten die Einwohnerwehr in Penzberg eingedrungen war«.

Die »Insel der Reaktionäre« – das waren schon damals vor allem die kaufmännischen Angestellten der Zeche. Auch wenn man, weil diese Erinnerung nicht ohne Eigenlob und Rechtfertigung zu einem Zeitpunkt geschrieben wurde, als die Rechnungsführer-Clique die nationalsozialistische Stadtführung stellte, einiges von der Schilderung abstreichen muß, so bleiben die Maßnahmen insgesamt erstaunlich genug. Da gab es eine regelrechte Abschnürungs- und Angriffsstrategie für den Fall einer kommunistischen Machtergreifung, und zu diesem Behuf hatte sich die Zechenleitung mit jenen ländlich-bäuerlichen Kräften der Umgebung zusammengetan, mit denen sie ehedem nicht eben leicht zu Rande gekommen war.

Gerüchteweise war auch einiges in der Stadtspitze bekannt geworden, wie die folgenden Vorgänge zeigen:

Am 11. Mai 1923[215] feierte die Penzberger Ortsgruppe des Deutschnationalen Handlungsgehilfen-Verbandes ihr viertes Stiftungsfest unter Mitwirkung auch von Nationalsozialisten. In einer nur wenige Meter entfernten Gaststätte tagte eine Funktionärskonferenz der Sozialdemokraten mit Rummer. Die Handlungsgehilfen ließen ihre patriotischen Lieder bis auf die Straße tönen, wo sich langsam eine Menschenmenge versammelte. Sowohl die Abhaltung dieser Feier am 11. August – das war der sog. Verfassungs-

---

[213] Zitate: Resolution der Gemeindevertreter vom 26. 11. 1923, in: StAM, AR 3965a/100, ebenda, »Aufruhrplan«.
[214] Klein, Entwicklung, a.a.O., S. 43f. Vgl. auch das Schreiben OK/BA WM 5. 12. 1923 (StAM, LRA 3918), mit dem die OK den durch den Hitlerputsch kompromittierten Notpolizeiführer – vgl. folgende Darstellung – im Amt zu erhalten suchte: »Wir selbst haben ein dringendes Interesse daran, daß die Notpolizei fest in einer Hand vereinigt ist . . .«. Hinweise auch bei Kapsberger, Gewerkschaftsbewegung, a.a.O., Bd. II, S. 52.
[215] Zum Folgenden s. StAM, LRA 3918, u. a. Verfügung der Reg. Obb. v. 24. 8. 1923; eine längere Ms.-Zusammenfassung der Vorfälle, wahrscheinlich gedacht als Zeitungsartikel, fand sich StAM, NSDAP 617. Ausführlich s. auch StaP, SR 15. 8. (außerord. Sitzung), 23. 8. u. 6. 9. 1923.

tag der Republik – als auch die Funktionärskonferenz waren offenbar geplante provokative Veranstaltungen. Es kam zu Unruhen, als aus der Menge ein Schuß fiel und ein »Hitzkopf« mit dem Drohruf »Heraus, die Arbeiter in Gefahr, die Hitler sind da!« die Menge mobilisierte. Rummer eilte herbei, ließ den Saal räumen und suchte die Gemüter zu beruhigen. Das war das Ziel der Gegenveranstaltung der Sozialdemokraten gewesen: die als Provokation empfundene Feier, hinter der man in erster Linie Nationalsozialisten und den Bund Oberland als Drahtzieher vermutete – SA und Bund Oberland hatten im Mai 1923 auf der Theresienwiese mit Waffengewalt eine gewerkschaftliche Großveranstaltung zu unterdrücken versucht[216] –, zu stören und aufzulösen.

Der Vorfall erregte, mitverursacht durch die rührigen Zeitungsberichte des christlichen Bergmanns und Stadtrats Weigl, großes Aufsehen im Oberland und veranlaßte die Behörden zur »dienstaufsichtlichen Würdigung« von Rummers Verhalten, das allerdings in der eigentlichen brenzligen Konfliktsituation auch von bürgerlicher Seite als korrekt und mutig bezeichnet wurde. Weigl veranstaltete »ein großes Haberfeldtreiben« bis hin nach München, zur verantwortlichen Ministerialbehörde. Ganz unbeteiligt waren die Oberländer an der Sache freilich, wie es scheint, nicht gewesen, wie ja auch bei den Nationalsozialisten Versammlungen zu Provokationszwecken zum Kampfrepertoire gehörten. Jedenfalls rief der Bund wenige Wochen nach dem Vorfall durch Befehl an eine seiner Gliederungen zu einer Übung mit Waffen im Raum Kochel auf, wobei Rummer wohl nicht zu Unrecht vermutete, daß in Penzberg »ein Durchmarsch in geschlossenen Reihen als Vergeltung für den 11. August«[217] geplant war. Noch bevor dieser Befehl bekannt wurde, hatte man sich in der Stadt Gegenmaßnahmen bei eventuellen Aktionen rechtsradikaler Gruppen überlegt; jetzt faßte der Stadtrat den Beschluß, auch in Penzberg »paritätisch auf breitester Grundlage« eine Notpolizei aufzustellen, und erließ einen Aufruf an die Bevölkerung[218]:

»Als große unerhörte Verantwortungslosigkeit muß es in der Zeit höchster politischer und wirtschaftlicher Spannung angesehen werden, wenn man die Bevölkerung einer Arbeiterstadt mit Gewalt zum Kampfe aufreizen, mit Gewalt eine alteingesessene friedliche Bürgerschaft in den Bürgerkrieg treiben will. Mehr als je ist jetzt Einigkeit der ganzen Nation vonnöten, Einigkeit im Ort, Land und Recht . . . Allen Bürgern, die noch Ruhe, Ordnung und Arbeit als vornehmste Pflicht des Staatsbürgers wissen wollen, rufen wir deshalb zu: Haltet zusammen, bewahrt ruhige Nerven, bewahrt Euren Ort vor Unruhen, laßt Euch nicht zu Torheiten verführen . . .

Warnen wollen wir alle jene, welche sich, jeden Verantwortungsgefühles bar, berufen fühlen, unter allen Umständen den Kampf, den Unfrieden, die politische Unduldsamkeit in unseren Ort zu tragen. In der Abwehr wissen wir uns eins mit allen friedliebenden Bürgern. An die maßgebenden Führer der Umgebung aber richten wir die Bitte, den in der letzten Zeit von gewissen Seiten aus durchsichtigen Absichten verbreiteten Nachrichten über Penzberg keinen Glauben schenken zu wollen. Die Penzberger Arbeiterschaft ist froh, wenn sie ungestört ihrer Arbeit nachgehen kann . . .«.

---

[216] Vgl. Steger, Bernd: Der Hitlerprozeß und Bayerns Verhältnis zum Reich 1923/24, in: VfZ 25 (1977), S. 441–446, 459f.; Fenske, a.a.O., S. 391f.
[217] StaP, BR außerordentl. Sitzung 27. 9. 1923.
[218] Text ebenda, sowie PA 78/29. 9. 1923. Auf die gleichzeitige Veröffentlichung des dem BM zugespielten Befehls des Bundes Oberland verzichtete man nach Vorhalt von bürgerlicher Seite, da dies die Gemüter noch mehr erregen würde. Die geplante »Strafexpedition« des Bundes wird der Penzberger SPD durch Wilhelm Hoegner bekannt geworden sein; vgl. Fenske, a.a.O., S. 207, Anm. 65. Eine sozialdemokratische »Sicherheitsabteilung« (s. u. a. Kritzer, Bayerische Sozialdemokratie, a.a.O., S. 201f.) hat es in Penzberg nicht gegeben.

Der Beschluß zur Gründung einer Notpolizei erging – freilich in Abwesenheit des Zechendirektors – einstimmig; man hatte sich auch im bürgerlichen Lager über die neueren Entwicklungen große Sorgen gemacht. Zugleich wurde, zusammen mit Vertretern der Arbeiterstädte Peißenberg und Hausham, eine Delegation zum Innenminister beschlossen, deren wichtigste Aufgabe wohl die Besorgung von Waffen sein sollte. Auch für die Penzberger Gendarmerie bestand kein Zweifel ob des defensiven Zwecks dieser Maßnahme. Man wolle, so der Stationskommandant, nach außen zeigen, »daß das verrufene Penzberg in Wirklichkeit friedliebend sein will«[219]. Waffen erhielt man nicht, weshalb Rummer für sich und die Schutzmannschaft, deren Leitung Vetter übernahm, drei Pistolen anschaffte.

Das Gerücht, in Penzberg sei – wie in Peißenberg und Murnau – eine »rote Hundertschaft« entstanden, ging wie ein Lauffeuer durch den Landkreis und rief seinerseits einen Tag nach dem Stadtratsbeschluß, noch vor Veröffentlichung des Aufrufs, die »Vaterländischen Verbände Weilheims« auf den Plan. Das waren unter dem Dach einer eigenen Bezirksleitung Ortsgruppen der Verbände Bund Oberland und Bayern und Reich sowie der örtliche Kriegerverein. Sie stellten die nicht eben respektvolle Frage, »ob es bei der Duldung dieser Hundertschaften sein Bewenden haben soll«, und erkundigten sich auch nach der »Angelegenheit Rummer«, d. h. verlangten Auskunft über den Stand der amtlichen Ermittlungen über dessen Verhalten am 11. August, »da unsere Mannschaften darüber von uns klare Rechenschaft verlangen und verlangen können«[220]. Das Bezirksamt beeilte sich mit der Antwort, daß Waffen bei den Schutzmannschaften – übrigens anders als bei den Notpolizeien auf dem Land – »nicht nachgewiesen« werden konnten und daß man den Fall Rummer noch untersuche; im übrigen wurde Bezug auf frühere Verabredungen mit den Vaterländischen genommen[221].

In Penzberg hatte man das Zusammenwirken von Regierung, Behörden und rechtsradikalen Kampfverbänden noch keineswegs durchschaut und war der Meinung, die Regierung habe »die Kampfverbände sich über den Kopf wachsen lassen«; man wollte auch jetzt kein »gegenseitiges Haberfeldtreiben« und achtete darauf, daß »die Bauern, die fast sämtlich dem Bund Oberland angehören«, durch den Aufruf nicht provoziert würden. Denn leider sei es so, »daß Penzberg in der ganzen Umgebung verrufen ist und Drohungen verbreitet wurden, die Arbeiter von Penzberg würden bei den Bauern plündern und stehlen«[222].

Immerhin sollten sich diese Drohungen, wie gezeigt wurde, zwei Wochen später bestätigen, und der massenhafte Kartoffeldiebstahl vom Oktober 1923 gewinnt vor diesem Hintergrund eine zusätzliche Nuance: jene der bewußten und gezielten Provokation der umliegenden Bauern, deren politische Nähe zum Bund Oberland den Penzbergern mißfiel und denen man auf diese Weise »eins auszuwischen« glaubte. Es wird deutlich, daß diese Aktion, wenn auch ganz überwiegend in der materiellen Not motiviert und im sozialen Umfeld des Bergarbeiterdaseins bedingt, auch in einem eigenen

---

[219] StAM, LRA 3918, PP/BA WM 3. 10. 1923.
[220] Ebenda, Vaterländ. Verbände/BA WM 28. 9. 1923.
[221] Ebenda, BA WM/Vaterländ. Verbände z. Hdn. Generalmajors Keim, 3. 10. 1923. Die engen Beziehungen zwischen dem BA WM und dem Bund Oberland sind StAM, AR 3965a/115, dokumentiert.
[222] StaP, SR 27. 9. 1923, Stadträte Eisend, Kain, Mühlpointner u. BM Rummer.

Rahmen politischer Auseinandersetzungen gehörte. Darüber hinaus hatten die Reichspolitik der bayerischen Staatsregierung und ihr verantwortungsloses Verhalten gegenüber den rechtsradikalen Wehrverbänden in den kleinen Industriestädten und auf dem Lande bürgerkriegsähnliche Kräftekonstellationen und Konfrontationen nicht nur begünstigt, sondern regelrecht erzeugt. Im Vorfeld des Hitlerputsches hatten die eigenen Diktatur- und Putschpläne und die »Ordnungszellenideologie« Früchte getragen und unter Zusammenwirken von Behörden und Vaterländischen das Land mobilisiert[223]. Wes Geistes Kind die Notpolizei »Gruppe Penzberg« war, offenbarte sich, als ihr Führer Bauer sie am Morgen nach dem Hitlerputsch aus den Betten rief, um die kommenden Dinge tatkräftig zu beeinflussen[224]. Dies brachte den Notpolizeiführer nach Inhaftierung der Putschisten in Schwierigkeiten. Doch wenn dies auch anscheinend der einzige Einsatz der Truppe gewesen ist, sie bestand noch einige Zeit fort, wahrscheinlich, bis sich die innenpolitische Situation im Verlauf des Jahres 1924 stabilisiert hatte und auch die Schutzmannschaft des Stadtrats Penzberg, von der in der Folgezeit nichts mehr zu hören ist, überflüssig geworden war.

IV. Erschütterungen im »roten« Rathaus
Wirtschaftskrise und Parteipolitik 1930 bis 1933

1. Wirschaftskrise und Radikalisierung

Im Rückblick war die junge Stadt Penzberg nach einer Phase vergleichsweise stetigen Wachstums bis zum Ausbruch des Ersten Weltkrieges mit der Revolution 1918/19 und in den 1920er Jahren in eine Phase sozialer und politischer Labilität eingetreten. Die Ursachen dieser Labilität lagen einmal im ökonomischen Bereich, in der generellen Strukturschwäche der oberbayerischen Pechkohle, begründet; sie waren andererseits politischer Art und insoweit nicht in erster Linie »hausgemacht«: Politische Krisen im Reich und in Bayern warfen ihre Schatten auch auf die Orte an der Peripherie. Dies waren die äußeren Rahmenbedingungen, die in der zweiten großen sozialen und politischen Krise der Zwischenkriegszeit seit dem Sommer 1929 mit noch größerer Macht die kommunalen Verhältnisse bestimmten als in der Inflationsperiode.

Doch waren dies Bedingungen, die im großen und ganzen ebenso in anderen Regionen, auf dem Lande, in Klein- und Großstädten galten. Was war das Besondere an der Penzberger Entwicklung? Worin lagen die Unterschiede, und wie wirkten sie sich auf die politische Entwicklung der Stadt aus?

Viel spricht dafür, die ländliche Industrialisierung in Bayern im Sinne einer nicht nur

---
[223] Vgl. Fenske, a.a.O., S. 188ff.; Steger, a.a.O., S. 445, 455, 458f.
[224] Nach dem Anm. 214 zit. Brief.

technisch-organisatorischen, sondern auch sozialen und mentalen Innovation erst nach dem Zweiten Weltkrieg zu datieren. Die »verzögerte Modernisierung«[1] der agrarischen Peripherie hat, berücksichtigt man das Ausmaß dieser Verzögerung jedenfalls im Vergleich zu anderen Agrarregionen, enorme Unterschiede im sozialen und politischen Verhalten zwischen den überkommenen ländlich-dörflichen Erwerbsgruppen und der jungen Industriearbeiterschaft außerordentlich stark hervortreten lassen – Verhaltensdifferenzen, die gegenseitiges Verständnis und Kompromißfähigkeit, wo immer vorhanden, mit Ignoranz und Besserwisserei überdeckten. Kleinräumig-punktuelle Industrialisierung, d. h. überschaubare Räume neuartiger sozialer Interaktion und deren Abgehobenheit von der ländlich-agrarischen Umwelt gehörten zu den weiteren Strukturbedingungen der Penzberger Entwicklung. Die Stadt war seit ihren Anfängen isoliert, und sie verharrte in dieser Isolierung, ja, sie entwickelte ihrerseits im sozialen, vor allem aber im politischen Bereich durch Belegschaftsdemokratie und »rote« Stadtherrschaft Formen der Willensbildung, die rückwirkend die Isolation verschärften. Ethnische, kulturelle und wohl auch industrielle Enklaven bewahren, pflegen, verstärken gar ihren Eigencharakter. Die Unterschiede zur Umgebung sind nach 1918 nicht abgebaut, sondern verschärft worden.

Dies hat das Besondere an Penzberg nicht begründen, wohl aber betonen und zusätzliche, komplizierende Probleme hervorbringen können. Die wirklichen Probleme der Stadt werden durch ihre rasche Entwicklung und monoindustrielle Prägung umschrieben. Der Bergbau hatte aufgrund seiner typischen Betriebs- und Produktionsbedingungen eine geringdifferenzierte, tendenziell dichotomische städtische Sozialschichtung mit einer zahlenmäßig unauffälligen Oberschicht – wirkliche Angehörige der Oberschicht mieden die Stadt eher – entstehen lassen, die nach außen außerordentlich stark abgehoben war. Diese Innen- und Außenbedingungen förderten das Eigenbewußtsein der proletarischen Einwohnerschaft ungemein – einmal abgesehen von den die soziale und mentale Homogenität begründenden Daseinsbedingungen am Arbeitsplatz und in der Arbeiterkommune und von deren Überschaubarkeit, mithin der Kommunizierbarkeit von Ansichten, Einschätzungen, Urteilen. Klassengegensätze wurden dabei allein in Gestalt von Vorgesetzten, nicht in jener von »Kapitalisten« konkret, und je schlechter es der Oberkohle augenscheinlich ging, um so mehr verlor solche Argumentation an Durchschlagskraft. Die Kapitalisten saßen überdies in München, nicht in Penzberg; mit anderen Worten: Es gab keine Referenzschicht am Ort, an deren Reichtum und Wohllebigkeit man sich hätte reiben können. Das Bewußtsein der Abhängigkeit und des Ausgeliefertseins blieb anonym, ohne konkreten und personifizierten Kontrapunkt. Möglicherweise wurde auch deshalb der Haß in der Krise nach innen gelenkt, entlud sich in erbitterten Fraktionskämpfen und allenfalls noch auf den letzthin ärmlichen gewerblichen Mittelstand am Ort, leichter dann schon auf die Bauern der Umgebung.

Für die frühzeitig erkennbare radikale Potenz der Bergarbeiterschaft wird man in begrenztem Umfang die besonderen Betriebs- und Produktionsbedingungen des Berg-

---

[1] Blessing, Werner K.: Umwelt und Mentalität im ländlichen Bayern. Eine Skizze zum Alltagswandel im 19. Jahrhundert, in: AFS 19 (1979), S. 1–42, S. 42 mit Hinweisen auf die neuere Forschung.

baus, mehr jedoch das Moment der raschen Stadtbildung verantwortlich machen müssen. Hierbei sind freilich widersprüchliche Faktoren zu konstatieren. Zum einen finden sich die andernorts kennzeichnenden gewerkschaftspolitischen Gegensätze der vorrevolutionären Zeit auch in Penzberg ausgeprägt, und die Gegenmaßnahmen der Unternehmerschaft durch Maßregelungen, Wohlfahrtspolitik und Gewerkschaftsspaltung wurden hier ebenso wirksam wie in München, Augsburg[2] oder im Ruhrgebiet. Innere Fraktionierungen der Arbeiterschaft durch Unterschiede der Herkunft, Bildung oder Qualifikation waren allerdings wenig ausgeprägt: Weil die Stadt »auf der grünen Wiese« entstanden war, konnte Ansässigkeit als Unterscheidungskriterium erst in einer zweiten Generation von Bergleuten, und selbst dort nur vermindert, wirksam werden, und das bergbauliche Ausbildungsgefüge kannte im Prinzip keine strengen, in Penzberg freilich dennoch künstlich recht hoch gehaltenen Unterschiede der Qualifikation, die indessen von jedermann – eine Auswahl der Hauerbeförderungen seitens der Zeche beispielsweise nach politischen Gesichtspunkten ist nicht erkennbar – auf wenn auch zeitraubende Weise überwunden werden konnten. Frauen und Jugendliche haben sich der proletarischen Mentalität zwar angeschlossen, in ihr allerdings eine Eigenrolle gespielt, die schon vor 1914 erkennbar wurde und aufgrund demographischer Bedingungen an Bedeutung gewinnen mußte. Hier lag radikales Potential im Sinne eines vom rationalen Kalkül in der Interessen- und Konfliktartikulation abweichenden Verhaltens, dessen soziale Basis sich in Krisenlagen stark verbreitern und dem politischen Radikalismus nähern konnte. In einem weiteren Sinne mußte Penzberg überdies insgesamt als radikal gelten: aus der Sicht des Umlands nämlich, mit dessen sittlichen Normen das Sozialverhalten der industriekommunalen Bevölkerung so wenig übereinstimmte wie deren politische Aktionsformen mit dessen politischer Einstellung.

Was an radikaler Potenz vorhanden war, hat lange Zeit durch eine, gemessen an der Stadtgeschichte, recht frühe und starke Arbeiterbewegung aufgefangen und kanalisiert werden können, wobei das anhaltende Nebeneinander zweier konkurrierender Delegationsprinzipien – der direkten Belegschafts- und der repräsentativen Verbandsdemokratie – überhaupt als ein Kennzeichen bergmännischer Willensartikulation gelten muß[3] und in Penzberg vor allem wegen der Unmöglichkeit einer flächendeckenden industrielandschaftlichen Gewerkschaftsbildung seine Konturen behielt. Andernorts haben die Gewerkschaften betriebliche Formen der Willensartikulation zum Teil mit harschen Methoden bekämpft[4], da sie dem im übrigen für eine effiziente Interessenvertretung unabdingbaren, schon aus organisationssoziologischen Gründen erforderlichen Grundsatz der ungebundenen Mandatserteilung in den Gewerkschaften widersprachen. Das

---

[2] Statt vieler Zitate sei auf Ilse Fischers Untersuchung: Industrialisierung, sozialer Konflikt und politische Willensbildung in der Stadtgemeinde. Ein Beitrag zur Sozialgeschichte Augsburgs 1840–1914. Augsburg 1977, S. 192ff., 303ff. hingewiesen. Zur Kritik an dieser Untersuchung s. Zorn, Wolfgang: Miszelle, in: Zeitschrift des historischen Vereins für Schwaben 72 (1978), S. 124–130.

[3] Vgl. Tenfelde, Klaus: Linksradikale Strömungen in der Ruhrbergarbeiterschaft 1905 bis 1919, in: Mommsen, Hans und Ulrich Borsdorf (Hrsg.): Glück auf, Kameraden! Die Bergarbeiter und ihre Organisationen in Deutschland. Köln 1979, S. 199–223, 200–202.

[4] Die Auseinandersetzung mit den Lokalisten in der Gewerkschaftsbewegung während der 1890er Jahre muß als organisationspolitischer Ausdruck dieses Konflikts gelten. Eine neue Untersuchung von Dirk H. Müller zu diesem Problem ist in Kürze zu erwarten; vgl. bisher ders.: Probleme gewerkschaftlicher Organisation und Perspektiven im Rahmen eines arbeitsteiligen Organisationskonzeptes, in: IWK 15 (1979), S. 569–580.

zeitweilige Mißtrauen gegen Arbeiterausschüsse und Betriebsräte hat hier eine Wurzeln. Die Raumbedingungen punktueller Industrialisierung bewahrten mithin Artikulationsformen, die vielfach am Beginn der gewerkschaftlichen Arbeiterbewegung gestanden haben und in Penzberg neben, mit und in der Arbeiterbewegung überlebten. Hohe politische Mobilisierung, Versammlungsdemokratie, Legitimation politischen Handelns coram publico, aber auch Bereitschaft und Demonstration von Selbsthilfe bis hin zum Widerstand sind Kennzeichen solchen Verhaltens, das mit den vereinskulturellen Formen sozialer Interaktion und dem Vertretungsanspruch der sozialdemokratischen Arbeiterbewegung im Prinzip, nicht jedoch notwendig in der Praxis kollidiert. Und die Praxis wurde von der räumlichen Begrenztheit und der Autorität der »alten« Arbeiterbewegung diktiert, die es beispielsweise zustande brachte, während der Revolutionswochen die Wogen der Erregung mühelos zu glätten – wenn auch in gespannter Erwartung der insoweit konfliktableitenden hauptstädtischen Ereignisse und nur solange, als diese Ereignisse den Erwartungen zu entsprechen schienen. Nur so läßt sich erklären, daß es, wie von prominenter bürgerlicher Seite konzediert wurde, in der Revolution in Penzberg »immer anständig hergegangen« ist[5]. Ruhe- und Ordnungswillen paarten sich in der Penzberger Arbeiterbewegung mit einer erheblichen radikalen Potenz, und Krisensituationen ließen, wie schon die Erfahrungen der Inflationsperiode gezeigt hatten, diese Paarung aufbrechen, ließen die je selbständigen politischen Formen stärker hervortreten und miteinander kollidieren. Dieser gewichtige innere Konflikt gewann in der zweiten schweren Nachkriegskrise eine neue soziale Basis durch die Erscheinung der Massenarbeitslosigkeit.

Bevor dies detailliert aufgezeigt wird, sei noch einmal auf die kommunale Kräftekonstellation zwischen Arbeitern, Zeche, Mittelstand und Bauern knapp eingegangen. Hier haben, sobald die politischen Rahmenbedingungen hierfür geschaffen waren, die Konturen der sozialen Schichtung in der Industriekommune die Gewichte, quantitativ recht eng in Übereinstimmung miteinander, in der politischen Landschaft gesetzt. Der bäuerliche Führungsanspruch war längst vor 1914 überwiegend in die Hände des gewerblichen Mittelstands übergegangen – dies war jedoch ein Partner, mit dem die Zeche kaum leichter umzugehen vermochte als mit dem Vorgänger. Ihr ist es weder gelungen, diese Kräfte ausschließlich zu dominieren, noch blieb ihr Herrschaftsanspruch über die Arbeiterschaft von langfristigem Gewicht. Der gewerbliche Mittelstand am Ort gewann trotz seiner schmalen sozialen Basis eigenes politisches Profil, jedoch in Abhängigkeit mindestens so sehr von der Arbeiterschaft wie von der Zeche, sobald erstere sich als wirksamer politischer Machtfaktor konstituiert hatte. Im Jahr 1923 hat sich ein sozialdemokratischer Stadtrat ernstlich gegen den Vorwurf zur Wehr setzen

---

[5] StaP, SR 27. 9. 1923 (Stadtrat Mühlpointner). »Unanständig« war es hingegen im textilindustriellen Kolbermoor in der Räteherrschaft während der Revolution 1918/19 hergegangen; vgl. Landgrebe, Christa: Zur Entwicklung der Arbeiterbewegung im südostbayerischen Raum. Eine Fallstudie am Beispiel Kolbermoor. München 1980, S. 133-154. Der Radikalisierungsprozeß in dieser Industriekommune dürfte weniger auf eine rasche Industrialisierung und auf organisatorische Probleme der hier sehr früh entstandenen Arbeiterbewegung (allenfalls auf deren lassalleanische Anfänge im Jahre 1869), sondern vielmehr, wie auch zum Teil in Penzberg, auf die starken Gegensätze zur agrarischen Umgebung zurückzuführen sein.

müssen, »daß die Bürgerlichen von der Mehrheit als Menschen II. Klasse behandelt« würden[6].

Punktuelle Industrialisierung im ländlichen Raum bedeutete mithin nicht – hier sind jedoch die jeweiligen Zeitbedingungen zu berücksichtigen – das maßlose Übergewicht der Kapitalinteressen, selbst wenn diese, wie in Penzberg, in einer Hand lagen und mithin leichter zu handhaben waren. Es gab in diesem Sinne keine Klassenherrschaft im Ort, wohl aber eine die Rahmenbedingungen von Arbeit, Wohnung, Freizeit und Kommunalpolitik im Übermaß bestimmende Macht des Faktischen, die unterdrückend wirken und empfunden werden konnte und den Haß der Unterdrückten auf die Zeche lenken mußte.

Die bittere Zeit begann für die Grube Penzberg im Spätsommer 1929. Der Absatzmangel erreichte bald ein bisher nicht dagewesenes Maß. Auch wenn die Zeche, nachdem die Entscheidung zur Verlagerung der Hauptförderung zum Nonnenwaldschacht und damit grundsätzlich eine Entscheidung zugunsten des Weiterbestehens der Grube gefallen war, aus der Not der Krise den Vorzug einer erleichterten Betriebsumstellung gezogen haben dürfte, so war der Zusammenhang doch zugleich umgekehrt: Die sich abzeichnende Betriebsumstellung vermehrte die Probleme der Arbeitslosigkeit. In Penzberg und Haushan wurden bis Ende 1930 gegenüber dem Belegschaftsstand von 1929 zum Teil sukzessive je 100 Arbeiter entlassen[7]. Um die Jahreswende 1930/31 gab es, mitgetragen von den anderen Betrieben am Ort, 279 Arbeitslose und 56 Wohlfahrtserwerbslose in Penzberg[8]. Am 3. Januar 1931 hing am Schwarzen Brett der Zeche eine Bekanntmachung[9]:

»Mit Rücksicht auf die außerordentlich ungünstige Wirtschaftslage der Grube Penzberg sehen wir uns zu außerordentlichen Maßnahmen veranlaßt.
Um die Lager wenigstens einigermaßen räumen zu können, wird ab 18. Januar 1931 die Förderung auf der Grube Penzberg auf allen Schächten ruhen, und zwar vorerst für einen Zeitraum von 14 Tagen«.

Der Gesamtbelegschaft wurde zum 17. Januar 1931 gekündigt. Von der Maßnahme waren von 1606 Arbeitern und 79 Angestellten etwa 1150 Bergleute, jedoch keine Angestellten betroffen; die restlichen Arbeiter wurden zur Instandhaltung der Grube und Verladung der auf 42 000 t, mithin rund eineinhalb Monatsförderungen, bezifferten Lagervorräte benötigt. Die Lagervorräte mögen gering erscheinen; zu berücksichtigen ist jedoch die geringe Lagerfähigkeit der Penzberger Kohle wie auch die mit der

---

[6] StaP, SR 15. 8. 1923 (Stadtrat Rebhahn).
[7] Nach LA 279/2. 12. 1930.
[8] StaP, SR 9. 1. 1931. Monatliche Angaben über Arbeitslosigkeit (Arbeitssuchende; Arbeitslose: Hauptunterstützte der Arbeitslosenversicherung und der Krisenfürsorge; Wohlfahrtserwerbslose; Nichtunterstützte) finden sich in den landesstatistischen Veröffentlichungen für Gesamtbayern sowie nach Arbeitsamtsbezirken; vgl. etwa ZBSL 65 (1933), S. 349; Statistisches Jahrbuch für Bayern 21 (1936), S. 185; Zahlen für Bayern unter Bezug auf die reichsweite Entwicklung 1930–1933 (die bayer. Arbeitslosigkeit lag bes. 1932/33 deutlich unter jener im Reich) s. u. a. bei Wiesemann, Falk: Vorgeschichte der nationalsozialistischen Machtübernahme in Bayern 1932/33. Berlin 1975, S. 139; maßgeblich für das Reich: Hartwich, Hans-Hermann: Arbeitsmarkt, Verbände und Staat 1918–1933. Die öffentliche Bindung unternehmerischer Funktionen in der Weimarer Republik. Berlin 1967, S. 304 und passim; zu den Folgen s. auch Kuczynski, Jürgen: Darstellung der Lage der Arbeiter in Deutschland von 1917/18 bis 1932/33. Berlin [O] 1966, S. 196–202.
[9] Vollständiger Text: StAM, LRA 3915, PP/BA WM 4. 1. 1931.

25. Luftaufnahme Penzberg (um 1936).

26. Die »Penzberger Dolomiten«: Berghalde und Seilbahn (heute Freizeitgelände).

Preisdeflation besonders spürbare Zinsbelastung durch die Lagerhaltung. Zur Begründung führte die Zeche an, daß absatzförderliche Maßnahmen wie Einfluß auf die Tarifpolitik der Reichsbahn und regierungsamtliche Unterstützungen gescheitert seien bzw. nicht gegriffen hätten; ein Verfahren zur Senkung der Löhne schwebe zur Zeit[10]. Monatlich waren bisher bis zu fünf Feierschichten verfahren worden. Die Arbeitervertretung der Zeche hatte ihre Zustimmung gerade wegen der Feierschichten gegeben; man hoffte, daß die Arbeitslosenunterstützung letztlich die bisherigen Lohneinbußen mehr als kompensieren würde, denn das Einkommen habe sich »derart vermindert, daß es unmöglich ist, noch einigermaßen menschlich zu leben«[11].

Die Stillegung dauerte knapp einen Monat. In dieser Zeit wurden besonders vom Landesfürsorgeverband, dem Bezirk Weilheim und »vorschußweise« von der Stadt Penzberg rund 18 000 Mark an Unterstützungsmitteln aufgebracht, die gestaffelt an Familienväter und Ledige unter den Arbeitslosen auch dann vergeben wurden, wenn diese in den umliegenden Dörfern wohnten. Es errechnet sich damit ein Unterstützungsdurchschnitt je gekündigtem Bergarbeiter von rund 15,70 Mark, was knapp drei Schichtlöhnen entsprach. Über die ausgezahlten Gelder der Arbeitslosenunterstützung ist nichts bekannt, doch dürften durch die außerordentliche Unterstützungsaktion von Stadt und Kreis immerhin die finanziellen Engpässe für die 7tägige Wartezeit überbrückt worden sein. Für die Familienväter unter den Bergleuten ergaben sich Lohneinbußen um mindestens 20 Prozent allein für die nach der Arbeitslosenversicherung unterstützte Zeit[12]. Tatsächlich wird damit das vorherige monatliche Durchschnittseinkommen in Anbetracht der Feierschichten ungefähr erreicht worden sein – wenn die Bedingungen der Anwartschaft auf Unterstützungsgelder erfüllt waren.

Die Arbeit wurde am 16. Februar 1931, nachdem die Reichsregierung eine Vereinbarung über die Lohnverringerung im Bergbau für verbindlich erklärt hatte, zu erheblich verminderten Löhnen – der Durchschnittslohn sank von 6,80 (Dezember 1930) auf 6,23 Mark (Februar 1931)[13] – und mit einer um 150 Bergleute verminderten Belegschaft wieder aufgenommen. Die Zeche nutzte die Gelegenheit zur Maßregelung einiger führender Kommunisten. Das Problem der Feierschichten blieb und steigerte sich noch im Jahre 1932. Im Februar 1932 kamen auf 31 944 verfahrene Schichten auf der Grube Penzberg insgesamt 5664 entgangene Schichten, unter denen 1911 Krankheitsschichten – die Krankenrate sank in dieser Zeit erheblich – und wenige Urlaubsschichten, aber 3615 aus betriebstechnischen Gründen entfallene Schichten waren. Damit war ungefähr nach jeder neunten Schicht eine Feierschicht fällig. Im Jahresverlauf 1932 stieg die Zahl der aus betriebstechnischen Gründen entgangenen Schichten auf monatlich bis zu 7000 an; das bedeutete, daß zeitweise wieder zweimal wöchentlich gefeiert wurde[14]. Eine vorüberge-

---

[10] Ebenda, aus der »Anzeige über Betriebsabbrüche und Stillegungen«.
[11] Ebenda, Stellungnahme des Betriebsrats, gez. Schöttl.
[12] Über die entspr. Bestimmungen des Gesetzes über Arbeitsvermittlung und Arbeitslosenversicherung von 1927, der bedeutendsten arbeitsmarktpolitischen Leistung der Weimarer Republik, vgl. Preller, Ludwig: Sozialpolitik in der Weimarer Republik, ND Düsseldorf 1978, S. 369ff., bes. 374 u. 376, spätere Maßnahmen: ebenda, S. 437, 449 u. ö.; zur einmaligen Unterstützung der Penzberger Bergleute im Januar/Februar 1931 s. die Abrechnung des SR vom 20. 2. 1931 in StAM, LRA 3915; ferner StaP, SR 18. 2. 1931.
[13] Vgl. die Lohntabelle oben S. 128. Zum reichsweiten Vergleich s. bes. Hartwich, a.a.O., S. 302f.
[14] Angaben nach StAM, OK 137; Berechnungen über wirtschaftliche Folgen der Feierschichten s. OK 20 (1932).

hende Besserung trat erst im Januar 1933, nachhaltiger dann im Juli und August 1933 ein[15], und im September dieses Jahres war das Feierschichtenproblem, auch wenn es 1934 noch erhebliche Arbeitslosigkeit am Ort und Absatzprobleme gab, im wesentlichen überwunden.

Feierschichten waren, wie das geschilderte Beispiel Anfang 1930 zeigt, in ihrer Belastung für den Arbeiterhaushalt, sobald mehr als eine Schicht pro Woche gefeiert wurde, schwerer zu ertragen als Arbeitslosigkeit. Die Arbeitervertretung im Werk stellte daher zusammen mit der Betriebsleitung Überlegungen zur Eindämmung des Problems an: Zeitweise wurde die Einführung einer Art Krümper-System erwogen, wonach jeweils ein Siebtel der Belegschaft auf einen Monat mit der Hälfte der Arbeitslosenunterstützung beurlaubt worden wäre[16]. Dies hätte selbstverständlich arbeitsrechtliche Probleme auch hinsichtlich der Anwartschaftszeiten auf Arbeitslosenunterstützung aufgeworfen und wurde nicht in die Tat umgesetzt. Die Zeche traf ihrerseits Maßnahmen, die das Arbeitslosigkeitsproblem strukturell verschärften. Sie stellte, wie im Betriebsrat kritisiert wurde, vermehrt zu geringeren Löhnen Jugendliche ein, entließ Erwachsene und verteilte das Arbeitsaufkommen so, daß an bestimmten, wohl den kostengünstigsten Betriebspunkten, zeitweise sogar Überschichten verfahren wurden; sie verlegte weniger leistungsfähige Hauer aus den Abbaubetriebspunkten zu schlechtbezahlten Hilfsarbeiten, verringerte die Abschlagssummen und trug damit einen Zinsgewinn davon; sie führte ein Prämiensystem in der Hunde-Förderung ein und hielt, was besondere Unzufriedenheit erzeugte, die Schlepperverdienste niedrig[17].

Die Durchschnittsschichtlöhne sanken seit 1929 leicht, seit Anfang 1931 rapide, und zwar von 1930 bis 1931 um 7,5 Prozent, von 1931 auf 1932 um weitere 15 Prozent[18]. In der ersten Phase mochte der gleichzeitige Preisrückgang die Lohnverluste – stets ohne Berücksichtigung der Feierschichten! – noch einigermaßen kompensieren; bis 1932 überstiegen dann die letzteren den ersteren bei weitem. Selbst wer, was an manchen Betriebspunkten möglich war, wenig oder nicht unter Feierschichten litt, geriet nun in Not. Auch die Werksangestellten erlitten vor allem um die Jahreswende 1931/32 Gehaltseinbußen um durchschnittlich 10 Prozent, die wichtige Gruppe der Steiger sogar um durchschnittlich 12,5 Prozent, jene der Rechnungsführer nur um 6 Prozent – freilich ohne Berücksichtigung der Prämien bei den ersteren. Die Gehaltsreduktion trug mithin einen auf Leistungssteigerung gerichteten Akzent. Ein Steiger verdiente 1932 durchschnittlich – ohne Prämien – 183 Prozent, ein Rechnungsführer, der keine Prämien bezog, 172 Prozent und der Obersteiger der Zeche 238 Prozent, die Bürodiener immerhin noch 154 Prozent und selbst die Kindergärtnerinnen im Zechenkindergarten

---

[15] Lt. PA 217/30. 9. 1933 gab es in Penzberg Ende September 1933 122 Arbeitslose und 26 Wohlfahrtserwerbslose, im Bezirksamt Weilheim 309 bzw. 157. Die Arbeitslosigkeit im Bereich des Bezirksamts stützte sich hauptsächlich auf Penzberg.
[16] Nach StAM, OK 287, Betriebsrat (= BR) 29. 2. 1932.
[17] Ebenda, 29. 2. 1932 u. 20. 2. 1933. Tatsächlich hatten sich, wie oben S. 129 gezeigt wurde, die Hauer- und Schlepperlöhne einander in der Krise relativ genähert, die Klage der Schlepper beruhte mithin auf einer subjektiven Einschätzung.
[18] Vgl. die Lohntabelle oben S. 128; als Einzelaufstellung im Vergleich für 1931/32 s. ZBSL 65 (1933), S. 358f.

noch 112 Prozent des durchschnittlichen bergmännischen Einkommens von monatlich 134,68 Mark[19].

Die Erhaltung des Arbeitsplatzes wurde noch mehr als bisher für die Existenzsicherung entscheidend, denn die strukturelle Arbeitslosigkeit, ablesbar an der Zahl der von der Hauptunterstützung ausgesteuerten Wohlfahrtserwerbslosen, steigerte sich und bedrängte die Gemeindefinanzen. Ende 1932 kamen in Penzberg auf 176 hauptunterstützte Arbeitslose 90 Wohlfahrtserwerbslose auf Gemeindekosten. Zu diesem Zeitpunkt hatte sich der Arbeitsmarkt eben einigermaßen beruhigt; während des Jahres 1932 dürfte die Zahl von 300 Arbeitslosen und bis 100 Wohlfahrtserwerbslosen nur vorübergehend unterschritten worden sein. Hinzu kam, daß Frauen kaum noch Arbeitsplätze erhielten, daß, was »größte Empörung« unter den Betroffenen auslöste, die Rentner durch die Notverordnung vom 14. Juni 1932 erhebliche Einkommenseinbußen erlitten[20] und daß nun auch Jugendliche mehr und mehr der Arbeitslosigkeit anheimfielen. »Neuer Mut«[21] war in Penzberg im Herbst 1932 angesichts eines schwachen Aufschwungs gefaßt worden; im Winter 1932/33 ging dann das »Gespenst der Arbeitsdienstpflicht« um, und das Winterhilfswerk bemühte sich um Linderung von Auswüchsen der Not ebenso wie das am 13. Februar 1933 eröffnete Notwerk der deutschen Jugend[22]. Denn was die Jugendlichen anging, so war es »1000mal besser«, sie wenigstens irgendwie in Arbeit zu halten, »als daß sie durch Müßiggang den hundertfach lauernden Gefahren und Beispielen einer leidenschaftlich zerwühlten Zeit in die Arme getrieben« würden[23].

In der Kommune teilten sich die Engpässe im Bergarbeiterhaushalt während der Krise selbstverständlich auch den örtlichen Gewerbetreibenden mit. Versorgungsgewerbe und Bauhandwerke, letztere wegen ausbleibender Aufträge, lagen darnieder und vermehrten die Arbeitslosigkeit. Leicht entspannt hatte sich die Lage auf dem Wohnungsmarkt: Anfang 1931 waren in Penzberg 57 Wohnungssuchende registriert[24]. Die Arbeitslosen, unter denen der Bodensatz von Dauererwerbslosen auf Kosten der Gemeinde seit 1930 immer breiter geworden war, vermochten ihre Mieten nicht zu entrichten, hatten Kündigungen und Elendsquartiere zu gewärtigen. Zu Streiks war die Lage nicht angetan[25]. Die Gewerkschaften sahen sich in der Defensive, und auch die wieder auftauchende Verstaatlichungsforderung innerhalb der freien Bergarbeitergewerkschaft sowie im Bayerischen Landtag[26] klang eher wie eine Flucht nach vorn, als daß sie an der aktuellen Lage der Arbeiter etwas hätte ändern können.

Die Arbeitslosen und die jüngeren Arbeiter haben die soziale Basis des politischen Linksextremismus Penzbergs in der Krise gebildet. Bevor dies an einzelnen Beispielen,

---

[19] Errechnet nach StAM, OK 777 (Durchschnittsschichtlöhne monatlich) und OK 29 (Angestelltengehälter 1. 11. 1931 u. 1. 1. 1932). Die durchschnittlich monatlich verfahrene Schichtenzahl sank (OK 777) von 1929 = 26,3 auf 1931 = 26,0 und stieg seit 1933 wieder an.
[20] PA 16/15. 7. 1932.
[21] PA 22/24. 9. 1932.
[22] PA 35 u. 37/11. u. 14. 2. 1933; StaP, SR 17. 8. 1932.
[23] PA 22/27. 9. 1932.
[24] StaP, SR 9. 1. 1931.
[25] In der Berufsabteilung Bergbau fanden in Bayern 1931/32 keine Streiks statt; s. ZBSL 65 (1933), S. 508–511.
[26] Vgl. MP 34/11. 2. 1932 (Reichskonferenz der Bergbauindustriearbeiter); Wiesemann, a.a.O., S. 149 (Landtag).

ausgehend von der parteipolitischen Entwicklung in der Kommune, dargestellt wird, seien die Wahlergebnisse an dieser Stelle vorweggenommen, um die Dimensionen der Polarisierung vor Augen zu führen.

Tabelle 34
Reichstagswahlen in Penzberg 1928 bis 1933[27]

Wahl	abgegebene Stimmen	SPD	KPD	BVP	BBB	DNVP	NSDAP	Sonstige
20. 5. 28		58,5	10,5	13,1	9,0	2,0	1,0	
14. 9. 30	3476	45,7	24,8	15,4	5,7	0,8	2,6	4,9
31. 7. 32	(3621)	28,6	44,1	15,6	1,8	0,6	7,3	1,9
6. 11. 32	3623	32,5	40,3	14,2	1,4	1,7	7,9	1,1
5. 3. 33	3787	31,7	33,8	14,0	1,1	2,2[28]	16,1	0,5

Vergleicht man die Ergebnisse mit jenen der frühen 1920er Jahre, so fällt zunächst auf, daß die beiden Linksparteien ihren Stimmenanteil von 1920 bis zur Novemberwahl 1932 nicht nur halten, sondern im Vergleich mit den Ergebnissen zwischen 1924 und 1928 sogar deutlich steigern konnten. Das linksorientierte Wählerpotential war konstant geblieben[29] – freilich mit erdrutschähnlichen inneren Erschütterungen: Die Kommunisten konnten, im wesentlichen dank der Krise und einer nunmehr erheblich verbesserten Parteiorganisation und Wahlagitation, ihren zeitweiligen Vorsprung vor der SPD bzw. MSPD/USPD bis zum Juli 1932 zu einer mächtigen Mehrheit in der Penzberger Arbeiterschaft ausbauen. Die Stabilität des Linkspotentials bis Ende 1932 läßt bis dahin im übrigen Wählerfluktuationen zwischen Links- und Rechtsparteien als unwahrscheinlich erscheinen.

Der »Zentrumsturm« in Penzberg blieb auch während der Krise fast ohne Einbußen erhalten. An seinem Rande hatte es schon immer geringfügige Austauschbewegungen mit dem Bauern- und Mittelstandsbund sowie mit den allerdings sehr schwachen demokratischen Mittelparteien gegeben. Auf der rechten Seite des Parteienspektrums zeigt die Entwicklung des Bauernbundes von 9,0 (1928) über 5,7 (1930) zu 1,8 Prozent (Juli 1932) im Vergleich zu DNVP/NSDAP von 3,0 (1928) über 3,4 (1930) auf 7,9 Prozent (Juli 1932) dagegen, daß hier starke Austauschbewegungen stattgefunden haben.

---

[27] Für 1928/30 s. Kap. III, Anm. 163; 1932/33: Prozentangaben errechnet nach PA 175/1. 8. u. 257/7. 1. 1932; 53, 54/4., 6. 3. 1933, sowie Kneuer, Heinrich: Die Reichstagswahl vom 6. November 1932 in Bayern, in: ZBSL 65 (1933), S. 62–104, 102; Egger, Alois: Die Reichstagswahl vom 5. 3. 1933 in Bayern und Neubildung des Bayerischen Landtags, ebenda, S. 288–328, 327. In Klammern f. Juli 1932: abgegebene gültige Stimmen.
[28] D. i. Kampffront Schwarz-Weiß-Rot.
[29] Dieses Ergebnis bestätigt die Entwicklung sowohl in einzelnen bayerischen Orten als auch reichsweit; vgl. etwa Domarus, Wolfgang: Nationalsozialismus, Krieg und Bevölkerung. Untersuchungen zur Lage, Volksstimmung und Struktur in Augsburg während des Dritten Reiches. München 1977, S. 25; Zofka, Zdenek: Die Ausbreitung des Nationalsozialismus auf dem Lande. Eine regionale Fallstudie zur politischen Einstellung der Landbevölkerung in der Zeit des Aufstiegs und der Machtergreifung der NSDAP 1928–1936. München 1979, S. 179; abweichend dagegen Eiber, Ludwig: Arbeiter unter der NS-Herrschaft. Textil- und Porzellanarbeiter im nördlichsten Oberfranken 1933–1939. München 1979, S. 36ff., s. hierzu unten S. 202f. Reichsweit: Matthias, Erich und Rudolf Morsey (Hrsg.): Das Ende der Parteien 1933. Düsseldorf 1960, S. 769 776, 785 (Beitrag von Alfred Milatz); Broszat, Martin: Soziale und psychologische Grundlagen des Nationalsozialismus, in: Feuchtwanger, Edgar Josef (Hrsg.): Deutschland. Wandel und Bestand. Bilanz eines Jahrhunderts. München/Wien/Basel 1973, S. 159–190, 177.

Insgesamt haben sich jedoch die Kräfteverhältnisse des Linksblocks gegenüber der Mitte und der Rechten in Penzberg nicht verändert. Ein Blick auf die Reichspräsidentenwahl vom 13. März 1932 bestätigt diese Feststellung: Hindenburg erhielt durch SPD- und BVP-Stimmen eine Mehrheit von 48,6 Prozent gegenüber 42,3 Prozent für Thälmann und 7,5 Prozent für Hitler; der Rest von 1,5 Prozent verteilte sich auf die übrigen Kandidaten. Im zweiten Wahlgang scheinen Hitler (9,0%) die Reststimmen zugute gekommen zu sein, während Thälmann (34,2%) überraschend deutlich an Hindenburg (56,8%) abgeben mußte[30]. Das kommunistische Wählerpotential war fragil.

Bei der Landtagswahl, zwei Wochen nach dem zweiten Wahlgang der Reichspräsidentenwahl, vermochte es sich, verglichen mit den Juliwahlen zum Reichstag 1932, nur unter Einbußen zu behaupten: Die Kommunisten erhielten 38,4, die Sozialdemokraten 32,5 Prozent. Auch hier war der Linksblock wieder stabil, und der BVP-Block verharrte weiter bei 14,4 Prozent, während der Bauernbund auf 5,1, die DNVP auf 0,8 und die NSDAP auf immerhin 8,8 Prozent kamen[31].

Ein Blick auf die Nachbarorte kann die bisher festgestellten Austauschbewegungen erhärten und soll den Sonderfall Penzberg erneut verdeutlichen.

Tabelle 25
Wahlentwicklung nach Parteigruppen in Prozent 1928 bis 1933[32]

	Landtagswahl 1928		Reichstagswahl Juli 1932		Reichstagswahl November 1932		Reichstagswahl März 1933	
Linksparteien	SPD	KPD	SPD	KPD	SPD	KPD	SPD	KPD
Penzberg	59,6	10,8	28,2	44,1	32,5	40,3	31,7	33,8
Peißenberg	53,0	2,8	38,3	15,3	36,6	19,1		
Weilheim	20,8	7,1	16,3	9,6	16,1	9,4	14,1	4,4
Bayern	16,4	12,9	17,1	8,3	16,4	10,3	15,5	6,3
Reich	(29,8	10,6)[33]	21,6	14,3	20,4	16,9	18,3	12,3
Mitte	BVP	BBB	BVP	BBB	BVP	BBB	BVP	BBB
Penzberg	13,3	9,6	15,6	1,8	14,2	1,4	14,0	1,1
Peißenberg	19,9	16,0	26,8	2,4	24,9	6,9		
Weilheim	35,2	10,0	39,4	5,3	39,0	6,1	27,3	3,6
Bayern	31,6	11,5	32,4	3,3	31,4	3,7	27,2	2,3
Reich[34]	(15,2	6,1)[33]	15,7	0,8	15,0	0,7	14,0	0,3
Rechtsparteien	DNVP	NSDAP	DNVP	NSDAP	DNVP	NSDAP	KSWR[35]	NSDAP
Penzberg	2,5	0,9	0,6	7,3	1,7	7,9	2,2	16,1
Peißenberg	2,8	2,1	1,2	11,9	1,6	10,8		
Weilheim	7,1	13,9	4,9	24,5	5,9	23,5	6,7	44,7
Bayern	9,3	6,3	3,1	32,9	4,5	30,5	4,1	43,1
Reich	(14,1	3,5)[33]	5,9	37,2	8,3	33,1	8,0	43,9

[30] Errechnet nach PA 60, 61/14., 15. 3. u. 82/11. 4. 1932.
[31] Errechnet nach PA 94/25. 4. 1932.
[32] Quelle: s. Anm. 27; die Ergebnisse für Peißenberg (1933 nicht überliefert) und z. T. für Weilheim nach PA; für Bayern und das Reich nach Hagmann, Meinrad: Der Weg ins Verhängnis. Reichstagswahlergebnisse 1919 bis 1933, bes. aus Bayern. München 1946, S. 28f.
[33] D. i. Reichstagswahl 1928.
[34] Einschl. Zentrum (bei BVP) und anderen Bauernparteien (bei BBB).
[35] D. i. Kampffront Schwarz-Weiß-Rot.

Für Peißenberg und Penzberg lassen sich auf dem linken wie rechten Flügel des Parteienspektrums ähnliche Bewegungen ausmachen, während die BVP-Mitte in Peißenberg und Weilheim offenkundig auf Kosten des Bauern- und Mittelstandsbunds gegenüber 1928 im Jahre 1932 noch deutlich zulegen konnte. Eine andere Richtung nahm ein weiterer Teil ehemaliger Bauernbund-Wähler in Peißenberg und Weilheim: Er ging, wie in Penzberg, zur NSDAP. Der Linksblock in Peißenberg war um etwa 15 Punkte schwächer als in Penzberg, aber auch in der benachbarten Bergarbeiterstadt hat er sich – die Ergebnisse für die Märzwahl 1933 liegen leider nicht vor – bis zum November 1932 in derselben Stärke erhalten. In Weilheim verlor er hingegen leicht. Auffällig ist die untypische Bewegung der NSDAP in Penzberg in den Novemberwahlen 1932: Während sie reichsweit und in den hier aufgeführten Regionen/Orten zum Teil sehr deutlich verlor, konnte sie in Penzberg noch leicht zulegen – von einem allerdings sehr niedrigen Ausgangspunkt.

Die zahlreichen Arbeiterbauern Peißenbergs hatten eine Neigung zu den Rechtsparteien, die sich allerdings selbst im März 1933 noch in Grenzen gehalten haben dürfte. Dagegen erlebte die Weilheimer NSDAP im März 1933 einen großen Sieg. Hier dürften es vor allem die Beamten gewesen sein, die unter den neuen Verhältnissen dieser Wahl gleich scharenweise überliefen. Das Penzberger Ergebnis in der Märzwahl 1933 verdient Respekt. Die Stadt lag damit noch um vier Punkte unter dem niedrigsten überhaupt registrierten Ergebnis der NSDAP in einem bayerischen Verwaltungsbezirk (Aschaffenburg Land mit 19,5 Prozent) – obwohl auch in Penzberg die bekannten Einschränkungen der »letzten freien« Reichstagswahl im März 1933, inbesondere die gewaltige Propagandamaschinerie der Nationalsozialisten, wirksam waren[36]. Auch der Landkreis Weilheim, der im übrigen – wie Penzberg – eine weit überwiegend katholische Bevölkerung beherbergte, behauptete in den Ergebnissen für die NSDAP stets nur einen recht schwachen Mittelplatz, jedenfalls im Vergleich zu anderen bayerischen Verwaltungsbezirken. Die mittel- und großbäuerliche katholische Bevölkerung war auch nach 1933 nicht durchweg für die braunen Ziele zu erwärmen[37].

Interesse verdient der Anteil der Frauen an dem Penzberger Ergebnis im November 1932 und März 1933 (Tabelle 36, S. 193).

Auch bei den an dieser Stelle aufgeführten Abstimmungen nach Geschlechtern entspricht die Rubrik »alle Stimmbezirke« keineswegs einer auch nur annähernd repräsentativen Stichprobe. Gezählt wurde z. B. im November 1932 in 11 kreisunmittelbaren Städten und 14 mittelbaren Gemeinden, das entsprach rund 6 Prozent aller bayerischen Wähler, während im März 1933 wiederum in anderen Gemeinden einschließlich Penzbergs nach Geschlechtern getrennt abgestimmt wurde. Die Zahlen sind mithin auch untereinander nur mit Vorsicht vergleichbar. Immerhin wird deutlich, daß die Penzberger SPD, ganz im Gegensatz zu jener in anderen Orten, eine überwiegende Frauenwählerpartei geblieben war, daß hingegen die extremen Parteien, die NSDAP

---

[36] Nach Hagmann, a.a.O., S. 21*; zum Wahlterror s. Bracher/Sauer/Schulz: Die nationalsozialistische Machtergreifung. Frankfurt a. M./Berlin/Wien 1974, Bd. I, S. 142f.
[37] Vgl. ähnlich Fröhlich, Elke und Martin Broszat: Politische und soziale Macht auf dem Lande. Die Durchsetzung der NSDAP im Kreis Memmingen, in: VfZ 25 (1977), S. 546–572, 555–557.

Tabelle 36
Abstimmung nach Geschlecht 1932/33[38]

Parteipräferenzen in Prozent	Reichstagswahl November 1932 männl.	weibl.	Reichstagswahl März 1933 männl.	weibl.
SPD				
Penzberg	32,3	33,2	31,6	32,2
alle Stimmbezirke	24,5	20,6	23,9	19,2
KPD				
Penzberg	44,7	35,7	37,6	30,0
alle Stimmbezirke	17,2	9,8	12,2	7,1
BVP				
Penzberg	10,8	18,4	10,2	18,6
alle Stimmbezirke	18,3	29,7	16,5	26,4
NSDAP				
Penzberg	8,1	7,7	16,3	15,9
alle Stimmbezirke	27,4	24,7	36,2	34,4

jedoch in geringerem Umfang, Männerwählerparteien waren, während die BVP nach wie vor als christliche Volkspartei den stärksten Widerhall unter Frauen fand. Zusammen gesehen, stand die Mobilisierung der Frauen für die Linksparteien in Penzberg jener der Männer nur wenig nach.

2. Die schwierige Entwicklung der NSDAP

Die NSDAP hat vor 1933 unter der Penzberger Arbeiterbevölkerung, ob unter Männern oder Frauen, keinen Widerhall gefunden – und das, obwohl die Partei seit 1929/30 sehr erhebliche Anstrengungen unternommen hatte, um in dem Ort Fuß zu fassen. Die Reihe der als Provokationen intendierten und von der Penzberger Bevölkerung auch so empfundenen Versammlungen begann im Juni 1929 nach Einladung durch den agilen Starnberger Vermessungsassistenten und NS-Bezirksleiter Franz Buchner mit einer groß aufgezogenen, von den Penzbergern jedoch nach einem entsprechenden Aufruf der SPD mißachteten Versammlung, während derer statt des ursprünglich vorgesehenen Themas »10 Jahre SPD-Verrat«, nach Intervention des Bezirksamts jedoch über »10 Jahre SPD-Wirtschaft« vorgetragen wurde. Provokativ wirkte insbesondere der einleitende Umzug von 180 SA-Männern aus Bad Tölz in Uniform und mit Fahnen. Sie zogen während der Versammlung ein Postenspalier in der Hauptstraße auf, das nach telefonischer Absprache, bei der sich der Amtsvorsteher in Weilheim nicht auf die Ausführungen des sozialdemokratischen Stadtpolizeikommandanten Vetter verlassen mochte und lieber die Gendarmerie anrief, abgezogen werden mußte[39].

---
[38] Quellen s. Anm. 27 (ZBSL).
[39] Nach StAM, LRA 3886, Vormerkung des BA WM v. 21. 6. 1929, Anmeldungsschreiben Buchners vom 18. 6. 1929, PP/BA WM 24. 6. 1929 Versammlungsbericht.

Zu dieser Zeit gab es 12 bis 14 Einzelmitglieder, jedoch keine Organisation der NSDAP am Ort. Der Reigen der regelmäßigeren nationalsozialistischen Versammlungen begann erst Anfang 1930, stieß aber auf ein Echo allenfalls unter den eigenen Parteigenossen. So sprach Buchner im Mai 1931 vor einer Versammlung von nur 12 Zuhörern; andere »Hackenkreuzlerumtriebe« suchte Rummer, wo immer möglich, »genau so wie die kommunistischen« zu verbieten, wobei das Bezirksamt solche Verbote gelegentlich wieder aufhob. Ein besonderer Stein des Anstoßes war dabei die jährliche Gefallenenehrung, über die es bereits 1929 zum Konflikt kam, weil das Reichsbanner daran teilnahm. In den folgenden Jahren gab es dann regelmäßig Scherereien um von den Nationalsozialisten niedergelegte Kränze mit Hakenkreuzschleifen[40].

Noch die Reichstagswahl im September 1930 hat der nationalsozialistischen Bewegung in der Stadt keinen spürbaren Aufschwung gebracht; aus diesem Anlaß fand jedenfalls keine öffentlich angekündigte Versammlung dieser Richtung statt[41]. Im Februar 1931 wird als Leiter einer Ortsgruppe Penzberg der Bergmann Ernst Kuckelhorn genannt[42]; indessen scheint dieser Versuch einer organisatorischen Zusammenfassung vorläufig nicht recht hochgekommen zu sein, obwohl man zum 18. Februar 1931 den Gauleiter Adolf Wagner wohl in der Hoffnung zu einer Versammlung nach Penzberg brachte, die bekannte Persönlichkeit werde – Wagner war Bergbau-Ingenieur – die Penzberger locken[43]. Im Frühjahr 1931 war Peißenberg bereits durch die Bewegung »erwacht«[44]; Penzberg schlief trotz so aufsehenerregender Ereignisse in der Umgebung wie der »Murnauer Saalschlacht« vom 1. Februar 1931 offenkundig noch dahin.

Wahrscheinlich im Mai/Juni 1931 hat dann, nach Anregung aus Benediktbeuern, der Bergmann Otto Bogner die Geschäfte der NSDAP in Penzberg unter anfangs starker Unterstützung durch den Starnberger Bezirksleiter tatkräftig in Angriff genommen[45]. Bogner, ein am 21. Dezember 1906 in Passau geborener, schriftgewandter und energischer Hauer, erwies sich als ein geschickter Griff, auch wenn er nicht frei von persönlichen Schwächen war: Um die Jahreswende 1932/33 erlitt er, weil er sich verschuldet und hierbei auch die Parteikasse in Mitleidenschaft gezogen hatte, eine Art Verbannung zum Grenzschutzdienst Berchtesgaden, wo er ebenfalls Schulden hinter-

---

[40] StaP, SR 6. 8. 1929, 30. 11. 1932 u. StAM, LRA 3886, BM/BA WM 14. 2. 1931 (Zitat) sowie StaP, unsign. Akten zur Gefallenenehrung; PA 274/26. 11. 1932, »Eingesandt« von Rummer, »Antwort an die Hitlergardisten«.
[41] Aufgrund des Inseratenteils PA August/Sept. 1930.
[42] Nach einem Schreiben vom 14. 2. 1931, StAM, LRA 3885. Nach einer Notiz LRA 3885 erhielt Kuckelhorn noch 1931 die Kündigung und verließ die Stadt, nicht ohne Schulden zu hinterlassen.
[43] Im folgenden fußt die Darstellung, soweit die innerparteilichen Verhältnisse der NS-Ortsgruppe Penzberg dargelegt werden, mit den jeweils bezeichneten Ergänzungen unter stets genauem Nachweis von Zitaten auf dem überlieferten Schriftwechsel der Ortsgruppe, StAM, 646–654 (Karton). Die hier gesammelten Stücke sind nicht nur von lokaler Provenienz; offenbar wurden bei Durchsicht der Akten in der unmittelbaren Nachkriegszeit einige Bestände der NS-Kreisleitung dem auch chronologisch recht ungeordneten Bestand beigegeben. Es kann sich auch nicht um alle Akten der Ortsgruppe handeln. Jedoch muß der Überlieferungsstand als vergleichsweise günstig bezeichnet werden. Berichte über Penzberger Ereignisse enthält auch die Gauzeitung »Die Front. Kampfblatt des Gaues München-Oberbayern der NSDAP«, hrsg. v. Adolf Wagner, wöchentlich (Titel variiert; Staatsbibliothek München mit Lücken); vgl. hier Nr. 3/1931.
[44] Die Front 21/1931, zur Murnauer Saalschlacht u. a. ebenda 9/1931, sowie ausführl. Bericht: StAM, LRA 3870.
[45] Postkarten- und Briefwechsel zwischen Buchner und Bogner wiederholt in NSDAP 646–654; ebenda (Datum nicht erkennbar, Anfang 1931) Ortsgruppenführer (=OGrF) Lang, Benediktbeuern/Bogner: Man solle Verbindung mit Penzbergern aufnehmen, »die nach Wahrheit suchen«.

ließ[46]. Während der innerparteilichen Querelen Ende 1934 auf höchste Weisung nach Penzberg zurückberufen, übernahm Bogner zunächst kommissarisch das Bürgermeisteramt und die Ortsgruppenleitung und wurde mit dem 3. Februar 1936 als ehrenamtlicher Bürgermeister bestellt. Nachdem die Aufwandsentschädigung für ehrenamtliche Bürgermeister reichsweit nach Gemeindegrößen beschränkt worden war, ernannte man Bogner, der bisher nur von der Aufwandsentschädigung gelebt hatte, zum hauptamtlichen Bürgermeister[47]. Er hat dieses Amt bis zu seinem Waffentod im Fronteinsatz Anfang August 1944 versehen[48]. Bogner genoß durchaus Ansehen in der Stadt; er zeichnete sich wie auch sein unmittelbarer Amtsvorgänger Schleinkofer durch, gemessen an sonstigen Praktiken des Regimes, Zurückhaltung gegenüber ehemaligen politischen Gegnern, vorsichtige Behandlung und gelegentlich aktive Unterstützung der Penzberger Arbeiterschaft trotz deren wenig regimefreundlicher Grundeinstellung aus, verharrte jedoch in ideologischen Fragen in unbedingter Linientreue. In der Gemeindepolitik ging er mit einiger Tatkraft ans Werk; parteipolitisch blieb er unumstritten auch deshalb, weil er die zwischenzeitlichen Intrigenspiele abzuschließen vermochte und im übrigen die seit 1933 wuchernden Parteigliederungen unter der üblichen Protektion durch Pfründen in der Hand behielt.

Penzberg war Mitte 1931 ein NSDAP-Stützpunkt, dessen »Generalmitgliederliste«[49] neben Bogner nur 5 weitere Namen, darunter den Bürodiener und in dieser Funktion für die Bewegung wichtigen Leiter der Zechenmusikkapelle Leonhard Biehler sowie das Ehepaar Dr. Ernst und Ida Streeb, Sägewerksbesitzer in Schönmühl, umfaßte. Die Streebs (Mitgl.-Nr. 222 708 und 225 833) waren »Alte Kämpfer«, die schon seit Jahrzehnten mit der Penzberger Stadtverwaltung auf Kriegsfuß in Grundstücks- und ähnlichen Angelegenheiten gestanden hatten; Biehler und Bogner sind – nach der Mitgliednummer zu urteilen – gemeinsam 1930 der Partei beigetreten (Mitgl.-Nr. 407 568 und 407 570). Der Stützpunkt blieb klein, seine Sprechabende waren schwach besucht. Öffentliche Versammlungen fielen häufig, nach der Notverordnung vom 8. Dezember 1931 zunächst grundsätzlich, dem Verbot anheim. Zudem hatte Bogner, selbst wenn er Versammlungen in der Umgebung Penzbergs organisierte, die Anwesenheit und lautstarke Gegnerschaft mindestens einer Gruppe von Kommunisten aus Penzberg zu gewärtigen.

Ende 1931 waren wieder 10 Mitglieder, Mitte 1932 26 Mitglieder erreicht, und der Stützpunkt war zur Ortsgruppe erhoben worden[50]. Bogner, überzeugter Antisemit, hätte gern Julius Streicher als Referenten nach Penzberg bekommen und widmete diesem Plan mehrere Briefe, freilich ohne Erfolg. Den Kern der Mannschaft bildete bereits Mitte

---

[46] Ebenda: Kassenaufstellung der Ortsgruppe (= OGr.) sowie Mahnschreiben vom 28. 11. 1933; auf NSV-Konten hinterlassene Schulden in Berchtesgaden: StAM, NS 627), Gaupersonalamtsleiter/Bogner 25. 1. 1937. Kern des Anstoßes in Penzberg Ende 1932 war offenbar ein Paar Stiefel, die Bogner sich auf Parteikosten gekauft hatte.
[47] StaP, SR 18. 12. 1935, 29. 12. 1936.
[48] PA 195/21. 8. 1944. Zur Gedenkfeier in Penzberg komponierte der ehemalige prominente Sozialdemokrat Lehrer Winkler ein vom SS-Musikzug intoniertes »Heldengedenklied«. Bogner war, anscheinend nach einer scharfen innerparteilichen Auseinandersetzung mit Kreisleiter Dennerl, freiwillig ins Feld gegangen.
[49] In: NSDAP 646-654.
[50] Versammlungsberichte des Jahres 1931 s. StAM, LRA 3900, sowie Gau-Rundschreiben Anfang 1932, NSDAP 646-654.

1932 das Personal der Grubenverwaltung: Neben Biehler waren nun die Rechnungsführer (-gehilfen) Eckinger, Schleinkofer, Schneider, Tempfer, Skanta und Kapfhammer beigetreten, später kamen noch weitere Verwaltungsangestellte der Zeche hinzu[51]. Diese Rechnungsführer-Clique prägte das Erscheinungsbild der Penzberger NSDAP über die Machtergreifung hinaus und stellte die neben Bogner wichtigsten Funktionäre – freilich nicht zum Besten der Resonanz der Partei unter den Bergleuten, die traditionell gegen die schreibtischgewohnten Verwaltungsangestellten Ressentiments hegten. Möglicherweise hat das Anfang 1932 wiederholte persönliche Engagement des Gauleiters in Penzberg[52] gerade diese Gruppe, die im übrigen zumeist über die Mitgliedschaft im Deutschen Handlungsgehilfenverband frühzeitig Anschluß an die politische Rechte gewonnen hatte, hinüber zur NSDAP gezogen.

Penzberg ist offenbar entgegen der reichsweit üblichen Praxis Ortsgruppe geworden, obwohl die Mitgliederzahl die Grenze von 50 längst nicht erreicht hatte. Ebenso richtete man Anfang 1932 einen SS-Standort in Penzberg ein, der jedoch für lange Zeit aus nicht mehr als 4 Mitgliedern bestand[53]. Die Entwicklung der Ortsgruppe blieb blamabel. Zu einer Versammlung des Gauleiters über »Der Arbeiter im dritten Reich« am 8. April 1932 kamen immerhin 140 Personen, denen Wagner vortrug, »wenn den Nationalsozialisten vorgeworfen werde, wenn sie zur Macht gelangten, dann komme ein neuer Krieg, so seien dies Phrasen«[54]. Negativ hat sich vielleicht auch in Penzberg ausgewirkt, daß der Leiter der starken NSDAP-Ortsgruppe Benediktbeuern Anfang 1932 seinen Parteiaustritt erklärte. Indessen war der Boden heiß in Penzberg. Als Bogner im Mai 1932 vorgab, eine Wandervogel-Gruppe, in Wahrheit aber die Hitler-Jugend in Penzberg gründen zu wollen, war ihm »im voraus klar«, daß er »dabei auf den größten Widerstand der vereinigten marxistischen Parteien und Organisationen stoßen würde«[55]. Das Vorhaben mißlang einstweilen; Bogner »exerzierte« heimlich mit ein paar »Jungens« in seinem Privatzimmer. Selbst anläßlich einer Wahlversammlung zum Thema »Der Sturz des Systems« im Juni 1932[56] gelang es Bogner nicht, mehr als 50 Zuhörer zu gewinnen; aber auch unter diesen Zuhörern bestand die Mehrzahl aus Kommunisten, weshalb der Ortsgruppenleiter die Veranstaltung abbrach und das Eintrittsgeld zurückzahlte. Ähnlich sahen sich die Penzberger Nationalsozialisten, wenn sie in den ländlichen Orten der Umgebung Versammlungen abhielten, vielfach von einer Schar radauschlagender Kommunisten begleitet, die auf diese Weise ein Verbot der Versammlung zu erwirken

---

[51] Nach den Eintrittsdaten, s. Mitgliederliste unter Anm. 68.
[52] Die Front 3/1932, Versammlung mit Wagner am 20. 1. 1932; StAM, LRA 3886, Bericht über eine Versammlung Wagners am 8. 4. 1932. Zur ersten Versammlung schrieb Buchner (13. 1. 1932, NSDAP 646–654): »Nichts unversucht lassen, um eine Bombenversammlung daraus zu machen. Reichlich plakatieren, großes Inserat, schriftliche Einladungen, aufreizende Flugblätter«.
[53] Aufstellung StAM, LRA 3993; zum SA-, SS- und HJ-Verbot und entspr. Haussuchungen etc. s. ebenda.
[54] Quelle s. Anm. 52. Die Berichte über Penzberger Versammlungen im Gauorgan wurden maßlos hochstilisiert, s. etwa Die Front 8/1932: »Penzberg. Vor 450 Personen sprechen die Pgg. Friedrichs und Dötsch über die politische Lage. Drei Diskussionsredner wurden von unseren Rednern glänzend abgefertigt«.
[55] StAM, LRA 3885, Bogner/BA WM 15. 5. 1932, Beschwerdebrief über polizeiliches Einschreiten gegen die Gründung der s. Zt. verbotenen Hitler-Jugend, dazu ebenda PP/BA WM 22. 5. 1932. Die Gesinnungsgenossen hatten sich um diese Zeit auch räumlich einander genähert: Bogner wohnte bei dem Alt-Pg. Stefan Orthofer (Beitritt 1926), der zu dieser Zeit von Dr. Streeb in Schönmühl als »Herrschaftsgärtner« beschäftigt wurde.
[56] Versammlungsbericht StAM, LRA 3903, 11. 6. 1932; weitere Berichte über Versammlungen mit schwachem Besuch s. ebenda u. LRA 3902, 3901.

suchten. Bürowahl war in nationalsozialistischen Versammlungen grundsätzlich nicht üblich. Linksorientierte Redner ließ man ausnahmsweise nur dann zu Wort kommen, wenn sicher war, daß ihnen »gebührende« Antwort zuteil würde[57].

Das Versammlungsklima dieser Jahre verlangt besondere Betrachtung. Nicht nur, daß politische Versammlungen vorwiegend extremistischer Couleur leicht dem Verbot anheimfielen, was unter den Betroffenen stets Erbitterung auslöste und die stattfindenden Versammlungen zusätzlich mit einer Aura des Sensationellen umgab. In den Versammlungen selbst ging es bis hin zu Handgreiflichkeiten regelmäßig hoch her, und nationalsozialistische Versammlungen wurden gewöhnlich in der Erwartung angekündigt und abgehalten, daß man es den politischen Feinden schon zeigen werde. SA von außerhalb als Saalschutz wurde auch in Penzberg zur regelmäßigen Einrichtung. Zur wirksamen Vorwärtsverteidigung mochte sich ein Zahnarzt aus Kochel mit einem »Franzosenschlüssel«[58] und mancher Geringerer mit ähnlichen Instrumenten bewaffnen. Schlägereien wurden insbesondere während des Jahres 1932 zum Straßenritual vor Versammlungslokalen und bei Propagandaaktionen. Kommunisten und Nationalsozialisten erblickten zunehmend eine Art Sport darin, die Versammlungen des Gegners zu vereiteln. Junge Burschen nahmen rechtzeitig an Saaleingängen Aufstellung in der Erwartung, »daß es heute noch Schläge gebe«[59]; Redner wurden wechselseitig unter Absingen des Horst-Wessel-Liedes oder der Internationale am Vortrag gehindert; bekannte kräftige Mitbürger wurden eigens herbestellt: »Jetzt haben sie mich geholt, daß ich die Hitler umhauen soll«[60]. Auch Sozialdemokraten sind, nachdem die anfänglich zu beobachtende Zurückhaltung aufgegeben worden war, zunehmend in den Sog dieses Treibens gezogen worden. Für Nationalsozialisten war etwa die Verteilung von Propagandamaterial in Penzberg lebensgefährlich. Als am 26. Juli 1932 fünf ihrer Anhänger uniformiert mit einem »Reklameauto« im Ort auftauchten, fielen um 200 vorwiegend kommunistisch orientierte Parteigänger über sie her mit dem Ausruf »Schlagt sie nieder, die Arbeitermörder«[61]. Die Kommunisten Josef Heumann, Johann Raithel, Gottlieb Zila und Johann Kaucic erlitten wegen solchen Vorgehens Verurteilungen zu mehrmonatigen Gefängnisstrafen wegen Landfriedensbruchs, und in der NS-Gauzeitung hoffte man befriedigt, »daß das Urteil dazu beitragen wird, unsere Penzberger schwer kämpfenden Parteigenossen vor den andauernden Überfällen und Terrorakten zu schützen«[62].

Schwer zu kämpfen hatten sie in Penzberg in der Tat. Wiederum offensiv, verlegte man sich auf Penzberg als Ort einer Kreistagung am 17./18. September 1932. Rummer, der darin »eine wohl bewußte und beabsichtigte Provokation der Penzberger Bevölkerung«

---

[57] Vgl. etwa Versammlungsbericht PA 16/21. 1. 1932, detailliert: StAM, LRA 3901, PP/BA WM 21. 1. 1932.
[58] StAM, LRA 3900, Versammlungsbericht 19. 11. 1931.
[59] StAM, LRA 3885, Versammlungsbericht 3. 5. 1931.
[60] Ebenda Im Februar 1932 parodierten die Nazis die »Eiserne Front« durch Abladen eines Wagens Gerümpel (»Blecherne Front«) vor der Stadthalle, wo eine SPD-Versammlung stattfinden sollte. Vgl. ebenda, PP/BA WM 22. 5. 1932.
[61] PA 211, 13. 9. 1932 über das Urteil. Unter den 10 Kommunisten, gegen die verhandelt wurde, waren 4 Frauen! Alle Verurteilten legten Berufung ein. Vgl. auch MP 218/20. 9. 1932.
[62] Die Front 38/1932.

erblickte, lehnte rundweg »jede Verantwortung« ab[63] und veranlaßte einen Stadtratsbeschluß von 17 Stimmen gegen jene des Bergwerksdirektors Klein zugunsten eines Versammlungsverbots[64]. Klein brachte bei dieser Gelegenheit als »Bergwerksdirektor und Stadtrat«, »der ich der NSDAP nicht nahestehe« – dies galt nur bis zum Sommer 1933 –, sein »Befremden« darüber zum Ausdruck, daß

»in Penzberg jede wie immer genannte nationale Veranstaltung durch Einspruch der SPD und KPD unterbleiben muß, obwohl Angehörige dieser beiden Parteirichtungen glauben, ein Privileg zu besitzen, anders Denkende durch Aufzüge, Demonstrationen etc. zu provozieren«[65].

Dabei bevorzugte das Bezirksamt in seiner Verbotspraxis, wie von kommunistischer Seite durchaus bemerkt wurde, zumeist die politische Rechte.

Bogner, der inzwischen auch zum Amtswalter für Gewerkschaftsfragen bei der Kreisleitung avanciert war, oblag die Organisation dieser Großveranstaltung von etwa 400 uniformierten Teilnehmern. Sie begann mit einer Tagung der Ortsgruppen- und Stützpunktleiter am Vorabend und einem Feldgottesdienst am Sonntag[66], auf den die Berichte der NS-Amtswalter und Politischen Leiter folgten. Den Abschluß bildete eine Großkundgebung vor dem Rathaus, im Herzen Penzbergs. Bogner sorgte für den »notwendigen« Fahnenschmuck, Papierfähnchen und manches Ähnliche. Penzberg erlebte für ein Wochenende ein richtiges Spektakel mit einem Gauleiter an der Spitze, und all dies war noch wenig gegenüber dem, was die Zeit nach der Machtübernahme in dieser Hinsicht bringen sollte.

Als nach der Kreistagung die schlechte Finanzwirtschaft Bogners ruchbar wurde, übernahm endgültig die Rechnungsführer-Clique die Ortsgruppenleitung: Schneider wurde Ortsgruppenführer, Schleinkofer sein Stellvertreter, Skanta Schriftwart und der Magazinverwalter Johann Schweiger Obmann der Kriegsopfer, Kapfhammer Obmann der Bücherei. Neben diesen fünf Verwaltungsangestellten fungierten noch die Bergleute Michael Naierz und Martin Rebhan unter den insgesamt einschließlich des Führers 10 Amtswaltern. Die Probleme der Ortsgruppe lagen auf der Hand: Es galt, nach Bogners Absetzung zunächst die Parteikasse zu konsolidieren, wozu die Arbeitslosigkeit, wie bemerkt wurde, nicht eben beitrug. Zur Reichstagswahl im November 1932 mußte man sich wegen der »Unstimmigkeiten in der hiesigen Ortsgruppe«, die dem Gauleiter durch Schneider »wahrheitsgetreu« berichtet worden waren, im wesentlichen auf die Bestükkung gegnerischer Versammlungen mit Diskussionsrednern beschränken – auch die innerparteilichen Probleme trugen mithin zum schlechten Abschneiden der NSDAP bei

---

[63] StAM, LRA 3904, BM Rummer/BA WM 15. 9. 1932. Einen eigenen Protest formulierten die vier Betriebsräte Höck, Schnitzler, Schnappauf und Steinbauer, s. ebenda; ferner PA 213 u. 216/1932. Der Stadtrat erließ, nachdem die Versammlung stattfinden konnte, einen Aufruf an die Bevölkerung, Ruhe zu bewahren: »Arbeiterschaft, zeige Disziplin!« (PA 214/16. 9. 1932).
[64] StaP, SR 14. 9. 1932.
[65] Original des Schreibens Klein/BA WM 19. 9. 1932 in StAM, LRA 3904. Der Umstand, daß sich eine Durchschrift des Schreibens in NSDAP 646–654 findet, läßt darauf schließen, daß Klein es benutzte, um entweder sein Aufnahmeverfahren in die Partei nach der Machtübernahme zu beschleunigen oder der örtlichen NSDAP seinen Einsatz im nationalen Interesse zu bekunden. Klein erlitt vom Vorstand des BA WM eine scharfe Abfuhr (21. 9. 1932, LRA 3904): »Es wäre zweckmäßig gewesen, wenn Sie sich über die tatsächlichen Ereignisse und die vom Amt getroffenen Maßnahmen einwandfreie Klarheit verschafft hätten ...«.
[66] Zahlreiche Quellen und Programm s. StAM, NSDAP 646–654; Bericht: PP/BA WM 19. 9. 1932 in: StAM, LRA 3904.

den Wahlen bei. Immerhin glaubte man sich bei einer Gemeindewahl in aussichtsreicher Position für einen Sitz »im derzeitig roten Stadtrat«[67].

Nach einer handschriftlichen Mitgliederliste[68] bestand die Ortsgruppe Ende 1932 aus 33 Mitgliedern, von denen 30 seit dem 22. Januar 1931 beigetreten waren, die Mehrzahl jedoch erst nach Mitte 1932. 18 Parteimitglieder waren vor 1900 geboren; insbesondere die Rechnungsführergruppe war fast ausnahmslos jünger als 35 Jahre.

Tabelle 37
Soziale Zusammensetzung der Ortsgruppe Penzberg der NSDAP Ende 1932

Berufe	Zahl
Akademiker:	
Lehrerin	1
Diplomingenieur	1
Guts- und Sägewerksbesitzer	1
Verwaltungsangestellte der Grube:	
Rechnungsführer, Bürodiener, Platzmeister, Magaziner, Betriebsassistent	10
Selbständige Handwerker:	
Buchdrucker- und Schreinermeister, Bauunternehmer	4
Polier, Bauführer	2
Vertreter	1
Gärtner	1
Schlosser	2
Bergleute	5
Ehefrauen	2
nicht erkennbar	3

Die berufliche Zusammensetzung der Ortsgruppe ist, auch wenn die kleinen Zahlen kein zuverlässiges Urteil über die Repräsentation von einzelnen Berufsgruppen erlauben, in einem grotesken Maße untypisch für die soziale Schichtung der Bergarbeiterstadt. Von den ungefähr 1600 Bergarbeitern in der Stadt war es bis Ende 1932 gelungen, ganze 5 für die Bewegung zu gewinnen! Selbst die örtlichen Gewerbetreibenden erwiesen sich als nahezu vollkommen immun – das änderte sich freilich mit der Machtübernahme. Das Wort hatten die Rechnungsführer, in zweiter Linie die sonstigen Verwaltungsangestellten der Zeche, die, tagtäglich mit den andersdenkenden Bergleuten konfrontiert, nach einem politischen Betätigungsfeld suchten, in dem sie den verhaßten Marxismus bekämpfen konnten.

Die Penzberger NSDAP war in keiner Weise eine proletarische Partei, auch wenn sie in ihren – vergleichsweise späten – Anfängen von einem »einfachen« Bergmann geführt

---

[67] Zitate: OGr. Penzberg/Gauleiter Wagner (Durchschrift) 15. 10. 1932, in: StAM, NSDAP 646–654, s. ebenda, Liste der neuernannten Amtswalter. Eine NS-Versammlung am 5. 11. 1932 fand nur 25 Zuhörer, s. StAM, LRA 3904.

[68] Ebenda, Parteibeitritte bis einschl. 1. 12. 1932. Die Liste ist bei manchen Namen unvollständig und stimmt nur z. T. mit einer ebenda überlieferten »Aufstellung über Aufnahmeerklärungen« (undatiert, ca. Mitte 1932) überein – dies mag seine Erklärung darin finden, daß nicht alle Unterzeichner einer Aufnahmeerklärung ihren Entschluß durchgestanden haben. Beispielsweise findet sich der Name des recht prominenten ehemaligen sozialdemokratischen Stadtrats Ludwig Roith auf dieser, nicht aber auf der Mitgliederliste.

wurde. Sie war weit eher eine Partei derjenigen, die zwischen den Stühlen saßen: der unteren und mittleren Büroangestellten, also der unteren Mittelschicht unter Ausschluß der Gewerbetreibenden. Hier entfaltete sich, begünstigt durch vergleichsweise geringen Besitz und Gehaltsabhängigkeit auf der einen, Geringschätzung der Arbeiterschaft gegen die Schreibstuben-Bergleute und ideologisch induzierte Mißachtung der Angestelltenschicht auf der anderen Seite, jener »Extremismus der Mitte«[69], der sich in so verhängnisvoller Weise in die Organisationen der Nationalsozialisten treiben ließ und dort bald Führungsrollen beanspruchte. Weder die Wahlergebnisse noch die soziale Zusammensetzung der NSDAP bis 1933 deuten auf eine nennenswerte Mitwirkung der Penzberger Arbeiterschaft hin. Die Partei fand keine Resonanz im Penzberger Milieu. Hierfür lassen sich mehrere Gründe anführen: Erstens hat das frühzeitig erkennbare Profil der örtlichen NSDAP als Bastion der Rechnungsführer-Clique die Gräben zur Arbeiterschaft eher vertieft als eingeebnet, und die hohen Mitgliedsbeiträge wie auch der Parteiaktivismus der »Hitler«, wie sie im Oberland allgemein hießen, haben manchen Beitrittswilligen abgehalten[70]. Zweitens gelang es der Partei trotz erheblicher Anstrengungen in der Gewerkschaftspolitik – von der »Großdeutschen Gewerkschaft« seit 1928 sind so wenig Einflüsse auf Penzberg ausgegangen wie etwa von der Anfang 1932 gegründeten Arbeitslosenstelle der NSBO – bis zur Machtübernahme in keiner Weise, in der Bergarbeiterschaft Fuß zu fassen[71]. Bogner, der sich unter persönlichem Einsatz für die NSBO-Agitation verwandte und innerhalb der Bezirksleitung Starnberg hierüber auch die Aufsicht gewann, scheiterte gerade in diesem Punkt. Die NS-Gewerkschaftspolitik vermochte die Bergleute nicht zu überzeugen – weder in den frühen 1920er Jahren, als der NSDAP immerhin ihr proletarisches Profil zugute kommen konnte, noch in den Jahren der Wirtschaftskrise und auch nicht im umfassenden Sinn nach der Machtübernahme. Überhaupt lag in Oberbayern der Arbeiteranteil unter den NSDAP-Mitgliedern relativ zur Erwerbsstruktur im reichsweiten Vergleich vor und nach 1933 besonders niedrig, weshalb man bald Anstrengungen zum Ausgleich dieses Mankos unternahm[72].

---

[69] Vgl. Lipset, Seymour Martin: Soziologie der Demokratie. Neuwied 1962, S. 143–158; hierzu Lepsius, M. Rainer: Extremer Nationalsozialismus. Strukturbedingungen vor der nationalsozialistischen Machtergreifung. Stuttgart etc. 1966; zur Ergänzung für die wichtige Gruppe der Angestelltenschaft im deutsch-amerikanischen Vergleich: Kocka, Jürgen: Angestellte zwischen Faschismus und Demokratie. Zur politischen Sozialgeschichte der Angestellten USA 1890–1940 im internationalen Vergleich. Göttingen 1977, eine Studie, für die »Suche nach . . . einem [mit Deutschland vergleichbaren] rechtsgerichteten, angestellten- und kleinbürgerspezifischen Protestpotential« (S. 13) konstitutiv ist; vgl. bes. S. 49–57.

[70] Rupert Schrammel begründete seine Austrittserklärung (undat., Ende 1932) erstens mit den hohen Parteibeiträgen, zweitens »kann und will ich nicht jeden Sonntag opfern« (StAM, NSDAP 646–654).

[71] Vgl. StAM, Polizeidirektion München 6850; ferner Schumann, Hans-Gerd: Nationalsozialismus und Gewerkschaftsbewegung. Die Vernichtung der deutschen Gewerkschaften und der Aufbau der »Deutschen Arbeitsfront«. Hannover/Frankfurt a. M. 1958, S. 35–41; wenig überzeugend: Kele, Max H.: Nazis and Workers. National Socialist Appeals to German Labor, 1919–1933. Chapel Hill, N. C. 1972 (zur Kritik s. H. Katz, in: IWK 10, [1974], S. 300–304). Einen Überblick zur NSBO gibt Roth, Hermann: Die nationalsozialistische Betriebszellenorganisation (NSBO) von der Gründung bis zur Röhm-Affäre (1928–1934), in: Jahrbuch für Wirtschaftsgeschichte 1978/I, S. 49–66.

[72] Pridham, Geoffrey: Hitler's Rise to Power. The Nazi Movement in Bavaria, 1923–1933. London 1973, S. 187, konstatiert anhand der Parteistatistik immerhin auch für den Gau München-Oberbayern zwischen 1930 und 1933 einen deutlichen Anstieg der Arbeiterschaft unter NSDAP-Mitgliedern. Penzberg blieb hiervon völlig unberührt. Für Bestrebungen zur Erhöhung des Arbeiteranteils 1937 vgl. Kater, Michael H.: Sozialer Wandel in der NSDAP im Zuge der nationalsozialistischen Machtergreifung, in: Schieder, Wolfgang (Hrsg.): Faschismus als soziale Bewegung. Deutschland und Italien im Vergleich. Hamburg 1976, S. 25–67, 51.

Auch fehlte es, drittens, in Penzberg sowohl an einer noch am ehesten dem Nationalsozialismus zuneigenden Landarbeiterschaft als auch an einer ausgeprägten bergbauständischen Tradition, die möglicherweise im Ruhrgebiet einige Anfälligkeit der Bergleute begründete. Viertens wirkte die Wirtschaftskrise zwar auch in Penzberg in starkem Maße polarisierend auf die Einwohnerschaft, aber die Trennlinie dieser Polarisierung stimmte weiterhin mit der Klassenlinie im Schichtungsbild der Stadtbevölkerung überein, wobei der schwach ausgeprägte gewerbliche Mittelstand der BVP treu blieb. Die NSDAP vermochte die Klassenlinie auch in der Krise nicht zu überspringen. Dies war, fünftens und wahrscheinlich entscheidend, ein Resultat der in diesem einen Punkt erhaltenen Solidarität des Linksblocks: in der bei aller bitterer Zerstrittenheit zwischen SPD und KPD heftigen, gemeinsamen, wenn auch nicht gemeinsam organisierten Abwehr der braunen Flut. Die Sozialdemokraten standen in diesem Punkt den Kommunisten nicht nach. Darin schlug, sechstens, die jahrzehntelange Entfaltung und Reifung der kleinstädtischen Arbeiterbewegung von der Vereinskultur bis zum »roten« Stadtregiment, man mag auch sagen: die Indoktrination der Arbeiterschaft durch klassenbewußte Ideologie, zu Buche. Allerdings war es mit dem Marxismus in der Bergarbeiterschaft auch auf kommunistischer Seite nicht weit her. Unsere bisherige Untersuchung hat zahlreiche Zeugnisse und Indizien für einen gleichsam »autochthonen«, bergbau-, kleinstadt- und zeitbedingten Radikalismus in der Penzberger Arbeiterschaft gebracht, und die frühen 1920er Jahre hatten bereits gezeigt, daß sich dieser soziale mit dem politischen Radikalismus verbinden konnte. Jedoch blieb der letztere, wie wir sehen werden, auch in Penzberg von doktrinärer Phraseologie geprägt, praktizierte mit den bekannten üblen Folgen die These vom Sozialfaschismus der SPD und fand Resonanz nicht infolge besonderer Überzeugungskraft, sondern wegen einer geschickt im extremistischen Milieu von Arbeitslosen und jugendlichen Arbeitern propagierten und hier ohne Reflexion von Begründungszusammenhängen rezipierten Radikalität der politischen Ziele. Zwar wird Wähler- oder gar Mitgliederfluktuation zwischen der extremen Linken und Rechten für Penzberg durch die Wahlergebnisse und die soziale Zusammensetzung der extremistischen Parteien weitgehend ausgeschlossen, aber die Problematik einer zu politischen Extremen drängenden sozialen Situation hat sich auch in der Bergarbeitersiedlung entfaltet[73]. Allerdings erschwerte der kommunikative Horizont der Kleinstadt den Frontenwechsel ungemein, weil das Abstreifen der politischen Prägemerkmale, auch wenn man sich längst heimatlos fühlte, Ächtung im Freundeskreis, in Familie und Nachbarschaft nach sich ziehen mußte.

---

[73] Vgl. etwa Bennecke, Heinrich: Wirtschaftliche Depression und politischer Radikalismus. Die Lehre von Weimar. München/Wien 1968, mit einer stark parteipolitisch fixierten Sichtweise; sehr differenziert dagegen die knappe Skizze von Vierhaus, Rudolf: Auswirkungen der Krise um 1930 in Deutschland. Beiträge zu einer historisch-psychologischen Analyse, in: Conze, Werner und Hans Raupach (Hrsg.): Die Staats- und Wirtschaftskrise des Deutschen Reichs 1929/33. Stuttgart 1967, S. 155–175. Zum Vergleich der sozialen Situation in den schlesischen Bergbaudistrikten s. Stenbock-Fermor, Alexander Graf: Deutschland von unten. Reise durch die proletarische Provinz. Stuttgart 1931, z. B. S. 34ff. Zur Fluktuation vgl. u. a. den Konferenzbericht v. Hildebrand, Klaus: Nationalsozialismus ohne Hitler: Das Dritte Reich als Forschungsgegenstand der Geschichtswissenschaft, in: Geschichte in Wissenschaft und Unterricht 31 (1980), S. 289–304, 298. Ein Penzberger Bergmann, s. Zt. erwerbslos, erklärte dem Verf., es sei Ende 1932 »ganz egal« gewesen, bei welcher Partei man sein Glück versuchte. Er ging zur NSDAP.

Auch aus diesem Grunde lassen kleinstädtische Verhältnisse die politischen Fronten vor allem dann erstarren, wenn, wie in der Wirtschaftskrise seit 1929, ein hoher Grad an politischer Mobilisierung erreicht wird, der die Bereitschaft zum politischen Bekenntnis fördert. Doch erklärt noch ein anderer, tieferer Grund die Immunität der Penzberger Bergarbeiterschaft gegenüber dem Rechts- und ihre Aufgeschlossenheit gegenüber dem Linksextremismus: ihre ganz überwiegend katholische Prägung bei gleichzeitig großer innerer Distanz zum Katholizismus. Der Nachweis der Richtigkeit dieser These ist aus den Quellen nicht leicht zu führen, da zwar zahlreiche Indizien für Kirchenferne und Religionskritik, etwa mittelbar in Gestalt großen Zulaufs zur Freidenker-»Gemeinde«, vorliegen, aber damit kein unmittelbarer Zusammenhang mit parteipolitischen Präferenzen erwiesen ist. Einigen Überblick verschafft die vergleichende Perspektive.

Die Forschung über die sozialen Trägerschichten des Nationalsozialismus hat sich in ihren beiden sachlich eng verbundenen Hauptzweigen, der Mitgliedschafts- und der Wähleranalyse, immer wieder der Frage zugewandt, ob die NSDAP auf Widerhall in der Arbeiterschaft stieß. Die überproportionale Repräsentation der Mittelschichten konnte hierbei regelmäßig bestätigt werden; in der Frage der relativen Ausprägung proletarischer Schichten wurden getroffene Aussagen dagegen wiederholt, und gerade in jüngster Zeit[74], in Frage gestellt. Probleme warfen einerseits die verfügbaren Quellen (lokale und regionale Mitgliederverzeichnisse, Parteistatistik 1935) und methodische Fragen, darunter etwa die Zuordnung der Facharbeiter im Schichtungsbild, andererseits unterschiedliche Entwicklungen in den Phasen der Entfaltung des Nationalsozialismus auf. Wenig Aufmerksamkeit fand bisher die jeweilige konfessionelle Prägung der Arbeiterschaft. Wir fassen einige der vorliegenden Ergebnisse knapp zusammen:

Die Reichstagswahlergebnisse im Ruhrgebiet zwischen 1930 und 1932 lassen ein deutliches Gefälle zwischen protestantischen und katholischen Industriestädten – die Frage, wie sich die jeweilige konfessionelle Prägung im Industrialisierungsverlauf verändert hatte, soll hier, auch wenn sie von Einfluß gewesen sein kann, unberücksichtigt bleiben – erkennen: Die katholischen Orte des westlichen Reviers zeigen unter Erhaltung des »Zentrumsturms« eine klare Neigung zur KPD, während in den protestantischen Städten des östlichen und südöstlichen Reviers, wo zudem die ständischen Bergbautraditionen am stärksten verwurzelt waren, die NSDAP Erfolge erringen

---

[74] Zur frühen NSDAP vgl. unsere Bemerkungen oben S. 150 sowie bes. Kater, Michael H.: Zur Soziographie der frühen NSDAP, in: Jarausch, Konrad J. (Hrsg.): Quantifizierung in der Geschichtswissenschaft. Probleme und Möglichkeiten. Düsseldorf 1976, S. 186–217; Douglas, Donald M.: The Parent Cell: Some Computer Notes on the Composition of the First Nazi Party Group in Munich, 1919–1921, in: Central European History 10 (1977), S. 55–72 (»youthful and Mitelstand«); zur späteren NSDAP s. Anm. 71 sowie Winkler, Heinrich August: Mittelstandsbewegung oder Volkspartei? Zur sozialen Basis der NSDAP, in: Schieder (Hrsg.)., a. a .O., S. 97–118; zum Wählerverhalten etwa Childers, Thomas: The Social Bases of the National Socialist Vote, in: Journal of Contemporary History 11 (1976), S. 17–42 (»marginal blue collar«); zur Arbeiterschaft in der SA jetzt Fischer, Conan J.: The occupational background of the SA's rank and file membership during the depression years, 1929 to mid-1934, in: Stachura, Peter D. (Hrsg.): The Shaping of the Nazi State, London/ New York 1978, S. 131–159, mit scharfer Kritik von Bessel, Richard und Mathilde Jamin: Nazis, Workers and the uses of quantitative evidence, in: Social History 4 (1979), S. 111–116. S. ferner Anm. 75–77.

konnte. Gerade die jeweiligen konfessionellen Enklaven dürften bei genauerer Analyse[75] diese Tendenz bestätigen. Daß die katholische Bergarbeiterschaft eine besondere Nähe zum politischen Linksextremismus aufwies, hat Günter Plum in seiner Untersuchung des Regierungsbezirks Aachen, dessen Bergarbeiterkommunen manche Ähnlichkeit mit Penzberg aufweisen, überzeugend dargetan[76]. Andererseits ist an weiteren, darunter auch bayerischen Beispielen[77] gezeigt worden, daß der NSDAP nicht nur allgemein etwa in den Gemeinden des protestantischen Ober- und Mittelfranken, sondern auch in den industriellen Gemeinden dieser Regionen wie Hof und Selb deutliche Einbrüche in die Wählerschaft gelangen. Protestantische Industriearbeiter, darunter ehemalige SPD-Wähler, sind recht häufig zur NSDAP gewechselt, und deren Mitgliedschaft konnte folglich gelegentlich einen starken Arbeiteranteil aufweisen.

Diese Beispiele mögen genügen, um die Neigung der katholischen Industriearbeiterschaft, im besonderen der Bergarbeiterschaft, zum politischen Linksextremismus unter Krisenbedingungen unter Beweis zu stellen. Eine genauere Untersuchung etwa anhand einzelner Stimmbezirke des Ruhrgebiets hätte neben den konfessionellen und sozialen Rahmenbedingungen insbesondere den zweiten Teil der These, die Behauptung einer Entfremdung vom Kirchenleben als zusätzlicher Bedingung für die Möglichkeit des Umschwenkens zum Linksradikalismus, in die Analyse einzubeziehen. Denn wenn man von einem »sozialen ›Niemandsland‹«[78], in dem der zum Linksradikalismus neigende Wähler gelebt hätte, am Beispiel Penzbergs nach unseren Bemerkungen über die industriekommunalen Bindungen durch Familie, Nachbarschaft und Vereinswesen kaum wird sprechen können, so gewinnen vor dem Hintergrund der global erkennbaren parteipolitischen Präferenzen konfessionell unterschieder Industriearbeitergruppen deren Formen der Religionsausübung, aber auch die durch soziale Entwicklungen und ideologische Einflüsse bewirkten Wertverschiebungen im Denken und Verhalten besondere Bedeutung. Der Überlieferungsstand erlaubt für Penzberg keine derartige Vertiefung.

---

[75] Nach Böhnke, Wilfried: Die NSDAP im Ruhrgebiet 1920–1933. Bonn-Bad Godesberg 1974, S. 176–202. Die Analyse von Böhnke hat sicher Schwächen, worauf neuerdings Mühlberger, Detlef: The Sociology of the NSDAP: The Question of Working-Class Membership, in: Journal of Contemporary History 15 (1980), S. 493–511, hinweist (S. 500). Allerdings läßt auch Mühlberger nur die Ergebnisse Revue passieren und ergänzt sie durch einen im ganzen nicht überzeugenden Quellenfund über die soziale Zusammensetzung der NSDAP im industriellen Teil Westfalens. Insbesondere interpretiert Mühlberger, wie auch Böhnke, die überlieferten Hinweise nicht vor dem Hintergrund der konfessionellen Verhältnisse im Ruhrgebiet, wenn an anderer Stelle auf die guten NS-Wahlergebnisse in protestantischen agrarischen Regionen hingewiesen wird.

[76] Plum, Günter: Gesellschaftsstruktur und politisches Bewußtsein in einer katholischen Region 1928–1933. Untersuchung am Beispiel des Regierungsbezirks Aachen. Stuttgart 1972, S. 31f. Daß katholische Wähler von den Linksparteien oft die KPD vorgezogen haben, hat, worauf Plum hinweist, schon Johannes Schauff gezeigt: Das Wahlverhalten der deutschen Katholiken im Kaiserreich und in der Weimarer Republik. 1928, neu hrsg. v. Rudolf Morsey, Mainz 1975, S. 130.

[77] Vgl. Stokes, Lawrence D.: The Social Composition of the Nazi Party in Eutin, 1925–1932, in: International Review of Social History 23 (1978), S. 1–32; Hambrecht, Rainer: Der Aufstieg der NSDAP in Mittel- und Oberfranken (1925–1933). Nürnberg 1976, S. 305f.; s. ferner Eiber, a.a.O., S. 36–60, für Hof und Selb; s. auch zur Landarbeiterschaft: Zofka, a.a.O., S. 181f.

[78] Plum, a.a.O., S. 33. Es erweist sich als besonders bedauerlich, daß einer Anfrage beim kath. Pfarramt Penzberg zwecks Prüfung der innerkirchlichen Überlieferung kein Erfolg beschieden war.

3. Die Linksparteien in der Krise und der Kampf um das Rathaus Ende 1932

In der Gewerkschaftspolitik und im Bemühen um die Erwerbslosen war die politische Arbeit der KPD von einem ihrer Wahlerfolge bis November 1932 begründeten den Erfolg gekrönt. Dabei haben nicht einmal die freilich an Zahl geringen örtlichen Nationalsozialisten den Kommunisten hinsichtlich ihrer Aktivität das Wasser reichen können. In mancherlei Hinsicht stürzte sich die KPD in Penzberg auf eine Art »Randgruppen«-Agitation: Sie widmete sich neben den Bergarbeitern insbesondere den Erwerbslosen, den Pensionären und – den Schulkindern.

Der Wiederaufschwung der Ortsgruppe der KPD datiert Anfang 1930 und steht wie die Entwicklung der NSDAP in engem Zusammenhang mit der Wirtschaftskrise. Noch 1928 vermochte die Partei anläßlich einer Wählerversammlung zu den Reichstagswahlen den Saal gerade mit 24 Zuhörern zu füllen. Im Februar 1930 bestand eine Ortsgruppe der »Roten Hilfe«, die unter den Arbeitern einige Resonanz fand; eine nahezu gleichzeitig von den Kommunisten einberufene Belegschaftsversammlung ist jedoch von den Bergleuten nicht als solche anerkannt worden. Wahlversammlungen im Jahre 1930 waren zumeist Diskussionsveranstaltungen zwischen Sozialdemokraten und Kommunisten, wobei zwischen gegenseitigen Drohungen und Handgreiflichkeiten die Grenzen bereits verschwammen[79].

Das Ergebnis der Reichstagswahl von 1930 dürfte die Orts-KP überrascht haben; auf sozialdemokratischer Seite registrierte man es – unwissend, was auf die Sozialdemokraten noch zukommen würde – als eine empfindliche Niederlage der Partei im Zeichen von, so Rummer, »Not und Ratlosigkeit«[80]. Auf dem Polster eines Ergebnisses von nahezu einem Viertel der Wählerstimmen und mit Hilfe der beiden Ende 1929 in den Stadtrat gewählten kommunistischen Vertreter – beide traten allerdings Anfang 1931 aus nicht erkennbaren Gründen aus der KPD aus und behielten als »Freie Fraktion« ihre Mandate, bis Höck im Mai 1931 wieder eintrat, Steigenberger jedoch den Stadtrat verließ und der aktivere Bergmann Ludwig März für ihn nachrückte – gelang es etwa seit Ende 1930, unter den Bergleuten Gehör zu finden. RGO-Aktivitäten gab es bereits seit dem Frühsommer 1930, als eine erste Ausgabe der künftigen kommunistischer *Betriebszeitung der Penzberger Bergarbeiter* unter dem Titel *Der Rote Kumpel*[81] in hektographierter Form erschien. Da ging es bereits in sehr harschen Worten gegen die »Gewerkschaftsbonzen«, allen voran der Betriebsratsvorsitzende Schöttl, gegen den »sozialfaschistischen Bürgermeister« und die Rationalisierung im Bergwerk. Kirchenaustritten und mannhaften Massenaktionen nach dem Vorbild der polnischen Bergarbeiter wurde das Wort geredet. Zu einer förmlichen Gründung einer RGO-Ortsgruppe scheint es indessen erst im Oktober 1930 gekommen zu sein, als der prominente südbayerische

---

[79] Nach StAM, LRA 3884, Versammlungsberichte 30. 4. 1928 u. 2. 9. 1930 sowie weitere Berichte 1929/32.
[80] PA 220/23. 9. 30; zum Folgenden s. StaP, SR 18. 2. u. 6. 5. 1931.
[81] [Nr. 1], Juni 1930, Nr. 3 [März 1931] und Nr. 6, Juni 1932, s. in StAM, LRA 3884. Zitate im folgenden aus Nr. 1/1930. Weitere Quellen zum »Roten Kumpel« s. bes. in Oberlandesgericht (= OLG) 43/33; vgl. unten S. 235ff.

Parteiführer und Kandidat des ZK der KPD Franz Stenzer den Penzbergern erklärte, was »RGO« heiße[82]:

»Diese Opposition soll dazu dienen, alle gewerkschaftlich organisierten und auch unorganisierten Arbeiter zusammenzufassen, um über die Köpfe der Gewerkschaftsführer hinweg Stellung zu den Lohnkämpfen und der Verkürzung der Arbeitszeit zu nehmen«.

Man solle also in der Gewerkschaft bleiben und dort »den Kampf gegen die Führer aufnehmen«. Als erstes gelte es, den Sechsstundentag zu erkämpfen, und man wollte gleich in Penzberg mit dem Kampf anfangen: Eine der etwa 100köpfigen Versammlung vorgelegte Resolution, wonach die Belegschaft am 1. Dezember 1930 geschlossen nach 7 Stunden Arbeitszeit ausfahren sollte, fand jedoch keine Mehrheit. Stenzer zog ausführlich über die Sozialdemokraten Penzbergs und des Reichs her und nahm auch zur NSDAP Stellung:

»Wenn wir diesem allen zusehen, dann kann die Zeit kommen, wo wir mit der Rute zum Faschismus und zum Hakenkreuz gezwungen werden ... Bevor ein drittes Reich kommt, muß ein rotes Reich aufstehen. Mit dem Gebetbuch in der Hand kann der Faschismus nicht bekämpft werden«.

Dies war dann auch der Punkt, in dem die beiden Richtungen übereinstimmten; ein »sachliches Zusammenarbeiten«, von dem der Sozialdemokrat Sebastian Reitberger in der Versammlung sprach, entbehrte darüber hinaus jeder Grundlage.

»Sollte es einmal heißen, nur Hitler, dann darf es zwischen Sozialdemokraten und Kommunisten kein Besinnen mehr geben, dann heißt es Zusammenschluß, und zwar ganz gleich, ob es SPD oder KPD heißt«,

so Reitberger. An solcher Solidarität unter der Penzberger Linken war in der Tat kein Zweifel. Daß die KP jedoch an der traditionell festverwurzelten Belegschaftsdemokratie der Bergarbeiter anzupacken und die Erscheinungen der Krise in diesem Sinne zu nutzen und gegen die etablierte gewerkschaftliche Führungsgruppe zu wenden verstand, das vor allem sollte der Sozialdemokratie im Ort und den Gewerkschaften zu schaffen machen.

Einstweilen konnten die Letztgenannten auf die Hilfe der Behörden vertrauen: Die wöchentlich seit Ende Oktober angesetzten RGO-Versammlungen wurden, ganz entsprechend der in Bayern gegen die KPD üblichen Praxis und teilweise mindestens am Rande der Legalität, mit bitterer Regelmäßigkeit verboten, und einem bereits für den 31. Oktober geplanten wilden Proteststreik wurde ebenfalls auf diesem Wege vorgebeugt[83].

---

[82] StAM, LRA 3915, Versammlungsbericht vom 23. 10. 1930. Über Stenzer vgl. Weber, Hermann: Die Wandlung des deutschen Kommunismus. Die Stalinisierung der KPD in der Weimarer Republik, Bd. II, Frankfurt a. M. 1969, S. 311 (Kurzbiographie); Bretschneider, Heike: Der Widerstand gegen den Nationalsozialismus in München 1933 bis 1945. München 1968, S. 31f. – Stenzer, geb. 1900, wurde nach Folterungen am 22. 8. 1933 im KL Dachau »auf der Flucht erschossen«; zu den juristischen Folgen s. Gruchmann, Lothar: Die bayerische Justiz im politischen Machtkampf 1933/34. Ihr Scheitern bei der Strafverfolgung von Mordfällen in Dachau, in: Broszat, Martin und Fröhlich, Elke (Hrsg.): Bayern in der NS-Zeit, Bd. II, Herrschaft und Gesellschaft im Konflikt T. A, München/Wien 1979, S. 415–428, 422.

[83] StAM, LRA 3915, Vormerkung undat. sowie Beschluß vom 30. 10. 1930; Liste der verbotenen RGO-Versammlungen Okt./Nov. 1930 ebenda. Zur Behördenpraxis gegen die KPD s. Domröse, Ortwin: Der NS-Staat in Bayern von der Machtergreifung bis zum Röhm-Putsch. München 1974, S. 24. Eine knappe Skizze der RGO-Entwicklung im Ruhrgebiet gibt Schöck, Eva Cornelia: Arbeitslosigkeit und Rationalisierung. Die Lage der Arbeiter und die kommunistische Gewerkschaftspolitik 1920–1928. Frankfurt a. M./New York 1968, S. 176–180.

Das ging nicht ohne wiederholte Verhaftung Stenzers, nicht ohne trotzige Versammlungsversuche und polizeiliche Gegenmaßnahmen, nicht ohne Handgreiflichkeiten und unterdrücktes revolutionäres Pathos ab, und das Blatt des KPD-Bezirks Südbayern, die *Neue Zeitung*, trug das ihre im Kampf gegen die »Mördergrube Penzberg« bei[84]. Bei einer »offiziellen« Belegschaftsversammlung am 10. November erlitt dann Schöttl mit dem Beschluß der Versammlung, Stenzer könne im Saal bleiben und mitdiskutieren, eine empfindliche Niederlage[85]. Schöttl schloß darauf die Versammlung, und als Stenzer gleichwohl zu reden anhob, wurde er stante pede von einem einrückenden Polizeikommando verhaftet, worauf die Versammlung in »überlautes Geschrei« ausbrach. Fortan war Schöttl führender »Sozialfaschist« in Penzberg[86], er und Rummer standen im Zentrum kommunistischer Angriffe.

Ohne Zweifel war solcherart Versammlungsregie angesichts der Mentalität der Bergarbeiter mehr als dumm. Im März 1931 war eine Betriebsrätewahl abzuhalten, und im Januar/Februar 1931 standen die Förderräder für vier Wochen still – reichlich Zeit für Versammlungen und Agitation. Die Stillegung hat die KPD Penzberg einen großen Schritt vorangebracht: Zwischen Juli 1930 und Januar 1931 gab es rund zwei Dutzend Mitglieder in Penzberg, im Februar 1931 jedoch 46, im März 108 und im April 119. Schon um diese Zeit lief das Gerücht um, die Penzberger Kommunisten sammelten und versteckten Waffen, was die Gendarmerie indessen für unwahrscheinlich hielt[87]. Rummer selbst erregte größten Anstoß in der Stadt durch seine Handhabung der »Affäre Heumann«: eines älteren Wohlfahrtserwerbslosen, Mitglieds der KPD, dessen Einkünfte aus unregelmäßigen Notstandsarbeiten zur Gänze auf die Unterstützungsleistung angerechnet wurden, weshalb er gleichermaßen schlecht lebte, ob er nun arbeitete oder nicht[88]. Aus all dem zog der *Rote Kumpel* in seiner wohl im März 1931 erschienenen Ausgabe ausführlich Gewinn: Die »sozialdemokratische Führerclique« fürchte »um ihren Einfluß und um ihre Futterkrippe«, deshalb der Fall Heumann, deshalb die Wohnungs-Zwangsräumungen, die es unglücklicherweise gleichzeitig gab, deshalb das »Hungerdasein der Erwerbslosen« – blanker Hohn also, wenn Schöttl ausrufe, die Kapitalisten könnten »auch nur einmal leben und sich auch nicht mehr zulegen, als normal ist«[89].

Der für den 25. Februar geplante »Welt-Erwerbslosentag« fiel dem Verbot anheim, und andere Versammlungspläne erlitten dasselbe Schicksal. Über die Betriebsrätewahlen sind leider keine Nachrichten überliefert, doch scheint es, als hätten die Gewerkschaften

---

[84] Neue Zeitung 241/31. 10. 1930, Ausschnitt StAM, LRA 3915.
[85] Ebenda, Versammlungsbericht vom 10. 11. 1930; s. auch PA 261/11. 11. 1930.
[86] Neue Zeitung 259/22. 11. 1930, Ausschnitt ebenda.
[87] StAM, LRA 3884, PP/BA WM 17. 1. 1931; OLG 43/33 (Mitgliederzahlen). Der Aufschwung Anfang 1931 wird auch mit dem großen RGO-Streik im Ruhrgebiet im Jan. 1931, als der KPD-Zentrale die Entfachung eines zwar erfolglosen, aber ungemein mobilisierenden Ausstands gegen Kündigungen und Lohnreduktionen gelang, zusammenhängen; vgl. Flechtheim, Ossip K.: Die KPD in der Weimarer Republik. Offenbach 1948, S. 172; zur Gewerkschaftspolitik der KPD ebenda, S. 161f; ferner Bahne, Siegfried: Die KPD im Ruhrgebiet in der Weimarer Republik, in: Reulecke, Jürgen (Hrsg.): Arbeiterbewegung an Rhein und Ruhr. Beiträge zur Geschichte der Arbeiterbewegung in Rheinland-Westfalen. Wuppertal 1974, S. 315–353, 344.
[88] Zum Fall Heumann s. Neue Zeitung 22/29. 1. 1931, Ausschnitt StAM, LRA 3884.
[89] Der Rote Kumpel (Anm. 81), Nr. 3. Diese Nr. wurde in großer Zahl bei der Verbreitung beschlagnahmt, s. StAM, LRA 3884, PP/BA WM 2. 3. 1931.

zwar die Mehrheit behalten, aber doch mindestens drei Sitze an RGO-Vertreter abgeben müssen[90]. In der Tat: Die SPD-Hochburg mit ihren Arbeiterführern in der Rolle »des Kettenhundes der Trustbourgeoisie« war, wie es in der *Neuen Zeitung* befriedigt hieß, »im Niedergang«[91]. Die KPD hatte festen Fuß in der Bergarbeiterschaft gefaßt:

Tabelle 38
Soziale Zusammensetzung der KPD Penzberg am 1. September 1931[92]

Berufe	Zahl
Bergleute	46
Hilfsarbeiter	6
Rentner	2
Schlosser, Schreiner, Metzger, Feilenhauer, Mineur, Weber	9
Portier, Kontrolleur, Maschinist, Lagerhalter, Handlungsgehilfe	5
Ehefrauen	3
nicht erkennbar	1

Die 72 Mitglieder rekrutierten sich zu mindestens – ein Teil der handwerklichen und Angestellten-Berufe wird ebenfalls wie auch die Ehefrauen der Zeche zuzuordnen sein – zwei Dritteln, wahrscheinlich zu mehr als 80 Prozent, aus der bergbaulichen Unterschicht am Ort. Leider ist nicht erkennbar, wieviel der angeführten Mitglieder arbeitslos waren. Die Homogenität der Mitgliedschaft ist gleichwohl evident.

Im Frühjahr 1931 war die RGO-Gruppe Penzberg so stark, daß sie die gesamte RGO-Arbeit in Südbayern, insbesondere in den Bergarbeiterorten Hausham und Peißenberg, dominierte. Sie erlitt nun freilich einen Rückschlag: Eine für den 19. April 1931 anberaumte nichtöffentliche RGO-Funktionärsversammlung mit insgesamt 45 Teilnehmern aus der gesamten Umgebung, weit überwiegend jedoch aus Penzberg, wurde durch einen Brief des Penzberger Bergmanns Ph. Wiedemann an Miesbacher Kommunisten bekannt und von der Polizei ausgehoben[93]. Alle Teilnehmer wurden sistiert, einige Handwaffen und vor allem relativ intimer Schriftwechsel und Papiere beschlagnahmt, die es der Polizeidirektion München erlaubten, beim Reichsgericht in Leipzig gegen den referierenden Stenzer wegen Vorbereitung zum Hochverrat klagbar zu werden[94]. Die regionalen Verbindungen der südbayerischen RGO dürften durch diesen Schlag für einige Zeit empfindlich gestört worden sein. Hinzu kam eine leichte Erholung der

---

[90] Vgl. den Rückblick: MP 26/27. 3. 1932 sowie oben Anm. 63. Unter den am 13. 4. 1931 gewählten Vertrauensmännern sind Rupert Höck und Johann Schnappauf anhand der Mitgliederliste (Anm. 92) als RGO-Vertreter zu identifizieren, s. StAM, OK 2.
[91] Nr. 25/30. 1. 1931, Ausschnitt StAM, LRA 3884.
[92] Mitgliederliste der KPD Penzberg am 1. 9. 1931, dat. Polizeidirektion München 23. 1. 1932, in: StAM, LRA 3884. Eine Liste der 1936 beim Tod des Hilfsarbeiters Karl Böhm aufgefundenen Mitgliedsbücher der KP Penzberg (Organisationsstand um 1931) findet sich LRA 3862, PP/BA WM 25. 4. 1936. Zum Vergleich mit der Reichs-KP s. bes. Bahne, Siegfried: Die KPD und das Ende von Weimar. Das Scheitern einer Politik 1932–1935. Frankfurt a. M./New York 1976, S. 15–18.
[93] Zahlreiche Polizeiberichte sowie Listen über beschlagnahmte Schriften, Gegenstände und einvernommene Personen s. StAM, LRA 3900. Dem BA WM merkt man in seinem Bericht an Reg. Obb. 21. 4. 1931 einigen Stolz über die gelungene Aktion an.
[94] Abschr. d. Anklage wegen Verdachts der Vorbereitung zum Hochverrat, Polizeidir. München 23. 4. 1931, s. ebenda.

wirtschaftlichen Lage im Verlauf des Jahres 1931 und nicht zuletzt der Umstand, daß man sich wenigstens einstweilen nicht in Wahlkämpfen aufzureiben hatte, so daß sich die Lage in Penzberg im Sommer 1931 einigermaßen beruhigte.

Die Penzberger SPD ist gegenüber solcher um die Jahreswende 1930/31 besonders hektischen Aktivität der Kommunisten, wie sich allein an den Teilnehmerzahlen zu öffentlichen Versammlungen ablesen läßt, klar in die Defensive geraten. Seit Mitte der 1920er Jahre führte der städtische Oberinspektor Anton Graf, später der Bergmann Sebastian Reithofer die Partei; Vorsitzender des Reichsbanners war der Bergmann Michael Reitberger. Man feierte wie gewohnt seine jährlichen Jubilarehrungen und die Verfassungsfeier. Im August 1930 erlebte das Oberland eine riesige Versammlung der Arbeiterjugend in Peißenberg, zu der Delegationen aus zahlreichen Orten herbeiströmten und auf der neben anderen Reichstagspräsident Paul Loebe sprach[95]. Man konnte es sich hier leisten, trotz des geltenden Uniformverbots einen großen uniformierten Umzug, in dem auch Kommunisten mitmarschierten, zu veranstalten, da die Polizei wegen der großen Teilnehmerzahl nicht einzuschreiten wagte. Das Reichsbanner erfreute sich in dieser Zeit nicht eben großen Zulaufs. Seine Versammlungen fanden meist im Anschluß an Parteiversammlungen statt. Rummer pflegte zu bedauern,

»daß sich von den bürgerlichen Parteien namentlich in Penzberg niemand herbeiläßt, Mitglied beim Reichsbanner zu werden, obwohl diejenigen, die Besitz haben, bei etwaigen Unruhen am meisten in Mitleidenschaft gezogen werden«[96].

Der Bürgermeister ging insgeheim noch weiter: Er fühlte beim bürgerlichen Fraktionsführer Mühlpointner vor, ob sich die Gegenseite nicht bereit finden könne, einer Bewaffnung des Reichsbanners »wegen der zunehmenden kommunistischen Bewegung« zuzustimmen. Mühlpointner lehnte dies ab und verständigte den örtlichen Gendarmeriekommandanten, der seinerseits das Bezirksamt in Kenntnis setzte, dabei eine solche Bewaffnung kategorisch ablehnte und im übrigen damit rechnete, »ob nicht Bürgermeister Rummer selbst, wenn die Kommunisten noch mehr überhand nehmen sollen, sich zu den Kommunisten schlagen würde«[97].

Rummer dürfte dies nicht ernsthaft erwogen haben. Noch übte die Partei durch die zahlreichen Personalunionen zwischen Parteimitgliedern und Vereinsfunktionären, durch Volksversammlungen der Stadtratsfraktion oder auch Frauenversammlungen[98] den größten Einfluß auf das Leben in der Stadt aus; ihre Versammlungen unterlagen zudem zwar der Überwachung, wurden jedoch kaum verboten. Das Parteijubiläum zum 30jährigen Bestehen des Ortsvereins wurde zweitägig Anfang Mai 1931, offenbar zugleich mit der Maifeier, mit großem Programm, Umzug, Weckruf, Zapfenstreich, Platzkonzert, Festschrift und allem anderen gefeiert, was man im Laufe der langjährigen sozialdemokratischen Festgeschichte dem bürgerlichen Stiftungsfest abgeschaut hatte. Landtagsvizepräsident und Ehrenbürger von Penzberg Erhard Auer, der die Festrede hielt, bekannte, er müsse zwar leider Bismarck »als Schöpfer des Sozialistengesetzes«

---

[95] Berichte: StAM, LRA 3872; PA 190/19. 8. 1930; zur Führungsgruppe der örtl. SPD s. u. a. PA 165/1. 7. 1930, MP 38/16. 2. 1932, PA 20/25. 1. 1933.
[96] StAM, LRA 3870, Versammlungsbericht v. 22. 6. 1930.
[97] Ebenda, PP/BA WM 12. 12. 1930.
[98] Berichte ebenda, u. a. 11. 9. 1930.

und davon selbst Betroffener hassen, jedoch müsse er »auch ehrlich bekennen, daß es seither keinen solchen Staatsmann mehr gegeben habe« – schon gar nicht unter den derzeit herrschenden »Stehkragenrepublikanern«[99].

Anläßlich dieses SPD-Festes hielten die Kommunisten, wie häufig bei solchen Veranstaltungen, eine provokative Gegenversammlung in ihrem Parteilokal, dem Staltacher Hof, ab, und als der Festzug vorübermarschierte, klangen ihm »Rot Front«-Rufe entgegen. Der Staltacher Hof lag im Zentrum der Stadt, an der Kreuzung der beiden Haupt- und Durchgangsstraßen, dem gern so apostrophierten »Penzberger Stachus«. Bis heute ist dieser Ort die bevorzugte Versammlungsstätte alter Penzberger: Man steht in kleinen Gruppen, redet über das Neueste und beobachtet rundweg alles. In den frühen 1930er Jahren war der straßenbaulich noch unbefestigte »Stachus«, dem damals die Grubenschänke und die Zechenkonsumanstalt gegenüber an derselben Kreuzung lagen, Schauplatz so mancher lautstarken oder gar blutigen Auseinandersetzung mit politischem Hintergrund. Eine Rolle spielte dabei – wie schon bei der Handlungsgehilfen-Feier 1923 deutlich wurde –, daß nur wenige Meter entfernt der Bayerische Hof mit einem ähnlich großen, häufig von der SPD benutzten Versammlungssaal aufwarten konnte und die räumlichen Bedingungen für aufreizende Konkurrenzveranstaltungen deshalb vorgezeichnet waren. Von dort wenig entfernt, pflegte die Gendarmerie, oft in Hundertschaftsstärke, an den stürmischen Penzberger Wochenenden in einem Hinterhof Stellung zu beziehen. Die NSDAP bevorzugte die ebenfalls kaum 200 Meter entfernte, von einem Parteigenossen geführte Gaststätte »Glückauf«. Dieses »Kneipendreieck« bildete den eigentlichen Stadtkern und markierte zugleich tiefe politische Gegensätze.

Sensationen gab es am »Stachus« allemal, und zwar naturgemäß vorwiegend an Wochenenden oder bei Feierschichten der Zeche. Demonstrationszüge zwischen Staltacher Hof und Bergwerk waren in diesen Jahren fast wöchentlich zu beobachten, und Schlägereien drohten regelmäßig bei nationalsozialistischen und kommunistischen Veranstaltungen. Ob ein kommunistischer Jugendtag (am 18./19. Juli 1931) oder gleich zwei Wochen später ein »Antikriegstag« (am 1. August 1931)[100] gefeiert wurde: stets gab es Erregung, Aufläufe und Geschrei. Regelmäßig schritt die Polizei ein, und dann war es nicht mehr weit bis zum ersten Steinwurf. Auch hier waren Frauen wiederum in auffälligem Umfang beteiligt und wurden gerichtlich zur Verantwortung gezogen. Kennzeichnend etwa die Vorgänge nach dem Ende der Demonstration zum »Antikriegstag«[101]:

»Nach Auflösung des Demonstrationszuges bildeten sich gegen 9 Uhr abends in der Nähe der Gastwirtschaft ›Staltacher Hof‹ in Penzberg mehrere kleinere Gruppen. Eine dieser Gruppen, aus

---

[99] Ebenda. Festbericht PP/BA WM 4. 5. 1931 sowie Anmeldungsschreiben der SPD, gez. Graf, 11. 4. 1931, u. gedrucktes Festprogramm unter dem Motto: »Revolutionen und gesellschaftliche Umwälzungen sind nicht das Produkt roher Gewalt, sondern das Ergebnis der geistigen Umstellung der Menschheit. Marx.« Die Zielrichtung dieses Mottos liegt auf der Hand.

[100] Vgl. bes. StAM, LRA 3900, Berichte PP/BA WM.

[101] Ebenda, Urteil des Schöffengerichts b. Amtsgericht Weilheim v. 7. 9. 1931, Urteilsbegründung, Abschr. Vgl. auch Neue Zeitung 128/19. 9. 1931, Ausschnitt ebenda. In der Lokalisierung der »Konfliktzone« im Stadtzentrum folgen wir Befragungen alter Penzberger. In deren Erinnerung erscheinen die Wochenenden der Jahre 1930/32 als ausgesprochene, regelmäßige Kampftage.

etwa 8–9 Mann bestehend, nahm eine drohende Haltung gegenüber den Polizeibeamten ein, die diese Ansammlungen zu verhindern suchten. Aus dieser Gruppe heraus wurden mehrfach Steine auf Polizeibeamte geworfen und dem Unterwachtmeister Hay der Landespolizei zugerufen, er solle nur herkommen, dann werde er etwas erleben«.

Als man zu Festnahmen, u. a. einer Bergmannsfrau, schritt, flogen wieder Steine. Nachdem die »Räumungsaktion« beendet war, erklangen revolutionäre Lieder, also »mußte die Polizei neuerdings eingreifen«. Am folgenden Tag feierte der Veteranen- und Kriegerbund sein Stiftungsfest, aber die Kommunisten unternahmen trotz ihres »Antikriegstages« merkwürdigerweise nichts. Als schließlich ein Polizist am Stalacher Hof vorbeiging, bemerkte er, wie man, seiner ansicht, rasch die Vorhänge schloß. Darauf entsandte die Polizei einen »Späher« »in kurzer Hose und Trachtenhemd« der dann auch zu berichten wußte, er habe am Fenster des Nebenzimmers den Satz gehört: »Die Regierung muß gestürzt werden und wird gestürzt«. Die Polizei sah sich deswegen zum Einschreiten veranlaßt; die Gaststätte wurde »umstellt«, »die Versammlung ausgehoben«, alle Teilnehmer erfuhren Strafanträge, und der führende Penzberger Kommunist Raithel fand sich im Weilheimer Landgerichtsgefängnis wieder[102].

Hier wird nicht nur die Bedeutung des »Stachus« als Kommunikations- und Konfliktzentrum der Stadt ersichtlich. Die Landpolizei versah offenkundig – es mag hierbei eine Rolle gespielt haben, daß es zwei konkurrierende Polizeien in Penzberg gab[103] – ihre Aufgaben zur Wahrung der öffentlichen Sicherheit und Ordnung mit dem größten Ungeschick und vermehrte eher das Übel, als daß sie ihm vorbeugte oder es verhinderte. Weder war eine Auflösung der Gruppenbildungen am Vorabend sicherheitspolizeilich geboten, noch verhinderte die Auflösung der Kommunistenversammlung am folgenden Tage irgendwelche revolutionären Taten – im Gegenteil, sie provozierte sie eher. In beiden Fällen hätte die Polizei besser daran getan, ihren Ermessensspielraum abzuschreiten und sich selbst statt andere zu entfernen.

Diese Kritik soll nicht davon ablenken, wer die Urheber der Konflikte waren und welcher Rechts- und Verfassungsbrüche sie sich anhaltend schuldig machten. Die hektische, aufgeregte Atmosphäre in der Stadt ließ sich durch das Polizeiverhalten jedoch kaum glätten. Allemal zogen die Kommunisten, in Penzberg jedoch nicht die Nationalsozialisten, den größten Gewinn aus solchen Situationen.

Dabei stellte das Jahr 1932 das bisher Dagewesene noch in den Schatten. Die Kommunisten schwammen auf ihren Wahlerfolgen. Das begann mit dem großen Erfolg für Thälmann bei der Reichspräsidentenwahl, die offenbar den Vorsitzenden des Reichsbanners, Reitberger, zum Übertritt zur KPD veranlaßte[104] – ein schmerzlicher Vorgang für die SPD. Die Maifeier 1932 hielt man getrennt ab, und jetzt flatterten wiederholt Sowjetfahnen über einzelnen Stadtteilen, auf dem Bergwerkskamin und an

---

[102] Nach dem Bericht BA WM/Reg. Obb. 3. 8. 1931, StAM, LRA 3900, Zitate ebenda. Die geschilderten Vorfälle waren keineswegs Einzelfälle, sie entsprachen vielmehr dem gewöhnlichen Erscheinungsbild von politischen Versammlungen der Linken. Ganz ähnlich etwa am Bezirksjugendtreffen der KPD zwei Wochen vorher. S. BA WM/Staatsmin. d. Innern 26. 7. 1931, ebenda.

[103] Auf die Polizeiorganisation in Bayern kann hier nicht näher eingegangen werden; vgl. ausführlich Schwarze, Johannes: Die bayerische Polizei und ihre historische Funktion bei der Aufrechterhaltung der öffentlichen Sicherheit in Bayern von 1919–1933. München 1977, S. 50ff u. ö.

[104] Vgl. StAM, LRA 3902. Die KPD nutzte den Erfolg: Reitberger eröffnete bereits am 3. 4. 1932 eine KP-Versammlung.

Maibäumen, fanden sich Farbschmierereien auf Straßen und Gebäuden vor allem der Zeche[105]. Ein neuer »Antikriegstag«, Versammlungen der Roten Hilfe, der RGO, Frauenversammlungen und insbesondere Erwerbslosenversammlungen wechselten, ob verboten oder nicht, einander ab. Die ständigen Verbote kommentierte Ludwig März, man werde eben immer wieder einkommen, »bis ihnen wieder einmal eine Versammlung vom Bezirksamt genehmigt werde«. Den sozialdemokratischen Versammlungen lief man mit »Antifaschistischen Demonstrationen«, »Antikriegstagen«, »Hungermärschen« und Versammlungen gegen »Faschismus und Hunger« weithin den Rang ab[106]. Schon 1931 hatte man sich wieder vermehrt der Jugendagitation zugewandt, und auch um die Schulkinder entbrannten Agitationsversuche, zu denen sich die führenden Kommunisten vornehmlich ihrer eigenen Kinder bedienten[107]. Im April 1932 ging gar ein KP-Antrag beim Stadtrat auf kostenloses Frühstück für alle Arbeiterkinder, kostenloses Mittagessen für alle Kinder von Erwerbslosen, Lehrmittelfreiheit für alle Arbeiterkinder, Verbot der Prügelstrafe, Einstellung neuer Lehrkräfte zur Teilung der großen Klassen, Renovierung der Schulräume, Bau eines neuen Schulhauses und die allgemeine Erlaubnis zum »Austreten« während des Unterrichts ein[108]. Tatsächlich mochte man mit derartig naiven Allerweltsanträgen, die bis an die Grenze der Lächerlichkeit gingen, auch wenn nicht die dahinterstehende Not übersehen werden darf, die Bergarbeiter und ihre Kinder für sich gewinnen – eine weitsichtige Politik lag nicht darin.

Auf ähnlicher Ebene lag die Erwerbslosenagitation, in der seit 1931 eine Versammlung die andere jagte. Dies war für die Stadt ein Kernproblem, an dessen ausführlicher Erörterung der Stadtrat schon angesichts der mehr und mehr zerrütteten Finanzverhältnisse der Stadt[109] nicht vorbeikam. In dieser Frage scheint es, als ob manche Maßnahmen in der Erwerbslosenhilfe bei der Stadtratsmehrheit auf einige Zurückhaltung stießen; es waren ja auch vornehmlich in Verdienst stehende Bergarbeiter und Gewerkschaftsmitglieder, die im Stadtrat entschieden. Betriebsratsvorsitzender Schöttl kritisierte beispielsweise in öffentlicher Versammlung »die Ausfälle einiger Versammlungsteilnehmer, wo doch gerade für sie das Notopfer durch die Arbeiterschaft übernommen wird« – gemeint war das »Hilfswerk Penzberg« im Winter 1930/31[110]. Anträge der Erwerbslosen, die tatsächlich verkappte KP-Anträge waren, lauteten etwa auf Nachlaß der Wohnungsmieten, Mietunterstützungen, Freigutscheine für Kohlen und Lebensmittel und Beendigung der Pflichtarbeiten der Wohlfahrtserwerbslosen; der Stadtrat beriet in diesen Fällen

---

[105] Vgl. Berichte in StAM, LRA 3902, sowie PA 170/26. 7. 1932: Als niemand sich bereit erklärte, eine der Fahnen vom Maibaum zu entfernen, sägte die Polizei unter dem »Gejohle« von über 400 Penzbergern den Maibaum ab.
[106] Zahlreiche Versammlungsberichte s. StAM, LRA 3903 u. 3904, z. B. 7. 6. 1932 (Zitat März). Generalia zur Versammlungsbewegung s. auch StAM, Polizeidir. München 6901.
[107] Berichte ü. Haussuchungen u. ä. s. StAM, LRA 5168, bes. PP/BA WM 24. 4. 1931.
[108] Nach StaP, SR 14. 4. 1932.
[109] Über das »trostlose Bild« der Stadtfinanzen, bei deren Diskussion selbstverständlich Projekte wie der Stadthallenbau wieder aufkamen, s. StaP, SR 24. 10. 1932 u. 22. 12. 1932. Eine von Rummer geplante Erhöhung der Bürgersteuer lehnten die Sozialdemokraten ab, »nachdem die Arbeiterschaft tatsächlich am Ende ihrer Leistungskraft angelangt« war. Am 8. 1. 1933 fand eine öffentliche Bürgerversammlung über die Finanzlage der Stadt statt, die mit dem Auszug der bürgerlichen Stadtratsfraktion endete. Die Versammlung verabschiedete eine Resolution mit dem Ersuchen um Staatshilfe. Vgl. PA 6/9. 1. 1933.
[110] PA 263/13. 11. 1930. Zum latenten Konflikt der Arbeitsplatzinhaber mit den Ausgebooteten und Erwerbslosen s. die treffenden Bemerkungen bei Vierhaus, a.a.O., S. 165.

zögernd und faßte keine Entschlüsse[111]. Das Bezirksamt gab Erwerbslosenanträge im August 1932 mit der Bemerkung an den Stadtrat weiter, daß man sich mit solcherart »tendenziösen Anträgen« nicht befassen wolle; Proteste der Erwerbslosen gegen die ständigen Versammlungsverbote fruchteten nichts[112]. Auch wurde trotz zahlreicher Unterstützungsanträge von Erwerbslosen der KP-Antrag auf Einrichtung einer besonderen Unterstützungskommission im Stadtrat unnötigerweise abgewiesen[113]. Eine solche Kommission hätte Möglichkeiten des Gesprächs und der Kanalisierung von Erbitterung geboten. Andererseits hat die SPD die von den Erwerbslosen ausgehende Radikalisierung bemerkt und selbst »Aufklärungsversammlungen« veranstaltet[114]. Stolz war man jedoch auf seine Leistungen: auf die Stadthalle, auf die Haushaltungsschule, die seit 1929 ein dringendes Bedürfnis nach Weiterbildung der schulentlassenen Mädchen erfüllte, auf Maßnahmen zur Preiskontrolle sowie zur Arbeitsbeschaffung und auf Hilfswerke bis hin zur Neujahrsumlage[115]. Als die KPD-Fraktion beispielsweise die Kürzung der Spitzengehälter der Gemeindebeamten verlangte, mußte Rummer dies als »ungesetzlich« mit Recht zurückweisen[116]. Andererseits erlebte die Arbeiterstadt bittere Lohnkürzungen, die sich vorzüglich zum »Lohnraub« stilisieren ließen. So brachte die Krise Zwangslagen der Gemeindepolitik, die politisch auf dem Rücken der Gemeindeverwaltung ausgetragen wurden, und es erscheint durchaus fraglich, ob der Stadtrat auch mit mehr Entgegenkommen etwa in der Erwerbslosenfrage dem Aufstieg der KPD erfolgreich hätte entgegentreten können.

Ein Streik der Wohlfahrtserwerbslosen Anfang 1932 traf zwar die Gemeinde wenig, aber die Kommunisten trugen erheblichen agitatorischen Gewinn davon. Im Mai 1932 – Penzberg war jetzt KP-Unterbezirk geworden – wurde die Zahl der Mitglieder im Einzugsbereich des Unterbezirks auf 688 beziffert:

Tabelle 39
Mitglieder im KPD-Unterbezirk Penzberg Mai 1932[117]

Ort	Zahl
Penzberg	270
Dießen	40
Grafenaschau, Murnau	43
Hohenpeißenberg	35
Peißenberg	4
Tutzing	41
Königsdorf	28
Peiting	25
Schongau	18
Garmisch, Farchant	76
Partenkirchen	16
Weilheim	51
Seeshaupt	13
Benediktbeuern	6
Staltach	6

[111] Vgl. etwa StaP, SR 9. 3. 1932; Dringlichkeitsantrag der Sozialdemokraten betr. Hilfswerk s. ebenda, 25. 2. 1930.
[112] Ebenda, 17. 8. 1932, s. auch StAM, LRA 3900.

Für das ländliche Oberbayern war dies ein erstaunlicher Organisationsstand, der nicht zuletzt den immer wieder auf das Land zielenden Agitationsbemühungen der Penzberger Kommunisten zu danken war. Man verfügte in Penzberg über parteieigene Hilfsmittel wie Schreibmaschine und Vervielfältigungsapparat sowie, später, ein Motorrad, das sich für Kurierdienste zu den weiter entfernten Orten des Unterbezirks als erforderlich erwiesen hatte.

Es gab Opposition im Unterbezirk, insbesondere in der Ortsgruppe Penzberg, die Ende 1932 aus Sicherheitsgründen in kleinere Stadtteil-Ortsgruppen, diese dann in die später noch zu erläuternde Fünfergruppen aufgeteilt wurden. Anfang August wurden 18 Penzberger Parteimitglieder »wegen Opposition« ausgeschlossen. Im November 1932 verfügte der Unterbezirk allerdings nur noch über 350 Mitglieder, die nun in Instrukteurgebiete aufgeteilt wurden. Es gab 7 Ortsgruppen der Roten Hilfe, die man vor allem als eine »Kampforganisation« begriff, im Unterbezirk. Als Polleiter des Unterbezirks amtierte der 1897 geborene Bergmann Ludwig März; die weiteren Funktionen waren:

Orgleiter: Johann Kuck, geb. 1905
Agitpropleiter: vermutlich Hermann Klautzsch, geb. 1900
RGO-Leiter: Kaspar Schnitzler, geb. 1898
Instrukteur: Johann Maier, geb. 1900
Litobmann: Jakob Huber, geb. 1909
Landobmann: Josef Goldbrunner.

In der Penzberger Organisation waren daneben Johann Raithel (geb. 1907), Friedrich Grünbauer (1895), Johann Schnappauf (1898), Johann Kaucic (1892), Joseph Himmelstoß (1897), Paul Raab (1909) und Gottlieb Belohlawek (1897) tätig. Kein führendes Mitglied war älter als 40 Jahre – ein Befund, der auch für die Mitgliedschaft insgesamt, wie sich anhand des Kommunistenprozesses 1933/34 ergeben wird, zutreffen dürfte. Neben der Roten Hilfe und der RGO gab es in Penzberg einen Kampfbund gegen den Faschismus, über den später ausführlich zu handeln ist, einen im Vergleich zu den frühen 1920er Jahren allerdings schwachen kommunistischen Jugendverband, eine Rote Sporteinheit und als Presseorgan den *Roten Kumpel*, während der Bezug der Bezirkszeitung sich wohl aus Kostengründen nicht auf den erwünschten Stand heben ließ. Es entfaltete sich, bis in das örtliche Vereinswesen hinein, ein eigenes, deutlich in einzelnen Straßen und in den Ledigenheimen der Zeche konzentriertes kommunistisches Milieu, das in der Hauptsache von jungen Parteimitgliedern und von Erwerbslosen getragen wurde.

Penzberg dürfte im Jahre 1932 so etwas wie den Musterfall kommunistischer Organisation an der Peripherie dargestellt und innerhalb der Partei einen besonderen Ruf als aktive und erfolgreiche Ortsgruppe genossen haben. An der legalen Oberfläche zeigte

---

[113] StaP, SR 13. 7. 1932. Vgl. auch Flugblatt »An die Penzberger Arbeiter«, in: OLG 43/33.
[114] PA 280/3. 12. 1930. Über Arbeitsbeschaffungsmaßnahmen s. u. a. StaP, SR 11. 1. 1933.
[115] Die Nichtbeteiligung führender Nationalsozialisten der Stadt an der Neujahrsumlage veranlaßte Rummer zu einem Briefkrieg mit den Rechnungsführern, s. StAM, NSDAP 646–654. Zur Preiskontrolle s. etwa PP/BA WM 6. 3. 1932, in: StAM, LRA 3901.
[116] Nach PA 282/5. 12. 1930.
[117] Zum Organisationsstand s. vertraul. Schreiben Polizeidir. München/BA WM 16. 4. 1932, in: StAM, LRA 3884; im folgenden nach den Spitzelberichten über die Organisation (s. Anm. 122) ebenda. Eine Ortsgruppe mit 15 Mitgliedern ließ sich nicht identifizieren.

die Partei ein verzweigtes, von stadtbekannten Arbeiterführern geleitetes Organisationsnetz; sie war in den Wohnvierteln der Stadt fest verwurzelt, verfügte über ein zentral gelegenes Versammlungslokal und unentbehrliche Hilfsmittel für die Agitation. Von jugendlichem Engagement und den Entbehrungen der Zeit gleichermaßen beflügelt, erlebte die Partei darüber hinaus eine bemerkenswerte, den Mitgliederstand weit übertreffende Resonanz in der Arbeiterbevölkerung.

Die im Sommer 1932 anstehenden Reichstagswahlen zeitigten eine rege Versammlungswelle. Man versprach sich auch in Penzberg viel von diesen Wahlen. Ein neuer *Roter Kumpel* erschien[118] in einer Auflage von 730 Exemplaren, in dem »Einheit in antifaschistischer Aktion« verlangt und die Situation im Bergwerk scharf gegeißelt wurde:

> »Momentan wird in unserem Betrieb wieder mit verschärftem Terror vorgegangen ... Die Belegschaft wird durcheinander gehetzt ... Der Betriebsratsvorsitzende hat den Sommerschlaf angetreten, man kennt ihn nur noch vom Hörensagen ... Was ist aber das Gebot der Stunde? Jede Verschlechterung bekämpfen mit den wirksamsten Mitteln, für jeden Kameraden, wenn er von seiten des Betriebes benachteiligt wird, eintreten mit passiver Resistenz. Den Betriebsratsvorsitzenden aus seinem Trancezustand wecken, und soll es mit einem Fußtritt sein. Weg mit der Feigheit vor dem Vorgesetzten, mit persönlichen Gehässigkeiten und parteipolitischen Streitigkeiten. So kommen wir zu keinem Ziel. In einer Richtung müssen wir uns einig sein, den Kampf gegen unsere Ausbeuter gemeinsam führen, und der Erfolg wird nicht ausbleiben«.

Die Forderung lautete auf »Einheitsausschüsse«, zu denen Sozialdemokratie und Gewerkschaften allerdings keinerlei Neigung zeigten. Sie versuchten zeitweise mit einer Penzberger Seite im *Bayerischen Wochenblatt (Penzberger Volksstimme)* unter der Redaktion von Alois Kapsberger, gegen die Unmenge der kommunistischen Flugblätter, Zeitungen und Pamphlete anzukommen, doch ist dieser Maßnahme nur geringer Erfolg beschieden gewesen[119].

Vielmehr machte Rummer seinen ganzen Einfluß geltend, die Flut von links einzudämmen, und anscheinend hat sich der Stadtrat hierzu auch der ihm unter bestimmten Voraussetzungen zustehenden Ausweisungskompetenz gegenüber erwerbslosen Ausländern bedient[120]. Die Sozialdemokraten standen tatsächlich mit dem Rücken zur Wand, denn intern war von der örtlichen KPD-Leitung bereits beschlossen worden, im Falle eines günstigen Ausgangs der Juli-Wahl zum Reichstag mit einem Volksbegehren den Stadtrat aus den Angeln zu heben[121]. Dies war Rummer bekannt; er war bestens darüber informiert, daß es gelungen war, einen Spitzel in die Penzberger KPD zu schleusen, der dort auch mit Funktionen betraut wurde und regelmäßig den Polizeibehörden berichtete. Auf diese Weise erlangte die Polizei sehr detaillierte interne Kenntnisse über die KPD Südbayerns, insbesondere über eine Unterbezirkskonferenz in Penzberg Ende Mai

---

[118] Nr. 6, Juni 1932 (Zitate im folgenden); s. Anm. 81.
[119] Vgl. Hinweis ebenda. Einige Resonanz fanden SPD-Versammlungen mit Spitzenpolitikern wie dem ehemaligen österr. Bundeskanzler Karl Renner (StAM, LRA 3904, 17. 6. 1932, sowie PA 168/23. 7. 1932, mit Auer oder Hoegner, die häufig in Penzberg referierten.
[120] Hierauf lassen die Stadtratsprotokolle schließen. Unter den wiederholt beschlossenen Ausweisungen waren einige bekannte kommunistische Parteigänger, z. B. im April 1932: Philipp Wiedemann, der im Jahr zuvor von der Grube entlassen worden war.
[121] Vgl. nach einem Spitzelbericht: Polizeidir. München/BA WM 7. 7. 1932, in: StAM, LRA 3884. Man wollte sich hierzu aus finanziellen Gründen mit Stadtrat Mühlpointner verbünden!

1932. Auch Rummer erfuhr über den Spitzel von dem Vervielfältigungsapparat für den *Roten Kumpel* und gab diese Erkenntnis an die Ortspolizei weiter, so daß die Beschlagnahme Anfang September 1932 gelang. Der neue Kommandeur der Ortsgendarmerie kommentierte dies so[122]:

»Gleich bei meinem Dienstantritt hier habe ich die Wahrnehmung gemacht, daß man mit Bürgermeister Rummer im dienstlichen Verkehr sehr vorsichtig sein muß. Rummer ist ein fanatischer Anhänger der SPD und schimpft bei jeder sich bietenden Gelegenheit über die NSDAP«.

Das war immer noch die zweite Front, an der die SPD zu kämpfen hatte, aber die Reichstagswahlen im Juli zeigten deren wirkliche Bedeutung im Ort. Der Hauptkampf ging gegen die Ortskommunisten. Rummer tat alles, um ihre Aktivität zu unterbinden oder mindestens einzuschränken, so daß sich der Bezirksamtsvorsteher in Weilheim sogar den »ungehörigen Ton« verbitten wollte[123], mit dem Rummer wieder einmal das Verbot einer KP-Veranstaltung verlangte.

Anders als in den frühen 1920er Jahren wurde der erbitterte politische Richtungsstreit der beiden Linksparteien nunmehr auch in das örtliche Vereinswesen getragen. Freidenkerversammlungen unterlagen seit Anfang 1931 »bei der bekannten politischen Einstellung« der Genehmigungspflicht[124]; sie wurden Orte einer eher ruhigen Auseinandersetzung zwischen den Richtungen. Ein Spaltungsversuch wurde hier nicht unternommen, doch wurden unterschiedliche Ansichten wiederholt deutlich, etwa wenn das Altmitglied Pfalzgraf Religion zur Privatsache erklärte, während von kommunistischer Seite die Rolle von Kirchen und Religion als Stützen der herrschenden Klassen betont wurde[125]. Radikaler ging man im Athletenclub Bayerisch-Fels vor[126]. Während einer offenbar nicht ganz statutengemäß einberufenen Generalversammlung erklärte der Verein mit 17 zu 6 Stimmen seinen Übertritt zur »Kampfgemeinschaft für Rote Sporteinheit«, deren Vertreter Frühschütz, gegenüber der eben stattfindenden Olympiade die Moskauer Weltspartakiade pries. Hier nun wehrten sich die Altmitglieder im Verein mit einigem Erfolg: Sie beriefen eine neue Generalversammlung ein und wählten einen vollkommen neutralen Vorstand. Doch das Malheur war passiert, denn die rote Kampfgemeinschaft hatte die teuren Sportgeräte, um die schließlich gerichtlich gefochten werden mußte, in einer Nacht-und-Nebel-Aktion an sich gerissen. Ähnlich hohe Wellen schlug ein in der Stadt privatim und öffentlich gleichermaßen gehässig ausgetragener Streit um das Gebaren der Baugenossenschaft, die erheblichen Gewinn aus der Inflation gezogen hatte und nunmehr ihre Mieter mit überhöhten Mieten und schikanösen Verträgen malträ-

---

[122] Der Spitzel war der pensionierte Bergmann V. S. Daß Rummer von der Tätigkeit des Spitzels wußte, geht aus PP/BA WM 4. 9. 1932, in: StAM, LRA 3884, hervor, ebenda Zitat. Vgl. auch Bahne, a.a.O., S. 41.
[123] StAM, LRA 3884, Vorstand d. BA WM Wallenreuter/BM Rummer 17. 7. 1932, Passus kassiert.
[124] Verfügung BA WM 21. 4. 1931, in: StAM, LRA 3900.
[125] Nach LA 173/29. 7. 1930. Nicht erkennbar ist, ob auch die Penzberger Freidenker in den Spaltungssog zwischen dem (kommunistischen) Verein proletarischer Freidenker Deutschlands und dem (sozialdemokratischen) Deutschen Freidenkerverband geraten sind. Das reichsweite Verbot des kommunistischen Freidenkerverbands (Notverordnung v. 3. 5. 1932) ist in Penzberg jedoch anscheinend nicht durchgesetzt worden.
[126] Im folgenden nach PA 195/25. 8. 1932 und folgenden Nummern sowie StAM, LRA 5170, und OLG 43/33 (Flugblatt »An die Penzberger Arbeiter«); Urteil und Schriftwechsel über Sportgeräte: StAM, NSDAP 646–654.

tierte. Hier versuchte die KPD, mit einem dann wohl nicht in Szene gesetzten »Mieterstreik« Nutzen aus der Affäre zu ziehen[127].

Die ständigen harten Auseinandersetzungen zwischen den Linksparteien haben nicht, wie man erwarten könnte, an der grundsätzlichen kommunalpolitischen Kräftekonstellation etwas geändert. Im Kampf um die Loyalität der Arbeiterschaft sah sich die SPD vielmehr besonders stark auf die Betonung ihrer Eigenständigkeit verwiesen, was zur Verhärtung der Fronten auch in den Monaten des Jahres 1932 nach den bayerischen Landtagswahlen, beitrug, während derer eine bayerische Koalition zwischen BVP und SPD erwogen wurde[128]. Versammlungen der Volkspartei oder des Bayerischen Bauern- und Mittelstandsbunds in Penzberg[129] blieben in diesen Jahren kleine Diskussionszirkel unter Mitwirkung von Honoratioren, wenn nicht die KPD entschieden hatte Vertreter zu entsenden.

Der »bürgerlichen« Seite im Stadtrat – wir haben diese Charakterisierung der Kürze halber und weil sie zeitgenössisch war übernommen – ist ihre zunehmende Verbitterung über die Zustände in der Stadt spätestens im Jahresverlauf 1932 deutlich anzumerken. Mühlpointner beklagte beispielsweise im Gewerbeverein im Oktober 1932, die bürgerliche Fraktion werde durch die Mehrheit aus der Kommunalpolitik »vollständig ausgeschaltet«[130], und Bergwerksdirektor Klein bemerkte gegenüber dem Weilheimer Bezirksamtsvorsteher, es sei ja leider Tatsache, »daß wir uns in Penzberg von seiten der SPD und KPD alles bieten lassen müssen«[131]. Klein, unter den Bergleuten weitaus weniger als sein Vorgänger Direktor Müller geachtet und im Stadtrat wiederholt angegriffen, war bereits in den frühen 1920er Jahren einer von jenen gewesen, die lieber heute als morgen ein Ende des roten Spuks in der Stadt herbeisehnten, und er wird die Bestrebungen seiner Rechnungsführer in dieser Richtung wenn nicht unmittelbar unterstützt, so doch gern gesehen und jedenfalls nicht behindert haben. Kleins Position und mithin die der Oberkohle war dabei, wie die Auseinandersetzungen um die Auflösung des Stadtrats Ende 1932 zeigen sollten, äußerst delikat und wurde nicht eben politisch überlegen vertreten.

Dieser Volksentscheid brachte einen Höhepunkt in den kommunalpolitischen Auseinandersetzungen der frühen 1930er Jahre, und er bezeichnete symptomatisch die Einengung der politischen Spielräume, die der Radikalisierungsprozeß im Gefolge der wirtschaftlichen Krise gebracht hatte. Schon vor der Reichstagswahl im Juli 1932 hatten die Kommunisten, wie erwähnt, bei günstigem Wahlausgang einen Volksentscheid auf Neuwahl des Stadtrats erwogen. Tatsächlich mußte es sie mit großem Ärger erfüllen, mit den Ergebnissen der Reichstagswahlen die tatsächlichen Kräfteverhältnisse im Ort

---

[127] Ausführlicher Bericht: MP 23/28., 29. 1. 1933.
[128] Vgl. Schönhoven, Klaus: Zwischen Anpassung und Gleichschaltung. Die Bayerische Volkspartei in der Endphase der Weimarer Republik, in: Historische Zeitschrift 224 (1977), S. 340–378.
[129] Vgl. zur Versammlungstätigkeit der nichtsozialistischen Parteien StAM, LRA 3875, PA 20/25. 1. 1933; zu jener der christlichen Vereine StAM, LRA 3901 (z. B. kath. Arbeiterverein 14. 2. 1932 mit einer klaren Stellungnahme gegen Nationalsozialismus und Kommunismus). Auch der Gewerkverein christlicher Bergarbeiter Deutschlands, der im Zuge der RGO-Kämpfe in Penzberg nahezu völlig in den Hintergrund getreten war, veranstaltete gelegentlich Versammlungen, u. a. am 29. 1. 1933 mit einem »Treuegelöbnis« auf Heinrich Imbusch, s. PA 27/2. 2. 1933.
[130] Nach PA 243/20. 10. 1932.
[131] Klein/Oberregierungsrat Wallenreuter 26. 9. 1932, handschriftlich, StAM, LRA 3904.

dokumentieren zu können, im Stadtrat selbst jedoch infolge einer unter anderen wirtschaftlichen und sozialen Verhältnissen vollzogenen Wahl hoffnungslos in der Minderheit und ohne wirklichen kommunalpolitischen Einfluß zu bleiben. Immerhin hatte sich für die Gemeindepolitik bei allen Auseinandersetzungen gerade die Dauer der kommunalpolitischen Wahlperiode heilsam und stabilisierend ausgewirkt.

Nach der bayerischen Gemeindeordnung von 1927[132] konnte, wenn der Stadtrat über einen Auflösungs- und Neuwahlantrag aus seiner Mitte formgerecht mit negativem Ergebnis beraten hatte, ein Antrag auf Auflösung dann zum Volksentscheid gestellt werden, wenn ein Fünftel der wahlberechtigten Einwohner (in Gemeinden mit einer Bevölkerung von mehr als 2000 Einwohnern) dies verlangte. Sprachen sich beim Volksentscheid drei Fünftel der Wahlberechtigten für eine Neuwahl aus, so hatte die Aufsichtsbehörde diese anzuordnen.

Die Penzberger KPD ging diesen Weg. In der über den Auflösungsantrag am 31. August 1932 entscheidenden Stadtratssitzung hob Stadtrat März hervor, Rummer trage die Schuld an den dauernden Versammlungsverboten und Polizeieinsätzen. Mühlpointner erklärte, seine Fraktion werde sich nicht in den »Bruderstreit« einmischen, weshalb man bei der Abstimmung den Saal verließ. Wie zu erwarten, lehnte der Stadtrat seine Auflösung ab[133].

Die KPD hat die erforderliche Unterschriftensammlung rasch zuwege gebracht, so daß der Volksentscheid zusammen mit der Reichstagswahl im November 1932 stattfinden konnte. Um so mehr fieberte man in der Gemeinde dieser Wahl entgegen. Interesse verdient nun das Verhalten der bürgerlichen Mitte und Rechten. Hier konnte sich der rigorose Klein gegen den moderaten Mühlpointner durchsetzen: Während von der bürgerlichen Fraktion zum Volksentscheid zunächst noch die Devise ausgegeben worden war, man halte die ganze Sache für ein internes Problem der Linken und wolle die Wähler nicht beeinflussen, konnte Klein in einer Besprechung mit Mühlpointner[134] einen Aufruf des »Wirtschaftsbunds« veranlassen, in dem unter einem Scheinbezug auf jüngste Volksversammlungen der Wähler aufgefordert wurde, wer mit der bisherigen Gemeindepolitik nicht einverstanden gewesen sei, möge den Volksentscheid unterstützen. Dies war eine eindeutige Hilfe für die kommunistische Initiative. Auch die Nationalsozialisten unterstützten sie. Der Stadtrat wurde knapp gerettet: Für die Auflösung stimmten bei 61 ungültigen Wahlzetteln 1834, gegen sie 1545 Wähler[135]. Eine Mehrheit von 2028

---

[132] D. i. Art. 14; vgl. Engeli, Christian und Wolfgang Haus (Hrsg.): Quellen zum modernen Gemeindeverfassungsrecht in Deutschland. Stuttgart 1975, S. 614. Der PA belehrte seine Leser Nr. 212/14. 9. 1932 über die Rechtslage.

[133] StaP, SR 31. 8. 1932, ausführl. Bericht auch PA 201/1. 9. 1932. Zur KP-Agitation (Penzberg unter der SPD-Herrschaft: ein »Heerlager von Polizeikosaken«) vgl. Flugblatt »Fort mit dem bürgerlich-sozialdemokratischen Stadtrat«, in: OLG 43/33.

[134] Nach StAM, OK 81. Text des Aufrufs: PA 254/3. 11. 1932.

[135] Ergebnis nach StaP, SR 9. 11. 1932. Interesse verdient, daß in der Porzellanarbeiterstadt Selb ebenfalls der Weg des Volksentscheids gesucht wurde; vgl. Eiber, a.a.O., S. 38f. Ein umfangreicheres Forschungsprogramm über die Kommunalpolitik nicht der Großstädte, sondern gerade der kleinen und mittleren Gemeinden in der Krise 1929/33 würde ähnliche kommunalpolitische Zwangslagen und Entwicklungen aufzeigen; vgl. bisher bes.: Herlemann, Beatrix: Kommunalpolitik der KPD im Ruhrgebiet 1924–1933. Wuppertal 1977, S. 143ff.; Wünderich, Volker: Arbeiterbewegung und Selbstverwaltung. KPD und Kommunalpolitik in der Weimarer Republik. Mit dem Beipiel Solingen. Wuppertal 1980, S. 67ff.

Fort mit dem bürgerlich-sozialdemokratischen Stadtrat!

Das letzte Reichstagswahlergebnis ist ein deutliches Zeichen des wachsenden Vertrauens der Penzberger Werktätigen zur Kommunistischen Partei und des schärfsten Mißtrauens gegen die bürgerlich-demokratische Herrschaft. Selbst die "Münchner Post", das Organ der SPD-Herrschaften in Bayern, hat dieser Mißtrauen gegen die bürgerlichen und sozialdemokratischen Mehrheit in den Gemeinden gemacht, als ob sie bereit wären der veränderten Situation Rechnung zu tragen.

Die Kommunistische Partei hat die Auflösung des Stadtrats beantragt. Die S.P.D. hat diesen Antrag, obwohl ihre Führer oder Fraktionsgenossen haben, durch Stimmenthaltung ermöglicht, dass die Einheitsfront zwischen SPD und Bürgerblock in Penzberg weiterhin bereit ist, die Hungerpolitik der Brüning - Papen - Schleicher - Hummer mit Hindenburg an der Spitze auch in Penzberg weiterzuführen.

Front gegen den faschistischen Kurs ist die Parole. Die Sozialdemokraten besitzen die Unverschämtheit, die Kommunisten die Kürzung der Unterstützungssätze in Penzberg zu beschieben. Nur boruesaerische Schwindler können mit derartigen Gemeinheiten die werktätigen Massen täuschen. Die sozialdemokratischen Führer sind es, die mit ihrer Politik der Unterstützung und Toleranz von Hermann Müller und Brüning und durch die Wahl Hindenburgs seit einem nicht nur den Raubzug gegen die werktätigen Massen mit der Polizei niedergeschlagen. Sie sind die Einpeitscher für den Abbau aller Unterstützungen, Sie sind die Lumpen- und Beamtengehälter, der Raub der Löhne und der unteren Angestellten- und Beamtengehälter durchgeführt. Mit ihrer Hilfe wurde der Notverordnungs-Millionen an neuen Steuern aufzubringen und die topitalkräftigen Parteien zu bürgerlich. 6 Millionen Arbeitslose sind das Ergebnis der werktätigen Massen "Aufbaupolitik" der werktätigen Massen gewinnt. Mit diesem Massen-verelendung wurden den werktätigen Massen gewinnt, mit diesen Massen 22 Milliarden Mark wurden den werktätigen Massen durch die Brüning, wurde der Kaufkraft der Massen genommen und die klein-bürgerlichen Schichten (Handwerker , kleine Geschäftsleute) wurden am Abgrund gerissen. Das ist das was unmittelbar mit in die Krise und den Lorboeren sind, die sich auch die bürgerlich-sozialdemokratische Mehrheit im Penzberger Stadtrat an ihre Fahnen hättet.

Anfangen, die Kommunisten werden von den Kampf in der roten Einheitsfront organisieren.

Die Toten der bürgerlich-sozialdemokratischen Mehrheit in Penzberg, sehen nicht anders aus als die ihrer Fraktionsgenossen in Reich und Reich. Die SPD - Mehrheit hat im Südlohn die Kirchen ausgebaut in Höhe von 38000 Reichsmark die einer auszugebenden Investition und Sozial- 25 Mark in die Volksschuld aufnimmt. Unter dieser Herrschaft wurden klassenbewusste Arbeiter bei Nacht und Nebel aus den Stadttor nimmerscht und ausgesperrt. Unter dieser Herrschaft wurde Penzberg des öfteren in ein Heerlager von Polizeitruppen verwandelt, die gegen die Arbeiterschaft

---

– 2 –

den ungeheuerlichsten Terror ausübten.

Unter dieser Herrschaft wurden Arbeiter, die sich an gewährten Hunterunterstützungen gemacht, unerhört geknickt. Unter dieser Herrschaft wurden Arbeiter, die als Zeugen vor Gericht auftraten ihre Unterstützungen für diese Tage entzogen, wenn Antrag der Kommunisten, die von dem Willen diktiert waren, nicht nur von der bürgerlich-sozialdemokratischen Mehrheit werden werktätigen Schichten gegen Hunger und Terror zu helfen, wurden nicht' nur von der bürgerlich - sozialdemokratischen Mehrheit unterglüht, nicht zum Teil um ihre eigen Schande zu verdecken, dass sie werden zum Teil um ihre eigene Schande zu verdecken, dass sie nicht übersehen. Unter dieser Herrschaft wissen, dass es notwendig ist, gegen Kinder warmes Mittagsessen zu schaffen, die Horbstveolunen der Sozialunterstützten durchzuführen, die Rückzahlung der Rückständen von gen, die Bezahlung der Pflichtarbeiter mit Tariflöhnen durchzuführen und trotzdem trampeln sie diese Forderungen mit den Füssen.

Sturz dieser Herrschaft

muss die Parole sein für alle Werktätigen Penzbergs.
Die Kommunisten lügen, brüllen Hummer und SPD.

Wer lügt ?

Gutes will die SPD für Euch Werktätige Penzbergs gebracht haben. Seht Euro Hungerunterstützungen an, seht die die Erhöhung der Pflichtarbeiter an, seht die die Wohnungsnoten im Werktätige nis, zu Euren Löhnen und Unterstützungen. Wie steht es mit der Preis-heit, mit Brot und Sozialismus. Allein diese Paar Aus-zählungen besagen deutlich wer lügt. Wollten die Herren nicht ein bes-sere Zukunft schaffen ? Sie haben nicht nur die werktätige Massen be-logen, sie haben sie noch obendrein um ihre Vorturen beraubt.

Die KPD ruft zum Volksbegehren

Die werktätigen Massen müssen entscheiden, ob sie die Herrschaft in Penzberg weiter dulden. Die Kommunistische Partei lottet mit dem heutigen Tage ein **Volksbegehren** ein. Sie fordert alle Werktätigen Penzbergs auf, sich diesem Volksbegehren anzuschließen und sich in die Listen für das Volksbegehren einzuzeichnen. Ein Barbar der Kommunistischen Partei werden an jeder Tür in Penzberg, sprechen, um die Unterschriften zu sammeln. Mit der der Unterschrift muss sich je-der bereit erklären nicht nur gegen den Hungerteron aufzutreten, sondern auch bereit zu sein für den Kampf gegen faschistische Notverordnungs-politik,

gegen Lohn- und Unterstützungsraub,
gegen die Entrechtung der arbeitenden
Massen
für gesunde Wohnungen für die arbeitenden
Massen
für Arbeit und Existenz aller Werktätigen Penzberg.

für ein rotes Penzberg.

Mit diesen Forderungen erklären die Werktätigen Penzbergs auch den Kampf aufzunehmen gegen die faschistische Diktatur und Ausmutzliozstion Reich, für ein Räte-Deutschland und Ausmutzliozstion pauern.

Die Kommunistische Partei fordert die Werktätigen Penzbergs auf, die bürgerlichen Zeitungen aus ihren Wohnungen zu schmeißen und die kommunistische Zeitung, aus "Neue Zeitung" oder als Wochenblatt das "Bayerische Echo " zu abonnieren.

---

27. Kommunistisches Flugblatt zum Volksentscheid über die Stadtratsauflösung Ende 1932.

Stimmen der abgegebenen gültigen Stimmen wäre erforderlich gewesen, um die Initiative zum Erfolg zu führen. Demonstriert wurde durch die ganze Prozedur nicht mehr und nicht weniger als die unter den herrschenden Umständen unversöhnliche Zerstrittenheit der Linksparteien und die Tatsache, daß es zwar rechtsformal einen legal amtierenden Stadtrat gab, daß aber eine absolute Bevölkerungsmehrheit diesen Stadtrat nicht wünschte. Andererseits hatte die SPD im Volksentscheid über 300 Stimmen mehr als bei der gleichzeitigen Reichstagswahl erhalten, die angesichts des Stimmenrückgangs der KPD nur zum Teil aus deren Wählerschaft, zum überwiegenden Teil von christlichen und bürgerlichen Wählern stammen müssen. Es gab Einsichtigere in der Stadt, als es der von Klein veranlaßte Aufruf vermuten lassen könnte.

Rummer hielt es nach dem Volksentscheid, zwei Tage vor Weihnachten 1932, für nötig, die Stadtratssitzung durch uniformierte Gendarmeriebeamte im Sitzungssaal zu schützen. Auf die Anfrage von März, seit wann das üblich sei, erklärte er[136],

> »daß auch die Beamten der Gendarmerie Staatsbürger seien und ein Recht zum Besuch der öffentlichen Stadtratssitzungen hätten; und wenn die Gendarmerie heute im Sitzungssaale anwesend sei, so trügen lediglich die kommunistischen Machenschaften die Schuld daran«.

Im Vorfeld des Volksentscheids hatte bereits der *Penzberger Anzeiger* gefragt: »Ja, ist es denn bei uns in Penzberg vielleicht ganz anders als im übrigen Deutschland?«. »Ja und Nein«, so lautete die Antwort der Zeitung, ja, weil »Klassenkampf und Klassenhaß« zwar wie in allen Industriestädten, in Penzberg jedoch besonders ausgeprägt zutage träten; nein, weil die Spaltung der Linken in Penzberg wie überall mit einer unerbittlichen Härte ausgefochten werde, so daß der Kampf Formen annehme, als ob »in Penzberg Reichspolitik gemacht« werde[137]. Das Besondere läßt sich weiter präzisieren.

Die Probleme bei den Linksparteien lagen auch in Penzberg in starkem Maße in den sozialen Folgeerscheinungen der Wirtschaftskrise und in der weithin von außen in die Stadt getragenen politischen Zerklüftung aufgrund einer fehlgeleiteten politischen Taktik begründet, die den Hauptgegner unter den »sozialfaschistischen« SPD-Funktionären, weniger in deren »irregeleitetem« Massenanhang erblickte[138]. Für die bürgerliche Mitte in Penzberg, von der, sieht man von ihrer dem Bergwerkseinfluß zu dankenden Katastrophentaktik beim Volksentscheid ab, immerhin einige Stabilität ausging, galt, daß sie schlechthin zu schmal war, um die kommunalpolitischen Verhältnisse aus eigener Kraft im Lot zu halten. Die nationalsozialistische Rechte im Ort war unbedeutend und stützte sich zudem auf eine Randgruppe im Schichtungsbild.

Auf der Linken brachten die Krisenerscheinungen die Spaltung der Massenloyalität, und die reichsweiten Unvereinbarkeiten zwischen den Flügeln der Arbeiterbewegung verfestigten die Spaltung bis zur Aktionsunfähigkeit, zur gegenseitigen Neutralisierung, wobei insgesamt die Wähler in Penzberg der Linken jedenfalls treu blieben, ihre Anhängerschaft eher noch verstärkt wurde. Seit Ende 1929 wuchs der KPD im Ort eine Massenbasis zu. Auch wenn man sich innerhalb der örtlichen Sozialdemokratie der Erfahrungen der Inflationsperiode, wofür einiges spricht, durchaus erinnert haben

---

[136] StaP, SR 22. 12. 1932.
[137] PA 256/5. 11. 1932 unter dem Titel: »Penzberg – Stadt des Kampfes«.
[138] Mit zahlreichen Hinweisen: Bahne, Ende von Weimar, a.a.O., S. 29–42.

sollte, so war dieser Prozeß jedenfalls aus eigenen Mitteln nicht aufzuhalten. Er wurde durch kommunale Zwangslagen wie die Unmöglichkeit zur Haushaltsdeckung im Jahre 1932, vor allem aber durch die Eigenheiten der Bergarbeiterkommune und die spezifischen Erscheinungsformen der bergbaulichen Arbeitsorganisation wie auch der bergbaulichen Strukturkrise deutlich gefördert: So war die Bergarbeiterschaft in sich relativ homogen, zeigte zwischen Qualifizierten und Unqualifizierten fließende Übergänge, ohne daß etwa dem Hauerrang ohne weiteres ein Facharbeiterstatus beizumessen wäre, und die Bergbaukrise setzte scharenweise Arbeitskräfte frei. Die übernommenen Artikulationsformen der Bergarbeiterschaft wirkten fort, und auch die Neigung zu Protest und Widerstand nicht in Gestalt formalisierter Willensbildung, sondern durch spontane Massenaktionen mit einem putschistischen Einschlag – wir werden dies noch zu begründen haben – besaß in Penzberg bereits Tradition. Ein »geborenes Villenproletariat« (Th. Mann), das zur Massenbasis der nationalsozialistischen Rechten hätte werden können, fehlte; dafür war ein »geborenes Zechenhausproletariat«[139] entstanden, das ob seiner Gleichförmigkeit in den Lebensumständen, seiner Aufspaltung in Arbeitende und Arbeitslose und, nicht zuletzt, seiner großen Not, schließlich ob der ständigen Drohung des Verlusts jeglicher Erwerbsmöglichkeit einer KPD als Massenbasis[140] zulief, die ihrerseits, inzwischen durch geschulte Kader indoktriniert und geleitet[141], längst unfähig zum Konsens geworden war.

Davon, daß die braune Flut, wie Gauleiter Wagner anläßlich der Kreistagung der NSDAP in Penzberg im Herbst 1932 verlauten ließ, »das rote Penzberg erweckt habe«[142], konnte keine Rede sein. Ob sich allerdings gegen die bald obsiegenden Nationalsozialisten wenigstens der für diesen Fall in Penzberg wiederholt beschworene, notfalls gewaltsam operierende Zusammenhalt der Linken bewähren würde, war zweifelhaft und hing überdies nicht allein, nicht einmal in der Hauptsache, von den Penzbergern ab[143]. Die Bewegung sei, so Gauleiter Wagner, auch in Penzberg nicht aufzuhalten überdies

---

[139] Thomas Mann hat (in: Unordnung und frühes Leid) vom »geborenen Villenproletariat« im Hinblick auf den inflationsgeschädigten Mittelstand gesprochen. Die These vom »geborenen Proletariat« ist jüngst vor allem in der Sozialgeschichte der frühen Arbeiterschaft erhärtet worden, ohne daß die damit implizierten generationellen Unterschiede in der Sozialisation und im politischen Verhalten bereits hinreichend erarbeitet worden wären; vgl. bes. Zwahr, Hartmut: Zur Konstituierung des Proletariats als Klasse. Strukturuntersuchung über das Leipziger Proletariat während der industriellen Revolution. Berlin [O] 1978, bes. S. 129ff. Die Wortprägung »geborenes Proletariat« ist freilich, was bisher übersehen wurde, bereits älter und scheint erstmals in der sich noch während des Nationalsozialismus zunehmend den Industriearbeitern (Wilhelm Brepohl) zuwendenden Volkskunde in einiger Breite erörtert worden zu sein; vgl. bes. Zunker, Ernst: Die volkskundliche Erfassung des Handarbeiterstandes. Studien zur Gegenwartsvolkskunde. Leipzig 1934, S. 62ff.

[140] Vgl. statt zahlreicher Hinweise Neumann, Sigmund: Die Parteien in der Weimarer Republik, 2. Aufl., Stuttgart 1965, S. 94 u. ö., sowie Flechtheim, a.a.O., S. 143, 206ff.

[141] Beispielsweise hatte der in Penzberg als regionaler KP-Führer einflußreiche Stenzer eine halbjährige Ausbildung an der Moskauer Lenin-Schule genossen.

[142] StAM, LRA 3904, PP/BA WM 19. 9. 1932.

[143] Beispielsweise hieß es in einem Polizeibericht (StAM, LRA, 3904 PP/BA WM 18. 7. 1932), daß »in hiesiger Stadt allgemein gesprochen wird, daß sich in diesem Falle [einer mächtigen Demonstration der Nationalsozialisten] die Kommunisten und Sozialdemokraten zusammenschließen und gemeinsam gegen die Nationalsozialisten gewalttätig vorgehen wollen«. Zu den Kontakt- und »Burgfriedens«-Versuchen auf der Ebene der Parteiführung s. Bahne, Ende von Weimar, a.a.O., S. 38f. u. ö.

werde »die Hälfte der heute versammelten [rund 400] SA-Kameraden . . . genügen, [um] das ganze rote Penzberg zum Teufel zu jagen«[144]. Es sollten noch weniger genügen[145].

V. Machtübernahme
Gleichschaltung, Unterdrückung und latente Opposition 1933/34

1. Vom »roten« zum »braunen« Rathaus

Während einer letzten großen Volksversammlung der Sozialdemokraten am 5. Februar 1933 – noch war der nationalsozialistische Wahlterror nicht spürbar – sprach der Reichstagsabgeordnete und frühere Minister in der Eisner-Regierung, Hans Unterleitner, zu den Penzbergern[1]. Die Atmosphäre war gedrückt; niemand wußte nach den Ereignissen Ende Januar, was kommen würde, aber daß die Organisationen der Arbeiterbewegung gleich welcher Richtung nicht unbehelligt bleiben würden, war jedermann klar. Unterleitner hielt einen Generalstreik der Arbeiterschaft für »sehr töricht«, weil ihm »sicher nur noch Schlimmeres nachfolgen würde«; auch sei bisher

»eine ausgesprochene Gesetzesverletzung noch nicht wahrgenommen worden, aber im Falle einer solchen würde die Antwort der Arbeiterschaft unter Führung der Sozialdemokratie eine vollkommene sein! Nicht möge man jetzt die ernste Stunde der Jetztzeit mit dem Gezänk der Vergangenheit vergeuden, sondern einig und geschlossen in Front zum mählichen Reifen der Diktatur des Faschismus stehen. Die SPD mit ihren Organisationen behält auch jetzt die Nerven . . .«.

Josef Boos unterstützte dies und stellte fest, »daß es eigentlich eine Naturnotwendigkeit sei, den Kampf gegen die Reaktion auf gemeinsamer Basis des werktätigen Volkes durchzuführen«. Widerspruch kam von den kommunistischen Arbeiterführern: Man habe keineswegs, wie das Gerücht es wollte, in Penzberg »eine Streikparole ausgegeben«, und eine »Anlehnung« »der Kommunisten an die Sozialdemokratie« sei auch in diesem Augenblick vollkommen unmöglich, ein »Nichtangriffspakt« zwischen den beiden Arbeiterparteien ausgeschlossen[2]. Was man selbst an revolutionären Vorberei-

---

[144] Wie Anm. 142.
[145] Vgl. folgendes Kap. – Es war leider nicht möglich, für die Krise seit 1930 wie für die 1920er Jahre Reaktionen der Umgebung auf das »rote« Penzberg nachzuweisen. Die mir verfügbaren Archivalien schweigen hierzu. Ein Zusammenwirken administrativer Instanzen mit bürgerlichen und bäuerlichen Sicherheitskräften nach dem Vorbild von 1923 wird indessen für 1930/32 auszuschließen sein. Es gab jedoch nach wie vor eine Art Notpolizei; jedenfalls lagerten in der Polizeistation Penzberg Waffen und Munition für deren Einsatz (12 Karabiner 98; Gummiknüppel). Diese Waffen übernahm die Penzberger SA nach der Machtübernahme. Vgl. StAM, NSDAP 646–654.

[1] Zitate im folgenden: PA 30/6. 2. 1933.
[2] Bericht über eine KP-Versammlung: PA 42/20. 2. 1933.

tungen im Geheimen getroffen hatte, wollte man auch nun nicht in den Dienst einer »Einheitsfront von oben« stellen. Es kann dabei kein Zweifel sein, daß viele Penzberger Bergarbeiter und ihre Familien in diesem Augenblick Signale von oben erwartet oder sogar erhofft haben und daß man im Ort jedenfalls von sozialdemokratischer Seite und wahrscheinlich auch bei den Kommunisten, die deutlich hierzu der Direktive von oben bedurften, zum Generalstreik oder einer anderen auch gewaltsamen Aktion bereit war. Vorbereitungen hierzu waren, wie später zu zeigen ist, wohl von den Kommunisten, aber in keiner Weise von den Sozialdemokraten getroffen worden.

Der Wahlkampf stand seit Ende Februar 1933 auch in Penzberg unter dem Zeichen einer beispiellosen NS-Kampagne. Die Nationalsozialisten boten den inzwischen zum Gauorganisationsleiter avancierten Buchner sowie höchstpersönlich den Gauleiter auf – ein Zeichen ihrer Einschätzung der Bedeutung Penzbergs. Während in einer SPD-Versammlung am 26. Februar Waldemar von Knoeringen offenbar noch unbehelligt reden konnte, traten auf einer BVP-Versammlung im katholischen Jugendheim uniformierte Nationalsozialisten mit zahlreichen Zwischenrufen in Erscheinung. Von den Kommunisten hatten März und Raithel bereits ein bezirksamtliches Redeverbot erhalten. Die letzte freie »Aufklärungsversammlung« der Sozialdemokraten galt am Vorabend der Wahl den Rentnern und Pensionären[3].

Nach der Wahl überschlugen sich die Ereignisse. Nachdem am Abend des 9. März der Reichskommissar für Bayern installiert worden war und sich am folgenden Tage die NS-Regierung eingerichtet hatte, erging noch in der Nacht des 10. März der Befehl zur Inschutzhaftnahme führender Kommunisten und Reichsbannerleute[4]. Am 11. März, morgens 3 Uhr, trafen 50 bis 60 SA-Leute aus Bad Tölz und Kochel in Penzberg vor Rummers Wohnung ein. Rummer, der seinen Rathausschlüssel nicht herausgeben wollte, läutete in letzter Verzweiflung die Feuerwehrsirene. Die SA-Leute erbrachen unter Führung durch örtliche Parteigenossen die Rathaustür, verbrannten die schwarz-rot-goldene, hißten die Hakenkreuzfahne und verschwanden nach einer halben Stunde. Im Verlauf des 11. März richtete die SA einen »Hilfsschutz« ein, der in den folgenden Tagen vor allem nächtlichen Streifendienst leistete; am 14. März wurde dieser Trupp, der die Stadthalle als Hauptquartier beschlagnahmt hatte, durch ein starkes Kommando der Landespolizei ergänzt[5].

Die kommunistischen Stadträte und die drei sozialdemokratischen Bürgermeister sind zusammen mit Stadtrat Boos wahrscheinlich noch am 11. März, spätestens aber am 12. März in Schutzhaft genommen und, wenigstens die Sozialdemokraten, nach Landsberg

---

[3] Nach den Februar- und Märznummern des PA, 1933.
[4] Vgl. Domröse, Ortwin: Der NS-Staat in Bayern von der Machtergreifung bis zum Röhmputsch. München 1974, S. 65–89; Volk, Ludwig: Bayern im NS-Staat 1933 bis 1945, in: Spindler, Max (Hrsg.): Handbuch der bayerischen Geschichte, Bd. IV: Das neue Bayern 1800–1870, 1. Teilbd., München 1974, S. 518–537, 520f.; Pridham, Geoffrey: Hitler's Rise to Power. The Nazi Movement in Bavaria, 1923–1933. New York 1973, S. 295–317; zur Machtübernahme in den Kommunen vgl. Bracher/Schulz/Sauer: Die nationalsozialistische Machtergreifung. Frankfurt a. M. 1974, Bd. II, S. 99–105; Matzerath, Horst: Nationalsozialismus und kommunale Selbstverwaltung. Stuttgart etc. 1970, S. 61–98.
[5] Nach PA 62/15. 3. 1933.

transportiert worden⁶. Am 13. März wurde Stadtrat Mühlpointner durch bezirksamtliche Verfügung zum kommissarischen Bürgermeister ernannt. Er hat dieses Amt, wie es scheint, sehr ungern akzeptiert und baldmöglichst nicht ohne Druck seitens der neuen Machthaber wieder abgegeben. Sein »Aufruf« an die Penzberger lautete⁷:

»In der geschichtlich denkwürdigen und ernsten Stunde der nationalen Erhebung wurde ich als stellvertretender Bürgermeister unserer Stadt eingesetzt. Solange ich diese Funktion auszuüben habe, werde ich nach den gesetzlichen Rechten und meinem Gewissen gerecht handeln. Ich will kein Parteiregiment führen, sondern durch größte Zurückhaltung im parteipolitischen Leben versöhnend auf die großen Gegensätze des politischen Penzbergs einwirken. Die Unterstützung wurde mir von den maßgebendsten Seiten zugesagt. Die Gesamtbevölkerung bitte ich, alle Provokationen zu unterlassen und mitzuhelfen, daß wir von den bestehenden Ausnahmezuständen wieder zu normalen Verhältnissen kommen«.

Die Amtseinführung am 14. März durch den Weilheimer Bezirksvorsteher wurde von Bergwerksdirektor Klein emphatisch begrüßt, von der sozialdemokratischen Rest-Stadtratsfraktion durch Schöttl immerhin akzeptiert, da man Mühlpointner durchaus schätzte. Der »denkwürdige[n] Sitzung« wohnte »auch eine Abteilung SA bei«⁸. Am 17. März erklärten die beiden vertretenden Bürgermeister, am 21. März Rummer selbst durch in der Strafanstalt Landsberg abgegebene Erklärung, »freiwillig« »auf Ehrenwort« ihren Rücktritt, Rummer darüber hinaus den Verzicht auf seine sonstigen Ehrenämter⁹. Am Abend des 21. März fand mit einem Fackelzug zur Reichstagseröffnung erstmals eine jener nationalsozialistischen Großveranstaltungen – neben der NS-Ortsgruppe wirkten die beiden Kriegervereine, die Stahlhelm-Ortsgruppe, die offenbar rasch gegründete Hitlerjugend und örtliche Musikkapellen mit¹⁰ – in Penzberg statt, die in der Folgezeit Feste und Feierlichkeiten bestimmen sollten. Einen Tag später tagte der Rumpf-Stadtrat, von dessen sozialdemokratischen Stadträten noch Vetter und Graf ihre Mandate niedergelegt hatten, unter Leitung Mühlpointners. Bis dahin dürften die führenden Nationalsozialisten im Ort bereits erkannt haben, daß sich die Ernennung Mühlpointners »für unsere Bewegung und ihre zukünftigen Bestrebungen als ein Mißgriff erwiesen« hatte; man forderte daher bereits unter dem 28. März einen nationalsozialistischen Übergangsbürgermeister, der auf längere Sicht durch einen rechtskundigen Berufsbürgermeister und Nationalsozialisten »von möglichst weit her« ersetzt werden sollte, »damit die Bekannten-, Vettern- und Basenwirtschaft hier endlich aufhört«¹¹:

»Wir haben die Absicht und den festen Willen, die marxistische Herrschaft im Penzberger Gemeindeparlament unbedingt zu liquidieren. Denn nur dadurch, daß in Penzberg praktisch das Beispiel vorgeführt wird, daß es durchaus möglich ist, auf einer anderen als der marxistischen Basis zu arbeiten und den Interessen auch der Berg- und sonstigen Handarbeiter zu dienen, wird es

---

⁶ Vgl. StaP, SR 22. 3. 1933. Rummer wurde in der Nacht zum 12. 3. in Schutzhaft genommen, s. PA 60/13. 3. 1933; StAM, LRA 3920, Notiz v. 13. 3. 1933. Die Entwicklung eilte jener im sonstigen Bayern deutlich voraus: Ein Telegramm mit der Weisung, allen ehrenamtlichen Bürgermeistern der Linken die Ausübung des Amtes mit sofortiger Wirkung zu untersagen, erging erst am 21. 3. 1933, s. StAM, LRA 3875.
⁷ PA 62/15. 3. 1933.
⁸ Ebenda.
⁹ Rücktritts- bzw. Verzichterklärungen in StAM, LRA 3857.
¹⁰ Nach PA 68/22. 3. 1933.
¹¹ NS-OGr./NS-Kreisleitung (Englbrecht), Murnau, 28. 3. 1933, in: StAM, NSDAP 646–654.

möglich sein, den Marxismus in Penzberg in einer absehbaren Zukunft zu liquidieren, d. h. überflüssig zu machen«.

Die Ortsgruppenleitung schlug daher Rechnungsführer Schneider als kommissarischen Bürgermeister vor und verlangte im übrigen bereits jetzt die Ausschaltung auch der sozialdemokratischen Gemeinderäte bei der Zusammensetzung des künftigen Stadtrats. Denn auf der Grundlage der Reichstagswahl vom 5. März wäre das Übergewicht der NSDAP auch nach dem Wegfall der KPD-Mandate keineswegs gesichert gewesen; bei einer Koalition von NSDAP und BVP hätte die SPD sogar ein Mandat mehr innegehabt.

Man wählte, nach Erlaß des »Gesetzes zur Gleichschaltung der Gemeinden« am 7. April 1933, eine andere Lösung: Zum Bürgermeister wurde Schneiders Kollege Schleinkofer vorgeschlagen; offenbar wurde es nicht für sinnvoll gehalten, das Amt des Ortsgruppenleiters mit jenem des Bürgermeisters zusammenzulegen. Schleinkofer bildete zunächst mit Schneider und Klein sowie dem Schreinermeister Lebl einen »Beirat« bis zur Amtseinführung des neuen Stadtrats[12]. NSDAP und Kampfbund Schwarz-Weiß-Rot bildeten eine gemeinsame Liste, auf der nun Klein als Deutschnationaler zusammen mit 4 NSDAP-Kandidaten in den Stadtrat gelangte; die BVP entsandte drei Vertreter auf einer »Unterliste« des NS-Vorschlags – Mühlpointner hatte sich allerdings versagt. Die ersten fünf der sieben auf die Sozialdemokratie entfallenen Mandate wurden, ein mutiges Signal für die Überzeugung von der Richtigkeit der bisherigen Politik der SPD, von Rummer, Schesser, Josef Boos, Bart. Schauer und Seb. Reithofer eingenommen – alle fünf waren führende sozialdemokratische Funktionäre gewesen. Ohne die BVP ließ sich in der Stadt unter Beachtung der legalistischen Perspektive der Machtübernahme keine nationalsozialistische Politik betreiben. Man blieb abhängig von den Bürgerlichen – entgegen den Vorstellungen der Ortsgruppe. Der Anschein der Legalität wurde vorläufig gewahrt; im übrigen folgte die kommunalpolitische Machtübernahme in Penzberg durchaus dem in anderen Gemeinden an der Peripherie üblichen Muster[13].

Die Kampagne gegen die früheren »Machthaber« ist Anfang April eröffnet worden[14]. Sie richtete sich mit großer Vehemenz gegen Rummer, der für jenes »Musterbeispiel marxistischer Alleinherrschaft« verantwortlich gewesen sei. Man bediente sich nicht ungeschickt der virulenten Ressentiments gegen Rummer und stellte, eingedenk des Hauerlohnversprechens, seine Gehaltsbezüge in den Vordergrund der Kritik, offenbarte auch die Fürsorgeangelegenheit für die erste Frau Rummers, geißelte den Bau einer Dienstwohnung für den Bürgermeister und so manche andere »leichtsinnige« Ausgabe der Gemeinde.

Die sogenannte Bürgermeisterwahl vollzog man nicht im Sitzungssaal, sondern in der pompös ausgeschmückten Stadthalle, unter einem Riesenporträt Hitlers. Die Stadträte saßen in der Saalmitte, »umrahmt« und »flankiert von der schneidigen Kampftruppe der

---

[12] Vgl. PA 94/24. 4. 1933; StAM, OK 81; Gesetz- und Verordnungsblatt für den Freistaat Bayern 10/7 4. 1933, S. 103ff.; zur Frage der Personalunionen bes. Matzerath, a.a.O., S. 237–241.
[13] Vgl. etwa die zahlreichen Beispiele bei Zofka, Zdenek: Die Ausbreitung des Nationalsozialismus auf dem Lande. Eine regionale Fallstudie zur politischen Einstellung der Landbevölkerung in der Zeit des Aufstiegs und der Machtergreifung der NSDAP 1928–1936. München 1979, S. 238–247.
[14] Nach PA 83/8. 4. 1933: »Der Wahrheit ihren Weg – Arbeiter, das waren Eure Führer!«

hiesigen SS und SA«. Die fünf NSDAP-Stadträte, also anscheinend auch der noch nicht in die Partei aufgenommene Klein, erschienen in Uniform[15]. Während sich die BVP-Fraktion »debattelos« für den NS-Kandidaten Schleinkofer aussprach, schlug die SPD Rummer, der sich noch in Schutzhaft befand, zunächst für das Amt des ersten, dann für jenes des zweiten Bürgermeisters vor und unterlag jeweils mit den eigenen sechs Stimmen. Für die weiterhin beantragte, zu den revolutionären Taten in der Kommunalpolitik gehörende Ernennung von Ehrenbürgern (Hitler und Wagner) sowie die Umbenennung von Straßen band die SPD ihre Zustimmung an die Beibehaltung der Friedrich-Ebert-Straße. Als dies nicht gelingen wollte, lehnte sie ab, nicht ohne »das Einsetzen der NSDAP für die baldige Freilassung der Schutzhäftlinge« zu fordern. Während des abschließend, nach dem Deutschlandlied, intonierten Horst-Wessel-Lieds verließ die SPD-Fraktion geschlossen den Saal.

Dies waren mutige Bekenntnisse der Sozialdemokraten, denen die Schutzhaftdrohung im Gesicht gestanden haben muß, für ihre langjährige Politik und deren Repräsentanten. Dies gilt um so mehr, als der Prozeß der Auflösung sozialdemokratischer Organisationen in der Stadt bereits auf vollen Touren lief. Die Auflösung aller Reichsbanner-Ortsgruppen[16] – das waren im Kreis Weilheim die Stadt Weilheim, Peißenberg, Murnau und Penzberg – führte zu Hausdurchsuchungen bei den Reichsbanner-Führern Andreas Osterrieder, Ludwig Barthuber und Ludwig Sagstetter, brachte aber nur noch wenig zu Tage, da die Auflösungsverfügung bereits im Rundfunk bekanntgegeben worden war. Am 29. März erließ Wagner das Verbot aller »marxistischen« Organisationen[17], wozu in Penzberg die Solidarität (550 Mitglieder), die Naturfreunde (96), der Volkschor (71), der Freie Turn- und Sportverein (65) und der Athletenklub Bayerisch-Fels gerechnet wurden; später kamen der Arbeiterjugendpflege-Verein und das Sportkartell hinzu.

Noch bevor die Gleichschaltungswelle auch die nicht der Arbeiterbewegung zugehörigen Vereine und Verbände erreichte, gehörte die Schlacht um die Hinterlassenschaften der »marxistischen« Organisationen zu den tragikomischen Erscheinungen der »nationalen Revolution«. Wie Hyänen stritten sich die bürgerlichen oder doch im Rufe nationaler Zuverlässigkeit stehenden Pendants dieser Vereine um Bücher, Sportgeräte, andere Mobilien und selbst um Barbestände, die freilich dem Land Bayern bzw. der Bayerischen Politischen Polizei zufielen. Die Reichstreuhänder der aufgelösten Vereine suchten ihrerseits zu retten, was noch zu retten war, und selbst Privatleute beteiligten sich an dem Ausverkauf, während die örtliche NS-Führung ihrem Hätschelkind, der Hitlerjugend, wiederholt die besten Brocken aus den z. T. bedeutenden Vereinsvermögen zukommen ließ oder dies doch versuchte. Das Barvermögen der Solidarität war der Concordia und dem Bürgermeister selbst (für die HJ) einige Briefe wert; die Bücher der Freidenker gingen an die NSBO; das Grundstück des Arbeiterjugendpflege-Vereins ging

---

[15] Nach StaP, SR 27. 4. 1933; Zitate: PA 98/28. 4. 33; s. auch OGrF/SR 24. 3. 1933, in: StAM, NSDAP 654. Eine »hiesige SA« gab es erst seit Ende 1933. Klein wurde zum 1. 5. 1933 (Mitgl.-Nr. 3447670)Pg., vgl. StAM, OK 429.

[16] Vgl. StAM, LRA 3876, bes. PP/BA WM 12. 3. 1933.

[17] Vgl. ebenda, PP/BA WM 4. 4. 1933 und weitere Stücke sowie, zum Folgenden, StAM, LRA 865–867 und 872, 873, bes. 866 mit einz. Beschlagnahmeverfügungen; knappe Hinweise auch: 1901–1976. 75 Jahre Sozialdemokratische Partei Deutschlands, Ortsverein Penzberg. Festschrift. Penzberg 1976, S. 14. Wagners Verfügung wurde in PA 77/1. 4. 1933 veröffentlicht.

für nur 140 Mark an die Stadt zurück, von der es der Verein unter einer ihm wohlgesinnten Stadtverwaltung 1922 um einen »Spottpreis« erhalten habe[18]. Ein den Naturfreunden gehöriges Grundstück in der Nähe Penzbergs, das man zu Erholungszwecken erworben hatte, wollte der Bürgermeister der HJ zum selben Zweck überlassen; hier stellte sich dann heraus, daß diese Transaktion eines Bauern mit dem Verein formal überhaupt nicht rechtens gewesen war.

Wenig zu verteilen, da offenkundig vorher in Sicherheit gebracht, gab es aus dem Vermögen des Reichsbanners. Um das Fahrradgeschäft der Solidarität entspann sich eine langjährige Auseinandersetzung wegen offener Restforderungen. Für die Sanitätskolonne des Roten Kreuzes in Penzberg brachte die Auflösung des von ihr 1932 abgespaltenen, dem Arbeiter-Samariter-Bund beigetretenen Hilfszugs in Sindelsdorf die Bereinigung des alten Streits. Der Turnverein 1898, dem sehr an der Übernahme der Sportgeräte vom Freien Turn- und Sportverein gelegen war, tat alles, um den Wert dieser Geräte zu mindern; hier schaltete sich mutig der Vorsitzende des letztgenannten Vereins, Hans Dreher, der dem Mordrausch vom 28. April 1945 erliegen sollte, in die Transaktion ein und erbat im Interesse der eigentlich Berechtigten Aufklärung über den Verbleib des Vereinsbesitzes[19]. Er wurde keiner Antwort gewürdigt.

Daß ihre Vereine verboten wurden, hat die Arbeiterschaft nicht wirklich getroffen, hat allenfalls eine gewisse Verlagerung der Freizeitaktivitäten in den informellen Kneipenbesuch und das individuelle Radiohören oder die Gartenbestellung gefördert. Zu zahlreich waren, wie wir noch sehen werden, die Kontaktmöglichkeiten in der Stadt, als daß der kommunikative Verbund der Arbeiter wirksam gestört worden wäre. Die alten Freundschaften und Bekanntschaften, die im Verein formalisiert oder erst geschlossen worden waren, bestanden weiter. Darüber hinaus hat man in Erwartung der Verbote jedenfalls bei den dezidiert politischen Vereinen Geld- und zum Teil auch Sachvermögen noch rasch, so bei den Naturfreunden, an die Mitglieder zurückgeben oder sonstwie in Sicherheit bringen können. Bei dem SPD-Kassierer Josef Kapsberger fand sich nach der Parteiauflösung ein Kontobuch über 3,85 Mark und ein Barbestand von 28 Pfennigen. Dafür fand man 1936 im Zusammenhang eines anderen Verfahrens bei dem Gütler Ferdinand Disl in Promberg eine Schreibmaschine, die nach dessen Aussage »jemand« vor drei Jahren dort abgestellt hatte – er wisse nicht, wer, nur, daß das Gerät bald darauf hätte abgeholt werden sollen. Die Polizei identifizierte das Stück als KPD-Besitz. Ebenfalls 1936 fand sich beim Knappschaftsrentner Sebastian Eder der Bildwerfer-Apparat der Naturfreunde; dieses Gerät ging, nach endlosem Schriftwechsel über Zustand und Schätzwert, durch Vermittlung Bogners an die HJ Penzberg.

Bei den bürgerlichen Verbänden setzte die Gleichschaltung noch vor der endgültigen Ausschaltung der Parteien im Mai 1933 ein; sie läßt gelegentlich Zaudern und Flexibilität der Machthaber erkennen[20]. Der Gewerbeverein erklärte seinen Beitritt zum Kampfbund des gewerblichen Mittelstands, die Kriegsbeschädigten und die Arbeitsinvaliden traten den entsprechenden Organisationen bei. Man ging jedoch schrittweise vor; der Prozeß

---

[18] StAM, LRA 873, BM/BA WM 22. 9. 1933.
[19] StAM, LRA 865, Schreiben vom 31. 5. 1933.
[20] Die archivalische Überlieferung hierzu ist weniger reichhaltig; s. Anm. 17 sowie bes. Hinweise im LA Mai 1933 bis April 1934; zum Vergleich: Zofka, a.a.O., S. 244–247.

zog sich bis zum Frühjahr 1934 hin, und in vielen Fällen konnten selbst ehedem prominente Sozialdemokraten weiterhin Vereinsfunktionen wahrnehmen. Alle künstlerischen und wissenschaftlichen Vereine hatten bis Anfang 1934 dem Kampfbund für deutsche Kultur beizutreten. Die Trachtenvereine der Stadt erlebten offenbar gegen einigen Widerstand »Gleichschaltung und Führerwahl« unter Leitung der Nationalsozialisten[21]; ähnlich erging es dem Motorsportklub, der Heimatvereinigung, der Volksbühne und den beiden Kriegervereinen, den Handlungsgehilfen und den örtlichen Gastwirten und vielen anderen Vereinen, über deren Schicksal nichts berichtet wurde. Lehrer Winkler erklärte seinen Rücktritt in der Volksbühne, konnte indessen nach deren Überführung in die NS-Kulturgemeinde in diesem Verein wie auch in der Heimatvereinigung weiterwirken; er schrieb regelmäßig heimatgeschichtliche Artikel in der Ortszeitung. Die Arbeiterführer Alois Kapsberger, Streitberger und Pancur kämpften um ihre Baugenossenschaft und schlossen sich schließlich dem Bund deutscher Mietervereine an[22]. Der Konsumverein war schon früh unter nationalsozialistische Führung gestellt worden. Die Freidenker wurden in die Neue deutsche Feuerbestattungskasse und die Großdeutsche Feuerbestattung überführt. Erst Anfang 1936 sollten hier, wo noch immer »Marxisten« das Heft in der Hand hielten, diese ausgewechselt werden. Man setzte einen »alten Kämpfer«, Hermann Güth, und einen alten Sozialdemokraten, Josef Kapsberger, an deren Stelle, aber wenige Wochen später fungierte bereits wieder der ehemalige Kommunist und langjährige Freidenker-Vorsitzende Adam Steigenberger mit Billigung des Bürgermeisters als Kassierer[23].

Auch der katholische Gesellenverein erlitt bereits am 25. Mai 1933 seine Auflösung und die Beschlagnahme seines Vereinsvermögens[24]; auch der katholischen Kirche wurde in Penzberg damit frühzeitig gewiesen, woher der Wind wehte. Ob und inwieweit es bei allen diesen gewiß nur gegen Murren und gelegentlich gegen beharrliche Weigerung durchgesetzten Maßnahmen zu Übergriffen durch die Machthaber gekommen ist, kann nicht festgestellt werden. Daß solche Übergriffe[25] auch im Kreis Weilheim jedenfalls in den ersten Wochen der »nationalen Erhebung« vorkamen, daran kann kein Zweifel sein. Jedoch scheint, dies gilt jedenfalls für Penzberg, bedingt durch die politischen Sympathien des Bezirksamts-Vorstehers Wallenreuter, der Prozeß der Machtübernahme in den kommunalen Selbstverwaltungsorganen und der späteren Gleichschaltung weitgehend durch die Kreisbehörde selbst durchgeführt worden zu sein. So sah sich der SS-Sturmbannführer H. Ring, der als »Sonderbeauftragter für Penzberg« während der Machtübernahme mit SS-Kräften und Landespolizei »Ruhe und Ordnung« in der Stadt

---

[21] PA 42/20. 2. 1934.
[22] Vgl. StAM, NSDAP 655; PA 168/25. 7. 1934.
[23] Vgl. bes. StAM, LRA 3863. Die Neue deutsche Feuerbestattungskasse (1936: 233 Mitglieder) erhob gegen die Verfügung des BA WM vom 14. 3. 1936, daß die Führung auszuwechseln sei, Widerspruch. Zur Überführung der Freidenker-Vereinigungen in die genannten Verbände s. bes. Kaiser, Jochen-Christoph: Arbeiterbewegung und organisierte Religionskritik: Proletarische Freidenkerverbände in Kaiserreich und Weimarer Republik, phil. Diss. (Ms.) Münster 1979, S. 494ff., 501: »Meist waren es die alten Funktionäre«, die die bisherigen Ziele unter neuem Dach weiterverfolgten. Vgl. unten S. 343.
[24] Vgl. StAM, LRA 3876, PP/BA WM 27. 6. 1933.
[25] Am 8. 4. 1933 erging bereits ein Erlaß des Staatskommissars v. Epp (StAM, LRA 3858) gegen »irgendwelche Einmischungsversuche« in die Behördenarbeit; am 1. 7. 1933 verfügte der Sonderkommissar der Obersten SA-Führung bei der Reg. Obb. (StAM, NSDAP 646–654) dem Sinn nach dasselbe.

zu wahren hatte, bereits unter dem 27. März 1933 zur Beschwerde gegen den Vorstand des Bezirksamts veranlaßt, weil Wallenreuter »dauernd« die Landespolizei mit Instruktionen versehe, »die meinen Auffassungen und Forderungen geradezu entgegengesetzt sind«[26]. An sich spricht dieser Vorgang für eine baldige Eindämmung jeglicher SA- und SS-Provokationen wenigstens in Penzberg. Ring wurde allerdings wenig später SA-Sonderbeauftragter beim Bezirksamt Weilheim.

Auch gibt es eine Reihe von Zeugnissen für eine besondere Zurückhaltung der örtlichen NSDAP-Führung gegenüber den ehemaligen Arbeiterführern. Wohl nicht zu Unrecht dürfte einige Furcht vor Solidarisierungseffekten im Falle grob ungerechter Behandlung bestanden haben; über Schutzhaft und Kaltstellungen wurde sowieso überall geredet. Es spielte jedenfalls den Worten der NS-Führer und auch dem Anschein nach »für unsere Urteilsbildung keine Rolle«, ob jemand etwa Mitglied der KPD gewesen war: »Wir stehen grundsätzlich auf dem Standpunkt, daß der größte Teil der KPD-Anhänger im Grunde anständige, nur verführte Volksgenossen waren; von einigen Dutzend Leuten abgesehen, kann man dies insbesondere in Penzberg sagen«[27]. In den ersten Stadtratssitzungen nach der Machtübernahme wurde die Pensionierung Pfalzgrafs einstimmig gebilligt. Jene Rummers stieß im Hinblick auf dessen laufende Strafverfahren auf Widerstand, ist dann aber später auf der Grundlage eines Kompromisses entschieden worden[28]. Obwohl Weisung bestand und im Arbeitsamtsbezirk praktiziert wurde, daß vor allem arbeitslose SA-Männer in offene Stellen einzuweisen seien, verfügte der Bürgermeister im Juli bei der Zeche die möglichst vorrangige Beschäftigung derzeitiger Notstandsarbeiter, darunter die z. T. prominenten Kommunisten Rupert Höck, Michael Pfab und Johann Schnappauf[29]. Als Anfang 1934 der Allgemeine Wohlfahrtsverein gleichgeschaltet werden sollte, betonte der Ortsgruppenleiter, man werde »nicht etwas zerschlagen, was noch nicht ganz in unserem Sinne ist, ehe wir nicht etwas Besseres an dessen Stelle setzen können« – »mag vor der Machtübernahme gewesen sein, was will«[30]. Noch deutlicher wird die praktizierte Vorsicht gegenüber den Bergarbeitern darin, daß man eine offene Verfolgung ehemals oder noch immer Andersdenkender deutlich ablehnte, solange kein Anlaß hierzu bestand. Als beispielsweise in der NS-Frauenschaft von deren Leiterin, Therese Miller, gegen die Mitarbeiterin Frau Krüspert Ende 1933 wegen der politischen Tätigkeit ihres Gatten das Wort von der »Kommunistenfrau« fiel, schritt der Ortsgruppenleiter mit dem Ersuchen um Absetzung der Frauenführerin ein. Diese verteidigte sich mit dem Hinweis, »solange der Führer selbst . . . den ehemaligen Penzberger Kommunistenführer in Schutzhaft« halte, »dürfte es für einen Nationalsozialisten keine Todsünde sein, dessen Frau eine ›Kommunisten-

---

[26] StAM, NSDAP 646–654, Ring/Standartenführung 34, München, 27. 3. 1933. Vgl. Domröse, a.a.O., S. 185–223.
[27] BM Schleinkofer/Mechaniker K. Burger 10. 7. 1933, in: StAM, NSDAP 646–654, über den Schutzhäftling Tobiska.
[28] StaP, SR 10. 5. und 31. 5. 1933; PA 108/11. 3. 1933. Es wurde versucht, Rummer noch weitere Strafverfahren (Falschbeurkundung und bes. Strafantrag der Reg. Obb.) »anzuhängen«; vgl. StAM, LRA 357, 3858. Rummers Pensionierung wurde nach einem Prozeß (SR 12. 12. 1934) beschlossen.
[29] Nach StAM, OK 76.
[30] StAM, NSDAP 627, 15. 4. 1934.

frau< zu nennen«. Immerhin hielt sie es für erforderlich, hervorzuheben, daß in der NS-Frauenschaft keine »Kommunistenverfolgung« herrsche[31].

In der Etablierung des nationalsozialistischen Stadtregiments ist die zweite, ungleich einfachere Etappe mit den Parteiverboten in der zweiten Hälfte des Juni 1933 eingeläutet worden. Sie warf ihre Schatten voraus, als Rummer, inzwischen aus der Schutzhaft entlassen, Ende Mai 1933 seinen Rücktritt vom Stadtratsmandat aus »gesundheitlichen« Gründen erklärte, worauf Ortsgruppenführer Schneider erklärte, man hätte sich »jedenfalls ... nicht mit diesem Mann zum Verhandlungstisch gesetzt«, und allgemein sei »den anderen Herren« ein Ähnliches zu empfehlen[32].

In München lehnte die nationalsozialistische Stadtratsfraktion bereits am 9. Mai förmlich ab, mit den »marxistischen« Stadtratsmitgliedern zusammenzuarbeiten[33]. In Penzberg wurde das SPD-Verbot vom 22. Juni abgewartet: Zum 1. Juli meldete man, daß die SPD-Stadträte von den weiteren Sitzungen ausgeschlossen und am 30. Juni, zusammen mit dem Kassierer Josef Kapsberger, in Schutzhaft genommen worden seien[34]. Einige SPD-Ortsvereine der Umgebung, so in Seeshaupt und Staltach, waren dem Verbot durch Selbstauflösung zuvorgekommen. Ebenfalls am 30. Juni erklärte die BVP-Ortsgruppe Penzberg angesichts der Inschutzhaftnahme auch ihrer Stadtratsmitglieder die Selbstauflösung[35]. Damit war der Weg frei für die nationalsozialistische Alleinherrschaft; die SPD-Stadträte haben, unter dem Eindruck der Schutzhaft in Dachau, im Juli 1933 ihren Rücktritt von den Mandaten erklärt[36].

Die Übernahme der vollständigen Stadtgewalt war nicht ganz unproblematisch für die NSDAP: Es war »unmöglich, soviele Alt-Parteigenossen, welche für die einzelnen Posten in Frage kamen und auch befähigt waren, aus unserer Ortsgruppe zu bestimmen«[37], und dieser Mangel stellte sich gerade auch bei der Besetzung der Vereinsvorstände im Zuge der Gleichschaltung ein. Tatsächlich begann zwar, wie überall, auch in Penzberg in den Wochen der Machtübernahme ein Run auf die NSDAP, aber es war offenbar schwierig, selbst unter diesen Leuten geeignete Persönlichkeiten für den Stadtrat und sonstige Funktionen zu gewinnen. Auch stand man auf dem Standpunkt,

---

[31] StAM, NSDAP 646–654, Schreiben vom 17. und 26. 11. 1933.
[32] PA 125/1. 6. 1933.
[33] Vgl. Volz, a.a.O., S. 521.
[34] Schriftverkehr um SPD-Verbote im Landkreis Weilheim sowie Hausdurchsuchungen, Beschlagnahmeverfügungen etc. s. in StAM, LRA 865–867; vgl. PA 149/1. 7. 1933.
[35] Die BVP-Ortsgruppe zeigte der NSDAP (!) am 30. 6. 1933 ihre eben erfolgte Auflösung an, s. StAM NSDAP 654. Der Fraktionsführer der NSDAP im SR bescheinigte den BVP-Stadträten am 2. 7. 1933 gegenüber der Bayer. Polit. Polizei (ebenda) Wohlverhalten; wahrscheinlich sind sie kurz danach entlassen worden. Vgl. zur Selbstauflösung der BVP in Bayern: Schönhoven, Klaus: Zwischen Anpassung und Ausschaltung. Die Bayerische Volkspartei in der Endphase der Weimarer Republik 1932/33, in: Historische Zeitschrift 224 (1977), S. 340–378.
[36] Der Mandatsrücktritt wurde zwar erst PA 194/24. 8. 1933 öffentlich bekannt; BM Schleinkofer erwartete indessen bereits am 13. 7. (an kommissar. Kreisleiter Dr. Gmelin, in StAM, NSDAP 627), »morgen oder übermorgen« über die Rücktrittserklärungen zu verfügen, hatte sich also deshalb wohl mit der KL-Leitung in Dachau in Verbindung gesetzt.
[37] OGrF/Gauleitung 23. 8. 1933, in: StAM, NSDAP 646–654; vgl. hierzu auch Kater, Michael H.: Sozialer Wandel in der NSDAP im Zuge der nationalsozialistischen Machtergreifung, in: Schieder, Wolfgang (Hrsg.): Faschismus als soziale Bewegung. Hamburg 1976, S. 25–67, 55 m. Hinweis auf Penzberg; Matzerath, a.a.O., S. 249f.

»daß derartige Strohfeuer für die Bewegung wenig wertvoll sind«[38]. An wechselseitigen Denunziationen und Anbiederungen mangelte es nicht. So wurde die Ortsgruppenleitung in Kenntnis gesetzt, daß in bestimmten Vereinsvorständen noch immer Sozialdemokraten fungierten[39], und über manche neue Parteimitglieder hieß es, sie hätten zu jenen gehört, »die bis in die allerjüngste Zeit vor der Revolution mit der Mistgabel herumstolzierten«[40]. Sehr rasch änderte sich die Sprache der Beitrittswilligen. Ehemalige Zauderer sprachen jetzt von »ehrlichem Wollen und aufrichtiger Überzeugung«, die sie zur Bewegung führten, »welche uns vor dem völligen Zusammenbruch und der roten Pest rettete«[41]. Andere nahmen für sich in Anspruch, »wiederholten Aufforderungen zum Eintritt in die sozialdemokratische Partei oft zu meinem Nachteil« widerstanden zu haben[42], verwiesen auf ihr stets loyales Wirken für die nationale Sache und füllten ihre Beitrittsgesuche mit ausführlichen Lebensläufen zur Dokumentation einer solchen Haltung. »National« hatten jetzt viele Menschen schon immer gedacht. Der städtische Oberinspektor A.G., Mitglied der SPD seit 1920 und deren Stadtrat, zeitweilig sogar ihr Vorsitzender in Penzberg, erklärte im Verhör[43]:

»Ich persönlich begrüßte die nationale Erhebung mit großer Freude. Mein Parteibuch habe ich sofort verbrannt und meinen Austritt aus der Partei und dem Stadtrat erklärt. Der SPD gehörte ich nur zwangsweise an«.

Das waren allerdings Einzelerscheinungen, denen sich allenfalls jene Opportunisten zur Seite stellten, die, wie der Lehrer und langjährige sozialdemokratische Intellektuelle im Ort, Winkler, nach öffentlichen Ehren gleich unter welcher Herrschaft strebten, oder die, wie anscheinend der zeitweilige Konsumvereinsvorsitzende, Vorstandsfunktionär in zahlreichen Vereinen und in der SPD, Alois Kapsberger, mehr oder weniger gewollt in der neuen Bewegung mitzuschwimmen begannen[44].

Auf Opportunisten, Schnellüberzeugte und »Mitläufer« hat man bei der Bildung des neuen Stadtrats jedoch keine Rücksicht genommen, wenn auch die Zusammensetzung

---

[38] OGrF/Gauleitung 27. 7. 1933 über das Beitrittsgesuch des Knappschaftssekretärs Praschnikar; StAM, NSDAP 646–654.

[39] Max Neumeier/OGrF 5. 5. 1933, in: StAM, NSDAP 646–654. Der Vorstand der Baugenossenschaft war bereits zurückgetreten.

[40] Knappschaftssekretär Praschnikar/Kreisleitung Weilheim 29. 7. 1933, in: StAM, NSDAP 617. Die »Mistgabel« war das Drei-Pfeil-Abzeichen des Reichsbanners.

[41] Ebenda.

[42] Tierarzt Georg Gauder/OGrF 24. 4. 1933, in: StAM, NSDAP 646–654. Weitere Beitrittsgesuche s. ebenda.

[43] Protokoll vom 22. 3. 1933, in: StAM, LRA 3857. In seiner Stellungnahme zur vorgesehenen Entlassung (aufgrund des Gesetzes zur Wiederherstellung des Berufsbeamtentums) vom 21. 8. 1933 hob G. hervor, er habe die Parteimitgliedschaft als »formelle Sache zur Beitragsleistung« begriffen; er habe sich in der SPD nicht »führend« betätigt, sei vielmehr »direkt überrumpelt« worden, die »Geschäftsführung« der SPD zu übernehmen: »Als Redner trat ich nie auf«. Überhaupt habe in Penzberg natürlich die KPD gegen die NSDAP gehetzt, über ähnliches Verhalten bei der SPD sei ihm während seiner »Funktionstätigkeit nichts aufgefallen«. Die NSDAP sei ja auch noch sehr klein gewesen und habe »nicht irgendwie provozierend gewirkt«. Der stellv. Kreisleiter unterstützte G. mittelbar und schob vieles auf die »robusten Einwirkungen« Rummers (undat., StAM, NSDAP 627). Vgl. auch die in Matthias, Erich und Rudolf Morsey (Hrsg.): Das Ende der Parteien 1933. Düsseldorf 1960, S. 239–241 (Beitrag E. Matthias) abgedruckten Austrittserklärungen an den Ortsverein Hannover der SPD.

[44] Zu Winkler s. Kap. IV, Anm. 48; OGrF Schneider betrieb Ende 1933 erfolglos Winklers Versetzung, vgl. StAM, NSDAP 646–654. Zu Kapsberger vgl. etwa die Briefwechsel um die Erhaltung des Mieterschutzvereins, StAM, NSDAP 646–654.

des Gremiums die personellen Schwierigkeiten der Partei in Penzberg deutlich erkennen läßt. Vorübergehend nahm Schleinkofer, da der Stadtrat nach Ausschluß der BVP- und SPD-Stadträte beschlußunfähig war, als Bürgermeister erweiterte Befugnisse wahr. Zu neuen Stadträten wurden ernannt[45]: der Landwirt Georg Hartl, früher Mitglied im Bauernbund und als solches Stadtrat, weil er »sich rückhaltlos zum nationalen Staat bekannt und die Penzberger Bauernschaft früher als andernorts restlos in die NS-Bauernschaft überführt« hatte und jetzt Bauernschaftsführer war; der Bergmann Andreas Laiser, ein »ehrlicher Kämpfer unserer nationalsozialistischen Idee«, wenn auch früheres SPD-Mitglied, aber immerhin nach seiner Enttäuschung infolge einer vergeblichen Kandidatur für den Stadtrat und offenbar auch für den Betriebsrat der Grube aus der SPD ausgetreten und nunmehr neuer Betriebsratsvorsitzender; der Bergmann Rudolf Kopp, früher Gewerkschaftsmitglied, aber wie auch der Bergwerksschmied Johann Häusler bald »eifriger Verfechter der NSBO« und neuerdings Betriebsratsmitglied. Neue Parteigenossen waren anscheinend auch der Hafnermeister Ernst Vilhuber und der Dentist Ernst Gilcher, und auch Metzgermeister Johann Streicher sowie Postassistent Otto Stelzl (jetzt Führer der NS-Beamtenschaft Penzberg) waren erst in der jüngsten Vergangenheit zur Bewegung gestoßen. Für alle Genannten mußte der Ortsgruppenleiter bei der Gauleitung, »da sie Penzberg und die frühere Einstellung kennen«, die vorzeitige Genehmigung für »das Tragen des Braunhemdes« erbitten; alte Parteigenossen im neuen Stadtrat waren anscheinend nur der Magazingehilfe Johann Schweiger und der Diplom-Kaufmann Jakob Dellinger, ein Frontoffizier und Stahlhelm-Mitglied[46].

Doch war dieser Umstand für die kommende Entwicklung unerheblich. Der Stadtrat war in der Folgezeit kaum mehr als ein Repräsentativgremium: Die Entscheidungen traf der Bürgermeister, und den Stadträten wurde allenfalls noch Zustimmung abverlangt, so daß sie auch bald nur noch ausnahmsweise zusammentrafen. Daher mag es sich angeboten haben, mit der Zusammensetzung des Gremiums aus drei Bergleuten, Vertretern der sonstigen Gewerbe der Stadt und Repräsentanten von Gruppen wie der Beamten, eine Geste der Bevölkerungsnähe zu vollziehen. Dafür spricht auch der baldige Beschluß[4] des neuen Gremiums, die Aufwandsentschädigungen seiner Mitglieder zu streichen. In der Tat, »Aufwand« war künftig kaum noch zu leisten.

Sehr viel bedeutsamer waren die Amtswalterpositionen in der Partei, die denn auch mit einer Ausnahme der zehn Stellen ausschließlich solchen Parteigenossen anvertraut wurden, die spätestens bis Ende 1932 der Partei beigetreten waren[48]. Das hieß, daß die Rechnungsführer-Clique in der Stadt das Ruder in der Hand behielt: Unter den zehn Amtswalterpositionen wurden sechs von Bergwerksangestellten (4 Rechnungsführer, 1 Platzmeister, 1 Magazingehilfe) eingenommen.

---

[45] Liste der zur Ernennung vorgeschlagenen Stadtratskandidaten s. mit kurzen biographischen Hinweisen, jeweils die Nähe zur nationalen »Bewegung« betonend, BM Schleinkofer/kommissar. Kreisleiter Dr. Gmelin 13. 7. 1933, in: StAM, NSDAP 627, vgl. dass. ebenda 27. 7. 1933 sowie LRA 3438; »ehrenwörtliche Erklärungen« (Niederlegung des Amtes bei Parteiaustritt u. a.) der neuen Stadträte s. in StAM, NSDAP 627.
[46] Wie Anm. 45 sowie OGrF/Gauleitung 23. 8. 1933, StAM, NSDAP 646-654.
[47] BM Schleinkofer/OGrF Schneider 30. 6. 1933, ebenda.
[48] Liste: OGrF/Kreisleiter Englbrecht, Murnau, 28. 4. 1933, ebenda.

2. Die Ausschaltung der Gewerkschaften

Wie immer man die realen Aussichten über einen Erfolg auch unter Nationalsozialisten einschätzte – die Gewinnung der Arbeiterschaft mußte, wollte man überhaupt langfristig in Penzberg zu erträglichen kommunalpolitischen Verhältnissen kommen, das Hauptziel der Bewegung sein. Die Bemühungen hierzu setzten sofort nach der Machtübernahme ein – zunächst, wie gezeigt wurde, mit Hilfe von Diffamierungen der Repräsentanten des alten »Systems«. Die reichsweiten Aktionen nach dem 1. Mai setzten dann das Signal für die auch in Penzberg zu erwartende Gleichschaltung der Gewerkschaften, der Knappschaft und der betrieblichen Arbeitervertretung.

Der ursprünglich für den 1. Mai in Penzberg geplante große Aufmarsch von SA und SS wurde, vielleicht in der Befürchtung erregter Reaktionen, abgesagt. Stattdessen bemühte sich, neben einem pompösen Umzug unter Aufbietung aller örtlichen Parteikräfte, allerhand Prominenz nach Penzberg. Offenkundig waren der Bezirksamtsvorsteher Wallenreuter, der SA-Sonderkommissar beim Bezirksamt und insbesondere der Gauleiter und kommissarische Staatsminister des Innern Wagner bestrebt, durch ihre Anwesenheit im Ort ein Zeichen zu setzen. Wagner, »in dem das heutige Penzberg seinen getreuen Ekkehard und Befreier in wahrhaft heldischer Verehrung erblickte und feierte«, wollte auch den »politischen Gegnern die offene Hand reichen«, im übrigen aber den begonnenen »Reinigungsprozeß des öffentlichen Lebens« in seiner Ansprache fortsetzen: Insbesondere finde »jedweder linksgerichtete Einfluß in die gewerkschaftliche Bewegung« mit dem heutigen Tag »ein Ende«[49].

Es ist sehr zu bezweifeln, daß nach dieser Veranstaltung die »Gefühle der erwachenden Penzberger Arbeiterschaft« den neuen Machthabern entgegenschwärmten[50]. Ein Sturm auf Gewerkschaftshäuser blieb den örtlichen Verbänden erspart, da sie über derartigen Besitz nicht verfügten. In der zweiten Maihälfte wurden, nachdem die Gewerkschaftsspitzen eingenommen worden waren[51], die wesentlichen Gleichschaltungs-Maßnahmen unter propagandistischem Flankenschutz auf der unteren, der Zahlstellen-Ebene, ergriffen. Mit dem 15. Mai wurde der bisherige Zahlstellenvorsitzende des Bergbauindustriearbeiter-Verbands, Franz Reitmeier, seines Amts enthoben. Er scheint der erzwungenen Übergabe der Mitgliederlisten und Kassengelder Widerstand entgegengesetzt zu haben[52]. Zugleich erging per Rundschreiben die Aufforderung zur Organisation im Verband; schon am 9. Mai war für die NSBO eine Mitgliedersperre verfügt worden. Wer zugleich Mitglied des Verbands und der NSBO war, hatte übergangsweise Beiträge für beide Organisationen zu entrichten, wer nur Mitglied der NSBO war, hatte bei dieser zu verbleiben. Die Möglichkeit zur Nachentrichtung von Beiträgen im Falle von Beitragsverzug oder vorübergehendem Austritt aus dem Verband sollte den Bergleuten die

---

[49] PA 100/2. 5. 1933; vgl. 96/26. 4. 1933.
[50] Ebenda.
[51] Vgl. Schumann, Hans-Gerd: Nationalsozialismus und Gewerkschaftsbewegung. Die Vernichtung der deutschen Gewerkschaften und der Aufbau der »Deutschen Arbeitsfront«. Hannover/Frankfurt a. M. 1958, S. 71. Wagner hatte bisher für Bayern alle antigewerkschaftlichen Maßnahmen einzugrenzen versucht; vgl. ebenda, S. 65.
[52] Vgl. PA 115/19. 5. 1933 mit Formulierungen, die diese Annahme stützen.

Mitgliedschaft bzw. den Wiedereintritt angesichts der mit der Mitgliedschaft verbundenen Verbandsrechte ebenso wie eine in Aussicht gestellte Beitragssenkung schmackhaft machen[53]. An alle Mitglieder erging kostenlos die NSBO-Postille *Arbeitertum*.

Währenddessen wurde die Diffamierungskampagne gegen die früheren Arbeiterführer, wie reichsweit vorexerziert[54], auch auf lokaler Ebene unter sehr verschwommener Propagierung der neuen gewerkschaftspolitischen Ziele vorangetragen. Im Lokalblatt erschien zunächst ein langer Aufsatz »Die Arbeiterstadt im Arbeiterstaate«, gefolgt von einem Artikel über »Die Ständestadt im Stände-Staate«[55]. Da ging es zunächst um eine Art Aufarbeitung der Vergangenheit: um die »Freude«, nun wieder in »einem sauberen Staate, in dem die grenzenlose Korruptionswirtschaft, die krasse Verschwendung der Arbeitergroschen ein endgültiges Halt findet«, zu leben; nun erst sei »der Arbeiter wieder [!] ein Staatsbürger erster Klasse«, der »freudigst die ihm dargereichte versöhnende Hand der heutigen nationalen Arbeiterführer ergreifen« möge, um »endlich einmal den Kampf und den Haß . . . auch in unserer Stadt« zu begraben.

»Auch hier auf Penzberg fiel zu damaliger Zeit ein Samenkorn dieser seinerzeit hier so unerwünschten Bewegung auf steinigen Boden, kaum daß es die harte Decke durchbrechen konnte, am Wachstum ständig gehindert, aber in unerschütterlichem Glauben an die ihm innewohnende Kraft zum Baume erstarkt, der jegliches Licht und Sonne in unseren Mauern entbehren mußte. Ein Fähnlein von Getreuen behauptete sich auf schier verlorenem Posten, gleich Rufern in der Wüste . . .«

Wie beispielhaft sei doch dieser Opfergang gewesen, und dennoch habe man keineswegs »Gleiches mit Gleichem vergolten«. »Schämen« müsse man sich der alten Anpöbelungen, der Zerstrittenheit, des Klassenhasses, der

»unsere Stadt (nebst Kolbermoor) gleichsam als ein warnendes und abschreckendes Beispiel im ganzen Bayernland im Munde der gerecht empfindenden Teile des bayerischen Volkes so unliebsam populär«

gemacht habe[56]. »An Rekorde grenzte und überwucherte das politisch beeinflußte Vereinsleben in so vielerlei überflüssigen Variationen den Frieden unserer Stadt« – »das getreue Spiegelbild der Zerrissenheit«, die bis in die Familie jedes einzelnen – »ein ›Reichstag‹ im Kleinen« – und bis in die Kommunalpolitik, in die ganze Stadt – »ein Interessenkerhaufen im Großen« – tief eingedrungen sei.

---

[53] StAM, NSDAP 646–654, Rundschreiben 5k des Verbands der Bergbauindustriearbeiter v. 15. 5. 1933 und Nr. 4k vom selben Datum.

[54] Vgl. Schumann, a.a.O., S. 72f.

[55] Zitate im folgenden: PA 116/20. 5. u. 126/2. 6. 1933. Die Verfasser-Paraphe »E. B.« der beiden Aufsätze ließ sich anhand der vorliegenden Listen über die NSDAP- und NSBO-Mitgliedschaft bzw. -Führung nicht entschlüsseln. Es muß sich jedoch um einen mit den Penzberger Verhältnissen wohlvertrauten Verfasser handeln.

[56] Der Hinweise auf Kolbermoor als ähnlich »steiniger« Boden verdient Aufmerksamkeit; leider sind die Ausführungen bei Landgrebe, Christa: Zur Entwicklung der Arbeiterbewegung im südostbayerischen Raum. Eine Fallstudie am Beispiel Kolbermoor. München 1980, S. 163f., für diese Phase der Ortsgeschichte völlig unergiebig. Erkennbar wird jedoch der ebenfalls sehr frühe (Hitler-Rede 19. 6. 1920) Ausbreitungsversuch der NSDAP in diesem Ort, wo – ähnlich Penzbergs – die KPD bereits 1924 rund ein Viertel der Wählerstimmen auf sich vereinigen konnte, die BVP jedoch gegenüber der SPD eine starke Position einnahm. Organisatorisch war der KPD-Unterbezirk Rosenheim in Kolbermoor trotz Erwerbslosenagitation und Bildung von Nebenorganisationen offenbar bei weitem nicht so stark vertreten wie die KPD in Penzberg. Zum Verlauf der Machtübernahme in Hausham s. die knappen Hinweise in: Hausmann, Wilhelm und Franz Silbernagl (Bearb.): Hausham. Beiträge zur Chronik unseres Ortes. Hausham o. J. [ca. 1971], S. 89.

Das positive Gegenbild blieb verschwommen, erging sich in den nunmehr beherrschenden Phrasen von »einer Gemeinschaft aller Schaffenden«, der »Arbeiter der Stirne und der Faust«. Im Streben nach dem »Idealzustand eines zufriedenen Volkes« werde ein »Gebäude« geschaffen,

> »dessen tragende Säulen die in Berufsständen gruppierten einzelnen Zweige der Schaffenden sind, und derart wird das neue Ständeparlament aussehen, in dem sie, unbeeinflußt von irgendwelchen politischen Motiven, nur mehr ihre wirtschaftlichen Interessen vertreten«[57].

Daß die Darreichung der versöhnend offenen Hand ihre Tücken hatte, erfuhren die Penzberger Bergleute wenige Tage später, als der Münchener Stadtrat Gleixner noch einmal die Vergangenheit der alten Verbände in einer öffentlichen Kundgebung der NSBO »aufarbeitete« und deren »schützende Macht vor Verführung, Terror und Ausbeutung« pries[58]:

> »Zu einem dramatischen Höhepunkt gestaltete sich das Auftreten des ersten Diskussionsredners, Herrn Schöttl, der in seiner Stellungnahme zu den Gewerkschaftsfragen als ehemaliger Betriebsrat eine Reihe von Einwänden, Bedenken und Fragezeichen vorbrachte. Er trat an die neuen Machthaber mit einer Reihe von Forderungen heran, die im alten System trotz der unumschränkten Machtfülle der Arbeiterführer nicht zur Verwirklichung kamen und damit die Unfähigkeit eklatant darlegten, wie die Rechte der Arbeitnehmer vernachlässigt wurden. Eine geradezu vernichtende Kritik und Abfuhr wurde den Einwendungen des Debattenredners seitens des Referenten zuteil, die durch einzelne belastende Zwischenrufe aus dem Publikum eine Kampfansage und zur Rechenschaftsziehung des Diskussionsredners förmlich herausforderten. In eingehender Weise und Begründung widerlegte der Referent die vorgebrachten Einwände und Bedenken und gab in nicht mißzuverstehender Art der großenteils vorherrschenden Meinung Ausdruck, daß der gegebene Platz für solche Unbelehrbare das Konzentrationslager Dachau sei, um sie dort im Geiste echter, wahrer Volksgemeinschaft für die Erfordernisse der heutigen Zeit und Probleme reif zu machen. Zwei weitere Redner griffen ebenfalls noch in die Debatte ein und haben mehr oder minder ihre mangelnde Einfühlung in die neue Zeit ... zum Ausdruck gebracht«.

Wirklich, eine »aufschlußreiche Kundgebung«, wie es in dem bereits sehr verfärbten, in der Schilderung der Opposition besonders holprigen Pressebericht heißt. Dachau – mit dem Wort wurde in Penzberg jetzt »öfters Unfug getrieben«: Man rief sich »Auchda!« zu unter den Bergleuten, wovor die Zeitung ausdrücklich warnte[59]. Zu Scherzen bestand auch kein Anlaß: Das war der Sarkasmus jener Arbeiter, die das Verschwinden ihrer Arbeitskollegen und Arbeiterführer wohl bemerkt und unter der Hand erste Berichte von zurückgekehrten »Unbelehrbaren« erfahren hatten, bald auch durch heimlich verbreitete Schriften[60] Kenntnis über die dortigen Vorgänge erhielten.

Zur Erläuterung der technischen Umstellungen während der Gleichschaltungsaktion wurde eine weitere Versammlung abgehalten; im übrigen hielt man sich an die Anordnung eines Verbandsrundschreibens vom Mai, keine öffentlichen Versammlungen abzuhalten – die erste hatte sich ja auch eindeutig als Fehler erwiesen. Der Disziplinie-

---

[57] Zum »ständischen Aufbau« vgl. unten Kap. IV, 3–4.
[58] Versammlungsbericht: PA 123/30. 5. 1933. Vgl. PA 116, 120 und 137/1933.
[59] PA 169/25. 7. 1933; vgl. 39/16. 2. 1934 mit einer ganz und gar »geschönten« Darstellung des KL.
[60] 8 Schutzhäftlinge, darunter Rummer, wurden zum 2. 5. 1933 entlassen: vgl. PA 100/2. 5. 1933 sowie über diese Aktion unten S. 236. Auch Rummer ist anscheinend später wieder (bis Ende 1933) inhaftiert worden. Ein Bericht über die »Hölle von Dachau« erschien in der illegal verbreiteten, hektographierten »Neuen Zeitung. Organ der KPD Bezirk Südbayern« (Quelle: OLG 43/33) Nr. 6, Juli 1933, S. 9f.; vgl. auch Bretschneider, Heike: Der Widerstand gegen den Nationalsozialismus in München 1933 bis 1945. München 1968, S. 45f.

rungsprozeß setzte sofort ein: Jedes Mitglied, nicht nur die Austretenden oder Rückkehrwilligen, mußte »zur Kontrolle« sein Mitgliedsbuch der Zahlstelle, deren Leitung anscheinend an Daiser übergegangen war, vorlegen. Wer die eben erwähnte zweite und vorläufig letzte NSBO-Versammlung nicht aufsuche, sei, wie es hieß, »Volksfeind« und brauche nicht auf Hilfe bei der Arbeitsbeschaffung zu rechnen. Bis August wurde der »Deutsche Arbeiterstand des Bergbaus« in der »Deutschen Arbeitsfront« etabliert und mit einer Geschäftsstelle in der Stadthalle neben der NSDAP-Ortsgruppe versorgt[61].

Auf der Grube war inzwischen mit Hilfe des NSBO-Betriebswarts und Rechnungsführers Kapfhammer reiner Tisch gemacht worden. Ende Juni 1933 mußte Michael Boos sein Knappschaftsältesten-Amt an Daiser abgeben, und die betriebliche Vertretung der Arbeiter und Angestellten wurde durch Verfügung des Gewerbeaufsichtsbeamten am 27. Mai 1933 aufgrund des Gesetzes über die Betriebsvertretungen vom 4. April zugleich amtsenthoben und ersetzt[62]. Der bisherige Arbeiterrat hatte seit 1931 amtiert. Durch Verordnung vom 14. Dezember 1931 waren die Betriebsrätewahlen für 1932 ausgesetzt, durch eine weitere nationalsozialistische Verordnung vom 20. März 1933 die bisherigen Mandate »bis auf weiteres« verlängert worden, und das Gesetz vom 4. April hatte ohne arbeitsrechtliche Einspruchsmöglichkeiten die Entlassung von Betriebsratsangehörigen »bei Verdacht staatsfeindlicher Betätigung« erlaubt[63]. Der gewählte Betriebsrat der Grube Penzberg tagte zum letzten Mal am 20. Februar 1933, der nunmehr eingesetzte Betriebsrat erstmals nicht vor dem 5. September 1933[64].

Mit der Ausnahme Daisers, den man zum zunächst kommissarischen Betriebsratsvorsitzenden wohl wegen seiner früheren Tätigkeit in der Gewerkschaft machte, waren alle Arbeiterratsmitglieder neue Leute. Daß auch die NSBO hier und im Angestelltenrat aus Personalmangel Konzessionen machen mußte, wird beispielsweise in der Ernennung eines der BVP-Stadträte (Georg Höferle) der Übergangsphase, mehr jedoch in der Angestelltenlastigkeit der Vertretung erkennbar: Im fünfköpfigen Betriebsrat saßen jetzt neben drei Arbeitern zwei Angestellte[65], wobei sich unter den Arbeitervertretern möglicherweise noch ein Fahrhauer verbirgt.

3. Ein Aufstand in Penzberg?
Die Kommunisten und der Hochverratsprozeß 1933/34

Vom Tage des Rathaussturms an verbreiteten SA, SS und Gendarmerie durch eine große Zahl von Verhören, Haussuchungen und Inschutzhaftnahmen ein Klima von Terror und Verfolgung in Penzberg. Der Inhaftierung verfielen insbesondere Funktionäre der KPD: Gleich mit der Machtübernahme im Ort wurden die Stadträte März und Höck sowie

---

[61] PA 161/15. 7. und 191/21. 8. 1933.
[62] Vgl. StAM, OK 313, Gaubetriebszellenleiter/OK 26. 4. 1933, sowie Anordnung des Gewerbeaufsichtsbeamten vom 27. 5 1933; PA 144/26. 6. 1933.
[63] Überblick Broszat, Martin: Der Staat Hitlers. Grundlegung und Entwicklung seiner inneren Verfassung. 8. Aufl., München 1979, S. 182.
[64] Vgl. StAM, OK 287, Betriebs- und Vertrauensratsprotokolle 1932ff.
[65] Listen der ernannten Mitglieder s. Anm. 62 u. 64 sowie StAM, OK 2.

zeitweilig anscheinend auch der ehemalige KP-Stadtrat Adam Steigenberger, ferner die KP-Führer Hans Raithel und Hermann Klautzsch festgenommen. Mindestens März ist spektakulär aus dem Rathaus weg verhaftet worden. Während einer Haussuchung bei dem Bergmann Josef Goldbrunner fand man am 12. März 1933 Aufzeichnungen über das Organisationsschema zweier Orts- bzw. Betriebszellen der Ortsgruppe Johannisberg an der Sindelsdorfer Straße. Man werde, hieß es in diesem Polizeibericht[66], alle in diesem Dokument genannten (sieben) Funktionäre, »soweit sie erreichbar sind«, in Schutzhaft nehmen. Es ist allerdings hiernach nicht die Annahme gerechtfertigt, daß grundsätzlich alle bekannten Funktionäre im KP-Unterbezirk Penzberg inhaftiert worden seien, auch wenn man über Namen und Funktionen nach der Spitzeltätigkeit des V. S. bis Ende 1932 bei der Polizei im wesentlichen informiert war. Eine genaue Übersicht ist nicht zu gewinnen, da es deutlich auch in Penzberg nicht an Kompetenzengerangel und Eigenmächtigkeiten der als Schutztruppe etablierten SA-Männer fehlte, während auf seiten der Gendarmeriestation immerhin ein Überblick bestand[67]. Es lassen sich demnach drei Verhaftungswellen gegen Penzberger Kommunisten unterscheiden: In einer ersten Welle richteten sich die Inhaftierungen bis zur Einvernahme des J. H. am 17. April 1933 wahllos gegen alle nur irgendwie prominenten KP-Führer in Penzberg. Aufgrund von H.s Aussagen wurden dann sehr gezielt die von ihm als Mitglieder einer Untergrundorganisation der KPD benannten Personen festgenommen. In dieser Phase konnte die SA anscheinend ganz ausgeschaltet werden. Ein Experiment hat man schließlich in den ersten Maitagen versucht: Auf Ersuchen H.s, der die Mitteilung weiterer Interna von seiner Freilassung abhängig machte, wurde zunächst eine gesteuerte Flucht dieses »Kronzeugen« erwogen, schließlich aber zugunsten einer unauffälligen Freilassung im Zusammenhang mit Gauleiter Wagners Schutzhaft-Amnestie vom 1. Mai 1933 entschieden. Hierbei kamen neben Rummer und anderen auch März und seine Frau sowie Johann Kuck frei[68]. März und Kuck sahen sich jedoch schon drei Tage später wieder hinter Gittern. In der damit einsetzenden dritten Verhaftungswelle von Kommunisten wurden wieder sehr gezielt führende Parteigenossen ausschließlich von seiten der Polizei festgenommen. Die Verhaftungen hielten mindestens bis Herbst 1933 an; Inhaftierungen wegen des im Hochverratsprozeß abgeurteilten Delikts sind noch Jahre später vorgenommen worden.

Mindestens sieben führende Penzberger Kommunisten haben sich, nachdem die ersten Verhaftungsaktionen bekannt geworden waren, rechtzeitig in Sicherheit bringen kön-

---

[66] StAM, LRA 3884, PP/BA WM 12. 3. 1933. Allgemein zur Verfolgung der Linken vgl. Domröse, a.a.O., S. 320–327.

[67] Dies zeigt eine Aufstellung über polizeiliche Inhaftierungen März/April 1933, in: OLG 43/33. – Die wesentlichen Quellen, insbesondere die Verhörprotokolle, die Anklageschrift und Urteilsbegründung sowie einige Nebenstücke zur folgenden Darstellung finden sich in den umfangreichen Prozeßakten OLG 43/33, lassen sich jedoch wiederholt durch andere Überlieferungen ergänzen. Die Akten befinden sich noch beim Oberlandesgericht München. Für den entsprechenden Hinweis danke ich Herrn Hartmut Mehringer, Institut für Zeitgeschichte. Herr Mehringer bereitet eine umfangreiche Darstellung der KPD in der ersten Phase der Illegalität vor. Da diese Darstellung den Hochverratsprozeß gegen Penzberger Kommunisten behandelt und mir insoweit vor der Drucklegung durch freundliches Entgegenkommen bekannt gemacht wurde, wird in der vorliegenden Untersuchung der Akzent auf die lokalgeschichtlich und im Zusammenhang der Gesamtanalyse bedeutsamen Vorgänge gelegt, im übrigen auf die Arbeit von H. Mehringer verwiesen, die als Bd. V der Reihe »Bayern in der NS-Zeit« 1982 erscheinen wird.

[68] Vgl. Liste der Freigelassenen: PA 100/2. 5. 1933.

nen. Namentlich genannt wurden als flüchtig noch Anfang 1935 der Schlosser Josef Raab sowie die Bergleute Georg Dirwimmer, Josef Hörmann und Herbert Herschel[69]; ferner waren Leonhard Wiedemann, Willy Buchter, der in der Organisation fast nur unter dem Namen »Willy« bekannt war, schließlich J. H. geflüchtet. Nach ihrer Flucht hielten sich die Genannten zunächst für Wochen in der Umgebung Penzbergs in Heustadeln und Waldschuppen auf und blieben in heimlichem Kontakt mit ihren Angehörigen und eng befreundeten Genossen, besuchten auch wohl gelegentlich während der Nacht ihre Familien in Penzberg, von denen sie unter Hilfe von Freunden auch Verpflegung übermittelt erhielten. Erst Anfang Mai 1933 hat sich diese Gruppe, nachdem H.s Verhaftung bekannt und auch durchgedrungen war, daß die Polizei umfassende Kenntnisse von den Untergrundaktivitäten der Penzberger Kommunisten erhalten hatte, aufgelöst und ist auf abenteuerlichen Wegen in das Ausland, später zum Teil in das Saargebiet gegangen. Wiedemann hat man Anfang September 1933 bei einem zusammen mit Raab durchgeführten, heimlichen Besuch in München ergriffen; die Verhaftung von Hörmann und Herschel gelang erst kurz vor bzw. nach Kriegsausbruch. Raab, Dirwimmer und Buchter sind niemals gefaßt worden. Einige der Flüchtigen gelangten über Österreich in die Schweiz, aus der von Zwischenfällen wie einem Schußwechsel mit der Polizei und der Zuerkennung politischen Asyls berichtet wird.

In den ersten Wochen der Verhaftungsaktionen widmete man den stadtbekannten »Kommunistenvierteln« durch Haussuchungen und Überwachungen gezielte Aufmerksamkeit. Das Ledigen- oder »Burschenheim« in Heinz war, wie die jüngere Arbeitersiedlung Heinz und das ältere Maxkron, eine der bevorzugten Wohngegenden der Kommunisten gewesen. Hier zuerst hatte sich das eigene Daseins-, Vereins- und Parteimilieu der Parteigenossen entfaltet; hier bestanden in besonderem Maße enge nachbarliche Bindungen und Beziehungen der Arbeiterfamilien untereinander. Um der »Moskauer Gesellschaft« habhaft zu werden, um die »rote Brut« auszuheben[70], blieb wohl keine Maßnahme unerwogen. Auch die Arbeiterfrauen wurden in Verhöre und Vernehmungen einbezogen. Besondere Aufmerksamkeit widmeten SA und Polizei den beiden Ledigenheimen der Zeche, unter denen jenes in Heinz, nahe dem Nonnenwaldschacht, Mitte März einer intensiven Hausdurchsuchung unterzogen wurde. Sie brachte »viel belastendes Material« ans Licht[71], weshalb dem bisherigen Hausmeister gekündigt und der Gärtner und NSDAP-Altparteigenosse Stefan Orthofer nebenamtlich an seine Stelle gesetzt wurde[72].

---

[69] Vgl. StAM, LRA 3862, PP/BA WM 20. 1. 1933 mit Kurzbiographien.
[70] OGrF Peißenberg/Polizeipräs. Himmler 14. 3. 1933, in: StAM, LRA 3884. Der OGrF behauptete, daß Peißenberg Penzberg hinsichtlich der KPD »nichts nachsteht«, und verlangte, daß die Polizeiorgane diesbezüglich ihre Laschheit überwinden sollten. Peißenbergs KPD war im Vergleich mit jener in Penzberg von sehr geringer Bedeutung.
[71] StAM, OK 198, Berichte über die Hausdurchsuchung.
[72] Orthofer genoß, wenn auch »Alter Kämpfer«, in der OGr. keinen sonderlich guten Ruf. Als das Ledigenheim in Heinz zu Wohnungen umgebaut wurde, kündigte man der Hausmeisterin des »Menagenhauses« in Penzberg wegen »Doppelverdienertum« und verschaffte Orthofer nun diese Stelle. Man hat ihn wegen seiner Rolle in den innerparteilichen Auseinandersetzungen (vgl. unten Kap. VI,2) deutlich sehr vorsichtig behandelt. Nachdem die Schuldenwirtschaft Orthofers – er hatte für die Verpflegung der Menagenbewohner zu sorgen – bekannt geworden war, zog er selbst die Konsequenz und verzog nach Rosenheim, wo ihn noch eine Lohnpfändung ereilte. Quellen wie Anm. 66.

Mit H.s Verhaftung war es, für die Polizei mit Sicherheit völlig überraschend, gelungen, ein führendes Mitglied der KPD-Untergrundorganisation in Penzberg einzuvernehmen[73], das zudem aussagewillig war. H. war zeitweise Organisationsleiter des Kampfbunds gegen den Faschismus und in dieser Funktion zugleich einer der nach Raab führenden Kämpfer im verbotenen Rotfrontkämpferbund. Von den nun folgenden Verhaftungen hieß es in der Ortspresse, daß sie[74]

»im Zusammenhang stehen mit dem durch Angehörige verbotener Kampfverbände verheimlichten und beschlagnahmten Waffenmaterial. Die zu den Vorfällen Veranlassung gebenden belastenden Argumente stammen aus den eigenen Reihen der in Frage kommenden Beteiligten«.

Nicht nur, daß die Vorgänge mithin in die Öffentlichkeit gelangt waren; es war auch bekannt, daß die illegalen Aktivitäten der KPD durch Verrat aufgeflogen waren. Die Zeitung erhielt unter dem 3. Mai 1933 Anweisung, fernerhin nichts über die Waffenfunde zu berichten. Gleichwohl veröffentlichte sie – vielleicht auf besondere Anordnung – bereits am 6. Mai ausführlich und in großer Aufmachung, eine »kommunistische Formation in Penzberg« sei ausgehoben worden; diese Organisation des Rotfrontkämpferbunds habe einen »gewaltigen Aufstand geplant« und insgesamt vier Waffenlager zu dessen Vorbereitung eingerichtet[75]. Berichtet wurde ferner von über 20 Verhaftungen in diesem Zusammenhang.

Die Ermittlungen in dieser Sache sind zunächst vom Reichsanwalt in Leipzig als der an sich zuständigen Instanz an die Generalstaatsanwaltschaft beim Obersten Landesgericht in München abgegeben und einer Untersuchungskommission unter Leitung von Landgerichtsrat Dr. Beutner, der Anfang Juni 1933 die untersuchungsrichterlichen Ermittlungen aufnahm, übertragen worden. Sie ergaben das folgende Bild, das wir, wo möglich, durch andere Informationen ergänzen:

Gerüchte über Waffenbeschaffungen seitens der KPD waren in Penzberg, wie bereits erwähnt, schon im Jahre 1930 bekanntgeworden. Man wird diesen Gerüchten im Hinblick darauf, daß die im April und Mai 1933 aufgefundenen Waffenlager aus sehr viel später entwendeten Beständen stammten, keine Bedeutung beimessen dürfen. Wichtiger sind die Hinweise aus einem Spitzelbericht, wonach während einer Versammlung Anfang August 1932 die »Organisierung von Selbstschutzstaffeln« besprochen wurde[76]:

»Die Art und Weise, sich zu bewaffnen, soll den einzelnen überlassen werden, nur das Tragen von Schußwaffen soll unterbleiben. Es wurde darauf hingewiesen, daß besonders Wurfgeschosse, z. B. mit Salzsäure gefüllte Flaschen, eine ganz gewaltige Wirkung haben können . . . Am Tag nach der Versammlung wurden an verschiedene Genossen etwa 40 cm lange Gummischlauch- und Kabelstücke verteilt. Durch Kampfbundmitglieder soll den Genossen erklärt worden sein, wie sie diese Stücke zu ›wirksamen Verteidigungswaffen‹ verarbeiten können«.

Eine aktivistische und terroristische Attitüde ist in diesen Vorbereitungen ebenso wie eine gewisse Kaderfunktion des Kampfbundes gegen den Faschismus in der Instruktion der Parteigenossen unverkennbar. Die Behörden werden den Hinweisen jedoch um so

---

[73] Verhörbericht: StAM, LRA 3884, PP/BA WM 18. 4. 1933; ebenda, Bericht vom 19. 4. 1933 über erste Waffenfunde. Weitere Verhöre H.s OLG 43/33.
[74] PA 92/21. 4. 1933.
[75] Verfügung des BA WM vom 3. 5. 1933, in: StAM, LRA 5450; ferner PA 104/6. 5. 1933.
[76] Spitzelbericht vom 23. 8. 1932, in: StAM, LRA 3884.

weniger ernsthaft nachgegangen sein, als ausdrücklich Schußwaffen bei diesen Plänen ausgeschlossen wurden, es vielmehr so aussah, als verbessere die KP Penzberg schlicht ihren Saalschutz und trage Vorsorge für künftige Demonstrationen. Schließlich mochte man auf die im übrigen wohlinformierten Spitzelberichte über kommunistische Interna vertrauen.

Tatsächlich müssen zu diesen Zeitpunkt bereits, wie die Nachforschungen nach H.s Aussagen ergaben, recht ausgedehnte Waffenlager bestanden haben. Aber die Polizei ist selbst Anfang 1933, als ihr inzwischen recht konkrete Erkenntnisse über das Vorhandensein von Waffen und die Vorbereitung einer »KP-Kampforganisation« vorlagen, diesen Hinweisen nicht nachgegangen[77].

Im Winter 1931/32 hatte sich in Penzberg der Kampfbund gegen den Faschismus formiert. Er ist während der zahlreichen Demonstrationszüge in Penzberg stets als solcher durch uniformierte Kleidung (schwarzes Hemd, rote Halsbinde, blaue Mütze, Schulterriemen mit Sowjetstern) in Erscheinung getreten. Zahlreiche Mitglieder des Kampfbundes wirkten zugleich in dem 1924 gegründeten, seit 1929 verbotenen und mithin illegal operierenden Rotfrontkämpferbund[78] mit.

Man hat erkennbar versucht, beide Organisationen getrennt und die legal operierenden Parteiangehörigen von jenen in der illegalen Aktivistengruppe fernzuhalten. Durch die zahlreichen Personalunionen in den Mitgliedschaften beider Verbände sind allerdings selbst für die im engeren Sinne Beteiligten die Grenzen häufig zerflossen; mancher der später Verhörten wußte nicht genau anzugeben, welcher Organisation er nun eigentlich angehört hatte.

Im Sommer 1932 wurde durch mehrere Diebstähle von Waffen, deren Verstecke den Kommunisten auf zum Teil abenteuerlichen Wegen – es handelte sich beispielsweise um Waffen der früheren Einwohnerwehren – zur Kenntnis gelangt waren, ein insgesamt recht beeindruckendes Waffenarsenal zusammengetragen und in zuletzt vier Verstecken in den Wäldern um Penzberg verborgen. Die späteren Untersuchungen brachten 52 Gewehre, ein schweres und ein leichtes Maschinengewehr, 23 Stielhandgranaten und zahlreiche Munition zutage. Noch im Oktober 1933 wurden weitere Handgranaten gefunden. Die Waffen waren durchweg verwendungsfähig und wurden gepflegt. Manche Genossen hatten sich darüber hinaus durch Diebstähle in der Grube mit Sprengstoff versorgt. Die versteckten Waffen sind aus Sicherheitsgründen wiederholt, zuletzt noch im April 1933, verräumt worden. Auch wurde ein versteckter Unterstand im Wald angelegt und für mögliche militärische Operationen vorbereitet. Einige wenige Gruppenmitglieder bewahrten trotz ausdrücklichen Verbots durch die Gruppenleitung ihre »Latten«, wie sie ihre Waffen nannten, privat auf und wechselten auch hierbei wiederholt die Verstecke. Es ließ sich daher nicht vermeiden, daß auch Familienangehörige, Wohnungsnachbarn und Bekannte mindestens gerüchtweise oder, wie die Verhöre

---

[77] Vgl. BayHStA, MA 106 670, Monatsbericht der Reg. Obb. v. 6. 2. 1933, Erkenntnisse wohl auf Grund eines neuerlichen Spitzelberichts. Demnach lagen jedoch dem BA WM »noch keine Verdachtsmomente« vor, wenngleich man wußte, daß »die Schulungskurse zur Erörterung hochverräterischer Pläne dienen«.

[78] Als parteiischen Überblick s. Dünow, Hermann: Der Rote Frontkämpferbund. Die revolutionäre Schutz- und Wehrorganisation des deutschen Proletariats in der Weimarer Republik. Berlin [O] 1958, zum Verbot S. 82ff.; Schuster, Kurt: Der Rote Frontkämpferbund 1924–1929. Düsseldorf 1975.

ergaben, auch durch Zufallsfunde von den Waffen Kenntnis erhielten. Um so erstaunlicher ist es, daß aus der Bergarbeiterkommune keine Tatsachen und Hinweise nach außen, den Polizeibehörden zur Kenntnis, gelangten. Von letzteren wurde später intern auch eingeräumt, daß man der ganzen Sache ohne die Aussagen H.s jedenfalls nicht so rasch auf die Spur gekommen wäre.

Rotfrontkämpferbund und Kampfbund veranstalteten seit dem Sommer 1932 einigermaßen regelmäßig sportliche und Exerzierübungen, die zum Teil sogar im Stattacher Hof stattfanden. Hier erfreute man sich der unterstützenden Sympathien des Parteigenossen, Metzgers und Gasthausinhabers Pfefferle; hier bestand ein eingerichtetes Büro der KPD Penzberg. Es gab ausreichend Versammlungsgelegenheit in dem weitläufigen Gebäude. Andere Übungen fanden wiederholt im Freien und nachts statt. Hierbei wurden u. a. Geländekämpfe simuliert und nach dem Vorbild des Heeres-Exerzierreglements Waffengriffe, auch wohl militärische Formationen und Grundbegriffe des Militärischen wie Tarnen und Entfernungsschätzen geübt; vielen Gruppenmitgliedern kam dabei ihre Felderfahrung oder ihre Mitwirkung in den Nachkriegs-Waffenverbänden zustatten. Die Waffen wurden wiederholt, jedoch nicht regelmäßig zu solchen Übungen herbeigeholt.

Der führende Kopf der Untergrundbewegung, der von ihren Mitgliedern wiederholt als der bei weitem intelligenteste und energischste Funktionär beschrieben wurde, war Josef Raab[79]. Über seine persönliche und politische Biographie sind leider, auch weil es der Polizei nicht gelang, ihn zu fassen, nur wenige Details überliefert: Raab wurde 1899 geboren, war Penzberger, und Schlosser von Beruf. Nach Flucht und Exil sowie Teilnahme als Major im Spanischen Bürgerkrieg ist er bei Kriegsende nach Penzberg zurückgekehrt und wurde von den Amerikanern zum Nachkriegsbürgermeister der Stadt ernannt. Er betrieb in den 1950er Jahren in Penzberg eine kleine Gaststätte, die als »Kommunistentreff« bekannt war.

In den Jahren 1932/33 ist Raabs Autorität im Kreis der Genossen völlig unbestritten geblieben. Seinen Anordnungen wurde selbst dann ohne Umstände Folge geleistet, wenn für die Betroffenen der Sinn solcher Maßnahmen nicht unmittelbar einsichtig war. Raab war sich darüber hinaus über die wesentlichsten Erfordernisse konspirativer Tätigkeit im klaren. Er informierte selektiv, wechselte Verstecke und Treffpunkte regelmäßig und gab in seinen Anordnungen stets nur so viel an Informationen und Tatsachen preis, als zu deren Durchführung erforderlich war. Es ist erstaunlich genug, daß sich die Gruppe der Flüchtigen nach der Machtübernahme in Penzberg noch etwa sieben Wochen in der Umgebung Penzbergs unter Kontakten mit der Stadtbevölkerung versteckt halten konnte, ohne daß es den wiederholten Streifen und systematischen Suchaktionen von SA und Polizei unter Beteiligung zahlreicher Mannschaften gelungen wäre, die Gesuchten, von deren Aufenthalt in Stadtnähe man seit H.s Aussagen wußte, aufzuspüren. Auch an Mut mangelte es, wie etwa der getarnte München-Aufenthalt noch im Jahre 1933 zeigt, dem Gruppenführer Raab überhaupt nicht. Der Umstand, daß Raab mit einer kenn-

---

[79] Zur Auswertung der Biographien der Inhaftierten und Verurteilten s. bes. die Studie von Mehringer (Anm. 67). Raab muß in der illegalen KPD bis Kriegsende eine wichtige Rolle gespielt haben, läßt sich jedoch nach den bisherigen Forschungen nicht in diesem Rahmen identifizieren; vgl. Duhnke, Horst: Die KPD von 1933 bis 1945. Köln 1972, Register. Die Informationen im Text beruhen auf Gesprächen mit Zeitgenossen.

zeichnenden Ausnahme – er war Leiter der Roten Sporteinheit in Penzberg – auf sonstige Funktionärsehren im KPD-Unterbezirk oder in den Ortsgruppen verzichtete, deutet auf ein kluges konspiratives Kalkül hin.

Die Bezirksleitung Südbayern der KPD in München unter Führung Franz Stenzers, der noch 1932 zum Vollmitglied im ZK der KPD aufstieg, war ebenso über die Waffenbeschaffungen orientiert wie wenigstens einige überregionale Parteiinstanzen. Wiederholt kamen auswärtige Genossen höheren Rangs zur Inspektion. Mindestens bei der Beschaffung von Broschüren, Zeitungen und Agitationsmaterial wurde direkt mit Berlin, u. a. mit Wilhelm Pieck, korrespondiert. Anfang 1933 umfaßte die Untergrundgruppe mindestens dreißig Personen, von denen neben Raab besonders Georg Reithofer als Kassierer sowie Josef Kastl, ein Opfer des 28. April 1945, ferner Wallner, Numberger, Truger, Leonhard Wiedemann, Otto Kirner, Steinmaßl und Schmidtner als Unterführer fungierten. Die Zahl der später auch vorübergehend wegen Verdachts der Mittäterschaft oder Beihilfe an einem Verbrechen der Vorbereitung zum Hochverrat Inhaftierten wechselte naturgemäß: Im Mai 1933 wurden 51 Personen als in das Verfahren verwickelt bezeichnet; die gerichtliche Voruntersuchung wurde am 12. Juni 1933 gegen 45 Personen eröffnet. Im Juli 1933 befanden sich 38, im Dezember 1933 46 Personen entweder in Untersuchungs- oder in Schutzhaft, und zwar zum Teil in Dachau, weit überwiegend jedoch in München-Stadelheim[80]. Unter den 45 Personen, gegen die die Voruntersuchung eröffnet wurde, befanden sich 27 aktive Bergleute und ein pensionierter Bergmann, daneben 4 Hilfsarbeiter, ein Bahnarbeiter, ein Obsthändler sowie 10 Angehörige handwerklicher Berufe, die indessen wiederum etwa zur Hälfte auf der Zeche beschäftigt gewesen sein dürften. In einem Fall ließ sich kein Beruf feststellen. Die Zahl der dauernd oder vorübergehend Erwerbslosen läßt sich wiederum nicht feststellen, dürfte jedoch erheblich gewesen sein. Viele Inhaftierte waren bis Ende der 1920er Jahre in der SPD gewesen. Bei weitem die meisten Betroffenen waren zwischen 20 und 35 Jahre alt[81].

Die Gruppenmitglieder waren selbstverständlich fast ausnahmslos zugleich Mitglieder der KPD und haben in ihr Funktionen ausgeübt. Vollkommen eingeweiht in alle Aktivitäten des Rotfrontkämpferbunds in Penzberg, für den der Kampfbund gegen den Faschismus nach dem Gesagten nichts als eine legale Übungs- und Tarnorganisation mit Saalschutzcharakter gewesen ist, war wahrscheinlich neben Raab allein der Stadtrat und Polleiter des Unterbezirks Ludwig März, ebenfalls ein Opfer des 28. April 1945. Wofür man die gestohlenen und versteckten Waffen zu verwenden beabsichtigte, darüber auszusagen haben sich alle Beteiligten aus erklärlichen Gründen in zahllosen Verhören erkennbar gewunden: Die einen meinten, zur Verteidigung der einmal gewonnenen Macht gegen die Konterrevolutionäre, andere dachten an Verteidigung gegen Nationalsozialisten, und gelegentlich wurde Kenntnis über den Verwendungszweck schlicht abgestritten. Sehr deutlich waren jedoch die meisten mit dem Gedanken vertraut, daß es

---

[80] Diese Angaben nach OLG 43/33 stimmen recht genau mit einer Bemerkung PA 142/23. 6. 1933 überein, wonach der seit dem 10. 10. 1932 in Penzberg eingetretene Bevölkerungsrückgang erklärt wurde, weil »nahezu 50 Personen in Schutzhaft sind«.
[81] Vgl. ü. Beruf und Alter die Ausführungen von Mehringer (Anm. 67). Für Fluktuation zwischen RGO oder gar RFB und NSBO (s. Duhnke, a.a.O., S. 128–130) gibt es in Penzberg keine Anhaltspunkte.

einmal zur bewaffneten Auseinandersetzung im großen Rahmen kommen würde. Sie hätten, so die Schutzbehauptung der meisten Gruppenmitglieder, gewollt, daß in Deutschland zwar eine Sowjetrepublik nach russischem Vorbild entstehen sollte, hätten dies freilich stets mit parlamentarischen Mitteln, auf dem Wege einer Bevölkerungsmehrheit, verfolgt. Wozu dann Waffen, blieb bei solchen Behauptungen unklar

Dabei ging der Zweck der Vorbereitungen unverkennbar aus den Bemühungen um eine propagandistische Flankierung und Vorbereitung des erstrebten gewaltsamen Umsturzes hervor. Daß man sich um eine solche Absicherung und Vorbereitung bemühte, kennzeichnet wiederum den einen bloß gewalthaften Aktivismus gewiß sprengenden Weitblick mindestens Raabs und einiger weiterer führender Genossen, darunter etwa Raithel, Kastl und Johann Kuck. Letzterer war maßgeblich für die revolutionäre Propagandaschrift der Untergrundgruppe, den *Roten Kumpel*, in Herstellung und Verbreitung – gewöhnlich in einer Auflage von 300 Exemplaren – verantwortlich. Die nach wie vor hektographierte, meist in Penzberg mit Hilfe der eigenen Vervielfältigungsmaschine, gelegentlich jedoch auch in München hergestellte Zeitschrift hat während des Jahres 1932 mehr und mehr ihren Charakter von einem RGO-Betriebszellen- und Kampfblatt zu einer revolutionären Untergrundschrift geändert. Sie erschien 1932 monatlich, mit einer 13. Nummer noch im Dezember 1932 und drei weiteren Nummern 1933, zuletzt noch im März. In Nr. 12, Dezember 1932, hieß es beispielsweise[82]:

»Der Angriff auf den bürgerlichen Staat wird erreicht durch Propagandierung, stufenweise gesteigerte Übergangslösungen (Arbeiterräte, Arbeiterkontrolle der Produktion, Bauernkomitees zur gewaltsamen Aneignung des grundherrlichen Bodens, Entwaffnung der Bourgeoisie und Bewaffnung des Proletariats usw.) und durch Organisierung von Massenaktionen. Solche Massenaktionen sind: Streiks, Streiks in Verbindung mit Demonstrationen, Streiks in Verbindung mit bewaffneten Demonstrationen und schließlich Generalstreik, vereint mit dem bewaffneten Aufstand gegen die Staatsgewalt der Bourgeoisie. Diese höchste Form des Kampfes folgt der Regeln der Kriegskunst, setzt einen Feldzugsplan, einen Offensivcharakter der Kampfhandlungen, unbegrenzte Hingabe und Heldenmut des Proletariats voraus ... Wir Kommunisten wissen, daß die Eroberung der Macht, die Zerschlagung des kapitalistischen Staates und Machtapparates nicht auf friedlichem Weg erfolgt, sondern sie erfordert den zähen, aufopferungsvollen Kampf des Proletariats ... Durch Streiks und alle anderen Kämpfe werden immer wieder neue Arbeiter dem revolutionären Lager zugeführt, bis die Kräfte so stark sind, daß zur Entscheidungsschlacht geblasen wird ... Arbeiter! Der Tag ist nicht mehr fern, wo wir ein Sowjet-Deutschland errichten werden!«.

Aus diesen Worten wird neben der revolutionär-leninistischen Schulung ihrer Verfasser ohne Zweifel eine erhebliche Radikalisierung der Penzberger Kommunisten unter dem Einfluß des wohl zunehmend selbstbewußteren Raab und seines immerhin gut ausgerüsteten RFB erkennbar. Unmittelbar nach Hitlers Ernennung zum Reichskanzler erging per Flugblatt ein Aufruf an die Belegschaft, »sofort ohne Zaudern alle Maßnahmen zu ergreifen zum politischen Massenstreik«[83], und auch in Nr. 2/1933 des *Roten Kumpel* wurde der Generalstreik angemahnt. In der noch Anfang März 1933 angefertigten Nr. 3 hieß es[84]:

---

[82] Zit. n. d. Anklageschrift des Generalstaatsanwalts v. 31. 1. 1934, in: OLG 43/33; Auslassungen in der Vorlage.
[83] Flugblatt in: OLG 43/33.
[84] Wie Anm. 82.

»Verhindert durch den antifaschistischen Massenkampf, durch den politischen Massenstreik alle Anschläge gegen die KPD. Trefft alle Vorbereitungen, um ein Verbot sofort mit dem politischen Massenstreik zu beantworten . . . Wir werden die Sieger sein! . . . Wollt ihr noch länger zusehen, wie ein Stück nach dem anderen der faschistische Staat aufgebaut wird? . . . Schafft mit uns gemeinsam den antifaschistischen Selbstschutz. Organisiert gemeinsam mit uns den politischen Massenstreik und den Generalstreik zur Vernichtung der Faschistendiktatur!«.

Es ist hiernach offenkundig, daß die Penzberger Kommunisten ihr Heil seit Ende 1932 vorwiegend noch in gewaltsamen Aktionen suchten. An militärisch-organisatorischen Vorbereitungen hatten sie einen innerhalb der Gesamt-KPD, die bereits in den frühen 1920er Jahren die Bewaffnung der Arbeiter gefordert hatte und seit Beginn der 1930er Jahre zunehmend solche Vorbereitungen unterstützte[85], durchaus beeindruckenden Stand erreicht, der nicht mehr erlaubt, die Bestrebungen als dilletantisch anzuzweifeln. Reichsweit rechnete die KPD seit Ende 1932 mit einem Verbot der Partei, und gerade auch in Penzberg traf man für diesen Fall Vorbereitungen nicht nur durch Gruppenübungen und Propaganda, sondern auch durch Reorganisation im legalen Erscheinungsbild der Partei: Die Ortsgruppen wurden verkleinert und in, wie immer deren revolutionäre Schlagkraft und Wirksamkeit in der Illegalität insbesondere unter kleinstädtischer Bedingungen zu beurteilen ist, Fünfergruppen unter Leitung von »Fünferräten« nach altem bolschewistischen Vorbild aufgeteilt[86]. Diese Reorganisation ist anscheinend vollständig gelungen.

Die KPD befand sich in den Wochen zwischen der Ernennung Hitlers zum Reichskanzler und ihrem Verbot am 9. März 1933 in einer Phase großer Unsicherheit hinsichtlich ihrer Taktik gegenüber dem neuen Regime[87]. Verfolgungs- und Unterdrückungsmaßnahmen in dem dann eingetretenen Umfang waren nicht erwartet worden, und für eine mächtige reichsweite Kampfaktion waren an der Parteispitze keinerlei ausreichende, an der Basis nur äußerst vereinzelte Vorbereitungen getroffen worden. Seit den polizeilichen Maßnahmen gegen die zentralen Einrichtungen der Partei, seit den Inhaftierungen zahlloser hoher und mittlerer Funktionäre waren überdies die innerparteilichen Kommunikationsstränge empfindlich gestört. Der größte Mangel jedweder eventuell bedachten revolutionären Aktion bestand freilich in dem selbst unter dem Druck des Hitler-Regimes nicht zu kittenden, durch jahrelange Hetztiraden und eine vollkommen fehlgeleitete Sozialfaschismus-Strategie absolut vergifteten Verhältnis zum potentiellen Bündnispartner, der Führung von Sozialdemokratie und Freien Gewerk-

---

[85] Vgl. etwa Flechtheim, Ossip K.: Die Kommunistische Partei Deutschlands in der Weimarer Republik. Offenbach 1948, S. 176f.; Ludewig, Hans-Ulrich: Arbeiterbewegung und Aufstand. Eine Untersuchung zum Verhalten der Arbeiterparteien in den Aufstandsbewegungen der frühen Weimarer Republik 1920–1923. Husum 1978, S. 121f.
[86] Vgl. StAM, LRA 3884, PP/BA WM 12. 3. 1933. Die Fünfergruppen wurden seit November 1932 organisiert; vgl. den Spitzelbericht über die Unterbezirkskonferenz in Penzberg vom 20. 11. 1932, ebenda.
[87] Vgl. ausführlich: Duhnke, a.a.O., S. 63ff. Duhnkes Darstellung zeigt gerade hinsichtlich des lokalen und regionaler Erscheinungsbildes der Partei 1932/33 den sehr unzureichenden Forschungsstand; vgl. auch Reichardt, Hans J.: Möglichkeiten und Grenzen des Widerstandes der Arbeiterbewegung, in: Schmitthenner, Walter und Hans Buchheim (Hrsg.): Der deutsche Widerstand gegen Hitler. Vier historisch-kritische Studien. Köln/Berlin 1966, S. 169–281, S. 183f.: »Lediglich in ihrer Propaganda, nirgends aber in der politischen Wirksamkeit [der KPD], war auch nur ein Ansatz zum revolutionären Aufstand gegen den Faschismus zu erkennen, von dem in der Vergangenheit so oft die Rede gewesen war«. Nach unseren Ergebnissen ist dieser Satz unrichtig. Vgl. auch die Hinweise bei Peukert, Detlev: Die KPD im Widerstand. Verfolgung und Untergrundarbeit an Rhein und Ruhr 1933 bis 1945. Wuppertal 1980, S. 73, Einschätzung S. 78.

schaften. Dies war in Penzberg nicht anders gewesen. Einmal abgesehen von der Frage, ob sich die Penzberger Sozialdemokraten einem Einheitsfront-Angebot gegenüber aufgeschlossen erwiesen hätten, wogegen erhebliche Zweifel bestehen: Eine solche Überlegung wurde auf seiten der im Sinne der offiziellen Parteilinie seit 1930/31 stets, wie die Parteiausschlüsse im Sommer 1932 zeigen, loyalen Penzberger Kommunisten deutlich nicht entfernt in Betracht gezogen. Allzuweit war man in jahrelangen Grabenkämpfen in Distanz geraten; viel Haß, viel Zerstrittenheit war gesät worden, und selbstverständlich wich man in den grundlegenden Fragen der Machtergreifung bzw. Machterhaltung in Penzberg um so mehr voneinander ab, als die einen in der Kommune ein recht erkleckliches Quantum Macht in Händen hielten, wogegen die anderen unter sehr viel Erbitterung vergeblich angelaufen waren. Die Penzberger Kommunisten waren so gut und so schlecht wie ihre Parteioberen.

Dabei ist an der Entschlossenheit der revolutionären Untergrundtruppe Josef Raabs und an dessen Führungsqualität, konspirativer Intelligenz und Autorität kein Zweifel möglich. Gewiß war manches an den Vorbereitungen unzureichend geblieben, war die Truppe vielleicht so sehr von jugendlichem Eifer und den Erfahrungen halburbaner Subkultur im Arbeiterviertel wie von echter revolutionärer Energie beseelt. Manches an den Aussagen der späterhin Verhörten mutet wie eine gewisse Freude an der Subversion, wie naive Zufriedenheit über scheinbar machtvermittelnden Waffenbesitz an. Andererseits hat wohl die Hälfte der Verhafteten in den Verhören ein Verhalten erkennen lassen, das auf intelligente Entschlossenheit schließen läßt: Sie gaben lange Zeit nur soviel zu, als ihnen bewiesen werden konnte; sie versuchten zu verschweigen und zu decken, was noch gedeckt werden konnte; sie minimalisierten selbstverständlich die eigene, aber auch die Mittäterschaft anderer und umgaben hochgradig verdächtige Handlungsweisen im nachhinein mit dem Mantel der Unkenntnis über den Sinn solchen Handelns, mit Erklärungen wie »Zufall« und ähnlichen Sinnbeimessungen. Selbstverständlich taktierten vor allem die Geschickteren, etwa Raithel, auch Kuck, Wiedemann, weniger März, auf diese Weise, und mit der rasch sehr präzisen Behördenkenntnis über Details schwand die Möglichkeit und Bereitschaft zum Schweigen und zum Verdecken. Zum Schluß war nichts mehr zu verschweigen, und nach Gegenüberstellungen der Beteiligten, nach zahllosen Konfrontationen mit den Aussagen anderer und mit sonstigen erkannten Fakten blieb als Ausweg die Wahrheit, weil sie strafmildernd wirken mochte. Dann gab es den Verräter H. und einige andere, die von vornherein »reinen Tisch« machten. H. bot noch im Oktober 1933 an, bei Freilassung erneut mehr zu sagen, doch nun brauchte man nicht mehr darauf einzugehen. Aber insgesamt ist nicht nur nach dem Vorbereitungsstand, den Waffendiebstählen und Übungen, sondern auch nach den Verhören ein Zweifel nicht erlaubt, daß es etwa den Mitwirkenden nicht ernst mit der Sache gewesen wäre, daß sie sich in verbalem Radikalismus und revolutionären Phrasen geübt hätten. Die meisten von ihnen waren bereit, zu schießen, auch auf Sozialdemokraten, und vielleicht gerade auf diese.

Gewiß war man der festen Überzeugung, daß andernorts[88] die Vorbereitungen für den revolutionären Umsturz gleich weit gediehen seien; hierin mag sich das entscheidende

---

[88] Über ein anderes Waffenlager vgl. das Urteil des OLG vom 10. 8. 1933 gegen Adam Allner u. a. OLG 43/33.

Manko der Revolutionstruppe, ihre Isolation an der Peripherie und geographische Parteiferne, am überzeugendsten niedergeschlagen haben. Denn dies war eine völlige Fehleinschätzung der Situation, bei aller seit Jahren gewohnten innenpolitischen Instabilität. Die Penzberger Kommunisten wiegten sich, beflügelt durch Organisationserfolge, durch den Stand der Untergrundaktivitäten und durch eine in Wahlergebnissen dokumentierte Resonanz in der Bevölkerung, in der trügerischen Gewißheit baldigen Losschlagens. Das Zaudern der KP-Reichsleitung, das durch deren Einschätzung der eigenen Kräfte, der Möglichkeiten einer Einheitsfront und der Erstarkung des Hitler-Regimes wohlbegründet war, muß bei den Penzberger Kommunisten allenthalben große Enttäuschung hervorgerufen haben. Es erscheint nicht gewagt zu behaupten, in Penzberg hätte »Revolution gemacht« werden können – auch ohne die und gegen die Sozialdemokraten, freilich nur dann, wenn die politischen Machtverhältnisse außerhalb der Stadt dies gestattet hätten.

Wahrscheinlich hat Raab in den Wochen nach der Machtübernahme in Penzberg noch ein Umschlagen der politischen Situation, ein Erstarken der Linkskräfte oder doch einen reichsweiten Kampfaufruf der KP-Leitung erwartet und ist deshalb bis Anfang Mai auf dem Posten geblieben. Weil ein solcher Kampfaufruf, eine solche Weisung an die illegalen Kräfte der KPD ausblieb, scheint Raab auf eigene Faust am Tag der Machtübernahme in Penzberg, am 11. März abends, eine bewaffnete Unternehmung geplant zu haben: Er ließ den größten Teil der Waffen herbeischaffen und einen Trupp von rund 20 Personen zusammentreten, die die Waffen übernahmen. Weitere Befehle des RFB-Führers blieben jedoch aus; man versteckte die meisten Waffen noch am selben Abend, und ein Teil der führenden Genossen ging seither, wie geschildert, unter Mitnahme einiger Gewehre flüchtig. Was immer Raab geplant hatte, der Rückzug war weise. Wohl wäre es gelungen, einen Straßenkampf gegen die von der Stadthalle aus operierende SA aufzunehmen, aber unter den obwaltenden Umständen hätte ein solcher Kampf von den Kommunisten allenfalls einige Stunden gehalten werden können. Er hätte auch nicht die Wirkung eines Fanals für den Aufstand der Arbeiterschaft gehabt, wäre allenfalls als provinzielle Erscheinung in die Geschichte der nationalsozialistischen Machtübernahme eingegangen.

Die Verhaftung H.s, der immerhin Organisationsleiter des RFB Penzberg gewesen war, zerstörte alle Illusionen. Daß die Organisation auffliegen würde, wurde durch die rasche Meldung des *Penzberger Anzeigers* zur Gewißheit. H. blieb während der Verhöre in den folgenden Monaten eine vorzügliche Informationsquelle. Nach seinen umfassenden Aussagen war es nicht nur möglich, binnen kurzem der Waffen habhaft zu werden; H.s Aussagebereitschaft zerstörte letzthin alle mögliche Vertraulichkeit unter den in strenger Einzelhaft Inhaftierten. Selbstverständlich geht aus den Verhörprotokollen nicht hervor, von wem, in welchem Umfang und mit welchen Mitteln Aussagen und Geständnisse erpreßt worden sind. Keinem Zweifel unterliegt, daß dies mindestens versucht wurde. Besonders Raithel muß in Dachau, wo er anscheinend zu den allerersten Schutzhäftlingen gehörte, üble Mißhandlungen erlitten haben[89]. Den meisten Inhaftier-

---

[89] Nach Akten des Landesentschädigungsamtes Bayern, in die mir freundlicherweise Frau Elke Fröhlich, Institut für Zeitgeschichte, in Auszügen Einsicht gewährt hat.

ten kam jedoch zugute, daß die Untersuchung im wesentlichen von Beamten der Staatsanwaltschaft am Obersten Landesgericht in München in engem Kontakt mit der Ortspolizei Penzberg geführt wurde.

Das Meinungsklima unter den Penzberger Kommunisten und ihren Anhängern zur Zeit der Prozeßvorbereitung war von Unruhe und Furcht erfüllt. Die Ehefrauen der Schutzhäftlinge, ihre Freunde, Bekannten und sonstigen Verwandten wurden zum Teil wiederholt verhört, neue Haussuchungen fanden statt, auch neue Inhaftierungen, Ortsbesichtigungen, Ladungen auf das Rathaus zu Gegenüberstellungen und weiteren Verhören und dergleichen mehr. Zahllose Gerüchte schwirrten umher, und die Angst um ihre Männer muß die zurückgebliebenen, ohne Erwerbsquelle ärmsten Verhältnissen ausgelieferten Ehefrauen und Familienangehörigen monatelang beherrscht haben. Angst entlud sich in Drohungen etwa der Art, wie sie K. H. gegen einen Verwandten ausgestoßen hatte und im Verhör bekannte: daß sie ihn schon, wenn sie wolle, »nach Dachau« bringen könne[90].

Gleichwohl haben die Angeklagten, dies war zum Zeitpunkt der Anklageerhebung und des Prozesses – in München war inzwischen eine wichtige illegale Organisation der KP ausgehoben worden[91] – durchaus nicht selbstverständlich, im ganzen einen fairen Prozeß unter tätigem Rechtsbeistand erhalten. Sieben Angeklagte wurden durch Beschluß vom 23. März 1934 außer Verfolgung gesetzt. Gegen einen Angeklagten wurde das Verfahren, da nur ein kriminelles Delikt zur Verhandlung stand, an das Amtsgericht Weilheim abgegeben. Offenbar wurde in den genannten Fällen allemal die »Schutzhaftfrage« unter Kontakt zur Bayerischen Politischen Polizei geprüft, was »normalerweise« nach der Haftentlassung die weitere Inhaftierung nach Dachau und damit erhöhtes Leid, neue Gefahr bedeutete. Gegen 33 Angeklagte wurde am 9. April 1934 in öffentlicher Sitzung vor dem II. Strafsenat des Obersten Landesgerichts die Verhandlung eröffnet[92]. Die Öffentlichkeit wurde noch am selben Tage ausgeschlossen. Dennoch ist in der Ortspresse in Penzberg ausführlich über den Verhandlungsverlauf, sicherlich aufgrund gesteuerter Informationen, berichtet worden. So hieß es am 11. April 1934[93]:

»Bei den Aussagen der Angeklagten kam klar zutage, daß so mancher Moskaujünger, der heute vor Gericht steht, nur durch Verhetzung oder durch goldene Versprechungen ins Lager der Kommunisten geraten und so zum Mitläufer geworden war. Frei und ehrlich gestanden sie dies zu, und offen bekannten sie sich zu ihrem Tun. Andererseits konnte man aber auch die Taktik des eingefleischten, unverbesserlichen Kommunisten kennenlernen, der alles, selbst die Zugehörigkeit zur KPD, bestritt«.

---

[90] Verhörprotokoll K. H. vom 30. 10. 1933, OLG 43/33.
[91] Die illegale kommunistische Druckerei in München, die noch die »Neue Zeitung« herstellte, wurde am 18. 8. 1933 ausgehoben; vgl. hierzu demnächst die Darstellung von Mehringer (Anm. 67). Zum OLG in dieser Zeit s. Bretschneider a.a.O., S. 51; allgemein s. jetzt Gruchmann, Lothar: Die bayerische Justiz im politischen Machtkampf. Ihr Scheitern bei der Strafverfolgung von Mordfällen in Dachau, in: Broszat, Martin und Elke Fröhlich (Hrsg.): Bayern in der NS-Zeit, Bd. II, Herrschaft und Gesellschaft im Konflikt. T. A, München/Wien 1979, S. 415–428.
[92] Anträge der Staatsanwaltschaft sowie der Verteidigung und das Urteil s. in OLG 43/33. Das ebenda überlieferte Verhandlungsprotokoll gibt nur den rechtstechnischen Verfahrensverlauf und ist leider völlig unergiebig. Vgl. auch PA 84, 87/13. u. 17. 4. 1934.
[93] PA 82/11. 4. 1934.

Mit dem »eingefleischten« Kommunisten war der Angeklagte E. gemeint, der nach der Einschätzung seiner Mitangeklagten als die moralisch schwächste Figur auf der Anklagebank gelten muß. Und in absurder Überspitzung des Versöhnungswillens richtete sich der nationalsozialistische Kommentar gegen Rummer: Während die Kommunisten in Penzberg in den Tagen der Machtübernahme Ruhe bewahrt hätten, sei Rummer »für Widerstand gewesen und habe zum Alarm . . . die Sirenen blasen lassen«[94]. Anscheinend hatten einige der Angeklagten im Prozeß ebenso argumentiert. Der Feind war noch immer derselbe.

Die Anträge des Staatsanwalts lauteten auf eine Zuchthausstrafe von insgesamt 17 Jahren 1 Monat für 7 Angeklagte, denen zugleich die bürgerlichen Ehrenrechte auf 5 Jahre aberkannt werden sollten, sowie auf eine Gefängnisstrafe von 56 Jahren für 26 Angeklagte. Die Verteidiger haben während der Verhandlung anscheinend die strafrechtlich nicht zu bezweifelnde Hauptschuld dem flüchtigen Raab zuzuschieben versucht und beantragten in einem Fall eine milde Bestrafung, in 8 Fällen milde Bestrafung wegen Beihilfe, 21 Freisprüche und 3 Verfahrenseinstellungen. Ihren Beweisanträgen war im übrigen stets stattgegeben worden. Das Urteil erging am 17. April und lautete in 7 Fällen auf insgesamt 17 Jahre 3 Monate Zuchthaus und Aberkennung der bürgerlichen Ehrenrechte auf jeweils 5 Jahre, in 22 Fällen auf Gefängnisstrafen in Höhe von insgesamt 37 Jahren und 9 Monaten, in 2 Fällen auf Freispruch und in 2 Fällen auf Verfahrenseinstellung. Die schuldig Erkannten wurden in die Kosten verurteilt. Eine Anrechnung der Untersuchungshaft erfolgte nur teilweise in den wenigen Fällen aus Billigkeitsgründen, wo andere Strafen im Urteil berücksichtigt wurden. Mildernde Umstände wurden keinem der Verurteilten zuerkannt; J. H., der immerhin der zweite Mann im RFB nach Raab gewesen war, kam mit einer Gefängnisstrafe von zwei Jahren glimpflich davon. In der Penzberger Lokalpresse wurde im übrigen klar ausgesprochen, daß H.s Aussagen zur Auffindung der Waffen geführt hatten[95]. In der Urteilsbegründung folgte das Gericht weitgehend, über Seiten bis in den Wortlaut, der Anklageschrift der Staatsanwaltschaft. Eine strafbare Handlung in der bloßen Mitgliedschaft der KPD konnte es »nicht erblicken«; die Zugehörigkeit zum illegalen Rotfrontkämpferbund begründete im Zusammenhang mit dessen in Penzberg klar im *Roten Kumpel* ausgesprochenen Zielen bei den Verurteilten ein Verbrechen der Vorbereitung zum Hochverrat. Auf Zuchthausstrafe wurde zumeist dann erkannt, wenn Tateinheit mit schwerem Diebstahl (Waffendiebstähle) festgestellt war. Freigekommen ist nach der Urteilsverkündung niemand. Auch die Nichtverurteilten sind anscheinend ausnahmslos in Schutzhaft geblieben. Noch vor der Verkündung des Urteils teilte die Bayerische Politische Polizei dem Generalstaatsanwalt beim Obersten Landesgericht mit, daß »bei sämtlichen Personen nach Strafverbüßung bzw. Freisprechung die Schutzhaftfrage geprüft werden wird«[96]. Von den Flüchtigen hat man nach Jahren noch Josef Hörmann und Herbert Herschel ergreifen können; ersterer wurde unter dem 8. November 1939 zu einem Jahr 10 Monaten, letzterer am 2. Juni 1942 zu zwei Jahren 9 Monaten Gefängnis verurteilt[97].

---

[94] PA 83/12 4. 1934.
[95] Vgl. PA 84/13. 4. 1933.
[96] Schreiben vom 12. 4. 1934, OLG 43/33.
[97] Urteilsabschriften ebenda.

Freigekommen ist auch nach der Strafverbüßung kaum jemand. Die Politische Polizei wartete bereits vor den Toren der Gefängnisse. Ein nach Strafverbüßung erlassener Schutzhaftbefehl, hier gegen den 1908 geborenen Penzberger Bergmann Georg Truger, lautete beispielsweise[98]:

»Truger war ein rühriger und fanatischer Kommunist und hat sich an den kommunistischen Umtrieben in Penzberg regelmäßig aktiv beteiligt. Seit 4. Mai 1933 war er bereits wegen seines staatsgefährlichen Verhaltens bis zu seinem Strafantritt in Schutzhaft.
Truger befindet sich zur Zeit wegen eines Verbrechens der Vorbereitung zum Hochverrat u. a. in Strafhaft und soll am 17. Oktober 1935 10 Uhr nach Verbüßung seiner Strafe entlassen werden. Da es sich bei ihm um einen gefährlichen Staatsgegner handelt, bei dem mit Sicherheit anzunehmen ist, daß er sich in der Freiheit sofort wieder der illegalen KPD zur Verfügung stellen und dadurch die öffentliche Ruhe, Sicherheit und Ordnung unmittelbar gefährden wird, ist die Anordnung der Schutzhaft gegen ihn im öffentlichen Interesse nicht nur zulässig, sondern auch notwendig«.

So erging es anscheinend allen an jenen Umtrieben Beteiligten. Für die Jahre 1934 bis 1936 liegen Schutzhaftlisten des Bezirksamts Weilheim vor[99], doch ist hieraus leider keine Klarheit zu gewinnen, da einige der Abgeurteilten nach der Urteilsverkündung zunächst nach Dachau verlegt wurden, um später in Strafhaft genommen zu werden, andere den umgekehrten Weg machten. Anfang 1936 befanden sich insgesamt 35 Penzberger Bergleute in Schutz- bzw. Strafhaft[100]. »Endgültig« war eine Entlassung wohl nur bei absolutem Wohlverhalten und einigem Glück, denn in mehreren Fällen läßt sich die später erneute Inhaftierung nachweisen. Welches Leid über die daheimgebliebenen Familien gebracht wurde, läßt sich kaum ermessen. Briefe von Familienangehörigen, Bitten um Abkürzung der Schutzhaft und Entlassung sind zahlreich überliefert; auch NSDAP-Dienststellen sparte man dabei nicht aus[101]. Post wurde zeitweilig völlig beschlagnahmt[102] und stets genauestens kontrolliert. Über die Not der Familien war man sich im klaren, und es verdient Erwähnung, daß sich der nationalsozialistische Vertrauensrat der Grube Penzberg erstmals im Juni 1934 für die Wiedereinstellung entlassener Schutzhäftlinge aussprach und etwa 1937 die Dienstzeitregelung der Betroffenen zur Diskussion brachte[103].

Auch waren keineswegs nur Kommunisten oder Beteiligte an dem Kommunistenprozeß mit erneuter Inschutzhaftnahme bedroht, wenn auch, nachdem die inhaftierten Sozialdemokraten meistens nach einigen Monaten entlassen worden waren, diese wohl weitgehend unbehelligt blieben. Arbeiter der Loisachkorrektion und Bergleute sind später wegen unbedachter Äußerungen inhaftiert worden. Die Verfügung von Schutz-

---

[98] Schutzhaftbefehl vom 14. 10. 1935, StAM, LRA 3862. Georg Truger ist später an den Folgen der Inhaftierung im KL Dachau verstorben.
[99] Schutzhaftlisten ebenda.
[100] StAM, NSDAP 607, Bericht der OK Febr. 1936. Die Zahl muß auch andere, mit dem KP-Prozeß nicht im Zusammenhang stehende Aburteilungen enthalten.
[101] Etwa erbat der Sozialdemokrat Alois Kapsberger vom OGrF Schneider am 6. 8. 1933 Unterstützung für seine Entlassung aus dem KL Dachau. Für den Bergmann Josef Kastl setzte sich sein Bruder im Juli 1933 ein: »Sollte er sich denn plötzlich umgestellt haben und ein Feind gegen unser Vaterland geworden sein?« Vgl. StAM, NSDAP 646–654.
[102] Vgl. f. 1934 StAM, LRA 3862.
[103] Vgl. StAM, OK 287, Vertrauensrat (= VR) 12. 6. 1934 u. 20. 5. 1937. Unterstützungsgesuche der Ehefrauen von Inhaftierten an die OK, s. StAM, OK, 289.

haft über renitente oder unwillige, »faule« Arbeiter ist ein weiteres Kapitel in der Geschichte des Bergwerks Penzberg; wir werden darauf zurückkommen.

Wenn in Bayern der nationalsozialistische Staat mit dem Schutzhaftinstrument besonders wütete[104], dann war Penzberg selbst in dieser generellen Tendenz noch ein Ausnahmefall. Man versteht, warum aus Dachau »Auchda« wurde.

4. Latente Opposition. Das »Straßenparlament«

Mit ihrer relativen Zurückhaltung gegenüber der Arbeiterschaft, der sehr bewußten Propagierung eines Neuanfangs, der die Vergangenheit Vergangenheit sein lassen wollte, solange sich niemand dagegen wehrte, mit dem Verzicht auf demonstrative Abseitsstellung Andersdenkender wenigstens dann, wenn diese »nur« Mitläufer, nur »Irregeleitete« und »Verführte« gewesen waren, auch mit ihrer demonstrativen Öffnung zur Arbeiterschaft schlug die örtliche NSDAP nach außen einen wohlweislich milden Kurs ein. Dies war aber nur die halbe Wahrheit, und die andere Hälfte war den Arbeitern wohlbekannt: Sie bestand aus Amtsenthebungen, Verboten, Vereinsauflösungen, Inschutzhaftnahmen, Kaltstellungen und Bevormundungen und vielen anderen Veränderungen. All dies haben die Penzberger Arbeiter nur unter Murren, jedoch mit der Erkenntnis hingenommen, daß sie aus eigener Kraft nichts würden ändern können. Im »Marsch durch die Wüste des Faschismus«, vor dem Rummer bereits 1930 gewarnt hatte[105], gab es nicht sehr viele Alternativen des Verhaltens. Welche von ihnen zeigten – kaum: »wählten« – die Penzberger, und gab es darin Besonderheiten?

Am Tage der Gleichschaltungsaktion gegen die bayerische Staatsregierung, am 10. März 1933, fanden in Penzbergs Straßen »Massenansammlungen . . . infolge der nervösen und gereizten Stimmung eines Teiles der Bevölkerung« statt. Am folgenden Tage stand in der Ortszeitung zu lesen[106]:

»Die Ereignisse der letzten Tage und Wochen und ihre einschneidenden Auswirkungen auf die zukünftige Gestaltung der Dinge geben auch hierorts reichlich Gelegenheit, leidenschaftlich umkämpften Gesprächsstoff in den Menschenansammlungen zu bilden, die unseren ›Stachus‹ und die Straßen unserer Stadt bevölkern. Vielleicht noch nie beherrschte die Politik in so starkem Maße die Straße und die Straße vielleicht noch nie in so starkem Maße die Politik wie heutzutage. Demonstrationsverbote und andere behördliche Verfügungen können nur zeitweilig eine Beruhi-

---

[104] Vgl. Broszat, Der Staat Hitlers, a.a.O., S. 258–260; ders. u. a. (Hrsg.): Bayern in der NS-Zeit. Soziale Lage und politisches Verhalten der Bevölkerung im Spiegel vertraulicher Berichte. München/Wien 1977, S. 240f., 267. Zur rechtlichen Seite der Schutzhaft s. etwa Stokes, Lawrence D.: Das Eutiner Schutzhaftlager 1933/34. Zur Geschichte eines »wilden« Konzentrationslagers, in: VfZ 27 (1979), S. 570–625, 571; zur allgemeinen KL-Geschichte grundlegend: Broszat, Martin: Nationalsozialistische Konzentrationslager 1933–1945, in: Anatomie des SS-Staates, Bd. II, München 1967, 2. Aufl. 1979, S. 11–133; über Dachau jetzt: Kimmel, Günter: Das Konzentrationslager Dachau. Eine Studie zu den nationalsozialistischen Gewaltverbrechen, in: Broszat und Fröhlich (Hrsg.), a.a.O., S. 349–413; Pingel, Falk: Häftlinge unter SS-Herrschaft. Widerstand, Selbstbehauptung und Vernichtung im Konzentrationslager. Hamburg 1978, S. 33–50 u. ö.
[105] PA 261/11. 1. 1930, Versammlungsbericht: Die »deutschen Arbeiterfäuste« würden »wie Hämmer niedersausen und den Schwindel des 3. Reiches zertrümmern«.
[106] »Am Stachus von Penzberg«, PA 59/11. 3. 1933.

gung hervorrufen. Die Geschehnisse der Politik greifen jetzt so durchdringend in das persönliche Leben jedes einzelnen Staatsbürgers ein, die Gegensätze der Parteien überfluten mit so immenser Kraft die Öffentlichkeit, daß die Straße, die schon an und für sich zufolge der bedauerlichen Arbeitslosigkeit bedeutend mehr als früher ständiger Aufenthaltsort der Massen geworden ist, diesen Einflüssen sich nicht entziehen kann. Die politisierte Straße ist eine der markantesten Zeiterscheinungen unserer Gegenwart überhaupt und allerorts. Das mannigfaltige Bild der politischen Ereignisse spiegelt sich auf der Straße wider. Die einzelnen Typen und die einzelnen unscheinbaren Szenen geben vielleicht den stärksten Eindruck über die Massenbewegung unserer Tage und lassen die Atmosphäre spüren, in der die großen Ereignisse geboren werden. Aber trotz der oft leidenschaftlichen Gegensätzlichkeiten der an der Tagesordnung stehenden ›Straßenparlaments‹-Gespräche vollzieht sich hierorts der Wortkampf reibungslos ...«.

»Der Stachus« und die Straßen der Stadt waren schon immer der bevorzugte Kommunikations- und informelle Versammlungsort der Penzberger gewesen – daran sollte auch das nationalsozialistische Regime nichts ändern. In der Situation am 10. und 11. März 1933 hat die »politisierte Straße«, ein zur Umschreibung der Penzberger Verhältnisse glückliches Wort, gewiß bedrohliche Formen angenommen, wie das ja schon öfter, bei politischen Demonstrationen und Polizeieinsätzen, der Fall gewesen war. Gerüchte, neueste Nachrichten, selbstgemachte und echte Sensationen sowie politische Auseinandersetzungen waren schon immer auf dem »Straßenparlament« diskutiert worden – nun jedoch, unter dem Eindruck der wie ein Lauffeuer umhereilenden Nachrichten über Inschutzhaftnahmen[107], angesichts der SA-Streifendienste tagsüber und vor allem nachts, bekam dies alles einen bestürzenden, bedrohlichen Akzent: Die Angst vor dem Kommenden nahm als unsichtbarer Gesprächspartner teil an den Straßendebatten. Angst und zugleich Sensation – das verband sich beispielsweise mit der Nachricht von dem Anschlag auf die Berge-Seilbahn der Zeche, mittels derer die zu Tage geförderten Berge von der Aufbereitung auf die »Penzberger Dolomiten«, jene das Erscheinungsbild der Stadt beherrschende, zerklüftete, riesige Berghalde, verbracht wurden: Irgend jemand hatte die Kette an der Umkehrstation verzurrt, was die ganze Einrichtung schwer beschädigt haben dürfte[108]. Ob die Kommunisten jetzt, mit solchen Sabotageakten und anderen, vielleicht bewaffneten Auftritten losschlagen würden? Wie würde man sich dann selbst verhalten, und überhaupt, welche Chancen hätte ein solches Vorgehen?

Das »Straßenparlament« war eine Errungenschaft der Industriekommune. Seine Voraussetzungen im Wohnbereich, im städtischen Erscheinungsbild, in der Erwerbsstruktur und sozialen Schichtung der relativ isolierten Kleinstadt sind unter Einschluß der Folgen für die politische Mobilisierung der Bevölkerung, für Protest und widerstandsähnliche Aktionsformen bereits wiederholt erörtert worden. Unverkennbar entsprach diese Form sozialer Interaktion und politischer Artikulation den Verhaltensformen, die in der »Versammlungs-« und »Belegschaftsdemokratie« vorgestellt worden sind – sowohl was den kommunikativen Verbund der Arbeiterschaft als auch, was die Möglichkeiten und besonders Grenzen solcher Kommunikation anlangt. In der Zeit des Nationalsozialismus sollte das »Straßenparlament« eine neue Bedeutung als wichtiger, vielleicht neben der Familie und unmittelbaren, vertrauenswürdigen Wohnnachbar-

---

[107] Ebenda wurde über die ersten Inschutzhaftnahmen berichtet.
[108] PA 64/17. 3. 1933.

28. »Penzberger Stachus«: Geschäftigkeit und Gruppenbildungen im Jahre 1919 (aufgenommen aus Richtung »Staltacher Hof«).

29. Am »Stachus« (vor dem »Staltacher Hof«) um 1935: Lektüre des *Stürmer*.

schaft einziger Ort gewinnen, an dem Erfahrungen und Empfindungen, Nachrichten und Meinungen unter jahrzehntelang einander wohlbekannten Stadtbürgern relativ gefahrenfrei ausgetauscht werden konnten. Politik auf der Straße, Politik der Straße – das war im übrigen eine nachgerade kennzeichnende Folge der punktuellen kleinstädtischen Industrialisierung, denn nur hier war ein gegenseitiger Bekanntheitsgrad erreichbar und erreicht, der den Argwohn gegen fremde Lauscher kontrollieren half. Die Anonymität großstädtischer Kommunikationsformen war demgegenüber, sieht man einmal von den dort wiederum eigenen Voraussetzungen in Mietskasernen und Arbeiterkolonien ab, schlechthin gefährlich.

Über das »Straßenparlament« in Penzberg sind uns naturgemäß keine Quellen überliefert, die äußere und innere Formen, Gegenstände, besondere Streitpunkte und »Fraktionen« zu präzisieren erlaubten. Es ist jedoch kennzeichnend, daß die Ortszeitung als wichtiger Informationsträger in der Stadt die Vorgänge auf der Straße jetzt und auch noch später aufmerksam registrierte. Der *Penzberger Anzeiger* war unter der Redaktion des früheren Bürgermeisters Höck eine, wenn man so will, bürgerlich-sozialliberale Zeitung mit einem gerade in den Jahren der Weimarer Republik für eine »Provinzzeitung« doch oft erstaunlichen Niveau. An seiner Herstellung und wohl auch in der Redaktion wirkte der Buchdrucker und Sozialdemokrat, langjährige Stadtrat und Vorsitzende des örtlichen Gewerkschaftskartells, Fritz Rebhahn, mit. Der Lokalteil dieser Zeitung hatte bis 1933 ein keineswegs einliniges, stets etwa im Vereinswesen den unterschiedlichen Wünschen und Bedürfnissen Rechnung tragendes Erscheinungsbild gezeigt. Das sollte sich nun sehr bald ändern: Die Zeitung bekam den Druck des Regimes sofort zu spüren. Schon am 20. März 1933 schrieb und erklärte die Redaktion, »was unsere Leser bedenken möchten«: Der Presse würden in der neuen Zeit »gewisse Richtlinien und Bindungen auferlegt«[109], die denn auch der *Penzberger Anzeiger* intern sehr bald erlitt[110]. Die Unabhängigkeit der Zeitung ging rasch verloren; ihr Unabhängigkeitsstreben äußerte sich fortan nur noch selten, etwa in Gestalt von Ironie. Über die machtvolle Käse-Verbilligungs-Aktion des Regimes schon im August 1933 hieß es beispielsweise, solcher Käse sei[111]

---

[109] PA 66/20. 3. 1933, vgl. auch 90/20. 4. 1934 (Führergeburtstag!), »An unsere Leser«: »Im heutigen Staat soll die Kritik immer aufbauend sein, d. h., wer Kritik übt, soll den Willen haben, es besser zu machen. Wenn also hin und wieder festgestellt wird, daß über das eine oder andere Ereignis nicht berichtet wird, dann sollte sich jeder Leser und Interessent sagen, daß weder der Redakteur noch seine Mitarbeiter allwissend und allgegenwärtig sein können«. (Hervorheb. im Orig.). Auch PA 30/6. 2. 1934: Man könne es der Zeitung nicht »zumuten, daß sie alte Wunden und Trennungsmerkmale wieder aufreißt«: In der Volksgemeinschaft habe die Presse »ihre streng gewiesenen Pflichten«, erst »dieser Tage« sei wieder ein entsprechender Erlaß ergangen
[110] Wallenreuter, Vorstand des Bezirksamts, wandte sich am 1. 4. 1933 (und wenig später noch einmal, undat.) an die Redaktion des PA, u. a. mit der Behauptung, ein bestimmter Artikel »strotzt wieder von Unrichtigkeiten«, und mit der Aufforderung, man »wolle sich« in seinem Büro einfinden. Die Schreiben finden sich StAM, NSDAP 655 – dies ein Zeichen, daß Wallenreuter auf Veranlassung und in Übereinstimmung mit der örtlichen NSDAP gehandelt haben könnte, die möglicherweise bereits selbst eingeschritten war. Den Einfluß der lokalen Parteiorganisationen auf die Provinzpresse betont Frei, Norbert: Nationalsozialistische Eroberung der Provinzzeitungen. Eine Studie zur Pressesituation in der bayerischen Ostmark, in: Broszat und Fröhlich (Hrsg.), a.a.O., S. 1–89, 87.
[111] PA 198/29. 8. 1933.

»allerdings ... nicht besonders wohlriechend; aber was kann das schon ausmachen, wenn man dadurch, daß man ihn pflichtgemäß und mit Appetit verzehrt, als Volksgenosse und Staatsbürger in den allerbesten Geruch kommt?«.

Langfristig war jedoch diese Attitüde so wenig durchzuhalten wie jene der offenen, ehrlichen Entrüstung, weil ja das Regime für sich in Anspruch nahm, offen und ehrlich immerwährende Wahrheiten zu vertreten, und deshalb auch solche Wahrheit und solche Entrüstung vertragen müßte. So hieß es über die Gleichschaltung des Vereinswesens, an deren »erhabenem« Ziel man nicht zweifelte, unter dem Titel »Ein offenes Wort«[112]:

»Leider aber ist bekanntlich vom Erhabenen bis zum Lächerlichen manchmal nur ein kleiner Schritt, und es ist durchaus nicht immer dasselbe, wenn zwei das gleiche tun«,

was man leicht an der Gleichschaltung des Rauchklubs »Wolke ziag o« und des Kaninchenzüchtervereins »Einigkeit«, künftig dann wohl an jener des »Vereins für die Züchtung schwanzloser Kaninchen« oder der »Gesellschaft der Stiftenkopffreunde« ersehen könne.

So blieb die Zeitung bis in das Jahr 1934 hinein auf jedoch immer seltenere Zweifelsbekundungen zumeist versteckter Art verwiesen, und seit etwa 1935 war auch damit Schluß. Sei es, daß etwas Derartiges inzwischen rigoros durch Drohungen abgestellt worden war, sei es, daß die Redaktion selbst inzwischen mit Überzeugung auf eine nationale Linie eingeschwenkt war[113] – seither bietet auch die Ortszeitung, die zudem 1936 in den regionalen Zeitungsverbund der nationalsozialistischen Presse eingefügt wurde, ein gleichgeschaltetes Bild.

Auch das erzwungene Versagen der Ortspresse in der freien Berichterstattung hat naturgemäß den Bedeutungsgehalt der »politisierten Straße« verändert[114], erhöht. Hier formte, besser, restituierte sich politisches Bewußtsein, das bisher andere, angemessenere Möglichkeiten und Kanäle der Artikulation gefunden hatte, in Penzberg aber stets mit besonderer Brisanz gleichsam als eigenständige Grundlage aller Politik erhalten geblieben war. Es bekommt vor dem Hintergrund des bisher über das »Straßenparlament« Gesagten einen neuen Sinn, wenn geklagt wurde, die Leute ließen sich nicht zwingen, »auf den holprigen Wegen vor den Häusern zu verkehren«[115]; es gewinnt symptomatische Qualität, wenn gerade die Nationalsozialisten reichlich investierten, um im Stadtkern »Bürger«-Steige zu errichten, und wenn nach dieser Maßnahme der Bürgermeister erklärte[116]:

---

[112] PA 189/ 8. 8. 1933.
[113] Am 20. 3. 1935 bescheinigte der OGrF dem Verleger gegenüber dem Reichsverband der deutschen Zeitungsverleger, daß er »politisch einwandfrei« sei und sich »nie irgendwie staatsfeindlich betätigt oder verhalten« habe, »wie auch seine Zeitung keine bestimmte parteipolitische Richtung eingenommen hat«. StAM, NSDAP 646-654. Zu diesem Zeitpunkt hatte der PA eine Durchschnittsauflage von rund 1500; vgl. hierzu und zu den sonstigen Zeitungen im Krs. Weilheim StAM, LRA 3867, ebenda PP/BA WM 23. 7. 1935: Höck stehe »restlos hinter der heutigen Regierung«.
[114] Es ist für den Nachgeborenen schwer abzumessen, inwieweit hieran auch das Radio beteiligt war. Allgemein wurde Radiohören in dieser Zeit mit einer schwer nachvollziehbaren Bedeutung versehen, die sich die Partei bekanntermaßen mit der Installation von Lautsprechern und der öffentlichen Übertragung von Großereignissen – so auch in Penzberg – zunutze machte. Vgl. etwa die Bitte eines Kranken an den OGrF, ihm durch ein Radio »zu meiner einzigen Freude zu verhelfen«, 30. 10. 1933: StAM, NSDAP 646-654.
[115] StAM, OK 76, Grube Penzberg/OK Direktion München 25. 6. 1938.
[116] StaP, SR 25. 3. 1938.

»In Penzberg besteht überhaupt die große Unsitte, daß sich die Fußgänger nicht an die Gehsteige halten. . . . Penzberg war ja bekanntlich die Stadt ohne Gehsteige«.

Die Gerüchteküche[117], die zahlreichen Formen informeller Kommunikation haben gewiß überall ebenso wie die sie bedrohende Denunziation[118] in der Zeit der NS-Diktatur eine andere, wichtigere Rolle gespielt als in den Jahren, in denen die freizügige Meinungsäußerung nicht mit Schutzhaft bedroht war. Die wiederholten Kampagnen des Regimes gegen die »Miesmacher« und »Nörgler« zeugen mittelbar davon. In Penzberg gewann es jedoch eine eigene Bedeutung, wenn die Ortszeitung sehr bald nach der Machtanmaßung der Nationalsozialisten wiederholt scharfe Appelle wider die Gerüchteküche veröffentlichte oder wenn es Ende April 1934 unter der Überschrift »Den Mund nicht spazieren gehen lassen!«[119] hieß:

»Es besteht Veranlassung, auch hierorts darauf hinzuweisen, daß Verächtlichmachungen der Reichsregierung sowie Verleumdungen und Beleidigungen des Reichskanzlers ganz besonders schwere Strafen der hierfür eingesetzten Sondergerichte nach sich ziehen . . . Ein weiteres Kapitel bildet auch die Belästigung und Verächtlichmachung national eingestellter Kreise von politisch Andersdenkenden, wie das vielfach von unbesonnenen Elementen in Wirtschaften und auch auf den öffentlichen Plätzen so häufig in Erscheinung tritt; solche Fälle können unliebsame Folgen zeitigen, und es ist daher angebracht, zu mahnen, den Mund besser im Zaume zu halten«.

Was bisher auf den Straßen stattfand, verlagerte sich mit der »Normalisierung« des alltäglichen Lebens zurück in die Wirtschaften, aber die Straße und der »Stachus« behielten in Penzberg eine herausgehobene Bedeutung als Orte des Erfahrungsaustausches. »An alle, die es angeht!« ließ die Ortsgruppenleitung ein Jahr nach der Machtübernahme, im Mai 1934, einen Ukas veröffentlichen[120]:

»Wenn man heute mit offenen Augen durch die Straßen, über die Plätze oder tief unter der Erde im Schacht geht, fallen einem Gruppen und Grüppchen von Menschen auf, die bald geheimnisvoll flüsternd, bald hämisch lachend beisammen stehen. Kommt ihnen ein Nationalsozialist oder ein bloß deutsch denkender Mensch in die Nähe, verstummen sie wie kleine Schulmädchen und schauen sich vor lauter Verlegenheit recht saudumm an. Am liebsten würden sie noch rot werden, wenn sie noch einen Funken Schamgefühl hätten. Wenn man diese Menschen genauer betrachtet, sind es beileibe nicht die alten und öffentlich bekannten Gegner der verflossenen Parteien, die wenigstens früher für irgendeine Idee, und wenn sie hundertmal verkehrt war, gekämpft haben, sondern es sind diejenigen, die weitab von den Kriegsschauplätzen, die Füße unter dem Tisch, als Marschälle dünkten, die längst Paris und auch London eingenommen hätten, aber bloß mit dem Maul: Sie waren zu feige dazu. Es ist interessant zu beobachten, wie sich da Menschen zusammen finden, die in ihrer politischen Anschauung früher grundverschieden waren, aber sich heute ein Herz und eine Seele fühlen. Es ist dies die ekelhafteste und widerlichste Menschensorte, die Kaste

---

[117] Vor der Verbreitung von Gerüchten wurde auch in Penzberg immer wieder gewarnt. Vgl. PA 196/26. 8. 1933, 151/5. 7. 1934; Warnung vor politischen Witzen: 125/5. 6. 1934. Vgl. ergänzend auch den Stimmungsbericht der NS-Hago, undat. (ca. Spätsommer 1934), StAM, NSDAP 655: »Die Beeinflussung von Mund zu Mund ist so stark, daß dagegen mit Presseartikeln und Versammlungen auch nicht wirksam genug angekämpft werden kann«.
[118] Vgl. PA 151/5. 7. 1934: »Penzberger Eltern, hört!« mit der Warnung vor unbedachten Worten in Anwesenheit der Kinder; es könnten solche Worte »die ganze moralische Grundlage der Kinder zerstören«. Vgl. Broszat, Martin: Politische Denunziationen in der NS-Zeit. Aus Forschungserfahrungen im Staatsarchiv München, in: Archivalische Zeitschrift 73 (1977), S. 221–238; Grunberger, Richard: A Social History of the Third Reich. Harmondsworth 1979, S. 145–154.
[119] PA 96/26. 4. 1933.
[120] PA 110/16. 5. 1934.

der Nörgler, Besserwisser und Bessermacher, von deren Schlag wir auch in Penzberg genügend haben. Diese Hanswurste fühlen sich berufen, auch heute an den Arbeiten der nationalsozialistischen Regierung zu mängeln und zu kritteln, gerade sie, die vom Geist der neuen Zeit noch keinen Hauch verspürt haben, jede Mitarbeit – und wenn sie noch so klein – ablehnen. Diesen Spießern, die über ihren Misthaufen nicht hinaussehen, sei hiermit ans Herz gelegt, daß es nicht Schwäche unserer nationalsozialistischen Regierung ist, sondern Großmut derselben, wenn man sie hat wühlen lassen. Aber alles muß ein Ende haben. Gerade dieses chronischen Leiden ist ansteckend, besonders bei vielen Auchmitgliedern, die die Partei als Sprungbrett in eine pensionsberechtigte Stellung oder irgendwie, wie es eben in ihren Kram paßt und es zum Vorteil ist, auszunützen versuchen. Wehe denjenigen, wenn einmal der Führer befiehlt, sie zu vernichten, wenn der Arm des Führers sich hebt! Millionen von alten Kämpfern warten fiebernd auf dieses Signal. Gründlich wird nachgeholt werden, nachdem man diesen Herren genügend Zeit gelassen, sich umzustellen, was aus Großmut versäumt wurde«.

Wir haben hier, nach dem massenhaften Kartoffeldiebstahl in der Inflationszeit, ein zweites Schlüsseldokument für das Verständnis der Besonderheit dieser Stadt in Händen, ein Schlüsseldokument auch, das, soviel auch von den Größen der Bewegung im Ort mit Drohungen gefuchtelt worden ist, in seinen Schlußpassagen geradezu beängstigend auf die Ereignisse des 28. April 1945 vorausweist. Ein Schlüsseldokument vor allem, weil es deutlicher nicht gesagt und eingestanden werden konnte, daß der Nationalsozialismus im Ort selbst ein Jahr nach der Machtübernahme ein ausgesprochenes Oberflächenphänomen geblieben war, unter dessen Decke die Arbeiterseele lebte und sich regte wie ehedem. Der kommunikative Verbund funktionierte nach wie vor, trotz zerstörten Vereinslebens, trotz Einschüchterungen, Verhaftungen, Erzählungen von Dachauer Folterungen; trotz sozialpolitischer Maßnahmen, Gefolgschaftsduselei und »Schönheit« der Bergarbeit; er funktionierte bestens, besser denn je, führte er doch selbst ehemals Andersdenkende zusammen. Der »Großmut« der Bewegung, ihre in Penzberg erkennbare Zurückhaltung gegenüber Andersdenkenden und die allerdings wohl nur verbale Bereitschaft, zu vergessen, was früher gewesen war – all dies war tatsächlich nichts als »Schwäche«, nichts als Ohnmacht angesichts des schweigenden, stichelnden, aber undurchdringlichen und in seiner Masse mächtigen Arbeiterblocks. Sicher waren »Straßenparlament« und »Belegschaftsdemokratie« längst kleinlaut geworden, aber die Menschen waren zugleich auch klüger geworden, indem sie Vorsicht übten, sich zurückhielten, stets in Angst Ausschau hielten, aber doch dieselben blieben. In den Häuptern der NS-Größen Penzbergs muß das Gefühl ohnmächtiger Wut hochgekrochen sein, wenn sie sich zu diesem Ukas veranlaßt sahen.

Was hier vor sich ging, war kein Widerstand. Man könnte von einer Art »innerer Emigration« des kleinen Mannes sprechen, wenn das Verhalten nicht eine deutlich kollektive Perspektive hätte, wenn es nicht das Verhalten einer Menge wäre, in der die Unterschiede zwischen »Gruppe« und »Masse« schon immer verschwommen geblieben waren. Es war denen eine »merkwürdige Leidenschaft« geworden, »heimlich zu tuscheln und zu flüstern, an geheimen Orten und in Wirtshäusern«; man rede, »um zu verleumden und zu schädigen«[121]. Hier wurde eine Form der Nichtanpassung gewählt, deren Risiko gering gehalten werden konnte. Ihre wichtigste Ausdrucksform im Rahmen der »nationalsozialistischen Gesellschaft« war schlichtes Desinteresse an den Selbstdar-

---
[121] PA 141/23. 6. 1934.

stellungsformen des Regimes. Als der Penzberger Fußballklub am 27. August 1933 ein Fußballspiel zugunsten der »Opfer der Arbeit« mit Hilfe der Ortsgruppenleitung veranstaltete, war dem ein »schlechter Erfolg beschieden«. Ein »Zeichen, daß es immer noch rot aufgeht in Penzberg«[122]. Zu einer NS-Versammlung »gegen das Hetzertum« in Maxkron im Juni 1934 zeigte die Bevölkerung »auch diesmal wieder ein[en] bedauerliche[n] Mangel an Interesse«; der »schwache Besuch« erschien »geradezu unverständlich«[123]. Wenn die Quellen ausführlicher sprächen, ließen sich hier gewiß zahllose Beispiele anführen; indessen bestand ein Interesse daran, solche Erscheinungen möglichst wenig hochzuspielen. In diesem Punkt mochte sich im übrigen die Penzberger Arbeiterschaft durchaus mit den in ihrem Verhalten ganz anders motivierten Bauern der Umgebung treffen – so, wenn auf der Lauterbacher Mühle, am Ufer der Osterseen, dem Ankömmling auf dessen »Heil Hitler!« bedeutet wurde, daß »man hier Grüß Gott sagt«[124]. Dabei konnte sich solche Haltung mit partieller Loyalität in anderen, auch wichtigen Bereichen des gesellschaftlichen und politischen Lebens unter dem Nationalsozialismus verbinden: Die Mehrheit der Bevölkerung – nicht nur in Penzberg – lebte keineswegs in einem Zustand des Entweder-Oder, wenn auch die aggressiven und totalitären Ansprüche des Regimes in eine solche Haltung drängten.

Die zweite wichtige Ausdrucksform, die zu belegen noch Gelegenheit sein wird, war jene, die dem Bergarbeiter schon immer nahegestanden hatte und die anläßlich der Gleichschaltung des Bergarbeiterverbands bereits erkennbar wurde: Das Murren über Einschränkungen, Einbußen und Zwänge, in vielfältigerer Form – besonders am Arbeitsplatz, aber auch in der Kommune, etwa wenn man die ständigen Haussammlungen abwehrte: »Dös könnts euch denka! Sonst nix mehr! Sammelts amal für uns!«.[125]

Die Penzberger übten den kollektiven Rückzug auf fundamentale Interaktionsformen, die das Überleben in der Freiheit des Denkens erlaubten und in die einzudringen selbst der totalitären Stadtherrschaft nicht wirklich gelang. Ein Sonderfall, eine Ausnahme vom anderwärts Gewohnten? Uns scheint in der Tat die proletarische Kleinstadt mit ihrer bergbauinduzierten sozialen Schichtung und Homogenität, von den vielen sonstwie förderlichen Voraussetzungen abgesehen, außerordentlich günstige Bedingungen einer derartigen Bewahrung und Neubestimmung eingeübter Formen sozialer Interaktion geboten zu haben. Allerdings sind die Vergleichsmöglichkeiten bisher gering, solange die Forschung um den Widerstandsbegriff hadert, statt Ausgangspunkte für die Einschätzung von Verhaltensalternativen aus der realen Vielfalt und Tradition sozialer Beziehungen durch sozialgeschichtliche Feldforschung zu gewinnen, und solange solche Forschung den organisatorisch und ideologisch verfestigten Widerstandsformen alle Aufmerksamkeit schenkt und das in der »Atmosphäre einer Zeit«[126], besser: in *den* Atmosphären *auch dieser* Zeit, Mögliche und Geschehene in den Quellen

---

[122] Vorstand des Fußballklubs/OGr. 30. 8. 1933, in: StAM, NSDAP 646–654.
[123] PA 130/11. 6. 1934, vgl. auch über eine DAF-Versammlung: 119/28. 5. 1934.
[124] Hinweis (1937): StAM, NSDAP 607.
[125] PA 172/28. 7. 1933; solches Verhalten sei »in hohem Maße unanständig und auch dumm«.
[126] Winkler, Heinrich A.: Geleitwort zu: Burkhardt, Bernd: Eine Stadt wird braun. Die nationalsozialistische Machtergreifung in der schwäbischen Provinz. Hamburg 1980, S. 10.

schlummern läßt[127]. »Von oben« ist nicht ausreichend Sensibilität für solche Verhaltensalternativen zu gewinnen, freilich auch nicht ausschließlich in einer Betrachtungsweise »von unten«, aus der Sichtverzerrung einer hypostasierten sozialkritischen Alltagsforschung, deren Ziel möglicherweise allein noch darin liegt, zu zeigen: »Es war der Alltag der deutschen Provinz, aus dem heraus Hitler zur Macht gelangte«[128]. Falscher kann man nach allen Forschungen über wirtschaftliche und soziale Krisen, über die politischen Bürden des Weimarer Staats und seiner Verfassung, über die Schwächen und Fehler seiner Träger und derjenigen, die ihn nicht tragen wollten, über die soziale Struktur des Nationalsozialismus und seinen Aufstieg kaum urteilen, falscher auch nicht im Hinblick auf die hier ergänzte Facette des Gesamtbildes: die »proletarische Provinz«.

VI. Arbeiterstadt und Nationalsozialismus

Der Komplex der Machtübernahme der Nationalsozialisten in Penzberg hinterläßt viele Fragen. Wie würde sich die »Bewegung« in einer Stadt wie Penzberg langfristig behaupten? Wie ließ sich das Verhalten der weit überwiegend ablehnenden Bevölkerung stabilisieren, »normalisieren«, so daß der Unmutsdruck und potentielle Widerstand, um dessen Gefahr die Herrschenden sehr wohl wußten, entschärft und aufgefangen wurde? Andererseits: Konnte auf längere Sicht das Widerstandspotential, das sich bereits in den Monaten der Machtübernahme in zwei bemerkenswerten Formen – der Aufstandsvorbereitung und dem »Straßenparlament« – niedergeschlagen hatte, einer angesichts Struktur und Charakter nationalsozialistischer Herrschaft wie immer effizienten Gegenstrategie zugeführt werden? Denn ostentativ bekundete Abneigung und Aufstandspläne im Untergrund in einer prinzipiell labilen Situation des Auswechselns von Herrschaftsträgern oder in einer Phase stabilisierter Machtausübung, das war schließlich zweierlei. Endlich: Wie weit würde das konstatierte Widerstandspotential tatsächlich tragen? Gab es nicht in der Tradition von Widerstand und Protest in Penzberg Momente, die die

---

[127] Statt zahloser Hinweise auf die Widerstandsliteratur sei die Aufgabe betont, »einen energischen Vorstoß in das bisher kaum erforschte Terrain der Verhaltensgeschichte in der NS-Zeit zu unternehmen«; Broszat und Fröhlich (Hrsg.), a.a.O., Vorwort S. XVIII. Es liegt auf der Hand, daß solche Vorstöße gewohnte Begriffsprägungen, darunter auch jene des Widerstandsbegriffs, aufweichen können und sollen. Günther Weisenborn (Der lautlose Aufstand. Bericht über die Widerstandsbewegung des deutschen Volkes 1933–1945. ND Frankfurt a. M. 1974, S. 26–28) hat bereits 1953 von einem »Riesenbassin von Millionen Unzufriedener« gesprochen: »Hierzu sind die heimlichen Radiohörer zu rechnen, die die ausländischen Sender trotz schärfster Verbote abhörten, die sich vor Sammlungen drückten, die nicht mitmarschierten, die bei Betriebsappellen und ähnlichen nazistischen Unternehmungen krank waren, die sich in ihrem Arbeitstempo bewußt und aus Trotz nicht hetzen ließen, die Negatives über das Hitlerregime gern hörten und gern weitererzählten«; »sie waren keine überzeugten, planmäßig arbeitenden Freiheitskämpfer, sondern ehrliche Räsoneure«. Wir finden, wie die weitere Darstellung zeigen wird, in Penzberg alle genannten Formen passiven Widerstands.
[128] Burkhardt, a.a.O., »Nachwort«, S. 152. Es sei der Gerechtigkeit halber, jedoch nicht entschuldigend, erwähnt, daß das Buch als Rundfunksendung entstanden ist.

Entwicklung effizienter Gegenstrategien unter den Bedingungen totalitärer Diktatur eher hemmen, wenn nicht vereiteln mußten?

Einige Antworten haben sich in den Vorgängen und Reaktionen in der Phase der Machtübernahme bereits abgezeichnet. Die Herrschaftsstrategie der Unterdrückung und Verfolgung, der Drohung, Denunziation und Disziplinierung fand sich freilich weitaus stärker ausgeprägt als ihr Korrelat, die Strategie der Befriedung durch Entgegenkommen, Anbiederung und Versöhnungsgerede, während von der langfristigen sozialpolitischen Befriedung naturgemäß noch nicht die Rede sein sollte. Hier lag die wichtigste Aufgabe der Machthaber. Ob es der Arbeiterschaft gelingen konnte, das erkennbare Widerstandspotential in wirksame Kampfmaßnahmen zu überführen, scheint uns hingegen durchaus fraglich. Das »Straßenparlament« war eher die Taktik des kollektiven Rückzugs auf Reservate freiheitlichen Meinungsaustauschs als die dem Widerstand angemessene Grundform von Kampf und Organisation; es mochte allerdings genug an Nährboden für einen entschlossenen Aufbau solcher Kampfformen bieten. Auch das Murren der Belegschaft war für sich nicht als Gefahr signalisierende, Maßnahmen fordernde Reaktion, es barg nicht notwendig den Keim aktiven Gegensteuerns in sich. Und der immerhin schlagkräftigen kommunistischen Widerstandsfront, ob an der Oberfläche oder im Untergrund, hatte man frühzeitig und, wie es scheint, auf Dauer das Rückgrat gebrochen. Hier ist überdies zu unterscheiden: Die Aufstandsvorbereitungen der Penzberger KPD mögen, wenn andere außerhalb des Ortes das Ihre taten, unter den Bedingungen des verfallenden Parlamentarismus, der wirtschaftlichen Strukturschwäche und sozialen Not eine realistische Perspektive gehabt haben; ob sich eine solche Perspektive auf derselben organisatorischen Ebene angesichts der auch in ihren wirtschaftlichen und sozialen Grundlagen erstarkenden Diktatur weiterhin erfolgreich verfolgen bzw. in widerstandsähnliche Kampfformen überführen lassen würde, erscheint mehr als zweifelhaft.

Insgesamt bleibt die Reaktion der Bevölkerung auf die Etablierung und Konsolidierung der NS-Herrschaft in der Kommune die entscheidende Frage für die folgenden Jahre. Die Quellenprobleme liegen hierbei auf der Hand: Das überlieferte Schriftgut ist organisationsinduziert und gewährt Einblicke in organisatorische und politische Aktivitäten der Herrschenden, spiegelt jedoch kaum die Reaktionen der Betroffenen, und selbst wenn deren Verhalten überliefert ist, so ist solche Überlieferung durch die zumeist überliefernden regimetreuen Beobachter der Verzerrung verdächtig.

1. Soziale Schichtung und Strukturprobleme der Bergarbeiterkommune

Die wirtschaftlichen und sozialen Grundbedingungen von Herrschaft und Politik in der Gemeinde haben sich auch in der Zeit des Nationalsozialismus nicht wesentlich geändert: Die wirtschaftlichen Probleme der Oberkohle blieben und wurden erst seit Mitte der 1930er Jahre, jedoch kaum aus eigener Kraft, einigermaßen stabilisiert; die Grubenbelegschaft nahm zunächst nicht, seit etwa 1935/36 nur langsam zu, und in den sozialen Schichtungsverhältnissen läßt sich keine tiefgreifende Veränderung beobachten. Für 1939 ist erstmals ein präzises Schichtungsbild der Stadt möglich, das wir mit dem Hauptort des Kreises und mit den anderen oberbayerischen Bergbauorten vergleichen wollen.

Tabelle 40
Soziale Schichtung in den oberbayerischen Bergbaugemeinden und in Weilheim 1939[1]

Berufszugehörige/ Schichtzugehörige	Penzberg Anzahl	Penzberg Prozent	Weilheim Prozent	Peißenberg Prozent	Hausham Prozent
Berufszugehörige					
Land- und Forstwirtschaft	328	4,8	9,7	8,8	8,6
Industrie und Handwerk	4313	63,7	36,5	61,7	61,4
Handel und Verkehr	433	6,4	17,7	7,6	6,5
Öffentlicher Dienst und private Dienstleistung	251	3,7	16,6	3,0	3,8
Häusliche Dienste	67	1,0	3,7	1,1	1,4
Selbständige Berufslose	1382	20,4	15,8	17,8	18,3
Berufszugehörige insgesamt	6774	100 (7092)	100 (6336)	100 (5473)	100
davon Erwerbspersonen einschließlich Berufsloser	3504	51,7	60,6	51,8	55,0
Stellung im Beruf (Berufszugehörige)					
Selbständige	384	5,7	15,7	8,7	8,9
Mithelfende Familienangehörige	259	3,8	5,9	5,7	4,1
Beamte	142	2,1	11,9	2,3	1,9
Angestellte	425	6,3	12,6	6,1	6,4
Arbeiter	4182	61,7	38,1	59,6	60,3
Stellung im Beruf (Erwerbspersonen)					
Selbständige	201	3,0	7,9	4,3	4,4
Mithelfende Familienangehörige	257	3,8	5,9	5,6	4,1
Beamte	67	1,0	5,0	0,9	0,9
Angestellte	241	3,6	8,1	3,3	3,8
Arbeiter	1907	28,2	21,9	27,2	30,8

Die nahezu völlige Übereinstimmung im Schichtungsbild der Bergbaukommunen ist frappant. Die einzige Abweichung größeren Ausmaßes zwischen Penzberg auf der einen, Hausham und Peißenberg auf der anderen Seite rührt von der im Einzugsgebiet größeren Bedeutung der Landwirtschaft in den letztgenannten Orten her; dies erklärt auch die dort leicht erhöhte Zahl der mithelfenden Familienangehörigen. Demgegenüber behält Penzberg ein größeres Gewicht in der Gruppe »Industrie und Handwerk«, aus der sich leider das eigentliche Handwerk nicht ausscheiden läßt. Es hat jedoch an Bedeutung gegenüber den Jahren vor 1914 nunmehr eindeutig zugenommen. Man wird für die späten 1930er Jahre mit rund 300 handwerklich Beschäftigten (Selbständige, Mithelfende und Lohnabhängige), mithin mit ungefähr 8–10 Prozent Berufszugehörigen zu rechnen

---

[1] Errechnet nach: Adelung, Margarete: Die bayerische Bevölkerung nach Wirtschaftsabteilungen und nach der Stellung im Beruf aufgrund der Berufszählung vom 17. Mai 1939, in: ZBSL 74 (1972), S. 174–209, 206f.

haben². Das Erwerbsbild hat sich jedoch in Penzberg auch während der Jahre des Nationalsozialismus nicht tiefgreifend verändert, wie auch die Bevölkerung zwischen 1933 (6491) und 1939 (6774 = Berufszugehörige insgesamt) stagnierte und erst nach dem Krieg erneut erheblich zunahm (1946: 8702; 1950: 9935)³. Aufschlußreich ist ferner die geringe Bedeutung des »tertitären Sektors« (Handel und Verkehr, öffentliche und häusliche Dienste) in den Bergarbeiterkommunen sowie die vergleichsweise niedrige Erwerbsquote insgesamt, die auch in der Rubrik »selbständige Berufslose« zum Ausdruck kommt und in erster Linie auf die fehlenden Frauenerwerbsmöglichkeiten, ferner auf die nun deutlich zunehmende Zahl der Knappschaftspensionäre zurückzuführen ist. Nach wie vor boten die wenigen angesiedelten nichtbergbaulichen Industriebetriebe, das geringentwickelte Handwerk und der schwache »tertiäre Sektor« kaum Möglichkeiten für die Anstellung von Frauen, und da insgesamt mittelständische Existenzen nur eine relativ geringe Rolle spielten, waren auch die Chancen für Frauenbeschäftigung im häuslichen Dienst gering⁴.

All dies unterscheidet die Kreishauptstadt Weilheim erheblich von den Bergarbeiterkommunen, in denen überdies die ähnliche Relation von Angestellten und Arbeitern auf die monoindustrielle Prägung zurückverweist. In Weilheim spielte insbesondere – neben der Landwirtschaft – der »tertiäre Sektor« eine bedeutende Rolle. Das Verhältnis der Arbeiter zu den sonstigen Erwerbspersonen betrug in Weilheim 1:1,23, in Penzberg hingegen 1:0,4, in Peißenberg 1:0,52 und in Hausham 1:0,42. Penzberg wies damit die im Sinne eines weitgefächerten Schichtungsbildes ungünstigste Relation auf.

Insgesamt erbringt das Schichtungsbild noch einmal einen eindrucksvollen Nachweis für die strukturelle Besonderheit der oberbayerischen Bergarbeiterkommunen. Zur Bestimmung der Relationen zwischen den Schichten reicht hier das Kriterium der »Stellung im Beruf« völlig aus, während man in Weilheim zur Präzisierung der Abgrenzungen angesichts der tiefgegliederten mittelständischen Positionen unbedingt weitere Kriterien (Einkommen, Bildung) heranzuziehen hätte⁵. Auch behielt der Bergbau seinen starken Vorrang im Beschäftigtenbild: Die Zeche entlohnte im Jahre 1939 bei 1538 Belegschaftsmitgliedern 71,6 Prozent aller Angestellten und Arbeiter in Penzberg.

Penzberg war und blieb Bergarbeiterstadt. Auf die nationalsozialistische Stadtführung warteten dieselben Probleme wie auf die sozialdemokratische Verwaltung: in erster Linie die Stabilisierung der Erwerbsmöglichkeiten auf der Zeche; dann der weitere Ausbau der

---

² Geschätzt auf der Grundlage einiger Hinweise für 1924 (StaP, Akt Erfassung der Betriebe in Penzberg: 111 Gewerbebetriebe außer der Zeche mit 172 Arbeitskräften) sowie für 1933 (PA 142/23. 6. 1933: 97 Gewerbebetriebe mit mehr als einem Beschäftigten).
³ Nach: Historisches Gemeindeverzeichnis. Die Einwohnerzahlen der Gemeinden Bayerns in der Zeit von 1840 bis 1952. München 1953, S. 45f.
⁴ Genaue Zahlen für den Anteil weiblicher Erwerbstätiger ließen sich nicht ermitteln. Ein sicheres Indiz findet sich in Winkler, Albert (Bearb.): Denkschrift über die Tätigkeit des Stadtrates der Industriestadt Penzberg. 1919–1924. Penzberg o. J. [1924], S. 29: Von den Eltern von rund 600 befragten Schulkindern standen nur in 22 Fällen beide Elternteile in Arbeit.
⁵ Vgl. zum Schichtungsbegriff aus der inzwischen auch in der Bundesrepublik umfangreichen Literatur immer noch Bolte, Karl Martin: Einige Anmerkungen zur Problematik der Analyse von »Schichtungen« in sozialen Systemen, in: Kölner Zeitschrift für Soziologie und Sozialpsychologie, Sonderheft 4, Köln/Opladen 1959, S. 29–53.

städtischen Infrastruktur, insbesondere des Straßennetzes; die Sanierung des alten, in seinem Kern in den Jahren 1875 bis 1880 entstandenen Wohnungsbestands[6] und, nach Möglichkeit, dessen Diversifizierung angesichts der erhöhten Anforderungen an die Wohnqualität sowie überhaupt die Beseitigung der Wohnungsnot[7]; der Ausbau der städtischen Sozialfürsorge, der Bildungs- und Fortbildungseinrichtungen unter dem Gesichtspunkt einer immer noch großen, allerdings nunmehr abnehmenden Kinderzahl der Bergarbeiterfamilien[8]; nicht zuletzt auch die Eindämmung des Zecheneinflusses auf die Kommunalpolitik, und all dies unter den einengenden Bedingungen einer von den Sozialdemokraten übernommenen Schuldenlast und einer anhaltend geringen Steuerkraft.

Welches Erbe sie angetreten hatten, wurde den neuen Machthabern sehr bald klar, auch daß sie diese Bürde nicht schlechthin ihren Vorgängern in die Schuhe schieben konnten, daß es vielmehr tiefgreifende, in Jahrzehnten kumulierte und immerhin von den Sozialdemokraten mit einiger Verve angegangene Strukturprobleme waren, die auf der Stadt lasteten. Die interessanteste Frage lautet daher, ob das diktatorische Regime aufgrund seiner Herrschaftsformen, der Rolle der Partei etwa und des Führerprinzips, die Probleme leichter, mit größerem Erfolg würde meistern können als das Vorgängerregiment. Eine weitere Frage ist, ob die proletarische Attitüde des Nationalsozialismus in Penzberg nicht allein im Sinne der oben angedeuteten Aufgabe der Befriedung, sondern auch und vielmehr im Sinne einer aktiven Strukturpolitik griff, oder vielmehr, ob sie überhaupt griff. Um eines der Ergebnisse vorwegzunehmen: Man hat zwar sehr bald erkannt, daß die oberbayerischen Bergwerksorte »ausgesprochene Notgebiete in unserem Gaubereich«[9] waren, und hat die höchsten Münchener Parteispitzen einschließlich des Gauleiters – faktisch ist die Gauleitung nach Wagners Einzug in das Innenministerium von dem jungen und rührigen Otto Nippold übernommen worden – auch überzeugen können; aber die ergriffenen Maßnahmen reichten nicht über das bisher in Angriff Genommene hinaus, sie waren allenfalls von größerem Nachdruck, da von Zwangsmitteln getragen, und wiesen daher auch einige Effizienz auf. Man suchte die Zeche zu stärken[10], um die Erwerbsmöglichkeiten zu sichern, operierte mit Erfolg im Wohnungsbau und bemühte sich, mit geringem Erfolg, um die Loyalität der Arbeiter-

---

[6] Über Baujahre und Zustände s. bes.: Dokumentation über die Wohnungsverhältnisse in Penzberg, (Ms.) Penzberg o. J. [1967], StaP.

[7] Vgl. etwa Winkler, Albert: Festrede, in: ders., Denkschrift, a.a.O., S. 49: Die Wohnungsnot, »dieses Übel«, scheine »eine nie auszurottende, chronische Krankheit von Penzberg zu sein«.

[8] Unter allen Arbeiterfamilien Bayerns war der Anteil der kinderlosen Familien im Jahre 1939 unter Bergarbeitern noch immer am geringsten (28,1%), dagegen, bei einem Anteil der kinderlosen Arbeiterfamilien unter allen Arbeiterfamilien von 38,6%, unter den graphischen Arbeitern am höchsten (55,7%). Einzig bei den besonders kinderreichen Familien (4 und mehr Kinder) nahmen bei einem Durchschnitt von 6% die Bergleute nach den Bauarbeitern (9,2%) und den Stein- und Glasarbeitern (8,1%) »nur« noch die dritte Position ein. Bei den oberbayerischen Bergleuten lagen die Verhältnisse allerdings inzwischen deutlich günstiger: Von ihren Familien waren 35% kinderlos, 33,7% hatten ein Kind und 31,3% zwei oder mehr Kinder. Nach Henninger, Wilhelm: Die Haushaltungen in Bayern nach den Ergebnissen der Volkszählung vom 17. Mai 1939, in: ZBSL 73 (1941), S. 237–309, 249, 280. Eine Penzberger Schätzung (PA 141/23. 6. 1934), wonach zu den 5000 Pechkohlenbergleuten im Oberland im Jahre 1934 rund 22 000 Angehörige gehören sollten, erscheint bei einer hieraus folgenden durchschnittlichen Familiengröße von 5,4 Personen demnach mit Sicherheit als zu hoch. Vgl. zur Familienstruktur der Belegschaft der Grube Penzberg unten Tab. 47 mit Anm. 149.

[9] StAM, NSDAP 646–654 sowie 627, Kreisleiter Siegerstetter/Gauleitung 2. 12. 1933.

[10] Maßnahmen hierzu s. unten Kap. VI, 3.

30. Bergwerksdirektor Karl Klein (um 1930).

31. Bergwerksdirektor Klein (von links), Stellvertretender Gauleiter Nippold und Bürgermeister Bogner (um 1936).

32. Betriebsappell mit Gauleiter Wagner am 19. 3. 1936.

schaft. Das Problem einer industriellen Diversifikation, das allein langfristig, wie Rummer sehr wohl erkannt hatte, die Strukturprobleme der Stadt hätte lösen können, ist von den Nationalsozialisten nicht angegangen worden. Man hielt es wohl für unlösbar – freilich zu Unrecht, wie die Entwicklung der Stadt nach Schließung des Bergwerks im Jahre 1966 zeigen sollte. Allerdings lagen die Probleme der punktuellen Bergbauindustrialisierung an der Peripherie auf der Hand: Der etwa die Fortentwicklung des Ruhrgebiets tragende vertikale Verbund von Kohle und Stahl wurde durch das Standortkalkül ausgeschlossen, und für eine industrielle Diversifikation allein durch bergbauliche Nachfolgegewerbe war der mögliche Expansionsrahmen allzu eng gesteckt – einmal abgesehen von Fragen der regionalen Infrastruktur, des Arbeitsmarktes und der Zusammensetzung des Arbeitskräftepotentials. Die hierin erkennbaren Probleme sind nicht nur solche der bergbaulichen Industrialisierung, sondern solche der Industrialisierung an der Peripherie und in der Kleinstadt überhaupt, mit verschärfendem Effekt für die oberbayerischen Bergbauorte. Es verdient eine eigene, hier nicht einzugehende Untersuchung, ob es der Strukturveränderungen im Gefolge der »zweiten industriellen Revolution« bedurfte, um die Probleme der Peripherie zu lösen.

2. NSDAP und Gemeindepolitik bis zum Kriegsausbruch

Nicht eben förderlich für das Meistern dieser Probleme erwiesen sich die Lasten, mit denen das neue Regime in Penzberg die Arbeit antrat. Von einer Verwurzelung in der Kommune konnte man nicht entfernt sprechen: Der Mitgliederstand *vor* dem 5. März 1933 betrug ganze 39 und im Januar 1933 gar erst 25[11], und auf die sich hieraus ergebenden Probleme in der Besetzung der Stadtspitze sowie der Gewerkschafts- und Vereinsvorstände mit zuverlässigen Parteigenossen ist bereits wiederholt hingewiesen worden. Aber auch *nach* der Reichstagswahl verlief die Mitgliederentwicklung nicht eben überzeugend.

Tabelle 41
NSDAP und angeschlossene Organisationen: Mitglieder in Penzberg am 1. Juli 1933 bzw. im Herbst 1933[12]

NSDAP	159	
NSBO	420	
NS-Kriegsopferversorgung	?	
NS-Beamtenschaft	13	
NS-Bauernschaft	20	
NS-Frauenschaft	36	(gegr. 26. 9. 1933)
NS-Volkswohlfahrt	?	(gegr. 9. 10. 1933)
Kampfbund für den gewerblichen Mittelstand	65	
HJ	105	
BDM	78	
Jungvolk	182	

[11] Nach PA 57/10. 3. 1934.
[12] Nach StAM, NSDAP 627, Mitgliederstand, sowie NSDAP 609.

Berücksichtigt man, daß bei den angeschlossenen Organisationen ein nicht nur gelinder Beitrittszwang ausgeübt wurde und daß sich manche Mitgliedschaften auf Gleichschaltungsmaßnahmen gegen ältere Verbände stützten, so läßt sich insbesondere anhand der engeren Parteimitgliedschaft feststellen, daß der Zulauf der Parteiorganisationen, obwohl bemerkenswert, gewiß hinter den Erwartungen zurückblieb. Zum Teil waren hierfür die Mitgliedersperren verantwortlich. Der Mitgliederstand der Partei hielt sich bis Mitte 1936 auf 125 bis 130, wozu noch jeweils rund 20 bis 25 Mitglieder in Sindelsdorf und Johannisberg kamen; die Lockerung der Mitgliedersperre brachte im Jahre 1937 rund ein Dutzend Mitglieder, bis schließlich Mitte 1938 ein Zustrom auf (im Mai) 287 Mitglieder einsetzte. Die Penzberger SS nahm von (Ende 1932) 14 Mann, darunter gerade zwei Bergleute (Bogner und Martin Rebhan) auf, unter Einschluß der erst Ende 1933 gegründeten SA, 144 Mann (Februar 1935) zu[13]. Auch im kreisweiten Vergleich blieb die Ortsgruppe Penzberg, selbstverständlich auch durch den niedrigen Ausgangsstand bedingt, mitgliederschwach:

Tabelle 42
Mitglieder der NSDAP-Ortsgruppen im Kreis Weilheim am 25. April 1934 und 15. Mai 1938[14]

Ort	1934 Bevölkerung	Pg.	Prozent	1938 Bevölkerung	Pg.	Prozent
Antdorf	444	20	4,5			
Iffeldorf	908	16	1,8			
Penzberg	5845	123	2,1	7142	287	4,0
Peißenberg	4942	98	2,0	6304	274	4,3
Schlehdorf	848	16	1,9			
Seeshaupt	955	36	3,8			
Sindelsdorf	883	26	2,9			
Weilheim	6830	302	4,4	7200	625	8,7
Kreis Weilheim	41098	1507	3,7	44585	2450	5,5

Deutlich blieben die beiden Bergarbeiterorte 1934 und 1938 unter dem Kreisdurchschnitt und jedenfalls unter dem Mitgliederstand in Weilheim selbst, während bei den Gemeinden Iffeldorf, Schlehdorf und Sindelsdorf jeweils ein nicht unerheblicher Arbeiteranteil, zum Teil aus Pendlern nach Penzberg bestehend, einzurechnen ist. Der Zulauf ist auch in den Zeiten einer Lockerung der Mitgliedersperre in den Arbeitergemeinden nicht überwältigend gewesen, aber auch die Bauern der Umgebung verspürten offenkundig keine übergroße Neugierde auf das Parteileben[15].

Letzteres ist zunächst in den Monaten nach der Machtübernahme sowie im Jahre 1934 erheblich »durchorganisiert« worden. Schon seit Mai 1933 erging eine reiche Zahl von

---
[13] Nach verstreuten Hinweisen in StAM, NSDAP 248, 626, 627, 646–654, 655.
[14] Nach StAM, NSDAP 248, Bestandsmeldungen.
[15] Zum Vergleich s. Fröhlich, Elke und Martin Broszat: Politische und soziale Macht auf dem Lande. Die Durchsetzung der NSDAP im Kreis Memmingen, in: VfZ 25 (1977), S. 546–572.

33. NS-Lichterschmuck am Förderturm (1936).

34. Gemeinschaftsempfang der Führerrede am 27. März 1936 vor dem Verwaltungsgebäude der Zeche.

»Gaubefehlen«[16] zur Stärkung der örtlichen Parteiorganisationen und Initiierung stets neuer Propagandawellen. Da wurde oft sehr viel mehr verlangt, als die örtlichen Parteioberen durchzusetzen imstande und auch wohl willens waren. In Penzberg hat man in der noch Ende März 1933 anbefohlenen Versammlungs- und Propagandawelle[17] eher Zurückhaltung gewahrt. Versammlungsthemen wie »Generalangriff gegen die Arbeitslosigkeit« und »180 Tage Revolution« (Sommer 1933)[18] klangen in Penzberger Ohren nicht gut. Gewiß wirkte sich auch die am 1. Januar 1935 eingetretene, bedeutende Erhöhung der Mitgliedsbeiträge später hinderlich auf beitrittswillige Arbeiter aus, und selbst in den »bessergestellten Kreisen« verursachte die Beitragsstaffelung Schmerzen. Letztere wurden überdies immer wieder gesondert durch Sammlungen belastet[19].

»Durchorganisiert« wurde Anfang 1934; dies brachte neben der Bestellung eines neuen Kreisorganisationsleiters in Weilheim für die Ortsgruppe unter anderem eine Präzisierung der Parteifunktionen und -ränge sowie nicht zuletzt neue Parteiuniformen. Diese Reorganisation war innerparteilich mit bis auf örtlicher Ebene spürbaren Disziplinierungsmaßnahmen verbunden: So wurde in Penzberg Anfang März 1934 ein parteiinterner Streifendienst eingeführt, der aus zwei »politischen Leitern« bestand und sich vor allem darum zu sorgen hatte, daß Parteigenossen im Dienstanzug nach 24 Uhr nicht mehr in Gaststätten anzutreffen waren[20]. Die Liste der allein auf Kreisebene inzwischen gebildeten Funktionen für Kreisabteilungs- und Kreisamtsleiter ist beeindruckend, jene der Ortsgruppenabteilungs- und -amtsleiter nicht minder[21], und selbst für Stützpunkte (bis 50 Mitglieder) blieben nach der Reorganisation mindestens 10 Ämter. Der alte KPD-Grundsatz: möglichst vielen Mitgliedern ein Amt, er wurde in der NSDAP mit Schwung verfolgt. So gab es im Kreis Weilheim im November 1934 für rund 1500 Parteigenossen 9 Ortsgruppen und 3 Stützpunkte sowie 29 Zellen und 82 Blocks; das ergab, wohl einschließlich der Kreisleitung, 194 politische Leiter und 182 Amtswalter. Bis Januar 1936 stieg die Zahl der politischen Leiter auf 259[22]. Politischer Leiter zu sein, das bedeutete schon etwas in der Kleinstadt, trug man sich doch in einer schneidigen Uniform, mit einer Pistole am Koppel. Die Ortsgruppe Penzberg bestand Ende 1936 aus 4 Zellen und 31 Blöcken. Mitte 1938 wurde eine Teilung der Ortsgruppe erwogen, jedoch aus finanziellen Gründen und wegen der Gefährdung der »Parteiautorität«[23], die durch die seit Bogners Amtsantritt als Bürgermeister bestehende Personalunion zwischen Bürgermeisteramt und Ortsgruppenleitung gesichert wurde, als nicht zweckdienlich erkannt.

---

[16] »Gaubefehl Nr. 1« erging 24. 5. 1933, war tatsächlich jedoch Fortsetzung einer Reihe ähnlicher Anordnungen, Organisationsbefehle, Propagandabestimmungen, Versammlungs- und Rednerlisten; die meisten Stücke s. in StAM, NSDAP 646–654.
[17] Ebenda, Gauleitung/alle Kreisleiter etc. 20. 3. 1933.
[18] Zu diesen Versammlungswellen s. StAM, NSDAP 654.
[19] Zur Neuregelung der Beitragsordnung zum 1. 1. 1935 s. ebenda. Vor dem 1. 1. 1933 eingetretene Mitglieder zahlten 1,50 Mark, seither Beigetretene nach Einkommensgruppen zwischen 2 und 5 Mark. Nach dem 30. 1. 1933 eingetretene Mitglieder wurden beispielsweise für die Kreisumlage, in Penzberg auch gesondert für die Kosten des Parteibüros herangezogen.
[20] Nach StAM, NSDAP 654.
[21] Vgl. bes. die Verfügung des Gauorganisationsamts vom 6. 4. 1934, in: StAM, NSDAP 646–654.
[22] Nach verstreuten Angaben ebenda.
[23] Nach StAM, NSDAP 248.

Viel mehr war die »Parteiautorität« durch die Herrschaft der Rechnungsführer-Clique gefährdet. Wie immer man sich mittels Zwang und Versöhnlichkeit mühte, immer spielte in der Haltung der Bergleute gegenüber der Partei das Ressentiment gegen die »Schreibtischhocker« mit. Die Gründe für die partielle Ablösung der Rechnungsführer in der örtlichen Parteileitung im Jahre 1934 rührten allerdings nicht von deren mangelnder Resonanz, sondern von ihrer, parteitaktisch gesehen, schwierigen Position her. Die zur Ablösung des Ortsgruppenführers Schneider und des Bürgermeisters Schleinkofer führenden Vorgänge scheinen exemplarisch für die innerparteilichen Verkehrsformen auf der Ebene der Ortsgruppen und sollen hier deshalb auch ausführlicher verfolgt werden.

Diese von der Machtübernahme in der Stadt bis Ende 1934 anhaltende Auseinandersetzung läßt sich in ihrem Kern auf zwei Motivkomplexe zurückführen: auf das Reibungsverhältnis zwischen der Politischen Organisation auf der einen, der Penzberger SS auf der anderen Seite, sowie auf den innerparteilich immer wieder erkennbaren Konflikt insbesondere bis zum sog. Röhmputsch zwischen »Alten Kämpfern« und »Märzveilchen«, der in sich wiederum die verschiedensten Angriffspunkte und Ressentiments barg. Für Penzberg wirkte sich insoweit die groteske Verkehrung der sozialen Verhältnisse im Erscheinungsbild der Partei durch die Rechnungsführer-Clique, die ihrerseits wenig Geschick in der Handhabung dieser Konflikte bewies und auch deshalb abtreten mußte, verschärfend aus.

In der Penzberger NSDAP gab es nur sehr wenige »Alte Kämpfer«, weshalb der Umstand, daß sie in der Auseinandersetzung obsiegten, um so schwerer wiegt und nur durch die schweren Fehler der örtlichen Parteileitung erklärlich wird. Konkret ging es bei dem Ganzen, fast erwartungsgemäß, um Posten und Pöstchen, Beförderungen und Begünstigungen, und in allem spielte, wie in einem Konflikt mit »Alten Kämpfern« üblich, die Aufarbeitung der je persönlichen Vergangenheit eine entscheidende Rolle. Das begann bereits in den Tagen der örtlichen Machtübernahme, als SS-Sturmbannführer Ring in Konflikt mit der Weilheimer Kreisbehörde und mittelbar wohl auch bereits mit der Politischen Organisation geriet. Ring, der später zusammen mit dem Münchener Standartenführer Dolz amtsenthoben wurde, hatte bereits mit Ortsgruppenleiter Bogner Auseinandersetzungen gehabt. Im Juli 1933 wurden Gerüchte, die Leiter der Politischen Organisation hätten sich an Einnahmen aus Sammlungen vergriffen, unter anderem, um ihre teuren Parteiuniformen damit zu bezahlen, vor allem von einigen SS-Leuten und »Alten Kämpfern« bis nach München verbreitet, wo SS-Mann K. S. bei der Standarte Gehör fand, in Penzberg indessen unter Billigung der Kreisleitung aus der Partei ausgeschlossen wurde[24]. Bei dieser Gelegenheit entledigte man sich zugleich des Sägewerksbesitzers von Schönmühl, Dr. Streeb, der als »Alter Kämpfer« der Vernachlässigung sozialer Pflichten beschuldigt wurde und gegen sich nunmehr ein erst 1935 niedergeschlagenes Untersuchungs- und Schlichtungsausschuß-Verfahren beantragte[25]. Streeb hatte schon mit dem sozialdemokratischen Bürgermeister auf Kriegsfuß gestan-

---

[24] Vgl. OG F/Standarte 34, 28. 7. 1933, in: StAM, NSDAP 646–654; PA 165/20. 7. 1933.
[25] Ebenda, Gauleitung/OGrF 24. 7. 1933, sowie NSDAP 627 mit Unterlagen über das USchlA-Verfahren.

den; das sollte sich unter der neuen Stadtführung nicht ändern[26]. Da seit Juli 1933 Parteiausschlüsse der Genehmigung des Reichsuntersuchungs- und Schlichtungsausschusses unterlagen[27], ließ sich der Ausschluß hinauszögern, was den »Parteifrieden« nicht eben förderte. Zudem hatten die Rechnungsführer mit ihrer wichtigsten Klientel, der örtlichen Stahlhelm-Gruppe, aus der einige von ihnen zur NSDAP gefunden hatten, zu tun: Die Stahlhelm-Leute sahen sich zeitweilig als die eigentlichen Sieger vom März 1933, weil ihre Traditionen in Penzberg jedenfalls weiter zurückreichten als jene der NSDAP. So gab es abfällige Äußerungen in der Öffentlichkeit, Anschuldigungen und Widerrufe vor versammelter Mannschaft[28].

Ende 1933 schaltete sich der örtliche SS- und Fürsorgearzt Dr. Wilhelm Frank in die Angelegenheit ein und unterstützte den um seine Rehabilitation kämpfenden Schmelzer, der nach wie vor im Bergwerk die Geschichte von den Parteiuniformen aus Parteigeldern verbreitete. Nun redete Ortsgruppenführer Schneider – offenbar spielten hier persönliche Konflikte hinein – dem Dr. Frank Übles nach, was zu einer rechtsanwaltlichen Intervention führte[29]. Schneider und Schleinkofer meinten, Schmelzer sei über Frank »das Opfer gewissenloser Hetzer in den Reihen der hiesigen SS geworden«, was sich »auf dem immer noch schwierigen Penzberger Boden besonders parteischädigend« auswirke. Frank und Gattin gehörten zu den »Hauptstänkerern« und wollten »die SS und Teile der Parteigenossenschaft gegen die politische Leitung scharf machen«, weshalb sich gegen beide die Einleitung eines Ausschlußverfahrens empfehle[30].

Parteiausschlußverfahren sind in allen Parteien, und offenbar auch in Einheitsparteien, nur selten das angemessene Mittel zur Regelung innerparteilicher Konflikte. Daß man sich mit solchem Vorgehen auf Dauer Feinde schuf, deren Gruppenzusammenhang kittete und überdies Raum öffnete für weitere Intrigen und die örtliche Gerüchteküche, sollten die Rechnungsführer 1934 am eigenen Leibe erfahren. Der Fall Streeb schwebte weiter, und hinzu kamen weitere »Fälle«: jener des Alt-Pg. Hermann Güth, der, obwohl Träger des Goldenen Parteiabzeichens, nicht eben zur Parteielite gehörte und mangels Eignung nun wirklich schwer in städtischen Diensten untergebracht werden konnte[31], dann der des Gärtners und jetzigen nebenberuflichen Heimleiters Stefan Orthofer, ebenfalls Alt-Pg.[32], der »nichts anderes zu tun [hatte], als über alle möglichen Leute zu schimpfen und über den Bürgermeister und Ortsgruppenleiter Urteile zu fällen, die auf die Dauer untragbar sind«. Wenn man doch »diesen Mann endlich einmal aus Penzberg wegbringen könnte«, klagte Schneider seinem Duzfreund, Kreisleiter Siegerstetter in

---

[26] Vgl. PA 111/17. 5. 1934: Ablehnung eines Antrags Streebs an den Stadtrat. Streeb war anscheinend ein eigensiniger Mensch. Wie schon einmal Ende 1933 (PA 227/2. 10. 1933), geriet er erneut Anfang 1941 in Schutzhaft, weil er sich abfällig über die Rassenpolitik des Dritten Reichs geäußert und dabei Bemerkungen über Goebbels gemacht hatte. Vgl. StAM, NSDAP 617.
[27] Vgl. StAM, NSDAP 646–654, Gauleitung/OGrF 18. 10. 1933.
[28] Über »grobe Äußerungen gegen den Ortsgruppenleiter« (»Lausbuben etc.«) s. ebenda, Beschwerde des OGrF v. 20. 9. 1933.
[29] Entspr. Schriftwechsel ebenda, bes. Rechtsanwalt Max Bauer/OGrF Schneider 14. 12. 1933.
[30] Ebenda, OGrF/Kreisleiter 14. 12. 1933 (auch StAM, NSDAP 627).
[31] Güth war seit 1930 arbeitslos. Vgl. über ihn den unten behandelten Beschlüsse des SR Okt. 1934.
[32] Vgl. o. Kap. V, Anm. 72. Orthofer, geb. 1901, Mitgl.-Nr. 46651, erhielt das Goldene Parteiabzeichen nicht, weil er im Herbst 1927 für ein Jahr ausgetreten und im Januar 1932 wegen Nichtentrichtung der Beiträge zeitweilig gestrichen worden war; vgl. StAM, NSDAP 654.

Weilheim[33], der denn auch in den folgenden Monaten zum stärksten Rückhalt der Penzberger Parteigrößen wurde. Es gab nun in der Tat »Kritiker und Nörgler« in der Partei[34], deren Bedeutung sich nicht auf ihre Zahl, sondern auf die Aura der »Kampfzeit« stützte. So mochte der nach Pfingsten im Gau München-Oberbayern eingeleitete »Großangriff gegen alle Miesmacher und Nörgler«[35] der Parteiführung in Penzberg zwar zustatten kommen; jedoch lagen die Konfliktlinien hier anders: Es war nicht eine aufsässige, disziplinlose und eigenmächtige SA, die nach Eigenständigkeit neben der Politischen Organisation strebte[36]; im Gegenteil, Schneider und Schleinkofer betrieben eifrig die Gründung einer SA in Penzberg, um den Einfluß der hier das Erstgeburtsrecht genießenden SS zu begrenzen.

In den »Stimmungsberichten« der Ortsgruppe im Sommer 1934 spiegelt sich der Kampf. Es sei darauf zu sehen, »daß die Nörgler in den eigenen Reihen zur Rechenschaft gezogen werden«; Güth nehme »eine sehr feindliche Haltung gegen Bürgermeister und mich [den Ortsgruppenleiter] ein«[37]. Der Konflikt zog Kreise: Die BDM-Führerin und Gattin Orthofers hielt sich nicht für verpflichtet, der Ortsgruppe Tätigkeitsberichte vorzulegen gegen Orthofer selbst wurde ein Parteiausschlußverfahren eingeleitet. Kreisleiter Siegerstetter referierte über »Miesmacher in der Bewegung«, und Ortsgruppenleiter Schneider suchte der Entwicklung durch einen besonderen Sprechabend für Altparteigenossen unter Assistenz des Kreisleiters Einhalt zu gebieten. Doch vergeblich.

Orthofer ging den direkten Weg – entgegen den in der Partei wegen der Unzahl von Beschwerden längst betonten Dienstweg-Usancen. Er reiste zusammen mit Dr. Frank am 27. Juli 1934 nach München, sprach im Innenministerium vor und reichte darauf am 30. Juli an dieselbe Behörde eine ausführliche Beschwerdeschrift ein[38]. Da ging es an das Waschen schmutziger Wäsche aus der »Kampfzeit«; Schneider und Schleinkofer hätten vor 1933 kein Herz für die in Penzberg so schwierige Parteiarbeit gezeigt, nach der Machtübernahme aber

> »wurde keine Maßnahme ohne die beratende Stimme eines bekannten Deutschnationalen und Stahlhelmers (Bergdirektor Klein) getroffen (Arbeitgeber beider Herren und fast aller Amtswalter). Nationalsozialistische Maßnahmen, wie sie damals überall notwendig waren und durchgeführt wurden, wurden in Penzberg durch Kompromisse verwässert und abgewogen (z. B. rote Parteibuchbeamte blieben im Dienst, Entfernung der Ebertbüste, Entfernung der marxistischen Inschrift am Kriegerdenkmal, Einschreiten gegen roten Wohlfahrtsverein u. a. m.). Obwohl verschiedenen städtischen Beamten (SPD-Angehörigen) bewegungsfeindliche Aussprüche nachgewiesen werden können, wurden diese weder zur Rechenschaft gezogen, noch weniger aus ihrem Amt entfernt. Es ist dies zum größten Teil darauf zurückzuführen, daß Schneider mit einem Teil der Beamtenschaft verwandt ist«.

Da war nun zum Leidwesen der Rechnungsführer viel Wahres daran. Tatsächlich war es Klein gewesen, der mit kräftiger Handreichung Schleinkofer in den Bürgermeisterses-

---

[33] StAM, NSDAP 627, OGrF/Kreisleitung (»Mein lieber Ludwig«) 14. 5. 1934.
[34] StAM, NSDAP 646–654, Tätigkeitsbericht vom 5. 4. 1934.
[35] Ebenda, Rundschreiben der Kreisleitung vom 18. 5. 1934 m. Versammlungskalender.
[36] Vgl. Bracher/Schulz/Sauer: Die nationalsozialistische Machtergreifung. Frankfurt a. M./Berlin/Wien 1974, Bd. III, S. 255 f. Die Morde vom 30. 6. 1934 brachten auch in Penzberg die Gerüchteküche in Wallung und veranlaßten zur Schutzhaftdrohung gegen Gerüchteverbreiter; s. PA 148/2. 7. u. 157/12. 7. 1934.
[37] Vgl. StAM, NSDAP 646–654, Tätigkeits- und Stimmungsberichte, Zitate: Berichte vom Juni und Juli 1934.
[38] Beglaubigte Abschrift: StAM, NSDAP 627; Zitate im folgenden aus dieser Quelle.

sel gehoben hatte[39]. Stadtsekretär Heinrich Bauriedl, ein Schwager Schneiders, hatte noch nach dem 5. März 1933 die »Mistgabeln« getragen[40] und, trotz nachweislich geringer Qualifikation, nicht nur sein Amt behalten, sondern war Pressewart der Politischen Organisation und Stadtrat – neben anderen Ämtern – geworden. Stadtbaumeister Helfert, Alt-Sozialdemokrat und Vetter Schneiders, amtierte eben alls weiter, durfte gar zwecks Fortbildung unter Einstellung einer Bürohilfe wöchentlich wiederholt nach München fahren und war inzwischen Amtswalter der NS-Beamtenschaft sowie Sturmmann der neuen Penzberger SA geworden. Auch der alte sozialdemokratische Sicherheitskommissar Vetter versah seine Dienstpflichten weiter, anscheinend ohne mit den neuen Organisationen zu kollaborieren. Schließlich kam die Angelegenheit des überaus kompromißbereiten Verwaltungsoberinspektors G.[41], eines Schwagers Schneiders, neu auf. Parteikämpfer Güth hatte man dagegen niedere Arbeiten in der städtischen Kiesgrube ermöglicht, was diesem, »schikaniert« von einem ehedem »roten« Vorarbeiter, wenig behagte. Endlich das Verhältnis zur SS:

> »Einer der Hauptgründe, die zum offenen Bruch zwischen SS und PO führten, war der Umstand, daß ein großer Teil der PO sich in betrunkenem Zustand in Uniform in Gasthäusern und auf der Straße zeigte und die SS bei diesem Treiben nicht mitmachte«.

Schneider, der nach der »Wahl« im November 1933 viel Energie in die Gründung einer örtlichen SA investiert hatte, beging zudem den Kardinalfehler, anläßlich der im übrigen für die Vorgänge in Penzberg unbedeutenden Parteisäuberung durch Hitlers Morde beim sog. Röhmputsch am 30. Juni 1934 zwar alle Parteiformationen, nicht aber die örtliche SS in geheime Alarmbereitschaft zu versetzen[42].

Es war nicht so sehr der Nepotismus selbst, sondern seine Verknüpfung mit der versöhnenden Attitüde gegenüber der ehemaligen Beamtenschaft in der Stadtverwaltung, was Schleinkofer und Schneider das Wasser abgrub. Der unausgestandene Konflikt mit der SS setzte dem ganzen die Krone auf. Schleinkofer mußte bald nach Eingang dieser Beschwerde mittels Beurlaubung vorläufig sein Amt räumen, beging dann jedoch den nicht wieder gutzumachenden Fehler, nicht nur sofort den beschwerdeführenden Orthofer aus städtischen Diensten fristlos zu entlassen, sondern aus eigenem Antrieb aus seinem Urlaub zurückzukehren und in geheimer[43] Stadtratssitzung am 20. September 1934 zu erklären, er versehe

> »seinen Dienst wie bisher weiter. Ich bin hier und bleibe auch hier, dies sollen sich alle jene merken, die glauben, durch Verleumdungen aller Art erreichen zu können, daß ich oder sonst eine Person unserer Ämter enthoben werden. Es ist nicht unsere Schuld, daß es in Penzberg zu einer derartigen unverantwortlichen Stimmung gekommen ist, und ich bedaure es, daß ich die Ursache

---

[39] Vgl. Klein, [Karl]: Die Entwicklung der Grube Penzberg innerhalb der letzten 30 Jahre, (M.-) o. O. o. J. [Penzberg 1938], StaP, S. 66: »In meiner Wohnung fanden fast täglich Besprechungen mit Parteidienststellen statt und wurde auch hier der erste nationalsozialistische Bürgermeister, Schleinkofer, aus der Taufe gehoben«.
[40] Bauriedl sah sich deshalb auch sonst Tuscheleien und offenen Angriffen ausgesetzt; vgl. seinen Antrag auf Einleitung eines USchlA-Verfahrens gegen Pg. Leonhard Biehler vom 8. 8. 1934 (StAM, NSDAP 627): »Dies ist um so notwendiger, weil ich mich aufgrund meiner Stellung im Rathaus Penzberg nicht dauernd mit Schmutz bewerfen lassen kann«.
[41] Vgl. o. Kap. V, Anm. 43.
[42] Wie Anm. 38.
[43] StaP, SR 20. 9. 1934, »Geheime Sitzung«; nach der Abschr. StAM, NSDAP 655, jedoch »öffentliche« Sitzung. Immerhin ist Schleinkofers Erklärung PA 217/21. 9. 1934 veröffentlicht worden.

dieses Ergebnisses nicht längst der Öffentlichkeit unterbreiten konnte. Während wir den ordnungsgemäßen Dienstweg einhielten, haben sich die Beschwerdeführer an eine übergeordnete, aber zunächst unzuständige Stelle gewandt, die unverständlicherweise Hals über Kopf eine Verfügung getroffen hat, die weder von der Kreisleitung noch von der Gauleitung der NSDAP gebilligt wurde«.

Und Ortsgruppenführer Schneider stand zur Seite: Die Gerüchte seien »von a bis z erlogen«, man werde jetzt »mit den schärfsten Mitteln« gegen die Urheber vorgehen.

Auch hier also wieder eine Fehleinschätzung der Situation seitens der Rechnungsführer, die den Konflikt damit auf die Spitze trieben. Zwar sah es tatsächlich so aus, als habe das Innenministerium die Beurlaubung ohne Einschaltung oder gar gegen den Willen der Gauleitung betrieben, doch übersah Schleinkofer, daß die Mobilisierung des Stadtrats und der städtischen Beamtenschaft nicht im Sinne der Gauleitung liegen konnte, weil sie sich letztlich gegen die Partei richten mußte. Das nahm jetzt Formen an, die die Präponderanz der Partei in Frage stellten: Die städtischen Beamten, bisher von Schleinkofer, wie gezeigt, mit Nachsicht behandelt und ihm besonders zugetan, richteten binnen Tagen eine Eingabe an die NS-Kreisleitung »zur gefälligen Weiterleitung an die Gauleitung«, in der sie sich gegen die nunmehr ein zweites Mal ausgesprochene Beurlaubung Schleinkofers wandten[44]:

»Der betroffene Bürgermeister hat von Anbeginn seiner Amtstätigkeit getrachtet, in sachlichfachlicher Arbeit seinen Posten zu erfüllen und der Allgemeinheit zu dienen. Seiner Initiative und großen Umsicht entsprechend sind in unserem Ortsbereich Objekte in Angriff genommen worden . . . Das Ansehen der Stadtbehörde und nicht zuletzt der ganze Geschäftsgang erfordert es, daß der 1. Bürgermeister jeden Tag seinem Amt zur Verfügung steht«.

Ein Schönheitsfehler der Eingabe war, daß sich unter ihr die Unterschriften eben jener Personen (Bauriedl, Helfert, Vetter) fanden, gegen die sich Frank und Orthofer so angelegentlich gewandt hatten. Aber auch im Stadtrat konnte sich Schleinkofer, was ihn gewiß in Sicherheit wog und in seinem Vorgehen bestärkte, auf eine einstimmige Hilfe stützen: Der Stadtrat veranlaßte, wohl in koordinierter Aktion mit den städtischen Verwaltungsbeamten, die Einberufung einer außerordentlichen geheimen Stadtratssitzung noch auf den 27. September – dies ein neuer, aus Parteisicht nicht zu tolerierender Verstoß gegen das Führerprinzip, auch wenn die Gemeindeordnung das Verfahren zuließ. Die »gereizte Stimmung«, so der Stadtrat einstimmig, und »die getätigten Verleumdungen« mit »weit über die Stadt Penzberg hinaus« reichenden Wirkungen seien nicht Schleinkofer anzulasten:

»Ohne auch nur im geringsten an den getroffenen Maßnahmen der Gauleitung eine Kritik uns anmaßen zu wollen, erachten wir es als eine uns von der Bewegung auferlegte Pflicht, die übergeordneten Parteidienststellen auf die neuerlich in Penzberg eingetretene schädigende Stimmung hinzuweisen. Wir gestatten uns den Zusatz, daß gerade die Stadtratsmitglieder über die geleistete Arbeit der beiden –Schleinkofers und des inzwischen suspendierten Schneider – bestens orientiert sind. Wohl in wenigen Orten des Gaues mit so außergewöhnlichen politischen Verhält-

---

[44] Original vom 27. 9. 1934: StAM, NSDAP 627.

nissen wie gerade in Penzberg dürfte eine so große nationalsozialistische Aufbauarbeit geleistet worden sein«[45].

Folglich ersuchte man um Aufhebung der Beurlaubung des Bürgermeisters. In dieser Reaktion des Stadtrats wird deutlich, daß die zunächst mächtig scheinende Hilfstruppe der Rechnungsführer – zum überwiegenden Teil stammten die ernannten Stadträte aus bürgerlichen Kreisen – den insgesamt auf »Klassenversöhnung« gerichteten, gegen die früheren Machthaber milden kommunalpolitischen Kurs Schleinkofers billigte.

Das kümmerte allerdings die Gauleitung wenig. Sie war der Auffassung, daß »durch die getroffene Entscheidung die Bevölkerung befriedigt wird, auch wenn der Stadtrat gegenteiliger Ansicht sein sollte«[46]. Innenminister Wagner widerrief am 23. Oktober 1934 Schleinkofers Ernennung, und die Gauleitung präsentierte einen neuen Bürgermeister: den Altparteigenossen und – bis zu seinen parteiinternen Verfehlungen Ende 1932 – ehemaligen NS-Ortsgruppenführer Otto Bogner. Schneider blieb suspendiert und übergab die Ortsgruppengeschäfte an seinen Rechnungsführerkollegen Akanta; er erklärte später formell seinen Rücktritt[47]. Orthofer wurde in seinen Parteiämtern bestätigt, und wieder in städtische Dienste eingestellt, allerdings wegen seiner »bekannten Vorstrafen« nicht, wie beabsichtigt, in das Amt des Sachbearbeiters für das Winterhilfswerk. Auch Güth wurde in der Stadtverwaltung »untergebracht«. Erstaunlich genug, verwandte sich der Stadtrat am 24. Oktober 1934, diese Maßnahmen billigend, noch einmal einstimmig für Schleinkofer und weigerte sich, für Bogner, dessen bevorstehende Ernennung bekanntgeworden war, Stellung zu nehmen[49].

»Die gerechte und soziale Gegensätze aus früherer Zeit ausgleichende Amtsführung des Bürgermeisters Schleinkofer wurde von Anfang an von der Penzberger Bevölkerung begrüßt und anerkannt«,

was in den beiden Volksabstimmungen am 12. November 1933 und 19. August 1934 bestätigt worden sei. Bogner, gleichwohl einstimmig gewählt, trat sein Amt im November 1934 an und hatte nichts Eiligeres zu tun, als Material gegen seine Vorgänger im Bürgermeisteramt und in der Ortsgruppenleitung, die er zugleich übernahm, zu sammeln, um sich gegen eine ihm zunächst feindlich gesonnene Fronde in Stadtrat und Stadtverwaltung angemessen zur Wehr zu setzen[50]. Offenkundig waren seine parteiinternen Verfehlungen nicht sehr bekanntgeworden oder doch vergessen, so daß man das

---

[45] StaP, SR geheime Sitzung 27. 9. 1934; Antrag von vier Stadträten, undat., auf Einberufung dieser Sitzung: StAM, NSDAP 627. Ein Stimmungsbericht eines örtlichen Schuhwarenhändlers, NS-Hago (StAM, NSDAP 655), vom Sommer 1934 zeigt, daß die »Spannungen und Reibereien« in der Bevölkerung mit großer Aufmerksamkeit verfolgt wurden.
[46] StAM, NSDAP 655, Gauleitung/SR 29. 9. 1934.
[47] Bitte um Amtsenthebung vom 6. 12. 1934: StAM, NSDAP 646–654.
[48] Ebenda, Tätigkeitsbericht vom 6. 11. 1934. Zur Ämterprotektion für »Alte Kämpfer« vgl. Matzerath, Horst: Nationalsozialismus und kommunale Selbstverwaltung. Stuttgart/Berlin/Köln/Mainz 1970, S. 35f.
[49] StaP, SR 24. 10. 1934, geheime Sitzung.
[50] StAM, NSDAP 646–654, Bogner/Gendarmeriewachtmeister Hackl, Jachenau, 29. 12. 1934, erbittet Besuch, weil er »in Erfahrung gebracht« hat, »daß Sie über bestimmte Vorkommnisse des früheren Ortsgruppenführers Schneider Bescheid wissen«. Bogner versuchte noch 1934 gegen städtische Beamte vorzugehen (ebenda). Er wurde, da seine Wahl – er wohnte nicht während der letzten 12 Monate im Gemeindebezirk – nicht bestätigt werden konnte, mittels Intervention der Gauleitung (StAM, NSDAP 655, 24. 11. 1934) zunächst zum kommissarischen Bürgermeister bestellt.

Risiko seiner Einsetzung auf sich nehmen zu können glaubte, bot er doch andererseits durch seine Person als unumstrittener »Alter Kämpfer« und zugleich Bergmann mit handfester Arbeitserfahrung Gewähr nicht nur für innerparteiliche Versöhnung, sondern erhoffterweise auch für Ansehen unter der Bergarbeiterschaft.

Den gesamten Vorgängen lag, wie wiederholt sichtbar wurde, keineswegs die Revolte einer proletarischen Grundschicht in der Partei – und sei es in Gestalt »Alter Kämpfer« – gegen eine mittelständische Führung zugrunde. Dafür fehlten angesichts der geringen Tradition und bei der Sozialstruktur der Penzberger NSDAP, in die nach der Machtübernahme nach Ausweis der Beitrittsgesuche fast nur Angehörige der örtlichen Mittelschicht drängten[51], alle Voraussetzungen. Eher ließe sich von einem Intrigenspiel aufgrund persönlicher Mißhelligkeiten, im Sog der innerparteilichen Bevorzugung der Altgardisten und mit Hilfe vermeidbarer Fehler der örtlichen Führungsgruppe, sprechen. Dafür spricht auch, daß in einigen Fällen die Ehefrauen der Beteiligten nach Kräften mitspielten. Jene des Dr. Frank soll gar Urheber von dessen gespanntem Verhältnis zur Partei gewesen sein, und jene Orthofers, Ortsführerin des BDM, vertrat eifrigst, gefragt oder ungefragt, die Meinung ihres Gatten[52]. Auf der einen Seite mithin kommunale Groteske, wies die Affäre auf der anderen Seite doch auch Typisches auf: Die Parteiherrschaft eröffnete gerade in Penzberg, wo man praktisch bei dem Nichts anfangen mußte, reiche Möglichkeiten des Konkurrenzkampfes um Posten und Pöstchen, ließ Gräben zwischen Neidern und Machthabern entstehen, die das Parteileben vergifteten – mehr als andernorts, und heftiger als andernorts. Zusätzlich begünstigte das Nebeneinander der nationalsozialistischen Organisationen – hier vor allem der SS und der Politischen Organisation – das Ringen um Macht und Einfluß. Es war eine Polykratie im kleinen, was auf kommunaler Ebene nach der Machtübernahme entstand – mit der Gauleitung als der schlimmstenfalls entscheidenden Autorität im Rücken. Daß »die Gliederungen viel zu selbständig werden«, beklagte Ortsgruppenführer Schneider, sicher bereits unter dem Eindruck der gegen ihn und Schleinkofer erhobenen Vorwürfe, im Juni 1934[53]. Gerade die Kommune konnte als Exerzierfeld machthungriger oder doch postenhungriger Parteimitglieder und Organisationen gelten, und gerade in der Kom-

---

[51] Vgl. bes. StAM, NSDAP 646–654, m. zahlreichen Beitrittsgesuchen auch während der diversen Mitgliedersperren. Eine nach Berufen gegliederte Mitgliederliste ließ sich leider nicht auffinden. Eine Liste vom Juli 1935 (StAM, NSDAP 655) zeigt, daß unter den rund 125 Pg. in Penzberg 27 waren, die zugleich Mitglieder in der NS-Hago waren.

[52] Vgl. StAM, NSDAP 627, Frau Orthofer an ihre Hauswirtin Frau G., 27. 8. 1934, womit Frau O. »ihre Beteiligung an der bekannten Stänkerei« dokumentiere, wie Schleinkofer der Kreisleitung 27. 8. 1934 unter Beilage einer Abschrift, die ihm nur durch die denunzierende Frau G. zu Händen gekommen sein kann, mit der Bitte um Parteiausschluß schrieb. Frau Orthofers Vorwürfe waren: Mangelnde Mitarbeit der Rechnungsführer in der Kampfzeit, »ehemalige Sozi« im Stadtrat und übergroßer Durst der erstgenannten.

[53] StAM, NSDAP 646–654, Tätigkeitsbericht f. Mai 1934. Vgl. Broszat, Martin: Der Staat Hitlers. Grundlegung und Entwicklung seiner inneren Verfassung, 8. Aufl., München 1979, S. 363ff.; Bracher/Schulz/Sauer, a.a.O., Bd. II, S. 279ff; Hüttenberger, Peter: Nationalsozialistische Polykratie, in: Geschichte und Gesellschaft 2 (1976), S. 417–442. Die Übertragung des Polykratie-Modells auf die kleinräumige »Basis«-Untersuchung ist nur begrenzt möglich: Die Ortsgruppen waren in eine strenge Parteihierarchie eingebunden, jedoch im örtlichen politischen Leben bei aller Rivalität mit anderen Parteiorganisationen bestimmend und autonom; andererseits weist die Rivalität in ihren Formen (»Dienstweg«, Denunziation, Drohgebärde u. a.) auch starke Parallelen zu jener höherer Gremien auf. Auch der Bürokratie-Anwuchs läßt sich in der Vielfalt der Amtswalter-Positionen vor allem auf der Kreisebene zeigen.

mune spielten, durch die innerparteilichen Herrschaftspraktiken begünstigt, persönliche Gehässigkeiten eine oft entscheidende Rolle. Bemerkenswert an allem bleibt die Demokratiegewohnheit der stadträtlichen Galionsfiguren der neuen Machthaber, glaubte man dort doch ernsthaft, durch Einspruch einer wie immer legal installierten Vertretungskörperschaft den Dingen eine Wende geben zu können. Das freilich verstieß gegen ein fundamentales Parteiprinzip.

Gehässigkeiten, persönliche Animositäten und Rivalitäten blieben an der Tagesordnung, je mehr auch die Führer der angeschlossenen Organisationen an Gewicht gewannen. Auch darin spielte die Aufarbeitung der Vergangenheit – und das hieß immer: der Konflikt zwischen den Kampfzeitgenossen und den »Märzgefallenen« oder »Konjunkturrittern« – eine bedeutende Rolle. Ein treffliches Beispiel nach Inhalt und Sprachgestus ist der Brief der BDM-Führerin L. O. an eine Parteigenossin, die ihrem Kind wegen gewisser Vorkommnisse den weiteren Besuch der Heimabende untersagt hatte[54]:

> »Ich erhielt ihren Brief und wäre derselbe eigentlich keiner Antwort wert, da mich Menschen, die erst nach dem Jahre 1933 den Weg zur Partei gefunden haben, weder durch Wort noch durch Kritik beleidigen können. Dann wäre es erstens besser, Sie würden sich um die Schülerfahrten Ihrer Tochter besser kümmern, sonst wäre es überflüssig, daß eine Führerin des BDM mich darauf aufmerksam machen mußte, daß Ihre Tochter einen nicht gerade untadeligen Ausspruch auf eine Rüge hin gemacht hat, da dies aber Dinge sind, die außerhalb des BDM liegen, sollen sich die Herren [sic] Eltern, die bei einem Heimabend nicht schlafen können, auch da um ihre Töchter kümmern. Zweitens habe ich Sie als künftige Scharführerin für den BDM Penzberg in Vorschlag gebracht, denn Sie werden mit Ihrem trefflichen Aufsichtstalent sicher diesen Platz besser ausfüllen wie [sic] ich, die leider nicht den Ruhm in Anspruch nehmen kann, ein Märzveilchen 1933 zu sein.
> Drittens verstehe ich es nicht, ein Verbot der Reichsleitung zu übertreten, worin es heißt, daß es insbesondere Personen, die ein Amt vertreten, streng untersagt ist, politische Witze zu machen. Diese Kunst muß ich Ihnen überlassen, mir ist unsere Bewegung und der Führer zu ernst, als daß man sie bewitzelt. Dieses Talent hat man anscheinend mit den Neulingen, die im Herzen der Bewegung ferne stehen, erst kennen gelernt. Von dem Ausbleiben Ihrer Tochter habe ich Kenntnis genommen und verzichte ich gern auf ihren Besuch, nachdem gerade Ihre Tochter es war, die mich am meisten gebeten hatte, die Jungens 'reinzulassen.
> Ich habe die ganze Angelegenheit meinen Dienststellen gemeldet, weil es mir nachgerade zu dumm wird, mich von Ihnen im Kakao 'rumziehen zu lassen und behalte ich . . . mir vor, gegen Sie noch weitere Schritte auf dem Privatweg zu unternehmen, der dürfte rascher gehen wie [sic] der Dienstweg«.

Eine selbstbewußte Heim- und Jugendleiterin hätte den Vorfall zum Anlaß von Elterngesprächen nebst größerer Vorsicht in der Jugendführung genommen, diese aber schrieb einen Brief, der im Grunde sachlich sinnlos war und nur der Ventilation einer Minderwertigkeit diente, die die Chance wahrnahm, sich spießbürgerlich auszutoben. Die Verderbtheit der Drohgebärdensprache ist hierfür kennzeichnend. Sie war beileibe kein Einzelfall; im Gegenteil, Besserwisserei, Vergangenheitsbewältigung und Drohgebärde gehörten zum aufdringlichen Provinzalltag des Nationalsozialismus[55]. Hierzu bestand in Penzberg reichlich Gelegenheit, gab es doch kaum jemand, der nicht das Päckchen seiner kommunistischen oder mindestens »marxistischen«, d. h. sozialdemo-

---

[54] StAM, NSDAP 627, Datierung von fremder Hand: 18. 3. 1935.
[55] Vgl. bes. Focke, Harald und Uwe Reimer: Alltag unterm Hakenkreuz. Wie die Nazis das Leben der Deutschen veränderten. Ein aufklärendes Lesebuch. Reinbek 1979.

kratischen Vergangenheit mit sich zu tragen hatte. Als es um Querelen im Bauverein ging, rechnete die eine Gruppe der anderen ihre Vergangenheit in aller Ausführlichkeit vor: Da entstanden wahre Vorstands-Kollektivbiographien, jede einzelne in manchen Augen schutzhaftwürdig, und all dies wurde über den Ortsgruppenleiter ausgetragen[56]. Und Bogner, dem dieses Amt schon vor der Machtergreifung auf den Leib geschrieben war, rührte eifrigst mit in solchem Sumpf – ob es nun um den Führer im Bund der Kinderreichen, einen »politischen Gesinnungslump«[57], oder um den benachbarten Sindelsdorfer Ortsgruppenleiter ging, bei dem »wiederum Klassenunterschiede aufgezogen« würden, weshalb »die Kreisleitung hier einmal nach dem Rechten« sehen möge[58]. Das Denunziantentum blühte; die Akten sind voller Zeugnisse davon[59]. Kaum einer, der sich davor völlig freizuhalten vermochte. Und manche suchten gar, ihre ganz privaten Geschäfte mit Parteihilfe zu stabilisieren. So bemühte ein Penzberger Pfarrmesner im Jahre 1935 die Partei, um Schulden einzutreiben, die ein Jude im Jahre 1926 bei ihm hinterlassen hatte[60].

Mit dem Abgang ihrer Spitzen hat die Rechnungsführer-Clique ihren Parteieinfluß keineswegs völlig eingebüßt, er ist jedoch stark eingedämmt worden. Immerhin waren unter den 1936 nach der neuen nationalsozialistischen Gemeindeordnung bestellten Stadträten noch 4 Verwaltungsangestellte der Zeche sowie der Bergwerksdirektor Klein. Mit weiteren drei Bergleuten[61] zum Teil ehemals christlicher Neigung war das Gewicht des Bergbaus und der Zeche erheblich und entsprach damit der Sozialstruktur der Stadt – freilich mit der auch im Vertrauensrat zu beobachtenden Verzerrung zur Angestelltenseite. Überdies hatte man Schneider und Schleinkofer in einigen Ehren und mit Dank entlassen, um der Öffentlichkeit kein weiteres Schauspiel zu bieten. Schneiders Nepotismus hat ihn allerdings auf ein Abstellgleis gebracht, während Schleinkofer mit dem eigens für ihn fern der Kreisleitung in Penzberg eingerichteten NSDAP-Kreisamt für Kommunalpolitik entschädigt wurde. Das war ein schwacher Trost, denn dieses Amt brachte faktisch wenig Einflußmöglichkeiten[62]. Beide sind von der Partei in der Folgezeit

---

[56] Ausführliche Schriftsätze (1934) der im Verein rivalisierenden Gruppen s. StAM, NSDAP 655. An diesem Vorgang war bes. grotesk, daß dem nach wie vor sozialdemokratischen Vereinsvorstand ein angesehener Pg. (Otto Stelzl) mit einem zehnseitigen Gutachten zur Seite sprang – ein Beispiel für das Obsiegen der dem Konflikt zugrundeliegenden ökonomischen (genossenschaftl. Hausbesitz) über politische Grundsätze.
[57] StAM, NSDAP 627, OGrF Bogner/Gauinspekteur 19. 2. 1935. Gemeint war Gareis, unter Rummer städtischer, jetzt »gegangener« Gendarm.
[58] StAM, NSDAP 655, OGrF/Kreisleitung 19. 9. 1935; s. auch, noch unter der Ägide Schneiders, OGrF/Gauleitung 28. 4. 1934 über BM Nägele, Antdorf, in: NSDAP 646–654.
[59] Vgl. bes. StAM, NSDAP 655, mit zahlreichen Denunziationen und Schnüffeleien. So erkundigten sich die Ortsgruppen gegenseitig über die politische Qualität der zwischen Hausham und Penzberg versetzten Angestellten der OK. Für Dienstweg-Beschwerden an die Kreisleitung über die OGr Penzberg und Einzelpersonen s. NSDAP 627, darunter auch anonyme Beispiele, etwa, daß der Iffeldorfer Stützpunktleiter zu oft nach Penzberg ins Kino gehe (1937). Für Parallelen und eine Kennzeichnung der Denunziation als systemtypisch vgl. die Kap. V, Anm. 118 zit. Schriften.
[60] Nach StAM, NSDAP 627.
[61] Vgl. StaP, SR 1. 10. 1935, Vereidigung der neuen Ratsherrren aufgrund der Deutschen Gemeindeordnung. Neben den genannten bildeten nunmehr noch ein Gastwirt, ein Dentist, ein Postbeamter und ein Erbhofbauer den neuen Stadtrat.
[62] Vgl. StAM, NSDAP 654. Das Kreisamt organisierte regelmäßige Zusammenkünfte der Kreis-Bürgermeister und besorgte deren Schulung durch die Gauschule Niederfels. Bogner hielt gegenüber Schleinkofer auch fernerhin Distanz und reagierte beispielsweise auf parteiamtliche Anordnungen Schleinkofers träge; vgl. ebenda, Schreiben Schleinkofers vom 6. 4. 1936.

nicht wenig geächtet worden, wofür wohl vor allem Bogner verantwortlich zeichnete. Im Jahre 1936 bewarben sie sich konkurrierend für die freigewordene Stelle eines Grubenkassierers in Hausham[63].

Bogner hielt das Heft der Parteileitung deutlich fester in der Hand als Schneider, und er vermochte auch in der Kommunalpolitik mit Schärfe das durchzusetzen, was man wenigstens in Grundzügen als nationalsozialistische Überzeugung identifizieren mag – auch hier also anders als Schleinkofer.

In die Politische Organisation ist seit Bogners Amtsantritt als Ortsgruppenführer bald Ruhe eingekehrt. Die zentralen, oft persönlich gefärbten Konflikte, mit denen der neue Parteiführer selbst nicht belastet war, waren überwiegend durch Befriedigung der Interessen der Alt-Pg. aus dem Wege geräumt, und fortan beherrschte der gewöhnliche Geschäftsgang das Parteileben. Das bedeutete: regelmäßige, kontrollierte Teilnahme an den Sprechabenden und – seit Frühjahr 1934 – Schulungskursen mit Exerzierübungen in Parteiuniform[64]; für die Politischen Leiter zusätzlich: Organisation der Parteiarbeit und Teilnahme an regionalen Veranstaltungen sowie Vorbereitung der verschiedenen Propagandamaßnahmen und, immer wieder, Sammlungen, ferner gewöhnlich Teilnahme am Reichsparteitag. Der geringe Erfolg der Parteisammlungen brachte die Penzberger Parteileitung wiederholt in Konflikt mit den übergeordneten Gremien, in denen man größere Leistungen erwartete[65]. In der Propaganda traten nach 1934, als die »Arbeitsschlacht« zu meistern war, Phasen der Beruhigung ein. Eine desto größere Rolle begannen die großen Rundfunkreden Hitlers und der wichtigen Parteiführer anläßlich der nationalen Ereignisse und Gedenktage sowie die Organisation der öffentlichen Übertragung solcher Rundfunkreden zu spielen.

Selbstverständlich förderte Bogner die Parteiorganisationen, wo immer dies anging. Hatte man am »roten« Stadtrat während der Machtübernahme vehement kritisiert, er habe die sozialdemokratischen Partei- und Gewerkschaftsorganisationen offen, etwa durch billige Vergabe eines Grundstückes an die Arbeiterjugend, gestützt, so fand nun niemand etwas dabei, daß der Stadtrat dem Frauenarbeitsdienst »unentgeltlich« ein Grundstück zur Bebauung überließ[66]. Im übrigen fingen die angeschlossenen Organisationen auch in Penzberg den Mitgliederzulauf zur nationalsozialistischen Bewegung auf, erreichten aber an Stärke kaum die früheren sozialdemokratischen Großvereine. Im Juni 1938 umfaßte die NS-Frauenschaft beispielsweise 285 Mitglieder, und zugleich waren 366 Frauen im Deutschen Frauenwerk organisiert[67]. Doch war auch dieser Zulauf nur erzielt worden, nachdem Bogner den Anfang 1935 noch bestehenden städtischen Wohlfahrtsverein zwangsweise mit der NS-Frauenschaft zusammengelegt und dort das Führerprinzip eingeführt hatte[68]. Nicht sehr viel Resonanz scheint beispielsweise auch die Deutsche Bühne in Penzberg gefunden zu haben: Während die Menschen früher in dieser theaterbegeisterten Stadt zu Hunderten in die Laien- oder Abonnementvorstel-

---

[63] Vgl. StAM, OK 107.
[64] Einzelne Anordnungen und Organisationspläne s. bes. in StAM, NSDAP 655.
[65] Vgl. ebenda, anläßlich der »Erntedankabzeichen« 1935.
[66] StaP, SR 13. 11. 1936.
[67] Nach StAM, NSDAP 609.
[68] »Verfügung des politischen Ortsgruppenleiters der NSDAP« vom 25. 4. 1935, StAM, NSDAP 655.

lungen geströmt waren, bedurfte es jetzt für jede Bühnenvorstellung des eifrigen Trommelrührens seitens der Partei[69]. Besonders am Herzen lag Bogner die Unterstützung der Hitlerjugend, in der Penzberg neben 8 weiteren Kreisorten einen Standort bildete. Unter großen Kraftanstrengungen wurde seit 1935 ein großzügiges HJ-Heim errichtet, das am 30. August 1936 zusammen mit einem neuen Sparkassengebäude und einem Siedlungsteil in einer pompösen Feier unter Anwesenheit von großer Gauprominenz eingeweiht wurde[70]. In zahlreichen Sammlungen und Appellen an die Bevölkerung, insbesondere an das Handwerk, hatte man hierzu »freiwillige« Mithilfe gefordert und erhalten. Für die örtlichen Handwerker war solche Freiwilligkeit eine ganz besondere Überlebensfrage, vergab doch künftig der Stadtrat öffentliche Aufträge an handwerkliche Firmen nach Maßgabe ihres Anteils bei der Errichtung des HJ-Heims. Einige gingen dabei leer aus[71].

Das HJ-Heim war ein weiteres Beispiel für die enge Verfilzung von Parteiinteressen und Kommunalpolitik, wie sie in Penzberg und andernorts seit Beginn der nationalsozialistischen Herrschaft praktiziert wurde. Das erste wichtige Beispiel solcher Verfilzung war das Winterhilfswerk 1933/34 gewesen, in dem zunächst alle noch existierenden Wohlfahrtsorganisationen der Stadt mitwirkten, unter besonderer Aktivität der NS-Frauenschaft sowie des NS-Amtes für Volkswohlfahrt, Ortsgruppe Penzberg, das seine Tätigkeitsberichte bald unter dem Briefkopf »Stadtrat Penzberg« abgab[72]. Die Frauenschaft verlangte bald, sie von »einer Zusammenarbeit mit dem Caritasverband zu verschonen«, da dieser »nur dann ein Interesse aufbringt, wenn er für sich selbst sammeln kann«[73]. An der Ernsthaftigkeit und dem Erfolg dieser sehr engagierten Hilfeleistungen durch Sammlungen von Altkleidern und Wäsche, von Lebensmitteln und Kohlen und deren Verteilung kann kein Zweifel sein, und sicher bekamen die Frauen bei ihren Aktionen einen Einblick in »Zustände . . ., die Penzberg nicht nur zum Notstands-, sondern schon mehr zum Elendsgebiet« zu erklären erforderten[74]. Doch wurde auch in Penzberg durch das Winterhilfswerk im Jahre 1933/34 mindestens bei den Barmitteln mehr gesammelt als verteilt. Von den rund 8000 Mark Sammlungsgeldern mußten zum Abschluß dieser Aktion über 9 Prozent auf ein Sperrkonto der NS-Volkswohlfahrt überwiesen werden[75].

Bogner hat als geschulter Alt-Nationalsozialist auch in der engeren Kommunalpolitik in weitaus stärkerem Maße die Grundsätze der Bewegung, wo dies möglich war, durchzusetzen gewußt als Schleinkofer. So bemühte er sich um Förderung des örtlichen Handwerks und Kleinhandels und sprach sich deshalb grundsätzlich gegen Neueinrichtung von Filialen sowohl der Zechen-Konsum-Anstalt als auch des Konsumvereins aus:

---

[69] Vgl. Schreiben der »Deutschen Bühne« an die OGr. 15. 9. 1933, StAM, NSDAP 646–654.
[70] Hierzu s. ebenda zahlreiche Einladungen, Zeitungsausschnitte, Redetexte etc. sowie die Reden und Abbildungen, StAM, OK, Werkschronik unverz.; zur Penzberger HJ s. auch StAM, NSDAP 627 und LRA 3894.
[71] Vgl. StaP. SR 10. 1. 1936.
[72] »Bilanz des Winterhilfswerks 1933/34« sowie Tätigkeitsbericht des Amts für Volkswohlfahrt, Mai 1934, in: StAM, NSDAP 655.
[73] Bericht der NS-Frauenschaft, undat. (ca. März 1934), ebenda.
[74] Ebenda.
[75] Wie Anm. 72. Vgl. de Witt, Thomas E. J.: The Economics and Politics of Welfare in the Third Reich, in: Central European History 11 (1978), S. 256–278, bes. 262–265.

»Es vereinbart sich dies nicht mit der Förderung des gewerblichen Mittelstands«[76]. In Grundsatzfragen hatte auch seine Protektion von Parteigenossen Grenzen. Als NS-Bauernschaftsführer Hartl um Erteilung einer Gaststättenkonzession nachsuchte, verweigerte sich ihm Bogner, weil er Erbhofbauer sei und sich gefälligst um seine Landwirtschaft zu kümmern habe[77].

Juden wohnten in Penzberg nicht; so blieben der Stadt bedrückende antisemitische Kraftakte erspart. Bogner hätte sich ihnen zweifellos mit Vehemenz gewidmet. Als beim Penzberger Markt im Juli 1935 auch vier jüdische Fieranten ausstellen wollten, verbot ihnen Bogner die Stadt. Der Frontkämpfer im Ersten Weltkrieg Simon Kaiser erhob hiergegen Beschwerde und erwirkte eine die Zulassung der Juden zu den Märkten bekräftigende Verfügung des Bezirksamts. Bogner weigerte sich, dieser Verfügung der »Paragraphenschuster« in Weilheim Folge zu leisten, da dies »in unserer judenreinen Stadt provozierend wirken« werde und »Ausschreitungen« zu befürchten seien, und überhaupt, er

»lehne es ab, das Verbot wieder aufzuheben, schon deshalb, weil dieser Stinkjude Kaiser sich einen derart hundsgemeinen Brief an ein nationalsozialistisches Ministerium zu schreiben getraut und mir gegenüber am Telefon einen so unverschämten Ton anschlug«[78].

Rigide verhielt sich Bogner auch, wie an anderer Stelle noch detaillierter zu zeigen ist, gegenüber den beiden großen Kirchen; Religion hielt er aus der Stadtpolitik heraus. Den städtischen Waisenrat Anton Huber enthob er seines Postens, da er die Jugendbetreuung »ausschließlich vom konfessionellen Standpunkt aus« betrachte, was sich »mit den Grundsätzen der heutigen Staatsführung« nicht vertrage[79].

Im großen ganzen entkam auch die nationalsozialistische Kommunalpolitik nicht dem Schicksal jeder kleinstädtischen Kommunalpolitik: ihre Effizienz durch möglichst augenfällige Bauprojekte zu unterstreichen. Das war schon unter Rummer so gewesen; es änderte sich unter Schleinkofer und Bogner nicht und hat sich nach dem Kriege ebenso wieder eingestellt. Gleichwohl trug die nationalsozialistische Grundstücks- und Baupolitik einen eigenen Akzent. 1935 entledigte man sich der den städtischen Haushalt, wie seinerzeit vorausgesehen, erheblich belastenden Stadthalle durch Verkauf an eine Brauerei. Einiger Nachdruck wurde auf die Errichtung und Pflege der Gemeinschaftseinrichtungen wie Schlachthof, Schulen und HJ-Heim gelegt. Nicht zu übersehende Erfolge gelangen endlich in der nationalsozialistischen Siedlungspolitik. Hier hatte bereits Schleinkofer angesichts anhaltender Wohnungsnot durch Förderung einer sog. »NSKOV-Siedlung Steigenberg« und durch die »Stadthallensiedlung« neue Vorhaben in die Wege geleitet; Bogner fügte diesen bald vollendeten Projekten eine weitere Heimstät-

---

[76] StaP, SR 13. 2. 1936; zur NS-Genossenschaftspolitik vgl. Schoenbaum, David: Die braune Revolution. Eine Sozialgeschichte des Dritten Reiches. Köln/Berlin 1968, S. 179–182.
[77] StaP, SR 13. 2. 1936.
[78] Nach StAM, NSDAP 627 (Zitat: OgrF/Kreisleitung 8. 10. 1935) und 655.
[79] StaP, SR 23. 3. 1938.

tensiedlung hinzu. Die Grundsätze, nach denen in der Projektgestaltung und Vergabe verfahren wurde, waren eindeutig[80]:

> »Während sich die Systemregierungen und Gemeindeverwaltungen mit Vorliebe der Wohnkasernenbauten bedienten, wird im nationalsozialistischen Staat der Siedlungsgedanke gepflegt und verwirklicht, dem staatspolitisch und wirtschaftlich große Bedeutung beizumessen ist. So wurde in Penzberg . . einem Teil der hiesigen Arbeiterfamilien auf einem Stück Heimatboden ein anständiges Dasein gesichert«.

Insgesamt waren durch die ersten beiden Siedlungen 64 »Siedlerstellen« errichtet worden, und 30 weitere waren (1937) in der Planung; kurz vor Kriegsausbruch plante man anscheinend daneben noch eine eigene SA-Siedlung. Es gelang dabei, durch Verhandlungen mit der Oberkohle und sonstige Grundstückstransaktionen wenigstens die Grundpreise niedrig zu halten und so eine entscheidende Vorbedingung für die Erschwinglichkeit der stets kleinen Häuser, für die man in den ersten Jahren eine Miete, nach Ablauf einer Frist dann dieselbe Summe als Zinsleistung und Tilgung zahlte, zu schaffen. Sicher haben diese Maßnahmen, zusammen mit den sonstigen nationalsozialistischen Interventionen beispielsweise zugunsten einer Sanierung der Zechenwohnungen, die städtische Wohnungsnot erheblich vermindert, jedoch nicht beseitigt. Dies gelang jedoch allenfalls durch das Verschieben der ohnehin bessergestellten Arbeiter – vergeben wurde nach familiär bedingter Bedürftigkeit und Zahlungsfähigkeit – in die »Siedlerstellen«, so daß ärmere Familien in freiwerdende Wohnungen mit nach wie vor schlechtem Standard nachrücken konnten. Die Fertigstellung der dritten Siedlung ist offenbar durch den Kriegsausbruch verhindert worden.

In allen wichtigen und unwichtigen kommunalpolitischen Angelegenheiten, darunter auch Grundstückskäufe und -schenkungen, handelte Bogner zum Teil bereits vor, stets jedoch nach Erlaß der Deutschen Gemeindeordnung vom 30. Januar 1935[81] und entsprechender Umgestaltung von Stadtrat und Gemeindespitze aus eigener Machtvollkommenheit. Der Stadtrat war zum öffentlichen Akklamationsorgan degeneriert. Das galt selbst für Personalangelegenheiten, in denen Bogner über Neueinstellungen und Beförderungen (zum Führergeburtstag) freihändig entschied. In den Stadtratssitzungen fand das Führerprinzip Ausdruck in der wiederkehrenden Redewendung: »Nachdem Einwendungen seitens der Stadträte nicht erhoben werden, faßt der Bürgermeister folgende Entschließung . . .«[82]. Auf die Rolle der Stadträte, die nunmehr als ehrenamtliche Gemeindebeamte auf sechs Jahre verpflichtet wurden, läßt sich mit Fug der leninistische Terminus vom »Transmissionsriemen« anwenden. Es sei, so hieß es wiederholt[83], Aufgabe der Ratsherren,

---

[80] Ebenda, 10. 4. 1937, vgl. 13. 2. 1936, 24. 3. 1937, sowie einzelne Stücke in StAM, NSDAP 654. Zu den Hintergründen und legislativen Maßnahmen vgl. Peltz-Dreckmann, Ute: Nationalsozialistischer Siedlungsbau. Versuch einer Analyse der die Siedlungspolitik bestimmenden Faktoren am Beispiel des Nationalsozialismus. München 1978, S. 368f. zum 2. Gesetz über die Bergmannssiedlungen, S. 98ff. über Phasen der Siedlungspolitik.
[81] Vgl. Matzerath, a.a.O., S. 154f.
[82] Etwa: StaP, SR 26. 9. 1935.
[83] Ebenda, 17. 10. 1935 und 10. 4. 1937; s. auch 24. 3. 1937.

»die stete Verbundenheit der Verwaltung mit der Bürgerschaft zu gewährleisten und als verdiente und erfahrene Männer dem Bürgermeister mit ihrem Rat zur Seite zu stehen«;

die Gemeinderäte hätten

»die dauernde Fühlung der Verwaltung der Gemeinde mit allen Schichten der Bürgerschaft zu sichern, den Bürgermeister eigenverantwortlich zu beraten und seinen Maßnahmen in der Bevölkerung Verständnis zu verschaffen«.

Stadtratssitzungen waren daher fernerhin nur noch selten erforderlich und wurden vor allem als demonstrative Akte der Unterstützung für kommunale Projekte verstanden.

Der kommunalpolitische Alltag unter der NS-Herrschaft degenerierte somit zum Vollzug von Bürgermeister- und Parteientscheidungen; von einer aktiven Mitwirkung der ernannten Repräsentanten konnte keine Rede sein – noch viel weniger von einem Zwang zur Rechtfertigung und Begründung getroffener Entscheidungen. Außer der Parteilinie gewann Kommunalpolitik keine Konturen. Sie verschwamm mit der Parteipolitik und verstand sich als deren administrativer Ausdruck, ausgezeichnet allenfalls noch durch eine chimärische Beamtenautorität. Es gab kein kommunalpolitisches Meinungsklima mehr, keine Diskussionen und Auseinandersetzungen um Vorhaben und Erfordernisse, allenfalls noch ein Parteiklima, doch ist innerhalb der Parteiorganisation das kommunalpolitisch Wünschbare und Angemessene keineswegs diskutiert worden. In den Sprechabenden und öffentlichen Versammlungen ging es um Selbstorganisation und reichsweit gesteuerte Propaganda. Auch hieraus erklärt sich die geringe Resonanz der Parteiveranstaltungen.

Die Kommune stand, trotz relativer Eigenständigkeit nicht gegenüber der örtlichen, wohl aber gegenüber der übergeordneten Parteiorganisation[84], im Dienst des Regimes. Im Bürgeralltag äußerte sich dies insbesondere in den zahllosen Formalisierungen und Disziplinierungen, die vom Bürgermeisteramt ausgingen. Solche Disziplinierung lag nicht nur in der »selbstverständlichen« Parteiprotektion und handfesten Förderung parteiloyaler Bevölkerungsteile, sondern auch und vielmehr in unmittelbaren, gleichsam volkspädagogischen Eingriffen in Arbeit und Familienleben. Die Denunziation als wesentliches Instrument solcher Disziplinierung ist bereits behandelt worden. Aufsicht und Kontrolle nahmen jedoch sehr viel gezieltere Formen an, und Bogner erwies sich auch hier als von nicht zu übertreffender Bewegungstreue – ob als Ortsgruppenleiter oder als Bürgermeister, im Effekt war dies gleichgültig. Einem Hausbesitzer schrieb er, nach ihm zugegangenen Informationen würden dessen Untermieter durch seine Ehefrau »dauernd schikaniert und mit kleinlichen Sticheleien fast zur Verzweiflung gebracht«; weil deshalb ein Kind außer Hauses, zu den Großeltern, gebracht werden mußte, bestand Veranlassung zu der Drohung, »daß wir gegen Saboteure der Bevölkerungspolitik unseres Führers mit den schärfsten Mitteln vorgehen werden«[85]. Anfang 1936 ging Bogner das Asozialen-Problem an und schlug der Gauamtsleitung für Kommunalpolitik in München eine neue Lösung vor, denn es gebe auch in Penzberg »einige Familien, die unbedingt von der Volksgemeinschaft abgesondert gehören, um erst nach einer sorgfältigen Erziehung wieder in die Gemeinschaft aufgenommen werden zu können«. Solche

---

[84] Vgl. Matzerath, a.a.O., S. 159.
[85] StAM, NSDAP 655, Schreiben vom 29. 7. 1935.

»anstaltsmäßige Erziehung« von Menschen, »die nur unter Abgeschlossenheit, strenger Zucht und Aufsicht auch im häuslichen Leben mit der Zeit erst« Erfolge bringe, möge man doch durch Zusammenlegung der Asozialen mehrerer kleinerer Gemeinden in eigenen Siedlungen organisieren[86].

Solcher art Erziehung wurde behördenoffiziell durch Zwangsarbeit besorgt, wobei das Bezirksamt die Entscheidungsinstanz war. 1936 verfügte man gegen den Bergmann M. G. wegen »Entziehung der Unterhaltspflicht« ein Jahr Zwangsarbeit in Dachau, der sich G. vergeblich durch Flucht zu entziehen versuchte[87]. Ein Hilfsarbeiter, vorbestraft und weitbekannter Trinker, durfte 1936 von Dachau nicht entlassen werden, bevor nicht Sterilisierung mit Hilfe des Erbgesundheitsgerichts beim Amtsgericht München angeordnet und durchgeführt worden war[88]. Familiäre Schnüffeleien gingen bis ins Detail[89], besonders, wenn Bürger auch noch ihr Beschwerderecht wahrgenommen hatten. Dem M. G. kündigte Bogner die Wohnung, weil er auf dessen »Gaunereien« aufmerksam gemacht worden war: Er und seine Frau hatten, wie Wahlhelfer meldeten, im März 1936 bei der Wahl ungültige Stimmen abgegeben. Solche Leute »für den Nationalsozialismus zu gewinnen versuchen, lehne ich ab«. Familie K., ein »marxistisches Überbleibsel«, erhielt die Wohnung gekündigt, weil die Mutter ein »erbkranker Kretin« sei,

»die aus erster Ehe einen rückenmarkleidenden Sohn besitzt, und könnte im übrigen die Mutter ihres Mannes sein. Sterilisation ist bei Mutter und Sohn vorgeschlagen, aber noch nicht durchgeführt«.

Und Familie H. wurde privat mit Billigung des Bürgermeisters wegen Mietrückstand und »Bösartigkeit der Frau« gekündigt; da gebe es »seit Jahren überhaupt nur Kaffee und Kartoffeln«, zum Zahltag jedoch »Bier und Aufschnitt«. Bei der Familie E. war »die rege Fortpflanzung« »bezeichnend«; dies werde mutmaßlich auf Gemeindekosten künftig eine »vermehrte ärtliche [!] Behandlung« erforderlich machen, so daß »äußerste Vorsicht am Platze und nötigenfalls Einschreiten aufgrund des Erbgesundheitsgesetzes veranlaßt« sei[90].

Die Beispiele ließen sich vermehren. Bogner griff hart durch, wenn es um »Sauberkeit« und »Volksgesundheit« ging – hierzu aber bot Penzberg reiche Gelegenheit. Auch nur ein Nachdenken über den Zusammenhang von sozialer und psychischer Depravation läßt sich nicht feststellen.

---

[86] StAM, NSDAP 646–654, Schreiben vom 15. 1. 1936.
[87] Nach StAM, LRA 5597.
[88] Nach StAM, LRA 5623 u. 5627.
[89] Im folgenden nach StAM, NSDAP 646–654, Bogner/Gauamtsleitung f. Kommunalpolitik 11. 5. 1936; ebenda, Bericht FP 10. 5. 1936 über das »Verhalten« der betr. Familien.
[90] StaP, SR 15. 2. 1936.

3. Zeche und Belegschaft unter dem NS-Regime
Die Lage der Arbeiter 1933 bis 1939

Gerade die deutschen Bergbauunternehmer haben an die »nationale Revolution« vom Frühjahr 1933 große Erwartungen geknüpft. In weiten Kreisen der Unternehmerschaft, des Verbandswesens und der vielfach immer noch meinungsführenden Bergbeamtenschaft lebten mehr oder weniger fragmentarische Erinnerungen an die vorliberale, die ständische Zeit der deutschen Bergbaugeschichte fort und wurden in Gestalt brauchtümlicher Floskeln und ständischer Wertschätzung gepflegt. Die wie immer prägnanten Vorstellungen über nationalsozialistische Wirtschaftspolitik schienen mindestens bis zur Jahreswende 1933/34 geeignet, das »goldene Zeitalter« der deutschen Bergbaugeschichte in Erinnerung zu rufen[91]; mehr noch, gerade der Bergbau schien aufgrund seiner Traditionen, aber auch seiner spezifischen Formen der (Ur-)Produktion und Betriebsverfassung prädestiniert, nationalsozialistische Auffassungen über den Wert der Arbeit und des »Arbeitsmenschen«, über »Betriebs-« und »Volksgemeinschaft« zu exemplifizieren. Die reiche deutsche Bergbaukultur, jenes über Jahrhunderte gewachsene Gefüge von Gebräuchen und Gewohnheiten, von gemeinem deutschen Recht und bergbaulichem Wagemut, von Kunst und Literatur, mochte gerade der Nationalsozialismus als »kulturelles Erbe« rasch okkupieren, kam es doch in vielem dessen Geschichtsvorstellungen und, so schien es, seinen Postulaten über das Deutschtum schlechthin, über Charakter und Sitte der Deutschen außerordentlich nahe.

Es verwundert daher nicht, wenn bald nach der nationalsozialistischen Machtübernahme – über den »ständischen Charakter« der künftigen Wirtschaftsordnung herrschte, während das Wort vom Stand in aller Munde war, in der zweiten Jahreshälfte 1933 sowohl unter Industriellen als auch bei vielen NS-Größen völlige Unklarheit – aus bergmännischen Kreisen Lobpreisungen der Bergarbeit, Aufarbeitungen und Neudeutungen der Bergbauvergangenheit in reicher Zahl erschienen sind[92]. Professor Dr. Herbst, einer der intellektuellen Meinungsführer im westdeutschen Steinkohlenbergbau, bestimmte bereits im Herbst 1933 den deutschen Bergbau[93]

---

[91] Vgl. über den Einfluß Othmar Spanns und Thyssens »Institut für Ständewesen« Barkai, Avraham: Das Wirtschaftssystem des Nationalsozialismus. Der historische und ideologische Hintergrund 1933–1936. Köln 1977, S. 92–97 mit weiterer Literatur; ferner Bracher/Schulz/Sauer, Bd. III, S. 41f. über »ständische Ordnung«; Rämisch, Raimund: Die berufsständische Verfassung in Theorie und Praxis des Nationalsozialismus, sozialwiss. Diss. Berlin 1957; Schoenbaum, a.a.O., S. 161–165; Winkler, Heinrich August: Unternehmerverbände zwischen Ständeideologie und Nationalsozialismus, in: VfZ 17 (1969), S. 341–371; als zeitgenöss. Versuch der Rückbindung auf Vorstellungen der christlichen Sozialtheorie: Hansmann, Peter: Gesellschaftliche Klassenschichtung und berufsständische Organisation, wirtschafts- und sozialwiss. Diss. Köln, Emsdetten 1934, bes. S. 19ff.

[92] Diese Literatur verdient, wie überhaupt die Frage nach den wirklichen und vermeintlichen Affinitäten zwischen Bergbautradition und nationalsozialistischer Ideologie, eine nähere Untersuchung; vgl. bisher knapp: Wächtler, Eberhard: Die bergbaulichen Traditionen als Bestandteil der antikommunistischen Politik des deutschen Imperialismus seit 1933, in: Jahrbuch für Wirtschaftsgeschichte 1969/III, S. 277–286.

[93] Herbst, Fr.: Bergbau und deutsche Schicksalswende, in: Glückauf. Berg- und Hüttenmännische Zeitschrift 69 (1933), S. 877–883, Zitate S. 877–880.

»als Träger und Platzhalter einer Geisteshaltung . . ., zu der wir nach vielen Kämpfen und Umwegen den Weg zurück gefunden haben. . . .

Für den deutschen Bergmann ist es daher eine große Freude, daß dieser Zug zu den hinter und über der Welt der Erscheinungen ruhenden inneren Werten, der sich selbst in einer so dem Stofflichen verhafteten Technik, wie sie der Bergbau darstellt, durchgesetzt hat, in unsern Tagen wieder voll zum Durchbruch gekommen ist, in unsern Tagen, die nach den Irrungen der letzten anderthalb Jahrzehnte erst die wahre, weil geistige Umwälzung gebracht haben«.

Das Gemeinsamkeits- und Zusammengehörigkeitsgefühl der deutschen Bergleute, ihre Wehrhaftigkeit und gewohnheitsrechtlichen Verkehrsformen, ihre Redlichkeit und Gewissenhaftigkeit, ihr Verantwortungsbewußtsein und ihre stete Rücksichtnahme auf das Gemeinwohl, dies alles zeichne sie vor anderen Ständen aus, kurz, der Berbau berge

»in sich eine reiche Fülle des seelischen Inhalts der nationalsozialistischen Revolution, die sich mit ihrem Gemeinsamkeitsgefühl, ihrer berufsständischen Gliederung, ihrem Führergedanken, ihrem Wiederanknüpfen an die Überlieferung aus unsern großen Tagen als ein Rückgriff auf die besten seelischen Kräfte im Volkstum darstellt«.

So werde sich der Bergbau »in den berufsständischen Aufbau unserer neuen Welt . . . mit einer gewissen Selbstverständlichkeit« einfügen. Vom Führerprinzip und dessen Durchsetzung erwartete Herbst viel für den Bergbau, auch werde ihm die Betonung der Selbstverantwortung beispielsweise auf dem Gebiet der Unfallsicherheit gelegen kommen. Darin lag gelinde Kritik an einer »übertriebenen« Unfallprophylaxe, wie sie Herbst auf den Bergbau zukommen sah. Auch dürfe die weitere Rationalisierung nicht an der »Notwendigkeit der Erhaltung der Lebensbedingungen für wurzellos gewordene Volksgenossen« scheitern, und keinen Zweifel ließ der Verfasser daran, daß »der auf dem ›Volk ohne Raum‹ lastende außenpolitische Druck . . . vom Bergbau aus nicht gelockert werden« könne.

Hier wird vorsichtige Distanzierung in einigen wichtigen Teilbereichen erkennbar. Zweifellos wollte man Ruhe an der »Arbeitsfront«, war der ständigen Querelen und offenen Kämpfe mit der Arbeiterschaft eingedenk der unerquicklichen Ereignisse von 1918 bis 1920 und später längst überdrüssig, war auch bereit, ein gutes Stück mitzumarschieren auf dem Wege zur berufsständischen Ordnung; aber die Bergbauunternehmer wollten, ging es um den Arbeits- und Betriebsalltag, Herr im eigenen Hause bleiben. So sehr man begrüßte, daß Ruhe und Ordnung im Wirtschaftsleben eingekehrt war, sosehr blieb man darauf bedacht, sich möglichst nicht von fremden Autoritäten hineinreden zu lassen. Zu mancherlei Mißtrauen hatten jedoch die Geschichte der NSDAP wie auch die zeitweilige Praxis der NSBO nach der Machtübernahme durchaus Veranlassung gegeben[94].

---

[94] Vgl. Mason, Timothy W.: Arbeiterklasse und Volksgemeinschaft. Dokumente und Materialien zur deutschen Arbeiterpolitik 1936–1939. Opladen 1975, Einleitung S. 33 über den »planlosen Radikalismus« der NS-Arbeiterorganisationen in der 2. Jahreshälfte 1933; vgl. auch zur »zweiten Revolution« im Sommer 1933 Roth, Hermann: Die nationalsozialistische Betriebszellenorganisation (NSBO) von der Gründung bis zur Röhm-Affäre (1923–1934), in: Jahrbuch für Wirtschaftsgeschichte 1978/I, S. 49–66, 55ff.; zum Konservatismus der Bergassessoren im Ruhrgebiet s. Gillingham, John: Die Ruhrbergleute und Hitlers Krieg, in: Mommsen, Hans und Ulrich Borsdorf (Hrsg.): Glück auf, Kameraden! Die Bergarbeiter und ihre Organisationen in Deutschland. Köln 1979, S. 325–343, 329.

Die in Zitaten und ergänzenden Hinweisen erkennbaren Grundlinien gelten im wesentlichen auch für den bayerischen Bergbau. So zeigte der Alltag von Arbeit und Betrieb bei der Oberkohle insbesondere nach dem »Gesetz zur Ordnung der nationalen Arbeit« vom Januar 1934, mit dem keineswegs zu ständisch-korporativen Ordnungskategorien übergegangen wurde, deutliche Tendenzen zur Belebung ständischen Denkens, das indessen mit der Volksgemeinschaftsideologie ein eigentümliches Spannungsverhältnis einging. Wir werden diese Entwicklung gesondert betrachten. Über das Verhältnis zwischen Bergbauunternehmern und Nationalsozialisten bleibt zu bemerken, daß sich naturgemäß im bayerischen Raum wegen der geringen Bedeutung dieses Produktionszweigs und der vergleichsweise schwachen Entfaltung des bergbaulichen Verbandswesens[95] die Betrachtung auf die wenigen Führungspersönlichkeiten etwa der Oberkohle konzentrieren müßte, über deren Denken und Verhalten die administrative und betriebliche Überlieferung gewöhnlich nur mittelbar Auskunft gibt. Eindeutig hat man auch hier die Aussicht auf einen geregelten betrieblichen Alltag, auf Befriedung – nicht etwa Befriedigung – der Arbeiterinteressen von außen in erster Linie begrüßt[96], und für die Oberkohle vermittelte das staatliche Autarkiestreben mit seinem Akzent auf der Rüstungsgüter- und Rohstoffproduktion seit Inkrafttreten des Vierjahresplans eine seit mindestens einem Jahrzehnt erstrebte Absatzsicherheit, so daß die jahrelang wie ein Damoklesschwert über der Grube Penzberg drohende Betriebsstillegung bald kein Diskussionsgegenstand mehr war.

Mißtrauen bestand auch hier gegenüber der proletarisch-revolutionären Attitüde im Bodensatz des Nationalsozialismus, und der Neuformierung der »Arbeitervertretungen« sowohl im Betrieb als auch in den Organisationen der Deutschen Arbeitsfront begegnete man mit Zurückhaltung und vorsichtigem Abwarten. Hier bahnte sich durchaus Konfliktstoff an, denn die neuen Arbeitervertreter und -vertretungen ließen sich nicht in jedem Fall leichter »handhaben« als die bisherigen »marxistischen« Mitglieder des Betriebsrats. Eingriffe in die Betriebsorganisation, sei es von höherer Stelle, sei es von örtlichen oder regionalen Partei- oder DAF-Autoritäten waren zu befürchten und mußten verschiedentlich abgewehrt werden. Die sozialpolitischen Initiativen des Regimes lagen, soweit sie die betriebliche Kostenkalkulation belasteten, keinesfalls im Interesse der Oberkohle, wenn auch versöhnlich stimmen mußte, daß die

---

[95] In dem Aufsatz von Blaich, Fritz: Die bayerische Industrie 1933–1939. Elemente von Gleichschaltung, Konformismus und Selbstbehauptung, in: Broszat und Fröhlich (Hrsg.), a.a.O., S. 237–280, bleibt der bayer. Bergbau unberücksichtigt. Man wird gleichwohl Blaichs Schlußfolgerungen (S. 280: Es sei »verfehlt«, den »gelenkten Unternehmer« als ein willenloses Werkzeug des NS-Staates darzustellen«), so allgemein sie sind, auch im Hinblick auf den Bergbau zustimmen können. Dabei ist zu berücksichtigen, daß die CK neben dem Braunkohlenbergbau die einzige private Bergbaugesellschaft in Bayern von einiger Bedeutung war.
[96] Allerdings sind die hierüber verfügbaren betrieblichen Quellen – zumeist handelt es sich um Ansprachen zu Maifeiern und Betriebsappellen; vgl. bes. StAM, OK 345 – mit Vorsicht zu interpretieren.

Lohnkosten insgesamt nicht oder nur wenig stiegen[97], mithin dieser vor 1933 in starkem Maße von machtpolitischen Konstellationen abhängige Kostenfaktor nunmehr kommensurabel wurde. Für Penzberg selbst war nicht ohne Bedeutung, daß der nationalsozialistische Bürgermeister Bogner – wahrscheinlich anders als der zechenabhängige, auch von der Zeche protegierte Schleinkofer – vorrangig parteiloyal agierte und in zweiter Linie durchaus Arbeiterinteressen, wenngleich mit der Gebärde der Disziplinierung, im Auge hatte; er ließ sich jedenfalls nicht in Zecheninteressen einbinden und verfügte überdies über nicht zu unterschätzenden Einfluß auf dem Partei-Dienstweg. So läßt sich, insgesamt, wiederholt Zurückhaltung und vorsichtiges Taktieren der Oberkohle gegenüber den neuen Machthabern feststellen[98], wobei wahrscheinlich die Beziehungen der Münchener Direktion mit den Vertretern der Staatsregierung, die sich mit dem in dieser Studie erarbeiteten Material nicht rekonstruieren ließen, von ausschlaggebender Bedeutung waren. Es stimmt nachdenklich, daß, als man am 28. April 1945 Listen über Verhaftungen und Exekutionen zusammenstellte, auch der technische Direktor der Oberkohle. Dr. Gerhard Ludwig, der mit der Direktion wegen des Bombenkriegs inzwischen nach Penzberg übergesiedelt war, vorübergehend auf diesen Listen erschien.

Zudem befand sich die Oberkohle, auch wenn die Pechkohlenproduktion[99] durch die Autarkiepolitik des Regimes seit etwa 1937 zweifellos stabilisiert wurde, keineswegs in einer wirtschaftlich gesunden Situation. Mochte auch die Anbindung an den Hibernia-Konzern Sicherheit für dringend erforderliche Modernisierungen etwa der Übertage-Einrichtungen gewährleisten, so hielt andererseits die Erschließung der Nonnenwaldmulde nicht, was man sich seit Abteufung des Nonnenwaldschachts und mit der Umstellung der Gesamtförderung auf das neue Grubenfeld mit dieser Maßnahme erhofft

---

[97] Eine Betriebskosten- und Erlösstatistik der Grube Penzberg 1934–1940 ergibt folgendes Bild (in Mark/t Förderung):

	1934	1935	1936	1937	1938	1939	1940
Arbeitskosten	8,03	8,01	7,78	9,36	9,50	10,07	11,11
Materialkosten	1,75	1,70	1,49	1,99	1,88	2,09 ⎫	4,18
Grubenausbau	1,04	1,01	1,25	1,42	1,59	1,92 ⎭	
Energie	1,41	1,52	1,65	1,85	2,05	1,89	1,86
Summe	12,23	12,24	12,17	14,62	15,02	15,97	17,15
Verkaufserlös	14,75	14,81	14,34	14,64	15,26	16,04	16,90
Reinerlös	13,14	13,29	12,87	13,—	13,99	14,85	15,60
Gewinn	0,92	1,05					
Verlust			0,70	1,62	1,03	1,12	1,55

Nach StAM, OK 406. Nicht erkennbar ist, ob und in welchem Umfang Generalkosten in die Tabelle einfließen. Vgl. auch unten Anm. 104. Der Anstieg der Arbeitskosten ist im wesentlichen auf steigende Sozialasten zurückzuführen.

[98] Eine Reihe von Beispielen über distanzierte Verkehrsformen finden sich unten Kap. VI, 4–5. Kennzeichnend sind etwa die folgenden beiden Vorfälle: Im Jahre 1936 sagte Grubendirektor Klein – dies ein Affront gegen die örtlichen Machthaber – seine Teilnahme an der Besichtigung des neuerbauten HJ-Heims ab und stellte auch keine Abordnung der Bergleute bereit (StAM, OK 76); Anfang 1937 billigte die OK die Grubenfahrt des Gaubetriebsgemeinschaftswalters und des stellv. Gauwerkscharführers in Penzberg, delegierte aber Ingenieur Müller zur Teilnahme, »um über das, was während der Grubenfahrt gesprochen wird, im Bilde zu sein« (StAM, OK 452, 20. 1. 1937).

[99] Als knappen Überblick s. Emminger, Otmar: Die bayerische Industrie. München 1947, S. 33–35.

hatte. Die Kohlenqualität in der Nonnenwaldmulde war noch bedeutend geringer als in der Penzberger und Langsee-Mulde. Die Gebirgsverhältnisse warfen durch zahlreiche Störungen und stark wasserführende Schichten große Probleme auf, und zusätzlich erwiesen sich die Übertageanlagen durch die räumliche Trennung von Hauptschachtförderung und Aufbereitung als außerordentlich störanfällig[100]. Um nur einige Beispiele zu nennen: Am 26. September 1936 stürzte die noch vor dem Ersten Weltkrieg errichtete Drahtseilbahn zur Berghalde ein, so daß in den nächsten Wochen mit Hochdruck an der Erstellung einer neuen gearbeitet werden mußte. Im Oktober 1937 ging der bisher noch für eine eventuelle Mehrförderung offengehaltene Herzog-Karl-Theodor-Schacht zu Bruch und begrub, unter erheblicher Gefährdung der naherbauten Übertage-Einrichtungen, alle Hoffnungen auf eine baldige Expansion der Förderung. Im Herbst 1936 wurden plötzlich starke Wassereinbrüche im Flöz 24 gemeldet, weshalb man im Verhieb zum Blindortversatz übergehen mußte – dies bedeutete jedoch die Verlegung von zusätzlich 40 Bergleuten in den Streb[101]. Störungen dieser Art blieben an der Tagesordnung. Hinzu kamen andere Probleme, darunter anhaltende, auch durch Verstärkung des Landabsatzes zunächst nicht gelöste Absatzprobleme infolge der noch geringeren Lagerfähigkeit der Nonnenwald-Kohle[102] oder auch Schwierigkeiten bei der Beschaffung dringend benötigter Maschinen für den Untertage-Betrieb[103]. Dagegen produzierte die Grube Hausham nach wie vor unter günstigeren Verhältnissen: Man erzielte hier deutlich höhere Kohlenpreise, und die Gestehungskosten lagen zeitweise um ein Viertel unter jenen von Penzberg[104] – die Penzberger Bergleute bezogen hingegen nach wie vor die höheren Löhne, was denn auch selbst unter nationalsozialistischer Herrschaft Unruhe verursachen sollte. Als dann seit 1937/38 die Absatzprobleme der Vergangenheit angehörten und statt dessen auch die oberbayerische Pechkohle sowohl in Hausbrandsorten als auch bei der Industriekohle die Nachfrage nicht mehr befriedigen konnte, mußte man in Penzberg rasch eingestehen, daß eine weitere Steigerung der Förderquoten allein bereits an den geringen Flözmächtigkeiten scheitern würde[105]. Zwar waren, nachdem die Verhältnisse der Grube Penzberg Ende 1936 noch als »außerordentlich

---

[100] Vgl. ausführlich: Klein, [Karl]: Die Entwicklung der Grube Penzberg innerhalb der letzten 3 Jahre, o. O. o. J. [Penzberg 1938], StaP, S. 69ff. Zur Kohlenqualität s. BayHStA, MWi 2381, Berichte des OBA vom 12. 10. u. 22. 12. 1938: Die verwertbare Pechkohlenförderung betrug 1937 nur 60 Prozent der Rohförderung. Der »Waschverlust« von 40% bedeutete erheblichen Aufwand an Technik, Arbeitskosten und Energie. Daher lag der Selbstverbrauch der Grube mit 12, 8% der Rohförderung auch besonders hoch. Genaue Aufstellungen über den Anteil der verwertbaren Kohle an der Rohförderung s. in StAM, OK, Wirtschaftstabellen und Notizbücher, unverz.
[101] Nach: StAM, OK 287, Vertrauensrat (=VR) 22. 12. 1936, sowie LRA 9554.
[102] Vgl. StAM, OK 287, VR 22. 4. u. 26. 10. 1936.
[103] Ebenda, 22. 4. 1936.
[104] Dem VR wurden wiederholt Vergleichszahlen vorgetragen; vgl. ebenda, 5. 8. 1938 und 24. 6. 1943. Während jene für 1936 (Penzberg: 14,20 Mark/t; Hausham: 11,89 Mark/t) gut mit den in Anm. 97 genannten Zahlen übereinstimmen, scheint man 1937 dem VR »überarbeitete« Zahlen vorgelegt zu haben (16,94 bzw. 11,21 M/t), wohl um die Verhandlungen über die Lohndifferenzen zwischen beiden Gruben zu erleichtern.
[105] Nach BayHStA, MWi 2381, Bericht vom 3. 9. 1938. Zur gleichen Zeit unternahm man neue Schwel- bzw. Hydrierversuche mit der Pechkohle (bes. Peißenberg), obwohl bereits Ende 1936 festgestellt worden war, die Pechkohle eigne sich hierzu »in keiner Weise« (so NSDAP-Reichsleitung 24. 11. 1936, da an den Förderpunkten zu geringe Quantitäten lagerten, die Förderkosten je t um das Zehnfache über denen der Braunkohle lägen und der Aschen- und Schwefelgehalt viel zu hoch sei. Vgl. ebenda sowie MWi 2382.

ernst«[106] bezeichnet worden waren, die »Schicksalsjahre der Gesellschaft«[107] einstweilen durchstanden; rosige Zukunftsaussichten wurden damit nicht gleich eröffnet.

Anders als in der Zeit vor dem Ersten Weltkrieg und auch in den vielfach untypischen Jahren der Weimarer Republik liefern die Produktions- und Belegschaftsziffern der Grube in der Zeit des Nationalsozialismus wegen der zum Teil außer Kraft gesetzten Marktmechanismen, besonders aber wegen des Einflusses technischer Probleme auf die Förderstatistik, keine zuverlässigen Konjunkturindikatoren.

Tabelle 43
Förderung, Belegschaft und Arbeitsleistung in Hausham und Penzberg 1934 bis 1945[108]

Jahr	Förderung in 1000 t		Belegschaft		davon Angestellte		Leistung kg/Schicht	
	Hausham	Penzberg	Hausham	Penzberg	Hausham	Penzberg	Hausham	Penzberg
1934	330	316	1673	1459	105	73	1184	1289
1935	351	339	1575	1478	97	78	1269	1270
1936	435	350	1444	1496	99	92	1601	1325
1937	497	318	1502	1576	103	100	1681	1090
1938	520	328	1530	1562	103	102	1770	1131
1939	527	352	1572	1538	102	100	1823	1175
1940	478	316		1483		104	1482	1066
1941	408	336	(ca. 1475)		(ca. 105)		1352	1189
1942	417	326	(ca. 1490)		(ca. 105)		1355	1106
1943	471	330	(ca. 1350)		105		1395	1132
1944	466	256	(ca. 1260)		(ca. 100)		1558	907
1945	320	203	(ca. 1460)		(ca. 100)		1163	898

Die Zahlen lassen leicht erkennen, wie sehr die Grube Penzberg gegenüber der Schwesteranlage in Hausham ins Hintertreffen geriet: Während in Hausham seit 1936 eine bedeutende Steigerung der Arbeitsleistung gewiß in erster Linie infolge ertragreicher Flözverhältnisse gelang, trat in Penzberg aus den geschilderten Gründen der umgekehrte Fall ein. Eine nennenswerte Steigerung der Förderung gelang seit Mitte der 1930er Jahre nur in Hausham, nicht in Penzberg. Auch war die Bedeutung der Oberkohle für die gesamte oberbayerische Pechkohlenförderung inzwischen deutlich gesunken, wenn auch immer noch beispielsweise im Jahre 1935 rund 55 Prozent der gesamten Pechkohle aus Penzberg und Hausham kamen[109]. Längst hatte jedoch die staatliche Grube in Peißenberg die Werke der Oberkohle der Förderung nach überflügelt. Bei den Belegschaftszahlen wirkte sich der große Bereich der übertägigen Nebenbetriebe negativ auf die Relation der im eigentlichen Sinne produktiven Untertagebelegschaft zu den

---

[106] StAM, OK 287, VR 26. 10. 1936.
[107] Ebenda, 21. 12. 1934. Es hieß weiter: »Was die Stillegung der beiden Gruben [sc. in Penzberg und Hausham] für ihre Belegschaften und für das ganze benachbarte Gebiet und damit für Oberbayern bedeutet hätte, braucht hier nicht näher erläutert zu werden«. Freilich erklärte man dem VR sehr gezielt: »Aus diesen Gründen können beim besten Willen nicht alle sozialen Wünsche der Gefolgschaft berücksichtigt werden«.
[108] Zusammengestellt nach StAM, OK, Wirtschaftstabellen und Notizbücher, unverz., sowie OK 381; vgl. OK 405 und 503. Die Leistung bezieht sich auf die Untertage-Belegschaft und die in der Tabelle vorn angegebene verwertbare Förderung. Die Belegschaftsangaben seit 1940 beruhen auf Schätzungen mit Hilfe von Quartalswerten in OK 503.
[109] Errechnet nach Statistisches Jahrbuch für Bayern 21 (1936), S. 133.

Arbeitern über Tage aus. Auf beiden Gruben waren in den 1930er Jahren zeitweise über 40 Prozent der Arbeiter über Tage beschäftigt. Allerdings kam dies zum Teil, wo über die für die Grubenholzversorgung bedeutsamen forstwirtschaftlichen Betriebe, den Zechen durch Unabhängigkeit von anderen Zulieferern wieder zugute[110].

Im einzelnen ergibt sich folgendes Konjunkturbild für die Jahre bis zum Kriegsausbruch:

Als besonders schwierig erwies sich das Jahr 1933 nicht nur wegen der anhaltenden Absatzschwierigkeiten, sondern insbesondere wegen der zum 1. Juli vollzogenen Umstellung der Hauptförderung auf den Nonnenwaldschacht. Dies bedeutete die Verlegung von 285 Bergleuten zum neuen Schacht und die Entlassung von 248 Bergleuten, von denen zunächst noch 100 mit »Abplünderung« beschäftigt wurden. Bei dieser Gelegenheit wurden auch – dies ist der einzige bekannte Fall von Angestelltenentlassungen – 13 Werksangestellte freigestellt[111]. Auf den Wunsch, vermehrt Mitglieder der »nationalen Wehrverbände« einzustellen, reagierte die Oberkohle verständlicherweise nicht[112]. Die Entlassungen betrafen vor allem die Übertage-Belegschaft, wonach dem Umbau der Wäsche noch im Herbst 1934 24 weiteren Sortiererinnen gekündigt wurde[113]. Zugleich wurden 1933/34 zahlreiche Bergleute im Alter von über 50 Jahren vorzeitig pensioniert.

So wurden während der Monate Januar bis Oktober 1933 insgesamt 55, monatlich also mindestens 5 Feierschichten verfahren; im selben Zeitraum des Jahres 1934 verringerte sich diese Zahl auf nur noch 11 Feierschichten[114]. Der Absatz hatte sich inzwischen stabilisiert, und das Werk warf leichten Gewinn ab – freilich nur, um seit 1935 für Jahre in die Verlustzone zu geraten[115]. Man kann sagen, daß seither Penzberg anhaltend zum Teil durch die Gewinne Haushams, zum Teil mittelbar durch den preußischen Fiskus über Wasser gehalten wurde, so daß man sich auf der Grube nicht zu Unrecht fragte, ob der Staat diese Verluste auf längere Sicht tragen werde[116].

Im Jahre 1936 wurde, wenn es auch nicht zu Entlassungen kam, ein neuer Tiefpunkt erreicht. Anfang des Jahres bemühte sich eine »Abordnung der Belegschaften« der oberbayerischen Gruben um Pechkohlenabsatz in Arbeitsdienstlagern; in Penzberg richteten Bergwerksdirektion und Bürgermeister eine gemeinsame Eingabe um Verwendung der Pechkohle für den Heeresbedarf an Staatsminister Wagner[117]. Vor allem ein milder Winter hatte die nach wie vor stark hausbrandabhängige Pechkohle in Schwierig-

---

[110] Nach einer Notiz OB 3/1935 (vgl. unten Anm. 175) betrug der Grundbesitz der Grube Penzberg: 1160 Tagwerk Wald; 920 Tagwerk landwirtsch. Boden; 820 Tagwerk Moor. Der erhebliche Grundbesitz innerhalb der Stadt (Wohnhäuser!) ist hierin nicht berücksichtigt

[111] Nach StAM, OK 287, BR 20. 2. 1933; OK 379.

[112] Vgl. StAM, OK 342 (OK/Arbeitsamt WM 4. 7. 1933).

[113] Nach StAM, OK 379. Die NS-Kampagne zur Rückverlegung landwirtschaftlicher Arbeitskräfte im Sommer 1934 führte zu 11 Kündigungen, die z. T. zurückgenommen wurden; vgl. OB 190.

[114] Vgl. StAM, OK 287, VR 6. 11. 1934; leicht abweichende Angaben: OB (s. Anm. 175 2/1934; zur Absatzbelebung s. NSDAP 646–654, Kreisleitung/Gauleitung 2. 12. 1933.

[115] Vgl. o. Anm. 97.

[116] So im VR 20. 9. 1937; StAM, OK 287.

[117] Nach BayHStA, MWi 2381, Bericht vom 28. 1. 1936; StAM, NSDAP 607, OK (mitgez.: BM Penzberg)/Staatsminister Wagner 3. 2. 1936; zur Lage 1936 s. bes. die Ansprache Direktor Kleins vor einer regionalen Bürgermeister-Versammlung 28. 10. 1936, in: StAM, OK 149.

keiten gebracht. Auch der um diese Zeit stark propagierte »Bayernkessel« – ein Ofen mit besonderer, für starken Aschenanfall geeigneter Rostkonstruktion – regte den Absatz nicht dauerhaft an. Erstmals im Jahre 1936 dürften die seit 1939 dann stark vorangetriebenen Pläne zur Errichtung eines Kraftwerks für den Energiebedarf der Reichsbahn in Penzberg diskutiert worden sein[118].

Seit 1937 besserten sich die Absatzziffern zusehends – nicht aber die Bilanzen der Oberkohle. Der Vierjahresplan[119] wirkte sich in einer rasch zunehmenden Kohlennachfrage aus, ohne daß dieser Nachfrage auf der Preisseite entsprochen werden konnte: Der Kohlenpreis oszillierte nur innerhalb der durch die jeweils angebotene Kohlenqualität bestimmten Margen und galt im übrigen als eingefroren. Infolgedessen sah sich der Staat im Falle Penzbergs zugunsten niedriger Kohlenpreise zur Subvention der Grube veranlaßt, denn nach wie vor verhinderten Kohlenqualität und anhaltende Betriebsstörungen[120] eine günstigere Ertragslage.

Seit dem Frühjahr, spätestens seit Sommer 1937 gehörte das Problem der Arbeitslosigkeit in Penzberg der Vergangenheit an[121], und ein Jahr später standen ganz andere Probleme im Vordergrund: Seit Herbst 1937 wurden regelmäßige Überschichten, zwischen dem 1. September und dem 31. Dezember 1937 allein 6 und im selben Zeitraum des folgenden Jahres 7 Sonntagsschichten, verfahren. Sonntagsschichten gehörten fortan bis zum Kriegsende zum Arbeitsalltag in Penzberg. Allerdings hatte es bereits seit 1935 wiederholt Überschichten-Anordnungen gegeben; anscheinend hat die Zeche auch nach 1933 die Praxis rascher Anordnungen von Überschichten bei größeren Aufträgen beibehalten[122]. Die Zahl der durchschnittlichen monatlichen Fördertage stieg von 23,1 im Jahre 1933 über 24,9 (1935) auf 25,5 bis 25,7 in den Jahren 1937–1939[123]. Die Grube suchte nun händeringend nach Arbeitskräften: Seit Ende 1939 wurden, nachdem man in der ersten Zeit nach 1933 zunächst bevorzugt Ausländern gekündigt hatte, wieder in starkem Umfang Ausländer, vor allem Jugoslawen, Italiener und Polen, angeworben und eingestellt, wobei das Arbeitsamt behilflich war[124]. Allerdings erwiesen sich gerade diese Arbeitskräfte als vielfach von geringer Eignung. Mit dem wachsenden Arbeitskräftebedarf stand ein anderes Problem vor der Tür, das man in den Jahren der Krise überwunden geglaubt hatte: jenes der Fluktuation. Noch 1936 und 1937 hatte die durchschnittliche monatliche Abkehrquote nur etwa 9 Bergleute betragen; sie stieg im

---

[118] Vgl. BayHStA, MWi 2382, Bericht vom 2. 5. 1939.
[119] Vgl. Petzina, Dietmar: Autarkiepolitik im Dritten Reich. Der nationalsozialistische Vierjahresplan. Stuttgart 1968, z. E. Tab. S. 182 sowie S. 153ff.; bes.: Riedel, Matthias: Eisen und Kohle für das Dritte Reich. Paul Pleigers Stellung in der NS-Wirtschaft. Göttingen etc. 1973, S. 271–299, m. d. Kritik von Zumpe, Lotte: Kohle-Eisen-Stahl 1936/37. Unterdrückung oder Interessenprofilierung?, in: Jahrbuch für Wirtschaftsgeschichte 1980/I, S. 137–151, 143.
[120] Vgl. StAM, OK 287, VR 3. 11. 1939.
[121] Vgl. StAM, OK 76, BM/OK Anfang 1937, Liste der Arbeitslosen, aus denen die OK 27 zumeist ehemalige Bergleute einstellte. Unter den Eingestellten waren mehrere Angeklagte des KPD-Prozesses 1933/34.
[122] Begründung für die Notwendigkeit von Überschichten s. OK/Bayer. Berginspektion München 10. 4. 1935, in: StAM, CK 6; über Überschichten 1937/38 s. OK 287, VR 4. 10. 1938; für 1938/39 s. OK 514/I. Sonntagsschichten wurden mit 50% Zuschlag und 2 Mark gesondert vergolten.
[123] Nach StAM, OK 135, Durchschnittseinkommen Penzberg, Tabelle 1933–1942.
[124] Vgl. bes. StAM, OK 293/III. Von den zwischen dem 1. 1. und 19. 8. 1939 eingestellten Ausländern kehrte fast die Hälfte (37) im selben Zeitraum wieder ab.

ersten Vierteljahr 1938 auf 23, im zweiten Vierteljahr auf über 44 Bergleute[125]. Als Hauptursachen der Abwanderung benannte die Zeche[126] die geringe Eignung der vom Arbeitsamt zugewiesenen Ausländer, die Zugkraft nichtbergbaulicher Berufe für Jugendliche, die hohen Sozialbeiträge im Bergbau, die Hochkonjunktur in anderen Gewerben und die »teilweise ganz exorbitante Bezahlung in den handwerklichen Berufen«, die die Grubenhandwerker zur Kündigung veranlasse. Man erwog die Einführung von Treueprämien und ähnliche Maßnahmen, gestand sich jedoch deren geringen Einfluß – »Aufklärungen über Berufsstolz und andere ethische Momente« seien jedenfalls »absolut wirkungslos« – ein und verlangte nach staatlichen Maßnahmen. Diese ließen nicht lange auf sich warten: Ab März 1939 war jede Kündigung, der nicht vorher das Arbeitsamt zugestimmt hatte, rechtsunwirksam[127]. Darüber hinaus ergriff die Oberkohle Maßnahmen gegen die starke Zunahme des »willkürlichen Feierns«, d. h. der nicht oder ohne zwingenden Grund gemeldeten Schichtversäumnisse[128]. In Penzberg war eine dem Ruhrgebiet durchaus vergleichbare Entwicklung eingetreten[129]. Die Bergarbeit bot nur wenig Anreiz angesichts erheblicher Einkommensmöglichkeiten in anderen Gewerben. Vor allem die hohen Knappschaftsbeiträge – sie betrugen weit über 10 Prozent des Bruttoarbeitslohns und wurden erst seit Ende 1937 erheblich gesenkt – erzeugten Mißstimmung unter den Bergleuten, die sich u. a. in einem bereits seit 1936 spürbaren Leistungsrückgang niederschlug. Die Förderleistung je Belegschaftsmitglied sank von etwa 0,9 Tonnen Anfang 1936 auf wiederholt weniger als 0,7 Tonnen in den Jahren 1937 und 1938 und stieg erst im Sommer 1939 allerdings nur vorübergehend auf 0,8 Tonnen an[130].

Diese Leistungssteigerung wurde allerdings keineswegs durch einen verbesserten Leistungswillen, sondern ausschließlich durch eine Verlängerung der Schichtzeiten infolge der Bestimmungen von Görings »Verordnung zur Erhöhung der Förderleistung und des Leistungslohns im Bergbau« vom 2. März 1939 erreicht[131]. Die Verordnung erhöhte die tägliche Arbeitszeit um 45 Minuten auf höchstens 8 Stunden 45 Minuten, mithin in Penzberg um eine halbe Stunde, da hier die Schichtzeit seit Jahren nominell einschließlich Ein- und Ausfahrt 8 Stunden 15 Minuten betrug. Zugleich wurden alle Schichtlöhne entsprechend der Arbeitszeitverlängerung unter Einrechnung eines Über-

---

[125] Nach StAM, OK 287, VR 1. 7. 1938.
[126] OK/Bezirksgruppe Süddeutschland der Fachgruppe Braunkohlenbergbau 6. 7. 1938, in: StAM, OK 381. Maßnahmen gegen abkehrende Bergleute s. OK 513.
[127] StAM, OK 215/II, Bekanntmachung vom 23. 3. 1939.
[128] Vgl. StAM, OK 67, Aushang der Bergwerksdirektion Hausham vom 30. 6. 1939.
[129] Vgl. Gillingham, a.a.O., S. 327-333, allerdings ohne Übereinstimmung mit allen Einschätzungen des Verf. Z. B. wird S. 330 die physische und psychische Belastung durch den Abbauhammer betont und die Schrumpfung der Stammbelegschaften seit 1925 darauf zurückgeführt. Dies berücksichtigt nicht die Anstrengungen bergbaulicher Arbeitsverrichtung vor Einführung des Abbauhammers und die Auswirkungen der Rationalisierungsprozesses insgesamt auf die Belegschaftsstruktur. – Vergleichszahlen s. ferner bei Mason, a.a.O., S. 581-599 u. Einleitung S. 69.
[130] Nach den monatlichen Angaben über die durchschnittliche Arbeitsleistung StAM, OK 254.
[131] Text: Mason, a.a.O., S. 575f.; vgl. BayHStA, MWi 2266; StAM, OK 538; OK 287, VR. 3. 4. 1939.

stundenzuschlags um (aufgerundet) 12 Prozent erhöht. Die Gedinge blieben unberührt[132].

Seit 1937 bis zum Kriegsausbruch wurde der Arbeitermangel durch Arbeitszeitverlängerungen und Überschichten kompensiert. Es ist bedauerlich, daß das Ausmaß dieser Mehrarbeit sich nicht durchgängig präzisieren läßt; nur so ließe sich feststellen, in welchem Umfang die deutlichen Lohnerhöhungen seit 1936, zum Teil auch bereits vorher, auf Arbeitszeitverlängerungen zurückzuführen sind[133]. Denn während nominell die vor 1933 gültige Tarifordnung fortgalt und die Löhne auf dem 1933 erreichten Stand eingefroren waren, wurden real über das Lohnzuschlagswesen, durch die Einführung der bezahlten Feiertage und des Weihnachtsgeldes im Jahre 1934 sowie durch die Senkung der Knappschaftsbeiträge erhebliche Lohnerhöhungen gewährt[134], denen allerdings auf der anderen Seite ebenso erhebliche zusätzliche Abgaben, darunter die Beiträge für die Deutsche Arbeitsfront und zur Arbeitslosenversicherung, nicht zuletzt auch regelmäßige – zumeist in Höhe von 10 Prozent, später 20 Prozent der Lohnsteuer – »freiwillige« Abzüge für das Winterhilfswerk gegenüberstanden.

Bei den für Penzberg und Hausham angegebenen Löhnen und Indexziffern handelt es sich um »Durchschnittseinkommen« der jeweiligen Kategorien unter Einrechnung der Zuschläge für Überarbeit, der Sozialzulagen und der Deputatkohle[136] je Arbeiter. Die reichsweiten Angaben beruhen auf vergleichbarer (amtlicher) Berechnungsgrundlage.

Tabelle 44
Löhne und Lebenshaltungskosten 1933 bis 1939[135]

	1933	1934	1935	1936	1937	1938	1939
1. Durchschnittsschichtlohn der Gesamtbelegschaften							
Penzberg (Mark)	5,31	5,57	5,79	5,79	5,91	6,15	6,73
Hausham (Mark)	5,30	5,47	5,69	5,77	5,93	6,05	6,52
2. Durchschnittsmonatslohn der Gesamtbelegschaften							
Penzberg (Mark)	123,–	135,–	144,–	144,–	152,–	157,–	172,–
Hausham (Mark)	117,–	134,–	140,–	145,–	153,–	155,–	167,–
3. Index Monatslohn							
Penzberg	100	109,8	117,1	117,1	123,6	127,6	139,8
Hausham	100	114,5	119,7	123,9	130,8	132,5	142,7
4. Index Bruttoeinkommen eines bayer. Industriearbeiters	100	104,0	112,3	114,6	118,7	124,6	
5. Index Gesamtlebenshaltung Bayern	100	102,6	104,2	105,5	106,0	106,4	106,9
6. Index Gesamtlebenshaltung Reich	100	102,6	104,2	105,6	106,0	106,4	107,0
7. Index Monatslohn im deutschen Steinkohlenbergbau							
Vollhauer	100	110,5	114,8	122,2	130,9	130,3	145,1
über Tage	100	104,2	107,0	109,8	110,5	109,8	118,2
8. Index Monatslohn Penzberg							
Hauer	100	111,7	118,5	119,1	125,3	125,9	138,3
über Tage	100	108,5	109,4	109,4	117,9	127,4	136,8

Die Übersicht ergibt, daß bereits in den Jahren 1934/35 in Südbayern wie reichsweit ein erheblicher Einkommensgewinn erzielt wurde, der in der Hauptsache aus dem Wegfall der Feierschichten resultierte und 1935/36 in eine Phase der Stagnation überging. Die weitgehend geteilte Ansicht der Forschung, daß die nominalen Stundenverdienste 1933 bis 1936 stagniert, die realen Gesamteinkommen nur sehr geringfügig zugenommen hätten[137], wird auch für Penzberg zutreffen – mit der Maßgabe allerdings, daß hier das Jahr 1933 Feierschichten in einem exorbitanten Ausmaß gebracht hatte und hier wie in Hausham die Lohnentwicklung auf einem Niveau verlief, das bei den Untertage-Arbeiten noch immer um schätzungsweise 10 Prozent unter dem Reichsdurchschnitt, bei den Übertage-Arbeiten – bedingt durch die nach wie vor, wenn auch in abnehmendem Ausmaß, übliche Frauenarbeit auf den südbayerischen Gruben – um zeitweise über 20 Prozent unter dem Reichsdurchschnitt stand, wobei jedoch in Südbayern bis 1939

---

[132] Vgl. StAM, OK 287, VR 10. 1. und 17. 2. 1939. Man erwartete in Penzberg keine durchgreifenden Folgen der Verordnung für die Schichtleistung und war insoweit von der leichten Steigerung (seit Mai 1939, mit Rückfällen im Juli und August, um rund 10%) überrascht; näheres hierzu s. unten S. 330. Zum Ruhrgebiet mit wohl irrtümlichen Angaben: Gillingham, a.a.O., S. 326 (Erhöhung der Schichtzeit auf 9 ¾ - statt 8 ¼ - Stunden).

[133] Vgl. die ausführl. Diskussion bei Mason, a.a.O., S. 1249–1258.

[134] Vgl. StAM, OK 513, Bericht vom 23. 8. 1938; sowie StAM, DAF (Oberkohle), unverz.: Gültig war die »Tarifordnung für den Obb. Pechkohlenbergbau«, doch lagen die gezahlten Löhne sehr erheblich über den dort fixierten Sätzen. Zum Weihnachtsgeld s. StAM, OK 457. Es wurden gezahlt (in Mark):

	1934	1935	1936	1937	1938	1939
alle Arbeiter	2,—	2,50	4,—	5,—	5,—	5,—
alle Angestellten	?	10,—	15,—	?	?	?
Zuschläge für Arbeiter:						
je Überschicht					2,—	?
für Ledige					2,—	2,—
für Verheiratete					7,—	7,—
je Kind					1,—	1,—

Die 1939 gezahlten Sätze wurden während des Krieges bis mindestens 1943 beibehalten; 1941 wurde das Weihnachtsgeld sozialversicherungspflichtig.

[135] Rubriken 1.–3. und 8. z. T. errechnet nach StAM, OK 135, »Durchschnittseinkommen der Arbeiter« für Hausham und Penzberg; 4.–5. nach Raab, Josef: 10 Jahre nationalsozialistische Preisführung in Bayern, in: ZBSL 75 (1943), S. 17–25, 18, 20 (z.T. errechnet); 6.–7. nach Poth, Fritz: Die Entwicklung der Löhne im Steinkohlenbergbau, in der eisenschaffenden Industrie und im Baugewerbe seit 1924. Köln 1950, S. 52, 57 (z. T. errechnet); vgl. auch Bry, Gerhard: Wages in Germany 1871–1945. Princeton 1960, S. 210, 255, 359, 394. Weitere Angaben s. regelmäßig in ZBSL sowie BayHStA, MWi 2272–2274 (1935–1943) für den obb. Pechkohlenbergbau insgesamt; monatliche Durchschnitts-Schichtlöhne für Penzberg 1933–1939 auch in StAM, OK 777. Der zahlenmäßige Anteil der wichtigsten Arbeiterkategorien (Hauer und Schlepper) ließ sich nicht genau feststellen, da die Statistik der »Sozialberichte« (in Klammern: Werte v. 1. 10. 1937 bei einer Gesamtbelegschaft von 1579; Quelle s. StAM, DAF unverz.) nur die »Lohnempfänger« (95,1%) von den »Gehaltsempfängern« und »die Facharbeiter« (wohl Hauer: 46,5 %) von den »ungelernten« (41,9%) und »angelernten« (2,4%) Arbeitern sowie »Lehrlingen« (4,3%) unterschied.

[136] Vgl. StAM, OK 287, VR. 30. 11. 1934: 1934 erhielten ledige Bergleute jährlich 4 Wagen ungewaschene Nuß I à 0,3 t; verheiratete: 12 Wagen, pensionierte: 8 Wagen; seit 1935 wurde – vgl. unten S. 326 – im selben Umfang gewaschene Nuß I abgegeben. Nicht abgenommene Deputatkohle wurde in Höhe der Syndikatspreise abgegolten, was die Bergleute jedoch gewöhnlich nicht in Anspruch nahmen; vgl. StAM, OK 45 und 125, 126.

[137] Mason errechnet (a.a.O., S. 1253) für den dt. Kohlenbergbau 1933/36 eine Zunahme der nominalen Brutto-Stundenverdienste um 1,5%, der nominalen Wochenverdienste um 17,5%; vgl. auch die Mason nicht bekanntgewordene Arbeit von Poth, a.a.O., S. 52f.; ferner Petzina, a.a.O., S. 167; Bry, a.a.O., S. 250f.; Schoenbaum, a.a.O., S. 135–139.

erheblich aufgeholt wurde[138]. Die bayerischen Industrielöhne lagen zwischen 1934 und 1938 um 14 bis 16 Prozent unter jenen der Penzberger Bergleute und nahmen – das Basisjahr 1933, in dem der Abstand, krisenbedingt, nur 11 Prozent betrug, läßt die Entwicklung leicht verzerrt erscheinen – annähernd mit den gleichen Wachstumsraten zu.

Der erhebliche Zugewinn des Realeinkommens nach 1936 ist evident, auch wenn in Penzberg und Hausham, obwohl man anfänglich den Abstand zu den reichsweiten Durchschnittslöhnen im Bergbau leicht zu verringern vermochte, die Löhne seit 1936 bei den qualifizierten Arbeitern wieder deutlich hinter diesen Durchschnitt zurückfielen. Die Stagnation der Gesamtlebenshaltungskosten sowohl in Bayern als auch im Reich – die Indices weichen bemerkenswert wenig voneinander ab – kam den Bergleuten darin erheblich zugute. Der Stand der Realeinkommen von 1928/29 wird ungefähr 1938 wieder erreicht worden sein; das Jahr 1939 brachte durch die Einrechnung des Zuschlags für die Arbeitszeitverlängerung in den Grundlohn einen sehr deutlichen Zuwachs. Auch wenn man der erheblichen Überarbeit durch Sonntagsschichten – im Pechkohlenbergbau waren 1937 4,6 Prozent, 1938 4,5 Prozent aller verfahrenen (rund 290) Schichten Überschichten[139] – Rechnung trägt, bleibt unter dem Strich ein deutlicher, durch reichsweite Berechnungen bestätigter[140] Zuwachs des realen Stundenverdienstes. Er wird in Penzberg von 1936 bis 1938 rund 5 Prozent, bis 1939 mindestens 10 Prozent betragen haben.

Interesse verdienen aus einem bestimmten Grund die Lohnrelationen zwischen Hausham und Penzberg: Im Vertrauensrat argumentierte die Grubenleitung gegen wiederholte Forderungen der Arbeitervertreter[141] immer wieder mit der vergleichsweise günstigen Ertragslage bei, wie es hieß, vergleichsweise erheblich niedrigeren Löhnen auf der Grube Hausham. Unsere Aufstellung zeigt, daß diese Argumentation zu keinem Zeitpunkt zutraf, daß man vielmehr, vermutlich zur Beschwichtigung weitergehender Forderungen, dem Vertrauensrat schlicht falsche Daten vortrug. 1936 hieß es, die Hauerschichtlöhne in Penzberg lägen fast 1 Mark über jenen Haushams[142] – in Wahrheit betrug die Differenz 2 Pfennige. Noch 1940 wurde behauptet, in Penzberg werde um 20 Prozent mehr verdient als in Hausham[143] – tatsächlich waren es 2,8 Prozent.

Interesse verdient ferner die Entwicklung des Lohnstrukturbildes, d. h. der Lohnrelationen zwischen den einzelnen Arbeiterkategorien. Hier soll, um ein geschlossenes Bild

---

[138] Die Zunahme im Durchschnittseinkommen der Übertage-Belegschaft verlief umgekehrt proportional zur Abnahme der Frauenarbeit auf der Grube. Diese Abnahme erklärt sich für Penzberg weniger aus der bekannten Haltung des Nationalsozialismus gegenüber der Frauenarbeit, sondern vielmehr aus der Modernisierung der Wasch- und Sortierungsanlagen. Nach StAM, OK 7/I und II, wurden beschäftigt (jeweils zum 31. 12.):

	1931	1932	1933	1934	1935	1936	1937	1938
Frauen unter 21 Jahre	?	42	?	13	9	2	—	—
Frauen über 21 Jahre	72	67	?	35	35	37	24	24

[139] Nach ZBS, 71 (1939), S. 358.
[140] Vgl. Anm. 137.
[141] Vgl. unten S. 323.
[142] Nach StAM, OK 287, VR-Sitzungen 1936.
[143] Ebenda, VR 10. 5. 1940.

zu ermöglichen, bis in die Weltkriegsjahre – die letzte statistisch sichere Durchschnittsberechnung datiert von 1943 – vorgegriffen werden.

Tabelle 45
Lohnrelationen zwischen verschiedenen Arbeiterkategorien in Penzberg 1933, 1939 und 1943[144]

	Monatslöhne in Prozent des durchschnittlichen Monatslohns		
	1933	1939	1943
Hauer in Aus- und Vorrichtung	132	130	129
Hauer im Abbau	121	120	119
Schlepper in Aus- und Vorrichtung	102	110	108
Schlepper im Abbau	91	92	93
Reparatur, Zimmerung	107	97	96
Sonstige unter Tage	85	87	93
Durchschnitt unter Tage	107	108	110
Facharbeiter	111	106	135
Sonstige Arbeiter	91	85	85
Jugendliche männliche Arbeiter	33	33	21
Weibliche Arbeiter	51	49	50
Durchschnitt über Tage	86	84	84
Gesamtdurchschnitt	123 Mark = 100	172 Mark = 100	200 Mark = 100

Die Übersicht läßt durchweg Gleichförmigkeit der Lohnrelationen erkennen; m. a. W.: Die Wertschätzung bestimmter Arbeitsqualifikationen unter dem Einfluß von Arbeitsmarkt und betrieblichen Bedürfnissen hat sich im Zeitablauf nicht sehr wesentlich verändert. In den wenigen Ausnahmen spielen zum Teil Kriegseinflüsse eine Rolle. Die niedrigen Löhne der jugendlichen männlichen Arbeiter erklären sich aus dem Wehrdienst der oberen, bestbezahlten Altersgruppe für 1943 in dieser Kategorie, und bei den Facharbeitern dürfte zu Buche schlagen, daß sich in dieser Gruppe, wie bei den sonstigen Arbeitern unter Tage, wahrscheinlich viele Aufseher der im übrigen in der Aufstellung nicht berücksichtigten Kriegsgefangenen befunden haben. Die wichtigste generelle Tendenz der Lohnrelationen kommt in der leichten Verringerung des von der Oberkohle traditionell hochgehaltenen Abstands zwischen den Hauerlöhnen auf die einen, den Löhnen der Schlepper und sonstigen Untertage-Arbeiter – die Reparaturarbeiter bildeten eine zahlenmäßig kleine Gruppe – auf der anderen Seite zum Ausdruck. Hierin spielte der Beförderungsstau eine Rolle, der sich seit etwa 1935/36 für viele Schlepper ergeben hatte, die, nachdem die Hauerpositionen auf Jahre hinaus besetzt waren, sehr viel länger auf die Hauerernennung warten mußten und deren Unzufriedenheit in den Vertrauensrat getragen wurde[145].

In der ungefähren Stabilität der Lohnrelationen schlägt sich eine wichtige Entwicklung des Belegschaftsgefüges insgesamt nieder, die sich wesentlich von jener etwa im

---

[144] Errechnet nach StAM, OK 135, »Durchschnittseinkommen«.
[145] Vgl. StAM, OK 287, VR-Sitzungen 1935 bis 1937.

Ruhrgebiet unterscheidet: Während dort durch die Produktionssteigerung in erheblichem Umfang minderqualifizierte Arbeiter eingestellt worden sind[146], verfügte Penzberg bei Kriegsausbruch, anders als in den Jahrzehnten vor dem Ersten Weltkrieg, aber in der Zwischenkriegszeit klar zunehmend, über eine außerordentlich große Stammbelegschaft. Dies wird zunächst an der Verteilung der Altersgruppen deutlich.

Tabelle 46
Altersstruktur der Penzberger Belegschaft am 1. Mai 1941[147]

Altersgruppe	Anzahl	Prozent
14 bis 17 Jahre	56	3,8
18 bis 24 Jahre	85	5,8
25 bis 29 Jahre	100	6,7
30 bis 34 Jahre	202	13,9
35 bis 39 Jahre	283	19,4
40 bis 44 Jahre	291	20,0
45 bis 49 Jahre	183	12,6
50 bis 54 Jahre	153	10,5
55 bis 59 Jahre	71	4,9
60 bis 64 Jahre	20	1,4
über 65 Jahre	12	0,8
	1456	100

Bei einem Durchschnittsalter der Gesamtbelegschaft (einschließlich Angestellte und ohne Kriegsgefangene) von (1941) 39,2 Jahren – 1934 hatte das Durchschnittsalter 33,5, 1936 34,12 Jahre betragen; es ist gleichsam mit den Jahren gestiegen – wird nunmehr deutlich, daß sich das Altersbild der Belegschaft seit Bestehen der Grube Penzberg, nimmt man für die ältere Zeit die oben getroffenen Ausführungen über die Altersstruktur der Einwohnerschaft als Indiz, stark verändert hat.

Auch wenn man berücksichtigt, daß die Gruppe der Zwanzig- bis Dreißigjährigen durch Einberufungen leicht dezimiert, jene der über 50jährigen durch Reaktivierungen leicht überbetont erscheint, bleibt der Anteil der 30- bis 54jährigen erstaunlich: Über drei Viertel der Belegschaft gehörten diesen Altersgruppen an, waren mithin zwischen 1887 und 1911 geboren; ebenso dienten fast drei Viertel der Arbeiter und rund 72 Prozent der Angestellten länger als 10 Jahre auf der Grube[148]. Es war dies im Kern die zweite Generation der Penzberger Einwohnerschaft. Die – zahlreichen – Kinder der ersten Zuwanderungsgeneration hatten noch weit überwiegend Arbeit auf der Zeche gesucht und gefunden; sie bildeten zunehmend in der Zwischenkriegszeit, im wesentlichen in den Jahren des Nationalsozialismus, als ansässige Verheiratete die Stammbelegschaft.

---

[146] Vgl. Gillingham, a.a.O., S. 330–332.
[147] Errechnet nach StAM, DAF (Oberkohle), unverz.
[148] Errechnet nach Angaben im »Sozialbericht« vom 1. 5. 1941, in: StAM, OK 479, sowie OK 405.

Tabelle 47
Familienstand der Belegschaft am 1. Mai 1941[149]

Familienstand	Anzahl	Prozent
ledig	300	21,6
verheiratet ohne Kinder	470	33,3
verheiratet, 1 Kind	408	29,0
2 Kinder	183	13,6
3 Kinder	52	3,6
4 Kinder	23	1,6
5 Kinder	8	0,5
6 Kinder	10	0,7
7 Kinder	2	0,1

Die hohe Ansässigkeitsquote schlägt sich in knapp 80 Prozent der Verheirateten nieder, doch werden sich in dieser Ziffer wieder Einberufungen ausgewirkt haben. Bedeutsamer erscheint, daß die Familien der zweiten Generation kinderlos blieben oder Kleinfamilien mit einem, höchstens zwei Kindern bildeten. In dieser Generation setzte sich die Tendenz zur Einkindfamilie durch[150]. Ebenso wichtig erscheint, daß diese Generation ihre Kinder, sehr zum Leidwesen der Zeche[151], bewog, nicht mehr in der Grube zu arbeiten. Damit und durch die geringe Kinderzahl der zweiten Generation stellte sich das Altersbild der Belegschaft als langfristig für die Zeche geradezu gefährlich dar: Die für die Herausbildung eines Stammes ansässiger qualifizierter Arbeiter so wichtige Gruppe der Jugendlichen, um deren Gewinnung und Qualifizierung dann auch sehr begründete Anstrengungen unternommen wurden, war stark unterrepräsentiert. Doch war dies im wesentlichen erst ein Problem der Planung.

Eine andere, in dieser Untersuchung wiederholt aufgeworfene Fragestellung gewinnt angesichts dieser Zahlenbilder retrospektiv schärfere Konturen: jene der generationellen Verhältnisse und ihrer Auswirkungen auf die Konfliktdisposition der Einwohnerschaft. Sowohl aus der Sicht der Gründungsphase und Aufbaujahre der Grube Penzberg als auch aus jener der 1930er und 1940er Jahre trägt die Zwischenkriegszeit den Charakter einer generationellen Übergangsphase, und die Vermutung, daß die städtischen Konfliktlagen durch latente generationelle Auseinandersetzungen mitgeprägt wurden, erscheint nunmehr wohlbegründet. Die Jugend der KPD-Mitgliederschaft ließ sich beweisen, das Alter der SPD-Mitglieder nur angesichts der freilich durch oligarchische Tendenzen mitverursachten Alterung der Führungsgruppe wiederholt andeuten. Wir können an

---

[149] StAM, OK 479, »Sozialbericht« 1. 5. 1941; jener vom 1. 5. 1942 (ebenda sowie DAF unverz.) läßt Veränderungen im Verhältnis der kinderlosen zu den Ein-Kind-Ehen erkennen, während die übrigen Relationen gleich blieben.
[150] Vgl. o. Kap. I, Anm. 24, 44.
[151] Über die Penzberger Jugendlichen s. OK/Bezirksgruppe Süddeutschland d. Fachgruppe Braunkohlenbergbau 6. 7. 1938 (StAM, OK 381): »Vielfach ist auch eine von den selbst im Bergbau tätigen Eltern eingeimpfte oder durch die Eindrücke aus den Verhältnissen im Elternhaus hervorgerufene Abneigung zur Grubenarbeit zu beobachten ... daneben spielt eine große Rolle das Streben der Jugendlichen und der Eltern, doch einen richtigen gelernten Beruf« zu ergreifen. Vgl. auch die Anm. 149 zit. Sozialberichte: Die Jugendlichen zeigten »eine nahezu totale Ablehnung gegen den Bergmannsberuf« (1941); von rund 48 Schulentlassenen ließen sich (1942) nur einer als Berglehrling, dagegen »mit Leichtigkeit« 13 als Handwerkslehrlinge gewinnen. Der jährliche Bedarf an Berglehrlingen wurde auf 50 geschätzt.

dieser Stelle die Frage nur aufwerfen, ob die Entwicklung in Penzberg insoweit untypisch verlief, oder ob sich hier nicht, begünstigt durch den Enklavencharakter des Industrieorts, vielmehr demographisch-sozialökonomische Tendenzen abzeichneten und auswirkten, die man in abgeschwächter Form auch andernorts und insbesondere hinsichtlich der politischen Kämpfe im linken Flügel des Parteienspektrums der Weimarer Republik unterstellen darf.

4. Sozialpolitik, Bergmannsstand und »Schönheit der Arbeit«

Im Nationalsozialismus ging es um mehr als um das »Recht auf Arbeit«, das – dem Anspruch nach – jedem »Volksgenossen« zustand, um mehr auch als um »das Recht auf lebendigste Teilnahme am künstlerisch-kulturellen Leben« des Volks: Es ging schlicht um »die Seele des deutschen Arbeiters«[152]. Zu deren Formung bedurfte es zuallererst auch im Bergbau der »Entgiftung der Belegschaften«[153], in zweiter Linie eines »Gefolgschaftsaufbau[s] auf lange Sicht«, nämlich der »Durchsäuerung« der Belegschaften »mit Erfahrung und Tradition«[154], schließlich dann, und hinter dieser Forderung verbargen sich angesichts der nicht nur in Penzberg verbreiteten Unlust an der Bergarbeit sehr handfeste ökonomische Interessen, einer neuen »Hochschätzung der bergmännischen Arbeit«[155] und einer »Hebung des bergmännischen Selbstbewußtseins«[156]. Soweit die Forderungen. Wie sah die Wirklichkeit der hier vorrangig interessierenden »betrieblichen Sozialpolitik« aus, und wie sind deren Wirkungen zu beurteilen?

Es sei vorweg bemerkt, daß eine ausgedehnte und in manchen Bereichen durchaus wirksame betriebliche Sozialpolitik auf dem Werk Penzberg der Oberkohle erst in den Jahren nationalsozialistischer Herrschaft eingesetzt hat. Zwar hat es Unterstützungsmaßnahmen – vor allem für Angestellte –, Werksvereine oder Barbarafeste auch in den Jahrzehnten vor 1914 gegeben, aber diese Maßnahmen zeichneten sich im wesentlichen entweder durch einen stark patriarchalisch geprägten Grundzug oder – in Penzberg weniger – durch die sehr konkrete Zielvorstellung der Herausbildung eines werksloyalen »Belegschaftsstamms« aus. Dagegen war die republikanische Zeit, in der man auf Unternehmerseite vielfach in Opposition zu den »Systemparteien«, erst recht natürlich zu ihren ausschließlich als Kostenbelastungen oder als Einschränkungen der betrieblichen Verfügungsallmacht empfundenen, zum Teil außerordentlich weitreichenden sozialpolitischen Gesetzgebungen stand, wenigstens in Penzberg und wohl auch ander-

---

[152] Zitate: Arbeitertum 1/1. 4. 1934, S. 18 (Hans Hinkel, MdR, »Der Arbeiter als Kämpfer für deutsche Kultur«).
[153] Dünbier, Otto: Der Kumpel, Bd. III: Von Sitte, Brauch und Sprache des deutschen Bergmanns. Düsseldorf 1936, S. 214 u. passim.
[154] Winschuh, Josef: Industrievolk an der Ruhr. Aus der Werkstatt von Kohle und Eisen. Oldenburg i. O. (Stalling) 1935, S. 67f.
[155] Bacmeister, Walter: Vom stolzen alten Knappenstand, in: Heimatkalender für den Kreis Mörs 3 (1940), S. 98–103, 123.
[156] Bax, K.: Arbeit und Vorstellungswelt des Bergmanns und ihre Bedeutung für die Gefolgschaftsführung im Ruhrbergbau, in: Glückauf 72 (1936), S. 477–489, 483.

wärts eine Zeit der Stagnation, wenn nicht Rückentwicklung in der betrieblichen Sozialpolitik. Die Nationalsozialisten formulierten hingegen dem Anspruch nach Formen betrieblicher Sozialpolitik, deren wie immer verschwommene Ziele außerhalb des ökonomischen Interessenkalküls lagen. Es steht dabei auf einem anderen Blatt, daß diese Ziele und die Mittel ihrer Durchsetzung nicht nur faktisch keineswegs interessenneutral waren, sondern entgegen ihrem heroischen Pathos von tiefer Menschenverachtung getragen wurden, und selbstverständlich wird man die Ziele in der Analyse des Alltags niemals aus dem Auge verlieren dürfen. Dies jedoch ist die Sicht des Historikers; die Zeitgenossen hatten eigene, sehr dringende Bedürfnisse.

Dabei gehörte zu den kraftvollen Sprüchen und hehren Zielen für die Arbeiterschaft von vornherein und untrennbar die Erfahrung der »Entgiftung«, der sozialen und politischen Disziplinierung. Gerade in Penzberg, wo zahlreiche Arbeitskollegen frühzeitig »auch da« gewesen waren und wo die »marxistische« Vergangenheit auf Schritt und Tritt selbst die neuen Machthaber begleitete, blieben Terror und Unterdrückung auch in den kurzen Jahren wirtschaftlicher Blüte seit 1937 bis zum Kriegsausbruch präsent; gerade im Betrieb wurde Tag für Tag deutlich gemacht, daß Wohlverhalten mindestens im passiven Sinn die Voraussetzung des dann kaum noch ungetrübten Genusses von wachsendem Einkommen und sozialen Leistungen zu sein hatte[157].

Der betrieblichen Sozialpolitik in der nationalsozialistischen Zeit kam die Ausformung der Betriebssoziologie als Wissenschaft in den 1920er Jahren zugute. In welcher Form man auch davon Gebrauch machte – hier war ein Fundus an Informationen und Erfahrungen über soziale Aspekte der Betriebsorganisation gesammelt worden[158]; »Werksgemeinschaft« oder »industrielle Menschenführung« waren Schlagworte nicht erst der nationalsozialistischen Machthaber. Gleichwohl flossen in die Formulierung des Gesetzes zur »Ordnung der nationalen Arbeit« Anfang 1934 nicht nur Ideen, oder besser: Fragmente der wissenschaftlichen Betriebssoziologie ein; dieses »sozialpolitische Grundgesetz« des Dritten Reichs[159] war ein Kompromiß aus verschiedensten Ansichten, Strömungen und Zielen gerade dort, wo »gefühlsmäßig verschwommene« Phrasen wie jene von der »Betriebsgemeinschaft« nationalsozialistisches Denken und Wollen auszu-

---

[157] Eine Aufstellung über verhängte Strafen ließ sich nicht auffinden; es kann jedoch nicht von vornherein angenommen werden, daß nach 1933 mehr oder höherere Strafen verhängt worden wären als vor 1933. Geändert hatte sich zweierlei: Zum einen wurden bedeutendere Strafaktionen gegen einzelne Bergleute mit Namensnennung durch Aushang bekanntgemacht (vgl. StAM, OK 215/II mit Beispielen); zum anderen wurde ein Zusammenhang zwischen der betrieblichen Wahrnehme der »Arbeitspflichten« und der außerbetrieblichen, mit Vorteilen verbundenen Anerkennung bzw. nachteiligen Denunziation eines jeweiligen Verhaltens im Betrieb hergestellt. Dabei war Disziplinierung in mehr oder weniger subtiler Form alltäglich, etwa wenn – dies ein auch sonst übliches Verfahren – 1939 die Abgabe zum Winterhilfswerk »freiwillig« auf 20% der Lohnsteuer erhöht wurde – wer mit dem automatischen Abzug nicht einverstanden war, hatte sich zu melden (s. StAM, OK 76/II). Eine sehr viel härtere Gangart wurde nach Kriegsausbruch eingeschlagen; hierzu unten.

[158] Es sei etwa auf Sommerfeld, Erich: Der persönliche Umgang zwischen Führung und Arbeiterschaft im deutschen industriellen Großbetrieb (vom Standpunkt der Führung aus gesehen). München/Leipzig 1935 (= Probleme der sozialen Werkspolitik, hrsg. v. Goetz Briefs, 2. T.), bes. S. 59–70 (Haltung der Arbeiterschaft), hingewiesen. Als Überblick der betriebssoziologischen Forschung s. Burisch, Wolfram: Industrie- und Betriebssoziologie, 5. Aufl., bearb. v. Ralf Dahrendorf. Berlin 1969; zur Verbindung mit der NS-Sozialpolitik s. Rabinbach, Anson G.: The Aesthetics of Production in the Third Reich, in: Journal of Contemporary History 11 (1976), S. 43–74, bes. S. 52f.

[159] Broszat, Der Staat Hitlers, a.a.O., S. 196, vgl. S. 193f.

drücken trachteten[160]. Ein Beispiel hierfür ist die altständische Inbezugsetzung von Fürsorgepflicht und Gefolgschaftstreue im Paragraphen 2 des Gesetzeswerks, die in ihrer alten, verpflichtenden und existenzsichernden Wechselseitigkeit durch das Führerprinzip völlig ad absurdum geführt wurde.

Die aufgrund dieses Gesetzes zum 1. Oktober 1934 erlassene Penzberger »Betriebsordnung« reproduzierte über weite Strecken nichts als den Gesetzestext, und in ihren detaillistischen Regelungen – das Elaborat umfaßte 14 engbeschriebene Schreibmaschinenseiten[161] – kam sie manchen frühindustriellen Arbeitsordnungen durchaus nahe. Wie schon im Gesetzestext, wurde die Führungsallmacht der Betriebsleitung in der »Betriebsordnung« durch Phrasen wie jene von der »sozialen Ehre« und »Betriebsverbundenheit« verbrämt, jedoch keineswegs beschränkt. Von Pflichten des Werks war wenig, von Pflichten des Arbeiters einschließlich der Warnungen vor strafwürdigem Verhalten seitenlang die Rede, und wie die Deutsche Arbeitsfront im Gesetzestext, so spielte der Vertrauensrat, den das Gesetz schuf, in der Betriebsordnung praktisch keine Rolle. Beschränkungen des unternehmerischen Dispositionsrechts im Betrieb wurden keineswegs durch den Gesetzestext oder jenen der Betriebsordnung wirksam verfügt; sie bestanden vielmehr auf anderem Feld: in der lokalen, regionalen und überregionalen Machtkonstellation zwischen Unternehmern bzw. Wirtschaftsverbänden und NSDAP bzw. deren »Transmissionsriemen«, der Deutschen Arbeitsfront. Wenn es dem Vertrauensrat der Grube dennoch gelang, in manchen Punkten Verbesserungen durchzusetzen, so war dies einerseits einem gewissen Konsens auch auf Unternehmerseite über Entgegenkommen durch soziale Maßnahmen, im wesentlichen aber dem jedoch keineswegs in allen Fällen gesicherten Rückhalt des Vertrauensrats in Partei und DAF zu danken. Mit anderen Worten: Betriebliche Sozialpolitik wurde, soweit der Staat nicht überhaupt auf dem Gebiet der Sozialpolitik eingriff, von der Werksleitung einerseits als Teil des Konsenses für die Garantie des »Arbeitsfriedens« durch Ausschaltung der Gewerkschaften konzediert[162], andererseits unter stiller Anerkennung der machtpolitischen Gegebenheiten, die sich in sehr konkretem Druck durch Vertrauensrat und Partei äußern konnten, gewährt. »Freiwillig« wurde wenig getan, schon gar nicht unter der Herrschaft des Nationalsozialismus.

Wir wollen zunächst einige der konkreten sozialpolitischen Maßnahmen behandeln und hiernach die eher chimärischen Fragen der »Gemeinschaft« erörtern. Nicht immer läßt sich dabei zwischen dem, was staatlich verordnet wurde, und dem, was auf der Ebene der Betriebe teils ausgeführt, teils in eigener Regie an Wirksamkeit entfaltet wurde, unterscheiden. Dies gilt beispielsweise für die trotz jahrzehntelanger bergbehördlicher Bemühung erst in der Zeit des Nationalsozialismus in gewohnt propagandistischen Kampagnen stark geförderte Unfallprophylaxe, der nunmehr, das war neu, ein

---

[160] Vgl. Schumann, Hans-Gerd: Nationalsozialismus und Gewerkschaftsbewegung. Die Vernichtung der deutschen Gewerkschaften und der Aufbau der »Deutschen Arbeitsfront«. Hannover/Frankfurt a. M. 1958, S. 116-132, Zitat S. 119; s. als knappen Überblick unter Betonung des »Klassencharakters« auch: Giersch, Reinhard: Zu Rolle und Funktion der Deutschen Arbeitsfront (DAF) im staatsmonopolistischen System der faschistischen Diktatur in Deutschland, in: Jenaer Beiträge zur Parteiengeschichte 37/38 (1976), S. 40-73, 51f.
[161] Ein Ex. in StAM, OK 67 (vervielfältigt); vgl. OK 11.
[162] Diese Interpretation betont Mason, a.a.O., S. 41-44.

auf Unfallverhütung durch Schulung und Aufklärung zielender Akzent beilag. Unternehmungen dieser Art nahmen im Nationalsozialismus den Charakter von Feldzügen an, und so begann die »Unfallwoche« für den deutschen Bergbau im November 1936 mit einem Betriebsappell[163].

Fortan gehörte die Unfallverhütung zu den turnusmäßigen Themen der Vertrauensratssitzungen. Von einem Erfolg der regelmäßigen Betriebsbesprechungen über Unfälle, der monatlichen Zusammenstellungen und Belehrungen der Reviersteiger und Mannschaften, der Kontrollbefahrungen durch Vertrauensratsmitglieder und Überwachungsmaßnahmen seitens der Bergbehörde, schließlich des täglich auf den neuesten Stand gebrachten, jedermann – wahrscheinlich auf der Hängebank[164] – zur Kenntnis gebrachten »Unfallbarometers« konnte keine Rede sein: Die Unfallzahlen sanken nicht in einem erkennbar den Vorbeugungsmaßnahmen zu dankenden Ausmaß. Zwischen 1935 und 1940 schwankte die Zahl der Unfälle auf 10 000 verfahrene Schichten zwischen 7 und 10, auf 10 000 Tonnen Förderung zwischen 9 und 13[165], und die Zahl der schweren und tödlichen Unfälle – Massenunglücke blieben dem Penzberger Bergwerk erspart – zeigte etwa im Jahre 1938 eine deutlich ansteigende Tendenz. Die Unfallprophylaxe kollidierte mit den noch viel heftigeren Appellen an den Leistungswillen; was man durch Aufklärung und gewiß auch größere Grubensicherheit gewann, das ging durch Arbeitszeitverlängerungen und Über- oder Sonntagsschichten wieder verloren.

Einige Bewegung kehrte nach 1933, in der Hauptsache jedoch seit 1936 wieder in den Wohnungsbau und die Wohnungspolitik der Grube ein. Sie förderte einerseits durch stark verbilligte Abgabe oder gar Übereignung von Grundstücken als Geschenke an die Stadt die kommunale Siedlungspolitik der Nationalsozialisten und griff andererseits erstmals seit Jahrzehnten wieder eigene Bauvorhaben auf. Dazu gehörte zunächst eine umfassende, schon früher eingeleitete Sanierung der alten Zechenwohnhäuser, insbesondere des 6-Wohnungen-Typs, in dem jetzt ausreichende sanitäre Anlagen eingebaut wurden. Um 1937 wurde dann mit der Planung, 1938/39 mit dem Bau einer großen Gruppe von Siedlungshäusern in Heinz in der Nähe des Nonnenwaldschachtes begonnen. Bis 1940 konnten hiervon 10 Einheiten fertiggestellt werden. Die weitere Bautätigkeit wurde durch den Krieg erheblich verzögert, wenn nicht gestoppt. Schließlich wurde noch 1943 ein Bauvorhaben von 84 Wohnungen unter dem Dach einer zu 60 Prozent von der Oberkohle getragenen Bergwerks-Siedlungs-GmbH geplant, jedoch nicht mehr zur Ausführung gebracht.

---

[163] Vgl. »Kampf dem Unfall«, in: OB (s. Anm. 175) 12/1936.
[164] »Hängebank« = Ort am Schacht über Tage zur Seilfahrt (Personenbeförderung) und Förderung.
[165] Aufstellung für Penzberg und Hausham: StAM, OK 158. Die Gesamtzahl der tödlichen Unfälle betrug in Penzberg zwischen 1885 und Mai 1936 135, die Höchstzahl in einz. Jahren 6. Einzelne Unfallberichte s. in OK 157 sowie, für die ältere Zeit, in den »Zechenbüchern« (StAM, OK unverz.); zur entsprechenden Korrespondenz mit der Berginspektion s. OK 411; über Berufskrankheiten (hier: Wurmkrankheit) OK 543.

Tabelle 48
Zechenwohnungen in Penzberg am 1. Januar 1941[166]

Haustyp	Häuser; darin Wohnungen mit Zimmern:							Wohnungen insgesamt	bewohnt durch Pensionäre	Fremde
		2	3	4	5	8	10			
Arbeiterhäuser	88	414	108	30	1	–	–	553	83	8
Wohnhäuser (Angestellte)	13	3	15	19	5	2	1	45	10	–
Konsumgebäude	3	–	2	2	1	–	–	5	–	–
Landwirtschaftliche Anwesen	2	1	2	3	1	–	–	7	–	–
Betriebsgebäude	3	–	1	4	–	–	–	5	–	–
Summen	109	418	128	58	8	2	1	615	93	8

Bis April 1943[167] nahm die Zahl der werkseigenen Wohneinheiten noch auf 617 zu, und zusätzlich wurden jetzt 42 Wohnungen als vertraglich an das Werk gebunden geführt, während 176 Wohnungen als im Eigentum der Belegschaftsmitglieder befindlich bezeichnet wurden. Von der Gesamtbelegschaft wohnten rund 270 Bergleute um diese Zeit nicht in werkseigenen Wohnungen. Ein Teil von ihnen war gewiß im Ledigenheim untergebracht, wo man (1937) für 10 Pfennig pro Nacht wohnte und billig Essen erhalten konnte[168]. Anfang 1943 war man der Ansicht[169], daß von den verheirateten 1178 Bergleuten 723 in ausreichenden Wohnungen, der Rest in dürftigen Wohnungen untergebracht sei – die Wohnungsnot war mithin, wie auch im Stadtrat wiederholt bestätigt wurde[170], keineswegs beseitigt. Die Zeche führte beispielsweise bei Kriegsbeginn 1939 eine Liste mit 175 Vormerkungen auf Zechenwohnungen. Hauptproblem der Wohnungspolitik war nach wie vor ein in vielfach kaum erträglichen Überbelegungen ausgedrückter Wohnraummangel.

Bei der Vergabe der Wohnungen richtete man sich freilich nicht nach der Vormerkungsreihenfolge. Maßgeblich war »einzig und allein das soziale Moment«, wobei die Wohnungsausschußsitzungen unter Mitwirkung des Vertrauensrats »in der Regel stürmisch« verliefen und die »Mitglieder des Ausschusses sich keiner Beliebtheit« erfreuten; Vertrauensrat Daiser beantragte wiederholt seine Entbindung vom Amt des Vorsitzenden[171]. Hier hatte sich gegenüber früher nichts geändert – allenfalls, daß man jetzt Parteigänger der anderen Couleur protegierte. Die Bergleute rissen sich nach wie vor um Werkswohnungen vor allem aus Kostengründen. Die Regelmiete lag weit unter dem Ortsüblichen und betrug pro Quadratmeter einschließlich eines gesetzlichen

---

[166] Nach einem ausführlichen Bericht der Werksleitung Penzberg an die Hauptverwaltung München v. 2. 10. 1940 nebst später datierter Anlage, StAM, OK 197; über Bauvorhaben und -maßnahmen s. OK 507; über Grundstücksabgaben an die Stadt s. StAM, DAF (Oberkohle), unverz.
[167] Nach einer Erhebung StAM, OK 507.
[168] Nach StAM, DAF (Oberkohle), unverz.
[169] Wie Anm. 167; vgl. auch den Anm. 166 zit. Bericht.
[170] Vgl. etwa StaP, SR 12. 3. 1936, sowie StAM, OK 287, VR 12. 2. 1940, 12. 11. 1942, 24. 6. 1943.
[171] Zitate: Bericht vom 20. 9. 1939, in: StAM, OK 197; Rücktrittsersuchen: OK 287, VR 20. 5. 1937, 13. 1. u. 1. 7. 1938.

Zuschlags von 10 Prozent im Jahre 1939 27,5 Pfennig; d. h. eine Zweizimmer-Arbeiterwohnung kostete 8,80 Mark, im Dachgeschoß 6,60 Mark. Letzteres entsprach ungefähr zwei Schichtlöhnen bzw. zwischen 7 und 8 Prozent des monatlichen Durchschnittseinkommens einer Bergarbeiterfamilie. Arbeiterpensionäre zahlten einen 30prozentigen Zuschlag, der bei pensionierten Angestellten entfiel. Überhaupt genossen letztere nicht nur hinsichtlich der Wohnlagen und Wohnungsgrößen, sondern vor allem durch die sorgfältige Instandhaltung ihrer Wohnungen durch Zechenhandwerker erhebliche Vorteile. Insgesamt war, wie die Werksleitung nicht müde wurde hervorzuheben, das Wohnungswesen in der Bilanz ein Zuschußkonto, wobei, wie andererseits der Vertrauensrat betonte[172], die durchschnittlich höheren Kosten auf Angestelltenwohnungen entfielen, die folglich von den Arbeitern mittelbar mitfinanziert würden.

Die sogenannten »freiwilligen sozialen Leistungen an Gefolgschaftsmitglieder«[173] nahmen, soweit sie sich in monetären Leistungen ausdrücken ließen, besonders seit etwa 1938 immens zu. Manches davon, etwa die Unterstützungszahlungen bei Sterbefällen, an Witwen und Waisen zum Teil aus der Werksunterstützungskasse, zum Teil unmittelbar durch die Werksleitung, war auch früher schon üblich gewesen. An bedeutenderen Leistungen kamen jetzt eine freiwillige Kranken- und Unfallunterstützung seitens der Zeche, Reisegelder für »Kraft durch Freude«, Beiträge zu Schulungen, Bücherspenden[174], Treueprämien, die Übernahme der HJ-Beiträge für die Bergjungleute und deren Verpflegung, Kindergartenkosten, Auslagen für die Werksküche und deren kostenlose Teeabgabe an alle Bergleute, für Kameradschafts- und Elternabende, für Uniformbeschaffungen besonders des Vertrauensrats und der Werkschar, für den Betriebssport und das Bergfest sowie für zahlreiche weitere Posten hinzu. Nach wie vor genossen dabei die Angestellten durch Wohnungszuschüsse und besonders durch Beiträge zur Sozialversicherung einen gewissen, relativ während der Kriegsjahre abnehmenden Vorrang. Unterstützt wurde auch die Baufinanzierung bei der Errichtung von Eigenheimen seitens der Bergleute. Schon seit 1934 erschien eine Werkszeitung, der *Oberbayerische Bergmann*, für die Gruben in Penzberg und Hausham[175]. Seit 1938 übernahm die Grube eine Sterbegeldversicherung für die Gesamtbelegschaft. Sie unterhielt nun einen Sportlehrer für die Bergjungleute und baute sowohl dem Fußballklub einen Fußballplatz als auch dem Wintersportverein einen Eisplatz. Über ihre ausgedehnte Gärtnerei organisierte sie einen verbilligten Gemüseverkauf, wie sie auch bei sonstigen Konsumartikeln wie

---

[172] Vgl. die Kritik v. Vertrauensrat Rebhan: StAM, OK 287, VR 20. 5. 1937. Der Verlust der Zeche auf dem Wohnungskonto betrug 1935 23 000 Mark.
[173] Angaben im folgenden nach einer detaillierten Aufstellung der einzelnen Ausgabeposten für 1939 bis 1943, in: StAM, DAF (Oberkohle), unverz.; ergänzt durch verstreute Quellen, bes.: StAM, OK 287 477, 479, 524, 541, 610.
[174] 1942 verwaltete der Betriebsobmann eine Bibliothek von 160 Bänden, die zum wohl überwiegenden Teil aus der ehemaligen Gewerkschaftsbibliothek bestand und nun mit der »Werksbücherei« vereinigt werden sollte. StAM, OK 287, VR 22. 4. 1942.
[175] Oberbayerischer Bergmann. Werkszeitung der Oberbayerischen A. G. für Kohlenbergbau, Gruben Hausham-Penzberg (= OB); benutzt wurde ein nicht ganz vollständigen Exemplar StaP. Eingesehen wurden Jgg. 1 (1934) bis 7 (1941); die Ztschr. ist offenbar auch 1942 noch erschienen. – Auch der Beginn einer »Werkschronik« im Jahre 1936 ist symptomatisch für die Entwicklung der nach Herstellung von Werksloyalität drängenden betrieblichen Sozialpolitik: Bd. I wurde retrospektiv ab 1933 vor allem anhand der Ortspresse geschrieben; Bd. II wurde allerdings nur bis Herbst 1937 geführt (StAM, OK unverz.).

35. Bergmannssport (1935).

36. Gymnastik der Frauen (1935).
37. Im Zechenkindergarten mit Kursleiterin Rabl.

Kartoffeln zum billigeren Einkauf beitrug und beispielsweise, die Wortwahl ist kennzeichnend, im Sommer 1939 eine große »Ferkelverbilligungs-Aktion« startete. Gegen verschiedentlich lautgewordene Forderungen auf Auflösung der Zechenkonsumanstalt sprach sich der Vertauensrat stets scharf aus: Dies sei nach wie vor eine „Wohlfahrtseinrichtung« von deutlich »preisregulierendem« Einfluß auf die Einzelhandelspreise[176]. Selbstverständlich wurde die Bergknappenkapelle weiter unterstützt, daneben nunmehr eine Spielgruppe der Bergjungleute eingerichtet. Großer Wirbel seitens der Zeche, die Reisekosten je Bergmann in Höhe von bis zu 35 Mark trug, sowie seitens der DAF wurde anläßlich von kleinen und großen Reiseaktionen der Freizeitorganisation KdF veranstaltet; bei den größeren, vor allem den Seereisen, waren es dann besonders Vertrauensratsmitglieder, die den Vorzug der Teilnahme genossen[177]. Schließlich führte man auch in Penzberg ein betriebliches Vorschlagswesen mit Prämierung ein, und seit 1936 nahm die Grube auf höhere Weisung am reichsweiten Wettbewerb um das Vorschlagswesen, seit 1937 am »Leistungskampf der deutschen Betriebe« teil. All dies kostete erhebliche Summen, und die Entwicklung dieser Ausgaben während der Kriegsjahre zeigt an, daß gerade der Krieg eine Verfestigung und Ausdehnung im System der sozialen Leistungen brachte, die nur zu einem geringen Teil auf die Kriegsumstände (Familienheimfahrten, Vitamin-Aktion) zurückzuführen sind: Die Pro-Kopf-Ausgaben für insgesamt 54 Posten auf der Liste der sozialen Leistungen stiegen von 55,- Mark im Jahre 1939 über 61,- (1940), 93,- (1941) und 122,- Mark (1942) auf 214,- Mark im Jahre 1943. Zu den größten Posten gehörte dabei – während des Krieges vermehrt durch weihnachtsgeldbegünstigte Sonntagsschichten – das Weihnachtsgeld: Es betrug 1939 30 Prozent und 1943 an Regelzahlungen 14 Prozent, an zusätzlichen Sonntagsschicht-Prämien 34 Prozent, zusammen fast die Hälfte der Leistungen. Die besonderen Ausgaben für Angestellte, soweit sie das jedem Belegschaftmitglied Zustehende überstiegen, sind in den Pro-Kopf-Ausgaben einbezogen; sie bezifferten sich noch 1939 auf 27 Prozent der insgesamt ausgegebenen rund 84 000 Mark, im Jahre 1942 jedoch nur noch auf knapp 15 Prozent von rund 138 000 Mark, werden jedoch angesichts gestaffelter Sätze beim Weihnachtsgeld tatsächlich höher gewesen sein. Insgesamt wurden für »freiwillige« Leistungen 1943 231 000 Mark ausgegeben. Abnehmende Tendenz zeigte hingegen, was man unter »sonstigen sozialen Leistungen« verstand und was sich in der Hauptsache aus den Kosten für bezahlte Feiertage, daneben aus den Beiträgen der Oberkohle besonders zum Winterhilfswerk und zur Adolf-Hitler-Spende zusammensetzte: Nach 77 000 Mark bzw. 50 Mark je Kopf der Belegschaft im Jahre 1939 verringerten sich diese Gelder auf 57 000 Mark bzw. 43 Mark je Kopf, wobei in allen Berechnungen stets nur die deutsche Belegschaft erfaßt wurde.

---

[176] StAM, OK 287, VR 22. 12. 1936. Angriffe gegen die Konsumanstalt gingen weiterhin vom örtlichen Einzelhandel aus; s. ebenda, 10. 11. 1937. Unterlagen über Abrechnungen und Zuteilungen der Konsumanstalt s. in StAM, OK 27, I und II sowie OK 398, 399, 506.

[177] Vgl. StAM, OK 479, Richtlinien für die KdF-Reisekasse der Grube v. 10. 10. 1938, sowie OK 446, über Madeira-Fahrt 1936 (es fahren: Steiger Becker, 2. BM und VR Naierz, VR Rebhan) und 1937 (es fahren 2 VR); bemerkenswert erscheint, daß noch 1944 Penzberger Bergleute mit KdF zu den Bayreuther Festspielen fuhren. Vgl. über KdF mit weiterer Literatur Mason, a.a.O., S. 83–85: Mason vermutet zu Recht, daß vor allem bei den großen Schiffsreisen viele Funktionäre, jedoch weniger Arbeiter teilnahmen.

Überschaut man die bisher aufgeführten Maßnahmen und Leistungen, so liegt der Eindruck einer, wenn nicht gleich radikalen, so doch, vom Aufwand her gesehen, erheblichen Veränderung in der sozialen Betriebspolitik seit etwa 1934, verstärkt seit 1938 und mit großem Aufwand in den Kriegsjahren nahe. Weihnachtsgelder und bezahlte Feiertage, erhebliche Zuschläge für Über- und Sonntagsschichten und Unterstützungen für den Urlaub[178], das waren sehr konkrete Beiträge zum Arbeiterhaushalt – einmal abgesehen von den Zechenleistungen für Unfallgeschädigte, Kranke und Pensionäre, von den Sanierungen der Bergarbeiterwohnungen, dem Bau von Mannschaftsräumen über Tage, der Errichtung einer Fahrradhalle, dem von der Zeche nunmehr stark geförderten Straßenbau und manchem anderen[179]. Dabei traten die ökonomischen und ideologischen Prämissen, unter denen dies geschah, in zwei Bereichen besonders deutlich hervor: im Bereich des Ausbildungswesens und in jenem der allgemeinen Wertschätzung und Propagierung des Bergmannsberufs durch ständische Requisiten und »Schönheit der Arbeit«.

Das Ausbildungswesen lag im deutschen Bergbau, auch wenn man mit der Revolution 1918/19 einen Lehrzweig mit geregelter Berufsschulbildung aus ihm gemacht und darin langjährigen gewerkschaftlichen Forderungen entsprochen hatte, in Wirklichkeit vor 1933 darnieder. Für viele Großunternehmen des Ruhrgebiets war der Berglehrling zunächst eine billige Arbeitskraft bei Übertage-Arbeiten: am Leseband, auf den Holzplätzen, in der Lampenstube und wo immer sonst man einfacher Handreichungen bedurfte. Daneben wurden Lehrwerkstätten, eine Schmiede, Schlosserei und Schreinerei etwa, schließlich eine Lehrstrecke oder auch ein Lehrstreb über Tage eingerichtet. Eine langfristig angelegte und auch kostenintensive Nachwuchspolitik erschien jedoch in Krisenjahren bei überfüllen Arbeitsmärkten wenig vordringlich. Dies galt auch für Penzberg, wo man einen langen Lehrweg vom Schlepper zum Hauer kannte, aber wenig geregelte Lehrlingsausbildung.

Nach 1933 nahm die Zeche eine geregelte Nachwuchspolitik auf. Der Bedarf an gleichzeitig auszubildenden Lehrlingen lag bei einer dreijährigen Lehrzeit bei etwa 150; er errechnete sich aus einer durchschnittlichen Belegschaft von 1500 und einer Verweildauer je Bergmann von 30 Jahren. Man stellte einen Ausbildungsplan auf, wonach die Lehrlinge im Alter zwischen 14 und 16 Jahren über Tage, jene über 16 bis zum vollendeten 18. Lebensjahr unter Tage eingesetzt werden und an einem Wochentag regelmäßig Unterricht erhalten sollten. Die Lehrzeit konnte demnach 4 Jahre betragen und verkürzte sich bei späterem Eintritt auf wenigstens drei Jahre. Während dieser Zeit erhielten die übertägigen Lehrlinge einen Schichtlohn von 1,62 Mark (1936), jene unter Tage, denen bereits Akkordentlohnung zugemutet werden konnte, einen durchschnittlichen Schichtlohn von 3,25 Mark (1936); bis 1940 trat hierin eine Erhöhung um rund 20

---
[178] Ab Mitte 1935 galt folgende Urlaubsregelung: Bei bis zu 5 Dienstjahren 6 Tage, bei 6 bis 14 Dienstjahren gestaffelt zwischen 7 und 10 Tagen, ab 15 Dienstjahren 12 Tage Jahresurlaub. StAM, OK, Werkschronik Bd. I.
[179] Vgl. die Hinweise bei Klein, a.a.O., S. 88. Klein gibt sich alle Mühe, den Umstand zu rechtfertigen, daß vor 1933 in der Gestaltung der Anlagen »nur das Allernotwendigste gemacht« wurde.

(über Tage) bis 30 Prozent (unter Tage) ein[180]. Die Lehrlinge genossen einen nach Lebensalter degressiv gestaffelten Urlaub zwischen 12 Tagen für 14jährige und 6 Tagen für 17jährige; in Friedenszeiten wurde während der Werksschule eine kostenlose Mahlzeit gereicht.

Eine eigene Werksschule eröffnete die Zeche zum Jahresbeginn 1935. Da ging es recht militärisch her: Alle Bergjungleute mußten Mitglieder der Hitlerjugend sein, und Steiger Seltmann, bekannter Nationalsozialist und Werksschulleiter, sorgte für »appellmäßiges Antreten« morgens 6 Uhr mit »Flaggenhissen« an jedem Montag[181]. Die Werksschule löste die bisherige, von der Zeche und öffentlichen Geldgebern getragene Fortbildungsschule in deren bergmännischem Zweig ab. Man versuchte auch, früher Versäumtes nachzuholen. Jedem Schlepper, der fortan Hauer werden wollte, wurde, wenn er nicht Lehrling gewesen war, ein Fortbildungskurs in der Werksschule zur Pflicht gemacht, und auch die Lehrhauer mußten an einer solchen Fortbildung teilnehmen. Der regelmäßige Ausbildungslauf sah nunmehr nach der Lehrzeit eine zweijährige Schleppertätigkeit, danach die Beförderung zum Lehrhauer für ein Jahr, »bei Bedarf endlich zum Vollhauer«[182] vor.

An dieser Schwelle lag nun ein entscheidendes Problem des Ausbildungsganges: Über die Jahre war die Penzberger Belegschaft älter geworden, und die meisten waren bereits Hauer, die benötigten Positionen mithin besetzt. Man konnte in den 1930er Jahren auf der Grube bis zu 14 Jahre lang Schlepper sein. Auch in diesem Punkt kam während des Kriegs Entlastung: Die vom »Reichsinstitut für Berufsausbildung in Handel und Gewerbe« bearbeiteten, zum 9. Januar 1942 erlassenen »Richtlinien für die Durchführung der Ausbildung zum Hauer«[183] sahen nach wie vor eine siebenjährige Ausbildungszeit, davon jetzt jedoch 1 Jahr als Schlepper und 2 Jahre als Lehrhauer, vor, und der Beförderungsstau wurde Ende 1942 handstreichartig gelöst: Zum 1. Januar 1943 wurde jeder Bergmann, der 7 Jahre in der Grube arbeitete, zum Hauer ernannt. Berücksichtigt man die damit einhergehende beachtliche Erhöhung des Einkommens und die langjährige Unruhe unter den Schleppern über ihre Nichtbeförderung, schließlich auch den selektiven Charakter der bisher durch die Grubenleitung vorgeschlagenen Beförderungen, so lag darin eine die Gesamtbelegschaft in bedeutendem Umfang beruhigende und befriedigende Maßnahme, die von der Werksleitung keineswegs angestrebt worden war – es gebe dann eben nur noch Hauer in der Grube, hieß es lakonisch[184].

Die Hauerernennung sollte als Auszeichnung gelten – eine Absicht, der man mit dem Beförderungsschub nun kaum entsprach. Auswahlmöglichkeit bestand allerdings kaum

---

[180] Angaben nach StAM, OK 404. Der Akkord für Lehrlinge wurde anscheinend als unangenehm empfunden und um 1941 abgeschafft; s. ebenda DAF (Oberkohle), unverz., Richtsätze des Sondertreuhänders für den Bergbau Prof. Börger über Lehrgelder auf allen deutschen Zechen. Allgemein zur NS-Ausbildungsförderung s. etwa Schoenbaum, a.a.O., S. 132f., jetzt knapp auch Gladen, Albin: Berufliche Bildung in der deutschen Wirtschaft 1918-1945, in: Pohl, Hans (Hrsg.): Berufliche Aus- und Weiterbildung in der deutschen Wirtschaft seit dem 19. Jahrhundert. Wiesbaden 1979, S. 53-73, 64.
[181] Vgl. OB 1 u. 2/1935 sowie StAM, OK 396 (Verpflegungspläne f. d. Werksschule), OK 539 (Knappenkurse), OK 509a (Ausbildungsabkommen), OK 418.
[182] StAM, OK 477, Bericht vom 30. 3. 1937.
[183] Nebst Anerkennungserlaß des Reichswirtschaftsministers v. 9. 1. 1942 in StAM, OK 418, zum Beförderungsstau s. u. a. StAM, OK 287, VR 11. 3. 1935, 22. 4. 1936, 17. 2. 1939.
[184] StAM, OK 287, VR 22. 4. u. 12. 11. 1942 sowie 9. 2. 1943 (Betriebsführer Junghans).

38. Absolventen eines Hauerkurses (1935).

39. Antreten zum Reichs-Berufswettkampf am »Stachus« am 28. 2. 1937 (Hindergrund: Staltacher Hof).

40. Berglehrlinge bei der Vesper.

41. Flaggenhissung zur Eröffnung der Werksschule 1936.

mehr. Die Nachwuchssorgen in Penzberg nahmen »katastrophale« Ausmaße an[185]. Nur in den ersten beiden Jahren nach Gründung der Werksschule gelang es, zwischen 46 und 80 Bergjungleute unter Vertrag zu halten; in den folgenden Jahren bis 1944 waren nur noch jeweils im Jahresdurchschnitt zwischen 14 und 29 Bergjungleute im Alter zwischen 14 und 16 Jahren angelegt. Auch die Zahl der 16- bis 18jährigen sank drastisch. Hier wirkte sich aus, daß viele Bergjungleute, sobald ihnen die Grubeneinfahrt winkte, ihre Abkehr nahmen und selbst Hilfsarbeiterstellen der Schmutzarbeit unter Tage vorzogen. Von insgesamt 115 zwischen 1936 und Anfang 1940 angelegten Bergjungleuten waren bis 1940 bereits 82 wieder abgekehrt[186] – deutlicher konnte man der Werksleitung die Einschätzung des Bergmannsberufs in der Bergarbeiterkommune nicht machen. Hinzu kam, daß man jene, die als Bergjungleute nicht der Hitlerjugend beitreten wollten, nicht unter Vertrag nahm, vielmehr als jugendliche Hilfsarbeiter einstellte, so daß ihnen die Abkehr sehr erleichtert wurde.

Man gab sich nach 1935 auch in der Weiterbildung der ehemaligen, mit einem Knappenbrief ausgestatteten Berglehrlinge Mühe: Mit der »Mutter«-Zeche Hibernia wurde ein Austausch von Haueranwärtern in Gang gebracht, und man entsandte Penzberger Bergleute in das Ruhrgebiet bereits zum Besuch der Bergvorschule. Diese vordringlich der Aufbesserung der Elementarbildung dienende Einrichtung gab es in Penzberg mangels Masse nicht. Wer zur Bergschule wollte und qualifiziert erschien, konnte nach Bestehen der Aufnahmeprüfung in Essen oder Bochum und Verpflichtung zum mindestens dreijährigen Steigerdienst in Penzberg von der Zeche mit erheblichen Geldmitteln unterstützt werden[187]. Gewiß war Werksloyalität eine Voraussetzung solcher Unterstützung, nicht aber, wie ein anderer Vorgang zeigt, die üblicherweise durch aktive Mitarbeit in der NSDAP oder – wahrscheinlicher – einer der vielen nationalsozialistischen Organisationen dokumentierte »nationale Zuverlässigkeit«.

Die Beförderung zum Angestellten im Fahrhauerrang galt als Auszeichnung für langjährige Berufsbewährung als Hauer. Fahrhauer wurden mit der Steigervertretung, gelegentlich auch mit der Ausbildung oder mit anderen verantwortungsvollen Leitungsaufgaben beauftragt. Als nun im Herbst 1938 eine Reihe von Beförderungen dem Vertrauensrat unterbreitet wurde, beklagte sich letzterer, daß einige auf der Liste seien, die »nicht in der Bewegung tätig gewesen sind«, darunter sogar ein ehedem kommunistisches Betriebsratsmitglied:

»Bei Anstellungen müßte man aber wissen, daß sie nicht nur nichts gegen den Staat unternommen haben, sondern vielmehr sich in den Gliederungen der Partei usw. aktiv betätigen«[188].

Dr. Ludwig für die Werksleitung bestand demgegenüber ausschließlich auf Qualifikation und Erfahrung als Auswahlkriterien und konnte sich durchsetzen. Das Beispiel zeigt

---

[185] Ebenda, VR 15. 10. 1939.
[186] Ebenda, VR 10. 5. 1940, sowie Aufstellungen über jeweils beschäftigte jugendliche Arbeiter: StAM, OK 7 I und II.
[187] OB 3/1941 sowie StAM, OK 394: Austauschabkommen mit Hibernia seit 1937; Schriftwechsel mit Bergschulen, Bergvorschulbesuch, Ausbildungsverträge für Bergschüler.
[188] StAM, OK 287, VR 4. 10. 1938. Besonders pikant an der Angelegenheit war, daß zugleich das führende VR-Mitglied Daiser zum Angestellten gemacht wurde. Möglicherweise hat die Grubenleitung auf diese Weise evtl. Kritik zu beschwichtigen versucht.

überdies, daß die Zeche, wo immer möglich; in betrieblichen Dingen Unabhängigkeit zu wahren suche.

Die Reformmaßnahmen im Ausbildungswesen gehörten sicher zu den von Werk und DAF mit besonderem Ernst, freilich von letzterer auch mit besonderem Nachdruck auf der Erziehung zum »nationalsozialistischen Menschen« betriebenen sozialpolitischen Initiativen. Zweifellos gehörten nachgerade militärische Disziplin und das stete Beschwören von Bergmannspflichten, Bergmannstreue und Leistungswillen im Ausbildungswesen zu den zentralen Anliegen, und gerade in solchen mit propagandistischem Nachdruck vertretenen, in den NS-Jugendorganisationen komplettierten Zielen lag ein guter Teil der ideologischen Fehlleitung der Auszubildenden begründet. Doch mußte dies nicht notwendig die fachliche Qualität der Ausbildung beeinträchtigen.

Gerade im Ausbildungswesen suchte man die so emporstilisierten Grundgedanken der »Betriebsgemeinschaft« zu verwurzeln. Was wurde darunter verstanden?

Einen ungefähren Überblick bekommt, wer die Betriebszeitung der Grube studiert. Da wurde über »Deutsches Wesen und deutsche Art«, über »Bergmann und Bauer«, »Helden der Arbeit«, »Lob des Bergmanns«, über »Das Recht der sozialen Ehre«, »Die Betriebsgemeinschaft als Schicksalsgemeinschaft«, die »Totalität des Nationalsozialismus« und »Judentum und Arbeiterschaft«, verschämt auch über »Sancta Barbara« und vielfach variert über die bergmännischen Traditionen gehandelt[189]. Genauer wurde Betriebsobmann Kapfhammer, als er anläßlich eines Penzberger Betriebsappells[190] im Herbst 1937 die Auszeichnung »Nationalsozialistischer Musterbetrieb« erörterte: Nicht die Austeilung möglichst umfassender finanzieller Leistungen sei hierfür entscheidend, sondern die Beantwortung der folgenden Fragen:

»Ist der Betrieb als eine Lebenszelle im Wachstum unseres Volkes zu werten?
Bilden alle Betriebsangehörigen eine verschworene Gemeinschaft?
Steht über den materiellen Dingen die innere Bindung von Mensch zu Mensch im Betrieb?
Wird Sorge für ausreichende gesunde Wohnungen und Heimstätten getragen?
Was wird für die Berufserziehung, die Gesundheit der Gefolgschaft, Unfallschutz und Unfallverhütung sowie für die saubere und zweckmäßige Gestaltung des Arbeitsplatzes getan?
Wie sind Urlaub und Erholung geregelt?«.

Die »Vertiefung der Betriebsgemeinschaft«[191] in diesem Sinne – das war Inhalt und Ziel unzähliger Ansprachen und Vorträge bei Betriebsappellen, Maifeiern, Kameradschaftsabenden, Schulungen und ähnlichen Groß- und Kleinveranstaltungen besonders während der Jahre 1937 und 1938. Hierbei handelte es sich nicht nur um zahllose mehr oder weniger plakative Phrasen in den einzelnen Betrieben. Gerade dem »deutschen Bergmann« als dem mutmaßlichen Inbegriff deutschen »Arbeitertums«[192] galt reichsweit so manche Großaktion, so mancher beschwörende Appell, und das Engagement des Regimes für die Geschicke des Bergmanns erklärt nicht zuletzt, daß der Bergbau in

---

[189] Artikel-Überschriften im OB Jgg. 1934 bis 1936 (s. Anm. 175).
[190] Nach dem Bericht OB 10/1937.
[191] Aufsatztitel OB 6/1938.
[192] In der NSBO-Zeitschrift »Arbeitertum« galt dem Bergbau und Bergmann gerade in der Phase der Propagierung ständischer Ideen (Ley, Robert: Arbeitsfront und ständischer Aufbau, Nr. 13/1933; Frauendorfer, Max: Der Ständische Aufbau, Nr. 12/1933) Ende 1933 Aufmerksamkeit; vgl. etwa »Jannis, der Hängebankjunge« (15/1934) und »Helden ohne Ruhm. Die Männer mit schwieliger Faust« (11/1934).

Wohnungs- und allgemeiner Sozialpolitik einen Schwerpunkt nationalsozialistischer Maßnahmen in Sachen Arbeiterschaft überhaupt bildete. Da gab es, propagandistisch wirksam ausgewalzt, »Großappelle der deutschen Bergleute« anläßlich der Reichstagungen des »Fachamtes Bergbau«[193] oder auch einen »Ehrentag des Bergarbeiters«, wie ihn Ley, den Wagemut der Bergleute mit den Seeleuten vergleichend, Anfang 1935 einführen wollte, schließlich während des Krieges eine gesamtdeutsche »Feierstunde des deutschen Bergmannes«, wo Göring »verdiente Bergleute« mit dem Kriegsverdienstkreuz auszeichnete[194]. Da gab es, vor allem, auf lokaler Ebene die Bergfeste und bergmännischen Feierlichkeiten, auf denen der Bergmann als Vorbild des »Arbeitsmenschen« schlechthin beschworen wurde.

Allerdings kam es gerade in diesem Bereich zu Auseinandersetzungen, in denen die Eigenständigkeit und Beharrungskraft der bergbaulichen Standeskultur und ihrer Träger letztlich obsiegte. Hier ist nicht der Platz, um Weitschweifigkeit und Massenhaftigkeit, auch Albernheit der nationalsozialistischen Festkultur reichsweit oder lokal in Sonnenwendfeiern oder Weihnachtsabenden – Motto in Penzberg 1936: »Schenkt unseren Pimpfen Uniformen«[195] – zu erörtern. Der Behauptungswille des bergbaulichen Konservatismus in den Formen und Floskeln der bergmännischen Feste ist jedoch angesichts des Schwalls propagandistisch übersteigerter Massenveranstaltungen erstaunlich.

Ein Konflikt mit dem nationalsozialistischen Anspruch auf das öffentliche Fest- und Kulturmonopol zeichnete sich in zwei Bereichen ab: in der Frage der Uniformierung der Belegschaften sowie bei der eigenständigen Gestaltung des Barbarafestes. Bei den Bergmannsuniformen hielt die Zeche, beflügelt durch das Gerede vom ständischen Aufbau, schon im Sommer 1933 die Zeit für gekommen, nunmehr energischer als seit Jahrzehnten möglichst viele Bergleute im bergmännischen Habit zu kleiden[196]. Man hielt sich an preußische Vorbilder, da schließlich das Werk dem preußischen Fiskus gehörte, und gedachte fortan, bei allen Anlässen öffentlicher Repräsentation, so erstmals zur Maifeier 1934, in möglichst großer Zahl uniformiert zu erscheinen. Dies brachte für die Uniformierungswilligen erhebliche Kosten, aber die Zeche half bei der Beschaffung energisch mit. Sei es nun, daß die Bergmannsuniform einfach schmucker als der »DAF-Festanzug mit blauer DAF-Schirmmütze« kleidete, sei es auch, daß man im Prinzip nationalsozialistisch, nicht bergmännisch marschieren sollte – jedenfalls erließ Oberberghauptmann Schlattmann im Spätsommer 1936 eine nicht nur in Penzberg, sondern auch bei der längst gleichgeschalteten Bezirksgruppe Süddeutschland der Fachgruppe Braunkohlenbergbau mindestens auf Zurückhaltung, wenn nicht Protest stoßende Verfügung, wonach man bergmännische Uniformen zwar noch tragen, aber keinesfalls weitere anschaffen dürfe[197]. Wohl deshalb und wegen des Wunsches, die künftige Werkschar bergmännisch zu uniformieren, lehnte die Grube Anfang 1937 die Über-

---

[193] Bericht von der 3. Fachtagung: OB 13/1938.
[194] StAM, OK 215/II, Bekanntmachung über die Auszeichnung des Hauers Georg Eisend L, 15. 1. 1941.
[195] Festprogramme: StAM, NSDAP 646–654. Vgl. u. a. Mosse, George L.: Die Nationalisierung der Massen. Politische Symbolik und Massenbewegungen in Deutschland von den Napoleonischen Kriegen bis zum Dritten Reich. Frankfurt a. M./Berlin 1976, S. 240–250; Eichberg, Henning u. a.: Massenspiele. NS-Thingspiel, Arbeiterweihespiel und olympisches Zeremoniell. Stuttgart/Bad Cannstatt 1977.
[196] Im folgenden nach StAM, OK 159, vgl. auch BayHStA, MWi 2266.
[197] StAM, OK 159, Verfügung vom 21. 8. 1936.

nahme der Kosten für die teuren Werkscharuniformen ab, mußte sich jedoch eines Besseren belehren lassen. Es dauerte bis zum Sommer 1937, bis eine höchste Entscheidung fiel: Auch DAF-Mitglieder dürften, hieß es jetzt, die bergmännische Uniform tragen, und man möge die Werkscharen durchaus wie die Bergleute, gegebenenfalls mit eigenen Abzeichen, uniformieren[198]. So waren vier Jahre verstrichen, bis das »Ehrenkleid« des deutschen Bergmanns[199] seine Tradition behauptet hatte. Die Penzberger Werkschar trug gleichwohl die offiziellen Werkschar-Uniformen.

Rascher, aber vielleicht nicht ohne Verbindung zu dem Uniformstreit, gewann man beim gewohnten Bergfest die alten eigenständigen Festformen zurück. Der 1. Mai 1933 war durch und durch eine Parteiangelegenheit gewesen, war innerhalb der Partei bis ins einzelne vorbereitet und in der öffentlichen Präsentation ausschließlich von Parteiorganisationen geprägt worden. 1933 und bei den späteren Maifeiern marschierten SS, SA und Hitlerjugend voran, es folgte die Politische Organisation, hiernach die Vertrauensräte zunächst des Bergwerks sowie die Zechenbelegschaft, schließlich Vertrauensräte und Belegschaften der übrigen Penzberger Betriebe. Schon 1933 bildete die Übertragung der Führerrede, später meist eingeleitet durch Ansprachen von Goebbels und Ley, den Kernbestandteil der Maifeier, zu der man sich in Penzberg stets um besonders prominente Redner bemühte[200]. Das von der Grube zum Bergfest am 8. Oktober 1933 entworfene Programm wich hingegen in keinem Punkt von dem bisher üblichen ab[201]: Außer der Ansprache des Werksdirektors[202] war nicht einmal eine Ansprache aus Kreisen der DAF oder der nationalsozialistischen Betriebsvertretung, geschweige denn ein Beitrag örtlicher Parteirepräsentanten oder Mitwirkung von Parteiorganisationen im Festzug vorgesehen. Stattdessen stand ein Gottesdienst am Anfang der Festfolge, in der wie immer die Darbietungen der Penzberger Vereine und ein Festkonzert die Hauptrolle spielten. Man ließ sich diesen Ablauf von Parteiseite nicht gefallen: Wohl nach Intervention durch die Ortsgruppenführung gelang es, eine Rede des Münchener Staatssekretärs Dauser in das Festprogramm nachträglich einzubauen[203]. Als hingegen die Bayerische Landesfilmbühne zu diesem Bergfest den Film »Fest der nationalen Arbeit« vorzuführen vorschlug, entschuldigte sich die Zeche mit fadenscheinigen Gründen: Die Turnhalle sei als Vorführungsort wenig geeignet, auch werde das Interesse am Abend wohl nicht mehr so groß sein, »als es dem hohen Zweck des Filmes entsprechen dürfte«[204].

---

[198] StAM, OK 452, Erlaß des Reichswirtschaftsministers vom 18. 6. 1937. DAF-Führer Ley hatte den Werkscharen bisher ausdrücklich untersagen lassen, andere als Werkscharuniformen zu tragen; vgl. ebenda, Besprechung vom 3. 12. 1936; zur Werkschar ferner unten Anm. 275.
[199] PA 42/20. 2. 1934.
[200] Vgl. »Richtlinien« der Gauleitung vom 20. 4. 1933 f. d. Gestaltung des 1. Mai: StAM, NSDAP 646–654, ebenda weitere Quellen, bes. Festprogramme, über die Maifeiern in Penzberg.
[201] Quellen zu den Barbarafesten s. StAM, OK 345 Bd. I–X; Programm f. d. 8. 10. 1933 (Druckfassung) in StAM, NSDAP 646–654. Das Barbarafest wurde unter dieser Bezeichnung, oft jedoch auch »Bergfest« genannt, stets Anfang Oktober gefeiert, obwohl der eigentliche Barbaratag auf den 4. 12. fällt. Berichte über die Feste s. auch regelmäßig im OB sowie gesammelt f. 1933–1937 m. Abb. in der Werkschronik, StAM, OK unverz.
[202] Text der Ansprache: StAM, OK 345/IX.
[203] Erschlossen aus StAM, NSDAP 646–654, OGrF Schneider/Staatssekretär Dauser 26. 10. 1933, wonach Dauser anläßlich des Barbarafestes sein Wiedererscheinen als Redner in Penzberg in Kürze in Aussicht gestellt hatte.
[204] Nach: StAM, OK 345/IX.

Barbarafeier der Grube Penzberg
am Sonntag, den 8. Oktober 1933

Festfolge:

6:00 Uhr Weckruf
10:00 Uhr Gottesdienst in der kath. Pfarrkirche (Feldmesse)
10:30 Uhr Ehrung der Jubilare vor dem Direktionsgebäude der Grube Penzberg
11:30 Uhr Frühschoppenkonzert in der Turnhalle, Musik: Bergknappenkapelle Biehler
12:30 Uhr Mittagtisch der Jubilare in der Turnhalle

2:00 Uhr Festveranstaltung in der Turnhalle unter Mitwirkung von:
Bergknappenkapelle Biehler
Österreicher Liederkranz „Heimatklänge"
Turn- und Sportverein 1898 Penzberg e.V.
Radfahrerverein „Concordia" Penzberg
Gebirgstrachterhaltungsverein Stamm 1895 Penzberg

1.) Badenweiler-Marsch . . . . v. Fürst
2.) Vorspiel zu „Alessandro Stradella" . . v. Flotow
3.) „Jugendträume" . . Walzer v. Waldteufel
4.) Musikalischer Streifzug . . . v. Abel
5.) Kinderbelustigungen im Freien (nur bei günstigem Wetter)

Ab nachmittags 4 Uhr:
6.) Gesangsvorträge des Österr. Liederkranzes „Heimatklänge"
7.) Stabübungen der Turnerinnen des Turn- und Sportvereins 1898 Penzberg
8.) Gruppenkunstfahren des Radfahrervereins Concordia Penzberg
9.) Tänze des Gebirgstrachterhaltungsvereins Stamm 1895 Penzberg

10.) „Zum Kampf" . . . Marsch v. Blankenburg
11.) Vorspiel zu „Nabuccodonosor" . . . v. Verdi
12.) Grubenlichter-Walzer aus „Der Obersteiger" v. Zeller
13.) „Vom Rhein zur Donau" . . Potpourri v. Rhode

14.) Gesangsvorträge des Österr. Liederkranzes „Heimatklänge"
15.) Übungen am Ring der Männer des Turn- und Sportvereins 1898 Penzberg
16.) Gruppenkunstfahren des Radfahrervereins Concordia Penzberg
17.) Tänze des Gebirgstrachtenerhaltungsvereins Stamm 1895 Penzberg

18.) „Feldgrauen Heimkehr" . . Marsch v. Blankenburg
19.) Vorspiel zu „Orpheus in der Unterwelt" v. Offenbach
20.) „Der Müller und der Schmied" Charakterstück v. Eilenberg
21.) Soldatenlieder . . . Potpourri v. Hanemann

Pause

Anschliessend Fortsetzung des Konzerts

42. Festprogramm der Barbarafeier (1933).

43. Ansprache zur Maifeier (1934).

Man wollte sich sein Barbarafest nicht nehmen lassen. Dennoch wurde für 1934 die Zusammenlegung des Bergfestes mit der Maifeier erzwungen, weil man der Ansicht war, neben der einen großen, reichsweiten und nationalsozialistischen Feier der deutschen Arbeit sei keine berufsständische Festlichkeit erwünscht. Es entstand eine Art Mischprogramm aus Festteilen der Maifeier von 1933 und des Bergfestes: Der Morgen gehörte, wieder mit einem Gottesdienst, den Bergleuten[205]. Die Grubendirektion wird sich nur widerstrebend gefügt und in den Monaten nach der Maifeier 1934, zusammen mit anderen Gruben und den regionalen sowie auch überregionalen Vertretungsorganen, zugunsten einer Beibehaltung der Barbarafeier interveniert haben – mit dem Erfolg, daß im Jahre 1935 wieder ein eigenes Bergfest stattfand, das künftig nicht mehr, so eine ausdrückliche Anordnung der Münchener Direktion der Oberkohle, mit anderen Veranstaltungen »größeren Rahmens« zusammenfallen solle; auch werde man künftig »wieder Kirchgang halten«[206]. In der Festansprache hieß es, die Trennung der beiden Feste habe einem Wunsch der »Gefolgschaft« so sehr wie der Direktion entsprochen. Die Wünsche der Belegschaft werden eher von dem üblicherweise reich strömenden Freibier, zu dessen Abgabe sich die Zeche bei der Maifeier angesichts der vielen Fremden sicher nicht verstanden hatte, veranlaßt worden sein. Fortan wurde das Bergfest wieder regelmäßig unter Wahrnahme des kirchlichen Brauchs gefeiert, aber erst 1939 erging ein Erlaß des Reichswirtschaftsministers, durch den Barbarafeste »in dem erforderlichen bescheidenen Rahmen« als Brauchtumsfeste gebilligt wurden[207]. Sozusagen als Konzession wurde der nationalsozialistischen Betriebsvertretung anscheinend regelmäßig der Vorabend mit einem »Betriebsappell« eingeräumt[208]. Das Bergfest ist während des Krieges anfangs noch in verkleinertem Rahmen, seit 1942 dann nicht mehr gefeiert worden.

Mithin ist es dem Nationalsozialismus in einem wichtigen Teilbereich dessen, was man unter dem Begriff der »Betriebsgemeinschaft« propagierte, nicht gelungen, seine Vorstellungen zum Durchbruch zu bringen. Penzberg und sein Bergbau war dabei nur ein Beispiel für diese Auseinandersetzungen, in denen der Versuch der nationalsozialistischen Neuprägung oder auch nur Penetration der Überlieferung scheiterte. Die bergbauständische Eigenprägung in der Brauchtumspflege, hochgehalten von konservativen Bergbeamten so sehr wie von weiten Kreisen der Unternehmerschaft, erwies sich als resistent[209], die Durchsetzung anderer Formen wäre in dieser Zeit, in der man vornehmlich dieses Rohstoffproduzenten bedurfte, mit nicht vertretbaren Reibungsverlusten verbunden gewesen. Größeren Erfolg hätte man möglicherweise gehabt, wäre den Ende 1933 in NSBO- und DAF-Kreisen so angeregt diskutierten ständischen Reorganisations-

---

[205] Programm in: StAM, NSDAP 646–654 sowie 655; s. auch PA 97/28. 4. 1934. Die Penzberger OGr. bemühte sich, als bekanntesten Gauredner in Sachen DAF Kurt Frey zu gewinnen.
[206] Nach StAM, OK 345/IX, Anordnungen der Direktion vom 10. 4. und 20. 7. 1935; Text der Festansprache ebenda. Schon Direktor Kleins Ansprache bei der Maifeier 1934 (ebenda) hatte keinen Zweifel daran gelassen, daß man den Tag vornehmlich als Bergfest-Tag verstand und die »Anteilnahme der politischen Leitung der NSDAP« nur anerkannte.
[207] Ebenda, Erlaß vom 30. 3. 1939.
[208] Hierüber kam es anscheinend wiederholt zu Auseinandersetzungen zwischen Werksleitung und VR, so daß erstere einem Betriebsappell am 28. 9. 1937 demonstrativ fernblieb. StAM, OK 149.
[209] Auch die Ruhrunternehmer empfanden derartige »Bemühungen sämtlich als anmaßend, aufdringlich und alles in allem ›bergfremd‹«; Gillingham, a.a.O., S.334.

44. Angetreten zur Maifeier: Unterschiedliche Ausführung des Hitler-Grußes bei Bergknappen und Mitgliedern von NS-Formationen.

plänen der Wirtschaft mehr Einfluß beschieden worden. Doch ist die privatwirtschaftliche Struktur des deutschen Bergbaus nicht angetastet worden. So sah man sich zu Konzessionen genötigt, so daß schließlich auch von höheren Parteiführern der bergbaulichen Tradition gelegentlich Respekt gezollt wurde. Für Penzberg ist diese Entwicklung insofern bemerkenswert, als bergbauliche Traditionspflege vor 1933 nicht sonderlich tief verwurzelt gewesen war, jedoch – neben der »Bergkapelle« – genau in den Bereichen gepflegt worden war, in denen man sich schließlich durchsetzen konnte. Es ist wahrscheinlich, daß die Werksleitung und Direktion im Uniformen- und Bergfeststreit mehr als bloße Wahrung bergbaukultureller Traditionen, nämlich demonstrative Gesten unternehmerischer und betrieblicher Unabhängigkeit in einem Bereich erstrebte, in dem eine solche Auseinandersetzung den Nationalsozialisten ideologische Schwierigkeiten bereiten mußte.

Von seiten der NSDAP, in der 1935 für Oberbayern das Lied »Brüder in Zechen und Gruben« offiziell zum Marschlied erhoben wurde[210], wird man sich dieser beharrlichen Formpflege um so mehr gefügt haben, als im übrigen im Betrieb die nationalsozialistische Präsenz in Gestalt des Vertrauensrats fest und unbestritten verankert war. Ihm war gerade in dem, was er unter »Betriebsgemeinschaft« verstand, alltäglich freier Raum gegeben. Die Belegschaft hat diese ideologische Berieselung nicht sonderlich berührt, und die Zeche hat anscheinend nicht sehr viel zu ihrer Unterstützung unternommen. Im Jahre 1936 hatten bis zum Herbst drei Betriebsappelle *nicht* stattgefunden: Ein erster wurde, wie die Werksleitung ihrer Münchener Direktion auf eine Beschwerde des Vertrauensrats berichtete, »wegen zu geringer Beteiligung« abgesagt, ein zweiter war aus organisatorischen Gründen hinfällig geworden, und beim dritten, der immerhin anläßlich einer Führerproklamation am 29. September 1936 anberaumt worden war, kamen Betriebsstörungen dazwischen[211].

In der hierin erkennbaren Unlust von Belegschaft und Werksleitung, zwischen denen gar so etwas wie eine stillschweigende Interessenkoinzidenz gegen die Eingriffe des im Vertrauensrat personifizierten Regimes bestanden haben mag, wird sehr viel mehr an Realität von »Betriebsgemeinschaft« erkennbar[212] als in den zahllosen verfärbenden Lobpreisungen der »verschworenen Bande«[213], der Arbeit überhaupt und der Arbeitspflicht insbesondere.

Denn in diesen Lobeshymnen der Arbeit steckte manches Mal für den, der Bergarbeit verrichtete, soviel Albernheit, daß er achselzuckend und allenfalls belustigt, jedoch verdreckt und verschwitzt wie allezeit wieder zur Hacke griff. Wem der dröhnende, rasselnde und fauchende Abbauhammer zum »Kleinod des Hauers«[214] verklärt wurde, aus dem noch gar, »den Ton und den Rhythmus« im Ohr, eine »Sinfonie der Arbeit«

---

[210] Nach StAM, NSDAP 654.
[211] Nach StAM, OK 287, VR 9. 10. 1936.
[212] Vgl. bes. Mason, a.a.O., S. 41–45, sowie die sehr überzeugende Kritik von Winkler, Heinrich A.: Vom Mythos der Volksgemeinschaft, in: AFS 17 (1977), S. 484–490.
[213] So Gaubetriebsgemeinschaftswalter Pg. Moosrainer beim Penzberger Betriebsappell am 20. 9. 1937, OB 10/1937.
[214] OB 11/1937.

erscholl[215], der sah sich kaum noch gedrängt, zusätzliche Kenntnisse über die »Schönheit der Arbeit« aus dieser und den anderen regelmäßigen Schriften wie *Vierjahresplan, Arbeit und Wehr, Arbeitertum* und manche andere[216] zu gewinnen. Das soll nicht heißen, daß die unter »Schönheit der Arbeit« vollbrachten zahlreichen Kampagnen am Werk Penzberg spurlos vorübergegangen wären: Vor allem bei Neuanlagen nahm man, darin bestand der wesentlichste Erfolg, auf ein gefälliges Äußeres durch Anstrich und Grünanlagen besonders aber auch auf die Bedürfnisse der Mannschaften von der Markenkontrolle über die Waschkaue und Lampenstube bis zur Hängebank Rücksicht, und der Vertrauensrat als die Polizei der »Schönheit« verlegte einen wesentlichen Teil seiner Tätigkeit auf dieses Feld[217]. Den Arbeitsplatz im Bergbau jedoch »hell, luftig und bequem« zu gestalten[218], das dürfte selbst den nationalsozialistischen Organisationsgenies schwergefallen sein. Schmutz, Eintönigkeit und Kraftanstrengung der Bergarbeit ließen sich auch von Nationalsozialisten, die überraschend der Arbeitsentfremdung gerade am Beispiel des Bergbaus manche Zeile widmeten[219], nicht hinwegdiskutieren – der Alltag in der Grube sorgte schon dafür, daß die Selbsteinschätzungen der Bergleute im richtigen Lot blieben.

Gleichwohl fanden auf einer vom Arbeitsplatz abgehobenen Ebene, die sich wieder stark mit den binnenständischen Traditionen des Bergbaus berührte, deutliche wechselseitige Durchdringungen von Standestum und Nationalsozialismus statt. Zwei Beispiele seien hierfür ausgebreitet. Ein Fr. Stolze sah sich, eingedenk der Forderung Robert Leys, »Soldaten der Arbeit« zu erziehen, »von denen die einen befehlen und die anderen gehorchen«[220], veranlaßt, in langatmigen Versen die frühneuzeitliche Wehrhaftigkeit des Bergmannstands zu beschwören[221]:

---

[215] Bax, Arbeit, a.a.O., S. 482. Man vergleiche hiermit die fotografische Dokumentation des schwerindustriellen Arbeitsplatzes nach dem Beispiel des Parteitags-Lichtdoms, z. B. in den Publikationen des Oldenburger Stalling-Verlags, darunter das zit. Werk von Winschuh, a.a.O.
[216] So die Titel einiger der Zeitschriften, die in Penzberg den Abteilungsleiter regelmäßig zur Einsicht vorgelegt erhielten; StAM, DAF (Oberkohle), unverz. Zu den einzelnen Kampagnen und zur Organisation von »Schönheit der Arbeit« s. jetzt bes. den Aufsatz von Rabinbach, a.a.O.
[217] Vgl. etwa StAM, OK 287, VR 21. 12. 1934, 21. 11. 1935, 3. 11. 1939; OB 7/1937, »Schönheit der Arbeit«.
[218] Bergbau. Mitteilungsblatt für die DAF-Walter und Vertrauensräte der Reichsbetriebsgemeinschaft Bergbau Nr. 4/1937, »Schönheit der Arbeit im Bergbau«.
[219] Dieser Punkt erscheint einer bes. Untersuchung wert. Bax, Arbeit, a.a.O., widersprach dezidiert der Entfremdungstatsache; vielmehr vermöge »das Schaffen im Bergwerk seiner Art nach innerlich wohl zu befriedigen« Festzustellen sei, »daß der Bergmann nicht an der seelischen Leere seiner Arbeit kranken kann, daß seine Unzufriedenheit vielmehr aus dem niederdrückenden Einfluß einer materialistisch wertenden Zeit zu erklären war« (S. 483, 489). In seiner Antwort auf diesen Aufsatz betonte der Reichsbetriebsgemeinschaftsführer Bergbau, A. Padberg, ebenfalls, man müsse sich »aus den Fesseln und Bedingungen früherer Anschauung und Erziehung lösen und die neue Lehre« des Nationalsozialismus in sich »einströmen lassen«; und zwar durch den Gemeinschaftsgedanken. »Entwurzelung« war jedoch in der NS-Zeit das Synonym für Entfremdung, so daß man – an anderer Stelle – der Behauptung, die Einwohnerschaft des Ruhrgebietes bestehe nur aus Zugewanderten, als »durchaus irrig« widersprach: Es unterliege keinem Zweifel, daß man unter Bergleuten »einen guten Nährboden« für die »Wiederverwurzelung« finde. Zitate: Padberg, A.: Wege zu wahrer Gefolgschaftsführung, in: Glückauf 72 (1936), S. 1055–1061, 1055; »Gefolgschaftstreue in der Industrie. Generationen im Dienst des gleichen Werkes«, in: Deutsche Bergwerkszeitung Jg. 39, Nr. 8/11. 1. 1938. Vgl. auch das Zitat bei Mason, a.a.O., S. 36, über »heimatlose Menschen«.
[220] Ley vor der Siemens-Belegschaft 1933, zit. n. Broszat, Der Staat Hitlers, a.a.O., S. 190 Anm.; über »Offiziere der Wirtschaft« s. auch Padberg, a.a.O., S. 1057.
[221] OB 1/1937.

»Bergknappenpflichten.
Der Heimat zu nützen, einander zu schützen,
Ist jeglichen Bergmanns oberste Pflicht ...
Die Vorschrift zu halten, mit Umsicht zu walten,
Und immer bereit sein zu treulicher Wacht,
Ist wackerer Knappen Ehre und Ruhm,
Des ehrlichen Bergmanns Heiligtum ...
Für alle, die schaffen am Quell deutscher Waffen,
Ein Vorbild zu sein, ein Mahner und Schild –
Ist's nicht der Arbeit gesegnetste Tat?
Wie denkst du darüber, mein Kamerad?«

Sehr viel zurückhaltender als der Verfasser dieses martialischen Gesangs vereinte der ehemalige Penzberger Sozialdemokrat Alois Kapsberger den alten Topos von der »Schlichtheit« des Bergmanns mit den »Sinfonien der Arbeit« in seinem Gedicht über die »Bergarbeiterstadt Penzberg«[222]:

»Ich besitze kein Denkmal aus Marmor,
keinen einzigen prunkvoll'n Palast.
Ich habe kein historisches Stadttor,
mir wohnte nie ein König zu Gast.

Mir fehlt ein Theatergebäude,
mich umgibt keine vornehme Welt,
mir macht die Bescheidenheit Freude,
obwohl so manches noch fehlt.

Weder Schloß noch Burg nenn ich eigen,
keine Oper, wo ein Sänger mir singt,
durch das nächtliche finstere Schweigen
nur das Lied der Arbeit erklingt.

Vernehmt die gewaltigen Töne,
wie es singt bei Tag und bei Nacht.
Dies sind meine treuesten Söhne,
all die Männer unten im Schacht.

Aus der Knappen Arbeit und Bürde
im Kampf um Kohle und Stein
entsteht mir ein Denkmal zur Zierde,
braucht ja aus Marmor nicht sein.

Kein Gruß kann schöner wohl klingen,
als der des Bergmanns jeher schon war,
sein Glückauf beim Steine bezwingen,
Glückauf auch in Not und Gefahr.

Weder Schloß noch Burg nenn ich eigen,
keine Oper, wo ein Sänger mir singt,
durch das nächtliche finstere Schweigen
nur das Lied der Arbeit erklingt«.

---

[222] OB 10/1938. Auch Kapsberger, Alois: Gewerkschaftsbewegung in Penzberg, 2 Bde., Ms. o. O. o. J. [Penzberg 1934], ist eine Fundgrube für einfache Bergarbeitergedichte nicht nur des Verfassers.

45. Schönheit der Arbeit: Die Zechengebäude aus nationalsozialistischer Sicht.

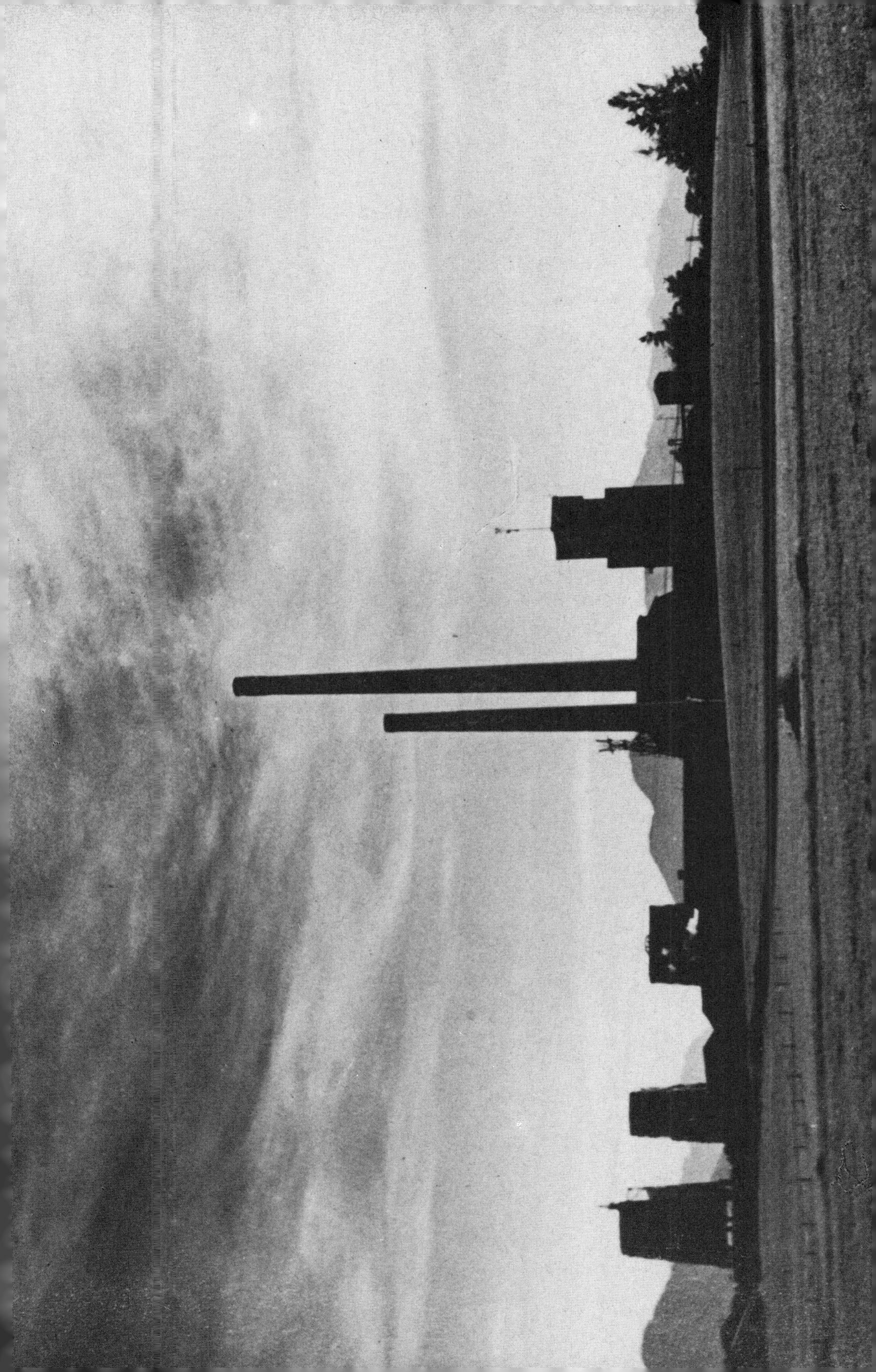

5. »Vertrauens«-Rat und Opposition

»Aus den vor der Machtübernahme bestandenen außerordentlich schwierigen Verhältnissen [habe] sich der Gedanke der Betriebsgemeinschaft in erfreulicher Weise entwickelt«, und »die Arbeitsfreudigkeit im Betrieb [sei] als günstig zu bezeichnen«, behauptete die DAF in ihrer Stellungnahme zur Bewerbung der Grube für die Auszeichnung als NS-Musterbetrieb im Jahre 1937[223].

Das war, dem hohen Zweck zuliebe, nicht nur ein aufgebesserter, sondern schlicht ein falscher Kommentar, der durch die betriebliche Wirklichkeit in keiner Weise bestätigt wird. Von anderen Stellen wurde denn auch, wie wir zeigen werden, durchweg vom Gegenteil berichtet: von anhaltender Unlust und Gereiztheit der Penzberger Bergleute, von Bummelei und Blauen Montagen, von Widerspenstigkeit bis hin zur Auflehnung. Auch auf die Wirksamkeit und Wirkungsmöglichkeit des Vertrauensrats ließ sich eine solche Stellungnahme nicht beziehen. Diese Geburt nationalsozialistischer Wirtschafts-»Reform«, ein schwacher Zwitter aus Interessenvertretung und Gemeinschaftsillusion, hat in Penzberg nicht recht gedeihen können, auch wenn man ihr manchen Erfolg im kleinen Alltag nicht bestreiten kann: Von der Arbeiterschaft kritisiert und bespöttelt und von der Werksleitung bei Gelegenheit mißtrauisch beargwöhnt, gewann sie selbst in der Partei nicht immer den erwünschten Rückhalt.

Der alte Betriebsrat war, wie dargelegt wurde, im Zuge der Machtergreifung und Gleichschaltung der Gewerkschaften vollständig, wenn auch unter Personalnot und deshalb zugunsten der Werksangestellten, ausgetauscht worden. Von dem neuen Gremium ist zunächst, auch weil man eine umfassende, Anfang 1934 dann eingeleitete Neuregelung der Betriebsverfassung erwartete, wenig zu berichten. Ein Vertrauensrat wurde aufgrund der zweiten Durchführungsverordnung vom 10. März 1934[224] des Gesetzes zur Ordnung der nationalen Arbeit am 19. und 20. April 1934 gewählt. Wir fassen das Ergebnis dieser Wahl mit jenem der letzten jemals erfolgten, nämlich der Vertrauensratswahl vom folgenden Jahr, am 12. und 13. April 1935, zusammen, da die Tendenzen übereinstimmten und sich eher noch verstärkten (Tab. 49, S. 321).

Zur Wahlhandlung wurde ein ausgedruckter Stimmzettel mit den Namen der Einheitsliste, unterteilt nach Vertrauensrats-Kandidaten und Ersatzleuten, vorgelegt. Die hohe Wahlbeteiligung konnte durch organisatorische Maßnahmen, darunter besonders die Aufstellung der Wahlurnen zum Schichtwechsel an zentraler Stelle, erzielt werden; besonderer Druck etwa dergestalt, daß nicht benutzte Stimmzettel zurückzugeben wären, ist anscheinend nicht ausgeübt worden.

War das Ergebnis von 1934 nicht gerade erhebend ausgefallen, so muß jenes von 1935 geradezu niederschmetternd gewirkt haben. Der Vertrauensrat entbehrte des Vertrauens der Belegschaft. Schon für 1934 fällt auf, daß fast alle Ersatzleute deutlich mehr Stimmen erhielten als die eigentlichen Kandidaten und daß überhaupt der letzte Mann auf der Liste die meisten Stimmen auf sich zog. Steiger Seltmann, bekannter Nationalsozialist, galt auf

---

[223] Stellungnahme der DAF: StAM, DAF (Oberkohle), unverz.
[224] Text nebst weiteren Unterlagen in StAM, OK 313.

Tabelle 49
Vertrauensratswahlen der Grube Penzberg 1934/35[225]

	VR-Wahl 1934 Stimmen	Prozent	VR-Wahl 1935 Stimmen	Prozent	Veränderungen 1934/35 Prozent
Wahlberechtigte (Belegschaft)	1333	100	1348	100	
Wahlbeteiligung	1203	90,2	1255	93,1	+2,9
Ungültige Stimmzettel	99	7,4	154	12,3	+4,9
Abgegebene gültige Stimmen davon:	1104	100	1101	100	
gänzlich durchgestrichene Stimmzettel	91	8,2	155	14,1	+5,9
teilweise gestrichene Stimmzettel	440	39,9	379	34,4	−5,5
unverändert abgegebene Stimmzettel	573	51,9	567	51,5	−0,4

Ergebnisse (Stimmenzahl und Prozentanteil der abgegebenen gültigen Stimmen)

Andreas Daiser, Hauer	880	79,7	817	74,2	−5,5*
Fritz Seltmann, Steiger	726	65,7	688	62,4	−3,3*
Martin Rebhan, Hauer	827	74,9	796	72,3	−2,6*
Josef Kapfhammer, Rechnungsführer	828	75,0	762	69,2	−5,8*
Johann Häusler, Bergwerksschmied	849	76,9	815	74,0	−2,9*
Rudolf Kopp, Hauer	810	73,3	763	69,3	−4,0*
Otto Meier	840	76,0			**
Josef Berger	794	71,9			**
Benno Meier	803	72,7			**
Michael Naierz, Hauer	904	81,9	815	74,0	−7,9***
Josef Köck, Zimmerer	873	79,0	799	72,5	−6,5***
Ludwig Berger, Hauer	871	78,9	792	71,9	−7,0***
Mathias Wörle, Fahrhauer	848	76,8	810	73,5	−3,3***
Vinzenz Berger, Hauer	874	79,2	815	74,0	−5,2***
Jakob Eckinger, Rechnungsführer	865	78,3	819	74,4	−3,9***
Johann Schweiger, Magaziner	835	75,6	803	72,9	−2,7***
Magnus Hölzle	864	78,3	833	75,6	−2,7***
Johann Sepperl	911	82,5			
Alois Stockhammer, Hauer			836	75,9	*****
Jakob Stadler, Tagarbeiter			836	75,9	*****
Johann Gstrein, Hauer			853	77,5	*****
Ludwig Pitzl, Hauer			848	77,0	*****

* = VR 1934 und 1935
** = VR 1934
*** = Ersatzmann 1934, VR 1935
**** = Ersatzmann 1934 und 1935
***** = Ersatzmann 1935

---

[225] Zusammengestellt, u. z. T. errechnet nach den ausführlichen Verhandlungsniederschriften über die Wahlvorgänge: StAM, OK 313.

der Grube als einer der besonders schlechtgelittenen Angestellten; dem Hauer Daiser wird 1934 zustatten gekommen sein, daß er immerhin als sozialdemokratischer Stadtratskandidat und Vertrauensmann auf der Grube in den Jahren 1926 bis 1929 in Erinnerung war. Im Jahre 1935 konnte nicht ein einziger Vertrauensrat oder Ersatzmann sein Stimmenergebnis verbessern. Während zwar die Wahlbeteiligung zunahm, wuchs der Anteil der ungültigen und gestrichenen Stimmzettel erheblich, wobei nicht erkennbar ist, ob und in welchem Umfang gestrichene Stimmzettel dennoch gewertet wurden. Jedoch bekundeten nach dem Ergebnis mindestens 26,4 Prozent der Wähler bzw. rund 23 Prozent der Belegschaft durch Streichung oder Veränderung zur Ungültigkeit ihren Protest gegen Wahlverfahren und Kandidaten.

Das Wahlergebnis bestätigte trotzdem 1934 und 1935 den Listenvorschlag, reichte es doch aus, wenn die Kandidaten eine Mehrheit von 50 Prozent der abgegebenen gültigen Stimmen auf sich zogen.

Dabei scheinen die Penzberger Ergebnisse quer zu den reichsweiten Trends der Vertrauensrätewahlen zu liegen. Während allgemein für die Wahlen von 1934 von einem »niederschmetternde[n] Ergebnis« gesprochen wird[226], bei dem nicht einmal die Hälfte der Stimmberechtigten die nationalsozialistischen Listen gewählt haben soll, sollen sich die Ergebnisse 1935 deutlich verbessert haben, obwohl auch für diese Wahl totale Mißerfolge gemeldet worden sind[227]. In sozialdemokratischen und kommunistischen Hochburgen waren Boykottbewegungen zum Teil außerordentlich erfolgreich. In Penzberg scheint für ein solches Verhalten nicht agitiert worden zu sein – ein erster Hinweis darauf, daß der Ort, obwohl bis 1933 »als radikalster Kommunistenort in Bayern bekannt«[228], nach der Machtübernahme von illegalen Einflußversuchen nicht oder wenig berührt wurde.

Im Jahre 1936 wurden nach den Erfahrungen der Vorjahre die Vertrauensratswahlen auf 1937, in diesem Jahr auf 1938 und dann »bis auf weiteres« vertagt; diese Vertagung soll 1936 unter den Penzberger Bergleuten »lebhafte Kritik« hervorgerufen haben. Ein solches Verhalten erscheint wahrscheinlich, konnte sich darin doch nicht so sehr Mißfallen über das Ausbleiben des eigentlichen Wahlaktes, sondern über das faktische Eingeständnis der »Befürchtung eines ungünstigen Wahlausganges«[229] äußern. Von einer »Hetze im Betrieb gegen den Vertrauensrat« sprach Daiser in einem seiner Stimmungs-

---

[226] Schumann, a.a.O., S. 128.
[227] Vgl. die Angaben bei Schumann, a.a.O., S. 128f.; Broszat, Der Staat Hitlers, a.a.O., S. 204f., sowie Gross, Günther: Der gewerkschaftliche Widerstandskampf der deutschen Arbeiterklasse während der faschistischen Vertrauensräte-Wahlen 1934. Berlin [O] 1962, S. 57–61, unter bes. Betonung der KP-Aktivitäten; Mason, a.a.O., S. 98; für Berlin etwa: Schaefer, Alfred: Die Widerstandskämpfe im Zuchthaus Brandenburg-Görden 1933–1945, in: Aus Politik und Zeitgeschichte 18/3. 5. 1980, S. 3–32, 10; vgl. auch Reichardt, Hans Joachim: Die Deutsche Arbeitsfront. Ein Beitrag zur Geschichte des nationalsozialistischen Deutschlands und zur Struktur des totalitären Herrschaftssystems, phil. Diss. (Ms.) Berlin 1956, S. 116–124; für das Ruhrgebiet: Plum, Günther: Die Arbeiterbewegung während der nationalsozialistischen Herrschaft, in Reulecke, Jürgen (Hrsg): Arbeiterbewegung an Rhein und Ruhr. Beiträge zur Geschichte der Arbeiterbewegung in Rheinland-Westfalen. Wuppertal 1974, S. 355–383, 368.
[228] Klein, a.a.O., S. 85.
[229] Vgl. BayHStA, MA 106 670, Monatsbericht Reg. Obb. vom 8. 5. 1936; s. auch: Broszat u. a. (Hrsg.), a.a.O., S. 251.

berichte 1935 kurz vor der Neuwahl, selbst[230]. Ebenso galt seine Kritik jedoch der Werksleitung.

»Wenn die Betriebsgemeinschaft von oben herunter besser gepflegt würde, könnte der Gedanke zum Nationalsozialistischen Staat anders aussehen, wie [!] gegenwärtig bei uns in Penzberg«[231].

Unter diesen, durch die Rechtsgrundlagen heraufbeschworenen Bedingungen ließ, sich die Tätigkeit im Vertrauensrat nicht sehr erquicklich an. Er konnte auf Rückhalt in der eigenen Organisation, der um die Jahreswende 1933/34 unter Einverleibung der NSBO reformierten DAF, nicht ausdrücklich rechnen – mit einer Ausnahme: Die Rechtsberatungsstelle der DAF in Weilheim erwies sich, häufig jedoch gerade unter Umgehung des Vertrauensrats, als eine in Einzelfällen wirksame Schutzeinrichtung für die Arbeiter gegen manche Willkür der Zeche. Gelegentlich mochte man sich auch auf den Bürgermeister Bogner stützen, während sich der Einfluß des zuständigen Treuhänders im wesentlichen auf Ernennung neuer Vertrauensmänner beschränkte.

Organisatorisch galt die Grube seit Anfang 1934 als »Zelle« der DAF in der Ortsgruppe Penzberg, die insgesamt rund 2500 Mitglieder hatte. Die Zelle umfaßte in 30 Blocks zunächst 814 Einzelmitglieder mit einem Beitragsaufkommen von (April 1934) 1528,20 Mark. Die übrigen etwa 700 Bergleute gehörten noch dem gleichgeschalteten Bergbauindustriearbeiter-Verband an, doch stand ihre Eingliederung in die DAF zu diesem Zeitpunkt unmittelbar bevor. Nach der damit verbundenen Neugliederung bestand faktisch Zwangsmitgliedschaft. Die DAF-Beiträge wurden nach einem Abkommen vom Lohnbüro der Zeche erhoben[232]. In der frühen Phase – bis etwa Ende 1934 – gab es manche Unstimmigkeiten mit jenen, die die Beiträge überhaupt, insbesondere aber im Vergleich etwa mit den in der NS-Hago zu zahlenden Beiträgen, für viel zu hoch hielten[233]. Auch hierin spielte die Aufarbeitung der Vergangenheit in Gestalt gegenseitiger »Marxismus«-Verdächtigungen während der »Kampfzeit« eine bedeutende Rolle.

Auf die Arbeit des Vertrauensrats hat die DAF-Ortsgruppe praktisch nur dann Einfluß gehabt, wenn es um Vertrauensratsschulung[234] oder um die Propagierung von KdF-Fahrten ging; einen interessenpolitischen Rückhalt gab es um so weniger, als Rechnungsführer Kapfhammer als DAF-Ortswalter und Betriebszellen-Obmann, besonders seit 1938 auch Wortführer im Vertrauensrat, im allgemeinen eng mit Werksleitung und Vertrauensrat in Verbindung stand und im übrigen der DAF die Gewährung eines solchen Rückhalts nachgerade untersagt war. Vorsitzender des Vertrauensrates war der Werksführer, der die Sitzungen leitete und zeichnungsberech-

---

[230] StAM, NSDAP 655, Stimmungsbericht des VR vom März 1935; über »gewisse Elemente«, »die in gemeiner Weise versuchen, den Vertrauensrat zu sabotieren«, s. dass. vom 6. 11. 1934, NSDAP 646–654.
[231] StAM, NSDAP 555, Stimmungsbericht d. VR. f. Juni 1935.
[232] Nach StAM, NSDAP 646–654, Tätigkeitsbericht vom 5. 5. 1934; zum Beitragseinzug auch OK 530. Der monatliche Durchschnittsbeitrag lag demnach für die Grube Penzberg 1934 bei 1,90 Mark, 1940 bei 3,– Mark.
[233] Vgl. ebenda, Beschwerde und Gesuch um Suspendierung des Ortsgruppenbetriebswarts Kapfhammer, 19. 2. 1934.
[234] Vgl. hierzu wegen der gleichzeitig an die Werksleitung ergangenen Aufforderungen zahlreiche Unterlagen in StAM, OK 462, ferner Einladungen in NSDAP 609 sowie Berichte im OB.

tigt war. Der Vertrauensrat war, wie die Werksleitung in aller Klarheit hervorhob[235], kein Betriebsrat und besaß beispielsweise kein Verhandlungsmandat mit dem Betriebsführer in irgendwelchen Fragen; er hatte vielmehr mit der Werksleitung »zusammen« zu wirken in der »Beratung« von Maßnahmen, die zur Verbesserung der Arbeitsleistung und Gestaltung der Arbeitsbedingungen, darunter die Festlegung von Strafen, erforderlich schienen, doch entschied auch nach Beratung der Betriebsführer eigenverantwortlich. Gegen seine Entscheidung war, über den Betriebsführer, Anrufung des Treuhänders zulässig, soweit Beratungsaufgaben des Vertrauensrats berührt wurden.

Vertrauensratssitzungen sollten monatlich stattfinden, jedoch bedurfte es wiederholt der Erinnerung bei der Werksleitung, daß eine erneute Sitzung erwünscht war. Ursprünglich alle zwei Monate, faktisch dann jedoch höchstens einmal jährlich, sollten gemeinsame Sitzungen mit dem Vertrauensrat der Grube Hausham und der Direktion der Oberkohle abgehalten werden. Hierzu wurde ein Beirat des Vertrauensrats gewählt. Er bildete im übrigen zur Wahrnehmung seiner Aufgaben Ausschüsse über das Strafwesen, Sicherheitsangelegenheiten, Übertagearbeit, Wohnungsangelegenheiten und Fragen der Betriebsordnung[236] und sagte für die fernere Zusammenarbeit zu, er wolle »nichts an eine andere Stelle« über Bergwerksangelegenheiten melden – ein in der Folgezeit von hoher Stelle bekräftigtes Erfordernis, gleichwohl ein in Penzberg nicht immer eingehaltenes Versprechen[237]. Dem früheren Betriebsrat hatte ein Aufsichtsratsmandat zugestanden, das auch nach der Gleichschaltung von Daiser zunächst wahrgenommen worden war; die Oberkohle lehnte eine weitere Entsendung eines Vertrauensratsmitglieds in dieses Gremium nunmehr kategorisch ab[238].

Der Obmann des Vertrauensrats wurde während zweier Wochentage zum Bürodienst und zweier weiterer Tage zur Befahrung einzelner Betriebsabteilungen von der Arbeit freigestellt[239]. Im übrigen lehnte sich die Organisation der Steigerrevier-Befahrungen, da die bergrechtlichen Sicherheitsvorschriften insoweit fortgalten, an die bisherigen Gepflogenheiten des Betriebsrats an: Man unterteilte Befahrungsreviere, Abstände der Befahrungen und Fahrbuch-Eintragungen. Eigene Erlasse bzw. Absprachen erfolgten in der Frage der Mitwirkung der Vertrauensmänner in Problemen der Sicherheit und Unfallverhütung, wobei sich die Direktion der Oberkohle hier wie häufiger seit 1933 den im Ruhrgebiet getroffenen Vereinbarungen anpaßte[240]. Im Sinne einer Soll-Bestimmung wurde beispielsweise die Hinzuziehung von Mitgliedern des Vertrauensrats bei Betriebsabnahmen, Besichtigungen, Prüfungen, Unfalluntersuchungen und Unfallverhütungs-

---

[235] Unter der Überschrift »Der Vertrauensrat ist kein Betriebsrat« ließ die Direktion OB 11/1935 eine Bekanntmachung des Treuhänders der Arbeit für das Wirtschaftsgebiet Nordmark mit einer präzisen Übersicht der Tätigkeitsmerkmale der Vertrauensräte abdrucken; vgl. OB 5/1936, »Aufgaben des Treuhänders der Arbeit«.
[236] Nach StAM, OK 287, VR 12. 6. 1934.
[237] Ebenda, VR 26. 7. 1934. Der Sondertreuhänder für den Bergbau, Prof. Börger, empfahl unter dem 26. 1. 1939 dringend, in die Betriebsordnungen eine Bestimmung einzufügen, wonach eine erfolgreiche Zusammenarbeit »gestört« werde, »wenn Streitigkeiten aus den Betrieben herausgetragen werden, ehe der Versuch gemacht wird, sie unter den unmittelbar Betroffenen beizulegen«. BayHStA, MWi 2266.
[238] StAM, OK 287, VR 26. 7. 1934, sowie StAM, OK 313, Gaubetriebszellenleiter/OK 26. 4. 1933.
[239] Näheres s. StAM, OK 386.
[240] Vgl. ebenda, Direktion München 18. 10. 1934, unter Übernahme einer Vereinbarung zwischen den Ruhrbergbau-Unternehmern und der Reichsbetriebsgemeinschaft Bergbau.

46. Prominenz am Biertisch: Otto Nippold (1. von links); Bürgermeister Otto Bogner (2. von links); Vertrauensrat Leiser (3. von links); Bergwerksdirektor Klein (2. von rechts).

47. KdF-Reise nach Madeira 1936; Vertrauensrat und 2. Bürgermeister Naierz (links) und Vertrauensrat, später Ortsgruppenführer Rebhan.

maßnahmen durch den zuständigen Bergrevierbeamten geregelt. All dies war wenig rechtsverbindlich, doch bestand gewöhnlich in der Person des Bergbeamten die Gewähr mindestens für eine Unterrichtung und Anhörung des Vertrauensrats. Die Oberkohle legte im übrigen bei bestimmten Fällen Wert auf die Einschaltung des Betriebsführers, »nachdem nur durch dessen Anwesenheit der Vertrauensrat zustande kommt«[241], suchte mithin die Kontrolle über den Informationsaustausch zwischen Vertrauensrat und Bergbehörde zu behalten.

Vertrauensratssitzungen wurden, nachdem der Vertrauensrat eine Tagesordnung vorgelegt hatte, durch vorherige Absprachen zwischen Grubenleitung und Direktion der Oberkohle recht intensiv durch Vorlagen und Materialsammlungen vorbereitet[242]. Zu den sich wiederholenden Themen gehörten Verbesserungen von Zufahrtswegen und bauliche Veränderungen, Gezähekosten und Bereitstellung von Gezähe durch die Zeche, Kantinenangelegenheiten, Ausbildungs- und Urlaubsfragen, Probleme des Schichtwechsels, der Unfallverhütung und des Wohnungswesens. In den genannten Fällen zeigte die Zeche stets Verhandlungsbereitschaft und ging auf Vorstellungen von Vertrauensratsmitgliedern ein. Kompromißlos erwies sie sich hingegen, wenn Fragen der Arbeitszeit und Entlohnung angeschnitten wurden. Als von seiten der DAF und offenbar auch im Vertrauensrat 1934 darauf gedrängt wurde, in die neue Betriebsordnung auch Regelungen über die Arbeitszeit aufzunehmen, erschien es der Direktion »unbedingt geboten«, daß man dieserhalb nicht auf irgendwelche Äußerungen im Vertrauensrat eingehe[243]; spätere Beschwerden des Vertrauensrats gegen das Überhandnehmen der Überschichten konnten leicht durch Hinweis auf überbetriebliche und politische Notwendigkeiten zurückgewiesen werden. Ende 1937 wandte sich die Werksleitung mit Entschiedenheit gegen Vertrauensratsforderungen nach Lohnerhöhungen, wobei wiederum die Rechtslage zustatten kam: Angesichts der verfügten Lohnordnung waren Verbesserungen nur mittelbar, durch Leistungszuschläge, möglich. In dieser Frage schwelte überdies ein Konflikt zwischen den beiden Vertrauensräten der Gruben Hausham und Penzberg, der, wie bereits gezeigt wurde, seitens der Direktion gezielt mit unrichtigen Angaben über Lohndifferenzen zwischen den Zechen geschürt wurde[244]. Größeren Erfolg hatte man in der leidigen Brandkohleregelung: Die Zeche gab, bis zu einer entschiedenen Intervention des Vertrauensrats, anscheinend grundsätzlich die schlechteste, unreinste Förderkohle als Deputatkohle ab[245]. Es war dies, wie ähnlich die Wohnungsangelegenheiten – hier wurde im Jahre 1939 auf Ersuchen des Vertrauensrats, die Wohnungsvergabe an den Bürgermeister zu delegieren, immerhin dessen Hinzuziehung zugesagt[246] – oder Fragen der Gedingeregelung, einer der längst aus den Jahren des Betriebsrats bekannten, sozusagen immerwährenden Streitpunkte[247].

---

[241] Ebenda, dass. 13. 5. 1935, auf der Grundlage des Erlasses des Reichswirtschaftsministers vom 19. 3. 1935.
[242] Im folgenden nach StAM, OK 287, VR-Protokolle.
[243] StAM, OK 67, Direktion München vom 25. 7. 1934, sowie ebenda, DAF/OK 20. 7. 1934.
[244] Vgl. o. S. 293 sowie StAM, OK 287, VR-Beirat 22. 1. 1937, VR 10. 11. 1937.
[245] Vgl. o. Anm. 136.
[246] Vgl. StAM, OK 287, VR 3. 4. 1939.
[247] Vgl. StAM, OK 49, 287, BR 29. 2. 1932 und 20. 2. 1933 sowie VR 21. 12. 1934, 1. 7. 1938, 19. 4. 1939.

Die Arbeit des Vertrauensrats, der in seiner Zwitterstellung zwischen Gemeinschaftsillusion und Interessenwahrung faktisch allein durch seine Existenz einen »institutionalisierte[n] Widerpart der materiell privilegierten Unternehmerseite«[248] bildete, gestaltete sich daher in keiner Phase gänzlich ohne Reibungen[249]. Wenn etwa die Werksleitung versuchte, das Gremium für ihre Zwecke einzuspannen, indem der Vertrauensrat bei spürbarem Leistungsrückgang zur Diskussion von Ursachen und Abhilfemaßnahmen, wie der Gesetzestext dies auch erlaubte, einberufen wurde[250], so war gelegentlich aus dem Gremium selbst zu hören, man möge doch die Schuld für geringe Leistungen nicht immer gleich auf die Arbeiter schieben[251]. Andererseits gab es immer wieder Querelen und, wie bei der verschwommenen Aufgabenbestimmung des Vertrauensrats auf der einen, der rechtlichen Ohnmacht der DAF in interessenpolitischen Angelegenheiten auf der anderen Seite nicht verwunderlich, Kompetenzrangeleien, die sich die Bergarbeiter anscheinend durch Beschwerdeführung bei solchen Gremien zunutze machten, deren Einschreiten Erfolg versprach. Das waren in erster Linie der örtliche Bürgermeister und die DAF-Rechtsberatungsstelle in Weilheim, und der Vertrauensrat mußte sich bei jeder neuen Beschwerde an diese Stelle düpiert sehen. Anfang 1937 ersuchte Obmann Daiser die zum Betriebsappell versammelte Mannschaft, man möge »bei Beschwerden sich ordnungsgemäß an den Betriebsführer bzw. den Vertrauensrat« wenden »und nicht immer zuerst an den Bürgermeister oder die Rechtsstellenabteilung«. Er wolle damit jedoch keineswegs den Bürgermeiser »in der Orientierung der politischen Richtung« behindern. Der Angesprochene, Bogner, in der betreffenden Sitzung anwesend, erklärte hierzu, die Bergleute sollten ruhig auch zu ihm kommen, »nachdem er für die politische Richtung verantwortlich« sei[252].

Das System begünstigte diese Kompetenzstreitereien ungemein. So war die DAF-Rechtsberatung in Weilheim einerseits Objekt solcher Auseinandersetzungen, indem sich die Bergleute unmittelbar an sie wandten, andererseits selbst handelndes Subjekt gegen den Vertrauensrat und den Betrieb, indem sie in das Betriebsgeschehen einzugreifen versuchte. In ersterer Funktion war der langjährige Weilheimer Rechtsberater Dr. Schwankhart durchaus erfolgreich, so erfolgreich, daß die Direktion der Oberkohle ihre Penzberger Werksleitung Anfang 1938 rüffelte, man habe sich in einem neuerlichen Fall – es ging um die angefochtene fristlose Entlassung eines Bergjungmanns, der nach Beendigung seiner Übertage-Ausbildung abgelehnt hatte, die Arbeit in der Grube fortzusetzen – »wieder einmal eine peinliche Abfuhr« vor Gericht geholt[253]. Schwankhart zögerte zugunsten von einzelnen Belegschaftsmitgliedern nicht, die Fälle vor das Arbeitsgericht in München zu bringen, so daß sich die Zeche nach Vorlage der Klageschrift wiederholt genötigt sah, einen außergerichtlichen Vergleich anzustreben oder die Sache schlicht durch Erfüllung der Forderungen aus der Welt zu schaffen. In den

---

[248] Winkler, Volksgemeinschaft, a.a.O., S. 486.
[249] Ähnlich für das Ruhrgebiet am Bsp. der Zeche Concordia: Gillingham, a.a.O., S. 335.
[250] Z. B. StAM, OK 287, VR 19. 4. 1939.
[251] So Daiser im VR 20. 9. 1937, ebenda.
[252] Zit. n. der Berichterstattung in einer »großen« VR-Sitzung der Gruben Hausham und Penzberg unter Anwesenheit lokaler und regionaler NS-Prominenz, Penzberg, 2. 3. 1937, Protokoll ebenda.
[253] StAM, OK 477, Direktion OK/Werksleitung Penzberg 15. 2. 1938.

mehreren Dutzend überlieferter Fälle[254] ging es zumeist um Restforderungen aus Kündigungen, um Urlaubs- und Gedingestreitigkeiten. Der Rechtsberater hatte also Erfolg mit seiner regelmäßig in Penzberg abgehaltenen Sprechstunde zu verzeichnen, und die Zeche, die stets viel darauf hielt, selbst niemals das Arbeitsgericht angerufen zu haben[255], mußte sich im »Leistungswettkampf 1937«, in dem sie vielleicht deshalb keine Auszeichnung erhielt, attestieren lassen, daß sie »in der Behandlung arbeitsgerichtlicher Streitigkeiten . . . eine großzügige Linie noch wenig erkennen« lasse[256].

Aber auch Schwankhart holte sich im Verlauf eines anderen, seit Herbst 1938 bis zum Kriegsausbruch schwelenden Konflikts eine peinliche Abfuhr. Leider lassen sich, da die Überlieferung lückenhaft ist, nicht alle Details dieser Auseinandersetzung zwischen Werksleitung, DAF, Vertrauensrat und einzelnen Personen der höheren Angestelltenschaft erkennen. Sicher scheint jedoch, daß die Belegschaft selbst bei den Vorgängen zunächst noch am wenigsten beteiligt war, vielmehr die Rolle eines Resonanzbodens spielte, in dem der Konflikt nachklang. Freilich pflegten nationalsozialistische Amtswalter gerade ein solches Nachklingen zu fürchten.

Rücktritte einzelner Vertrauensratsmitglieder von ihren Posten hatte es immer wieder einmal aus persönlichen Gründen, aber auch wegen gründlicher Verstimmung im Verhältnis zur Grubenleitung gegeben[257]. Anfang Oktober 1938 trat nun Betriebsobmann Kapfhammer von seinem Amt zurück, blieb jedoch zunächst Mitglied des Vertrauensrats. Anlaß des Rücktritts scheint Kapfhammers Engagement für drei Bergjungleute gewesen zu sein, die anläßlich der Übertragung einer Führerrede entgegen dem Verbot ihres Reviersteigers aus der Grube ausgefahren und deshalb mit einer Geldbuße belegt worden waren. Sie beschwerten sich deshalb beim Bürgermeister, der mithin sehr früh in den Konflikt eingeschaltet wurde, und lehnten die Wiedereinfahrt ab, solange die Buße nicht aufgehoben würde. Als die drei ihre Beschwerde dem Obersteiger unter Tage, Junghans, vortragen wollten, wies dieser ihnen mit dem Bemerken die Tür, man habe schließlich »keine kommunistischen Zustände«[258].

Daß die drei Hitlerjungen die Rede ihres Führers nicht sollten hören dürfen, muß in der Tat den überzeugten Nationalsozialisten Kapfhammer tief verstört haben. Es werden jedoch noch weitere, nicht erkennbare Auseinandersetzungen auch zwischen der DAF und dem Betriebsobmann für sein nicht erhaltenes Rücktrittsgesuch eine Rolle gespielt haben. Obersteiger Junghans scheint im übrigen in DAF-Kreisen wenig geschätzt worden zu sein, wie die Ereignisse im nächsten Jahr zeigen sollten.

Kapfhammers Rücktritt löste Solidarität im Vertrauensrat aus: Auch sein Stellvertreter Daiser erklärte den Rücktritt von seinem Amt. Darauf veranlaßte die DAF durch Moosrainer eine gemeinsame Sitzung des Vertrauensrats mit DAF-Vertretern und der örtlichen Politischen Leitung, worauf ersterer geschlossen und »freiwillig« seinen

---

[254] Vgl. mit protokollierten Aussagen, Schriftwechseln, Klageschriften und Urteilsabschriften StAM, OK 477.
[255] So wörtlich in beiden überlieferten Sozialberichten für 1941 und 1942, StAM, OK 479.
[256] Stellungnahme der Musterungsgruppe über die Zeche im Leistungswettkampf 1937 vom 21. 3. 1938, StAM, DAF (Oberkohle), unverz.
[257] Vgl. etwa StAM, OK 313, über einige Fälle 1939; zum Fall des auch von der DAF nicht gelittenen VR Hölzler, der eine Beleidigungsklage gegen Werksdirektor Klein eingereicht hatte, ebenda sowie OK 462 und 477.
[258] Nach Junghans' undat. (Anfang Okt. 1938) Stellungnahme in StAM, OK 287 (Beilage).

Rücktritt erklärte[259]. Noch am selben Tag wurde ein neuer Vertrauensrat unter dem Betriebsobmann Martin Rebhan ohne Berücksichtigung der Liste der Ersatzmänner eingesetzt: Nur drei der neun Mitglieder des Gremiums hatten ihm schon bisher angehört, und einer wurde von der Ersatzliste berufen; die übrigen fünf Vertrauensmänner trugen neue Namen.

Ganz ohne Zwang ging dieser Austausch nicht vonstatten. Jedenfalls sagte sich der in die Vorgänge bisher nicht eingeschaltete, in seinen Aktionen von persönlicher Unabhängigkeit geprägte Rechtsberater Dr. Schwankhart nach Rücksprache mit dem Reichstreuhänder für Arbeit im Wirtschaftsgebiet Bayern zu einer Untersuchung in Penzberg an, um festzustellen, »inwieweit die Vertrauensratsmitglieder des alten Vertrauensrats *freiwillig* und ohne Druck zurückgetreten seien«[260]. Von der Sache erhielt, vielleicht unter Nachhilfe der über den Rechtsberater längst erzürnten Werksleitung[261], der bereits in die Absetzung eingeschaltete NSDAP-Kreisleiter Dennerl Kenntnis, der die »Einvernahme der ehemaligen Vertrauensmänner« kurzerhand und sehr eilig untersagte[262]. Der Werksleiter verbot Schwankhart hierauf die Benutzung seines Büros, und im Verlauf einer »ziemlich erregten Auseinandersetzung« ließ sich letzterer davon überzeugen, daß es mit dem Rücktritt des Vertrauensrats seine Richtigkeit habe.

In Abwägung der Umstände hatte Dennerl wahrscheinlich die Entscheidung eingedenk einer möglichen Beunruhigung der Belegschaft durch umständliche Untersuchungen getroffen. Dennoch war das Hineinregieren von Parteidienststellen in Fragen der Betriebsverfassung und arbeitsrechtlichen Auseinandersetzungen typisch für den stets gestörten Informationsfluß zwischen den NS-Gremien, aber auch für das Unvermögen der DAF-Instanzen, aus eigener Kraft Sachklärungen so herbeizuführen, daß einmütig gehandelt wurde. Zugleich zeigen die Vorgänge, wie unselbständig der Vertrauensrat angesichts ungewisser Kompetenzen im Widerspiel konkurrierender Instanzen agierte und infolgedessen handstreichartig abberufen und eingesetzt werden konnte. Im neuen Vertrauensrat besaßen wieder die Werksangestellten ein nicht zu übersehendes Übergewicht. Seine Bestätigung durch den Reichstreuhänder dauerte, obwohl Schwankhart sie für die Tage nach der gescheiterten Untersuchung in Aussicht gestellt hatte, immerhin bis Anfang April 1939[263].

Anfang 1939 waren jedoch neue Umstände zu dem weiterschwelenden Konflikt getreten. Noch vor Görings Arbeitszeitverordnung hatte der Pechkohlenbergbau eine neue Tarifordnung bekommen[264], mittels derer ein Teil der bisherigen Zuschläge in den Grundlohn eingearbeitet worden war, mithin optisch die Zuschläge dezimiert erschie-

---

[259] Nach den Beilagen ebenda, mit Liste der neu eingesetzten VR. Die vorhergehenden VR-Sitzungen legen nahe, daß mindestens zu Daisers Rücktritt auch andere Konflikte mit der Werksleitung geführt haben, darunter die Beförderung von Fahrhauern ohne vorherige Anhörung des VR (vgl. o. S. 308) und einer nur sehr zögernden Einberufung von VR-Sitzungen in den vergangenen Monaten.
[260] Berichterstattung der Werksleitung/Direktion OK 2. 12. 1938, Hervorhebung in der Vorlage, in: StAM, OK 386.
[261] Vgl. die Bemerkungen im Schreiben der Werksleitung vom 20. 1. 1938, StAM, OK 477.
[262] StAM, OK 386 sowie 313: NSDAP-Kreisleitung WM, gez. Dennerl/OK Penzberg 1. 12. 1938.
[263] Reichstreuhänder für Arbeit, Wirtschaftsgebiet Bayern/OK Penzberg 13. 4. 1939, »Anordnung«, gez. Schwankhart, in: StAM, OK 313, vgl. auch OK 2. Schwankhart wurde im Sommer 1938 aus nicht erkennbaren Gründen abgelöst; vgl. OK 477.
[264] Vgl. o. S. 290f.

nen. In der Belegschaft wurde dagegen »Sturm gelaufen«, und die entstandene Unruhe brachte der Vertrauensrat auch vor[265]. Als dann die Arbeitszeitverordnung bekannt wurde, glaubte die Werksleitung nicht an die Erfüllbarkeit ihres Hauptziels, eine Leistungssteigerung: »Die derzeit herrschende Stimmung« erlaube keine derartigen Hoffnungen[266]. Man bemerkte nach Bekanntgabe der Verordnung einen deutlichen Leistungsabfall, der sich jedoch wieder behob. Dennoch kam es in der Frage der Lohnberechnung, die sich für Penzberg durch die Anfang des Jahres in Kraft getretene Arbeitszeitverordnung zu einem scharfen Konflikt zwischen dem Vertrauensrat und der Werksleitung, wobei Betriebsobmann Rebhan zum großen Mißfallen der Grube die Bemerkung einfließen ließ, man möge doch endlich den Bergleuten »das Gefühl, sie werden bei jeder Gelegenheit benachteiligt«, nehmen[267].

Wieder spielte in den folgenden Ereignissen eine nichtbetriebliche Instanz, die Politische Leitung der örtlichen NSDAP und ihr Bürgermeister Bogner, eine prominente Rolle. Mit einiger Gespanntheit war von der Werksleitung die Reaktion der Belegschaft auf die zum 11. April in Kraft getretene Arbeitszeitverlängerung erwartet worden, auch wenn man schon bisher recht regelmäßig eine 9. Stunde gearbeitet hatte. Doch war diese Mehrarbeit immerhin durch einen erheblichen Zuschlag vergütet worden; nunmehr war die Mehrarbeit zur Regel sanktioniert, und der Lohn war zwar entsprechend dem bisherigen Zuschlag erhöht worden, aber die äußerliche Anerkennung der Mehrarbeit durch den Zuschlag war entfallen.

Man beobachtete[268] zunächst Zurückhaltung der Bergleute; einige von ihnen verließen vorzeitig, entsprechend der früheren Schichtzeit, die Arbeit, aber das Verhalten normalisierte sich bald. Dennoch brach über die Neuregelung ein Konflikt zwischen der Belegschaft und dem Fahrsteiger Siegel sowie wiederum dem Obersteiger Junghans aus. Auch hier läßt sich die präzise Ursache nach den uns vorliegenden Materialien nicht bezeichnen; es muß sich jedoch um abweichende Ansichten über die Wirkung der Arbeitszeitverlängerung wahrscheinlich auf die Berechnung der Schichtlöhne gehandelt haben. Am 12. Mai 1939 trat wohl auf nachdrückliche Beschwerden von Bergleuten Bürgermeister Bogner in Aktion und verhaftete die Genannten wegen »Betrugs an Gefolgschaftsmitgliedern«[269]. Anscheinend hatte sich ein Steiger Schäfer sehr engagiert

---

[265] StAM, OK 287, VR 17. 2. 1939.
[266] StAM, OK 538, Werksleitung Penzberg/OK München 17. 3. 1939; vgl. ebenda zahlreiche Berechnungen über wahrscheinliche Folgen der Arbeitszeitverlängerung bei jeweils unterschiedlichen Regelungen der Seilfahrt.
[267] Ebenda, Rebhan/OK 17. 4. 1939; Antwortschreiben vom 19. 3. 1939: Den zit. »Schlußsatz Ihres Schreibens hätten wir lieber nicht gelesen«.
[268] Vgl. ebenda, Bericht der Werksleitung vom 26. 5. 1939. Man wird angesichts dieser und der im folgenden dargelegten Entwicklungen keineswegs davon sprechen können, daß die Arbeitszeitverordnung in Oberbayern, wie der bayer. Wirtschaftsminister/Reichswirtschaftsminister 7. 6. 1939 behauptete, ohne Schwierigkeiten durchgesetzt worden sei. BayHStA, MWi 2266.
[269] Nach dem »Stimmungsbericht für Mai«, Fernschreiben der Werksleitung Penzberg/OK München 29. 6. 1939, StAM, OK 538. Das Protokoll einer wohl zentralen VR-Sitzung am 12. 5. 1939, in deren Verlauf Rebhan die Werksleitung der Lüge bezichtigte (vgl. StAM, OK 287, Aktennotiz vom 3. 10. 1939), fehlt leider in den sonst recht vollständigen VR-Protokollen. Anzumerken ist, daß Obersteiger Junghans Ende 1936 seinen Dienst in Penzberg unter dem Gerücht hatte antreten müssen, daß er (von Hausham) gekommen sei, um die Gedinge zu drücken; vgl. OK 287, Beilage, Schreiben der Werksleitung v. 9. 10. 1936, sowie die Bemerkung von 2. BM Naierz VR. 20. 9. 1937: Junghans »regt sich oft auf und läßt dann seinen Zorn an den Leuten aus. Er müßte sich doch etwas mehr beherrschen können«.

für die Belange der Bergleute eingesetzt. Die Verhafteten wurden auch von der Zeche beurlaubt, jedoch bereits am 14. Mai wieder auf freien Fuß gesetzt[270]. Am selben Tag ließ Bogner eine Belegschaftsversammlung einberufen. Er dürfte den Bergleuten die gegenseitigen Standpunkte erklärt haben – jedenfalls wurde ein Verfahren gegen Junghans und Siegel wegen Kürzung der Schichtlöhne anhängig, so daß in der Belegschaft keine Unruhe eintrat, vielmehr sogar eine Leistungssteigerung zu beobachten war[271]. Ende August wurde bekannt, daß das Verfahren eingestellt worden war, worauf die Zeche am 28. August den erwähnten Steiger Schäfer beurlaubte.

Vor allem diese Beurlaubung wird die Belegschaft erbittert haben: Zur Frühschicht am 29. August 1939 verweigerten 350 Bergleute die Arbeit, zu der mit ihnen die im Mai verhafteten Werksangestellten einfahren sollten[272]. In den folgenden Verhandlungen gab die Werksleitung nach, und die Bergleute holten, eine demonstrative Geste der Solidarität, den beurlaubten Steiger Schäfer von dessen Wohnung ab und nahmen die Arbeit auf.

Es ist dies der einzige nachweisbar offene Konflikt von einiger Bedeutung auf der Grube Penzberg in Friedenszeiten gewesen; man wird die Meldungen, daß im Oktober 1938 mehrere Belegschaftsmitglieder sich weigerten, mit dem tschechischen Steiger Scheebeck einzufahren, und daß im März 1939 vier italienische Arbeiter unter dem Vorwand, nach Hause zu reisen, die Arbeit niederlegten, um in Stuttgart besser bezahlte Stellen anzunehmen[273], nicht als wirklich tiefgreifende, die Gesamtbelegschaft erfassende und auf Verbesserung der Arbeitsbedingungen auf der Grube gerichtete Konflikte werten dürfen Den Arbeitsbedingungen galt allerdings auch die Arbeitseinstellung am 29. August 1939 nicht, und sie war insbesondere, berücksichtigt man die Vorgeschichte, kein Akt des Widerstands gegen die nationalsozialistische Herrschaft – im Gegenteil, die Vorgeschichte sah das Regime auf seiten der Arbeiter, und wenn auch die Arbeitseinstellung von den örtlichen und regionalen NS-Größen gewiß nicht gebilligt worden ist, so trug sie doch selbst bei weitverstandener Interpretation des Worts keinen »staatsgefährdenden« Charakter. Bemerkenswert ist vielmehr, daß, mitbedingt durch die strukturelle Stabilität der Belegschaftsverhältnisse in den 1930er Jahren, die gewohnte Solidarität der Belegschaftsmitglieder nicht verlorengegangen war, obwohl ihr die früheren Formen der Willensbildung und zum Teil auch des Meinungs- und Informationsaustauschs abgeschnitten worden waren.

Daß diese Solidarität fortbestand, darauf deuten nicht nur die zahllosen Äußerungen über die »Interesselosigkeit der Gefolgschaft am Betrieb«[274], sondern auch andere Vorkommnisse und Einschätzungen der Zeit. Wie schwer es dabei, mitbedingt durch die besonderen Umstände der Überlieferung aus den Jahren nationalsozialistischer Herrschaft, immer wieder fällt, das Verhalten der Belegschaften zu rekonstruieren, beleuchtet auch der Umstand, daß sich die Grubenleitung selbst über dieses Denken und Verhalten nicht im klaren war: Als im Herbst 1936 eine Werkschar gebildet werden sollte, empfahl

---

[270] StAM, OK 213/II, Bekanntmachung vom 15. 5. 1939.
[271] Wie Anm. 269.
[272] BayHStA, MA 106 671, Monatsbericht Reg. Obb. 11. 9. 1939, sowie Broszat u. a. (Hrsg.), a.a.O., S. 286f.
[273] Vgl. BayHStA, MA 106 671, Monatsbericht Reg. Obb. 10. 11. 1938 u. 12. 4. 1939.
[274] Z. B. StAM, OK 287, VR 10. 11. 1937.

die Werksleitung, hierzu nur die »unter Kontrolle und Ausbildung stehenden Bergjungleute« heranzuziehen, weil »wir über die politische Zuverlässigkeit der übrigen Bergarbeiter völlig im Unklaren sind«[275]. Bei den Bergjungleuten fand ein politischer Ausleseprozeß insoweit statt, als niemand zur Ausbildung akzeptiert wurde, der nicht, was die Eltern in einem Revers gegenzuzeichnen hatten[276], Mitglied der Hitlerjugend war. Auch hierin machten die Penzberger Arbeiterfamilien aus ihrer Abneigung keinen Hehl: Im Jahre 1938 wurden 46 Ausbildungsabkommen mit Bergjungleuten geschlossen, aber zugleich 49 Arbeiterkinder, deren Eltern »nicht zu bewegen« waren, »das Abkommen zu unterzeichnen«, nur als »jugendliche Arbeiter« ohne Ausbildungsvertrag und mit einem leicht geringeren Verdienst eingestellt[277].

Wenn selbst die Werksleitung über die »politische Zuverlässigkeit« der Belegschaft keine Anhaltspunkte hatte, wird man annehmen dürfen, daß es entweder an Vorkommnissen mangelte, die eine präzisere Einschätzung erlaubten, oder daß das Verhalten der Belegschaft widersprüchlich war, daß es sowohl Anpassung an die Gebote der »neuen Zeit« als auch deutliche Zurückhaltung bis hin zur Abwehr und, soweit möglich, Abkapselung in familiären und Freundeskreisen aufwies. Wir neigen zu der letzteren Annahme. Es seien, bevor diese These weiter verfolgt wird, einige weitere Informationen gesammelt, die später durch in der gesamten Einwohnerschaft und in den Kirchengruppen feststellbare Entwicklungen zu ergänzen sind.

»Bummelei«, Leistungszurückhaltung, war auch in Penzberg eine nach 1933 zwar nicht neue, aber mit unverhohlenem Akzent von den Bergleuten praktizierte Verhaltensstrategie – mit dem Unterschied zu anderen Arbeitergruppen, daß nicht erst in der Phase der Überbeschäftigung seit 1937, sondern bereits unmittelbar nach der Machtübernahme erheblich gebummelt wurde. Im Betriebsrat erklärte der Werksdirektor Anfang September 1933, er wolle[278]

»es nicht von der Hand weisen, daß der Leistungsrückgang auch auf die heutigen politischen Verhältnisse zurückgeführt werden kann. Wenn Sie die ehemalige politische Einstellung des Großteils unserer Arbeiterschaft betrachten, so ist es sehr leicht möglich, daß mit Absicht in der Leistung zurückgehalten wird. Daß die schlechten Verdienste mit der ungenügenden Leistung zusammenhängen, beweisen die Verdienste in anderen Abteilungen.... Mir selbst ist es nicht recht

---

[275] StAM, OK 452, Werksleitung Penzberg/OK Direktion 10. 8. 1936. Während einer Besprechung am 3. 12. 1936 verhielt sich die Werksleitung gegenüber der Gründung einer Werkschar, die durch Schreiben des Gauwalters der DAF/OK 30. 7. 1936 (ebenda) angeregt worden war, zunächst zurückhaltend, hatte aber bereits offiziell am 15. 8. 1936 »freudig« zugesagt (ebenda). Es dauerte daher bis zum Frühsommer 1937, daß die Werkschar offiziell gegründet wurde. Vgl. allg.: Reichardt, a.a.O., S. 125–132; Schumann, a.a.O., S. 154; Mason, a.a.O., S. 89. Sie sollte der Kern der Betriebsgemeinschaft sein, »nicht etwa die Polizei des Betriebes. Von der Werkschar soll der unerschütterliche Wille und die Kraft zur Erhaltung und Vorwärtsentwicklung der Gemeinschaft ausströmen. Sie soll den Geist echten deutschen Soldatentums und wahrer Kameradschaft durch ihre Disziplin in die Betriebe übertragen und allen dadurch immer wieder das gute Beispiel geben« (DAF-Schreiben vom 30. 7. 1936). Bei der Ansprache an die neue Werkschar fand Direktor Klein folgende Bezeichnungen: »Bannerträger des Betriebes«, »Stoßtrupp«, »wahre Nationalsozialisten«. Unter Werkscharführer Andreas Hiebler wurden 31 Mann aufgestellt, die man eigens schulte. Im August 1939 wurde der nun durch Einberufungen dezimierte Höchststand von 60 Mann erreicht.
[276] Vgl. StAM, OK 287, VR 13. 4. und 1. 7. 1938 sowie OK 477 und 539.
[277] StAM, OK 509a, Schreiben der Werksleitung Penzberg v. 23. 8. 1939. Nach OK 287, VR 17. 2. 1939, erhielten Bergjungleute unter 16 Jahren Anfang 1939 1,82, jugendliche Arbeiter 1,65 Mark Schichtlohn.
[278] StAM, OK 287, BR 5. 9. 1933.

erklärlich, warum plötzlich die Leistung so stark zurückgehen soll. – Es liegt die Vermutung nahe, daß die Arbeiter absichtlich mit der Leistung zurückhalten, um dadurch ein höheres Gedinge zu erzwingen«.

Der Sommer 1933, auf den sich diese Feststellungen bezogen haben, war die Zeit der intensiven, tief in nachbarliche und familiäre Verhältnisse eindringenden Verhöre, Untersuchungen und Schnüffeleien zur Vorbereitung des Kommunistenprozesses gewesen. Eine zweite Phase der Leistungszurückhaltung trat auch in Penzberg in der Hochkonjunktur ein. Im Sommer 1937 sah man den Hauptgrund für die sinkende Arbeitsleistung »in einer gewissen passiven Resistenz unserer Hauer«[279]. Seither mußten, wie im Ruhrgebiet[280], Maßnahmen gegen das »willkürliche Feiern« ergriffen werden; erst mit Kriegsbeginn nahmen diese Feierschichten, denen man durch höhere Strafen und Meldungen an die Abwehrstelle begegnete, erheblich, von 165 monatlichen willkürlichen Feierschichten im Juli auf 30 im Oktober 1939, ab[281]. Fälle der Verweigerung von Mehrarbeit und Überschichten hatte es bereits vor Kriegsausbruch gegeben, ohne daß hinreichende Handhabe gegen solche Verweigerung bestanden hätte. Nach Kriegsausbruch wurde Mehrarbeit zur regelmäßigen Gewohnheit, zur Plage. Schon am 12. Oktober 1939 weigerte sich eine ganze Strebbelegschaft von 30 Mann, eine infolge eines Wassereinbruchs für erforderlich gehaltene Sonntagsschicht einzulegen. Als Gründe wurden »Übermüdung«, »Verreisen«, »Besuch« und ähnliches, aber auch deutlich »Verweigerung der Sonntagsarbeit« genannt. Auch die Namen dieser Bergleute wurden der Abwehrstelle im Wehrkreis III übermittelt[282]. Im Dezember ging man dazu über, die »notorischen Bummelanten« an die DAF München zu melden; sie hatten seit 1940 Schnellverfahren mit Gefängnisstrafen bis zu 6 Wochen zu gewärtigen[283]. Ab Sommer 1940 gingen diese Meldungen an die Schutzpolizei Penzberg; die Betroffenen entgingen der Schutzhaft nur, wenn sie sich freiwillig zur Wehrmacht meldeten.

Im Januar 1940 erwies sich, daß die Verweigerungen von Mehrarbeit nicht auf Einzelfälle beschränkt blieben: Wegen eines störungsbedingten Arbeitszeitausfalls ordnete die Werksleitung eine zweimal einstündige Nachholarbeit an. 134 Bergleute – in der Liste finden sich viele bekannte Namen ehemaliger Arbeiterführer – verweigerten dies. Darauf berief die Werksleitung durch Schreiben an jeden einzelnen sowie an Bogner, dem man anscheinend großen Einfluß auf die Belegschaft zutraute, einen Betriebsappell für diese Arbeitsverweigerer ein und ermahnte sie nachdrücklich[284]. Während dieses Appells wurde als einziger Bergmann der ehemalige Betriebsratsvorsitzende Xaver Schöttl zur Rede zugelassen; er begründete ausführlich die Arbeitsverweigerung seiner Kameraden[285].

Das letztere Beispiel zeigt zweierlei: einmal, daß die ehemaligen Arbeiterführer in der Belegschaft nach wie vor große Autorität genossen – auch die Vorgänge vom 29. August

---

[279] StAM, OK 20, Werksleitung Penzberg/OK München 6. 6. 1937.
[280] Vgl. bes. Gillingham, a.a.O., S. 336f., auch Mason, a.a.O., S. 105.
[281] Nach StAM, OK 555/I, Bericht vom 5. 12. 1939.
[282] StAM, OK 287, VR 3. 11. 1939.
[283] StAM, OK 555/I, regelmäßige Meldungen, z. B. 18. 11. 1939 sowie Bericht vom 16. 10. 1939; zum Schnellverfahren s. Mason, a.a.O., S. 1231f.
[284] StAM, OK 555/I, Bericht vom 20. 12. 1939.
[285] Ebenda, Liste der Arbeitsverweigerer, 20. 1. 1940 an OGrF Bogner.

1939 werden ohne das Einwirken solcher Autorität nicht recht verständlich –; zum anderen, daß man vor radikalen Maßnahmen gegen derartig große Gruppen zurückschreckte. Anscheinend gingen die von Bogner Belehrten ohne Strafe aus. Bogner selbst setzte sein Ansehen unter den Bergleuten nicht durch scharfe Maßnahmen, zu denen ihm die Mittel zur Hand gewesen wären, aufs Spiel. Mit großem Recht schätzte man die noch vorhandene Solidarität unter den Bergleuten hoch ein und vermied peinlich alle Maßnahmen, die Reaktionen provozieren konnten. Dies erwies sich gerade an den unzähligen täglichen Arbeitsproblemen. Als Ende 1936 auf Anregung von Obersteiger Junghans erörtert wurde, daß wegen Fahrlässigkeit erforderliche Lampenreparaturen künftig von den Belegschaftsmitgliedern getragen werden sollten, stellte die Penzberger Werksleitung ihrer Münchener Direktion anheim: »Ob es aber mit Rücksicht auf die an und für sich schwer zu behandelnde Belegschaft in Penzberg richtig ist dies zu tun, überlassen wir Ihrer Beurteilung«[286].

In den zahlreichen »Stimmungsberichten« der Parteidienststellen und Behörden während der NS-Zeit hat man die Penzberger Bergleute mit ganz besonderer Aufmerksamkeit bedacht. Hier wirkte manche überstarke Sensibilität sowohl der administrativen Instanzen als auch der Partei-Dienststellen aus der »Kampfzeit« nach. Manches in den Berichten, vor allem der Umstand der regelmäßigen Berücksichtigung, ob positiv oder negativ, deutet darauf hin, daß man nach wie vor seinen Vorurteilen aufsaß. Anfang 1937 verkündete der NSDAP-Kreisleiter persönlich dem Vertrauensrat, er wünsche, »daß endlich die unbegründet schlechten Stimmungsberichte über Penzberg aufhören soll-[t]en«[287]. Dabei meldeten die Berichterstatter sehr regelmäßig, daß »staatsfeindliche Betätigung der Marxisten« nicht beobachtet werden konnte, daß KP-Agitation »allerdings nicht nachzuweisen« war – andererseits aber auch, daß man eine »negative Staatseinstellung« beobachtet habe, daß die Entbietung des »Deutschen Grußes« sehr zu wünschen übriglasse, daß die Bergleute mit sehr regem Interesse die Vorgänge in Spanien und China verfolgten, Radio Moskau mit einiger Regelmäßigkeit hörten oder überhaupt die Entwicklung in der Sowjetunion diskutierten[288]. Und entgegen ihrer verbalen Beschwörung immaterieller Gemeinschaftspflege vermerkten die Nationalsozialisten durchaus einen engen Zusammenhang zwischen wirtschaftlicher Lage und kritischem Verhalten der Arbeiterschaft: »Wenn wir«, hieß es im Mai 1934, »eine Vollbeschäftigung des Betriebes erreichen, so wird sich auch die Stimmung innerhalb der Bevölkerung heben«[289]. Als jedoch Vollbeschäftigung erreicht worden war, nahm die Kritik der Bergleute eine neue Wende: Sie richtete sich nun, wie dies den konjunkturpsychologischen Erfahrungen entsprach, auf die Gewinnung eines auch für den einzelnen möglichst

---

[286] StAM, OK 287, Beilage: Werksleitung Penzberg/OK München 9. 10. 1936.
[287] Ebenda, VR 2. 3. 1937. Zur Quellengattung »Stimmungsberichte« vgl. zuletzt Kershaw, Ian: Der Hitler-Mythos. Volksmeinung und Propaganda im Dritten Reich, m. e. Einf. v. Martin Brosza. Stuttgart 1980, Einleitung S. 18–20.
[288] Nach BayHStA, MA 106 670 und 106 671, Monatsberichte der Reg. Obb. f. Febr. 1935 bis Juli 1938, vgl. auch die bei Broszat u. a. (Hrsg.), a.a.O., S. 260f., 265 und 268 abgedruckten Passagen; zum »Ehrengruß« auch PA 205/6. 9. 1933 (Bekanntmachung der Zeche über Grußpflicht) und Tätigkeitsbericht der OGr. Penzberg vom 1. 8. 1935, StAM, NSDAP 655; knapp über Penzberg auch Kershaw, a.a.O., S. 60. Im Schriftwechsel der OK wurde regelmäßig mit »Glückauf und Heil Hitler« gezeichnet.
[289] StAM, NSDAP 646–654, Stimmungsbericht f. Mai 1934.

großen Anteils an der Wirtschaftsblüte, und weil Kampfaktionen unmöglich waren und die betrieblichen Vertretungen nur sehr bedingt funktionierten, boten sich individuelle Kampfstrategien wie Arbeitsplatzwechsel und Bummelei, durch die das Gedinge möglicherweise verbessert werden konnte, an.

Man wird daher in der Tat der Leistungszurückhaltung und dem Arbeitsplatzwechsel nicht generell politische Motive unterstellen oder sie gar zum antifaschistischen Kampf emporstilisieren dürfen[290], aber Handlungen wie diese trugen durch die Abwesenheit von Chancen der Konfliktregelung einen systemkritischen Akzent und leiteten überdies Konfliktpotentiale durch individuelle Reaktionen ab. Nun waren die Chancen solcher Ableitung und individuellen Regelung in der industriellen Enklave Penzberg nicht eben groß. Um so stärker dürfte sich in der Belegschaft ein Binnendruck entfaltet haben, der sich in den seit Herbst 1938 schwelenden, wiederholt durch neue Konfliktursachen aufgeladenen Auseinandersetzungen zu entladen suchte. Daß der Vertrauensrat wenigstens anfänglich im Zentrum der Vorgänge stand, während zum Schluß die Belegschaft trotz äußerlich restriktiver Bedingungen zu eigenem Handeln fand, ist angesichts der interessenpolitischen Funktionsschwäche dieses Gremiums nicht ohne innere Logik.

Der Vertrauensrat hatte in den Friedensjahren des Regimes nicht gänzlich ohne Erfolg agiert. In zahlreichen kleineren oder wichtigeren Bereichen waren Verbesserungen des Arbeitsalltags für die Belegschaftsmitglieder erreicht worden[291], wobei man sich auch vor handfesten Konflikten mit der Werksleitung nicht scheute. Doch war dies für die einzelnen Vertrauensratsmitglieder ein armseliges Geschäft: Von der großen Mehrheit der Belegschaft mit Geringachtung, wenn nicht Feindseligkeit umgeben oder gar, schlimmer noch, bei Beschwerden einfach übergangen, von der Werksleitung einmal mit Zurückhaltung und Mißtrauen, ein anderes Mal mit Vorsicht behandelt, aber stets auf Distanz gehalten, von der DAF gerade in interessenpolitischen Angelegenheiten kaum je unterstützt, vielmehr durch unmittelbares Hineinregieren von Parteiinstanzen über die eigene Bedeutungslosigkeit belehrt – unter solchen Umständen mußte jeder, und erst recht der wie kaum sonst zwischen den Stühlen plazierte Penzberger »Vertrauens«-Rat scheitern, auch wenn man seinen Führern und Mitgliedern sowohl vor als auch nach dem Amtswechsel im Herbst 1938 ihren in der nationalsozialistischen Überzeugung verwurzelten guten Willen kaum bestreiten kann.

Die Penzberger Bergleute haben ihrerseits den vor allem seit 1936 sowohl in der Einkommensentwicklung und der Sozialpolitik als auch generell etwa in der Außenpolitik keineswegs gering zu achtenden Versuchungen in ihrer übergroßen Mehrheit widerstanden. In diesem Ort kannte man keine andere Tradition als die einer kämpferischen Arbeiterbewegung. Eine solche Tradition war nicht durch handstreichartigen Austausch der Machthaber, kaum auch durch das Einhämmern von Propagandaparolen und auch nicht durch eine Sozialpolitik auszulöschen, deren Folgen von den Erfahrungen des Terrorismus überprägt wurden. In der Aufrechterhaltung dieser Tradition wird die stabile bergmännische Gruppenstruktur eine entscheidende Rolle gespielt haben. Die

---

[290] Vgl. die Kritik von Winkler, Volksgemeinschaft, a.a.O., S. 488, an Mason, a.a.O., S. 156 u. ö. Bes. S. 168 differenziert Mason diesen Aspekt allerdings selbst.
[291] Vgl. etwa Schumann, a.a.O., S. 130.

Orts- und Strebkameradschaft war im Bergbau immer mehr als eine bloße, durch die Erfordernisse des Arbeitsprozesses zusammengehaltene Gruppe gewesen: Sie war, zumeist mitbedingt durch das Gedingesystem, eine Lohn- und damit auch mittelbar eine den Daseinssorgen zugewandte Arbeitsgemeinschaft, in der überdies Anciennitätsgesichtspunkte für die innere Gruppenhierarchie ausschlaggebend waren, also Ausbildung durch Erfahrung auch für die jüngeren Belegschaftsmitglieder im Vordergrund stand[292]. Im Rahmen ihres Gedinges und der durch arbeitstechnische und Sicherheitserfordernisse gesetzten Bedingungen handelte die Orts- und Strebkameradschaft nach eigenem Ermessen. Sie regelte selbst Einzelheiten des Arbeitsprozesses, Arbeitsgeschwindigkeit und -rhythmus im Wechsel einzelner Verrichtungen und Pausenzeiten. Noch wichtiger ist, daß sich die Arbeit der Kameradschaften stets in einem relativ herrschaftsfreien, ganz überwiegend durch Arbeitserfordernisse geprägten und kaum je durch fremde Personen, durch mögliche Lauscher, durch Vorgesetzte allenfalls einmal täglich bei der Inspektion und Kontrolle behinderten Raum vollzog. Hier konnte man reden, ohne gleich der Gefahr der Denunziation ausgesetzt zu sein.

Wir haben bereits gezeigt, daß sich diese Gruppenstruktur der Belegschaft vor den Toren der Zeche fortsetzte, daß der Machtwechsel von 1933 den Meinungs- und Informationsaustausch in Kleingruppen – was der Arbeitsprozeß bedingte wurde durch die familiären, nachbarlichen und kleinstädtischen Verwandtschaften und Bekanntschaften gestärkt – verlagerte und die Rolle dieser Gruppen ungemein in den Vordergrund schob. Schon in den Wochen und Monaten der Machtergreifung hatte sich abgezeichnet, daß es den Herrschenden kaum gelingen würde, die sich hier aufrichtende Mauer von Zurückhaltung, Schweigen und Rückzug auf die familiäre, nachbarliche und arbeitsprozessuale Kleingruppe zu durchdringen. Wahrscheinlich ist, daß es sogar einfache Formen der Ächtung von Kollaboration gegeben hat: indem man das Unterreden einstellte, wenn sich jemand näherte, dessen Einstellung man sich nicht innegeworden war oder der bekanntermaßen auf der Linie der Machthaber lag. Es ist kaum verwunderlich, daß Schriftzeugnisse außer der Beobachtung Außenstehender über solches Verhalten nicht überliefert sind.

Eine partielle Übereinstimmung mit bestimmten Maßnahmen des Regimes vor allem auf dem Feld der Außenpolitik, in der mit Sicherheit der »Anschluß« Österreichs und der Einmarsch in die Tschechoslowakei schon wegen der Herkunft vieler Bergarbeiterfamilien aus den habsburgischen Kronlanden in Penzberg begrüßt worden sind, aber auch in der Sozialpolitik und vielleicht auch in manchen Bereichen der allgemeinen Innenpolitik wird damit keineswegs ausgeschlossen. Gerade diese Entwicklungen werden wichtige Gesprächsgegenstände in den Kleingruppen gewesen sein. Übermächtiger war jedoch die Unterdrückungserfahrung, die sich in Penzberg in den Jahren 1933/34, wiederum begünstigt durch die kleinstädtischen Daseinsverhältnisse, jedermann in dieser oder jener Form mitgeteilt hatte. Die Kleinstadt tat das ihre, enge Kontakte in einer Form zu wahren, wie sie in großstädtischen Straßenschluchten kaum möglich war. Und mit den

---

[292] Nähere Erläuterungen s. in Tenfelde, Klaus: Der bergmännische Arbeitsplatz während der Hochindustrialisierung (1890 bis 1914), in: Conze, Werner und Ulrich Engelhardt (Hrsg.): Arbeiter im Industrialisierungsprozeß. Herkunft, Lage und Verhalten. Stuttgart 1979, S. 283–335, 301–304.

Kontakten wurden die alten Werte und Ziele bewahrt. Wenn sich je die Nationalsozialisten ganz besonders um die Bergarbeiter bemüht haben[293], so sollten sie in Penzberg ebenso besonders enttäuscht werden. Der Arbeits-, Nachbarschafts- und Kleinstadtgruppe war ein Konservatismus[294] von besonderer Widerstandskraft eingeboren. Die Bewahrung des Gewohnten konnte im Rückzug auf Privatheit – die Penzberger Bergleute ließen sich niemals in die »Geborgenheits-, Kameradschafts- und Glücksgefühle«, in das Leben in »außerfamiliären Gemeinschaften und Kollektiven«, wie es der Nationalsozialismus anstrebte, einbinden[295] – die Fähigkeit zur Selbsterhaltung stärken und einen undurchdringlichen, auch von den Machthabern als undurchdringlich wahrgenommenen Block von Zurückhaltung und latenter Opposition aufrichten helfen. Aber der Bereitschaft und Fähigkeit zur oppositionellen Haltung entsprach nicht unbedingt auch die Fähigkeit zum aktiven Widerstand.

6. Einwohnerschaft, Kirchen und Widerstand

Aktive Unterstützung ist den Nationalsozialisten aus Bergarbeiterkreisen in nur sehr geringem Umfang zugewachsen; alle Maßnahmen und Erfolge der betrieblichen und überbetrieblichen Sozialpolitik, der Freizeitorganisation und insbesondere der Einkommenspolitik haben hieran wenig ändern können. Bogner und Naierz, beide schon vor 1933 aktiv, blieben die bergmännischen Repräsentanten der Bewegung; unterhalb dieser Ebene bestand auch nach der Machtergreifung Personalnot, so daß man bei den wichtigen Führungspositionen im Betrieb und im Stadtrat stets überproportional auf die nach wie vor bedeutendste Säule der Bewegung, die kaufmännische Angestelltenschaft, und zum Teil auch auf die sonstigen Angestellten, im Stadtrat auf den örtlichen Mittelstand zurückgreifen mußte. Die Bergleute wollten nicht mitmachen. Für die anhaltende Stärke der in der Tradition der Arbeiterbewegung befangenen Klassenloyalität ist kennzeichnend, daß sich Erscheinungen von Opportunismus auf Randzonen, auf die Berührungspunkte der Klassenloyalität mit den Mittelschichten (städt. Verwaltung) und auf manche ehemaligen Arbeiterführer, stets jedoch auf Einzelpersonen beschränkten.

Ihren oppositionellen Charakter gewann diese Klassenloyalität aus ihrer proletarischen Tradition und ihrer Fixierung auf lebensnahe Interessen auf der einen, aus dem Anspruch des Regimes auf Durchdringung, Überzeugung und Beherrschung auf der anderen Seite. Es unterliegt keinem begründeten Zweifel, daß die latente Opposition der Penzberger Arbeiterschaft Formen aktiven Widerstands zu stützen und zu nähren imstande war. Ihn selbst zu entfalten, dazu gehörte jedoch mehr. Es gehört zu den

---

[293] Vgl. Kele, Max H.: Nazis and Workers. National Socialist Appeals to German Labor, 1919–1933. Chapel Hill 1972, S. 195f.
[294] Der Konservatismus der Arbeiterschaft ist das zentrale Thema des bedeutenden Buchs von Moore, Barrington: Injustice. Social Bases of Obedience and Revolt. New York 1978. Moore konstatiert beispielsweise S. 407 die geringe Mitgliedschaftsquote der Bergleute in der NSDAP.
[295] Haffner, Sebastian: Anmerkungen zu Hitler. München 1978, S. 52f.

faszinierendsten Fragen in der Geschichte dieser Stadt, ob sich zwischen der in der Sozialgeschichte der Arbeiterschaft begründeten latenten Opposition und den Zeugnissen aktiven Widerstands, einmal abgesehen von der die Stadtgeschichte überschattenden Aktion vom 28. April 1945, Verbindungslinien aufzeigen lassen.

Zunächst läßt sich die Belegschaftsopposition, wie bereits anhand der Stimmungsberichte angedeutet wurde, durch die Überlieferung außerhalb der Arbeitsstätte bestätigen. Die Ergebnisse der sogenannten »Wahlen« und »Volksabstimmungen« nach 1933 zeigten unter der Penzberger Bevölkerung überdurchschnittliche, aber nicht gleich außergewöhnliche Resistenz gegenüber den Versuchungen des Regimes.

Tabelle 50
Reichstagswahlen und Volksabstimmmungen in Penzberg 1933 bis 1936[296]

	Volks-abstimmung 12. 11. 1933	Reichstag 12. 11. 1933	Volks-abstimmung 19. 8. 1934	Reichstag 29. 3. 1936
Penzberg				
Stimmberechtigte	4039	4048	4034	4065
abgegebene Stimmen	3959	3936	3908	3971
davon:				
ungültig	77	602	78	69
ja bzw. gültig	3415	3334	3347	3902
nein	467		483	
Neinstimmen und ungültige Stimmen				
in Prozent der abgegebenen Stimmen in				
Penzberg	13,7	12,3	14,4	1,7
Bayern	3,7	5,9	11,5	0,7
Reich	6,5	7,8	11,9	

Der propagandistische Aufwand anläßlich der »Wahlen« war in Penzberg wie andernorts immens. Die mit dem 21. Oktober 1933 erlassenen »Richtlinien« der Gauleitung verlangten in jedem NSDAP-Kreis »mindestens 40 Wahlversammlungen« bei überregionaler Zuteilung der »Reichs- und Gauredner« und Versammlungsausgestaltung »in ganz großem Stil« für Wagner und Nippold. Statt Flugblättern kamen Broschüren zur Verteilung, und Straßen und Häuser waren durch »riesige Transparente« mit vorgeschriebenen Schlagzeilen auf Kosten der Hausbesitzer zu schmücken: »Keine Pfuscharbeit!« Seit dem 1. November waren in allen Gauorten Platzkonzerte und am 10. November sog. »Friedensdemonstrationen« durchzuführen, jedoch strikt ohne Beteili-

---

[296] Zusammengestellt nach: Statistisches Jahrbuch für Bayern 21 (1936), S. 448-453; Kneuer, Heinrich: Reichstagswahl und Volksabstimmung vom 12. Nov. 1933, in: ZBSL 65 (1933), S. 561-586, 563, 585f.; Cramer, Christian: Die Volksabstimmung vom 19. 8. 1934, in: ZBSL 66 (1934), S. 237-251, 250f.; ders.: Die Reichstagswahl am 29. März 1936, in: ZBSL 68 (1936), S. 134-144, 139; s. auch StAM, OK, Werkschronik Bd. I, unverz.; für die hier nicht berücksichtigte Reichstagswahl von 1938 s. Hagmann, Meinrad: Der Weg ins Verhängnis. Reichstagswahlergebnisse 1919 bis 1933, besonders aber Bayerns. München 1946, S. 18, 26. Einzelergebnisse s. auch PA, z. B. 189/20. 8. 1934. Es sei bemerkt, daß sich das Stimmverhalten der Frauen (gezählt wurde Nov. 1933 und August 1934) in Penzberg nicht mehr signifikant von jenem in den getrennt gezählten Stimmbezirken Bayerns unterschied: In Penzberg wie in jenen Gemeinden lag der Ablehnungsgrad der Frauen um einige Prozentpunkte hinter jenem der Männer.

gung uniformierter SA und SS. Ähnlich präzise Anordnungen wurden für die Plakatierung, die Presse-Propaganda und die Rundfunkübertragungen erteilt[297].

Zur Reichstagswahl 1936 bestanden die örtlichen Wahlvorbereitungen wiederum aus umfangreicher Presse- und Versammlungspropaganda, u. a. mit Wagner, und aus einem pompösen Fackelzug unter Beteiligung aller Vereine am Vorabend der Wahl[298]. Die Wahlvorstände wurden stets aus den bekanntesten Parteigenossen zusammengestellt. Der Schleppdienst der Partei sorgte dafür, daß auch noch der letzte Stimmbürger den »Bekenntnisgang« zur Urne vollzog.

Die Ergebnisse vom November 1933 (Volksabstimmung über den Völkerbundsaustritt und Reichstagswahl) und August 1934 (Volksabstimmung über die Zusammenlegung von Reichskanzler- und Reichspräsidentenamt) spiegeln den auch im reichsweiten Vergleich[299] hohen Grad an Ablehnung, den das Regime in Penzberg erfuhr. Dies ist auch innerhalb der örtlichen NSDAP so gesehen worden: Während es im öffentlichen Dank nach den Novemberwahlen 1933 hieß, damit sei »jeder Trennungsstrich in Penzberg beseitigt«[300], wurde die Volksabstimmung im August 1934 noch intensiver vorbereitet. Am Vorabend dieses Urnengangs erklärte man das Novemberergebnis für »entschuldbar«[301] – nicht ahnend, daß es sogar noch eine leichte Verschlechterung erfahren würde. Aber auch jetzt beschwor man die »Schatten vergangener Jahre« hinweg; auch »ein verschwindender Rest ungültiger und Neinstimmen konnte diese erhebende Tat des überzeugten Penzbergers nicht sonderlich in ihrem Erfolge schmälern«, nur der »sogenannte Kern oder Stamm einer Parteienwelt seligen Angedenkens« vermochte sich erneut nicht zu »bekennen«[302].

Wie sehr das Regime Zustimmungsdruck ausübte, ist der Einwohnerschaft erst im Verlauf der Jahre nach der Machtübernahme erkennbar geworden. Das Beispiel der Gebrüder Biersack bezeugt dies. Die Biersacks waren stadtbekannte Sozialdemokraten gewesen und hatten, zum Teil noch neben der Bergarbeit, ein Lebensmittelgeschäft und ein kleines Transportunternehmen aufgebaut; letzteres war in starkem Maße von städtischen Aufträgen abhängig. Bei der Wahl von 1936 stimmten die Brüder demonstrativ ab: Sie hoben ihre Stimmzettel im Wahllokal an die Wand und kreuzten die NSDAP-Liste, für jedermann erkennbar, an[303]. Gleichwohl denunzierte der Wahlhelfer und Parteigenosse B. M. den Fuhrwerksunternehmer Jakob Biersack beim Bürgermeister, Biersack habe mit Nein gestimmt, worauf Bogner ihm das städtische Fuhrwerk entzog. Biersack erhob gegen den »Wahlhelfer« Strafantrag »wegen verleumderischer Beleidigung«. Hierzu erklärte Bogner: »Uns Nationalsozialisten in Penzberg ist die Familie Biersack so gut bekannt, daß keiner von uns Zweifel an der Richtigkeit der Aussagen der Wahlhelfer hat«; er habe »eigentlich keinerlei Veranlassung mehr«, sich »mit diesen Menschen auseinander zu setzen« und werde sich »gezwungen sehen, im Interesse der

---

[297] »Richtlinien« in: StAM, NSDAP 646–654.
[298] Ebenda, Programm, Vereinseinladungen etc.; vgl. auch StAM, NSDAP 607; für 1938 auch NSDAP 609.
[299] Für 1933/34 s. detaillierte Ergebnisse bei Bracher/Schulz/Sauer, a.a.O., Bd. I, S. 427–498, mit zahlreichen Erläuterungen zur »Wahl«-Praxis.
[300] PA 262/13. 11. 1933.
[301] PA 188/18. 8. 1934.
[302] PA 191/22. 8. 1934.
[303] Nach der Beschreibung von Herrn Wolfgang Biersack gegenüber dem Verf., 21. 7. 1980.

Ruhe und Sicherheit der Stadt die Inschutzhaftnahme zu beantragen«, falls der Antragsteller auf »Weiterverfolgung seiner Angelegenheit« bestehenbleibe[304].

Der Vorfall endete wahrscheinlich mit einem Kompromiß; jedenfalls erlangte Biersack später das städtische Fuhrwerk zurück. Er ist jedoch symptomatisch: Auch den, der aus Selbsterhaltungsinteresse demonstrativ Loyalität bekundete, holte die Vergangenheit ein, und sei es aufgrund eines falschen Gerüchts, das in der Stadt von einem übelwollenden »Wahlhelfer« ausgestreut wurde. Anscheinend ist – »geheim« war an der Reichstagswahl von 1936 nichts mehr – auch auf der Grube jenen, die mit »Nein« zu stimmen beabsichtigten, ebenfalls mehr oder weniger unmittelbar die Entlassung oder sonstiger Nachteil angedroht worden[305]. Im Falle der Gebrüder Biersack handelte es sich um mehr als um »die Gepflogenheit aller totalitären Wahlpraxis, die demonstrative Nichtbenutzung der Wahlzelle«[306]: Die demonstrative Abstimmung war ein Akt der Existenzerhaltung gewesen, den das Regime ungläubig beobachtete. Wenn ihnen auch in der faktischen Politik wenig Bedeutung eignete, sollte die Funktion der »Bekenntnisgänge« für die Politisierung der Bevölkerung, wie dies ja auch in der Absicht der Machthaber lag, nicht unterschätzt werden – um so weniger in Penzberg, wo überhaupt die Meinung herrschte, »daß die Vertreter des Volkes wieder gewählt werden sollten, denn auch der Führer hat die Macht ergriffen, als er die Mehrheit des Volkes hinter sich wußte«[307].

Wer wegen körperlicher Gebrechen nicht zur Wahl gehen konnte, dem half der Schleppdienst, und wer zögerte, sich zu »bekennen«, dem half er erst recht – man kannte in dieser Hinsicht in Penzberg seine Pappenheimer. Bei der durch einen Propagandaschwall eingeleiteten Wahl des Reichstags am 10. April 1938 erlangte die Partei deshalb endlich ein »Hundertprozentiges Ja«[308]. Der Wahlpflicht half man, wie allgemein üblich, auch dadurch nach, daß nicht benutzte Stimmscheine persönlich zurückgegeben werden mußten. Die Funktion des Polizisten über den Vollzug der Wahlpflicht übernahm in Penzberg stets die Hitlerjugend. Als sich 1936 die Vorsitzende des Katholischen Frauenbundes, Bergmannsfrau Maria Ostler, trotz mehrmaliger Aufforderung und Bereitstellung eines Kraftwagens weigerte, ihrer Wahlpflicht zu genügen, zog die HJ nach der Wahl mit Sprechchören vor ihre Wohnung[309] und geißelte in der Presse ihr Verhalten: »Wer nicht zur Wahl geht, ist ein Landesverräter«, habe jedermann auf den Plakaten lesen können: »diese Frau« sei deshalb eine »Landesverräterin«. »Sie hat für Deutschland keine Zeit gefunden, wir ›Deutsche‹ werden aber auch für sie keine Zeit mehr finden«[310]. Frau Ostler verlor ihre Funktion im Frauenbund noch Ende März 1936.

Derart aktiver individueller Widerstand unter Hinnahme der Folgen blieb die Ausnahme, und wenn er stattfand, konzentrierte er sich, mit beeindruckenden Zeugnis-

---

[304] StAM, NSDAP 627, Bogner/Rechtsanwalt Franz Völkl, 15. 4. 1936; vgl. ebenda, Abschr., Völkl/B. M. 11. 4. 1936 sowie OGrF/NSDAP-Kreisleitung 15. 4. 1936 m. d. Bitte, ggfls. »die Verfolgung der Angelegenheit zu übernehmen«.
[305] Nach Hinweisen in Befragungen von Zeitgenossen durch den Verf.
[306] Bracher/Schulz/Sauer, a.a.O., Bd. I, S. 483.
[307] StAM, NSDAP 655, Stimmungsbericht NS-Hago vom 6. 7. 1934.
[308] Nach zahlreichen Zeitungsausschnitten und Wahlvorbereitungen in StAM, NSDAP 646–654.
[309] Vgl. BayHStA, MA 106 670, Monatsbericht Reg. Obb. 8. 4. 1936; auch gedruckt: Witetschek, Helmuth (Hrsg.): Die kirchliche Lage in Bayern nach den Regierungspräsidentenberichten 1933–1943, Bd. I: Oberbayern. Mainz 1967, S. 136.
[310] Zeitungsausschnitt, wahrscheinlich aus der regionalen HJ-Presse: StAM, NSDAP 646–654.

sen, auf kirchlich-konfessionelle Kreise. Das gelegentliche individuelle Aufbegehren war in Penzberg wahrscheinlich häufiger als andernorts und wurde mit aller Härte verfolgt, sobald solches Verhalten in irgendeiner Weise öffentlich geworden war. Zwar betonte die NSDAP-Kreisleitung im Juli 1936 »erneut«, »daß irgendwelche illegalen Aktionen gegen Gegner der Bewegung unter keinen Umständen unternommen werden dürfen«, und empfahl ein gestuftes Vorgehen: zunächst Belehrung und Totschweigen des Vorfalls, erst wenn das nicht helfe, Verständigung des Gau-Stabsleiters, der die Festnahme veranlassen werde[311]. Doch ist dieses Verfahren keineswegs eingehalten worden. Man kam in Schutzhaft, wenn man sich in »unehrerbietiger Weise« über die Reichsregierung äußerte[312] oder sich – dies eine »Sabotage der Arbeitsschlacht« – weigerte, der Übertragung einer Führerrede zuzuhören[313]. »Aufsässigkeit« zeigten während des Jahres 1934 vor allem die Arbeiter der Loisachkorrektion nahe Penzberg. Zwei von ihnen kamen im Juli 1934 wegen »Beleidigung des Führers« in Schutzhaft[314]. Sondergerichtsverfahren gegen Penzberger Bürger wurden in den 1930er Jahren und während des Krieges in nicht sehr zahlreichen Fällen wegen kritischer politischer Äußerungen, wegen Kritik am Krieg und wegen Abhörens ausländischer Sender eingeleitet und in einigen Fällen eingestellt, in anderen bei Kriegsbeginn durch Amnestie erledigt, in wenigen Beispielen auch mit zum Teil harten Strafen belegt[315]. Dem Abhören von Auslandssendern suchte man auch durch vertrauliche Instruktion eines örtlichen Radiohändlers und Parteigenossen, alle Personen zu denunzieren, die Interesse für den Empfang von Radio Moskau zeigten, zu begegnen[316]. Wer sich abfällig geäußert hatte und denunziert wurde, hatte, ob erst in Schutzhaft oder schon beim Verhör auf der Polizeistation in Penzberg, übelste, brutale Behandlung zu gewärtigen – selbst dann, wenn das ganze Vergehen in einer unfreundlichen Bemerkung über eine der zahllosen Sammlungen und vor Gaststättenpublikum bestand[317].

Es war bei solchen Aussichten klug, den »Mund nicht spazieren gehen« zu lassen[318] und seine Kritik auf interne, familiäre oder freundschaftliche Gespräche zu beschränken. Die ehemaligen sozialdemokratischen Arbeiterführer haben sich, wie überhaupt die große Mehrzahl der Bergleute, an diese Direktive gehalten und sind ebenfalls noch im Rahmen jener Vereine zusammengekommen, die fortbestehen konnten. Es fanden gelegentlich Verabredungen zu mehr oder weniger heimlichen privaten Zusammenkünf-

---

[311] StAM, NSDAP 607, NSDAP-Kreisleitung, Rundschreiben vom 15. 7. 1936.
[312] PA 200/31. 8. 1933, ein Melker aus Nantesbuch.
[313] PA 71/27. 3. 1934, Fritz Grünbeer, Arbeiter bei der Loisachkorrektion.
[314] PA 146/29. 6. 1934. In späteren Jahren ist über Inhaftierungen dieser Art kaum noch berichtet worden.
[315] StAM, Staatsanwaltschaften, Nr. 3358: Caroline Lechner wegen Vergehens gegen das Heimtückegesetz (abträgliche Äußerungen über die HJ), Verfahren 1936 eingestellt; Nr. 8585: Photograph Karl Senger wegen dess. Vergehens (»hetzerische« Äußerungen über Regierung und Partei), Urteil 1937: 6 Wochen Gefängnis, amnestiert; Nr. 4341: Sebastian Freisl wegen der Äußerung: »Jetzt gibt's einen Krieg, jetzt werdet ihr es schon sehen, die Braunhemden kommen jetzt weg«, Verfahren Anfang 1939 eingestellt; weitere Fälle während der Kriegsjahre s. unten Kap. 7. Ausnahmslos alle Fälle gingen auf Denunziationen zurück, deren eigentliche Ursache häufig erbitterte persönliche Feindschaften waren.
[316] StAM, LRA 3862, Gestapo München/BA WM 7. 1. 1937.
[317] Nach den Gedenkworten für Wendolin Zenk, in: Alois Kapsberger: Gewerkschaftsbewegung in Penzberg, (Ms.) o. O. o. J. [Penzberg 1948], Bd. I, S. 74.
[318] Vgl. o. S. 25 f.

ten unter dem Kleid freundschaftlicher Besuche statt[319], und sicher ist bei solchen Zusammenkünften, bei denen Bürgermeister Rummer anscheinend wieder einen Mittelpunkt bildete, angeregt über die politischen Geschehnisse diskutiert worden: Verbindungen zu sozialdemokratischen Widerstandsgruppen oder zum sozialdemokratischen Exil bestanden nach übereinstimmenden Aussagen von Zeitgenossen nicht. Seit Mitte der 1930er Jahre lockerte sich auch der Druck, der auf der nichtbergmännischen Mitgliedsgruppe der Sozialdemokraten lastete, soweit sie als handwerkliche Mittelschicht von städtischen Aufträgen abhängig war. Immerhin hatte es über zwei Jahre des Wohlverhaltens gedauert, bis der Stadtrat sozialdemokratische Handwerker wieder berücksichtigte[320].

Einen noch engeren Zusammenhang haben die örtlichen Kommunisten gepflegt, und einiges hiervon drang nach außen und wurde durch Verhaftungen, gerichtliche Voruntersuchungen und harte Urteile geahndet.

Noch im April 1933 haben mehrere Mitglieder der KPD Penzberg einen Schachklub gründen können[321]. Bürgermeister Schleinkofer suchte, da die Antragsteller »sämtlich Mitglieder des bis zum Verbot der kommunistischen Organisationen bestehenden Schachklubs der ehemaligen sog. ›Roten Sporteinheit‹ waren«, die Gründung zu verhindern und erwirkte vom Bezirksamt zunächst auch ein Verbot, das jedoch, nachdem der Verein erklärt hatte, er werde sich um die Protektion durch zwei Obersteiger der Grube bemühen, durch den Bezirksamtsvorsteher Wallenreuter Mitte Mai 1933 persönlich zurückgenommen wurde. Der Schachklub unterlag der Überwachung und hat weiter ohne Behelligung existieren können. Es ist wahrscheinlich, daß die Gründung in der Absicht erlaubt wurde, die Restgruppe der Kommunisten nach den Verhaftungen ihrer führenden Mitglieder durch Zusammenfassung zu beobachten[322].

Im August 1933 fand man im Staltacher Hof eine Mauerafschrift mit dem Tenor »Trotz Verbot nicht tot«, gezeichnet von der KPD, der RGO und der Roten Hilfe, in der »Hitler & Konsorten« der Tod angedroht wurde[323]. Im Juli 1934 wurde der Arbeiter Sebastian Puchner von der Loisachkorrektion verhaftet, der an seine Arbeitskollegen eine kommunistische »Hetzschrift« weitergegeben hatte und eine Mitgliedskarte der KPD sowie kommunistische Schriften auch jüngeren Datums besaß[324]. Am Neujahrstag 1935 sangen, obwohl anwesende Reichswehrangehörige dies zu vereiteln versuchten, der schon in der Mitte der 1920er Jahre als kommunistischer Jugendführer bekannte Ludwig Tauschinger und einige Freunde in der Grubenschänke die »Internationale« und »Jeder

---

[319] Nach Befragungen des Verf., bes. Wolfgang Biersack.
[320] Die Schreinermeister Lobendank und Himmelstoß erbaten im Herbst 1935 »bessere Berücksichtigung« bei der Vergabe öffentlicher Arbeiten, was ihnen, StaP, SR 21. 11. und 4. 12. 1935, zugesagt wurde. Allgemein wurde eine »Bewährungsfrist« mehrerer Jahre abgewartet. Andreas Rüth, der 1933 wegen kommunistischer Betätigung ausgebürgert, jedoch anscheinend nicht ausgewiesen worden war, erfuhr 1941 Befürwortung seines Gesuchs um Wiedereinbürgerung, weil er sich bemüht habe, »die nationalsozialistischer Forderungen zu erfüllen und sich in die deutsche Volksgemeinschaft einzuordnen«. Ebenda, 27. 1. 1941.
[321] Nach StAM, LRA 3899, Anmeldeschreiben und Statuten sowie Stellungnahme BM Schleinkofers vom 26. 4. 1933.
[322] Ebenda, Verfügung Wallenreuters – das Verbot »widerspricht meiner Absicht« – vom 17. 5. 1933.
[323] StAM, NSDAP 646-654, OGrF/Bayer. Polit. Polizei 8. [8.] 1933.
[324] StAM, LRA 3862, Tagesbericht vom 19. 7. 1934, s. auch PA 173/31. 7. 1934.

Propeller singt surrend Rot Front« und wurden dafür angezeigt[325]. In diesem Jahr mehrten sich die Zeichen, daß die ehemaligen kommunistischen Parteigänger nach wie vor ihrer Gesinnung treu blieben: »Geheime Wühlarbeit« der Kommunisten in Penzberg konstatierte ein Stimmungsbericht im April 1935, auch, daß man sich in diesen Kreisen wieder wenig geneigt zeigte, den »Deutschen Gruß« zu erweisen[326]. Bekannt war, daß man sich nach wie vor im Schachklub und daneben in der aus dem Freidenker-Verband hervorgegangenen, 1935 175 Mitglieder umfassenden »Neuen Deutschen Bestattungskasse« traf. In letzterer amtierte der ehemalige kommunistische Stadtrat Adam Steigenberger als Kassierer, und Anfang 1935 war auch der ehemalige Stadtrat Rupert Höck dieser Kasse beigetreten. Deren Konkurrenzverein, die »Großdeutsche Feuerbestattung«, wurde von dem prominenten Sozialdemokraten Karl Bandner kassiert. »Ein Hinüberwechseln ... aus politischen Gründen« zwischen den Vereinen sei nicht festgestellt worden, hieß es in einem Bericht[327], aber der Umstand, daß dies in Betracht gezogen wurde, mehr noch die Wahrnehmung der wichtigen, kontaktknüpfenden und -wahrenden Kassiererfunktionen durch bekannte ehemalige Funktionäre legt die Vermutung nahe, daß die beiden Kasseneinrichtungen nach 1933 zu den wichtigsten Vereinsorganisationen der unterdrückten Arbeiterparteien gehörten.

Ob es sich um »Tarnorganisationen« nach dem Vorbild der Verbotsjahre unter dem Sozialistengesetz gehandelt hat, erscheint fraglich, solange nicht nachweisbar ist, daß beispielsweise politische Diskussionen geführt oder Druckschriften ausgetauscht wurden. Für die kommunistische Seite ist diese Annahme begründet. Aufgrund einer Denunziation wurde bei Steigenberger im Dezember 1935 eine Schallplatte »Brüder, zur Sonne, zur Freiheit« aufgefunden; der Inkriminierte konnte die Sache aus der Welt schaffen, indem er drei Mark für die HJ spendete und Bürgermeister Bogner versprach, daß er »restlos hinter der nationalen Bewegung stehe«[328]. Bereits im November 1935 berichtete schließlich ein namentlich nicht bekannter »Vertrauensmann« der Penzberger Polizei, der Bergmann Georg Wolf habe ihm, nach stundenlangem Kartenspiel mit dem erwähnten Ludwig Tauschinger und dem bereits früher als Gastwirt der KPD genannten Martin Pfefferle angeheitert, auf dem Heimweg erzählt, daß Pfefferle nunmehr die KPD in Penzberg leite, solange die Genossen eingesperrt seien. Ein »Reisender« bringe in Frankreich gedruckte Zeitungen in wenigen Exemplaren nach Penzberg, die dort abgeschrieben und an 30 bis 40 Genossen verteilt würden. Man treffe sich nach gemeinsamer Verabredung regelmäßig nach der Mittagsschicht, also recht spät in der Nacht, in einem Heustadel etwa ¾ Stunden von Penzberg entfernt[329].

---

[325] StAM, LRA 3862, Tagesbericht vom 4. 1. 1935.
[326] BayHStA, MA 106 670, Monatsbericht Reg. Obb. 8. 5. 1935, 10. 1. 1936, 10. 4. 1937. Auch der Deutschland-Bericht der Sopade (Jg. 1, 1934, ND Frankfurt a. M. 1980, S. 33), verzeichnet für 1934 erfolgreiche Arbeit der Kommunisten in Penzberg.
[327] Nach StAM LRA 3862, PP/BA WM 10. 11. 1935.
[328] StAM, LRA 3859, PP/BA WM 16. 12. 1935.
[329] StAM, LRA 3862, PP/BA WM (und Bayer. Polit. Polizei) 10. 11. 1935. Die angegebenen Zahlen, so unzuverlässig sie sind, entsprechen recht genau der in der Forschung gemeinhin akzeptierten Annahme, daß rund 10 bis 15% der ehemaligen KP-Mitglieder die Partei nach der Machtübernahme weiterhin unterstützten; vgl. u. a. Plum, Günter: Die KPD in der Illegalität. Rechenschaftsbericht einer Bezirksleitung aus dem Jahre 1934, in: VfZ 23 (1975), S. 219–235, 225.

Wolf lief anderntags zu dem Vertrauensmann und fragte, ob dieser glaube, was er erzählt hatte. Dies wurde verneint. Anscheinend aufgrund dieses Berichts ist dennoch Anklage gegen Pfefferle und Wolf sowie gegen die ebenfalls als nahe Bekannte Wolfs genannten Bergleute Lindebner, Füßl und Metzger, die im selben Haus wohnten, erhoben worden; in das Verfahren verwickelt wurde ferner Bergmann Alois Lechner. Die polizeilichen Nachforschungen werden wenig präzise Anhaltspunkte erbracht haben; jedenfalls wurde das Verfahren gegen Pfefferle im Dezember 1936 eingestellt, und durch Gerichtsbeschluß vom 16. Januar 1937 wurde die Anordnung einer Hauptverhandlung gegen die übrigen Angeklagten vor dem Oberlandesgericht München abgelehnt[330].

Auch wenn die Beweislage nicht ausgereicht hat, scheint die Annahme gerechtfertigt, daß zwischen den kommunistischen Gesinnungsgenossen enge, zum Teil durch die Wohnverhältnisse geförderte illegale Verbindungen fortbestanden und daß in geringem Umfang auch illegales Propagandamaterial ausgetauscht wurde. Wolf befand sich während der Verfahrensvorbereitung vielleicht auch aus anderen Gründen in Schutzhaft; Lechner wurde Anfang 1937 in das KL Dachau eingeliefert, weil er wiederholt Radio Moskau gehört hatte. Gegen ihn schwebte ein neues Verfahren wegen Vorbereitung zum Hochverrat, und noch in den Kriegsjahren kam Lechner, jetzt wegen notorischer Bummelei, erneut in Haft[331].

Außer den erwähnten Kontakten und Vorgängen sind Aktionen ehemaliger Gesinnungsgenossen der Arbeiterbewegung nicht feststellbar. Hierfür lassen sich mehrere äußere Gründe anführen: Zum einen befand sich das Gros der Kommunisten, unter ihnen die führenden Parteifunktionäre, über Jahre hinweg in Haft; die letzten Verurteilten des Kommunistenprozesses sind Ende 1938, nach über fünfjähriger Haft zuletzt regelmäßig in Dachau, nach Penzberg entlassen und sogleich von der Grube wieder eingestellt worden[332]. Verbindungen zu den Anfang Mai 1933 geflüchteten Parteigenossen haben anscheinend nur auf verwandtschaftlicher Ebene[333] bestanden. Ferner war Penzberg durch seine Lage an der Peripherie zwar ohne Probleme zu erreichen, aber die Agitation in der Kleinstadt war doch mit sehr viel größeren Risiken behaftet als großstädtische Untergrundarbeit, bei der die Chancen, bei drohender Gefahr in der Menge zu verschwinden und weitere Verstecke aufzusuchen oder sich abzusetzen, weitaus besser standen. Sicher sind alle Informationsstränge nach Penzberg in dieser oder jener Form über München zustande gekommen; hierin muß sich, drittens, äußerst negativ ausgewirkt haben, daß es der Gestapo gelang, einen Spitzel bis in führende

---

[330] Die OLG-Akte 84/36 ist leider nicht überliefert; vgl. die Inhaltsangabe nach der Registratur, in: Widerstand und Verfolgung in Bayern 1933–1945. Archivinventare Bd. VII, München 1976, T. 1–3, S. 150.
[331] BayHStA, MA 106 670, Monatsbericht Reg. Obb. 10. 2. 1937; vgl. Broszat u. a. (Hrsg.) a.a.O., S. 262. Lechner war vom 12. 1. 1937 bis 31. 12. 1939 im KL Dachau; vgl. StAM, OK 555, Anzeige wegen Bummelei vom 19. 7. 1940.
[332] BayHStA, MA 106 670, Monatsbericht vom 9. 1. 1939; vgl. Broszat u. a. (Hrsg.), a.a.O. S. 280.
[333] Die NSDAP-OGr. Penzberg fing Anfang 1935 einen Brief Georg Dirwimmers, dat. Straßburg 1. 2. 1935, an seinen Bruder in Penzberg ab; anscheinend ist die in Penzberg eingehende Post nicht nur der Kommunisten (vgl. unten S. 348 zum Adventsbrief Benekes 1939) regelmäßig überwacht worden. Die NS-Pressestelle wollte den Brief als warnendes Beispiel über das Schicksal der Entflohenen im Völkischen Beobachter mit Kommentar abdrucken lassen, was dieser am 18. 2. 1935 dankend ablehnte. StAM, NSDAP 646–651, vgl. über die Flüchtigen auch LRA 3862.

Funktionen der illegalen KPD einzuschleusen, so daß man über alle Vorgänge bestens informiert war und ihnen bis zum Jahre 1937 ein Ende machen konnte[334]. Anders als beispielsweise Selb und Hof lag Penzberg auch den Zentren der sozialdemokratischen Emigration in der Tschechoslowakei fern, so daß die Bestellung dieses Feldes schon aus technischen Gründen auf Schwierigkeiten stieß[335]. Viertens, und u. E. entscheidend, ist sehr fraglich, welcher Nutzen durch eine wie immer spektakuläre Widerstandsaktion in der Penzberger Randlage davongetragen worden wäre. Die Resonanz wäre unter den Bedingungen absolut beherrschter Medien auf den Ort beschränkt geblieben, das Risiko jedoch außerordentlich hoch gewesen. In dieser Situation galt es hier wie andernorts, Kontakte zu halten und womöglich zu verbessern oder gar erst herzustellen, um in der Hoffnung auf einen Schwächeanfall des Regimes für den Eventualfall gerüstet zu sein.

Es ist das letztgenannte Problem, das nahelegt, nicht vorrangig zu fragen, warum trotz günstiger innerer Bedingungen kein Widerstand stattfand, sondern bei den nachweisbaren Verhaltensformen einschließlich solcher, die als Widerstand im Sinne von Illegalität, Ereignishaftigkeit und Risikobereitschaft erkennbar sind, zu fragen, warum sie stattfanden. Der in dieser Untersuchung aufgerollte sozialgeschichtliche Werdegang der Stadt und ihrer Arbeiterschaft hat ein Spektrum von Verhaltensweisen offengelegt, in dem sich auf der Grundlage der gewachsenen Gruppenstruktur Handlungsfähigkeit in widerstandsähnlichen Formen – so in der Inflation 1923 – vor allem dann hergestellt hatte, wenn soziale Not zur Selbsthilfe zwang. Das kollektive soziale Aufbegehren ist jedoch, selbst wenn es in vergleichsweise fest gefügten Bewußtseinsformen wurzelt, aus sich selbst unter den Bedingungen totalitärer Herrschaft nicht widerstandsfähig – einmal abgesehen von dem Umstand, daß ihm durch die Wiedergewinnung stabiler Existenzmöglichkeiten in der Zeit des Nationalsozialismus die Speerspitze abgeschlagen worden ist. Am deutlichsten läßt sich dies am Vorrang der Belegschaftsdemokratie in der bergbaubeherrschten Kleinstadt zeigen, denn solche Formen der Willensbildung verstärken zwar die Neigung zu individueller Unbeherrschtheit, widersprechen jedoch zutiefst

---

[334] Hierzu ausführlich: Bretschneider, Heike: Der Widerstand gegen den Nationalsozialismus in München 1933 bis 1945. München 1968, S. 61–73; als Überblick vgl. Duhnke, Horst: Die KPD von 1933 bis 1945. Köln 1972, S. 183–230, jedoch ohne Erörterung der Münchener Vorgänge.

[335] Vgl. Eiber, Ludwig: Arbeiter im anti NS-Herrschaft. Textil- und Porzellanarbeiter im nordöstlichen Oberfranken 1933–1939. München 1979, S. 128–165. In dieser Darstellung wird deutlich, daß im nordöstlichen Oberfranken Widerstandsgruppen vor allem deshalb aufgebaut und unterhalten werden konnten, weil sich über die nahe Grenze Verbindungen zum sozialdemokratischen und kommunistischen Exil leichter bewerkstelligen ließen und mithin etwa die Versorgung mit Propagandamaterial zeitweise weniger Probleme aufwarf. Zu den »Grenzsekretariaten« vgl. Reichardt, Hans J.: Möglichkeiten und Grenzen des Widerstands der Arbeiterbewegung, in: Schmitthenner, Walter und Hans Buchheim (Hrsg.): Der deutsche Widerstand gegen Hitler. Vier historisch-kritische Studien. Köln/Berlin 1966, S. 169–213, 180f. Die ganz anderen Bedingungen des Widerstands im Ruhrgebiet werden in den hierzu vorliegenden Untersuchungen deutlich; vgl. bes. Steinberg, Hans-Josef: Widerstand und Verfolgung in Essen 1933–1945. 2. Aufl. Bonn-Bad Godesberg 1973, etwa S. 93ff., sowie Peukert, Detlev: Ruhrarbeiter gegen den Faschismus. Dokumentation über den Widerstand im Ruhrgebiet 1933–1945. Frankfurt a. M. 1976, mit zahlreichen Quellen; Klotzbach, Kurt: Gegen den Nationalsozialismus. Widerstand und Verfolgung in Dortmund 1930–1945. Eine historisch-politische Studie. Hannover 1969; Bludau, Kuno: Gestapo – Geheim! Widerstand und Verfolgung in Duisburg 1933–1945. Bonn 1973; maßgeblich für die KPD ist jetzt: Peukert, Detlev: Die KPD im Widerstand. Verfolgung und Untergrundarbeit an Rhein und Ruhr 1933 bis 1945. Wuppertal 1980. Die genannten Sudien zeigen sich jedoch durch eine stark organisationsinduzierte Sichtweise ohne nennenswerte Berücksichtigung der in der vorliegenden Studie hervorgehobenen Formen »täglicher« Opposition aus. Diese Stellungnahme soll den Wert ins bes. der Arbeiten von Peukert nicht schmälern

den Erfordernissen illegaler Untergrundtätigkeit. Sie ermöglichen und stärken die tägliche Opposition, die unter den kleinstädtischen Verhältnissen blockartig zusammenwachsen konnte, und sie können – dies lehrt die konspirative Struktur der KPD-Organisation bis 1933 – unter tatkräftiger Führung und bei einem Minimum an rechtsstaatlichem Spielraum ein gefährliches, im wesentlichen aus sozialer Not gespeistes Aufstandspotential entfalten helfen. Nach 1933 fehlte es sowohl an tatkräftiger Führung als auch an einem Mindestmaß an politischer Bewegungsfähigkeit, und die soziale Not als Hauptantrieb trat vor allem nach 1936 in den Hintergrund.

Noch am ehesten fanden die Bergleute zu kollektiven Aktionen mit regimefeindlichem Akzent zusammen, wenn es, dies steht mit dem bisher Gesagten durchaus in Einklang, um ihre materiellen Interessen ging. Dieser Fähigkeit lag unter den Bedingungen des Gewaltregimes ein weiteres, vielleicht das über die Möglichkeit vor Widerstand entscheidende Moment zugrunde: das Kalkül über die Erreichbarkeit von Zielen. Ein »Volksaufstand« war in Penzberg wohl in den Wochen der Machtübernahme, jedoch hier wie andernorts »in keiner Phase des Dritten Reichs möglich«[336]. Kollektiver Druck zur Verbesserung der materiellen Lebensumstände hatte dagegen selbst dann Aussicht auf Erfolg, wenn er im Prinzip, wie das die Regel war, mit den vom Regime sanktionierten, völlig unzureichenden, unterdrückenden Vertretungsformen im Konflikt stand.

Die Erreichbarkeit wenigstens von Teilerfolgen – unter welchen Umständen immer – kennzeichnet daher auch die andere, von der täglichen Opposition der Arbeiter- und Einwohnerschaft wesensverschiedene, durch sie jedoch ganz ohne Zweifel gestärkte Form des Widerstands gegen den Nationalsozialismus, die Penzberg erlebt hat: den vielfach beeindruckenden kirchlichen Widerstand, dem die, wie man sagen könnte, führerlose Massenloyalität in Teilbereichen zuzuwachsen vermochte. Beide großen Kirchen entzogen sich in Penzberg, wo immer dies möglich schien und oft auch, wenn es nicht möglich schien, den ideologischen und politischen Eingriffen des Regimes, und aus beiden Kirchengemeinden – daneben sind auch in Penzberg die sektenähnlichen Glaubensgemeinschaften verfolgt worden[337] –, jedoch besonders aus der evangelisch-lutherischen Gemeinde, sind überzeugende Haltungen und Handlungen der unerbittlichen Regimefeindschaft überliefert.

Trotz Konkordats bekamen auch die Penzberger Katholiken sehr bald zu spüren, woher der Wind künftig wehen würde. Öffentlich-amtlich wurde im September 1933 betont, daß mit Ausnahme rein kirchlicher Veranstaltungen »jedwede Betätigung katholischer Organisationen«, besonders der Arbeitervereine, ebenso wie das Tragen

---

[336] Bracher, Karl Dietrich: Die deutsche Diktatur. Entstehung, Struktur, Folgen des Nationalsozialismus. Köln 1979, S. 403.
[337] BayHStA, MA 106 690, Monatsbericht d. Gestapo-Leitstelle München vom 1. 8. 1937: Fünf Ernste Bibelforscher wurden in Penzberg und Umgebung festgenommen. Vgl. für Essen: Steinberg, a.a.O., S. 159–166.

einheitlicher Kleidung verboten sei[338]. Wie ernst es damit stand, wurde spätestens im Oktober 1933 der örtlichen Kirchenleitung bekannt: Als am Penzberger Markttag einige Mitglieder der »Jungschar des Katholischen Jungmännervereins« »ohne irgendwelche Verabredung« die Marktstände betrachteten, fielen rund 20 bis 25 Hitlerjungen über die ihnen als katholische Vereinsmitglieder Bekannten her und rissen ihnen die Kleidung auf, um zu prüfen, ob unter Hemd oder Pullover nicht ein »Blauhemd«, die Bundestracht der katholischen Jugendlichen, versteckt sei. Die vier Jugendlichen, bei denen dies zutraf, wurden vor den HJ-Führer Orthofer gezerrt, der ihnen eigenhändig die Hemden auszog und letztere beschlagnahmte. Die Beschwerde gegen diese skandalöse Radauszene ist allem Anschein nach völlig ergebnislos geblieben[339].

Die katholischen Vereine behielten ihre Treffen und Versammlungsabende bei, mehr noch, sie scheinen ihren Zusammenhalt im Laufe des Jahres 1934 sogar verstärkt zu haben[340]. Die örtliche NSDAP betrachtete solches Gebaren mit großem Argwohn: Es gab Denunziationen[341], polizeiliche Überwachungen und Maßnahmen in erster Linie gegen die katholischen Jugendvereine sowie gegen die konfessionelle Presse[342]. Nur innerhalb des eigenen Jugendheims ließ sich die Vereinsaktivität einigermaßen abschirmen. Was immer auch nur am Rande in die Öffentlichkeit drang, begegnete sofortiger Untersuchung: So der »Eucharistische Kinderkreuzzug« unter Leitung der zutiefst religiösen Kindergärtnerin Sophie Rabl, die acht- bis vierzehnjährige Mädchen »gegen Gefährdung der Religion« betreute, Ende 1935 um Genehmigung einer Weihnachtsfeier einkam[343] und ein Jahr zuvor selbst Briefe an Hitler über die Ziele ihrer Gruppe nicht gescheut hatte; so der »Fall« der Handarbeitslehrerin Ehrnsberger, ein Beispiel für die

---

[338] PA 221/25. 9 1933. – Die knappe Skizze im folgenden beruht ausschließlich auf verstreuten Quellenfunden; eine innerkirchliche Überlieferung wurde mir auch nach Anfrage beim Kath. Pfarramt Penzberg nicht zugänglich. Es ist wahrscheinlich, daß ein großer Teil der pfarrarchivalischen Überlieferung infolge der Kirchenzerstörung durch einen Bombenangriff in der letzten Kriegsphase vernichtet wurde. Zum »Kirchenkampf« auf kath. Seite – im folgenden wird hierauf nicht näher eingegangen werden – vgl. die allerdings sehr knappen Abriß von Witetschek, Helmuth: Die katholische Kirche seit 1800, in: Spindler, Max (Hrsg.): Handbuch der bayerischen Geschichte, Bd. 4, Das neue Bayern 1800–1970. 2. Teilbd., München 1975, S. 914–945, 941ff.

[339] Nach dem Beschwerdeschreiben des Vereinspräses Anton Göppelt/Gauleitung 26. 10. 1933, in: StAM, NSDAP 627. Über einen Konflikt der Sindelsdorfer HJ mit Pfarrer Hochhauser, der in der Kirche »über die ganze HJ« schimpfte, vgl. BM Schleinkofer/OGrF Schneider 19. 7. 1934, in: NSDAP 655. Die Penzberger Hitler-»Jungens« waren auch sonst nicht zimperlich; über eine Auseinandersetzung im Rabenkopfgebiet mit dem Angehörigen des Gebirgsunfalldienstes Alois Einberger im Mai 1934 vgl. ebenda, Beschreibung des Sachverhalts. Über Schulprovokationen der HJ s. jetzt Kater, Michael H.: Hitlerjugend und Schule im Dritten Reich, in: Historische Zeitschrift 228 (1979), S. 572–623, 573f. u. ö.

[340] Vgl. OGrF/Gauleitung 7. 4. 1934, StAM, NSDAP 654. Als gründliche Arbeit s. jetzt: Aretz, Jürgen: Katholische Arbeiterbewegung und Nationalsozialismus. Der Verband kath. Arbeiter- und Knappenvereine Westdeutschlands 1923–1945. Mainz 1978, hier S. 69ff., 150ff.

[341] Vgl. StAM, NSDAP 655, Denunziation der BDM-Scharführerin L. Orthofer über einen »Heimabend«; hierzu Gauorganisationsamtsleiter/Kreisleitung Weilheim 14. 8. 1934, NSDAP 627.

[342] Vgl. StAM, LRA 3867, Rundschreiben der Bayer. Polit. Polizei v. 14. 11. 1934 u. 18. 9. 1935 über die konfessionelle Presse.

[343] Hierzu StAM, LRA 5170, sowie ausführlich NSDAP 627, mit Abschr. einer Stellungnahme des Stadtdekans Pfeiler, 5. 8. 935: »Die Sache ist gar nicht der Rede wert. Es besteht überhaupt keine Jugendorganisation und eine religiöse Betreuung durch Rabl findet nicht statt . . . Ich selbst wäre ja ein Gegner einer Jugendorganisation, die durch Rabl geführt würde«; hierzu BM Bogner 4. 9. 1935: »Die Stellungnahme des hiesigen Dekans Pfeiler ist unwahr und könnte die Führung dieser Organisation von diesem Herrn ohne weiteres geahndet werden, wenn er daran Interesse hätte«.

»schlimmen politischen Zustände ... an der Volksschule Penzberg«, deren »religiöse Überreiztheit und ihre Anlehnung an geistliche Berater anstelle einer gesunden Kameradschaft mit den Kollegen« Partei und Behörden in die Augen stach[344]. Anscheinend erstmals Mitte 1936 durchforstete man die katholische Pfarrbücherei und beschlagnahmte einige Schriften[345]; als Ende 1940 eine ähnliche Säuberung von nichtreligiösen Büchern durchgeführt worden war, konnte Kaplan Beneke die ausgeschiedenen Werke rechtzeitig an einige Mitglieder der Kirchengemeinde verschenken. So wurde befürchtet, daß die Pfarrbücherei illegal weitergeführt werden sollte[346].

Kaplan Erich Beneke war das Rückgrat der katholischen Abwehr gegen die Eingriffe des Regimes. Er und sein Kollege, Kaplan Sorg, lehnten Anfang 1938 und anscheinend öfter die Teilnahme an Kundgebungen selbst prominenter Gauredner unter Hinweis auf Beichtpflichten ab[347]; Beneke handelte sich Ende 1939 eine Anzeige wegen Vergehens gegen das Heimtückegesetz ein, weil er einen Adventsbrief »mit staatsgefährlichem Inhalt« an Gemeindemitglieder versandt hatte[348]. Das Verfahren wurde eingestellt. Der junge Kaplan stand in nichts seinen Kollegen in den Pfarrämtern der näheren Umgebung nach, etwa nicht dem Pfarrer Hammer in Habach oder dem Kooperator Hinterreiter in Großweil, die beide, wie es hieß, aus ihrer zentrumsfreundlichen Gesinnung kein Hehl machten[349].

An Robustheit und Tatkraft unter den sicher nicht förderlichen Bedingungen einer religionsskeptischen und oft kirchenfeindlichen Arbeiterschaft mangelte es Beneke so wenig wie seinem Amtskollegen im evangelisch-lutherischen Pfarramt, dem Vikar Steinbauer[350]. Als »exponiertes Vikariat« lag dieser Pfarrbezirk in der Diaspora; er

---

[344] Nach StAM, NSDAP 609, Gauleitung, Amt für Erzieher/Reg. Obb. 11. 10. 1938.
[345] Nach StAM, LRA 3867, Bericht vom 31. 7. 1936.
[346] Nach StAM, NSDAP 617, Stimmungsbericht vom 10. 3. 1941.
[347] Nach StAM, NSDAP 646–654, Einladungsschreiben und Antwort vom 25. 3. 1938.
[348] Vgl. BayHStA, MA 106 671, Monatsbericht Reg. Obb. vom 10. 2. 1940; s. auch Witetschek (Hrsg.), a.a.O., Bd. I, S. 315f.; zum Verfahren s. bes.: StAM, Staatsanwaltschaften 5741. Demnach hatte Beneke 170 Adventsbriefe hergestellt; 113 davon wurden beim Postamt Penzberg aufgefangen. Beneke führte in Predigten (so PP 29. 1. 1940) stets »zweideutige Redensarten«, die allerdings zum Einschreiten nicht ausreichten. Die Gestapo verlangte unter dem 6. 2. 1940 Anklage: »Er gebrauchte auch hier [sc. im Adventsbrief] mit einer gewissen Vorsicht, aber in der von ihm gewohnten hinterhältigen Weise Äußerungen, die bei Gegnern des Nationalsozialismus zweifellos richtig aufgefaßt und verwertet werden«. So hatte es in dem dreiseitigen hektographierten Adventsbrief über die »Hochmütigen« und »Prahler« u. a. geheißen: »Die hohlen Fässer dröhnen sehr laut, wenn man dran klopft, die gefüllten bleiben still«. Das Verfahren wurde dann auch eingestellt, weil die Ausführungen »so allgemein und vorsichtig gehalten sind«.
[349] Nach den Berichten in StAM, NSDAP 627.
[350] In der folgenden Darstellung wurden im wesentlichen drei umfangreiche Faszikel im Evangelisch-Lutherischen Pfarramt Penzberg, »Kirchenkampf« und »Pfarrer Steinbauer«, sowie zwei ausführliche Gespräche mit Pfarrer Steinbauer und der im IfZ archivierte Akt Fa 323 (Steinbauer), eine Erinnerung mit Dokumenten in Gestalt eines Rechenschaftsberichts an die Kinder, zugrundegelegt. Eine recht genaue Darstellung aus kirchlicher Sicht hat Steinbauers Stellvertreter und Nachfolger im Pfarramt, Christoph Simon, vor allem auf der Grundlage der Pfarramtsakten und Steinbauers persönlicher Materialien, jedoch ohne Quellenhinweise, vorgelegt: Penzberg, in: Harder, Günther und Wilhelm Niedermöller (Hrsg.): Die Stunde der Versuchung. Gemeinden im Kirchenkampf 1933–1945. Selbstzeugnisse. München 1963, S. 406–443; knapper Aufriß auch in Mock, Ehrenfried: Geschichte der Evangelisch-Lutherischen Kirchengemeinde Penzberg - Kochel - Seeshaupt. Festschrift anläßlich der 75-Jahr-Feier der Kirchenweihe in Penzberg am 27. und 28. Oktober 1979, Penzberg o. J. [1979], S. 35–41. Wenig sachliche Ergänzung bringen die Akten des Sondergerichts, StAM, Staatsanwaltschaften, Nr. 5427, über Steinbauers Prozeß 1939/40; jedoch informieren die dort erhaltenen »Rückblicke« und strafrechtlichen Würdigungen in verschiedenen Polizeiberichten (bes. Gestapo-Leitstelle

48. Pfarrer Karl Steinbauer.

49. Pfarrer Steinbauer am Tage der Schutzhaftentlassung vor der evangelischen Kirche Penzberg (1936).

erstreckte sich auf den größten Teil des Pfaffenwinkels bis hinauf nach Urfeld am Walchensee und forderte daher von seinen Pfarrverwesern eine auch physische Einsatzkraft. Steinbauer, der am 2. September 1906 als Sohn eines Oberstudiendirektors geboren ist, war als Gymnasiast im Jahre 1922 dem eben verbotenen Bund Oberland beigetreten. Antisemitismus erschien ihm damals wie vielen deutschen Jugendlichen »geradezu als nationale Pflicht«. Er bedauerte das Scheitern des Hitler-Putsches und wurde, ähnlich manchen seiner Amtskollegen, im Jahre 1931 Mitglied der NSDAP. Zum Schlüsselerlebnis über die Ziele und Methoden der Partei wurde ihm 1932 der Potempa-Mord[351]; Steinbauer trat sofort aus der Partei aus. Nach der Machtübernahme kam er nach Penzberg und trat seine erste Pfarrstelle an.

Als am 15. Juli 1933 der Landeskirchenrat die Neuwahl der Kirchenvorstände anordnete, gab es in Penzberg eine »geradezu dramatische Gemeindeversammlung«, in der zwei »Alte Kämpfer« und ein »geltungsbedürftiger Konjunkturritter, Dipl.-Ing. im Bergwerk«, ihre Wahl erzwingen wollten. Steinbauer setzte die Bestätigung des alten Kirchenvorstandes, der neben Sozialdemokraten wie dem Polizeikommissar Vetter auch aus einem bekannten „Stahlhelmer", dem Steiger Seltmann, bestand, auf dieser Versammlung durch und geriet darüber in einen ersten schweren Konflikt mit dem NS-Kreisleiter in Weilheim[352]. Die Gleichschaltung des Kirchenlebens in Penzberg war mißlungen. Dieser neue alte Kirchenvorstand amtierte bis über 1945 hinaus und wurde zum wichtigsten Rückgrat aller weiteren regimefeindlichen Aktivitäten des Vikars.

Seinen ersten harten Konflikt bestritt Steinbauer in der Folgezeit freilich nicht mit der NSDAP, sondern mit der eigenen Kirche. Steinbauer, der den Kirchenvorstand und die Gemeinde regelmäßig über die schweren Auseinandersetzungen der Bekennenden Kirche informierte, kritisierte hart das Verhalten seiner Kirchenleitung im Streit um die Deutschen Christen und den Reichsbischof und nahm hierbei seinen eigenen Landesbischof Meiser nicht aus. Ein langer erregter Brief an den Bischof trug ihm eine Belehrung in München ein, die von so geringem Erfolg gekrönt war, daß ihn Meiser mit Wirkung vom 16. Februar 1934 seines Amtes entsetzte. Jetzt trat der Kirchenvorstand zum ersten Mal in Aktion. Er richtete ein Protestschreiben[353] gegen die Amtsenthebung an den Landeskirchenrat:

»Herr Vikar Steinbauer ist ein auch von der hiesigen politischen Leitung anerkannter echter Nationalist im Sinne unseres Führers Adolf Hitler ... Er habe es verstanden, als ehrlicher Seelsorger in die Hütten der Armen zu gehen und diese wieder mit Freude und Liebe in ihr Gotteshaus zu bringen. Penzberg – die ehemals rote Hochburg Bayerns, politisch verhetzt und zur Verzweiflung getrieben, fand sich wieder ein in unserer Kirche«.

Augsburg 18. 8. 1939; Polizei Senden 8. 1. 1939, Gestapo Augsburg 2. 6. 1939 und Vernehmungsprotokoll vom 11. 1. 1939) im Überblick. Darüber hinaus enthält die Akte einige Mitschriften von überwachenden Beamten bei Predigten Steinbauers, die vor allem insofern von Wert sind, als Steinbauer keine ausführlichen Manuskripte anzufertigen pflegte, vielmehr seine Predigten anhand einiger Stichworte frei hielt.

[351] Brutaler, von Hitler öffentlich gerechtfertigter Mord von 5 SA-Männern an einem Kommunisten in der Nacht vom 9. auf den 10. August 1932 in dem oberschlesischen Dorf Potempa.

[352] Vgl. zum Folgenden bes. IfZ, Fa 323, Zitat: S. 16; ferner PA 162/17. u. 166/21. 7. 1933.

[353] Hs. Entw. u. Durchschr.: Ev. Pfarramt, Akt Steinbauer, 3. 2. 1934. Auch die Kirchenvorstände in Kochel und Seeshaupt wirkten an dem Protest mit.

Tatsächlich versuchte Steinbauer auch in der Folgezeit zunächst noch, zwischen der »Bewegung« und ihrem »Führer« zu unterscheiden und bei verbaler Ausklammerung des letzteren die kirchen- und religionsfeindlichen Bestrebungen der ersteren anzuprangern. Auf das Drängen seines Kirchenvorstands durfte Steinbauer, dessen Lage sich durch eine erste Beschwerde über ihn aus der Gemeinde Seeshaupt kompliziert hatte, zu Ostern 1934 sein Amt wieder wahrnehmen – mit dem Ersuchen um »etwas mehr Zurückhaltung ... in Dingen, die auf dem Gebiet der Politik bzw. Kirchenpolitik« lagen[354]. Möglicherweise spielte in diesem Konflikt auch das am 16. Februar 1934 eingegangene Schreiben des »Vertrauensmanns für die Eingliederung der evangelischen Jugendverbände in die HJ und den BDM«, Pfarrers Hofmann aus München, eine Rolle, das der Kirche auferlegte, ihre Jugend HJ und BDM zu überlassen, und ihr das Recht auf Betreuung an zwei Wochentagen einräumte. Steinbauer war gezwungen, mit den örtlichen HJ- und BDM-Führern ein entsprechendes »Eingliederungsformular« zu zeichnen, obwohl er den Verlust der unabhängigen kirchlichen Jugendarbeit sehr betrauert haben wird.

Im Jahre 1935 mehrten sich die Denunziationen der nationalsozialistischen Randfiguren im Gemeindeleben. Ende März 1935 traf eine Beschwerde eines Seeshaupter Gemeindemitglieds ein, Steinbauer habe sich in der Bibelstunde über den »Mythos des 20. Jahrhunderts« ausgelassen und dazu gesagt, solcherart Rede sei zwar verboten, er halte sie trotzdem, »und wenn ich auch erschossen werde«[355]. Die Gesamtgemeinde Seeshaupt sprach sich sehr entschieden für ihren Pfarrer aus, doch erwartete man in Kreisen des Kirchenvorstands um diese Zeit bereits einen Schutzhaftbefehl. Im Juni 1935 wetterte Steinbauer in einer Sonntagspredigt über den Reichsarbeitsdienst, was ihm prompt einen neuen Beschwerdebrief eintrug. Auch zögerte er nicht, in seinen Predigten den Antisemitismus als eine Verachtung der biblischen Verheißung anzuprangern. Denn es gab auch in seiner Gemeinde jene Nationalsozialisten, die sich darüber beschwerten, daß ihre Kinder die Zehn Gebote auswendig lernen müßten; einer von ihnen lehnte »das Alte Testament mit seinen jüdischen Schweinereien ab«[356].

Ende 1935 spitzte sich die Lage zu. Steinbauer tat »staatsabträgliche Äußerungen« während einer Predigt in Kochel am 18. August und handelte sich eine Strafanzeige ein. Wenig später lehnte er die Blasphemie jener »Auferstehung des deutschen Volkes«, der Aufbahrung der »Blutzeugen« des Hitler-Putsches von 1923, ab und verweigerte die Kirchenbeflaggung. Die Folge war eine Verurteilung zu zwei Wochen Gefängnis, das ihm jedoch wegen einer Amnestie erspart blieb. Dies war nur ein »Wetterleuchten« des Kommenden[357]. Auch innerkirchlich zögerte der Vikar Ende 1935 nicht, das Verhalten seines Landesbischofs gegenüber Reichsminister Kerrl zu tadeln, und er gab von seinem

---

[354] Ebenda, Ev.-Luth. Dekanat München II i. A. d. Landesbischofs/Steinbauer 6. 4. 1934. Zum Folgenden s. Ev. Pfarramt, Akt Kirchenkampf, Bd. I.
[355] Ev. Pfarramt, Akt Steinbauer, Beschwerde vom 31. 3. 1935.
[356] Ebenda, Beschwerde vom 11. 12. 1935, sowie Monatsbericht der Bayer. Polit. Polizei, gedruckt b. Broszat u. a. (Hrsg.), a.a.O., S. 453.
[357] Hierzu: BayHStA, MA 106 670, Monatsbericht Reg. Obb. vom 9. 10. 1935 u. vom 8. 5. 1936, s. auch Witetschek (Hrsg.), a.a.O., S. 97, vgl. S. 116. Abschr. d. Urteils s. IfZ, Fa 323, S. 65–71; vgl. auch Simon, a.a.O., S. 41 f. (»Wetterleuchten«).

eigenen Brief hierzu[358] an Kerrl zugleich auch dem Reichskanzler, seinem Landesbischof und Pfarrer Niemöller Kenntnis. Inzwischen hatte ihn die Bayerische Politische Polizei mit einem ersten Redeverbot für ganz Bayern belegt, was ihn nicht gekümmert zu haben scheint[359]. Auch hatte ihm das Strafverfahren über die Kirchenbeflaggung eine weitere Anzeige eingebracht, weil er in einem »Verteidigungsvorbringen ungehörige Bemerkungen über die Partei gemacht« hatte[360]. Inzwischen erfuhr er auch, nachdem Landesbischof Meiser amtsenthoben und zeitweise unter Hausarrest gestellt worden war und dennoch seine Dienstgeschäfte noch 1934 wieder aufgenommen hatte, vielmehr seither die Aufnahme der Fürbitte für inhaftierte Glaubensdiener in das Kirchengebet angeordnet hatte, stärkere Unterstützung durch den Landeskirchenrat, wenn Steinbauer auch fernerhin mit seiner Kritik nicht hinter dem Berge hielt.

Kaum war im April 1936 die fällige Gefängnisstrafe amnestiert worden, lehnte Steinbauer zum 1. Mai 1936 die Beflaggung der Kirche ab, während die Landeskirche ihrerseits das angeordnete Geläute der Kirchenglocken wegen der religionsfeindlichen Sätze in Robert Leys Maiaufruf verbot. Der Vikar sprach persönlich bei der Ortsgendarmerie vor und gab zu Protokoll: »Mich treibt neben meinem Auftrag als Prediger des Evangeliums auch die Angst um die Zukunft unseres Vaterlandes . . .«[361]; auch hieß es, die Wahlergebnisse vom 29. März seien gefälscht worden[362]. Darauf wurde ein erneutes Rede- und Aufenthaltsverbot ausgesprochen und Steinbauer am 20. Juni 1936 nach Weilheim in das Amtsgerichtsgefängnis verbracht. Nun trat wiederum der Kirchenvorstand mit einem geharnischten Einspruch in Aktion, worauf anscheinend die Entlassung, nicht aber eine Rücknahme des Aufenthaltsverbots erreicht wurde; über Nacht wurde Steinbauer, der einen Urlaub nur unter der Bedingung angetreten hatte, danach sein Amt wie bisher versehen zu können, nach scharfen Auseinandersetzungen mit dem Landeskirchenrat gegen den Augsburger Vikar Christoph Simon ausgetauscht. Letzterer zögerte nicht, eine erneute Erklärung des Kirchenvorstands mit zu unterzeichnen, in der dieser Amtswechsel bedauert wurde.

In den folgenden Monaten traf sich Steinbauer insgeheim wiederholt mit Simon und Mitgliedern des Kirchenvorstands, der in einem erneuten Einspruch den Behörden das Ausweisungs- und Redeverbotsrecht bestritt. Steinbauer hielt sich auch in Augsburg nicht an das Predigtverbot, so daß bald die Gestapo vor seiner Tür stand. Kurz darauf wurde das Redeverbot aufgehoben, doch wurden die Predigten überwacht und unterla-

---

[358] IfZ, Fa 323, S. 75–88, 27. 1. 1936. Zum kirchenpolitischen Hintergrund knapp: Hirschmann, Gerhard: Die evangelische Kirche seit 1800, in: Spindler, Max (Hrsg.): Handbuch der bayerischen Geschichte, Bd. IV: Das neue Bayern 1800–1970. 2. Teilbd., S. 883–913, 906.
[359] Steinbauer erinnert sich nicht an dieses erste, am 9. 9. 1935 ausgesprochene Redeverbot, vgl. Witetschek, a.a.O., Bd. I, S. 97), meint vielmehr, es könne sich um ein Verbot der Bibelstunden gehandelt haben. Vgl. auch IfZ, Fa 323, S. 62a, Nachtrag.
[360] Witetschek (Hrsg.), a.a.O., S. 116; zum Folgenden: Hermelink, Heinrich (Hrsg.): Kirche im Kampf. Dokumente des Widerstands und des Aufbaus in der Evangelischen Kirche Deutschlands von 1933 bis 1945. Tübingen/Stuttgart 1950, S. 154–178.
[361] Ev. Pfarramt, Akt Steinbauer, Protokoll vom 2. 5. 1936.
[362] BayHStA, MA 106 687, Monatsbericht der Bayer. Polit. Polizei vom 1. 7. 1936; vgl. auch ebenda, dass, v. 1. 8. 1936, sowie BayHStA, Reichsstatthalter 636 (nach: Widerstand und Verfolgung, a.a.O., Bd. V, S. 196); ferner IfZ, Fa 323, S. 126–137.

gen einer innerkirchlichen Zensur. Wenig später erfolgte die Aufhebung des Aufenthaltsverbots, und Steinbauer kehrte nach Penzberg zurück[363].

Mitte 1936 hatte Steinbauers mutiges Eintreten für eine freie, unbeeinflußte kirchliche Verkündigung Aufsehen weit über seinen engeren Wirkungskreis hinaus erregt. Nach seiner Rückkehr in das Penzberger Pfarramt sollten weitere Vorfälle nicht lange auf sich warten lassen. Im Februar 1937 entfernte Steinbauer wiederholt eigenhändig ein HJ-Plakat aus einem Schaukasten, das den Titel trug: »Mit Bibellesen? Nein!« Der Pfarrer rechtfertigte sein Tun in einem dreiseitigen vervielfältigten Flugblatt über »Jugend und Bibel« und mit einem ausführlichen Schreiben[364] an die HJ Gebiet Hochland, das durchschriftlich an den Reichskanzler, den Reichsstatthalter Ritter von Epp und den Reichsjugendführer Baldur von Schirach ging. Er erreichte in der Tat, daß letzterer unter dem 1. März 1937 von der Rücknahme des antikirchlichen Anschlags Kenntnis gab. Zwei Tage später nahm Steinbauer ein neues Plakat des HJ-Schaukastendienstes mit dem Titel »Unsre Bibel ist des Führers Buch, Mein Kampf« ab, und am 1. Mai 1937 unterließ er, nachdem er kritische Bemerkungen zweier Bergmannsfrauen über die Beflaggung am »Führergeburtstag« hatte hören müssen, wiederum die Beflaggung seiner Kirche. Sein hierzu entworfener Schriftsatz endete[365]:

»Sobald aber der Vater der Lüge nicht mehr unter dieser Fahne sein böses Wesen triebe, besonders mit der Gemeinde und Kirche Jesu Christi und allen ihren Gliedern und damit auch mit unserem deutschen Volk, dann würde ich sie wieder hinaushängen« –

»eine bodenlose Unverschämtheit« nach Ansicht der Gestapo. Steinbauer kam am 16. Juni 1937 erneut in Haft nach Weilheim; seine Wohnung wurde durchsucht. Vertreter in Penzberg wurde sein Vater Johann Steinbauer[366], den ab 1. September wieder Vikar Simon ablöste. Gleichzeitig mit Steinbauer wurden zahlreiche Mitglieder des Reichsbruderrates der Bekennenden Kirche und im Juli 1937 auch Martin Niemöller verhaftet.

Die Leidenszeit im Gefängnis dauerte bis zum 11. November 1937; sie brachte beeindruckende Zeugnisse der Fürbitte und Solidarität nicht nur der eigenen Kirchengemeinde, sondern auch landesweit durch Verlesen von Postkarten und »Briefen aus Zelle 20« des Inhaftierten in Predigten und Einbezug in das Kirchengebet. Der Kirchenvorstand formulierte sehr bald seinen neuen Protest gegen die Inhaftierung. Penzberger Bürger, die in Weilheim zu tun hatten, machten sich ihrem Pfarrer vor dem Gefängnisfenster durch Pfeifen eines »Hallelujah« erkenntlich und erhielten Antwort durch ein Winken mit dem Taschentuch – »auf diese Weise bekam ich täglich Pfeifbesuch«[367]. Am Reformationstag 1937 sang ein Chor der Gemeinde auf dem Platz vor dem Amtsgerichtsgefängnis Kirchenlieder. Und auch in der Gemeinde selbst ging es im Sinne des

---

[363] Vgl. Simon, a.a.O., S. 417; IfZ, Fa 323, S. 176.
[364] Das Flugblatt wurde in Kiel (!) beschlagnahmt; vgl. BayHStA, MA 106 689, Monatsbericht der Gestapo-Leitstelle München vom 1. 3. 1937; das Schreiben s. in Ev. Pfarramt, Akt Steinbauer, 10. 2. 1937; vgl. auch IfZ, Fa 323, S. 209–217.
[365] Nach BayHStA, MA 106 689, Monatsbericht der Gestapo-Leitstelle München vom 1. 6. 1937; der zit. Passus findet sich nicht wörtlich, aber dem Sinn nach auch in dem Schriftsatz Steinbauers an die Gendarmeriestation Penzberg vom 4. 5. 1937, IfZ, Fa 323, S. 242–245.
[366] Vgl. Simon, a.a.O., S. 419–421; Witetschek (Hrsg.), a.a.O., Bd. I, S. 251, 281.
[367] IfZ, Fa 323, S. 284.

Inhaftierten weiter: Ein Flugblatt gelangte zur Verbreitung, in dem die Familienoberhäupter aufgefordert wurden, in den amtlichen Haushaltslisten statt des vorgesehenen »gg« für »gottgläubig« ihr »evangelisch-lutherisch« einzusetzen[368].

Der Entlassung folgte ein Aufenthaltsverbot für den Kreis Weilheim, doch weigerte sich die Landeskirchenleitung nun, Steinbauer von seiner Penzberger Pfarrstelle zu entheben. Es gelang tatsächlich, das Aufenthaltsverbot zum Zweck einer ordnungsgemäßen Verabschiedung Steinbauers aus seiner Gemeinde in der Karwoche 1938, sogar unter Zustimmung des zögernden Bürgermeisters Bogner, aufzuheben. Steinbauer tat in diesen Monaten in einer kleinen Gemeinde Oberfrankens Dienst und erlitt hier eine erneute Verhaftung infolge Denunziation durch einen Lehrer. Am 2. Mai 1938 entlassen, übertrug ihm der Landeskirchenrat die Pfarrstelle in Illenschwang[369]. Steinbauer ließ auch dort nicht ab, »ein unverbesserlicher, gehässiger Gegner des heutigen Staates und der Partei zu sein«[370]: Er weigerte sich, den Ariernachweis zu erbringen; er betete im Gottesdienst ohne Unterlaß für seine inhaftierten Glaubensbrüder, und in seinen Predigten sparte er nicht an Kritik gegen Staat und Partei. Dies trug ihm einen handgreiflich ausgetragenen Konflikt mit der örtlichen SA ein, weshalb der auch in Senden loyale Kirchenvorstand mit dem besuchsweise anwesenden Vikar Simon demonstrativ vor Bürgermeisteramt und Gendarmerievorstand zog, um Beschwerde zu erheben. Dies führte zu Strafanzeigen gegen alle Beteiligten. Steinbauer entging den Pöbeleien von HJ und SA durch polizeiliche Inhaftierung, wurde jedoch am 27. März 1939 in das KL Sachsenhausen überstellt und erwartete nun einen Prozeß vor dem Sondergericht in München[371]. Er erwartete eine Verurteilung zu einer gewiß harten Strafe und meldete sich daher, von Freunden wie auch vom Landesbischof darin unterstützt, zum aktiven Wehrdienst, den er am 20. Januar 1940 antrat: Eine Strafe wäre damit unter den Gnadenerlaß Hitlers vom 1. September 1939 gefallen[372]. Schon zum zweiten Mal war eine Abordnung von Kirchenvorstehern nach Berlin gereist, um die Entlassung zu erwirken; diese wie andere Maßnahmen der Ehefrau, der Freunde und kirchlichen Repräsentanten waren erfolglos geblieben. Als Steinbauer, inzwischen hochdekoriert, anläßlich eines Genesungsurlaubs zu Weihnachten 1943 eine Predigt in Illerschwang hielt, trug ihm das eine Anklage wegen Zersetzung der Wehrkraft ein; er wurde jedoch vom Kriegsgericht freigesprochen[373].

Pfarrer Steinbauer hat immer deutlich gemacht, daß er die Motive seines Handelns ausschließlich aus dem Evangelium und aus seinem kirchlichen Lehramt bezog. In seinen zahlreichen, ausführlichen Schriftsätzen findet sich kein Indiz, das eine andere Einschät-

---

[368] StAM, LRA 3867, über Flugblattverteilung in Seeshaupt 3. 10. 1937.
[369] Vgl. Simon, a.a.O., S. 424f.; Witetschek (Hrsg.), a.a.O., S. 291.
[370] Ev. Pfarramt, Akt Steinbauer, Abschr. einer Verfügung der Reg. v. Schwaben vom 2. 11. 1938. Vgl. auch Witetschek (Hrsg.), a.a.O., Bd. I, S. 303f.; BayHStA, Reichsstatthalter 637 (nach: Widerstand und Verfolgung, a.a.O., Bd. V, S. 198).
[371] Vgl. Simon, a.a.O., S. 430-434, sowie Prozeßakten StAM, Staatsanwaltschaften 5427. Steinbauers hier überlieferte Predigt-Mitschriften und Vernehmungen zeigen, wie deutlich der Pfarrer auch im Angesicht der Schergen formulierte. Jesus werde, so Steinbauer in der Vernehmung am 11. 1. 1939, noch immer verfolgt: »Die Herodese haben nur andere Namen«; die Zustände in Deutschland glichen dem ›Kindermord von Bethlehem‹.
[372] Verfügung vom 9. 5. 1940, in: StAM, Staatsanwaltschaften 5427, s. auch Ev. Pfarramt, Akt Steinbauer.
[373] Ausführl.: Simon, a.a.O., S. 440f.

zung erlaubte. Gegen das behördlich verfügte Predigtverbot verwies Steinbauer in Verhören auf das Predigtgebot Matthäus 28; seine Kritik an der Landeskirchenleitung in München – während der außerordentlichen Pfarrerversammlung am 1. Februar 1934 in Nürnberg war ihm das Wort entzogen worden – gründete er auf die Frage: »Geht es hier um die Substanz der Kirche oder nicht?«[374]. Auch war ihm das Untertänigkeitsgebot in Römer 13, jene jahrhundertelange Crux des protestantischen Staatsverständnisses[375], wiederholter Anlaß zur Selbstbesinnung auf die Stellung der Kirche zum diktatorischen Staat[376]. So traf es weder zu, daß der Pfarrer sich, wie die einen behaupten mochten, zum Werkzeug der »politischen Reaktion« gemacht habe, noch daß, wie man später hören konnte, das »rote Penzberg« in ihm und durch ihn »in der Kirche den letzten Helfershelfer für politische Ideen« gefunden habe[377]. Doch befriedigt diese Ausgrenzung vom Politischen nicht völlig, bedenkt man, daß der Pfarrer mit seinem Protest gegen eine unchristliche Hitlerjugend oder auch in den zum Teil vervielfältigten und in weiteren Kreisen bekanntgewordenen Schriftsätzen durch mehr offene als verklausulierte, stets handfeste Kritik am »Vater der Lüge« und seinen Handlangern sowohl seinen seelsorgerischen als auch den kirchenpolitischen Handlungsraum verließ, ohne sich dadurch mit systemkritischen Richtungen bewußt zu identifizieren. Vielmehr entsprach solches Tun seinem Temperament, seiner zutiefst emotionalen Überzeugtheit und Überzeugungskraft, in der beides mitschwang: eine religionskonservative Kritik am Opportunismus der Kirchenleitung in der Auseinandersetzung mit den Deutschen Christen und dem Nationalsozialismus und der Rückzug auf das Evangelium angesichts dieser wertzersetzenden Partei- und Staatsautorität, aber auch das soziale Mitempfinden für die Not der eigenen Gemeinde, der wiederholt bezeugte Kontakt gerade zu ihren einfachsten und scheinbar schwächsten Gliedern. Es waren zwei Bergarbeiterfrauen gewesen, die ihn darüber belehrt hatten, daß auch ein taktisches Eingehen auf Regimeforderungen – die Kirchenbeflaggung zum »Führergeburtstag« 1937 – zur Absicherung des innerkirchlichen Arbeitsfeldes mißverstanden wurde, daß der aggressive Nationalsozialismus ein Für oder Wider forderte und keine Kompromisse zuließ.

In Steinbauers Kirchenvorstand – keine »besondere Musterauswahl prädestinierter Heldengestalten«, sondern Bürger der städtischen Unter- und Mittelschicht[378] – saßen nebeneinander ein führender Sozialdemokrat der Zeit vor 1933, Feuerwehrvorstand, langjähriger Stadtrat und hochangesehener Mitbürger, und ein führender Nationalsozialist, auf der Grube Steiger und Werksschulleiter und für seine Gesinnung ebenso

---

[374] IfZ, Fa 323, S. 37–44, Steinbauer/Landeskirchenrat 4. 2. 1934; zum Wortentzug s. Roepke, Klaus-Jürgen: Die Protestanten in Bayern. München 1972, S. 404. (Ich danke Herrn E. Mock für diesen Hinweis.).
[375] Vgl. aus der außerordentlich umfangreichen Literatur z. B.: Koops, Tilmann: Gehorsam und Widerstandsrecht in der Theologie des orthodoxen Luthertums, in: Jürgensen, Kurt und Reimer Hansen (Hrsg.): Historisch-politische Streiflichter. Geschichtliche Beiträge zur Gegenwart. Neumünster 1971, S. 13–29.
[376] Vgl. bes. IfZ, Fa 323, S. 18–24.
[377] Simon, a.a.O., S. 435. Simon weist darauf hin, daß die gesellschaftliche Oberschichten »jenes Landstrichs« sehr bald nach der Machtübernahme »ihren Mantel nach dem Wind gehängt« habe, und behauptet auch, daß ein »Großteil der roten Bergarbeiter . . . sehr rasch braun geworden« sei. Die Formulierung ist wenig genau, doch trifft sie der Tendenz nach im Hinblick auf die Ergebnisse der vorliegenden Untersuchung nicht zu.
[378] IfZ, Fa 323, S. 144; »es wird in ganz Deutschland damals kaum einen besseren Kirchenvorstand als den Penzberger gegeben haben«. »Ein ganz handfester Verstoß gegen das 6. Gebot« (Simon, a.a.O., S. 436) in seinen eigenen Reihen schwächte den Kirchenvorstand allerdings später sehr.

bekannt, nach 1945 deswegen auch von der Zeche entlassen[379]. Ernst Vetter und Fritz Seltmann waren nicht etwa Randfiguren, sondern Wortführer im Kirchenvorstand, der wohl gerade hieraus seinen Mut zu außergewöhnlichen Initiativen schöpfte und ohne dessen aktive Loyalität der zeitweilige Erfolg Steinbauers nicht erklärlich wird. Es gab Überzeugungen, die manche Nationalsozialisten und ihre Gegner teilten und die resonanzfähig geblieben waren, auch wenn das Regime zur Entscheidung drängte oder vielmehr jeden Entscheidungsspielraum drückend einengte. Man darf den Kirchenvorstand insoweit getrost auch als das Spiegelbild der in der Gemeinde widerstreitenden, aber doch im Glauben zusammengefügten Meinungen begreifen und tut dabei gut daran, sich in Erinnerung zu rufen, daß der Nationalsozialismus, sehr gegen seinen Willen, für zahllose Menschen eine Rückwendung[380] zu den Glaubensgemeinschaften und zum Glauben nicht nur deshalb hervorrief, weil dort noch freie Worte zu hören waren, sondern aus einem tiefen Bedürfnis nach neuerlicher Wertsicherheit, auch aus Abscheu vor hohlen Idealen. Dies wird für die Mittelschichten mehr als für die Bergleute, aber doch für beide Konfessionen gleichermaßen gegolten haben. Daß, wie gezeigt wurde, die Eltern von mehr als der Hälfte aller einzustellenden Bergjungleute den HJ-Revers zu unterzeichnen ablehnten, auch daß sich im März 1938 von 12 zwischen dem 1. August 1927 und dem 31. Juli 1928 geborenen Mädchen nur 4 als »Jungmädel« werben lassen mochten[381] – im ganzen Kreis Weilheim waren es 152 von 210 –, unterstützt unser bisher gewonnenes Ergebnis von der geringen Überzeugungstiefe des Nationalsozialismus in Penzberg und läßt nunmehr vermuten, daß der Versuch der Kirchen, Einfluß auf die Erziehung zu behalten, nicht ohne Erfolg geblieben ist.

Für Steinbauer persönlich war dabei ausschlaggebend, daß er bei der nicht immer eindeutigen Haltung seiner Landeskirche gegenüber dem Regime um so überzeugender und wahrhaftiger die Berufung auf die Verkündigung des Evangeliums leben und vertreten konnte. Hierzu schuf die Diasporasituation seiner Gemeinde in konfessionsgeographischer und sozialer Hinsicht günstige Voraussetzungen. Kirchlicher Widerstand war zudem in keiner Weise erfolglos – nicht hinsichtlich der ie konkreten Widerstandsziele, und schon gar nicht im seelsorgerischen Aufgabenfeld, für das der robuste Mut dieses im Sprachgestus und im Denken immer einfachen[382], verständlichen und unmittelbaren Pfarrers ein beherzigenswertes Vorbild zur Entfaltung brachte. Gegen Steinbauer sahen sich die Polizeioberen und Amtschefs auf den Behördenstuben zu einigen bemerkenswerten Rückziehern veranlaßt – und dennoch war sein Widerstand wie der vieler seiner Amtskollegen ein endloser, zeitweise nur von glücklichen Umständen aufgehellter Opfergang.

---

[379] Ev. Pfarramt, Akt Steinbauer, Kirchenvorstandsbeschluß vom 27. 10. 1945: Man nimmt Seltmann, ebenso wie Steinbauer selbst in einer eidesstattlichen Erklärung vom 25. 10. 1945 (ebenda), sehr energisch gegen die Maßregelung unter Hinweis auf seine kirchenpolitischen Verdienste in Schutz.

[380] Dies betont allgemein und unter Bezug auf die führenden Widerstandskämpfer neuerdings Klemperer, Klemens von: Glaube, Religion, Kirche und der deutsche Widerstand gegen den Nationalsozialismus, in: VfZ 28 (1980), S. 293–309.

[381] StAM, NSDAP 609. Bogner wurde aufgefordert, »eine persönliche Bearbeitung der in Frage kommenden Familien vorzunehmen«.

[382] Steinbauers Briefe waren nicht frei von »unnötigen Schreibfehlern« (der Freund Karl Gerhard Steck an Steinbauer, 1939, in: IfZ, Fa 323, S. 138f.); er selbst gestand dies unter Hinweis auf orthographische Schwächen schon in Schulaufsätzen ein (ebenda).

7. Arbeiterschaft im Zweiten Weltkrieg

Absatzprobleme hat die Grube Penzberg der Oberkohle so wenig wie ihre Schwestergrube in Hausham oder auch das Staatswerk Peißenberg seit etwa 1937 gekannt – um so weniger selbstverständlich während des Weltkrieges. Es hing auch durchaus mit rüstungswirtschaftlichen Erwägungen zusammen, wenn seit 1941 der Plan der Errichtung eines Kohlekraftwerks in Penzberg zur Versorgung des Eisenbahnnetzes und der geplanten Münchener U-Bahn in ein konkretes Stadium trat: Die Energieversorgung wäre damit aus dem im Bombenkrieg hochgefährdeten Ballungsraum ausgelagert, vielmehr in Alpennähe, wo der Luftraum leichter zu beherrschen war, verlegt worden; schließlich läßt sich Elektrizität leichter transportieren, und die Existenz der Grube wäre, so hoffte man wenigstens, in Friedenszeiten ein für alle Mal gesichert worden. Die Grube selbst setzte darauf, endlich im Kraftwerk ihre minderwertige Kohle, die auf dem Markt schwer abzusetzen war, gewinnbringend verfeuern zu können. Als Werksträger fungierte die Reichsbahn. Die ersten Turbinen sollten bereits im Herbst 1944 anlaufen[383]. Doch zwang der Weltkrieg zu Baueinschränkungen, so daß das Kraftwerk erst Jahre nach Kriegsende in Betrieb genommen werden konnte. Vom Luftkrieg blieb Penzberg mit der Ausnahme eines allerdings verheerenden, 10 Tote und zahlreiche Verletzte fordernden Bombenangriffs am 16. November 1944, der vor allem die Innenstadt traf und die katholische Kirche vollständig zerstörte, weitgehend verschont.

Die Förderung ließ sich weder in Penzberg noch in Hausham trotz immensen Kohlebedarfs steigern. Es scheint, als ob beide Gruben bei einem Belegschaftsstand von 1400 bis 1500 Arbeitern und Angestellten aus lagerungs- und organisationstechnischen Gründen an die Grenze ihrer Leistungskraft gekommen sind, wobei wahrscheinlich im Krieg gerade die ertragsgünstigen Partien abgebaut worden sind. Es mußte auch in Kauf genommen werden, daß die Leistung je Mann und Schicht erheblich sank[384] – nicht nur, weil mit den jüngeren Belegschaftsmitgliedern gerade die leistungsfähigsten Arbeiter einberufen wurden, sondern auch, weil die beschäftigten Kriegsgefangenen nicht entfernt diesen Leistungsausfall zu kompensieren vermochten.

So produzierte die Oberkohle im Jahre 1943 mit rund 800 000 Tonnen verwertbarer Förderung weniger als die Hälfte der gesamten Pechkohlenförderung von ungefähr 1,7 Mill. Tonnen das Peißenberger Staatswerk hatte seit den 1920er Jahren seine Leistungskraft erheblich steigern können[385]. Anfang 1942 rief man, sicher um die Arbeitsleistung zu bessern und wegen dringender Kohlennot, zahlreiche Bergleute aus dem Felde zurück[386]. Die Gesamtzahl der Einberufungen zur Wehrmacht und zum Arbeitsdienst wird jedoch, legt man die Belegschaftsentwicklung zugrunde, anfangs niedrig und erst

---

[383] Nach StAM, OK 287, VR 24. 11. 1941, 8. 5. 1942, 12. 11. 1942 und 9. 2. 1943.
[384] Die Durchschnittsleistung – vgl. auch oben Tabelle 43 – pro Schicht/Belegschaftsmitglied sank von 0,789 t (1939) über 0,707 t (1942) auf 0,557 t (1944) rapide ab; errechnet nach StAM, OK 254.
[385] Vgl. Tabelle 42 sowie Emminger, a.a.O., S. 34.
[386] Nach StAM, OK 330/IV.

seit 1943 jährlich um 130 betragen haben, von denen allerdings mancher auf die Grube zurückbeordert worden ist[387].

Die Lage der Arbeiterschaft hat sich, anders als im allerdings in Penzberg weniger entbehrungsreichen Ersten Weltkrieg, erst gegen Ende des Krieges, geht man zunächst von Einkommen und Versorgung aus, abrupt verschlechtert. Die folgende Aufstellung zeigt sehr deutlich, daß während der Kriegsjahre durch die Entwicklung der Schichtlöhne nur ein minimaler Einkommensgewinn erzielt wurde: Er betrug zwischen 1939 und 1944 rund 6 Prozent und wurde durch die Gesamtlebenshaltungskosten, die in Bayern allein zwischen August 1939 und März 1943 um rund 8 Prozent[388], in Deutschland bis 1944 um knapp 12 Prozent[389] stiegen, völlig weggezehrt.

Tabelle 51
Löhne und Arbeitsschichten 1939 bis 1945[390]

Jahr	Durchschnittlicher Netto-Schichtlohn Gesamtbelegschaft	Jährliche Fördertage	Verfahrene Schichten je Arbeiter	darin Überschichten in Prozent
1939	6,45 Mark	303		
1940	6,48 Mark	309	289,35	4,35
1941	6,77 Mark	312,75	280,55	5,71
1942	6,88 Mark	320,75	279,97	7,53
1943	6,84 Mark	329	284,73	8,99
1944	6,84 Mark	335	288,14	9,69
1945	6,64 Mark	307,50	269,93	5,37

Hinzu kamen groteske Diskrepanzen in der Preisentwicklung infolge kriegswirtschaftlicher Einflüsse. Etwa veränderten sich in Bayern die Heizkostenpreise kaum, und auch die Ernährungskosten blieben, von saisonalen Gipfeln abgesehen, unter jenen der allgemeinen Lebenshaltung, aber die Bekleidungskosten stiegen bis Anfang 1943 um mehr als 30 Prozent. Oberbekleidung und Schuhwerk gehörten zu den ausgesprochenen Mangelwaren.

Einkommensgewinne ließen sich durch das Verfahren von Überschichten erzielen. Allerdings zeigt die Statistik der verfahrenen Schichten in der oben errechneten Form

---

[387] Nach einer Aufstellung ebenda wurden von 1385 Bergleuten am 1. 1. 1943 bis zum 30. 9. 1943 98 Bergleute zur Wehrmacht und zum Arbeitsdienst einberufen; weitere 48 Abgänge gingen auf Tod, Invalidität und, in geringem Umfang, Lösung des Arbeitsverhältnisses zurück. Den 146 Abgängen standen 75 leider nicht näher bezeichnete Zugänge gegenüber. Die Belegschaftsstatistik oben Tabelle 43 zeigt, daß der Rückgang erst seit 1943 spürbar wurde und auf Einberufungen im geschätzten Umfang beruhen dürfte. Vom I. Quartal 1945 bis zum IV. Quartal 1945 stieg die Belegschaft von 1231 auf 1645 Bergleute, doch ist dieser Anstieg wohl nur zum geringen Teil auf rückkehrende Soldaten zurückzuführen; vgl. StAM, OK 503.

[388] Nach Raab, a.a.O., S. 25.

[389] Nach Bry, a.a.O., S. 465.

[390] Schichtlöhne: errechnet aus den monatsweisen Angaben StAM, OK 254. Die Berechnungsgrundlage weicht von jener in Tabelle 43 ab: In Tab. 43 wurden Urlaubsschichten und Brandkohlekosten eingerechnet, doch bricht diese Quelle mit dem Jahre 1943 ab. Jährliche Fördertage nach StAM, OK, Notizbücher, unverz.; Berechnung der Schichten nach OK 503. Diese Quelle beginnt leider erst 1940 und gibt Quartalswerte für Belegschaften, verfahrene Schichten und Überschichten, die zu Jahresdurchschnittswerten umgerechnet wurden (für 1940 und 1943 auf der Grundlage von nur drei Quartalen). Nach den Angaben StAM, OK 404 lagen die Löhne in Penzberg, insbesondere jene der Hauer, wieder sehr deutlich über jenen der übrigen Pechkohlengruben; vgl. ebenda, Direktion München/Werksleitung Penzberg 12. 1. 1940.

einen überaus interessanten Tatbestand, der sich grob so umschreiben läßt: Während die Zahl der verfahrenen Schichten je Arbeiter nach einem Höhepunkt im Jahre 1940 deutlich sank und erst 1944 wieder ein hohes Niveau erreicht wurde, stieg die Zahl der darin enthaltenen Überschichten immens. Obwohl die Grube die Zahl der jährlichen Fördertage bis 1944 von Jahr zu Jahr zu erhöhen vermochte und sich dies auch im Anteil der Überschichten ausdrückte, blieb die Schichtleistung je Belegschaftsmitglied – Kriegsgefangene sind in diesen Berechnungen nicht enthalten – regelmäßig ziemlich unbeeinflußt. Erklären läßt sich dies nur durch die Zunahme der Urlaubs-, mehr jedoch der Krankheitsschichten; darüber hinaus scheint sich in der Tabelle ein eindeutiges Verhalten zur Erzielung von Einkommensgewinnen abzuzeichnen: Was an Überschichten gefordert und geleistet wurde, ging durch Krankheitsschichten verloren. Im Effekt bewirkte dies wegen der erheblichen Überschichtzuschläge eine Einkommensvermehrung, die bei einer Überschichtenzahl von zwischen 15 und 30 je Arbeiter und Jahr wahrscheinlich die Einbußen durch Krankengelder und Karenztage mehr als kompensierte, so daß sich zugleich mit einer Zunahme von Erholungstagen ein Einkommensgewinn erzielen ließ. Es handelt sich freilich um Durchschnitte; wer wenig krankfeierte, konnte vor allem durch Zulagen erhebliche Einkommenszuwächse erzielen.

Insgesamt und im Durchschnitt haben die Penzberger Bergleute während der Kriegsjahre allerdings keinen oder nur einen unerheblichen Realeinkommensgewinn verbuchen können[391]. Dies unterscheidet sie von den Bergleuten anderer Reviere und vom gesamtdeutschen Bergbaudurchschnitt, in dem zwischen 1939 und 1944 immerhin ein Zuwachs von rund 6 bis 7 Prozent ausgewiesen wird, an dem allerdings in erster Linie die Untertage-Arbeiter, nicht so sehr die Übertage-Belegschaften partizipierten[392]. Eine differenzierte Entwicklung zeigt dabei selbstverständlich das Jahr 1945: Der Anteil der Überschichten an den verfahrenen Schichten sank von 9,7 Prozent im I. Quartal auf 3,2 Prozent im III. Quartal, und die erzielten Monatseinkommen gingen im selben Zeitraum um rund 15 Prozent zurück.

Das Problem der Urlaubs-, Krankheits- und Überschichten bedarf noch näherer Untersuchung. Der Arbeitsplatzwechsel ist durch die Verordnung zur Beschränkung des Arbeitsplatzwechsels vom 1. September 1939, mehr jedoch auf der Rechtsgrundlage der Verordnung zur Sicherstellung des Kräftebedarfs für Aufgaben von besonderer staatspolitischer Bedeutung vom 13. Februar 1939, während der Kriegsjahre sehr wirksam eingeschränkt worden. Kündigungsgesuche von Arbeitern wurden regelmäßig abgelehnt, wobei das Arbeitsamt nur selten eingeschaltet werden mußte[393]. Unverändert blieb die Zahl der jährlichen Urlaubstage; die Verordnung des Generalbevollmächtigten für den Arbeitseinsatz, Sauckel, vom 14. April 1943 über die Beschränkung des Jahresurlaubs auf höchstens 14 Arbeitstage, für vor dem 1. April 1894 geborene Belegschaftsmitglieder auf höchstens 20 Arbeitstage, betraf die Grube Penzberg allen-

---

[391] Eine Berechnung auf der Grundlage der in StAM, OK 503, überlieferten Lohnsummen je Quartal bestätigt dieses Ergebnis sowohl in bezug auf die Arbeiter überhaupt als auch auf die Zahl der je Arbeiter verfahrenen Schichten.
[392] Vgl. bes. Poth, a.a.O., S. 60f.
[393] Verordnungen und entspr. Schriftwechsel s. StAM, OK 330/IV.

falls hinsichtlich ihrer Angestellten[394]. Einschränkungen erfuhr der Jahresurlaub jedoch durch die sogenannten »Panzerschichten«, für die das Entgelt dem Reich überwiesen wurde: In Übereinstimmung mit dem Vertrauensrat wurden diese Schichten in Penzberg bezahlt, jedoch unter Abzug je eines Tages vom Jahresurlaub[395].

»Sonntagspflichtschichten«[396] sind bereits 1938 eingeführt worden. Sie wurden mit einem Zuschlag von 50 Prozent zuzüglich 2 Mark beim Weihnachtsgeld entgolten; dies galt auch für Sonderschichten an Feiertagen. Seit 1941 verlegte man jedoch jene Feiertage, die auf Wochentage fielen, auf die Sonntage, so daß eine normale Arbeitsschicht, anscheinend ohne Zuschläge, verfahren wurde. Seit dem Spätsommer 1941 wurden Sonntagspflichtschichten in einem die Belegschaft deutlich im Übermaß beanspruchenden Umfang verfahren. Im Mai 1941 ordnete der Vorsitzende der Reichsvereinigung Kohle, Pleiger, an, daß im Bergbau je Monat 2 Sonntagsschichten verfahren werden sollten. Jugendliche sollten, wie im Oktober 1942 festgelegt wurde, »nur« 12 Sonntagsschichten im Jahr verfahren. Während des Winters 1942/43 wurden in manchen Monaten bereits 3 Sonntagsschichten, Ende 1944 dann 4 Sonntagsschichten angeordnet. Es gab für zur Zufriedenheit verfahrene »Pflichtschichten« gelegentlich Sonderzulagen an Zigaretten und Lebensmitteln oder auch, neben den erwähnten Zuschlägen, Sondergratifikationen in bar, so im Januar 1943, als jeder, der seit dem 1. November 1942 mindestens 50 Normal- und alle Sonntagspflichtschichten verfahren hatte, einen Bonus von 9 Mark erhielt. Die Zahl dieser Sonderschichten betrug im ganzen Jahr 1943 23, im ersten Halbjahr 1944 11 und zwischen Januar und April 1945 8; doch sind hierin nicht die Feiertagsschichten am 1. Mai, Karfreitag, Pfingstmontag etc. und die Panzerschichten enthalten. Der Zuschlag je Überschicht wurde anscheinend 1944 auf 3 Mark erhöht. Wer alle Sonderschichten verfuhr und nicht krank wurde, konnte bei diesen Zahlen seit 1942 fast zwei zusätzliche Monatslöhne im Jahr beziehen: den ersten Monatslohn durch das Schichtentgelt selbst, den zweiten durch die Zuschläge.

Belegschaft, Vertrauensrat und Werksleitung haben mit großer Einmütigkeit das Übermaß der Sonderschichten abgelehnt, sich jedoch letztlich den Kriegserfordernissen gefügt. Die Belegschaft und der Vertrauensrat ließen sich dabei noch am ehesten durch die Zuschläge zufriedenstellen. Allerdings regte sich im Jahre 1941, als erstmals in großem Umfang Überarbeit geleistet werden mußte, auch Widerstand: »Ein Bruchteil unserer Belegschaft«, das waren je nach Bauabteilung zwischen 0,9 und 2,5 Prozent, glaube »noch immer, sich außerhalb der Volksgemeinschaft stellen zu müssen«, sich nämlich dem Zwang zu Überschichten entziehen zu können, wie die Grubenleitung bekanntmachte[397]. Zur selben Zeit klagte der Vertrauensrat über die Mehrarbeit[398]. Werksleitung und Direktion der Oberkohle haben diese Klagen nach Möglichkeit zu beschwichtigen versucht, jedoch intern sowie in ausführlichen Schriftsätzen sowohl an die DAF als auch an die Unternehmervereinigung keinen Zweifel an ihrer Mißbilligung gelassen. Schon im Mai 1941 hieß es, die »Arbeitslust« werde nicht gehoben, und auch

---

[394] Nach StAM, OK 287, VR 30. 5. 1941, und OK 67, Bekanntmachung vom 23. 4. 1943.
[395] Nach StAM, OK 615.
[396] Zum Folgenden s. StAM, OK 287, VR 1939ff., sowie bes. OK 215/II, 514/I und II, 612.
[397] Vgl. StAM, OK 514/I, Bekanntmachung vom 1. 10. 1941 betr. Sonntagspflichtschicht vom 28. 9. 1941.
[398] Vgl. StAM, OK 287, VR 30. 5. 1941, 24. 11. 1941.

betriebstechnische Gründe sprächen gegen mehr als 2 Sonntagspflichtschichten im Quartal[399]. Wenig später wurde die »allgemeine Ermüdung unserer Gefolgschaft« beklagt[400], wobei man auch auf die seit Anfang 1939 geltende, verlängerte, im übrigen während des Krieges nicht veränderte Schichtzeit verwies. Betriebsobmann Rebhan unterstützte dies[401]:

»Im Interesse der Gesunderhaltung unserer Gefolgschaft erachte ich es als meine Pflicht, Sie auf diese Umstände aufmerksam zu machen. Es ist der Volksgemeinschaft nichts damit gedient, wenn wir durch eine augenblickliche Mehrleistung nur erreichen, daß die Krankheitsziffern noch höher ansteigen und die allgemeine Leistungsfähigkeit der Gefolgschaft dadurch weiter sinkt«.

Das war die Kehrseite der Überschichten: die seit 1940 stark ansteigende Krankenziffer, die Zunahme der Unfälle, der Rückgang der Arbeitsleistung.

Tabelle 52
Krankenstand und Unfälle auf der Grube Penzberg 1939 bis 1943[402]

Jahr	Kranke in Prozent der deutschen Belegschaft		Kriegsgefangenen	Unfälle je 10 000 verfahrene Schichten (deutsche Belegschaft)
	Arbeiter	Angestellte		
1939	5,88	0	–	7,40
1940	5,19	1,96	–	9,50
1941	8,40	5,15	11,93	9,70
1942	9,82	3,06	12,68	11,10
1943	10,9			13,90

Der Anstieg der Unfallziffern veranlaßte die Direktion Anfang 1944 zu einer Rüge an ihre Penzberger Werksleitung: Die »erschreckende Entwicklung« mache neue Maßnahmen erforderlich, doch habe das Werk bisher keine Vorschläge unterbreitet[403]. Die Entwicklung des Krankenstandes hat Anfang 1944 – genaue Unterlagen sind nicht verfügbar – »katastrophale« Ausmaße angenommen[404]. Schon Ende 1942 hatte die Süddeutsche Knappschaft, um die Ursachen für den hohen Krankenstand herauszufinden, vertrauensärztliche Reihenuntersuchungen veranlaßt[405]. Die Grube beklagte, daß »eine sehr hohe Zahl von Gefolgschaftsmitgliedern auf Grund ärztlicher Atteste kurzfristig krank feiern«; dies gelte selbst für kleine Unfallverletzungen, bei denen man früher weitergearbeitet oder doch noch leichte Arbeit verrichtet habe, aber auch für die Beanspruchung des Zahnarztes. Dagegen verwies der Knappschaftsarzt auf die »hohe

---

[399] StAM, OK 514/I, Werksleitung Penzberg/Direktion 20. 5. 1941.
[400] Ebenda, dass. 29. 7. 1941.
[401] Ebenda, Rebhan/DAF, Gaufachabt. »Bergbau« in München, 15. 5. 1941.
[402] Zusammengestellt aus BayHStA, MWi 2266, Bericht des OBA München vom 27. 2. 1942; StAM, OK 158, vgl. auch OK 538 (Unfallziffern). Die verstreuten Angaben über den Krankenstand weichen z. T. leicht voneinander ab; vgl. OK 614 und MWi 2260; für 1943 nach OK 614.
[403] StAM, OK 158, Direktion/Werksleitung Penzberg 8. 4. 1944.
[404] StAM, OK 287, VR 5. 4. 1944 (Dr. Ludwig).
[405] Vgl. StAM, OK 614, Bericht vom 10. 10. 1942. Ende 1943 wurden erstmals systematische Untersuchungen über das Vorkommen der Staublunge im obb. Bergbau angestellt. Nach dem Ergebnis (StAM, OK 147, Bericht vom 4. 10. 1943) war der wenngleich hohe Quarzanteil im Nebengestein vergleichsweise ungefährlich; die Staublunge trat nur bei sehr hohem Arbeitsalter auf.

Zahl von objektiven Erschöpfungserscheinungen«, auch auf ansteigende Magenerkrankungen und die große Bedeutung des Gelenkrheumatismus[406], der in Penzberg wegen der Grubenfeuchtigkeit und der überaus anstrengenden Schrämarbeit mit dem Abbauhammer in recht harten Kohlenlagen gehäuft auftrat.

Der hohe Krankheitsstand bei starker Zunahme der kurzfristigen Genesungsfälle deutet auf eine starke Übermüdung der Belegschaft hin. Er hat daneben andere Ursachen, darunter die Verringerung der am wenigsten krankheitsanfälligen Altersstufen durch Einberufungen und deren Ersatz durch ausländische und bergbauungewohnte Arbeiter, die auch ein höheres Unfallrisiko trugen. Der Anteil der Ausländer in der Belegschaft wurde allerdings kurz nach Kriegsbeginn wieder reduziert, während jener der Kriegsgefangenen stark anstieg.

Tabelle 53
Kriegsgefangene und Ausländer, 1940 bis 1945[407]

Datum	Kriegs-gefangene	davon unter Tage	Ausländer	Bemerkungen
3. 7. 40	54	–		nur über Tage
3. 9. 40	242	191	102	
März 1941		ca. 150		
1. 9. 41		120		
30. 10. 41	242	125		
1. 9. 42	309	219	11	
31. 12. 42	344	258		
1. 1. 43	316	ca. 225		
1. 5. 43	310	235	13	
31. 9. 43	286			
15. 12. 43	279	ca. 210		
Februar 1944	300			
3. 7. 44	418			darin 117 Italiener
29. 1. 45	275			darin 23 Russen

Die Mobilisierung der deutschen Arbeitskräfte war bereits vor Kriegsbeginn erschöpft[408]; Frauen sind während des Weltkrieges nicht über das bisher übliche Maß hinaus eingestellt worden[409]. Die Ausländer wurden in besonderen Lagern kaserniert. Zeitweise bestand beispielsweise ein eigenes »Kroatenlager«; auch wurden vorübergehend einige belgische Bergleute beschäftigt. Während der Kriegsjahre bemühte sich die

---

[406] Nach StAM, OK 381, Niederschrift über eine Besprechung in Penzberg zwischen Werksleitung, Direktion, Knappschaft und einem Amtsarzt am 18. 9. 1942. Obermedizinalrat Dr. Riefel betonte hierbei, der »Menschenschlag in Penzberg« sei »wesentlich geringer« als in dem von hoher Ansässigkeit und bäuerlichem Nebenerwerb geprägten Peißenberg. Diese Formulierungen finden sich auch in dem Besprechungsprotokoll in Anführungszeichen.
[407] Zusammengestellt nach verstreuten Angaben in den Anm. 411 genannten Quellen, bes. nach StAM, OK 569 I–III.
[408] Vgl. den Überblick von Petzina, Dietmar: Die Mobilisierung der deutschen Arbeitskräfte vor und während des Zweiten Weltkrieges, in: VfZ 18 (1970), S. 443–455.
[409] 1941 wurden 33, 1942 (jeweils 1. Mai) nur noch 21 weibliche Arbeiter beschäftigt. Nach: Sozialberichte 1941/42, in: StAM, OK 479.

Zeche wiederholt um zusätzliche ausländische Arbeiter, darunter Polen und Zivilrussen. Allerdings verzichtete man nach einer Prüfung des Gesundheitszustands der letzteren auf deren Einstellung, und auch russische Kriegsgefangene sind erst seit etwa 1944, jedoch stets in kleiner Zahl, beschäftigt worden[410]. Die Penzberger Kriegsgefangenen kamen anfangs ausschließlich, später weit überwiegend aus Frankreich; seit Dezember 1943 wurden sie durch italienische »Militärinternierte« ergänzt, die jedoch Ende 1944 in ein ziviles Arbeitsverhältnis überführt wurden.

Die Behandlung und Unterhaltung der Kriegsgefangenen[411] gehört leider zu den dunkelsten Kapiteln der Zechengeschichte. Noch 1940 läßt sich ein deutliches Zögern sowohl der verantwortlichen Militärs in den Stammlagern als auch der Bergbeamten erkennen[412], dem Bergbau Kriegsgefangene zuzuweisen. Bei den Bergbeamten scheint das bisher gegenüber ausländischen Arbeitnehmern aufrechterhaltene Erfordernis minimaler Sprachkenntnisse für die Beschäftigung unter Tage allein schon aus Sicherheitsgründen hemmend gewirkt zu haben; im Spätsommer 1940 verzichtete man darauf. Während bisher die Kriegsgefangenen, durchaus zur Zufriedenheit der Zeche, vor allem in den forstwirtschaftlichen Betrieben unter anderem bei Kulturarbeiten beschäftigt worden waren, wurden seit Montag, dem 19. August 1940, auch im Grubenbetrieb Kriegsgefangene eingesetzt. Die hierzu von der Berginspektion entworfenen, der Belegschaft mittels Bekanntmachung erklärten »Richtlinien«[413] zielten auf den Schutz sabotage- und sicherheitsempfindlicher Produktionsbereiche und auf sonstige Sicherheitserfordernisse. Auf die bergpolizeilichen Anlegeatteste wurde bei den Kriegsgefangenen verzichtet. Sie waren nur bei nachweislich mehrjähriger Kenntnis der Grubenarbeit – die Zahl der Kriegsgefangenen mit dem Beruf des Bergmanns ist jedoch gering geblieben – zu Hauerarbeiten zugelassen. Die von der Bergbehörde geforderte »planmäßige Schulung« wurde auf der Grube Penzberg nicht erkennbar durchgeführt. Man bemühte sich um eine etwa zweiwöchige Einweisung in die bergmännischen Arbeiten, vornehmlich durch Beschäftigung im Übertagebereich, und schickte die Kriegsgefangenen dann in die Grube. Noch am besten ging es jenen Kriegsgefangenen, die auf der Zeche gesuchte Berufe gelernt hatten, darunter den Köchen, den Schlossern, Schweißern, Maurern und sonstigen Facharbeitern: Sie erhielten gewöhnlich sofort entspre-

---

[410] Vgl. StAM, OK 593, Telegramm des Knappschaftsarztes von einer Dienstreise nach Lemberg: Die vom Oberbergamt nach Verhandlungen mit dem Wirtschaftsministerium in Aussicht gestellten russischen Arbeiter seien ausnahmslos in einem schlechten Gesundheitszustand (4. 10. 1942). Die Zeche verzichtete daher. 1943 wurden erfolglos neue Bemühungen gestartet. Überlegungen zur Heranziehung polnischer Bergarbeiter (Ende 1939) sind BayHStA, MWi 2266, dokumentiert.

[411] Zum Folgenden vgl. die für das Feld der Kriegsgefangenenarbeit und -betreuung vergleichsweise dichte Überlieferung in StAM, OK 215/II, 330/V, 514/I-III, 569/I-III, 293/III-V, 573/I-IV, 575, 579. Aus der Literatur vgl. bes. die Untersuchung von Pfahlmann, Hans: Fremdarbeiter und Kriegsgefangene in der deutschen Kriegswirtschaft 1939–1945. Darmstadt 1968, S. 104ff. und 176ff., sowie Homze, Edward L.: Foreign Labor in Nazi Germany. Princeton 1967, S. 77, 247–290.

[412] Vgl. bes. BayHStA, MWi 2266, über den Arbeitseinsatz der Kriegsgefangenen zunächst in der Landwirtschaft, später in Industrie und Bergbau, auch über Abwerbungsversuche von Arbeitern zwischen den Pechkohlengruben. Ein Hauptproblem bestand darin, daß die Zechen natürlich vor allem berufserfahrene Kriegsgefangene wünschten; vgl. ebenda, Bericht des OBA vom 3. 12. 1940.

[413] Text der »Richtlinien für die Beschäftigung von Ausländern und Kriegsgefangenen in Bergwerken im Berginspektionsbezirk München« vom 14. 8. 1940 s. in StAM, OK 569/I; die entsprechende Bekanntmachung an die Belegschaft vom 16. 8. 1940 s. OK 67.

chende Zechenpositionen, zumeist in angenehmen Arbeitsverhältnissen[414]. Die genaue Arbeitszuteilung in der Grube ist nicht erkennbar, doch wurden Kriegsgefangene vor allem in drei Bereichen eingesetzt: in den Nebenarbeiten der Förderung, also als Säuberer und Umleger; für schlepperähnliche Arbeiten in erfahrenen Ortskameradschaften und zur Unterstützung der Abbauhauer; in einer eigenen Bauabteilung, einem »Franzosenstreb«. Ein solcher Streb ist Ende 1940 erstmals eingerichtet worden und erbrachte rund 70 Prozent der bei deutschen Arbeitern üblichen Arbeitsleistung. Die Einrichtung eines eigenen Gedinges für Kriegsgefangene ist zeitweise erwogen, jedoch zugunsten einer Leistungsstufung bei der Verpflegung abgelehnt worden.

Unterbringung und Verpflegung der Kriegsgefangenen waren ausnehmend schlecht, so schlecht, daß die Militärs bei ihren regelmäßigen Besichtigungen Anlaß zu erheblichen Monita fanden. Die Franzosen waren in zwei, später in drei Lagern untergebracht, von denen einzig ein kleineres Lager, der Daserhof für die forstwirtschaftlich Beschäftigten, eine den Erfordernissen im wesentlichen entsprechende Einrichtung war. Die anderen beiden Lager, der Ökonomiehof und das Lager Neufischhaber, waren frühere Ställe; bei einem Gebäude gelang es erst nach Intervention der Militärs, einen nahen Misthaufen zu entfernen. Beide Lager waren wiederholt verwanzt. Anfang 1941 konstatierten zwei Offiziere des Stammlagers und ein Militärarzt über den Ökonomiehof, daß die Unterkünfte »nicht menschenwürdig« seien: »Die Belegung ist viel zu eng und muß aufgelockert werden. Die Belegung am Boden muß der Reinlichkeit wegen aufgegeben werden«[415].

Der schlechte Zustand der beiden großen Lager drückte sich unter anderem in einer hohen Krankenziffer aus, wobei die Werksleitung selbst die große Gefahr ansteckender Krankheiten, besonders grippaler Infekte, feststellte. Im übrigen hatten die Kriegsgefangenen dieselben Schichten zu verfahren wie ihre deutschen Arbeitskollegen, also auch alle Sonntags- und Überschichten. Es wird der um meist 20 bis 30 Prozent geringeren Arbeitsleistung zuzuschreiben sein, daß die Kriegsgefangenen weniger unfallgefährdet waren[416]; um so schwerer wogen die Lagerverhältnisse, wenn allein in den Monaten Januar bis September 1943 von 316 Kriegsgefangenen, meist für die Bergbauarbeit ausgesuchten, kräftigen Leuten, 20 verstarben[417]. Im September 1940 wurde der Krankenstand unter den Kriegsgefangenen, die von der Zeche bei der Knappschaft versichert wurden, auf 20 Prozent beziffert. Später gelang es, diesen hohen Anteil deutlich zu verringern, aber das schlechte Schuhwerk ließ nach wie vor viele Franzosen »fußkrank«

---

[414] Beispielsweise wurden von 310 Kriegsgefangenen am 1. 5. 1943 29 im Bereich der Aufbereitung und in den Werkstätten über Tage, 22 als Köche, Schreibhilfen etc. und 24 mit landwirtschaftlichen Arbeiten beschäftigt. StAM, OK 579.

[415] StAM, OK 569, Bericht der Werksleitung vom 19. 3. 1941 über eine Besichtigung durch Offiziere des Stammlagers Memmingen. Weitere Beanstandungen: »Keineswegs einwandfreie Beschaffenheit des dortigen Kriegsgefangenenlagers« (Landesschützenbataillon 443 am 24. 5. 1941; der Kommandeur dieser Einheit überzeugte sich hiernach persönlich über die »vollkommen unzureichende Unterbringung«, OK 569/II); über unzulässige Bestrafung von Kriegsgefangenen durch Lebensmittelentzug (nur Entzug von Begünstigungen wurde gestattet) s. Stammlager VII B Memmingen/OK Penzberg 13. 3. 42, OK 569/I; über die äußerst üblen Verhältnisse in Hausham s. ebenda, Niederschrift vom 16. 1. 1941.

[416] Vgl. StAM, OK 158, Bericht zur Unfallstatistik vom 14. 4. 1944.

[417] Nach einer Aufstellung StAM, OK 330/B, Rubrik »Tod und Invalidität«. Invalidität kam bei Kriegsgefangenen allerdings kaum in Frage; die Rubrik erklärt sich aus der Vergleichsabsicht mit deutschen Bergleuten.

feiern. Überhaupt war die Beschaffung ausreichender Arbeitskleidung eines der Hauptprobleme. Der Krankenanteil war kaum je niedriger als 5–10 Prozent.

Wie es die Oberkohle mit ihren Kriegsgefangenen hielt, erhellt vor allem der Umstand, daß die Militärs im März 1942 der Grube Hausham die weitere Beschäftigung von Kriegsgefangenen untersagten; die restlichen Kriegsgefangenen wurden von Hausham nach Penzberg überstellt. Aber auch hier war es Anfang 1943 erforderlich, die Werksleitung darauf aufmerksam zu machen, daß diese Arbeiter keine »Sträflinge« seien[418]. In der Grube kam es zu bösen Antreibereien, bei denen etwa Steiger Birke wiederholt handgreiflich wurde. Birke hatte daher auch mit Arbeitsverweigerungen zu tun, die er rasch zu »Meutereien« erklärte. Als er sich bei einer Auseinandersetzung mit einem Kriegsgefangenen eine Verletzung zuzog, begegnete ihm bei der anschließenden Verhandlung im Stammlager angesichts der nunmehr fünf bekannten Fälle, in denen er Kriegsgefangene geschlagen hatte, kein Wohlwollen: »Demnach fühle ich mich nicht als Kläger, der ich doch, wie die Sache wahrheitsgetreu liegt, bin, sondern als Angeklagter«, der sich zudem sagen lassen mußte, »daß bei uns in Penzberg für die Kriegsgefangenen sehr schlechte Verhältnisse seien«[419]. Unter diesen Bedingungen scheint es zu einer Art gewerkschaftlicher Organisation unter den Kriegsgefangenen gekommen zu sein: Sie verlangten am 5. Mai 1942 gegenüber Birke die Absetzung des Lagerführers, eines Unteroffiziers, der sie »wie Banditen« behandele, ferner die Aufstellung je eines Vertrauensmannes für beide Lager. Auch sollte die Brotversorgung gebessert, den Kriegsgefangenen das Mannschaftsbad der deutschen Arbeiter eröffnet und der sonntägliche Ausgang verlängert werden. Für den Fall der Nichterfüllung wurde Zurückhaltung von Arbeitsleistung angedroht; ein Streik hätte angesichts der Arbeitspflicht der Kriegsgefangenen zu schweren Bestrafungen geführt. Anscheinend konnte ein Teilerfolg erzielt werden[420]. Auf die Wachmannschaften hatte die Zeche keinen Einfluß, doch scheint es unter ihnen wiederholt zu Unregelmäßigkeiten, etwa in Gestalt unzureichender Aufsicht über die Lagerordnung und -hygiene oder bei der Kontrolle der Paketpost für die Kriegsgefangenen, gekommen zu sein. Daß die Lagerkontrolle zu wünschen übrigließ, wird auch darin deutlich, daß man im Januar 1943 eher zufällig aufgrund von Schneespuren unter dem Bett eines Kriegsgefangenen eine deutsche Bergmannsfrau versteckt vorfand.

Als schikanös muß die Einführung eines dreiklassigen Verpflegungssystems bezeichnet werden. Die Zuteilung von Nahrungsmitteln war, vergleichbar den Lebensmittelzuteilungen für deutsche Familien, von Anfang an nach Schwerst-, Schwer- und Normalarbeitern je nach Beschäftigungsart im Betrieb gestaffelt worden; die Unterschiede bezogen sich auf die Brotmenge und die Regelmäßigkeit der Fleischzuteilung. Seit Februar 1942 wurden diese Gruppen nicht länger nach dem Arbeitsplatz und der Art der Arbeitsverrichtung, sondern nach der Leistung, mithin in Gruppen von »sehr guten«, »guten« und »faulen« Arbeitern neu gegliedert, und tatsächlich gelang es, die Gruppe der letztgenannten zugunsten der ersteren zu verringern. Für besonders fleißige Kriegsge-

---

[418] StAM, OK 569/III, Schreiben des Stammlagers vom 7. 7. 1943.
[419] Nach dem Bericht Birkes über die entspr. Verhandlung in Memmingen am 6. 1. 1942, in: StAM, OK 569/I; über den Vorfall selbst s. Birkes Niederschrift vom 4. 1. 1942, ebenda.
[420] StAM, OK 569/I, OK Penzberg/Stammlager Memmingen 6. 5. 1942 m. ausführl. Bericht.

fangene gab es Sonderzuteilungen an Bier und Zigaretten. Allerdings hielt die Grube von solcherlei »Liebesgaben« nicht viel[421].

In der Verpflegung[422] war das Schlechteste gut genug für die Kriegsgefangenen. Sie erhielten beispielsweise fast ausnahmslos Freibankfleisch, und ihre wiederholten Beschwerden über die Brotqualität scheinen wohlbegründet. Vor allem in der ersten Zeit der Kriegsgefangenen-Beschäftigung, als der ausbezahlte Schichtlohn ganze 70 Pfennig betrug, herrschten weithin mißliche Verhältnisse. Das Geld wurde in Form von Lagergeld übergeben, das nur in der von der Zechenkonsumanstalt betriebenen Lagerkantine umgesetzt werden konnte. Nicht nur hier, sondern auch bei den Gesamtkosten für die Kriegsgefangenen verdiente die Zeche gehörig. Diese Gesamtkosten wurden – unter Einschluß des an das Stammlager abzuführenden Betrags, aber auch beispielsweise der Abschreibungskosten für die Lagereinrichtungen – im September 1940 auf 4,93 Mark je Schicht berechnet[423]. Daß dieser Betrag viel zu hoch angesetzt war, ergab eine Neuberechnung Anfang 1941 mit 3,15 Mark je Schicht. Da sich die Gesamtkosten der Arbeitsschicht eines deutschen Arbeiters unter Einschluß der Lohnnebenkosten zu diesem Zeitpunkt auf 7,05 Mark berechneten, ergab die Differenz, selbst wenn man eine um ein Drittel niedrigere Arbeitsleistung der Kriegsgefangenen einrechnet, einen erklecklichen Gewinn für die Zeche[424].

Daß sich regelmäßig – zwischen Januar und September 1943 in 13 Fällen – Kriegsgefangene diesen Verhältnissen durch Flucht zu entziehen versuchten, wird nur zu verständlich. Auch die deutschen Bergleute haben ihren gefangenen Arbeitskameraden allem Anschein nach Verständnis, ja, Solidarität entgegengebracht. Bereits im Oktober 1940 bemerkte die Zeche die »Gutmütigkeit unserer Leute« in der Behandlung der eben in die Grube eingeführten Kriegsgefangenen[425]; die Arbeiter sähen im Kriegsgefangenen einen »lieben Kameraden«[426]. Ende 1941 mußte durch Bekanntmachung »strengstens

---

[421] Bei der Besprechung über Kriegsgefangenenfragen am 16. 1. 1941 brachten Kriegsgefangene eine Beschwerde über die Brotqualität vor, was die Werksleitung Hausham, die den Bericht erstattete, für ein »Zeichen« hielt, »daß es den mit Liebesgaben überfütterten Franzosen zu gut geht«. StAM, OK 569/I, Niederschrift.

[422] Vgl. hierzu bes. die zahlreichen Abrechnungen StAM, OK 573/I-IV. Als Beispiel der oft wechselnden Nahrungsrationen seien die am 5. 8. 1942 geltenden Sätze (OK 573/II) angeführt (Rationen für 2 Wochen, in Kilogramm):

	Schwerarbeiter	Schwerstarbeiter
Fleisch, Fett	1,0	1,330
Roggenmehl/Brot	4,2	6,6
Nährmittel	0,150	0,150
Teigwaren	0,125	0,125
Kaffee-Ersatz	0,1562	0,1562
Zucker	0,350	0,350
Milch	0,5	0,5
Kartoffeln sowie kleine Mengen weiterer Lebensmittel	3,0	3,0

[423] Nach StAM, OK 287, VR 5. 9. 1940. Die Stammlager-Anteile der Lohnkosten sind nicht immer klar erkennbar; ein Beispiel für die Staffelung entsprechend den Lohnbeträgen eines gleichartigen deutschen Arbeiters s. bei Gillingham, a.a.O., S. 341, für den 1. 10. 1942.

[424] Angaben für 1941 nach StAM, OK 569/II, Bericht vom 30. 1. 1941.

[425] StAM, OK 569/I, Bericht vom 5. 10. 1940.

[426] Ebenda, Bericht vom 8. 10. 1940.

verboten« werden, daß die deutschen Bergleute ihren französischen Arbeitskollegen normales, nicht als Gefangenenpost gekennzeichnetes Briefpapier gaben und auch bei der Briefbeförderung behilflich waren[427]. Und in der Ortspresse wurde wiederholt beklagt, daß auch Frauen auf »wehleidige Anzapfungen« hereinfielen: »Sentimentalitäten« gegenüber Ausländern und Kriegsgefangenen hätten keinen Platz[428].

Der Leistungsdruck traf beide, deutsche und kriegsgefangene Arbeiter, gleichermaßen. Was man bei den Kriegsgefangenen durch die Staffelung der Verpflegungssätze erreichte, das war den deutschen Bergleuten das Zuschlagsystem bei den Überschichten. Der maßlosen, aufreibenden Überbetonung des Leistungsgesichtspunkts entsprach eine auch beim deutschen Arbeiter mit dem bloßen Kündigungsverbot längst nicht erschöpfte Disziplinierung.

Seit Kriegsbeginn gehörte der Kampf der Zechenleitung gegen »notorische Bummelanten« und »Blaumacher« zum Arbeitsalltag. Neben den Klagen über die Zunahme der Krankenschichten wurden solche über das Bummeln, das willkürliche Feiern vor allem samstags und montags, über Trägheit, Faulheit und Fälle von Arbeitsverweigerung in nahezu jedem Brief geführt, der überhaupt Arbeits- und Arbeitsleistungsproblemen galt[429]. Der Vertrauensrat hatte sich hiermit ebenso regelmäßig zu beschäftigen wie mit großer Wahrscheinlichkeit die technischen Angestellten in ihren turnusmäßigen Betriebsbesprechungen. Einzelangaben über tatsächlich ausgefallene Bummelschichten sind leider stets nur für kürzere Zeiträume überliefert[430]; nimmt man jedoch die Häufung von Bekanntmachungen dieses Inhalts für die Belegschaft[431] sowie die Tonlage in den wortreichen Klagen als Indiz, so dürfte das Blaumachen und Bummeln nach der Zunahme in der konjunkturellen Blüte der Vorkriegszeit besonders seit Sommer 1940 zu einem ernsten Problem der Belegschaftsführung angewachsen sein. Anscheinend gelang seit Sommer 1941 vorübergehend eine Eindämmung der willkürlichen Feierschichten; für 1942 und 1943 waren indessen wieder neue Bekanntmachungen erforderlich. Die »notorischen« Blaumacher blieben dabei Einzelfälle. Sie erlitten wiederholt Verhaftungen und Gefängnisstrafen bis hin zu Einlieferung in das KL Dachau oder andere

---

[427] StAM, OK 2 5/II, Bekanntmachung vom 9. 12. 1941.
[428] PA 139/16. 6. und 179/2. 8. 1944. BM Vonwerden sorgte sich in einer Rede vor Parteigenossen anscheinend über die Haltung der Bevölkerung zu den Kriegsgefangenen. Befragte ältere Bergleute bestätigten dem Verf. die Tendenz zur Solidarisierung mit den Kriegsgefangenen.
[429] Vgl. etwa StAM, OK 477, OK/DAF WM 16. 8. 1940, 31. 1. 1941; s. auch OK 287, VR u. a. 6. 9. 1940, über Bestrafungen z. B. 14. 2. 1942.
[430] Vgl. StAM, OK 555/I, über die Woche vom 1. bis zum 8. August 1940:

	unbegründete Krankmeldungen	Fehlschichten
1. 8., Donnerstag	37	17
2. 8., Freitag	39	15
3. 8., Samstag	42	37
5. 8., Montag	43	45
6. 8., Dienstag	39	25
7. 8., Mittwoch	44	14
8. 8., Donnerstag	53	25

[431] Mehrere Beispiele in StAM, OK 555/I.

»Arbeitserziehungslager« oft für Monate[432]. Mit einer Verschärfung der Strafen ließ sich dem Problem nur vorübergehend abhelfen: »Wir stehen leider dieser Tatsache machtlos gegenüber«[433]. Ende 1944 wurde von der Bezirksgruppe Süddeutschland der Wirtschaftsgruppe Bergbau eine engere Zusammenarbeit der Werksleitungen mit SD-Dienststellen »insbesondere bei disziplinwidrigem Verhalten von Arbeitskräften sowie bei Schwierigkeiten im Arbeitseinsatz, die durch unsachgemäßes Verhalten anderer Stellen hervorgerufen werden«, angeregt[434].

Die Bergleute wußten dabei sehr wohl, daß Fälle offener Arbeitsverweigerung mit Härte verfolgt und im Wiederholungsfall regelmäßig mit Haft bestraft wurden. Allerdings gab es auch hierin Grenzbereiche, die ausgeschöpft wurden. Jemand, der nach einer vollständigen Arbeitsschicht erschöpft aus der Grube fahren wollte und wegen einer Förderstörung zur Überarbeit aufgefordert wurde, konnte überzeugend seine Übermüdung vorbringen und daher nicht ohne weiteres als Arbeitsverweigerer bestraft werden. Einzelfälle dieser Art waren nicht selten. Aber auch Gruppen von Bergleuten haben, zusammen mit den ihnen zugeteilten Kriegsgefangenen, solchen Anordnungen gelegentlich solidarischen Widerstand geleistet[435]. Konflikte wie diese wurden durch die Kriegsverhältnisse gedämpft, aber nicht beseitigt. Auch im Vertrauensrat, dessen Einberufung zeitweise von der Werksleitung nicht für nötig erachtet wurde und der sich darauf erbat, »daß derartige Angelegenheiten nunmehr wieder flotter erledigt werden«, wozu »im allgemeinen ein feinerer Umgangston« erforderlich sei, blieben die alten Reibungspunkte auf der Tagesordnung. Besonders die Strafen, hieß es, brächten »nur Unruhe«[436].

Krankmeldungen und Bummelschichten waren während des Krieges gewiß mehr als Resultate von Ermüdungserscheinungen. Wenn sich, wie gezeigt wurde, die durchschnittliche Zahl der je Arbeiter verfahrenen jährlichen Arbeitsschichten nicht wesentlich änderte, obgleich der Anteil der Überschichten sehr stark zunahm, wenn sich ferner die Arbeitsleistung – bei allen Unwägbarkeiten, die in das Urteil insoweit wegen der ständig wechselnden Lagerungsverhältnisse und der zahllosen Betriebsstörungen einfließen – in einem Maße verringerte, das kaum allein auf die geringere Arbeitsleistung der Kriegsgefangenen oder auf die strukturelle Leistungsschwächung der Belegschaft durch Einberufungen zurückgeführt werden kann, dann verliert das Argument der Ermüdung und Überforderung an Durchschlagskraft, obwohl damit die Tatsache selbst im Sinne einer subjektiven Einschätzung der Arbeitenden wie der Betriebsleitung nicht bestritten werden soll. Es scheint, als habe der Krieg auch im Arbeitsalltag psychologische

---

[432] Als Beispiel s. StAM, OK 330/IV, wiederholte Anzeige des 1913 geb. Bergmanns Martin Eder wegen Blaumachens an den Reichstreuhänder f. d. Wirtschaftsgebiet Bayern, 25. 7. 1942. Eder war aus demselben Anlaß bereits vom 27. 3. – 7. 7. 1941 im Gefängnis, 14. 8. – 30. 10. 1941 im KL Dachau, 1. 4. – 17. 6. 1942 im Gefängnis und seit dem 14. 7. 1942 wieder in Haft; die Zeche war »überzeugt«, »daß es noch mehr Leute [in der Belegschaft] gibt, welche das Beispiel Eder nachahmenswert finden«.
[433] StAM, OK 555/I, Bericht vom 9. 8. 1940. Weitere Hinweise s. in OK 293/IV-V.
[434] StAM, OK 621, Schreiben vom 5. 12. 1944.
[435] Vgl. als Beispiel StAM, OK 555/I, Bericht vom 13. 7. 1942 über eine Förderstörung am 9. 7. 1942, aus deren Anlaß 9 deutsche Bergleute und 10 Kriegsgefangene (vgl. Anm. 428) die angeordnete Mehrarbeit verweigerten; andere Fälle von meist individueller Arbeitsverweigerung s. in dems. Bestand.
[436] StAM, OK 297, VR 14. 9. 1943. Nach Ausweis der Protokolle fand eine letzte VR-Sitzung am 5. 4. 1944 statt; für eine weitere am 9. 1. 1945 liegt nur noch die Tagesordnung vor.

Spannungszustände gebracht, die subjektiv, selbstverständlich immens durch den in Wort und Tat angestrengten Leistungsdruck gefördert, eine überstarke Beanspruchung empfinden und diese schließlich objektiv auch anerkennen ließen. Dabei wird den Arbeitern der allerdings nur geringe und zudem wesentlich auf das Leistungssystem über die Zuschläge gestützte Einkommensgewinn noch das Wichtigste gewesen sein. Sie haben sich auch unter dem Leistungsdruck zurechtgefunden und sich – kaum verabredet, aber in einem insgeheimen Einverständnis – einen Ausweg in der Druckentlastung durch Krankfeiern und Bummelschichten verschafft[437].

VII. »MORGENROT IN DER WÜSTENEI«
DER AUFSTAND VOM 28. APRIL 1945

Der »Marsch durch die Wüste des Faschismus«, wie ihn Hans Rummer Jahre vor der nationalsozialistischen Machtanmaßung prophezeit hatte, hat bis zu jenem »Morgenrot in der Wüstenei«, das der die Pfarrstelle der evangelisch-lutherischen Kirchengemeinde vertretende Vikar Brunotte am 30. April 1945, dem Tag des kampflosen Einmarsches der Amerikaner in Penzberg, in seinen Aufzeichnungen[1] mit großer Erleichterung vermerkte, die Einwohnerschaft unserer Stadt, und jeden einzelnen ihrer Bürger, in eine Umwelt der hohlen Ideale, der Mittelmäßigkeit und Unterdrückung gestürzt. Sicher waren auch die Jahre vor 1933, die Erfahrungen der Straßenschlachten unter dem Druck schwindender Einkommen, um sich greifender Arbeitslosigkeit und erbitterter politischer Konfrontation, in Penzberg unter seinen kleinstädtischen Verhältnissen noch viel niederdrückender wahrgenommen worden als wohl in den allermeisten Städten vergleichbarer Größe und selbst in den meisten Großstädten. Aber wenn auch in diesen Jahren der politische Haß am Penzberger »Stachus« regelmäßig an den Wochenenden aufgebrandet und bis in alte Bekanntschaften, in die Vereine, Nachbarschaften und selbst Familien vorgedrungen war, dort Feindschaft und Verachtung gesät und die überlieferte

---

[437] Die Interpretation in diesem Schlußabsatz liegt quer zu den gemeinhin verbreiteten Annahmen über die Arbeitsbelastung und -leistung unter Weltkriegsbedingungen; vgl. Kuczynski, Jürgen: Darstellung der Lage der Arbeiter in Deutschland von 1933 bis 1945. Berlin [O] 1964, S. 285–291 und passim. Im allgemeinen wird der Leistungsabfall durch Überbeanspruchung und Ermüdung erklärt, ohne daß die tatsächlich geleistete Arbeitszeit über das Jahr zur Produktivität in Beziehung gesetzt wird. Allerdings existieren bisher m. W. keine Untersuchungen zur Betriebs- und Belegschaftsgeschichte während der Kriegsjahre und auf der Grundlage der betriebsarchivalischen Überlieferung mit vergleichbaren Zahlen. Die oben Tabellen 43 und 51 sowie Anm. 384 dargelegten Grunddaten deuten auf eine starke Diskrepanz zwischen tatsächlich geleisteter Arbeit auf der einen, Leistungsdruck und subjektiver Leistungseinschätzung auf der anderen Seite sowohl unter Arbeitern als auch in der Werksleitung und selbst in übergeordneten Gremien hin. Es ist um so bedauerlicher, daß das verfügbare Zahlenmaterial in dieser Form sich nicht auf die unmittelbaren Vorkriegsjahre erstreckt.

[1] Zit. n. Mock, Ehrenfried: Geschichte der Evangelisch-Lutherischen Kirchengemeinde Penzberg-Kochel-Seeshaupt. Festschrift anläßlich der 75-Jahr-Feier der Kirchenweihe in Penzberg am 27. und 28. Oktober 1979. Penzberg o. J. [1979], S. 41.

Solidarität der Bergarbeiterkommune aufgespalten hatte, so verblaßte auch diese Erinnerung angesichts der zerstörerischen Erfahrungen von Bespitzelung, Unterdrückung, Gleichschaltung, die der Nationalsozialismus über die Stadt brachte. Am Ende stand ein von Sozialdemokraten und Kommunisten gemeinsam getragenes und in den Opfern gemeinsam ertragenes Aufbäumen gegen die letzte unter den sinnlosen Zerstörungsmaßnahmen des Regimes, die geplante Sprengung des Bergwerks, und damit gegen die Vernichtung auch noch der materiellen Existenzgrundlage der ganzen Stadt.

Nach außen, an der Oberfläche, unterschied sich Penzberg vor allem in den Blütejahren des Regimes, in der Phase der Überbeschäftigung bei steigenden Realeinkommen, kaum von dem Erscheinungsbild anderer Kleinstädte, denn auch hier fanden in erster Linie die wirtschaftspolitischen Stabilisierungserfolge des Regimes, darüber hinaus aber auch seine außenpolitische Bilanz, unter welchen Zielprojektionen beides immer gestanden hat, großen Widerhall in der Bevölkerung. Auch hier wuchsen beispielsweise die Hitlerjugend oder die NS-Frauenschaft zu Großorganisationen heran, in die man noch vor Einführung der Jugenddienstpflicht immer weniger wegen der subtilen oder offenen Drohgebärden des Regimes, immer mehr aus doch weitgreifender Zustimmung und oberflächlicher, vom Rausch des wirtschaftlichen und politischen Erfolgs beflügelter Überzeugung strömte. Stets ist der Zulauf zu jenen am größten, die auf der Woge des Erfolgs schwimmen, und die Grenzen zwischen Opportunismus und Überzeugung zerfließen darin leicht – mit kumulativem Effekt.

Daß der Nationalsozialismus in dieser Stadt dennoch ein Oberflächenphänomen blieb, lag – neben den zahllosen Widersprüchen, die die Bewegung selbst verkörperte – in erster Linie daran, daß auch die Gewaltherrschaft an den Existenzbedingungen und Daseinsformen der Bergarbeiterkommune im Kern nichts zu verändern vermochte. Mit den bergbaulichen Erwerbsformen und der kleinstädtischen Wohn- und Lebensnachbarschaft blieben die kommunalen Verkehrskreise, mit den Kontakten aber auch die Gesprächsinhalte, die langjährigen Gewohnheiten und auch Feindschaften erhalten. Auch war die Blütezeit des Regimes zu kurz, um nachhaltig zu wirken: Die ersten Jahre vor allem, aber auch der wirtschaftliche Aufstieg war von den Unterdrückungserfahrungen der Machtübernahme in Penzberg überschattet, und seit Kriegsbeginn wird in der Arbeiterstadt ein Prozeß der Besinnung eingesetzt haben, trafen doch jetzt die Prophezeiungen der Arbeiterführer vor 1933, daß der Nationalsozialismus den Krieg bringen würde, ein. Auch war man, anders als 1914, nicht mit Begeisterung in dieses Abenteuer gestürzt. So wird schließlich der Siegesrausch der ersten Kriegsjahre unter den stets realistisch denkenden Bergleuten latent vorhandene Skepsis gemehrt und neue hervorgerufen haben, während sich jene, die sich mit ihren Ansichten während der letzten Jahre zwangsweise zurückgehalten und darin eine Art Überlebensstrategie entwickelt hatten, bestätigt sahen und wieder offenere Ohren fanden.

Diese Gruppe läßt sich dem Umfang nach, weil es an Möglichkeiten offener Manifestation von Ablehnung fehlte, nicht bestimmen. Daß sich aber im August 1939 binnen Stunden Hunderte von Bergarbeitern zusammenfanden, nicht um sich demonstrativ dem Regime zu widersetzen, sondern um ihre Interessen wahrzunehmen und Loyalität zu demonstrieren, läßt erkennen, worin die Belegschaft, und damit im wesentlichen auch die Einwohnerschaft, nach wie vor ihre Ziele erblickte. Die Volksgemeinschaft war ein »Mythos« geblieben, Klassenbewußtsein »war durchaus präsent«[2], auch wenn es sich nicht in freiem kollektiven Handeln ausdrücken ließ. In diesem Bereich wurzelte latente Opposition, weil das Regime die Tatsache des Klassenbewußtseins negierte und seine Erscheinungsformen unterdrückte – Opposition, die sich im »Straßenparlament«, in der Arbeitskameradschaft und Nachbarschaft formierte, aber auf dieser Stufe keimhafter Organisation stehenblieb. Denn Penzberg blieb auch während des Weltkriegs an der Peripherie sowohl des kommunistischen als auch des sozialdemokratischen Widerstands, und jener des mutigen Pfarrers Steinbauer, sosehr ihm in der Kleinstadt gewiß Signalbedeutung zukam, ist nicht in jenen Daseinsnöten und Zielen verwurzelt gewesen, die für die Arbeiterschaft den Ausschlag gaben. Dennoch mehrte die Haltung beider Kirchen, von welcher Vorsicht auf der einen, welchem Mut auf der anderen Seite sie auch geprägt war, die Kraft und das Durchhaltevermögen der Andersdenkenden in der Stadt, wenn auch die Motive und Ziele kirchlicher Opposition von jener der Arbeiterschaft zutiefst verschieden waren.

Die Nationalsozialisten haben 1933 gewußt, daß sie in dieser Stadt unerwünscht waren. Dieses Bewußtsein schlug sich, nach der gewaltsamen Ausschaltung der alten Führungsgruppen, in einer zunächst dezidierten Politik der Zurückhaltung und des Versöhnungsangebots nieder, die zwar innerparteilich durch Zwistigkeiten gestört, aber auch unter Bogner vor allem in der Behandlung der Bergarbeiterschaft fortgesetzt wurde. Man sah sich in einer schwierigen Position in der Stadt, nicht zuletzt, weil ihre jüngste Geschichte dem überzeugten Nationalsozialisten als die Inkarnation jener Erfahrungen erscheinen mußte, die die Bewegung initiiert und hochgebracht hatten. Da war – was immer davon in Penzberg im einzelnen zutraf – die Erfahrung des sogenannten Dolchstoßes, des bolschewistischen Terrors, der roten Herrschaft, des Parteienstreits, der in Penzberg allem Anschein nach sogar vollendeten Revolution – kurz, das Novembertrauma der Nationalsozialisten, es hatte in Penzberg mit die klarsten Konturen gewonnen. Auch an dem seit Generationen schwelenden Gegensatz von Stadt und Umland, der im Wechsel der Zeiten zwar verschiedene Gestalt angenommen hatte, aber stets und bis in den Alltag hinein präsent geblieben war, hatten die Nationalsozialisten schon in der Zeit des Hitlerputsches, und selbstverständlich auf der »anderen« Seite, teilgehabt. Gerade in ihren Reihen wirkte die Erfahrung der »Kampfzeit«, nämlich die völlige Uneinnehmbarkeit dieser Bastion, fort und verquickte sich mit den Ressentiments des bäuerlichen und gewerblichen Mittelstands, auch vieler Gebildeten und Beamten außerhalb der Stadt gegen diese Stadt. Es ist dabei unerheblich, daß die Nationalsozialisten es vermochten, in einer spezifischen Konfliktlage zwischen Stadt und Umgebung, der Eingemeindungsfrage, durch die ihnen zu Gebote stehenden Mittel über die Köpfe der Betroffenen hinweg Entscheidungen herbeizuführen: 1936 gelang die lange umstrittene, von den Bauern heftig bekämpfte Eingemeindung der bisher zu Sindelsdorf gehörigen Ortschaft Johannisberg nach Penzberg – dies ein Verwaltungsakt,

---

[2] Winkler, Heinrich, A.: Vom Mythos der Volksgemeinschaft, in: AFS 17 (1977), S. 484–490; vgl. auch Schoenbaum, David: Die braune Revolution. Eine Sozialgeschichte des Dritten Reiches. Köln/Berlin 1968, S. 110f.

der besonders den in Johannisberg wohnenden Arbeitern zugute kam[3]. Das Gerede über die Andersartigkeit und Eigenheit, schlimmer, über die Absonderlichkeit der Bergarbeiterkommune hatte sich längst unter jenen zu einer fixen Idee verselbständigt, die nicht in der Stadt wohnten – ob nun Bauern, sonstige Mittelständler oder, und zugleich, Nationalsozialisten. Der Argwohn noch gegen die nationalsozialistisch beherrschte Stadt sprach aus den Stimmungsberichten, wenn darin bis in die Kriegsjahre hinein die stereotype Formel wiederkehrte, kommunistische Regungen seien nicht beobachtet worden[4]. So verwahrte sich der NS-Kreisleiter nicht zufällig gegen ständig übertriebenen Nachrichten aus der Stadt. In der SS müssen Greuelmärchen über die Verhältnisse unter den Bergleuten und der Einwohnerschaft verbreitet gewesen sein, und diese Greuelmärchen drangen bis in höchste Stellen vor: Anfang 1940 kam Reichsbetriebsgemeinschaftswalter Stein in Begleitung von Gaubetriebsgemeinschaftswalter Moosrainer nach Penzberg und bekundete in einer Vertrauensratssitzung[5], »nicht weniger als vier hohe Stellen in Berlin hätten sich an ihn gewandt mit der Bitte, nach dem Rechten zu sehen«. Die Auseinandersetzungen des Jahres 1939 hatten weite Parteikreise in Aufregung versetzt und viele in ihren alten Ansichten über diese Stadt und ihre Arbeiter bestätigt. In derselben Vertrauensratssitzung wurde jedoch auch hervorgehoben, daß der Krieg die seit Ende 1938 zwischen Belegschaft, Werksleitung und Vertrauensrat vertieften Gräben eingeebnet habe, so daß Stein resümieren konnte, das Verhältnis im Betrieb sei jetzt »als gut zu bezeichnen«; man möge allerdings darauf achten, »nichts aus dem Betrieb an die Öffentlichkeit dringen zu lassen«.

Der Krieg veränderte die Verhältnisse im Bergwerk und in der Stadt grundlegend – zunächst eher in psychologischer Hinsicht, später dann auch durch gründliche Umstellungen in den täglichen Lebensformen. Den Leistungsdruck im Bergwerk kannte man bereits aus den unmittelbaren Vorkriegsjahren; ihm gegenüber gab es immerhin wenn auch bescheidene individuelle Abwehrstrategien, die allem Anschein nach, wie gezeigt wurde, von den Bergleuten auch praktiziert wurden. Die Gefahren solchen Verhaltens sind unter Kriegsbedingungen zweifellos sehr viel größer geworden. Die Schutzhaftknute hing über jedem, der sich der »Opferbereitschaft der Belegschaft«[6] nicht anschließen konnte oder wollte, und auch vor den Toren der Zeche war kaum jemand, der aus seinen anderen Ansichten kein Hehl machte, vor Denunziationen gefeit. Die Bergmannsfrau Maria Mayer, die bis 1933 der KPD angehört und an deren Umzügen »vollständig rot bekleidet« teilgenommen hatte, gehörte »zu jenen Unverbesserlichen«, die sich Hitler-Reden, und sei es jene am Tage der englischen Kriegserklärung an Deutschland, unter keinen Umständen anhören mochten[7]; einer Verurteilung entging sie wegen des »Gnadenerlasses« vom 9. September 1939. Auch mochte selbst den Schergen des Münchener Sondergerichts eingeleuchtet haben, daß eine Verurteilung aufgrund

---

[3] Vgl. zu weiteren Ausgemeindungsanträgen etc. in den 1930er Jahren Luberger, Karl: Geschichte der Stadt Penzberg. 2. Aufl., Kallmünz 1975, S. 69. Die ersten Anläufe zur Eingemeindung von Johannisberg datierten bereits 1919/20.
[4] Durchschriften der geheimen landrätlichen Stimmungsberichte (Oberregierungsrat Wallenreuter) seit Mitte 1940 s. in StAM, NSDAP 617.
[5] StAM, OK 287, VR 8. 1. 1940.
[6] Ebenda, 12. 11. 1942.
[7] StAM, Staatsanwaltschaften 5660, Anzeige PP vom 12. 12. 1939.

einer persönlichen Rachegelüsten zu »dankenden« Denunziation – der Denunziant war vorher in einer Privatklage wegen Beleidigung unterlegen – fragwürdig war. Schlimmer erging es dem Wagner Theodor Faderl, der in der Schreinerei der Grube in den vielen Gruppengesprächen mit Arbeitskollegen auch in der Zeit der militärischen Siege seine Skepsis und Nichtübereinstimmung zum Ausdruck gebracht hatte und schließlich denunziert wurde. Auch er hatte der KPD angehört, auch er war ein »gefährlicher Hetzer, der anscheinend 1933 vergessen wurde«, wie sich Bogner, zur Stellungnahme aufgefordert, ausdrückte[8]. Er geriet für 18 Monate hinter Gefängnismauern. Bergmannsfrau Therese Gruber, ebenfalls bekanntermaßen »politisch unzuverlässig«[9], kam mit 10 Monaten davon, nur weil sie einmal beim Abhören von Radio Beromünster ertappt und von streitbaren Nachbarn wiederum wegen lange anhaltender Auseinandersetzungen denunziert worden war.

Allem Anschein nach drang die Kenntnis über andere Ansichten und Überzeugungen, ob vor dem Kriege oder während des Krieges, nur unter zwei Bedingungen aus der Bergarbeiterkommune zu den Ohren der Machthaber und ihrer Justizbeamten: Zum einen, wenn eifrige Nationalsozialisten etwas gehört hatten, doch blieb dies die Ausnahme, denn solche Mitbürger kannte man[10]. Zum anderen, wenn jemand nicht nur anders dachte und darüber auch sprach, sondern zugleich mit Nachbarn und sonstigen Bekannten, aus welchen Gründen immer, in persönlichem Streit lag. Die Gefahr, daß ein Nachbar seine Rachegelüste mit Hilfe des Regimes zu befriedigen versuchen könnte, war dann groß. Sie mehrte sich vor allem seit Kriegsausbruch unter dem Innendruck, der durch die Kriegsbedingungen auf der Bevölkerung lastete. Es war dennoch für Penzberg kennzeichnend, daß die Lokalzeitung immer wieder das Kolporteurswesen jener »unbelehrbaren Menschen« zu verurteilen Veranlassung sah und in wiederholten Artikeln auf den Wert des Schweigens und der Selbstbeherrschung hinwies[11].

Zu dem schweren Verbotsdruck traten zunehmend seit etwa 1942 die äußerlichen Veränderungen des Lebens. Dabei machte sich die Lebensmittelrationierung für die mit Schwer- und Schwerstarbeiterzulagen bedachten, zudem faktisch den ländlichen Versorgungsräumen nahen Penzberger Bergarbeiterfamilien erst in der Zeit absoluter Lebensmittelknappheit verstärkt bemerkbar. Auch Einberufungen setzten verstärkt erst seit 1943 ein, wobei die Einberufenen durch Kriegsgefangene ersetzt wurden und letztere für die deutschen Bergleute durch die Entlastung von den einfacheren und groben Arbeiten auf der Zeche sogar eine gewisse Erleichterung gebracht haben dürften. Mit der Wende im Kriegsgeschehen mehrten sich jedoch von Tag zu Tag die Knappheitserscheinungen: zunächst bei der Kleidung und beim Schuhwerk, bald bei den täglichen Verbrauchsgütern und bei bestimmten Lebensmitteln. Bei der Anlieferung von Verpflegung, aber auch

---

[8] StAM, Staatsanwaltschaften 11 491, Anzeige PP 25. 10. 1941, Stellungnahme Bogners vom 26. 11. 1941.
[9] StAM, Staatsanwaltschaften 11 685 (Sept. 1943).
[10] Beispielsweise wurde der Photograph Karl Senger 1936 von dem jungen SA-Angehörigen F. Z., der Anfang April 1945 zum Werwolf ging und in die Morde vom 28. April 1945 verwickelt war, denunziert; vgl. StAM, Staatsanwaltschaften 8585 sowie oben Kap. VI, Anm. 315. – Zu einer Vorladung von 5 Bergleuten durch SS Anfang 1942 s StAM, OK 287, VR 8. 5. 1942; über eine anonyme Denunziation gegen hohe Parteifunktionäre StAM, NSDAP 617, PP/Landrat WM 9. 7. 1940.
[11] PA 138/15. 6. 1944 und weitere Nummern, Sommer 1944.

bei der Lohnzahlung traten jetzt öfter Verzögerungen ein[12]. Anfang 1943 begannen die Bergleute, auf ihren Grundstücken und um die Zechenhäuser Splittergräben gegen Bombenabwürfe anzulegen; in der Stadt wurden Löschteiche gegraben und die Verdunklungseinrichtungen überprüft. Seit Anfang 1944 wurden einzelne Bergarbeitertrupps wiederholt nach München zum Luftkriegseinsatz gebracht. Im Süden Penzbergs entstand nun ein großes Auffanglager für »Bessarabien-Deutsche«. Auch in der örtlichen NSDAP-Führung traten nach dem Soldatentod Bogners Veränderungen ein: »Bürgermeister-Beauftragter« für die Stadt Penzberg wurde Vonwerden, die Ortsgruppenleitung übernahm Betriebsobmann Rebhan, und eine Reihe neuer Ratsherren wurde bestellt[13].

Die Entwicklungen und Ereignisse der letzten Kriegsmonate tragen erheblich zum Verständnis der außerordentlich spannungsgeladenen Atmosphäre bei, in der es zu den Morden des 28. April 1945 kam. Die Mobilisierung der Bevölkerung für irgendwelche Aufgaben, Hilfszwecke und Maßnahmen war auch in Penzberg total; sie erstreckte sich auf Schüler und Lehrlinge wie Rentner und Ehefrauen gleichermaßen. Sammlungen für Kriegszwecke, für das Rote Kreuz und ähnliches, »Kampfspenden«, Umquartierungen, Fliegeralarm und Luftschutzmaßnahmen brachen Tag für Tag auf die Bevölkerung herein. Der Lokalteil des längst als »Kopfblatt« hergestellten *Penzberger Anzeigers*[14] spiegelt in diesen Monaten die bedrückende Entwicklung: Völlig nichtssagende Aufsätze über »Vorsicht im Frühling« oder »schlecht verpackte Postsendungen« paarten sich mit den Durchhalteparolen des Regimes. »Die Wenig-Esser leben länger«, hieß es etwa, oder: »Auch das Letzte wollen wir auf uns nehmen«; »Ein Volk hilft sich selbst«. Ende Juni 1944 verbreitete selbst Kreisleiter Dennerl Krisenstimmung. Es ging um Mangelwaren, um Sonderzuteilungen an Brot und Käse, an Eiern und Zucker, um die Kartoffelversorgung oder die Gewinnung von Öl aus Bucheckern. Einschränkungen des Reiseverkehrs, des Post- und Telefondienstes wurden bekanntgemacht; zu einer Näh- und Flickaktion aufgerufen; dienstpflichtige »Arbeitsmaiden« versammelt, Einberufungen zur »vormilitärischen Wehrertüchtigung« verkündet; flüssige Kraftstoffe erfaßt und beschlagnahmt, Fahrzeugkontrollen durch Wehrmachtsstreifen eingeführt – und immer wieder Nachrichten über den »Heldentod« von Soldaten. In Penzberg plante man nun auf dem Schloßbichl einen »Heldenhain« für die Soldaten. Arbeitsplatzwechsel war nicht mehr möglich, im Gegenteil, die 60-Stunden-Woche wurde eingeführt und der Kampf gegen die »Drückeberger« noch einmal forciert. Im Oktober 1944 rollte eine von Durchhalteparolen getragene, auf den »totalen Kriegseinsatz« zielende Versammlungswelle der NSDAP über den Kreis Weilheim. Anfang November 1944 fand ein erster »Kriegsappell der wehrfähigen Männer«, des Volkssturms, statt, vor dem Kreisleiter Dennerl wieder von »Krise« sprach: dies war nun ein »Volkskrieg«, ein »heiliger Krieg«. Ein neues Modewort geisterte durch die Behörden und Presseorgane: das Wort von den »Kriegsbedingnissen«, denn alles, auch das Letzte, war jetzt »kriegsbedingt«.

Der Krieg rückte näher und näher; er wurde nun auch von der Zivilbevölkerung an der Peripherie als Lebensgefahr wahrgenommen. Am 16. November 1944 erschütterte ein

---

[12] Vgl. StAM, OK 76/II, 215/II und 593.
[13] Bericht und Ratsherren-Liste: PA 106/8. 5. 1944.
[14] Hier und im folgenden nach den Herbst- und Frühjahrsausgaben 1944/45 des PA, Lokalteil über Penzberg.

Luftangriff auf die Innenstadt, der die katholische Kirche in Schutt und Asche legte, das kleinstädtische Leben. Die Meldungen über das Kriegsgeschehen, über das Heranrücken der Alliierten im Nordwesten, der Russen im Osten und der Amerikaner im Süden überschlugen sich. Flugblattabwürfe wurden immer wieder gemeldet[15], und manches Mal konnten die Menschen den Luftkrieg mit eigenen Augen verfolgen. Anfang 1945 nahmen schließlich auch die Truppenbewegungen im südlichen Oberbayern zu. Im März 1945 ergingen kurz hintereinander der Führerbefehl über die sofortige Evakuierung der westlichen Invasionsgebiete hinter der Hauptkampflinie und schließlich jener »Nerobefehl« über die Zerstörung aller Verkehrs-, Nachrichten-, Industrie- und Versorgungsanlagen vor Einmarsch feindlicher Truppen. Die längst kriegsmüde Bevölkerung begann, die Zerstörungskommandos mehr zu fürchten als den Feind.

Im Februar 1945 wurde das Standrecht über Südbayern verkündet und von Gauleiter Giesler in München ein Standgericht errichtet, das nur auf Todesstrafe, Freispruch oder Überweisung an ordentliche Gerichte erkennen konnte; die Urteile waren vom Gauleiter und Reichsverteidigungskommissar zu bestätigen. Allen jenen, die sich aus »Feigheit« oder »Eigennutz« der Verteidigungspflicht zu entziehen trachteten, drohte damit der Tod. Um die Wende zum April 1945 wurden schließlich die Aktivitäten jener letzten Geistertruppe des Hitler-Regimes, des Werwolfs, bekannt. Im Radio war ein »Werwolf-Sender« zu hören, der aufrief, »hinter dem Rücken des Feindes den Kampf für Freiheit und Ehre unseres Volkes fortzusetzen«, »sich niemals dem Feinde zu beugen«, »Widerstand über Widerstand« zu leisten: »Jedes Mittel ist ihm recht«, denn »Haß ist unser Gebet und Rache unser Feldgeschrei«. »Kampfentschlossenheit bis zum letzten« verkündete auch NS-Kreisleiter Dennerl während einer offenbar letzten Mitarbeiterbesprechung. Der Führer werde alle »wieder zum Licht und zum Leben führen«[16]. Auch ein paar junge Penzberger hatten sich freiwillig zum Werwolf gemeldet. Sie sollten in der Nacht vom 28. auf den 29. April 1945 zurück in die Stadt kommen, um ihr Mordhandwerk zu verrichten.

Die Werwolfmentalität der letzten Kriegstage blieb keineswegs auf die fanatisierten, in wenigen Tagen im Waffengebrauch eingeübten Zuläufer des »Freikorps Adolf Hitler« beschränkt. Sie griff unter den mittleren und höheren NS-Chargen um sich wie eine fixe Idee, von der man besessen, nicht rational überzeugt war, und sie entblößt rückblickend einmal mehr ein Stück vom Charakter dieser Bewegung: von ihrer Geburt aus der Niederlage, ihrem Novembertrauma, ihren »Kampfzeit«-Erfahrungen. Durchhalteparolen bis hin zum hochstilisierten Opfertod, Verhinderung eines neuen Dolchstoßes von der »Heimatfront«, Angst um das je persönliche Schicksal angesichts der Untaten, die sich die meisten dieser Chargen insgeheim vorzuwerfen hatten, und bei allem die aufpeitschenden Nachrichten einer Tag um Tag vorrückenden Front, deren Kanonendonner nun bereits zu hören war – all dies gehörte zu den Ursachen und Erscheinungsformen jener Werwolfmentalität. Ein Hans Zöberlein, »Alter Kämpfer« und Hitler-Literat, Verfasser schwülstiger Heldentod-Romane über den Ersten Weltkrieg, nach der

---

[15] Berichte hierüber und über Notlandungen im Kreisgebiet Weilheim s. in StAM, LRA 4024.
[16] Zitate in diesem Absatz: PA 78/4. 4. und 82/9. 4. 1945 sowie über das Standgericht: 84/11. 4. 1945. Eine Darstellung über die Aktivitäten des Werwolfs in den letzten Kriegstagen liegt bisher m. W. nicht vor.

Machtergreifung erst in der Münchener Kulturverwaltung tätig, bald jedoch mit den NS-Kulturgewaltigen überworfen und für Jahre kaltgestellt, dieser Hans Zöberlein[17], der im Verhör über seine Untaten einmal schwieg oder Vergeßlichkeit vorgab, ein anderes Mal in Tränen ausbrach und über allem noch Jahre nach den Werwolfmorden den Kadavergehorsam für weltbewegend hielt, er erscheint nach Biographie und persönlichem Habitus wie prädestiniert für Mordtaten aus Sinnlosigkeit.

Dies waren die Ereignisse[18]: Am frühen Morgen des 28. April hatte sich die seit längerem vorbereitete, doch dilettantisch und zögerlich agierende »Freiheitsaktion Bayern«[19] über den Rundfunk zu Wort gemeldet und in einer »Zehn-Punkte-Proklamation«[20] zur »Ausrottung der Blutherrschaft«, »Beseitigung des Militarismus«, »Wiederherstellung des Friedens«, der »Ruhe und Ordnung«, der Grundrechte und Menschenwürde aufgerufen. Hans Rummer hörte, wie viele Menschen in Penzberg und auch in anderen Orten, trotz der Morgenstunde diese Nachrichten, darunter auch die Aufforderung zum Schutz der von sinnloser Zerstörung bedrohten Industrieanlagen. Tatsächlich lagen den Werksleitungen in Hausham[21] wie auch in Penzberg Anordnungen über Werkssprengungen im Falle drohender Besetzung vor.

Persönlichen Kontakt zur Freiheitsaktion Bayern hat Rummer nach allen vorliegenden Informationen nicht gehabt; wohl aber ergaben die späteren Zeugenvernehmungen, daß ein Freundeskreis um Rummer schon Wochen vor der Katastrophe Absprachen für den Eventualfall getroffen hatte. Auch von anderer Seite waren Vorbereitungen eingeleitet worden: Otto Kirner, einer der Verurteilten im Hochverratsprozeß von 1933/34, erklärte später[22], »wir«, d. h. der Freundeskreis der kommunistischen Gesinnungsge-

---

[17] Hans Zöberlein, geboren 1895, gestorben 1964, schrieb vor allem den Weltkriegsroman »Befehl des Gewissens« (1931 erschienen mit einem Vorwort Hitlers, in dem das »Erbe der Front« für die deutsche Jugend beschworen wurde) sowei den Roman »Der Glaube an Deutschland« über den SA-Mann Hans Krafft (1937). Vgl. über ihn: Geschichte der deutschen Literatur Bd. X, 1917-1945, hrsg. v. Kaufmann, Hans und Dieter Schiller. Berlin [O] 1973, S. 347, 506.

[18] Die erste und nach wie vor wichtigste Darstellung ist in dem Urteil des in Penzberg stattfindenden Prozesses gegen Zöberlein, Ohm, Bauernfeind, Rebhahn, einige Werwolfmänner und andere Angeklagte vom 7. 3. 1948 enthalten, abgedruckt in: Rüter-Ehlermann, Adelheid und C. F. Rüter (Hrsg.): Justiz und NS-Verbrechen. Sammlung deutscher Strafurteile wegen nationalsozialistischer Tötungsverbrechen 1945-1966, Bd. III, Amsterdam 1969, S. 67-69, auszugsweise auchin: Broszat, Martin u. a. (Hrsg.), Bayern in der NS-Zeit. Soziale Lage und politisches Verhalten der Bevölkerung im Spiegel vertraulicher Berichte. München/Wien 1977, S. 321-325. Vgl. ferner ausführlich: Luberger, a.a.O., S. 152-157. Wichtige Hinweise auf den Prozeßverlauf gibt die Broschüre von Lorenz, Georg: Die Penzberger Mordnacht vom 28. April 1945 vor dem Richter. Garmisch-Partenkirchen 1948; als Romanversuch, in dem die Ereignisse in Rückerinnerungen um eine doch sehr naive Liebesgeschichte gekleidet werden, s. Becker-Trier, Heinz: Es war Mord, meine Herren Richter! Der Fall Penzberg. Frankfurt a. M. 1958. Becker-Trier druckt jedoch einige Vernehmungsprotokolle von Werwolfangehörigen, und weist recht ausführlich auf die hier vernachlässigten Ereignisse in Iffeldorf hin, wo Oberleutnant Steiger von Penzberg ausgesandten Schergen zum Opfer fiel (S. 149-153). Knappe Hinweise finden sich ferner in den Widerstandskämpfer-Biographien: Deutsche Widerstandskämpfer. Biographien und Briefe, Bd. II, Berlin [O] 1970, S. 114f.; Leber, Annedore (Hrsg. in Zusammenarbeit m. Willy Brandt und Karl Dietrich Bracher): Das Gewissen entscheidet. Bereiche des deutschen Widerstandes von 1933-1945 in Lebensbildern, 4. Aufl., Frankfurt a. M. 1960, S. 278; Troll, Hildebrand: Aktionen zur Kriegsbeendigung im Frühjahr 1945, in diesem Band.

[19] Hierzu ausführlich: Bretschneider, Heike: Der Widerstand gegen den Nationalsozialismus in München 1933 bis 1945. München 1968, S. 218-239, sowie neuerdings Hildebrand Troll, in diesem Bd.

[20] Verstümmelter Rundfunktext bei Bretschneider, a.a.O., S. 231-233.

[21] Vgl. knapp: Hausmann, Wilhelm und Franz Xaver Silbernagl (Bearb.): Hausham. Beiträge zur Chronik unseres Ortes, Hausham o. J. [1971], S. 105-107.

[22] Nach Lorenz, a.a.O., S. 29.

nossen, »hatten Waffen«, die wie in den Jahren 1932/33 durch Diebstähle zusammengetragen worden waren und nun, wie die Ereignisse zeigen sollten, auch gebraucht wurden. Es gab also zwei antifaschistische Widerstandskreise in der Stadt, deren Verbindungen untereinander jedenfalls nicht sehr eng gewesen sind.

In der Aktion vom 28. April haben sich gleichwohl ohne Ansehen der parteipolitischen Vergangenheit Sozialdemokraten und Kommunisten zusammengetan. Der Einigkeits- und Einheitswille war, wie noch die unmittelbaren Nachkriegsjahre gezeigt haben, eingedenk der bösen Versäumnisse von 1932/33 groß. Rummer ließ nach einigen Vertrauten senden, begab sich mit ihnen zum Bergwerk, verlangte, die Verantwortlichen zu sprechen und konnte in Verhandlungen die Stillegung des Zechenbetriebs erreichen. Hiernach wurde in den Gefangenenlagern, deren größtes dem alten Sozialdemokraten Michael Boos unterstellt war, um Ruhe und Ordnung bis zur Regelung der Verhältnisse ersucht. Man bemühte sich mit Hilfe des Volkssturmführers Jakob Dellinger um eine dann allerdings nicht in Aktion getretene Gruppe von »sicheren« Volkssturmleuten und marschierte zum Rathaus, wo sich bereits eine kleine Menschenmenge angesammelt hatte. Mit Rummer handelten neben seinen früheren Parteifreunden Sebastian Reithofer, Johann Dreher, Franz Biersack und Michael Boos die ausnahmslos 1933 inhaftierten, überwiegend im Hochverratsprozeß zu Haftstrafen verurteilten Kommunisten Ludwig März, Johann Kuck, Paul Badlehner, Johann Dreher und Rupert Höck. Rummer wies den NS-Bürgermeister Vonwerden aus dem Haus, verpflichtete sich die Beamten der Rathausverwaltung, berief eine Kundgebung für den Nachmittag ein und beriet über die zunächst zu treffenden Maßnahmen.

Die Geschichte der Niederschlagung dieses Aufstands bestand aus einer Kette sinnloser, von bösen Umständen mitbelasteter Ereignisse. Das begann am Morgen um 7 Uhr, als Hauptmann Bentrott vom Werferregiment 22 am Rathaus vorfuhr, von den Ereignissen hörte, seinem Kommandeur, Oberstleutnant Ohm, Bericht erstattete und den Befehl zur Festnahme der Aufständischen erhielt. Rummer, März, Höck, Dreher, Badlehner und Michael Schwertl wurden im Rathaus unter Arrest gestellt und das Gebäude von einer Wehrmachtseinheit gesichert. Ohm vernahm die Verhafteten und fuhr mit Vonwerden zur Gauleitung nach München. Gauleiter Giesler ordnete ohne Rücksicht auf den Einwand, ob nicht ein Standgericht angesetzt werden müsse, die Exekution der Inhaftierten an und beauftragte den anwesenden, als Volkssturmführer fungierenden Zöberlein, mit seiner Einheit von Werwolfleuten nach Penzberg zu fahren, um »für Ordnung« zu sorgen.

Ohm ließ nach seiner Rückkehr ein Exekutionskommando aufstellen. Die Verhafteten wurden am Spätnachmittag erschossen.

Das war nicht genug. Gegen Abend traf Zöberlein, der seine rund 100 Mann auf der Fahrt Halt machen lassen und als Werwolfkämpfer verpflichtet hatte, in Penzberg ein und vereinigte sich mit dem Gesinnungsgenossen Oberstleutnant Bauernfeind, der vom für Penzberg zuständigen Garmischer Standortkommandanten Oberst Hörl über den Aufstand informiert worden war. Bauernfeind, Sonderbeauftragter und Vorsitzender eines Fliegenden Standgerichts, hatte sich aus eigener Machtvollkommenheit nach Penzberg begeben. Was nun, anscheinend nach Abzug der Wehrmachtseinheit, begann, gleicht einer Schreckensorgie. Bürgermeister Vonwerden tat seine völlig unbegründete

Schwertl Paul
Sindelsdorf
erschossen

Kastl Josef
geb. 3. 12. 1905
auf der Flucht erschossen

Biersack Franz
geb. 7. 11. 1896
erhängt

Zenk Johann
geb. 19. 7. 1899
erhängt

Zenk Therese
geb. 19. 5. 1900
erhängt

Tauschinger Sebastian
geb. 16. 4. 1904
erhängt und
entkommen

Fleißner Agathe
geb. 27. 12. 1904
erhängt

Fleißner Xaver
geb. 21. 9. 1900
erhängt

Schwab Franz
geb. 11. 1. 1895
angeschossen und
entkommen

50. Opfer der Penzberger Mordnacht am 28. 4. 1945.

Badlehner Paul
geb. 23. 12. 1899
erschossen

Belohlawek Gottlieb
geb. 7. 11. 1897
erhängt

März Ludwig
geb. 14. 8. 1897
erschossen

Boos Michael
geb. 29. 2. 1888
erschossen

Dreher Johann
Bergmann
erschossen

Höck Rupert
geb. 14. 2. 1891
erschossen

Furcht vor einer erneuten Auflehnung weiterer Freunde Rummers kund. Zöberlein und Bauernfeind ließen Listen über »politisch Unzuverlässige« anfertigen – Listen, an denen mancherlei rasch Befragte, etwa ein Penzberger Werwolfmann, der Ortsgruppenführer Rebhan und der Polizeimeister Kugler mitwirkten. Es gerieten Personen auf diese Listen, denen, wie dem Ehepaar Fleißner[23], nichts vorzuwerfen war als persönliche Animosität der Listenurheber. Im Bürgermeisterzimmer, aus dem nun die Werwolf-Mordkommandos unter Führung von Ortskundigen – einige zur Hilfestellung ausersehene Stadtwachtmänner, Penzberger Geschäftsleute und Parteigenossen, widerstrebten – entsandt wurden, gab es Kurzweil mit reichlich französischem Cognac. Was sich anbahnte, ging wie ein Lauffeuer durch die Stadt, und viele von denen, die sich »politisch unzuverlässig« glauben mußten, konnten sich der drohenden Gefahr entziehen. Andere nicht. Rebhan hatte Bergwerksdirektor Dr. Ludwig vorgeschlagen; da war also eine Feindschaft von der Zeche her in der Erinnerung geblieben. Theodor Faderl, der schon hart gelitten hatte, stand auf der Liste, ebenso Otto Kirner, Michael Schmittner und viele andere. Alle Genannten konnten sich retten. Nicht dagegen Johann Zenk und seine hochschwangere Frau Therese. Nicht Gottlieb Belohlawek und Johann Summerdinger und Albert Grauvogel. Als Sebastian Tauschinger erhängt werden sollte, riß der Strick, und die dann abgefeuerten Schüsse trafen schlecht. Er blieb für tot liegen und überlebte. Josef Kastl, Unterführer im Rotfrontkämpferbund von 1932/33, erlag Schußverletzungen; Schlosser Franz Schwab überstand sie. In der Heimstättensiedlung, am nördlichen Stadtrand in der Nähe des Ledigenheims, wo schon immer die Kommunisten die Oberhand gehabt hatten, war es zu einer Schießerei mit dem Werwolfkommando gekommen, das daraufhin nicht gewagt hatte, weiter vorzudringen.

Nach den sieben Erschossenen des Spätnachmittags erlitten in der Nacht zum 29. April die Ehepaare Zenk und Fleißner sowie Belohlawek, Biersack, Summerdinger und Grauvogel den Tod durch Erhängen. Zusammen mit Kastl fielen den Mordhandlangern 16 Personen zum Opfer. Die Erhängten sah man am anderen Morgen, mit Werwolf-Schildern auf der Brust, im Herzen der Stadt, an der Bahnhofstraße und in der Nähe des Staltacher Hofs, der schon so viele gewalthafte Auseinandersetzungen und zahllose Debatten erlebt hatte. Ein Werwolf-Flugblatt gab es noch: über die Untaten, jedermann zur Warnung. Frühmorgens um 2 Uhr am 29. April hatten die Werwölfe die Stadt verlassen. Einen Tag später rückten die Amerikaner kampflos in Penzberg ein.

Die im ganzen so sehr wie im einzelnen, im Ablauf der Ereignisse und in der Willkür, mit der das Verhängnis die Opfer ereilte, so sinnlose Mord- und Vernichtungsaktion hat in einer Kette von Prozessen, deren erster 1948 im Ort stattfand und zu mehreren Todesurteilen führte, mindestens so sehr aber durch die Tragik der Ereignisse und die persönliche Betroffenheit so vieler Mitbürger die Nachkriegsgeschichte unserer Stadt überschattet. Die Geschichte des ersten Prozesses und seiner Neuauflagen – mit Verkündigung des Grundgesetzes der Bundesrepublik waren zunächst die Todesurteile aufgehoben worden – soll uns, so leidvoll sie für die Überlebenden war, hier nicht näher

---

[23] Nach übereinstimmenden Aussagen von Zeitgenossen war das Ehepaar Fleißner in keiner Weise politisch aktiv gewesen.

beschäftigen; dieses Thema verlangt eine eigene Untersuchung[24]. Inwieweit der 28. April 1945 vor dem Hintergrund der Geschichte dieser Stadt einen wie immer verstehbaren Platz einnimmt, diese Frage verdient abschließend nähere Erörterung.

Die Antwort ist voller Zweifel. Ohne die Freiheitsaktion Bayern wäre Penzberg wie auch manchen anderen Orten, darunter dem alten bayerischen Wallfahrtsort Altötting[25], dieses Schicksal erspart geblieben. Menschlich integere Militärs am Ort – Hauptmann Bentrott als einziger bewies zum Teil in seinen Handlungen in den Verhören und im Prozeß Offiziersweitblick – hätten das Massaker verhindern können, aber Ohm und besonders Bauernfeind waren schwache, ergebene, karrierelüsterne Offiziere. Es gab gar noch Oberst-Beförderungen nach der Untat. Trat Rummer zu früh in Aktion? Kaum, wenn man die Bedrohung der Zeche, die psychologische Wirkung des Rundfunkaufrufs und den Umstand berücksichtigt, daß die amerikanischen Truppen kurz vor Garmisch standen. Schließlich mag man noch Gründe für das Morden der Militärs finden. Was Zöberlein und seine Werwölfe taten, diese Mordorgie entzieht sich dem Verständnis.

Werwolfmentalität war nicht in Penzberg geboren worden, aber die Stadt und ihre Einwohner mit deren bekannter Einstellung waren das prädestinierte Objekt solcher Mentalität. Sie nährte sich in erster Linie aus den Ängsten und Zwängen sowohl der nationalsozialistischen Ideologie als auch der Kriegssituation der letzten Wochen, endlich aber auch aus nun hundertjährigen, von Generation zu Generation getragenen und gewandelten, in der Ablehnung gleichgebliebenen Ressentiments gegen unsere Stadt. Jetzt noch einmal die ganze Macht spüren lassen, mit einer Orgie von Denunziation den Andersdenkenden die Erfahrungen einer oberflächenhaften NS-Herrschaft in der Stadt aus der Ohnmacht in Aggression verwandeln, einen zweiten November verhindern – das lag im Kern der Mordwut. Denn die Bergleute und ihre Familien hatten nicht etwa aktiven Widerstand geleistet, schlimmer fast, sie hatten sich gegenüber Indoktrination und Versuchung als weitgehend immun erwiesen.

Die Geschichte Penzbergs erschöpft sich nicht in den Ereignissen des 28. April 1945. Der Nationalsozialismus war, auch wenn er in den Arbeitsverhältnissen, in der Verwaltung und in manchen anderen Bereichen die überfällige Modernisierung der deutschen Gesellschaft wenn nicht eingeleitet, so doch erheblich beschleunigt hatte[26], in Penzberg mehr als andernorts eine grausame Episode gewesen. Die Bergarbeiterkommune ist sich treu geblieben. Sie hat gezeigt, daß unter dem Nationalsozialismus zwischen Widerstand und Regimeloyalität andere, den Zusammenhalt wahrende Verhaltensformen möglich waren. In den ersten Gemeindewahlen nach 1945 – nach Jakob Dellinger war Josef Raab von den Amerikanern zum Bürgermeister ernannt worden – stellte sich recht genau, unter einem aus dem Erleben der Stadt verständlichen Überge-

---

[24] Es hat die Einwohnerschaft Penzbergs in den 1950er Jahren immer wieder erschüttert, wie die Urteile in den Nachfolgeprozessen Schritt für Schritt gemildert wurden. Vgl. etwa Rüter-Ehlermann und Rüter (Hrsg.), a.a.O., S. 100–128. Dies galt um so mehr, als Hauptbeteiligte weiterhin in der Gemeinde wohnten. Der Roman von Becker-Trier ist nicht zuletzt aus Zorn über diese Entwicklung entstanden.
[25] Hierzu knapp: Broszat u. a. (Hrsg.), a.a.O., S. 686; ausführlicher jetzt der Beitrag von Troll (Anm. 19).
[26] Vgl. die Bemerkungen von Nipperdey, Thomas: Probleme der Modernisierung in Deutschland, in: Saeculum 30 (1979), S. 292–303, 303; über Industrialisierung, Modernisierung und die epochale Funktion der NS-Herrschaft s. auch Broszat, Martin: Der Staat Hitlers. Grundlegung und Entwicklung seiner inneren Verfassung. München 1969, 8. Aufl., München 1979, S. 441.

wicht der Linken, die Parteienkonstellation der Jahre vor 1933 wieder ein, jedoch unter tiefsten, die Gemeindepolitik fortan tragenden Erfahrungen. Erst die Schließung des Bergwerks im Jahre 1966 leitete einen noch nicht abgeschlossenen Strukturwandel der Einwohnerschaft mit Veränderungen im Schichtungsbild zugunsten mittelständischer Erwerbsgruppen ein.

Doch ist die Geschichte der Stadt gegenwärtig geblieben – ob im Bild der alten, zum Teil erst sanierten Zechenhäuser, in den Straßen und auf den Plätzen der Stadt, auf dem Freizeitgelände, das man aus den Penzberger »Dolomiten« schuf, in der noch hochragenden Kraftwerksruine am Ort der alten Zechenaufbereitung, aber auch, tiefgreifender, im Verhalten der Bürger zueinander, in den örtlichen Parteien, in der Gemeindepolitik.

ZDENEK ZOFKA

Dorfeliten und NSDAP

FALLBEISPIELE DER GLEICHSCHALTUNG AUS DEM BEZIRK GÜNZBURG

Einleitung

Oppositionelles oder Anpassungs-Verhalten gegenüber den nationalsozialistischen »Machthabern« war im Jahr 1933, als noch kaum jemand mit Sicherheit wußte, wohin die nationalsozialistische Herrschaft führen würde und was das – erst mit ihrer vollen historischen Entfaltung zum Ausdruck kommende – »Wesen« dieser Herrschaft sein würde, viel weniger von prinzipiellen Einstellungen als von situationsbedingten Reaktionen abhängig. Das galt vor allem für die bäuerlich-mittelständische Bevölkerung in der »Provinz«, die, anders als die von sozialdemokratischen, kommunistischen oder gewerkschaftlichen Meinungsführern stark bestimmte Arbeiterschaft, von ihren traditionellen politischen, publizistischen oder kirchlichen Wortführern auch schon vor 1933 weniger zu einer weltanschaulichen Fundamentalkritik an der nationalsozialistischen Bewegung angehalten worden war. Hier nahmen die Auseinandersetzungen mit der NSDAP, sofern sie überhaupt geführt wurden, vielmehr den Charakter einer nur partiellen Kritik an bestimmten Zügen und Äußerungsformen an, bei gleichzeitiger Teilübereinstimmung mit anderen Programmpunkten oder Tendenzen der Hitler-Bewegung.

Unter solchen Rahmenbedingungen war auch die oppositionelle oder opportunistische Reaktion auf die nationalsozialistische Machtergreifung in starkem Maße abhängig von der mehr oder weniger brüskierenden Form, in der sich diese Machtergreifung auf örtlicher Ebene vollzog. Die Frage nach den Gründen und Motiven des Verhaltens gegenüber der NSDAP läßt sich nicht beantworten ohne eine genaue und differenzierte Rekonstruktion des Gleichschaltungsprozesses im lokalen Rahmen, wobei der gesellschaftlichen Herkunft der Parteigänger der NSDAP erhebliche Bedeutung zukommt. Von diesen Überlegungen ist die folgende exemplarische Studie über die Machtergreifung im Landkreis Günzburg bestimmt.

Zahlreiche Einzelfälle lokaler Machtusurpation durch beruflich und gesellschaftlich Zukurzgekommene, oft auch menschlich und charakterlich dubiose »Elemente« der NSDAP in den Wochen und Monaten nach der nationalsozialistischen Regierungsübernahme im Reich und in den Ländern im Frühjahr 1933 haben das langlebige Pauschalurteil erzeugt, als sei durch die nationalsozialistische Machtergreifung auf der unteren Ebene der kleinen Gemeinden, in Gestalt der nationalsozialistischen Ortsgruppenführer, Bürgermeister und Gemeinderäte eine »Herrschaft der Minderwertigen« ins Leben gerufen worden. Noch unlängst schrieb ein Historiker:

> »Die Anhängerschaft des Nationalsozialismus rekrutierte sich auf dem flachen Land in erster Linie aus dem Lumpenproletariat. Nur in verschwindend wenigen Fällen schlossen sich die Honoratioren der vorhergehenden Zeit den neuen Machthabern an. Was als Bürgermeister und Parteifunktionär nach 1933 in den Dörfern wirkte, war alles andere als eine positive Auslese«[1].

Diese Behauptung kann sich gewiß auf mancherlei Einzelbeispiele stützen, sie ist gleichwohl in dieser generellen Form unbegründet und unrichtig. Daß »Feststellungen« dieser Art meist unwidersprochen bleiben, obwohl es noch genügend Zeitgenossen gibt, die es anders im Gedächtnis haben, dürfte seinen Grund nicht zuletzt darin haben, daß eine Richtigstellung als nachträgliche Rehabilitierung des Dritten Reiches mißverstanden werden könnte und insofern tabu ist. Die Pauschalbehauptung von der gesellschaftlichen »Minderwertigkeit« der Partei auf der lokalen Ebene von Dörfern und kleinen Landstädten mag schließlich auch ihren Grund darin haben, daß es vornehmlich Vertreter konservativer oder kirchlicher Ober- und Führungsschichten gewesen sind, die z. T. schon während des Dritten Reiches diese generalisierende Meinungsbildung über »die Partei« besorgten und über 1945 hinaus tradierten. Sie hat nach 1945 auch eine willkommene Alibi-Funktion gehabt, sofern sie den Anschein erzeugte, als seien die traditionellen alten Eliten von der NSDAP kaum angefochten gewesen. Noch in der Spruchkammerpraxis der Jahre 1946/47 läßt sich sehr deutlich die Tendenz ablesen, ehemalige NSDAP-Mitglieder und -Funktionäre von respektablem gesellschaftlichen Stand, die auch über entsprechend zahlreiche »Persilschein-Beziehungen« verfügten, als nur nominelle Mitläufer einzustufen, dagegen die sozial inferioren kleinen »braunen Bonzen« in Gemeinden und Betrieben als die eigentlichen Exponenten der politischen Parteiherrschaft anzusehen. Wie vorher die nationalsozialistische Verfolgung von politischen Gegnern der Linken, war auch nach 1945 die Entnazifizierung keineswegs frei von solchen sozialen Vorurteilen und häufig mit ihnen vermischt.

Während die historische Analyse der NS-Machtergreifung auf Reichsebene längst zu der Feststellung gelangt ist, daß diese ihren fast reibungslosen Erfolg und ihren legalen Anschein nicht zuletzt dem Umstand zu verdanken hatte, daß es Hitler gelang, die Unterstützung und Kollaboration nationaler Eliten in Reichswehr, Ministerialbürokratie, Großagrariertum und Industrie zu finden, hat sich merkwürdigerweise vielfach die Meinung erhalten, die NS-Machtergreifung auf der unteren Ebene der Gemeinden, an der sozialen Basis, sei in der Form einer zugleich politischen und sozialen Usurpation, auf dem Wege der radikalen Machtdurchsetzung beruflich und gesellschaftlich gestrandeter »Alter Kämpfer« erfolgt und habe hier viel mehr als auf Reichs- oder Landesebene das Attribut einer revolutionären Machtübernahme »von unten« gehabt.

Angesichts des angedeuteten Interesses an der Aufrechterhaltung dieser Vorstellung, die naturgemäß auf genügend passende Beispiele verweisen kann, läßt sich eine

---

[1] Aretin, Karl Otmar Freiherr von: Bayern in der Nazi-Zeit, in: Süddeutsche Zeitung vom 29. 7. 1978.

emotionslose Klärung dieser Frage nur auf quantitative Weise erzielen. Der Vorstellung, daß die NSDAP 1933 die führenden Ämter in den kleinen Gemeinden samt und sonders mit ihren »Alten Kämpfern« besetzt habe, widerspricht schon die offizielle Statistik der NSDAP aus dem Jahre 1935. Aus ihr ist für Bayern zu entnehmen, daß 40,1 Prozent der Vorsteher von Landgemeinden überhaupt keine Parteigenossen waren und weitere 40,6 Prozent der NSDAP erst nach der Machtergreifung beigetreten waren[2]. Schon diese Daten erlauben die Schlußfolgerung, daß mindestens die Hälfte aller vor 1933 amtierenden Bürgermeister in bayerischen Landgemeinden auch nach 1933 ihren Posten behielten[3], mithin die personelle Auswechselung in diesem Bereich infolge der Machtergreifung keineswegs so durchgängig war wie vielfach angenommen.

Berücksichtigt man ferner, daß 80 Prozent der nach der Machtübernahme amtierenden Landbürgermeister in Bayern vor 1933 nicht der NSDAP angehörten, so wird man schon aufgrund dieses Befundes nicht bestätigen können, daß nur »in verschwindend wenigen Fällen« sich die alten Honoratioren dem NS-Regime zur Verfügung stellten. Auch auf lokaler Ebene griff das NS-Regime 1933 in hohem Maße auf die alten Eliten zurück; und es machte dabei oft keinen wesentlichen Unterschied, ob Vertreter dieser Eliten aus persönlichem Ehrgeiz dem neuen Regime ihre Dienste anboten, oder ob sie – z. B. als Landbürgermeister – auf Wunsch der gesellschaftlich führenden Kreise im Amt blieben, auch wenn dies einen früher oder später nötigen Beitritt zur NSDAP zur Folge hatte.

Eine vorurteilslose Betrachtung der NS-Machtübernahme auf der unteren Ebene der Dörfer und Landstädte, der mit dieser empirischen Fallstudie gedient werden soll, hat nichts zu tun mit einer Rehabilitierung des NS-Regimes. Ihr Ziel ist es vielmehr, einen Beitrag zu leisten zur differenzierteren Erkenntnis der nationalsozialistischen Machtergreifungs- und Gleichschaltungstechnik, die auch auf der unteren Ebene der Landgemeinden nicht nur das Ziel verfolgte, den eigenen politisch-weltanschaulichen Machtwillen durchzusetzen, sondern zugleich auch die diesem Ziel oft entgegenstehende Absicht, die vor 1933 vielfach von gesellschaftlichen Außenseitern bestimmte NS-Bewegung nunmehr als Herrschaftspartei salon- und integrationsfähig zu machen.

Sicher hängt es mit der lange währenden Vernachlässigung der empirischen Erforschung der Basis-Struktur des NS-Regimes zusammen, daß sich auch in der Geschichtswissenschaft die in der öffentlichen Meinung vorherrschenden falschen Vorstellungen von der Art der nationalsozialistischen Machtdurchsetzung und Personalpolitik in den Gemeinden so lange halten konnten. Wenn einzelne Historiker die These aufstellten, daß im Zuge der nationalsozialistischen Machtübernahme auch in den Gemeinden durchwegs neue Männer das Regiment übernommen hätten und die alten Eliten von einer neuen Elite verdrängt worden seien[4], so ist dies wohl zum Teil auch auf falsche

---

[2] NSDAP Partei-Statistik 1935, Bd. II, Politische Leiter, hrsg. vom Reichsorganisationsleiter der NSDAP. o. O., o. J., S. 264.
[3] Man kann davon ausgehen, daß fast alle der 40% der Gemeindevorsteher, die nach 1933 noch keine Parteigenossen waren, schon vor 1933 im Amt waren. Auch ein großer Teil der erst nach 1933 beigetretenen Bürgermeister dürfte schon vor 1933 im Amt gewesen sein. Im Landkreis Günzburg waren dies mehr als 30% aller Gemeindevorsteher.
[4] Vgl. Domröse, Ortwin: Der NS-Staat in Bayern von der Machtergreifung bis zum Röhm-Putsch. München 1974, S. 388: »Bis zum Herbst 1933 war es den Nationalsozialisten zum größten Teil gelungen, die Exponenten des bayerischen Bürgertums aus ihrer traditionellen Machtstellung in Staat und Kommunen zu verdrängen. Dieser Vorgang . . . stellte de facto die revolutionäre Eliminierung einer Elite zugunsten einer anderen dar«.

Rückschlüsse aus Beobachtungen auf höherer Ebene, z. B. der Großstädte, zurückzuführen[5]. Die in den fünfziger und sechziger Jahren vorherrschende Vorstellung vom Dritten Reich als einem »monolithischen Block« und die diese Vorstellung unterstützende propagandistische Selbstdarstellung der Nationalsozialisten dürften dabei ebenfalls eine Rolle gespielt haben. Impliziert doch allein schon der Begriff der »Gleichschaltung« eine technische Perfektion, für die es in der Praxis kaum eine Entsprechung gab. Auch der Begriff der nationalsozialistischen »Revolution von unten« ist geeignet, ein falsches Bild von den realen Vorgängen der Machtergreifung in den Gemeinden entstehen zu lassen.

Die inzwischen stärker in Gang gekommene empirische Erforschung lokaler und klein-regionaler Verhältnisse in der NS-Zeit hat die vorgenannten Pauschalierungen mittlerweile stark relativiert und ein neues, differenziertes Bild der nationalsozialistischen Machtergreifung auf lokaler Ebene beginnt sich zu entwickeln. Schon 1956 kam Wolfgang Schäfer aufgrund seines Studiums der Parteistatistik zu dem Fazit: »Die Gleichschaltung der Kreise, Städte und Gemeinden wurde nur zu einem geringen Teile von politisch ›zuverlässigen‹ Kräften durchgeführt, so daß das Herrschaftsgefüge der NSDAP dünn und weitmaschig blieb«[6]. Dies wird auch von neuen, einschlägigen lokalen und regionalen Studien bestätigt[7]. Eine im Rahmen des Projekts »Widerstand und Verfolgung in Bayern 1933–1945« erarbeitete kleine Studie über den Kreis Memmingen, die sich auf das örtliche Urmaterial für die amtliche Parteistatistik stützen konnte, stellte heraus, »wie wenig von einer absoluten Herrschaft der NSDAP in den Gemeinden die Rede sein« und wie wenig sich die NSDAP gegenüber den alten Dorfhonoratioren durchsetzen konnte[8].

Ich selbst konnte in meiner 1979 veröffentlichten Dissertation, einer regionalen Fallstudie über den Aufstieg, die Machtergreifung und den Machtausbau der NSDAP im Landkreis Günzburg[9], die ebenfalls in Verbindung mit dem vorgenannten Projekt stand, das Thema der Gleichschaltung der Gemeinden ausführlich behandeln. Die persönliche Kenntnis meines Heimatkreises kam mir bei der Untersuchung der politischen Traditionen und Strukturen wie der gesellschaftlichen Verankerung politischer Herrschaftsverhältnisse in den Gemeinden dieses Kreises zugute. Auf der Grundlage einer intensiven Erforschung der Vorgeschichte war es möglich, auch die nationalsozialistische Personalpolitik in den Gemeinden, Vereinen und Verbänden nach der Machtergreifung weitge-

---

[5] Vgl. Schulz, Gerhard: Die Anfänge des totalitären Maßnahmestaates, in: Karl Dietrich Bracher, Gerhard Schulz, Wolfgang Sauer: Die nationalsozialistische Machtergreifung. Studien zur Errichtung des totalitären Herrschaftssystems in Deutschland 1933/34. Köln/Opladen 1972 (2. A.), Bd. II, S. 104: »Ähnlich [wie den Bürgermeistern in den Großstädten] erging des den Leitern kleinerer Gemeinden . . .«.
[6] Schäfer, Wolfgang: NSDAP. Entwicklung und Struktur der Staatspartei des Dritten Reiches. Hannover 1956, S. 31.
[7] Vgl. Grill, Johnpeter H.: The Nazi Party in Baden 1920–1945. Diss. Ann Arbor 1975, S. 356 ff. und Peterson, Edward N.: The Limits of Hitler's Power. Princeton 1969, S. 389.
[8] Broszat, Martin und Elke Fröhlich: Politische und soziale Macht auf dem Lande. Die Durchsetzung der NSDAP im Kreis Memmingen, in: VfZ Jg. 25 (1977), H. 4, S. 546–572; hier S. 563.
[9] Zofka, Zdenek: Die Ausbreitung des Nationalsozialismus auf dem Lande. Eine regionale Fallstudie zur politischen Einstellung der Landbevölkerung in der Zeit des Aufstiegs und der Machtergreifung der NSDAP 1928–1936. Diss. München 1979.

hend systematisch zu erfassen. Die wesentlichsten dabei ermittelten quantitativen Befunde in bezug auf die Varianten der Gleichschaltung in den 67 Gemeinden des Landkreises Günzburg werden im folgenden wiedergegeben. Zur Ergänzung und Veranschaulichung der – als Dissertation vorgelegten – quantitativ-systematischen Untersuchung sollen in diesem Beitrag eine zusätzliche qualitative Dokumentation und die Schilderung exemplarischer Fälle geboten werden. Um das breite Spektrum der unterschiedlichen Konstellationen und Motivationen, die den Gleichschaltungsprozeß in den Gemeinden jeweils so oder so beeinflußten, ansichtig zu machen, werden dabei jeweils charakteristische Fallbeispiele der örtlichen Personalpolitik in bezug auf die Besetzung der Bürgermeisterämter in den Gemeinden des Kreises Günzburg nach der Machtergreifung mehr oder weniger ausführlich geschildert. Es konnten dafür, über die in der Dissertation verwandten Materialien hinaus, zusätzliche Quellen, vor allem aus den Akten der nach 1945 für den Kreis Günzburg zuständigen Spruchkammer herangezogen werden. Mit aller Vorsicht verwandt, stellen diese Akten eine wertvolle Quelle zur Beleuchtung der lokalen Strukturen und personellen Konstellationen dar. Da es bei den zu schildernden Fallbeispielen ausschließlich darum geht, anhand konkreter lokaler Gegebenheiten typische Varianten dieser Vorgänge exemplarisch zu veranschaulichen, während die Personen als solche für die wissenschaftliche Erkenntnis ganz unwesentlich sind, sind die jeweiligen Personen- und Ortsnamen durchweg verschlüsselt worden. Diese schon aus Gründen des Persönlichkeitsschutzes notwendige Anonymisierung erlaubte es andererseits, die örtlichen Verhältnisse ohne Konkretheitsverlust so plastisch wie möglich darzustellen. Die Erzählung der Fallbeispiele wird dabei jeweils auch in Bezug gesetzt zu ähnlichen oder abweichenden Vorgängen in anderen Gemeinden, wodurch die qualitative Interpretation des individuellen Vorgangs in den Rahmen des quantitativen Befundes gesetzt werden soll.

Nur durch solchen exemplarischen Rückgriff auf die konkreten Verhältnisse der Gleichschaltung in den Gemeinden lassen sich vorschnelle Abstraktionen und falsche Verallgemeinerungen vermeiden. Andererseits ist jede Fallstudie dieser Art der Frage ausgesetzt, inwieweit die in dem ausgewählten »Feld« – hier dem Landkreis Günzburg – ermittelten Fälle über dieses Beobachtungsgebiet hinaus Aussagekraft beanspruchen können. Um zu verdeutlichen, daß der Landkreis Günzburg bei aller Individualität seiner politischen und sozial-kulturellen Struktur doch kein extremer Ausnahmefall gewesen ist und – zumindest in Bayern – in anderen ländlichen Regionen vielfache Entsprechungen hatte, stellen wir eine Skizze der »Struktur« des Kreises an den Anfang unserer Betrachtung. Sie vermag zwar keine methodisch gesicherte Auskunft darüber zu geben, in welchem Grade dieser Kreis repräsentativ gewesen ist für andere Regionen innerhalb und außerhalb Bayerns, aber doch wohl per Evidenz deutlich zu machen, daß die Verhältnisse in diesem engbegrenzten Gebiet meist keineswegs einzigartig gewesen sind, und die Vorgänge der nationalsozialistischen Gleichschaltung in den Gemeinden außerhalb des Kreises Günzburg in vielen ähnlich strukturierten Gebieten sich nicht sehr viel anders abgespielt haben dürften.

Dem gleichen Ziel dient die im Anhang beigefügte Dokumentation ähnlicher Fälle aus Akten oberbayerischer Bezirksämter oder Kreisleitungen. Die hier wiedergegebenen Dokumente sind darüber hinaus geeignet, dem Leser anhand des authentischen Quellenmaterials einen unverfälschten Eindruck vom »Stil« dieser Vorgänge und Konflikte zu verschaffen.

I. Wirtschaftlich-soziale und politische Struktur des Bezirks

Als ein überwiegend agrarisches, zu 90 Prozent katholisches Gebiet bildete der Bezirk Günzburg[10] in Mittelschwaben mit seinen (1933) 38 412 Einwohnern ein eher »normales« als exeptionelles Beispiel der bayerischen Provinz. Die Donau, die den nördlichen Teil des Kreises durchfließt, bildet auch die Scheidelinie zwischen zwei verschiedenen Landschaftstypen. Der südlich der Donau gelegene – weitaus größte – Teil des Bezirks gehört zum Alpenvorland, zu der von den Schmelzwasserströmen der Eiszeit geprägten Iller-Lech-Schotterlandschaft, die durch die nordwärts zur Donau fließenden Flüsse gegliedert wird. Zwischen den meist noch bewaldeten Höhenrücken und den häufig überschwemmten, vorzugsweise als Grünland genutzten Talböden, erstrecken sich hier breite, von fruchtbaren Lehm- und Lößboden bedeckte, für den Ackerbau gut geeignete, Hochterrassen. Der nördlich der Donau gelegene Teil des Kreisgebietes gehört dagegen zum Donauried, einer flachen, vermoorten Tallandschaft, die, soweit sie nicht vom Auwald bedeckt wird, nur mit Hilfe von Entwässerungskanälen als Grünland kultiviert und lediglich an besonders günstigen, trockenen Stellen auch als Ackerland nutzbar ist. In den dreißiger Jahren gab es im Kreisgebiet zu fast gleichen Teilen, also zu je einem Drittel, Wald, Wiesen und Ackerland. Diese natürlichen Voraussetzungen begünstigten die landwirtschaftliche Mischwirtschaft, das Nebeneinander von Ackerbau (Getreide, Kartoffeln) und Viehhaltung. Landwirtschaftliche Spezialkulturen, wie z. B. Wein- oder Hopfenanbau, gab es im Kreisgebiet nicht. Mit einem Anteil von über 50,6 Prozent (ohne Stadt Günzburg: 57,9%) von Land- und Forstwirtschaft lebende Bevölkerung rangierte der Bezirk Günzburg in der durchschnittlichen Mittellage bayrischer Landkreise. Ähnliches gilt von der agrarischen Ertragslage und der sozialen Schichtung der bäuerlichen Bevölkerung. Boten die relativ guten Bodenverhältnisse im Bezirk eine recht gute Ausgangslage für die Landwirtschaft, so führten doch die meisten Bauern aufgrund der durch Erbteilung zustandegekommenen starken Besitzzersplitterung nur ein ärmliches Dasein. In der Mehrzahl der Gemeinden überwogen die Kleinbetriebe, die weniger

---

[10] Die Angaben in diesem und dem folgenden Kapitel stützen sich durchweg auf meine Dissertation (Zofka, a. a. O.). Auf Einzelbelege, die dort ausführlich gegeben wurden, wird deshalb hier verzichtet. Literatur zum Bezirk Günzburg: Gaiser, Horst und Albrecht Rieber: Kleine Kreisbeschreibung. Günzburg, Stadt und Landkreis. Neu-Ulm 1966; Reißenauer/Weizenegger: Im Landkreis Günzburg. Weißenhorn o. J. (ca. 1968); Kreisfreie Stadt und Landkreis Günzburg. Beilage zu »Bayern in Zahlen«, Monatshefte des Bayerischen Statistischen Landesamts (1963), H. 8; Auer, Paul: Geschichte der Stadt Günzburg. Günzburg 1963; Kornrumpf, Martin: Bayern-Atlas, München 1949; Zorn, Wolfgang (Hrsg.): Historischer Atlas von Bayerisch-Schwaben. Augsburg 1955. – Die den Ausführungen zugrundeliegenden Daten stammen zumeist aus: Beiträge zur Statistik Bayerns (Volks- und Berufszählung 1939), hrsg. vom Bayerschen Statistischen Landesamt. München 1940, H. 132.

als 10 ha, nicht selten sogar weniger als 5 ha Nutzfläche zur Verfügung hatten. Die vielen kleinen Bauern hatten meist nur 3-4 Kühe und 2-3 Schweine, daneben einige Hühner. Nur in wenigen Gemeinden gab es eine breitere Schicht an Mittelbauern, aber in den meisten Gemeinden auch Großbauern mit 50 ha oder noch größerem Besitz, vereinzelt auch noch adliger Großgrundbesitz mit der entsprechenden Häufung von Landarbeitern in diesen Gemeinden[11].

Die landwirtschaftliche Bevölkerung lebte in ihrer Mehrzahl in kleinen Dörfern. Von den insgesamt 67 Gemeinden des Kreises hatten 46 weniger als 500 Einwohner (31 von ihnen weniger als 300), und nur 15 zwischen 500 und 1000 Einwohner. Neben der Kreisstadt Günzburg (rd. 6500 Ew) gab es die beiden Kleinstädte (mit Stadtrecht) Ichenhausen (2500 Ew) und Burgau (2200 Ew) sowie weitere drei zentrale Orte mit kleinstadtähnlicher Funktion und jeweils rd. 1500 Einwohnern (Leipheim, Offingen, Jettingen). Diese sechs Kleinstädte, an der den Kreis seit 1853 durchquerenden Eisenbahn-Fernstrecke München–Stuttgart, bzw. an deren seit 1892 von Günzburg nach Süden (Krumbach) führenden Nebenstrecke gelegen, bildeten die Zentren der industriellen und handwerklichen Arbeiterschaft, die mit 25,5 Prozent der Gesamtbevölkerung im Kreis Günzburg eine höhere Quote ausmachte als in den meisten benachbarten Landkreisen.

Erst seit der Jahrhundertwende waren kleinere und auch mittlere Industriebetriebe, meist Zweigwerke größerer Unternehmen, errichtet worden, z. B die Süddeutsche Baumwoll-Industrie (SBI) in Günzburg, eine Schuhfabrik in Wasserburg (bei Günzburg), eine Wollfilzfabrik in Offingen. Die meisten Betriebe gehörten zu den Branchen Textil- und Nahrungsmittelindustrie. Auch aus alten Handwerksbetrieben hatten sich einige Industriebetriebe entwickelt, so die Landmaschinenfabrik Mengele in Günzburg.

Die Industriearbeiter wohnten meist in den Kleinstädten oder Arbeitergemeinden in ihrer unmittelbaren Nachbarschaft. Nur die Arbeitergemeinde Bühl lag etwas abseits, ohne unmittelbare Verkehrsanbindung. In dieser Gemeinde hatte ein adliger Grundherr im 18. Jahrhundert nachgeborene Bauernsöhne in »Leerhäusern« angesiedelt. Nach dem Bankrott des adligen Arbeitgebers mußten viele der Leerhäusler ihren Lebensunterhalt als Hausierer oder Bettler bestreiten, bis durch die Industrialisierung neue Arbeitsplätze geschaffen wurden. In den an der Eisenbahnlinie gelegenen Gemeinden wuchs die Zahl der Pendler, waren doch sehr viele der Kleinbauern auf einen Nebenerwerb in der Industrie oder im Baugewerbe angewiesen. Unmittelbar im ländlichen Bereich gab es außer in ein paar Ziegeleien (Autenried, Nornheim, Röfingen) kaum nichtlandwirtschaftliche Arbeitsplätze, da die ländlichen Handwerksbetriebe meist reine Familienbetriebe waren.

Mit Ausnahme einer kleinen Minderheit zugezogener evangelischer Arbeiter, Beamter und Gewerbetreibender waren 64 von 67 Gemeinden des Bezirks fast rein katholisch. Lediglich die Stadt Leipheim sowie die Gemeinde Riedheim im äußersten Nordwesten und die Gemeinde Burtenbach im äußersten Südosten des Kreises waren überwiegend evangelisch, eine Folge der historischen Herrschaftsverhältnisse: Während das ganze

---

[11] So in den Gemeinden Jettingen (Stauffenberg), Schönenberg (Klingenburg), Haldenwang (v. Freyberg), Harthausen (v. Rietheim) und Burtenbach (v. Stetten).

übrige Kreisgebiet das Kernstück der ehemalig katholischen Markgrafschaft Burgau bildete, gehörten Leipheim und Riedheim zum Territorium der ehemals evangelischen Reichsstadt Ulm und die Gemeinde Burtenbach zum ehemaligen Besitz eines Reichsritters, des Landsknechtsführers Sebastian Schertlin, der 1564 zum Protestantismus übergetreten war.

Abgesehen von diesen drei Gemeinden und der von einer außergewöhnlich starken jüdischen Minderheit bewohnten Gemeinde Ichenhausen, hatte der tonangebende Katholizismus auch die politischen Verhältnisse im Kreis Günzburg in starkem Maße geprägt. Wie in anderen katholischen Gebieten Bayerns und Schwabens war die von der Staatsbürokratie mehr als von dem schwachen Bürgertum getragene zeitweilige Vorherrschaft des politischen Liberalismus im 19. Jahrhundert, im Zeichen des Kulturkampfes, des bäuerlich-kleinbürgerlichen Protestes gegen die Liberalisierung der Wirtschaft und gegen die kleindeutsch-preußische Orientierung der Liberalen, durch den in der bayerischen »Patriotenpartei« (ab 1887: Bayerisches Zentrum) organisierten, vor allem vom niederen Klerus getragenen, politischen Katholizismus gebrochen worden. Zwischen 1880 und 1917 pendelte sich ein ziemlich stabiles Wahlverhalten ein: Mindestens 60 Prozent der Bevölkerung standen auf Seiten des Zentrums. Nur die evangelischen Gemeinden und einige katholische Bauerngemeinden, vor allem im westlichen Teil des Kreises, wo sich bäuerliches Selbstbewußtsein mit antiklerikalen Einstellungen verband, blieben Hochburgen des Liberalismus bzw. des seit den 90er Jahren auftretenden Bayerischen Bauernbundes (BBB).

Neben den durchschnittlich zwischen 25 und 35 Prozent liegenden Stimmenanteilen für die Liberalen bzw. den BBB konnte die seit den 90er Jahren auftretende Sozialdemokratische Partei erst in den Jahren unmittelbar vor dem Ersten Weltkrieg in die Nähe der 10-Prozent-Quote gelangen und wurde so gut wie ausschließlich von der Arbeiterschaft in den Kleinstädten und umliegenden Arbeiter-Landgemeinden, so auch der »Leerhäusler«-Gemeinde Bühl, getragen. Bezeichnend war, daß das ehemalige bäuerliche Wählerpotential der Liberalen schon seit den 90er Jahren fast gänzlich zur »Interessenpartei« des Bauernbundes umgeschwenkt war und der Liberalismus fast nur noch auf den protestantischen Teil des »bürgerlichen« Elements in den Kleinstädten rechnen konnte, dort aber auch bereits vor 1914 von der Sozialdemokratie überflügelt wurde.

Einen Umbruch dieser politischen Landschaft brachten Erster Weltkrieg und Revolution mit sich. Schon die Wahlen zur Nationalversammlung 1919 offenbarten, daß das Zentrum, bzw. die BVP, die absolute Mehrheit im Bezirk verloren hatte. In den folgenden Jahren kam es zu einem weiteren Abbröckeln der BVP-Wählerschaft zugunsten des Bauernbunds, der es schließlich 1928 auf 36,5 Prozent der Stimmen brachte, während die BVP auf 26,2 Prozent zurückging und SPD und KPD seit 1919 ziemlich konstant zwischen 15 und 20 Prozent der Stimmen erlangten. In der politischen Landschaft der zwanziger Jahre gab es nur noch wenige stabile »schwarze« Gemeinden. Der Bauernbund hatte zu seinen alten Hochburgen zahlreiche neue hinzugewonnen, in sehr vielen Gemeinden konkurrierten Bauernbund und BVP um die bäuerlichen Wähler, und es gab häufig wechselnde Mehrheiten, während in den von Mittelstand, Kleinbürgertum und Arbeitern bestimmten Kleinstädten BVP und die SPD Hauptkonkurrenten waren.

Die politische Spaltung des (katholischen) Bauerntums in BVP- und BBB-Anhänger war nicht zuletzt deshalb zustandegekommen, weil der Bauernbund es in den 20er Jahren im Bezirk vermocht hatte, sein antiklerikales Image abzubauen, sogar einen katholischen Pfarrer als einen seiner lokalen Wortführer herauszustellen und mit der weitgehenden Okkupation des bäuerlichen Genossenschaftswesens und der landwirtschaftlichen Interessen-Vereinigungen sich eine stabile organisatorische »Infrastruktur« zu verschaffen, wie ähnlich auch im bestehenden dörflichen Vereinswesen, vor allem den Feuerwehr- und Kriegervereinen, führende Positionen durch ihm nahestehende Honoratioren zu besetzen.

Die bis 1928 ansteigende Attraktivität des Bauernbunds beruhte auf seiner klaren interessenpolitischen Orientierung, seiner Verkörperung bäuerlichen Standesbewußtseins und Zusammengehörigkeitsgefühls. In der Bauernbundpropaganda artikulierte sich besonders der Protest gegen die vermeintliche wirtschafts- und steuerpolitische Benachteiligung der Bauern, das Gefühl, von den anderen gesellschaftlichen Gruppen an die Wand gedrückt zu werden. Daher rührte es wohl, daß der BBB 1928, als die Agrarkrise bereits begonnen hatte, während in der gewerblichen Wirtschaft die relative Prosperität der vorangegangenen Jahre noch anhielt, den Höhepunkt seiner Wahlerfolge im Bezirk zu erreichen vermochte. Dies war allerdings bereits ein Anzeichen dafür, daß ein großer Teil des Bauerntums dem wirtschaftlich-sozialen Krisengefühl in seinem politischen Wahlverhalten mehr als der traditionellen Verbundenheit mit dem katholischen Milieu Ausdruck gab. Von diesem Krisengefühl großer Teile auch der katholischen bäuerlichen Bevölkerung sollte dann in den Folgejahren vor allem die NSDAP profitieren.

Die Anfänge der NSDAP im Bezirk gingen auf die Jahre 1922/23 zurück, als sich besonders in den Kleinstädten erste völkisch-nationalsozialistische Ortsgruppen formiert hatten. Die nationalsozialistische bzw. völkische Bewegung entstand damals als primär antisozialistische, gegenrevolutionäre Bewegung, als Antwort des kleinstädtischen Mittelstandes auf die »Diktatur Geiselhart«, des Führers der sozialdemokratischen Arbeiterbewegung, die während der Revolutionsjahre 1918/19 vorübergehend in Günzburg zur bestimmenden Kraft geworden war. Nach 1924 verschwand die NSDAP im Kreis Günzburg aber rasch wieder von der Bildfläche. Bei der Reichstagswahl von 1928 erhielt sie nur 3,6 Prozent der Stimmen. Erst 1930 konnte die NSDAP mit einem Stimmenanteil von 17,9 Prozent, hauptsächlich auf Kosten des Bauernbundes einen beachtlichen Erfolg erzielen. Bei den Juli-Wahlen von 1932 stieg er auf 34,1 Prozent an, während der Bauernbund, der 1930 noch 20,7 Prozent erhalten hatte, auf 8,2 Prozent absank. Die Wahlergebnisse auf Gemeindeebene machen deutlich, daß in erster Linie die NSDAP das Erbe des Bauernbundes antrat, sekundär aber auch die BVP, die, wie die SPD, bis 1932 weitgehend stabil blieb. Stammten 1928 noch 77 Prozent und 1930 immerhin noch 47 Prozent der NSDAP-Wähler aus den Kleinstädten des Bezirks (und 23% bzw. 53% aus den Landgemeinden), so stellten die Landgemeinden bei der Novemberwahl 1932 63,3 Prozent aller NSDAP-Wähler (die Kleinstädte nur noch 36,7%). Zwischen 1930 und 1932 hatte die NSDAP einige angesehene »Bauernführer« (Mitglieder der Bezirksbauernkammer, die meist auch ehemalige Mitglieder des Bauernbundes waren) zu sich herüberzuziehen und mit ihrer Hilfe den bauernfreundlichen

Parolen der Partei Glaubwürdigkeit zu verleihen vermocht. Landwirte übernahmen auch innerhalb der NSDAP führende Stellungen. Die Nominierung eines Bauern (Bürgermeister Deininger aus Burtenbach) als Kandidaten bei der Reichstagswahl im Sommer 1932 und eines anderen Landwirts (Georg Deisenhofer aus Waldkirch) als Kreisleiter der NSDAP im Herbst des gleichen Jahres verdeutlicht, daß die NSDAP im Bezirk Günzburg sich deutlich als bäuerliche Protestpartei darstellte. Angesichts der zunehmenden wirtschaftlichen Depression neigten mehr und mehr Bauern dazu, sich in der großen nationalen Sammelpartei der Hitler-Bewegung zu engagieren und versprachen sich von ihr eine wirkungsvollere Durchsetzung ihrer Interessen als durch eine rein bäuerliche Interessenpartei, die im nationalen Rahmen stets nur eine politische Randgruppe bleiben mußte.

Bäuerliche Interessen und Repräsentanten prägten zunehmend das regionale Erscheinungsbild der NSDAP und ihrer Propaganda. In ihren Versammlungen in den Landgemeinden beschäftigte sich die Partei fast ausschließlich mit der Bauernfrage. Allerdings traten als Aktivisten der Partei neben Handwerkern, Lehrern, Beamten, sonstigen Mittelständlern und »Kleinbürgern« in den Landgemeinden eher Jungbauern oder ärmere Bauern hervor, während sich die bäuerlichen Honoratioren, auch wenn sie mit der NSDAP sympathisierten und sie wählten, in ihrem Engagement eher zurückhielten. Das Image einer Radikalpartei, das die NSDAP trotz ihres Bemühens um gesellschaftliche Anerkennung bis 1932 nicht gänzlich abstreifen konnte, war wohl der entscheidende Grund für diese Zurückhaltung des besser situierten Bauerntums.

Uneingeschränkt radikal verhielt sich die NSDAP auch im Kreis Günzburg in ihrer Frontstellung gegen »Links«, in der Bekämpfung der sozialistischen Arbeiterbewegung. Sie konnte dabei nicht nur auf die alten antisozialistischen Ressentiments der kleinstädtischen Bevölkerung zählen, sondern auch auf die massive Kritik der Bauern an der vermeintlich übertriebenen Sozialpolitik in diesem »Gewerkschaftsstaat«.

II. Allgemeine Vorgänge der Gleichschaltung im Frühjahr und Sommer 1933

Die Fallbeispiele der Gleichschaltung in den Gemeinden die im Folgenden geschildert werden sollen, beziehen sich im wesentlichen auf das Verhältnis der NSDAP zu den traditionellen politischen und sozialen Eliten in den bäuerlichen Gemeinden des Landkreises, d. h. vor allem auf das Verhältnis zu den vorher überwiegend von der BVP bzw. dem BBB repräsentierten Honoratioren. Zur Einordnung dieser Fallbeispiele in den allgemeinen Rahmen sollen zuvor wenigstens in Kürze die nach der Machtergreifung gegen die »Linke« ergriffenen Maßnahmen sowie die Etappen der Ausschaltung der nicht-nationalsozialistischen Parteien und die quantitativen Befunde des Gleichschaltungsprozesses sowohl in den Gemeinden wie auch in den lokalen Vereinen skizziert werden.

Bei der Reichstagswahl vom 5. März 1933 erzielte die NSDAP im Bezirk Günzburg mit 49,1 Prozent aller Stimmen ein über dem bayerischen und Reichs-Durchschnitt liegendes Ergebnis. Die einzelnen Gemeinden des Landkreises stimmten wie folgt:

Gemeinde	Einwohner (1933)	NSDAP	BVP	BBB	SPD und KPD	
Günzburg	6484	35,4	34,4	0,7	25,0	
Ichenhausen	2493	43,1	34,3	1,4	17,0	
Burgau	2312	50,8	25,7	1,9	19,1	
Leipheim	1591	58,3	0,7	15,7	19,0	protestantische Gemeinde
Jettingen	1590	35,9	40,1	5,8	15,8	
Offingen	1541	48,2	20,7	1,6	27,7	
Burtenbach	1072	91,8	0,4	1,3	1,5	protestantische Gemeinde
Scheppach	946	46,7	41,9	4,6	5,9	
Großkötz	878	57,5	24,0	4,5	14,0	
Reisensburg	780	34,8	45,6	2,5	17,1	
Bühl	763	34,6	9,8	1,4	51,4	
Gundremmingen	714	55,3	29,9	7,1	7,6	
Waldstetten	711	46,5	50,4	1,6	1,3	
Wettenhausen	655	34,4	57,8	0,8	6,4	
Rettenbach	578	33,2	46,9	10,6	9,0	
Dürrlauingen	559	50,0	39,7	1,9	8,4	
Kemnat	554	72,9	23,9	2,2	0,3	
Ettenbeuren	539	67,3	27,7	0,0	5,0	
Röfingen	527	60,1	25,7	2,1	10,8	
Oberwaldbach	516	48,9	35,9	11,3	3,3	
Bubesheim	508	45,2	45,6	4,9	1,5	
Haldenwang	497	54,9	29,1	1,7	11,6	
Rieden	454	49,1	41,3	6,9	2,6	
Wasserburg	439	16,9	31,8	5,5	44,9	
Riedheim	431	93,7	0,0	0,9	1,8	protestantische Gemeinde
Konzenberg	406	64,7	27,4	5,4	2,5	
Oberknöringen	392	35,7	11,4	11,4	40,4	
Unterknöringen	388	53,8	33,6	4,8	7,2	
Hochwang	386	52,0	28,9	10,7	8,4	
Freihalden	375	37,8	51,7	4,5	5,9	
Anhofen	344	31,6	46,9	19,8	0,6	
Hafenhofen	334	24,2	61,1	1,3	13,4	
Autenried	331	60,9	11,8	24,1	1,1	
Deffingen	326	67,5	20,4	5,3	6,3	
Schönenberg	306	61,3	34,5	1,2	0,0	
Echlishausen	305	44,1	36,6	0,0	19,3	
Denzingen	292	35,2	29,6	0,6	33,3	
Oxenbronn	292	63,4	34,8	0,6	0,6	
Mönstetten	281	43,4	50,9	4,4	0,6	
Kleinkötz	280	48,8	26,2	19,0	5,9	
Waldkirch	277	33,8	60,9	0,7	4,6	
Roßhaupten	274	58,5	16,3	13,6	10,2	

Gemeinde	Einwohner (1933)	Stimmanteile der wichtigsten Parteien			
		NSDAP	BVP	BBB	SPD und KPD
Winterbach	257	83,5	16,5	0,0	0,0
Deubach	255	45,3	24,2	27,3	1,6
Riedhausen	254	44,7	51,8	0,0	2,8
Goldbach	240	74,8	12,6	2,5	9,2
Mindelaltheim	238	62,7	34,5	1,4	1,4
Rechbergreuthen	231	63,6	27,1	8,5	0,0
Leinheim	227	42,8	39,5	5,0	10,9
Limbach	226	77,1	7,6	5,7	9,5
Glöttweng	225	79,8	14,4	0,9	2,9
Remshart	223	54,8	26,2	16,7	2,3
Landensberg	218	85,6	10,2	4,2	0,0
Großkissendorf	199	41,5	19,1	30,8	8,5
Ried	192	76,4	19,1	2,7	0,9
Kleinkissendorf	182	50,8	29,2	10,8	9,2
Ebersbach	175	80,4	8,0	11,6	0,0
Harthausen	164	41,9	37,2	6,9	10,5
Schnuttenbach	162	54,1	21,2	1,2	21,2
Unterrohr	151	54,2	41,7	1,4	1,4
Nornheim	143	57,1	20,8	3,9	18,2
Großanhausen	140	51,7	10,0	31,6	6,7
Schneckenhofen	138	44,9	17,4	34,8	2,9
Hammerstetten	130	68,9	12,2	8,1	9,5
Kleinbeuren	126	80,3	8,2	0,0	11,5
Egenhofen	103	81,5	7,4	9,3	0,0
Eichenhofen	92	58,8	35,3	0,0	5,9
Stadt und Bezirk Günzburg	38412	49,1	29,5	4,5	14,7

Die Wahlergebnisse auf Gemeinde-Basis zeigen freilich, wie unterschiedlich die Stärkeverhältnisse der politischen Gruppierungen in den einzelnen Orten waren. In zwei evangelischen Gemeinden (Burtenbach und Riedheim) hatte die NSDAP das Rekordergebnis von über 90 Prozent erzielt, aber auch in weiteren 20 ganz überwiegend katholischen Landgemeinden mehr als 60 Prozent (davon in fünf mehr als 80% und in weiteren fünf mehr als 70%) der Wähler gewonnen. Nur in acht Gemeinden lag sie unter 35 Prozent (niedrigste Quote: 16,9% in Wasserburg). Immerhin aber war die BVP in 12 Landgemeinden mit einem Stimmenanteil zwischen 42 und 61 Prozent stärkste Partei geblieben. In der Kreisstadt Günzburg waren NSDAP und BVP mit je 35 Prozent der Stimmen fast gleich stark, und die sozialistischen Parteien (SPD und KPD) hatten 25 Prozent erhalten. In drei Arbeitergemeinden gewannen die sozialistischen Parteien mit Stimmenanteilen zwischen 40 und 51 Prozent die relative Mehrheit.

Aufgrunddessen konnte auch die infolge des Gleichschaltungsgesetzes vom 31. März 1933 angeordnete Umverteilung der Mandate in den Gemeinderäten nach dem Schlüssel der lokalen Reichstagswahlergebnisse vom 5. März der NSDAP in zahlreichen Gemeinden auf legale Weise noch keine Mehrheit verschaffen. Über die Institution des Kreisleiters der NSDAP und des bei der staatlichen Bezirksverwaltung eingesetzten SA-Kommissars verfügte die NSDAP freilich über einen institutionellen Hebel, um dennoch (auf dem formellen Wege der dem Bezirksamt als Aufsichtsbehörde obliegenden Bestätigung des von den Gemeinderäten gewählten Ortsbürgermeisters) die Durchsetzung des ihr genehmen neuen Gemeindevorstehers zu erzwingen. Wie noch zu zeigen sein wird, hat die NSDAP im Kreis Günzburg aber von diesen Druckmitteln in bezug auf ehemalige BVP- und BBB-Mandatsträger im ganzen eher einen zurückhaltenden Gebrauch gemacht, ganz im Unterschied zu dem gewaltsamen Vorgehen gegenüber den Repräsentanten und lokalen Führern der SPD und KPD, das sofort nach der nationalsozialistischen Regierungsübernahme in Bayern (10. März 1933) einsetzte.

Schon am 6. März wurde in Günzburg, wo die Auseinandersetzungen zwischen den sozialistischen Parteien und der NSDAP schon vor 1933 besonders heftig gewesen waren, ein Sozialdemokrat von Nazi-Schlägertrupps krankenhausreif geschlagen. Wenige Tage später ließen die neuen Machthaber neben den lokalen Führern der KPD auch die meisten sozialdemokratischen Stadträte in Günzburg, Burgau und Leipheim in Schutzhaft nehmen. Der Günzburger SPD-Führer Geiselhart, seit langem die Zielscheibe besonders scharfer Nazi-Angriffe, nahm sich in der Nacht vom 17. auf den 18. März im Krankenzimmer des Günzburger Amtsgerichtsgefängnisses durch Erhängen das Leben. Das anschließende Begräbnis Geiselharts in Burgau, an dem rund zweihundert meist sozialdemokratische Trauergäste teilnahmen, gab am 20. März 1933 nochmals Gelegenheit für eine letzte trotzige Demonstration der freiheitlich gesinnten Arbeiterschaft in Stadt und Bezirk Günzburg.

In den ersten Aprilwochen erfolgte die Zwangsauflösung der sozialistischen Parteien und ihrer Nebenorganisationen, zunächst der KPD-Ortsvereine, schließlich auch der vielen sozialdemokratischen Vereine, vom Arbeiterradfahrerverein bis zum Arbeitergesangverein, schließlich auch der Ortsvereine der SPD. Die scharfe Überwachung der überwiegend von Arbeitern besuchten Gaststätten tat ein übriges, um den Kontakt zwischen den sozialistischen Gesinnungsgenossen in ihrem gewohnten Milieu zu zerstören. Eine gewisse Ausnahme bildete die Kleinstadt Burgau, wo sich die lokale NSDAP auch ehemaligen führenden Sozialdemokraten und Gewerkschaftlern gegenüber weniger rigoros verhielt und einigen von ihnen sogar die Weiterarbeit innerhalb der nationalsozialistischen »Deutschen Arbeitsfront« ermöglichte.

Als es im April 1933 um die Neuverteilung der Gemeinderatsmandate nach den Vorschriften des Gleichschaltungsgesetzes ging, fanden sich in Günzburg und den anderen Gemeinden, in denen die SPD weiterhin Anspruch auf Gemeinderatsmandate hatte, trotz der Inschutzhaftnahme der meisten SPD-Stadt- und Gemeinderäte fast überall neue mutige Männer, die sich für die SPD zur Verfügung stellten. Bis zum Mai/Juni 1933 waren die SPD-Mandatsträger (meist durch entsprechend unter Druck oder Verhaftungsdrohung zustandegekommene Mandatsverzichte) aber überall aus den Gemeinderäten herausgedrängt.

In bezug auf die Mandatsträger der BVP und des Bauernbundes fiel die Gleichschaltung sehr viel glimpflicher aus. Von sechs BBB-Bürgermeistern, die vor 1933 im Bezirk noch im Amt waren, traten im Zuge der Gleichschaltung vier der NSDAP bei und behielten so ihr Amt. Anders die BBB-Gemeinderäte, von denen sich nur wenige der NSDAP anschlossen, die Mehrzahl vielmehr dazu neigte, zusammen mit ehemaligen BVP-Gemeinderäten die »schwarze« Opposition aufrechtzuerhalten.

Ein Musterbeispiel dafür, daß manche von ihnen trotz der Übernahme von öffentlichen Ämtern an ihrer Gesinnungsopposition festhielten, war der ehemalige BBB-Ortsobmann von Leipheim, dem es trotz zahlreicher offener Konflikte mit der lokalen NSDAP gelang, zum Ortsbauernführer zu avancieren und von dieser Position her eine Oppositionsstellung gegen die NSDAP zu beziehen.

Anders zu bewerten war es offensichtlich, wenn der ehemalige BVP-Bezirksvorsitzende und Landtagsabgeordnete, der zugleich Bürgermeister in der Gemeinde Wasserburg war, schon wenige Wochen nach dem erbitterten Wahlkampf der BVP gegen die NSDAP der SA beitrat und sich mit dem neuen Regime arrangierte. Für die breite Anhängerschaft der BVP hatte dieses schnelle Abdriften ihres Bezirksführers zweifellos eine fatale Wirkung und löste ähnliche Reaktionen auch bei anderen BVP-Mandatsträgern aus. Die geschickte Taktik der NSDAP, die scharf gegen die aktiveren Kräfte der BVP, z. B. auch die Bayern-Wacht, vorging, der Masse der BVP-Mitglieder und Mandatsträger aber in den lokalen Vereinen und in den Gemeinden weiterhin Betätigungsraum ließ, wenn sie wenigstens nominell ihren Frieden mit der NS Bewegung machten, zahlte sich aus. Die in ganz Bayern Ende Juni 1933 gegen die noch im Amt befindlichen BVP-Stadträte durchgeführte kurzfristige Schutzhaftverhängung (zur Erzwingung ihrer Mandatsniederlegung bzw. ihres Austritts aus der BVP) wurde im Bezirk Günzburg – anders als gegenüber den wochenlang in Schutzhaft gehaltenen sozialdemokratischen Stadt- und Gemeinderäten – betont milde gehandhabt und betraf nur einige wenige Stadträte aus Günzburg, Burgau und Ichenhausen.

Auch die BVP-Zeitung, das *Günzburger Tagblatt*, paßte sich der neuen Lage rasch an. Der führende Redakteur des Blattes, ein wichtiger Mitarbeiter des BVP-Bezirksvorsitzenden, trat im Sommer 1933 der SA bei, blieb aber auch weiter in katholischen Vereinen aktiv und wurde noch im Laufe des Jahres mit der Funktion des Bezirksvorsitzenden der Kriegervereine betraut. Seine Zeitung wurde im Herbst 1933 mit dem lokalen Organ der NSDAP zwangsfusioniert.

In der ersten Phase der Gleichschaltung der Gemeinderäte, im April 1933, verfolgte die NSDAP gegenüber der großen Zahl von BVP-Bürgermeistern und Gemeinderäten im Bezirk im allgemeinen die Taktik, bei korrekter Respektierung ihrer Mandatsansprüche (nach dem Gleichschaltungsgesetz) doch ein Zusammengehen mit der NSDAP oder einen Übertritt zur NSDAP zu erwirken. Nur in einigen wenigen Gemeinden wurden BVP-Gemeinderäte schon im April unter Druck zum Mandatsverzicht veranlaßt. Meist wurden die Ansprüche der BVP auf Gemeinderatssitze voll erfüllt, auch wenn dadurch die NSDAP zunächst in einer ganzen Reihe von Gemeinden in der Minderheit blieb. Die BVP-Repräsentanten in den Gemeinden erlagen dieser Taktik auf breiter Front. In zwei BVP-Mehrheitsgemeinden gaben sich die BVP-Vertreter dazu her, gemeinsame Kandidaten von BVP und NSDAP aufzustellen. In elf Gemeinden traten Bürgermeister, die vor der Machtübernahme profilierte und engagierte BVP-Vertreter gewesen waren, noch im Verlaufe der Gleichschaltung der NSDAP bei oder ließen sich als NSDAP-Repräsentanten zum Bürgermeister wählen, unter voller Zustimmung der Nazis, die in diesen Gemeinden durchaus die Macht gehabt hätten, dies zu verhindern. In vier Gemeinden wurden offiziell als BVP-Repräsentanten auftretende Kandidaten zum Bürgermeister gewählt und blieben, nach späteren Anpassungs- und Unterwerfungsdemonstrationen, noch Jahre im Amt. Offene Konflikte um das Bürgermeisteramt zwischen der NSDAP und der BVP waren im Frühjahr 1933 jedenfalls relativ selten.

Im August 1933, nach der Auflösung der nicht-nationalsozialistischen Parteien, erfolgte die zweite Phase der Gleichschaltung. Die noch der BVP angeschlossenen Bürgermeister und Gemeinderäte wurden nun zu der Entscheidung gezwungen, entweder zurückzutreten oder der NSDAP-Fraktion als Hospitanten beizutreten. Während dieses Ultimatum in den Kleinstädten (noch stärker im Bezirkstag) vielfach benutzt wurde, um die BVP-Vertreter aus dem Amt zu drängen, war die NSDAP in den Landgemeinden meist sehr viel kompromißbereiter. Zwar blieben auch hier nicht alle bisher amtierenden BVP-Gemeinderäte auf ihren Posten. Aber noch für das Jahr 1935, nach dem Vollzug der Deutschen Gemeindeordnung, die erneut Gelegenheit gab, ein Personalrevirement in den Gemeindevertretungen vorzunehmen, läßt sich aufgrund der für den Bezirk vorliegenden Gemeinderatslisten feststellen, daß in allen Landgemeinden, in denen die BVP im April 1933 eine starke Fraktion besaß, mindestens *ein* ehemaliger BVP-Repräsentant, meist mehrere von ihnen, nach wie vor im Amte war, darunter auch der ehemalige BVP-Bezirksvorsitzende in der Gemeinde Wasserburg.

Dieser Gleichschaltungstaktik entsprach ein ähnliches Vorgehen in den örtlichen Vereinen, in denen bis 1933 häufig BVP- oder BBB-Repräsentanten den Vorsitz innehatten. Auf der Basis von insgesamt 172 untersuchten Gleichschaltungsvorgängen in den lokalen Vereinen des Bezirks ließ sich feststellen, daß im Jahre 1933 doppelt so häufig die alten nicht-nationalsozialistischen (meist der BVP oder dem BBB angehörenden) Vereinsvorsitzenden bestätigt wurden, als daß sie durch andere Personen abgelöst wurden. Der formale Übertritt zur NSDAP war auch bei der Gleichschaltung der Vereine häufig der Tribut, der zur Erhaltung der Personenkontinuität freiwillig oder gezwungenermaßen entrichtet werden mußte. Vielfach sind dabei auch Personen, die vor 1933 als erklärte Gegner der Nazis ortsbekannt waren, als Vereinsvorsitzende weiterhin geduldet worden. Die Zweigleisigkeit der Taktik der NSDAP (z. T. Ablösung, z. T. Duldung von ehemaligen politischen Gegnern in Vorstandspositionen) läßt sich nicht nur innerhalb des Bezirks, sondern auch innerhalb einzelner Gemeinden deutlich nachweisen. Es gab kaum Gemeinden, in denen die Nazis konsequent »streng« und andere, in denen sie konsequent »tolerant« gewesen wären. In der Regel beschränkten sie sich vielmehr darauf, einzelne Exempel zu statuieren und im übrigen Nachsicht zu demonstrieren. Dabei kam es nicht selten vor, daß ein- und dieselbe Person als Vorsitzender eines Vereins abgesetzt, aber als Vorsitzender eines anderen (meist weniger bedeutenden) Vereins bestätigt wurde.

Die Tendenz, die Geltendmachung des Führungsanspruchs der NSDAP zu verbinden mit der Beibehaltung und Gewinnung der alten Eliten, trat auch bei den eigenen Personalvorschlägen der NSDAP für Gemeindeämter deutlich in Erscheinung. In den

NS-Fraktionen der Gemeinden finden sich zwar fast überall auch »Alte Kämpfer«, aber bezichnend ist, daß die Partei bei der Neubildung der Fraktionen offensichtlich Wert darauf legte, das erst im März oder April 1933 der NSDAP beigetretene lokale Honoratiorentum gebührend zu berücksichtigen. Man war bestrebt, Personen mit kommunalpolitischer Erfahrung und entsprechendem Ansehen als NS-Gemeinderäte oder Bürgermeister zu nominieren und auch die wichtigsten sozialen Gruppen der Bevölkerung zu repräsentieren. Nicht nur bei den Gemeinderäten, auch bei den Bürgermeistern läßt sich das Bemühen, für die Gemeinde akzeptable Personen einzusetzen, deutlich erkennen. In den 67 Gemeinden des Bezirks blieben 35 der bisherigen Bürgermeister auch nach der Gleichschaltung im Dienst, obwohl nur die wenigsten von ihnen vor 1933 die NSDAP offen unterstützt oder mit ihr sympathisiert hatten. Aber auch die von den Nazis neu eingesetzten Bürgermeister waren in ihrer großen Mehrzahl entweder kommunalpolitisch erfahrene Leute (meist schon seit 1929 Gemeinderäte) oder sonstige anerkannte Ortshonoratioren (Vereinsvorsitzende u. a.). Bei den wenigen Ausnahmen handelte es sich meist um machthungrige Ortsgruppenleiter. Die Mehrzahl der Ortsgruppenleiter verhielt sich bei der Ämterbesetzung in der Gemeinde jedoch zurückhaltend. Etwa die Hälfte von ihnen begnügte sich mit der Position eines Gemeinderatsmitgliedes.

III. Fallbeispiele einzelner Gemeinden

Anhand der im Folgenden zu schildernden Fallbeispiele[12] soll versucht werden, typische Varianten und Konstellationen, die die Personalpolitik und Gleichschaltung in den Gemeinden bestimmten, genauer herauszuarbeiten.

Parteiwille gegen Gemeindewille – der Kreisleiter als Entscheidungsinstanz

Wie in allen Gemeinden Bayerns stand im April 1933 auch in der Gemeinde BISSINGEN [Deckname]* die »Gleichschaltung« an. Nach dem Gleichschaltungs-Gesetz vom 31. März 1933 mußten die Gemeinderatsposten neu besetzt werden. Nicht mittels Wahl durch die Bevölkerung, sondern auf der Grundlage der örtlichen Reichstagswahlergeb-

---

[12] Die folgenden Fallbeispiele stützen sich in starkem Maße auf die Spruchkammerakten in der Registratur des Amtsgerichts Günzburg, die ich dank der freundlichen Genehmigung von Herrn Schröder, dem Direktor des Amtsgerichts, unter der Bedingung der Anonymisierung der Namen der betreffenden Personen einsehen konnte. Da die Spruchkammerakten nach Namen abgelegt sind, wird im Folgenden aus Gründen des Persönlichkeitsschutzes auf Quellenbelege verzichtet, auch bei wörtlichen Zitaten aus diesen Akten.

* In diesem Abschnitt auftauchende Personen- und Ortsnamen sind durch Decknamen verschlüsselt.

nisse vom 5 März sollten die Mandate an die einzelnen Parteien vergeben werden[13]. Auch die Bürgermeister sollten nicht mehr direkt von der Bevölkerung, sondern vom neugebildeten Gemeinderat gewählt werden.

In der stark von Arbeitern bewohnten Gemeinde BISSINGEN hatten die Nationalsozialisten am 5. März nur ca. 35 Prozent der Stimmen erhalten. Die relative Mehrheit (47%) war den Sozialdemokraten zugefallen, 10 Prozent der Bayerischen Volkspartei, die restlichen Stimmen verteilten sich auf die DNVP, den Bauernbund und die Kommunisten. Wie man das Wahlergebnis auch drehte und wendete – die Nationalsozialisten blieben in der Minderheit. Wurde die Gleichschaltung korrekt nach dem Gesetz durchgeführt, so war zu erwarten, daß der neue Gemeinderat einen Nichtnationalsozialisten als Bürgermeister wählen würde. Doch dies bekümmerte die örtlichen Nazis nur wenig. Im Überschwang der ersten Siegeszuversicht hatten sie bereits den alten Bürgermeister zum Rücktritt gezwungen und einen ihnen wohlgesonnenen Gemeinderat aus der bürgerlichen Gemeinderatsfraktion als kommissarischen Bürgermeister eingesetzt.

Der zum Rücktritt gezwungene Bürgermeister SCHWARZ [Deckname] hatte sein Amt schon seit 1925 inne. Er war als gemeinsamer Kandidat der SPD und des Bauernbundes mit großer Mehrheit gewählt worden und hatte im guten Einvernehmen mit der sozialdemokratischen Mehrheitsfraktion die Gemeinde regiert. Er selbst gehörte – als Landwirt – dem Bayerischen Bauernbund an. Während viele seiner Parteifreunde in den schweren Zeiten der Krise zu den Nationalsozialisten übergelaufen waren, war SCHWARZ seiner Partei treugeblieben. Die Neigung, sich mit den Nazis anzufreunden, war auch nach der Machtübernahme bei ihm nicht gewachsen, was nicht zuletzt auch damit zusammenhing, daß er – als frommer Katholik – mit Abscheu miterleben mußte, wie der Ortspfarrer von einem BISSINGER Nazi öffentlich beleidigt und verleumdet wurde. Zwar wurde der etwas voreilige »Alte Kämpfer« von seiner Ortsgruppe zurückgepfiffen, aber das Ereignis weckte doch manche dunkle Vorahnung, die sich später als nur allzu berechtigt erweisen sollte.

Für die BISSINGER Nationalsozialisten, insbesondere für den Ortsgruppenleiter QUAST, der ebenso wie SCHWARZ von Beruf Landwirt war, war es klar, daß der alte Bürgermeister nicht in seinem Amt bleiben durfte. QUAST ließ unmißverständlich durchblicken, daß er fest entschlossen sei, die sozialdemokratischen Gemeinderäte an der Ausübung ihres Amtes zu hindern, um in jedem Fall eine nationalsozialistische Mehrheit für die Bürgermeisterwahl zu bekommen, notfalls mit Hilfe der NSDAP-Kreisleitung. Auf der anderen Seite war die Mehrheit der BISSINGER Bevölkerung ebenso fest entschlossen, ihren alten Bürgermeister zu behalten. War die politische Stimmung in der Gemeinde schon bis aufs äußerste gespannt, so drohte jetzt die Volkswut überzukochen. Die tätlichen Auseinandersetzungen zwischen Sozialdemokraten und Nationalsozialisten nahm an Zahl und Härte noch weiter zu, die örtliche Gendarmeriestation sandte einen Hilferuf an das Bezirksamt und bat um Verstärkung, da sie sonst die Ruhe und

---

[13] Grundlegend zur Gleichschaltungsproblematik: Matzerath, Horst: Nationalsozialismus und kommunale Selbstverwaltung. Berlin 1970, S. 61 ff.

Ordnung am Ort nicht aufrechterhalten könne[14]. In dieser Situation suchte die Gruppe der Gemeindehonoratioren, die am entschiedensten dafür eintrat, Schwarz in seinem Amt zu belassen, ihr Heil in der Flucht nach vorn. Eine Delegation, bestehend aus Gemeinderäten der SPD und der BVP sowie anderen führenden Persönlichkeiten der Gemeinde, machte sich auf den Weg in die Kreisstadt, suchte den Kreisleiter der NSDAP in seinem Büro auf, informierte ihn über die Lage und bat ihn, den Wünschen der Gemeinde zu entsprechen.

Die Entscheidung lag also nun beim Kreisleiter. Die Neubesetzung der Gemeinderäte war der erste größere Vorgang, bei dem die neue Machtstellung des Kreisleiters zum Tragen und der Öffentlichkeit deutlich zum Bewußtsein kam. Zwar war die Gleichschaltung institutionell so geregelt, daß die Gemeinderatslisten der Bestätigung durch das Bezirksamt bedurften, die Bezirksämter wurden zu dieser Zeit jedoch durch die SA-Sonderkommissare kontrolliert, die wiederum in enger Verbindung mit der Kreisleitung standen und von deren Zustimmung weitgehend abhängig waren. Die Bissinger Gemeindehonoratioren hatten die neue Lage völlig richtig beurteilt: die letzte Entscheidung lag beim Kreisleiter. Wie sollte dieser nun entscheiden? Die von der Partei an ihn herangetragenen Erwartungen liefen zweifellos darauf hinaus, soviele Ämter wie nur möglich mit zuverlässigen Parteigenossen zu besetzten. Dem Kreisleiter blieb jedoch ein gewisser Handlungsspielraum; ihm oblag es vor allem abzuschätzen, welcher Preis man für die Einsetzung eines altgedienten Parteigenossen noch zu zahlen bereit war, und er konnte auch entscheiden, wer noch als »zuverlässiger Parteigenosse« gelten konnte und wer nicht mehr.

Der Kreisleiter wußte, daß in Bissingen der Gemeindefrieden auf dem Spiel stand. Er entschied gegen den Willen der Ortsgruppe. Schwarz sollte Bürgermeister bleiben, allerdings unter zwei Bedingungen. Erstens, die Sozialdemokraten sollten »freiwillig« auf die ihnen zustehenden Gemeinderatssitze zugunsten der NSDAP verzichten. Zweitens, Schwarz müsse augenblicklich Mitglied der NSDAP werden. Beide Bedingungen wurden erfüllt, obwohl es des guten Zuredens durch Freunde, Gemeinderatsmitglieder und auch des Pfarrers bedurfte, bis Schwarz sich bereit erklärte, in die NSDAP einzutreten.

Der Kreisleiter wußte natürlich, daß aus Schwarz niemals ein »zuverlässiger Parteigenosse« werden würde – aber nach außen war die Form gewahrt. Die Presse[15] konnte berichten: »Bissingen ist fast vollständig in der Hand der NSDAP. Erster Bürgermeister: NSDAP, zweiter Bürgermeister: NSDAP, Gemeinderäte: NSDAP: 7, BVP: 1«. Nach außen also ein glänzender Sieg für die Partei. Im Innern kam die Unzufriedenheit der Ortsgruppe um so mehr zum Vorschein. Die Reibereien zwischen dem Ortsgruppenleiter und dem ungeliebten Neuparteigenossen Schwarz nahmen kein Ende. Dennoch konnte sich Schwarz lange in seinem Amt halten. Unangefochten überstand er die Einführung der Deutschen Gemeindeordnung (DGO) im Jahr 1935 und die damit verbundene Neubesetzung der Gemeinderäte, eine Gelegenheit, die in einiger Gemein-

---

[14] StA Neuburg, Bezirksamt Günzburg, Nr. 4294, Schreiben des Bezirksamtsvorstands an die Regierung von Schwaben vom 15. 3. 1933.
[15] Schwäbisches Volksblatt vom 6. 5. 1933.

den von den Nazis benutzt wurde, um unliebsame Bürgermeister loszuwerden und durch neue, »zuverlässigere« zu ersetzen[16]. Zum besonderen Ärgernis für die BISSINGER Nazis wurde die Tatsache, daß SCHWARZ sich nicht beirren ließ, in seinen früheren Gewohnheiten als praktizierender Katholik fortzufahren. Z. B. weigerte er sich beharrlich, sein Amt als Organist aufzugeben. Erst im März 1943 konnte der Ortsgruppenleiter die Ablösung des »untragbar« gewordenen Bürgermeisters bei der Kreisleitung durchsetzen.

Die Gemeinde BISSINGEN ist keine typische bayerische Landgemeinde. Dafür hatte sie einen zu hohen Anteil an Industriearbeitern und einen zu hohen Anteil sozialistischer Wähler aufzuweisen. Doch der hier geschilderte »Fall BISSINGEN« ist durchaus typisch. Bezeichnend für die Situation vieler Gemeinden im Prozeß der »Gleichschaltung« ist die hier zu beobachtende Konfrontation zwischen Gemeindewillen und dem Willen der Ortsgruppen der NSDAP. Durchaus typisch ist auch das Ergebnis der Konfrontation, die hier deutlich zu beobachtende »Kompromißlinie« der Kreisleitung, in der sehr anschaulich die allgemeine strategische Linie der nationalsozialistischen Personalpolitik in den Landgemeinden zum Vorschein kommt. Die NSDAP-Kreisleitung hätte durchaus die Macht gehabt, die Einsetzung eines neuen Bürgermeisters gegen den Willen der Mehrheit der Gemeinde und gegen den Willen der bisherigen Gemeindeelite durchzusetzen. Nur – der Preis dafür wäre für sie zu hoch gewesen. Die Kreisleitung wollte bewußt diesen Kompromiß. Die Erhaltung bzw. Wiederherstellung des Gemeindefriedens war ihr letztlich wichtiger als die wortgetreue Erfüllung des Auftrags, »möglichst« viele wichtige Ämter mit »zuverlässigen Parteigenossen« zu besetzen, wichtiger als die restlose Erfüllung der Wünsche der am Ort lebenden »Alten Kämpfer«, wenngleich sie diesen »soweit wie möglich« nachzukommen versuchte.

Der Kreisleiter läßt den Dingen ihren Lauf – Selbstregulierung in der Gemeinde

Der Verlauf der Gleichschaltung in den einzelnen Gemeinden hing im wesentlichen von vier Faktoren ab:
1) von dem Wahlergebnis, das die Nazis in der jeweiligen Gemeinde am 5. März erzielt hatten,
2) von dem Stand des Ausbaus der Parteiorganisation der NSDAP in den jeweiligen Gemeinden,
3) von der Stellung und dem sozialen Rückhalt des bisherigen Bürgermeisters in seiner Gemeinde
4) von der Verankerung der NSDAP in der bestehenden Gemeindeelite.

Um viele Gemeinden brauchte sich der Kreisleiter von vornherein gar nicht zu kümmern, hier war schon aufgrund der für die NSDAP günstigen Voraussetzungen sichergestellt, daß die Gleichschaltung problemlos verlaufen würde. In den NSDAP-Kerngemeinden, d. h. denjenigen Gemeinden, die sich schon sehr früh dem Nationalso-

---

[16] Siehe Zofka, a. a. O., S. 57 f. und Broszat, Martin und Elke Fröhlich, a. a. O., S. 563.

zialismus zugewandt hatten, war dies fast immer der Fall. Das Wahlergebnis ließ nichts zu wünschen übrig, es bestand eine gut funktionierende Ortsgruppe oder ein Stützpunkt, der Bürgermeister war selbst Parteigenosse, hatte zumindest mit der Partei sympathisiert, oder konnte mühelos abgeschoben werden, da er sich aufgrund seiner abweichenden politischen Haltung in der Gemeinde selbst ins Abseits gestellt hatte, und auch unter der Honoratiorenschicht der Gemeinde hatte die Partei viele Freunde und Förderer und sogar einige Mitglieder gewonnen. Hier regelten sich die Dinge von selbst. Oft blieb in diesen Gemeinden alles beim alten, da die Gemeinde ohnehin schon längst »gleichgeschaltet«, d. h. voll in nationalsozialistischer Hand war. Wie aber stand es in Gemeinden, in denen die Voraussetzungen für die nationalsozialistische Machtübernahme extrem ungünstig waren? Was taten die Nazis in Orten, in denen das Wahlergebnis für sie schlecht ausgefallen, die Parteiorganisation kaum entwickelt und ein nichtnationalsozialistischer Bürgermeister im Amt war, der das volle Vertrauen der Gemeinde genoß? Dies war z. B. der Fall in GESSENDORF, wo BVP und Bauernbund zusammen die absolute Mehrheit bekommen hatten und seit 1924 der damals einstimmig gewählte Bürgermeister ZEHL, überzeugter Bauernbündler und Gegner der NSDAP, die Gemeinde zur vollsten Zufriedenheit ihrer Bürger regierte und wo die Partei – und das war besonders problematisch – vor der Machtübernahme nicht ein einziges Mitglied hatte werben können? Mußte hier nicht der Kreisleiter unbedingt persönlich eingreifen, um für die Partei ein wenigstens einigermaßen respektables Ergebnis herauszuholen? Doch dieser verhielt sich ganz anders, er legte die Hände in den Schoß und ließ den Dingen ihren Lauf.

Und tatsächlich, die Dinge regelten sich von selbst. Am schnellsten löste sich das Problem der fehlenden Parteimitglieder. Im Vorfeld der Gleichschaltung mit dem Ausblick, zu Amt und Würden zu kommen, traten innerhalb kürzester Zeit so viele Gemeindeangehörige in die NSDAP ein, daß es noch vor der Umbildung des Gemeinderats möglich wurde, zusammen mit einigen Nachbargemeinden eine eigene Ortsgruppe ins Leben zu rufen. Der agilste unter den Neuparteigenossen, der Dorfschullehrer, nahm Verbindung zur Kreisleitung auf mit dem Effekt, daß ihm die Ortsgruppenleitung übertragen wurde und er den Auftrag erhielt, die Bildung der NSDAP-Gemeinderatsfraktion in die Hand zu nehmen. Der Lehrer, der großes Ansehen genoß, kannte die Verhältnisse in seiner Gemeinde sehr gut. Er war in der Vorstandschaft sowohl des Veteranen- als auch des Schützenvereins aktiv gewesen; ein gemeindliches Ehrenamt aber hatte er bisher nicht bekleidet. Nun übertrug er sich selbst das Amt eines Gemeinderats und machte sich – mit Zustimmung der Kreisleitung – zum Führer der NSDAP-Fraktion im Gemeinderat. Für den zweiten Platz auf der NSDAP-Liste – zwei Sitze standen der Partei auf jeden Fall zu – suchte er unter den Neuparteigenossen, fast durchweg Landwirte, den – seiner Meinung nach – tauglichsten aus. Ging man ganz legal vor, so war eine absolute Mehrheit von Bauernbund und Bayerischer Volkspartei nur dadurch abzuwehren, daß man eine Listenverbindung dieser Parteien verhinderte. Der Ortsgruppenleiter führte daher Gespräche mit den führenden Bauernbündlern am Ort, und es gelang ihm nicht nur, diese von einer Listenverbindung mit der BVP abzuhalten, sondern sie sogar dazu zu bewegen, in die NSDAP einzutreten. Auf diese Weise gewann die NSDAP zwei weitere Sitze und obendrein zwei erfahrene Gemeinderatsmitglieder und angesehene Gemeindehonoratioren, den Feuerwehrkommandanten und den Vorsitzenden des Schützenvereins, hinzu, die gegenüber der Gemeindeöffentlichkeit Sachkundigkeit, kommunalpolitische Erfahrung und Verwurzelung der bisherigen Gemeindeelite repräsentierten und das Ansehen der Partei in der Gemeinde ganz entscheidend stärken konnten.

Auch die Bürgermeisterfrage wurde einfach gelöst. Der alte Bürgermeister ZEHL wollte zwar zurücktreten, wurde jedoch von allen Seiten, auch vom Pfarrer, gebeten, in seinem Amt auszuharren. Auch der Lehrer und Ortsgruppenleiter brachte zum Ausdruck, daß er ZEHL's Verbleiben im Amt durchaus als wünschenswert ansehen würde – vorausgesetzt, er könne sich entschließen, in die Partei einzutreten. ZEHL gab dem allseitigen Drängen nach und trat – schweren Herzens – in die Partei ein. Das in der Provinzpresse[17] veröffentlichte Gesamtergebnis der Gleichschaltung in GESSENDORF lautete schließlich: Bürgermeister: NSDAP, Gemeinderatsmitglieder: NSDAP 4, BVP 1.

Das Bezirksamt bestätigte umgehend das GESSENDORFER Ergebnis, die Kreisleitung konnte zufrieden sein. Konnte sie das wirklich? Das äußere Ergebnis war bestechend, doch anders als in BISSINGEN war in GESSENDORF nicht ein einziger »Alter Kämpfer« unter den Gemeinderäten. Konnte man überhaupt davon sprechen, daß »zuverlässige Parteigenossen« in die gemeindlichen Führungspositionen gerückt waren? Die Zuverlässigkeit der »Märzgefallenen«, d.h. der erst nach der Machtergreifung der Partei beigetretenen Parteigenossen, war umstritten. Doch was hätte der Kreisleiter tun sollen? Das Einschleusen ortsfremder Parteigenossen – in größeren Orten unproblematischer – war unmöglich, zumal nur mager dotierte Ehrenämter und keine lukrativen »Lebensstellungen« mit Pensionsberechtigung, zu vergeben waren. Vor allem aber wäre dies in bezug auf den zu erhaltenden Gemeindefrieden undurchführbar gewesen. Wohl kaum eine Landgemeinde hätte sich ohne entsprechende Reaktionen einen fremden »Aufpasser« gefallen lassen. Man hätte auf jeden Fall mit oppositionellen Solidarisierungsprozessen innerhalb der Gemeinde rechnen müssen, die es für die NSDAP sehr schwer, wenn nicht unmöglich gemacht hätten, in der Gemeinde überhaupt Fuß zu fassen.

In den Landgemeinden waren die Nationalsozialisten konfrontiert mit den Bedingungen stark personalisierter Kleingruppen, den »Primärgruppen« dörflicher Lebensgemeinschaften, mit ausgeprägtem lokalen Eigenbewußtsein, die sich nicht von außen her beliebig manipulieren ließen. Dies haben die regionalen Führungsstellen der NSDAP wohl in aller Regel bewußt oder zumindest instinktiv erfaßt. Dazu bedurfte es keiner außergewöhnlichen Klugheit, keines »teuflischen Genies«, sondern nur einer gewissen Erfahrung, einer gewissen Vertrautheit mit dem Leben auf dem Dorf. Wohl in allen Kreisleitungen auf dem Lande gab es Funktionäre, die selbst aus dem dörflichen Milieu stammten. In Günzburg galt dies auch für den Kreisleiter selbst.

Sicher haben die Kreisleiter nicht überall eine derart zurückhaltende Gleichschaltungspolitik betrieben wie in Günzburg. Doch in Kenntnis zu erwartender erheblicher Schwierigkeiten haben wohl die meisten NS-Kreisleitungen in ländlichen Gebieten es letztlich meist vorgezogen, den Weg des geringsten Widerstandes zu gehen. Überall

---

[17] Schwäbisches Volksblatt vom 6. 5. 1933.

spielte die Selbstregulierung in den Gemeinden eine gewisse Rolle. Dem Machtanspruch der Kreisleiter, ihren Interventionsmöglichkeiten, waren enge Grenzen gesetzt. Allein der beschränkte Zeitraum, der für die Durchführung der Gleichschaltung zur Verfügung stand, die viel zu große Zahl der Gemeinden, die Unmöglichkeit umfassender Detailkenntnisse über die jeweilige Ausgangssituation in den einzelnen Gemeinden, all diese überall gegebenen Grundbedingungen hemmten den Einfluß der Kreisleiter auf die Personalpolitik in den Gemeinden – zumindest in der Anfangsphase des Dritten Reiches.

Die Umarmung der Bayerischen Volkspartei – Strategie zur Ausschaltung eines großen Oppositionspotentials

Selbstverständlich hatte die nationalsozialistische Personalpolitik in den Landgemeinden nicht nur mit dem soziologischen Problem der Primärgruppe zu tun; sie mußte gleichzeitig darauf bedacht sein, die stärksten politischen Gegner, vor allen Dingen die Sozialdemokratische Partei und die Bayerische Volkspartei, auszuschalten. Wir sahen schon: Die nationalsozialistische Strategie gegenüber der Arbeiterbewegung war völlig anders als gegenüber der Bewegung des politischen Katholizismus. Während die Arbeiterbewegung brutal zerschlagen und ihre Funktionäre auch auf dem Land verhaftet und verfolgt wurden, faßte man die BVP-Mitglieder eher mit Samthandschuhen an. Die Verhaftungsaktion von BVP-Stadträten im Sommer 1933 zur Erzwingung ihres Mandatsverzichts läßt sich – wegen der kurzen Haftdauer – nicht mit den Verfolgungsmaßnahmen gegenüber SPD-Funktionären vergleichen. Auch die längerfristige Verhaftung einzelner besonders »aufsässiger« BVP-Mitglieder fiel im Rahmen der Gesamtzahl der politischen Schutzhaftfälle des Jahres 1933, die vor allem KPD- und SPD-Funktionäre trafen, kaum ins Gewicht. Die unterschiedliche Behandlung von sozialistischen Arbeiterparteien und BVP durch die nationalsozialistischen Machthaber ist sicher nicht nur darauf zurückzuführen, daß die »Marxisten« der Hauptfeind der NSDAP in der Kampfzeit gewesen waren. Sie hängt auch damit zusammen, daß die Arbeiterparteien bei dem Bestreben der NSDAP, das soziale Establishment für die NSDAP zu gewinnen, vernachlässigt werden konnten, da die »Sozis« zu diesem sozialen Establishment meist nicht gehörten und gegen ihre Ausschaltung auch die bäuerlichen und bürgerlichen Honoratioren meist wenig einzuwenden hatten. Das galt auch für die Gleichschaltung auf lokaler Ebene: Während die Nazis nicht einen einzigen SPD-Gemeinderat in sein Amt einrücken ließen, wurde die nach dem Gleichschaltungsgesetz im April 1933 fällige Umverteilung der Gemeinderatsmandate gegenüber der BVP meist korrekt, d. h. nach dem Schlüsselwahlergebnis vom 5. März 1933, durchgeführt. Nur in einer einzigen Gemeinde im Kreis Günzburg wurde die BVP-Mehrheitsfraktion unter Mißachtung der gesetzlichen Vorschriften brutal und faktisch illegal aus dem Amt gedrängt, in zwei weiteren Gemeinden geschah dasselbe mit relativ großen BVP-Minderheits-Fraktionen, und in etwa einem halben Dutzend Gemeinden wurden kleine Fraktionen (ein oder zwei Gemeinderäte) der BVP zum »freiwilligen« Verzicht überredet. Aber dies blieben Ausnahmen.

Auch in der Bürgermeisterfrage zeigten sich die Nazis gegenüber der BVP äußerst nachgiebig. Von den vor 1933 amtierenden 20 BVP-Bürgermeistern des Landkreises blieben, wie schon dargelegt wurde, 15 im Amt (11 traten noch vor der Gleichschaltung der NSDAP bei, 4 behielten ihr Amt ganz offiziell als BVP-Bürgermeister). Dies galt z. B. auch für die Gemeinde Wattenweiler. Von den 360 Wählern der Gemeinde hatten am 5. März nur 34 Prozent für die NSDAP und 58 Prozent für die BVP votiert. Auf Vorschlag der NSDAP-Ortsgruppenleitung wurde ein gemeinsamer Wahlvorschlag NSDAP/BVP gebildet. Die BVP ließ sich darauf ein, daß neben den altbewährten BVP-Gemeinderäten auch der Ortsgruppenleiter der NSDAP in den Gemeinderat einzog, weil man sich gleichzeitig darauf verständigt hatte, den bewährten BVP-Bürgermeister im Amte zu belassen.

Es gab aber auch Gemeinden, in denen die alten BVP-Gemeinderäte weitgehend unter sich blieben, wenn auch einige inzwischen zur NSDAP übergetreten waren. Gab es doch in den meisten BVP-Gemeinden keine Ortsgruppe der NSDAP und oft nur ganz wenige oder gar keine Altparteigenossen, zumindest keine, die für ein Gemeindeamt in Frage gekommen wären. Das von der NSDAP veranlaßte Herüberwechseln einzelner BVP-Gemeinderäte zur NSDAP, bei gleichzeitiger Beibehaltung ihrer Mandate, war daher nicht selten der praktischste Weg, um die NSDAP wenigstens »optisch« an der Gemeinderegierung zu beteiligen. Als nach der Auflösung der BVP im August 1933 die BVP-Gemeinderäte und -Bürgermeister vor die Wahl gestellt wurden, der NSDAP-Fraktion als Hospitant beizutreten oder ihr Amt aufzugeben, blieben in Wattenweiler sowohl der Bürgermeister als auch die Gemeinderäte als Hospitanten der NSDAP auf ihrem Posten. Auch die Einführung der Deutschen Gemeindeordnung 1935 brachte in Wattenweiler kein größeres Revirement im Gemeinderat. Die im Amt verbliebenen »Hospitanten« traten 1937, nachdem die im Mai 1933 eingeführte Mitgliedersperre aufgehoben worden war, in die NSDAP ein.

Andere BVP-Bürgermeister schlossen sich, um trotz der Mitgliedersperre ihre positive Gesinnung gegenüber dem NS-Regime bekennen zu können, 1933 der SA an und wurden dann meist nach der Aufhebung der Mitgliedersperre 1937 in die NSDAP aufgenommen. Vereinzelt kam es im Laufe der Jahre zu Rücktritten von früheren BVP-Gemeinderäten oder -Bürgermeistern, weil sie aufgrund ständiger Querelen mit der Ortsgruppen- oder Kreisleitung sich nicht mehr im Amt halten konnten. Die Mehrzahl verstand es jedoch, sich anzupassen. Sie harrten, vielfach gedrängt von ihrer Umgebung, von den alten Parteifreunden, vom Ortspfarrer, auf ihren Posten aus und mußten sich nicht selten auch dazu bereit erklären, politische Ämter innerhalb der Partei anzunehmen, um »Schaden von der Gemeinde fernzuhalten«, um zu verhindern, daß unqualifizierte, korrupte und egoistische »Parteibonzen« in die Gemeinde hineinregierten.

Im Lebenslauf eines dieser früheren BVP-Bürgermeister heißt es:

». . . im Jahr 1929 wurde ich zum 1. Bürgermeister gewählt. Politisch gehörte ich der Bayerischer Volkspartei . . . an . . . Außerdem war ich Obmann des Christlichen Bauernvereins und hatte eine der schönsten und stärksten Ortsgruppen. Ich war ein starker Gegner der Nazipartei und so konnte diese kaum Fuß fassen in der Gemeinde . . . Nun kam die Machtergreifung durch die Nazi. Ich wollte sofort das Amt des Bürgermeisters niederlegen, jedoch meine Wähler hinderten mich daran. Auch mein Ortspfarrer bat mich, im Amte zu bleiben. So kam ich gezwungenermaßen am 1. Mai 1933 zur Partei . . . Im Dezember 1933 wurde ich anläßlich einer Versammlung, bei der Kreisleiter . . . anwesend war, zum Block- bzw. Zellenwart bestimmt. Ich weigerte mich mit allen Kräften, konnte mich aber nicht durchsetzen, da alle Versammelten auf mich einredeten doch anzunehmen, da sonst ein anderer diesen Posten bekäme und es nur ein Schaden für die ganze Gemeinde wäre . . .«.

Ein anderer BVP-Bürgermeister schrieb:

»Die Stellung eines . . . Bürgermeisters konnte ich dank dem Vertrauen meiner Gemeindebürger auch nach 1933 behalten . . . Von Freundeskreisen wurde mir dann vertraulich mitgeteilt, daß die Parteigenossen von W. jetzt alles daran setzen wollten, um den ›schwarzen‹ Bürgermeister H. endlich zu stürzen. Der Zellenleiter S. war hierbei einer der Haupthetzer, weil er die Gemeinde ganz in seine Hände bekommen wollte. Um dies zu verhindern, habe ich dem fortwährenden Drängen früherer BVP-Anhänger nachgegeben und habe mich in die SA-Reserve Günzburg einreihen lassen. Ich tat dies nur in dem Gedanken, damit den ortsansässigen NSDAP-Anhängern die Möglichkeit genommen wurde, die Gemeinde zu beherrschen . . .«.

Auch andere BVP-Repräsentanten konnten sich nach 1945 darauf berufen, daß sie von ihrer Gemeinde gedrängt worden seien, ihre Gemeindeämter zu behalten. Nach ihrer eigenen Darstellung kollaborierten sie keineswegs aus primär eigennützigen Motiven mit dem NS-Regime, sondern weitgehend unfreiwillig im Interesse ihrer alten Anhänger und der Mehrheit der Gemeinde. Auch wenn man in Rechnung stellt, daß die hier zitierten Aussagen vor der Spruchkammer gemacht wurden, sind sie doch durchaus glaubwürdig. Sie wurden nicht nur durch örtliche Zeugen vielfach bestätigt, sondern sind auch aufgrund der historischen Evidenz der in den BVP-Landgemeinden 1933 herrschenden Lage meist überzeugend. Auf keinen Fall läßt sich die Kollaborationsbereitschaft der örtlichen BVP-Honoratioren pauschal als gesinnungsloser »Opportunismus« denunzieren. Vielmehr bedarf es einer genauen Analyse der Bedingungen und Umstände, unter denen damals die Frage »Rücktritt oder Verbleiben im Amt?« zu entscheiden war, zumal die wenigsten dieser BVP-Honoratioren bedeutenden materiellen Gewinn aus ihren Ämtern ziehen konnten.

Was umgekehrt die Motive der Nationalsozialisten betrifft, so läßt sich klar feststellen, daß sie solche Toleranz gegenüber ehemaligen BVP-Mandatsträgern in den Gemeinden keineswegs aus Schwäche walten ließen, sondern meist aufgrund einer bewußten Strategie, die man als »Umarmungsstrategie« oder als »Integrationsstrategie« bezeichnen kann. Indem sie die BVP-Repräsentanten in ihren kommunalen Ämtern beließen, versuchten sie diese in das neue System, in den neuen Staat einzubinden, aber nicht nur diese einzelnen Repräsentanten, sondern auch ihr politisch-soziales Umfeld im katholischen Milieu dieser ländlichen Gemeinden. Diese Strategie verfolgte das Ziel, die zu erwartende Opposition aus dem Lager des politischen Katholizismus soweit wie möglich auszuschalten oder zu neutralisieren.

Es zeigte sich an dieser Strategie auf lokaler Ebene, daß das Dritte Reich seine totalitäre Erfassung der Gesellschaft nicht nur auf terroristischem, sondern auch auf integrativem und »plebiszitärem« Wege zu erreichen suchte. Die Nazis bemühten sich nach 1933 darum, eine möglichst breite Zustimmung in der Bevölkerung zu gewinnen, zumindest eine gewisse Form oberflächlicher Konformität, die eine aktive Form der Opposition ausschloß. Um dieses Ziel zu erreichen, genügte es nicht, die Bevölkerung einzuschüchtern oder nur propagandistisch zu bearbeiten. Wenn die NSDAP die Primärgruppen kleiner Landgemeinden hinter sich bringen wollte, mußte sie vor allem die traditionellen Meinungsführer dieser Gruppen durch Beteiligung an der Macht integrieren, auch wenn dadurch die weltanschauliche Zuverlässigkeit oft in Frage gestellt wurde.

Vereinzelte Machtdemonstrationen – Die vorhersehbaren Folgen

Es gab freilich – wie schon erwähnt – auch einige Gemeinden, in denen die Nationalsozialisten sich nicht an diese Kompromißlinie hielten, sondern bei der Gleichschaltung auch der BVP-Gemeinderäte mit aller Schärfe vorgingen. Hier ging es meist darum, ein Exempel zu statuieren und sowohl der BVP-Opposition wie den eigenen Parteigenossen vor Augen zu führen, daß man durchaus die Macht hatte, sich rücksichtslos durchzusetzen, wenn man nur wollte. Man brauchte diese vereinzelten, wohldosierten Machtdemonstrationen wohl auch als Alibi für die radikaleren Kräfte innerhalb der NSDAP, zur Befriedigung des Machtbewußtseins und Geltungsbedürfnisses der »Alten Kämpfer«. Den BVP-Honoratioren sollte verdeutlicht werden, daß ihre bisher fast unantastbare Machtstellung in einzelnen katholischen Gemeinden keineswegs selbstverständlich respektiert wurde, sie sollten eingeschüchtert und verunsichert werden, um sie gefügig und unterwerfungsbereit zu machen.

So verhielt es sich z. B. in WIESENBACH, einer kleinen Landgemeinde abseits der größeren Verkehrswege. Hier hatte die BVP bei den Märzwahlen den größten Stimmanteil im ganzen Bezirk, über 60 Prozent, erhalten, die NSDAP dagegen nur knapp 34 Prozent. Von den zu vergebenden 8 Sitzen im Gemeinderat standen rechnerisch fünf der BVP und drei der NSDAP zu, und bei diesen Mehrheitsverhältnissen war damit zu rechnen, daß der Bürgermeister von der BVP gestellt werden würde. Die NSDAP glaubte, dies jedoch gerade in WIESENBACH nicht geschehen lassen zu dürfen, um nicht das Gesicht zu verlieren. Sie hatte nämlich bereits kurz nach den Märzwahlen, bevor das Gesetz über die Gleichschaltung der Gemeinden herausgekommen war, den BVP-Bürgermeister zum Rücktritt gezwungen und einen Mann ihres Vertrauens als kommissarischen Bürgermeister eingesetzt. Diese schon im März 1933 vollzogene lokale Machtergreifung drohte durch das Gleichschaltungsgesetz wieder rückgängig gemacht zu werden. Dies durfte nicht geschehen, wenn die Partei in dem katholischen Ort nicht ihr ganzes Prestige verspielen wollte. Noch am 26. April berichtete die Regionalpresse, BVP und NSDAP hätten getrennte Wahlvorschläge für die Besetzung des Gemeinderates in WIESENBACH bekanntgegeben. Dann hieß es jedoch am 6. Mai überraschend in der Presse über den Ausgang der Mandatsbesetzung: Bürgermeister NSDAP, Gemeinderäte: NSDAP 8. Was hinter den Kulissen geschehen war, läßt sich aus den Akten nicht ersehen. Aber offensichtlich hatten sich die BVP-Gemeinderäte geweigert, den schon eingesetzten kommissarischen NSDAP-Bürgermeister zu wählen, woraufhin von der NSDAP entsprechende Druck- und Machtmittel eingesetzt worden waren. Wir wissen nicht, ob die BVP-Gemeinderäte durch die örtlichen Nazis zum »freiwilligen« Verzicht auf ihre Gemeinderatsämter veranlaßt wurden oder ob die Kreisleitung über das Bezirksamt den BVP-Wahlvorschlag für ungültig erklären ließ. Auf jeden Fall hatten die

Nazis einer BVP-Mehrheitsfraktion die ihr zustehenden Gemeinderatssitze brutal und faktisch illegal verweigert.

Obwohl in WIESENBACH das Wahlergebnis für die NSDAP sehr ungünstig ausgefallen war, bot dieser Ort doch einige gute Voraussetzungen für eine Machtprobe mit der BVP. Der Kreisleiter kannte die Verhältnisse in dieser Gemeinde sehr genau und er war direkt in das Verfahren mit eingeschaltet. Es handelte sich also nicht um das eigenmächtige Vorgehen örtlicher Parteigenossen, sondern um eine fast »planmäßige« Aktion. In dem Ort war zwar vor 1933 keine eigene Ortsgruppe der NSDAP zustandegekommen, doch es gab eine kleine Gruppe zuverlässiger, dem Kreisleiter persönlich bekannter Altparteigenossen. Schließlich war es auch gelungen, ein Mitglied der dörflichen Honoratiorenschicht für die Bewegung zu gewinnen, den altgedienten Gemeinderat WOLF, der zugleich Vorsitzender des Feuerwehrvereins und – ein sehr vertrauensvolles Amt – Rechner im Darlehenskassenverein war. Mit ihm verfügte die NSDAP über einen angesehenen und qualifizierten Kandidaten für das Bürgermeisteramt, von dem man erwarten konnte, daß er nach einiger Zeit der Verärgerung doch eine gewisse Zustimmung in der Gemeindebevölkerung würde gewinnen können.

Trotz dieses respektablen Exponenten, den die NSDAP als Bürgermeister eingesetzt hatte, blieb das Vorgehen der Nazis nicht ohne nachteilige Folgen für das Zusammenleben und die Atmosphäre in der Gemeinde. Es kam zu ständigen Reibereien, die im Sommer 1934 auch zu einer Rauferei, bei der ein örtlicher SA-Führer durch mehrere Messerstiche verletzt wurde, führten. In der Presse[18] hieß es: »SA-Führer S. von WIESENBACH von schwarz-roter Gesellschaft niedergestochen«. Bleibende Unzufriedenheit drückte sich auch in den Volksabstimmungen aus. Noch bei der plebiszitären Reichstagswahl von 1936, als im Bezirk nur eine durchschnittliche Oppositionsquote von 1,3 Prozent (Nein- und ungültige Stimmen sowie Nichtwähler) gezählt wurde, fiel die Gemeinde durch ihr abweichendes Ergebnis (fast 10%) auf.

Der Bezirksamtmann berichtete über den Wahltag in WIESENBACH:

».... Nach der Volksmeinung waren die ungültigen Stimmzettel von den alten Gegnern der Partei nämlich der Ortsgeistlichkeit und den früheren zwei Bürgermeistern abgegeben worden. Hinzu kam noch, daß der Ortsgeistliche erst am Wahltage, nach Aufforderung von Seiten der Gendarmerie zur Sakristei eine ganz kleine Fahne herausgehängt hatte ... Verschiedentlich hatte man statt der Stimmzettel Zeitungsartikel mit Streichungen, ja in einem Fall sogar ein Blutlaufreklamebild, das man fälschlich als ein nacktes Frauenzimmer ansah, abgegeben ... Schließlich hatte der frühere 2. Bürgermeister die Unverfrorenheit abends in das einzige Wirtshaus der Gemeinde zu gehen, in dem sich die Parteigenossen versammelt hatten. Man wies ihm die Türe und in der allgemeinen Erregung zog man dann vor das Haus des früheren Bürgermeisters, bewarf es mit Steinen ... so daß die Leute in den Keller flüchten mußten. Ebenso wurde der Pfarrhof mit Steinen beworfen und bestand Gefahr für die persönliche Sicherheit der vorgenannten Personen, da eine heiser schreiende Menge das Anwesen förmlich belagerte. Aus diesem Grunde war die Anordnung der Schutzhaft von 6 Personen darunter den Ortsgeistlichen veranlaßt ...«[19].

Bei den vorangegangenen Volksabstimmungen der Jahre 1933/34 waren in einigen anderen Gemeinden des Bezirks noch sehr viel höhere Oppositionsquoten registriert worden. In einzelnen Gemeinden hatte bis zu einem Drittel der Bevölkerung Nein-

---

[18] Schwäbisches Volksblatt vom 21. 8. 1934.
[19] StA Neuburg, Bezirksamt Günzburg, Nr. 4338, Bericht an den Regierungspräsidenten vom 31. 3. 1936.

Stimmen bzw. ungültige Stimmzettel abgegeben oder sich nicht an der Wahl beteiligt. Es handelte sich dabei meist um Gemeinden, in denen die nationalsozialistische Gleichschaltungspolitik im Jahre 1933 rigoros durchgeführt worden war bzw. die örtliche Parteileitung die Opposition der Bevölkerung provoziert hatte. Dagegen waren in ehemaligen BVP-Gemeinden, in denen die Nazis das alte BVP-Establishment bei der Ämterverteilung im Gemeinderat berücksichtigt hatten, kaum auffällige Oppositions-Demonstrationen bei den Volksabstimmungen in den Jahren 1933 bis 1936 zu verzeichnen. Die Umstände des lokalen Geschehens der Machtergreifung, das wird hieraus deutlich, bildeten offenbar einen wesentlichen Faktor für das relative Gelingen oder Mißlingen der auf die Erzeugung eines Höchstmaßes von Konformität ausgerichteten Politik der NSDAP.

Persönliche Rivalitäten – auf dem Rücken der Gemeinde ausgetragen

Selbstverständlich stand hinter der NSDAP-Personalpolitik in den Gemeinden nicht nur ein bewußtes strategisches Kalkül. Dies konnte hier um so weniger allein maßgeblich sein, als die Kreisleitung dabei ja in hohem Maße auf die örtlichen Amtsträger angewiesen war, die örtlichen Verhältnisse berücksichtigen und im allgemeinen auf die lokale »Selbstregulierung« vertrauen mußte und nur punktuell intervenieren konnte. Infolgedessen blieb dem persönlichen Machtegoismus der örtlichen Akteure ganz zwangsläufig ein Spielraum, wurde die nüchterne Abwägung von Zweckmäßigkeiten bei den personalpolitischen Entscheidungen überlagert durch ganz persönliche Machtansprüche und Karriereplanungen.

In bezug auf die Bedeutung persönlicher Ambitionen und Rivalitäten in der nationalsozialistischen Personalpolitik kann man nur schwer allgemeine Feststellungen treffen. Vor allem lassen sich die daraus entstehenden Reibungen und Konflikte keinem allgemeinen Schema zuordnen; zu unterschiedlich waren von Gemeinde zu Gemeinde die individuellen Konstellationen. Damit gleichwohl bei unserem Versuch, die generellen Linien der nationalsozialistischen Personalpolitik exemplarisch aufzuzeigen, dieser wichtige »subjektive« Aspekt nicht unterschlagen wird, soll er wenigstens an einem besonders augenfälligen Beispiel veranschaulicht werden. Nicht überall traten persönliche Rivalitäten so offen zu Tage, wie in diesem Fall, doch es gab wohl kaum eine Gemeinde, wo sie nicht in irgendeiner Form bei dem Prozeß der Gleichschaltung eine gewisse Rolle mitgespielt hätten.

Die Gemeinde KIRCHBERG, in der sich dieser Fall zutrug, ist ein kleines Bauerndorf, weit abgelegen von den wichtigen Verkehrsverbindungen. Die politischen Verhältnisse in dieser Gemeinde waren während der Weimarer Zeit vor allem dadurch gekennzeichnet, daß die Bevölkerung nicht mehrheitlich auf eine einzige Partei ausgerichtet war und es kein relativ homogenes Wahlverhalten gab. Kirchberg war vielmehr in zwei Lager mit jeweils wechselnden Mehrheiten gespalten. Bis zum Jahr 1928 hatte der Bauernbund immer deutlicher die Oberhand gewinnen können. Bei der Reichstagswahl im September 1928 erlangte er fast 80 Prozent der Stimmen, während die BVP, die früher die Mehrheit hinter sich gehabt oder dem Bauernbund zumindest ebenbürtig gegenüber gestanden hatte, mit nur knapp 13 Prozent stark abgeschlagen worden war.

Als im Winter 1929 in Bayern Gemeinderats- und Bürgermeisterwahlen abzuhalten waren, standen sich zwei Rivalen gegenüber: der parteilose Schreinermeister und Landwirt NEHER und der BVP-Repräsentant SEITZ, ebenfalls Landwirt. Obwohl NEHER beachtliches Ansehen in der Gemeinde besaß und sich durch seine engagierte Vereinstätigkeit – er wurde wenig später zum Vorsitzenden des Darlehenskassenvereins und des Schützenvereins gewählt – einen Namen gemacht hatte, konnte trotz des vorangegangenen Debakels, das die BVP bei den Reichstagswahlen in der Gemeinde erlebte, SEITZ, der extrem ehrgeizige BVP-Kandidat, zugleich Vorsitzender des Veteranenvereins, die Wahl mit hoher Mehrheit für sich entscheiden. Er hatte in der Gemeinde einen weit intensiveren Wahlkampf als sein Rivale geführt, war – als Mitglied des Kirchenverwaltungsrats und BVP-Mann – auch vom Pfarrer unterstützt worden und gewann – in Umkehrung des Reichstagswahlergebnisses – über 80 Prozent der abgegebenen Stimmen.

Auch der Dorfschullehrer BAUMGÄRTNER spielte als Meinungsführer im Gemeindeleben eine wichtige Rolle, nicht nur infolge seiner Stellung, sondern auch wegen seiner eifrigen Teilnahme am Vereinsleben der Gemeinde. Er bekleidete das Amt des Schriftführers und Kassiers im örtlichen Feuerwehrverein, dirigierte und leitete den Kirchenchor und den Männergesangsverein. Alljährlich wurde er von seinen Vereinen oder von der Schuljugend durch einen Maibaum geehrt. Daran änderte sich auch nicht, als er 1929 in die NSDAP eintrat und sich in der Gemeinde offen zu dieser Partei bekannte, aber sein Amt als Leiter des Kirchenchors beibehielt. Schon bald zeigte seine Werbetätigkeit reiche Früchte. Eine Reihe vor allem jüngerer Gemeindemitglieder trat in die Partei ein. Auch der Vorsitzende des Darlehenskassenvereins, Schreinermeister NEHER, hatte während einer NSDAP-Werbeveranstaltung schon ein Beitrittsformular unterzeichnet, zog aber am nächsten Tag seine Unterschrift wieder zurück. Wie viele andere Gemeindehonoratioren scheute er davor zurück, sich allzu fest mit einer Partei zu verbinden, die immer noch mit dem Image einer radikalen Partei behaftet war. Er sympathisierte gleichwohl offen mit der NSDAP, und dies um so mehr, als die Partei in der Gemeinde bei den Wahlen zusehends an Boden gewann. Schon im November 1932 brachte sie in KIRCHBERG fast 55 Prozent der Wähler hinter sich.

Erst nach der Machtübernahme trat NEHER in die NSDAP ein. Für den inzwischen zum Ortsgruppenleiter avancierten Lehrer BAUMGÄRTNER war es jedoch klar, daß, wenn die Partei den BVP-Mann SEITZ ablösen wollte, nur NEHER eine Chance hatte, von der Gesamtgemeinde als Bürgermeister akzeptiert zu werden. Der bisherige Bürgermeister hatte schon vor der Machtübernahme auch im Gemeinderat zu spüren bekommen, daß er als BVP-Vertreter auf verlorenem Posten stand, weil inzwischen auch die meisten Gemeinderatsmitglieder zur NSDAP abgeschwenkt waren. Da er aber sein Amt um jeden Preis behalten wollte, versuchte er sich bei den Nazis anzubiedern. Anfang April 1933 wurde in der Gemeinde eine »nationale Feier« abgehalten, an der sich auch der Bürgermeister beteiligte. Die Regionalzeitung berichtete:

»... Einige Knaben trugen ergreifende Gedichte vor. In kurzen Worten führte nun Herr Bürgermeister SEITZ an, seien wir alle froh, daß die NSDAP mit allen ihr zur Verfügung stehenden

Mitteln den Kommunismus ausgerottet hat, der heute sonst plündernd und raubend durch unser Land ziehen würde. Heute soll und müsse jeder deutsche Mann und jede deutsche Frau in den Reihen Hitlers stehen. Zum Zeichen der Dankbarkeit hat der Gemeinderat den Lindenplatz in ›Adolf Hitler-Platz‹ umgetauft . . .«[20].

Als SEITZ merkte, daß er trotz solcher Anbiederungen beim Ortsgruppenleiter auf totale Ablehnung stieß, versuchte er bei der Nachbarortsgruppe die Parteimitgliedschaft zu erwerben, doch vergeblich. Ende April zog ein ausschließlich aus Nationalsozialisten zusammengesetzter Gemeinderat – die BVP hatte auf die zwei ihr zustehenden Sitze »verzichtet« – in sein Amt ein und wählte einstimmig NEHER zum Bürgermeister.

Der ehrgeizige SEITZ konnte sich mit dem Verlust des Bürgermeisteramtes nicht abfinden. Bei allen nur denkbaren Gelegenheiten wetterte er gegen seinen Nachfolger. Auch ein paar Tage Schutzhaft (im Herbst 1933) konnten ihn nicht davon abbringen, weiter gegen den siegreichen Rivalen zu agitieren und zu intrigieren. Den Höhepunkt der Angriffe gegen NEHER bildete eine Anzeige bei der Staatsanwaltschaft wegen Meineids. Das Verfahren wurde niedergeschlagen, da das Gericht sich außerstande sah, den objektiven Tatbestand zu ermitteln, weil sich, wie es ausführte, in KIRCHBERG »zwei stark verfeindete Parteien gegenüberstehen«, und weil »bei den Verhältnissen in KIRCHBERG die Anhänger der beiden Parteien samt und sonders zu völlig objektiven Angaben gar nicht imstande« seien.

Die beiden Ortsrivalen hatten das Dorf mit ihren jeweiligen Anhängern in zwei Lager fraktioniert, wobei politische Überzeugungen und persönliche Freundschaften sich kaum auflösbar vermengten. Wie stark fast die ganze Gemeinde in diese Rivalität miteingezogen war, zeigt sehr anschaulich der im Folgenden wiedergegebene Bericht des Ortsgruppenleiters über die Generalversammlung des Veteranenvereins KIRCHBERG am 3. Juni 1935. Zum Verständnis des Berichts muß erklärt werden, daß Bürgermeister MATHIAS SEITZ das Amt des Vorsitzenden des Veteranenvereins schon vor 1933 an seinen Bruder ANTON abgegeben hatte, bei der Gleichschaltung des Vereins im Jahre 1933 ANTON SEITZ aber als Vorsitzender abgesetzt und durch einen »neutralen Mann«, den früheren Senior des Katholischen Burschenvereins LEICHT abgelöst worden war, der sich aber offenbar auch bald mit der Fraktion SEITZ verbrüderte. In seinem Bericht über die »Generalversammlung des Krieger- und Soldatenvereins Kirchberg am 3. Juni 1935«, die anfangs »einen mustergültigen Verlauf zu nehmen« schien, kritisierte Ortsgruppenleiter Lehrer BAUMGÄRTNER zunächst, daß der Vorstand sich erdreistete, einige gegen ihn gerichtete Pfeile abzuschießen (der Vorstand habe scheinheilig dem Sängerchor seinen Dank ausgesprochen für die Mitwirkung an der Kriegerehrung, obwohl jedermann wisse, daß zur Zeit »wegen Fernbleiben von Sängern aus persönlichem Haß« an »ein öffentliches Auftreten« des von ihm geleiteten »Gesangvereins nicht gedacht werden kann«). Dann habe, so berichtete der Ortsgruppenleiter weiter, der Vorsitzende in der Frage des »von oben« nahegelegten Anschlusses an den Kyffhäuserbund eine ebenso zwielichtige Haltung eingenommen, was eine heftige Kontroverse zwischen LEICHT und den anwesenden Nationalsozialisten ausgelöst habe. Schließlich sei der Konflikt vom Vorstand auf den »Höhepunkt« getrieben worden:

---

[20] Schwäbisches Volksblatt vom 4. 4. 1933.

»Ohne Wissen der Ortsgruppenleitung brachte der von uns bei der Gleichschaltungsversammlung eingesetzte Vereinsvorstand folgenden Antrag ein. Er erklärte öffentlich, daß die Gleichschaltung und Absetzung des früheren Vereinsvorstandes ANTON SEITZ zu unrecht geschehen sei aufgrund seiner Leistungen. Er besteht darauf . . . und er führt ihn auch durch, Her sind wir im Verein . . . Der vorhergehende Schriftführer F., der ebenfalls seinerzeit mit den beiden SEITZ seinen Austritt erklärte, ergriff in demselben Sinne das Wort. Und da erschien ANTON SEITZ . . im Saale und der . . . Bruder und ehemalige Bürgermeister horchte an der Saaltüre, was nun komme. Da ergriff im entscheidenden Moment Bürgermeister Pg. NEHER das Wort und erklärte Halt lieber Vereinsführer, jetzt langts. Jetzt machen wir Schluß, hier ist ein schwarzes Complott am Werk, hier wird gegen den Nationalsozialismus gearbeitet.

Nun erscheint der Vereinsführer LEICHT bei der Ortsgruppenleitung mit einer Beschwerde gegen den Bürgermeister Pg. NEHER, er lasse sich das nicht gefallen, er lasse sich keinen Schwarzen nennen . . . Die Herren glauben nun den Moment erreicht zu haben, gegen NEHER vorgehen zu können, um den so verhaßten Bürgermeister zu beseitigen. Ich bitte heute die vorgesetzte Behörde . . . diesen Minierarbeitern ganz gehörig das Handwerk zu legen . . .«[21].

Trotz dieser alarmierenden Meldung griff die Kreisleitung nicht ein. Der Konflikt in der Gemeinde blieb bestehen. Persönliche Rivalitäten bildeten seinen Kern luden ihn aber politisch auf. Die Nichtberücksichtigung der gegnerischen Fraktion bei der Gleichschaltung im Jahre 1933, veranlaßt offenbar, weil die persönliche Emotionalität der Entzweiung solche Toleranz nicht zuließ, erzeugte eine Daueropposition auf Nebenschauplätzen, wie sie in dem zitierten Bericht bezeugt wird. Die persönlichen Rivalitäten und Fraktionierungen überstanden auch das Jahr 1945 und kamen zu neuer Entladung. Ein Beispiel dafür, daß die politischen Einstellungen in dörflichen Kleingruppen gelegentlich Sekundärerscheinungen von Personen-Rivalitäten und ihrer jeweiligen Klientel sein konnten.

Die Partei als Bühne lokaler Machtkämpfe

Wäre in KIRCHBERG der Versuch des alten BVP-Bürgermeisters in die NSDAP einzutreten, nicht von der lokalen Parteiführung verhindert worden, hätte sich der lokale Konflikt höchstwahrscheinlich in die Partei hineinverlagert. In anderen Gemeinden, wo die NSDAP im März und April 1933 dazu neigte, die große Mehrzahl der Parteibewerber ohne genauere Überprüfung aufzunehmen, und die Partei aufgrund solchen konjunkturellen Zuzugs in den Gemeinderäten rasch genügende Mehrheiten zustande brachte, kam es dagegen häufig vor, daß die lokalen Fraktionierungen und Rivalitäten nicht mehr wie bisher zwischen den Parteien (zwischen BVP und NSDAP, oder Bauern und und NSDAP) sondern innerhalb der NSDAP ausgetragen wurden. Dies soll im folgenden anhand von zwei Fallbeispielen veranschaulicht werden.

Die Gemeinde ALTDORF war traditionell eine Bauernbundsgemeinde, die – wie viele andere Bauernbundsgemeinden – nach 1930 von der NSDAP »erobert« wurde. Schon bei der Reichstagswahl im November 1932 erreichte die NSDAP fast 50 Prozent der Stimmen, bei den Märzwahlen 1933 waren es dann 61 Prozent, während rund 12 Prozent

---

[21] StA Neuburg, Bezirksamt Günzburg, Nr. 4424, Schreiben der Ortsgruppenleitung Kirchberg an den Kreisleiter vom 7. 6. 1935.

der Wähler für die BVP und 24 Prozent für die ehemalige Mehrheitspartei, den Bauernbund, votierten. Im Laufe des Jahres 1932 hatte sich in der Gemeinde auch eine starke Ortsgruppe der NSDAP gebildet. Sie stand unter der Führung des Dorfschullehrers, der in ALTDORF eine ähnliche Rolle spielte wie der Ortsgruppenleiter und Lehrer BAUMGÄRTNER in KIRCHBERG. Der Bürgermeister, ein alter Bauernbündler, blieb seiner Partei aber auch in den Krisenjahren treu, ebenso verhielt sich ein Teil der Gemeinderäte. Bei der Gleichschaltung standen aufgrund des Ergebnisses der Märzwahlen der NSDAP fünf Sitze zu, der BVP und dem Bauernbund, die eine Listenverbindung eingegangen waren, drei Sitze. Die BVP- und Bauernbund-Repräsentanten weigerten sich nicht nur, auf ihre Gemeinderatssitze zu verzichten oder in die NSDAP einzutreten, sondern kündigten auch die Kandidatur des bisherigen BBB-Bürgermeisters für eine Wiederwahl an. Der Ortsgruppenleiter der NSDAP nominierte einen eigenen Kandidaten für das Bürgermeisteramt, und aufgrund der Mehrheitsverhältnisse war eigentlich nicht daran zu zweifeln, daß dieser auch gewählt werden würde. Doch als nach der Wahl im Gemeinderat die Stimmen ausgezählt wurden, zeigte es sich, daß der alte Bürgermeister fünf und der NSDAP-Kandidat nur drei Stimmen bekommen hatte.

Der über diesen »Verrat« wütende Ortsgruppenleiter wandte sich unverzüglich an die Kreisleitung mit dem Ziel, über den SA-Kommissar beim Bezirksamt eine Ungültigkeitserklärung der Wahl – deren Ergebnis schon in der Presse mitgeteilt worden war – zu bewirken. Die Kreisleitung entsprach dem Ansinnen des Ortsgruppenleiters und das Bezirksamt parierte. Es gelang schließlich auch, die »Abweichler« in der Gemeinderatsfraktion der NSDAP zu identifizieren; diese wurden ihres Amtes enthoben und durch zuverlässigere Parteigenossen ersetzt. Die Bürgermeisterwahl wurde wiederholt und erbrachte nun das von der Ortsgruppenleitung gewünschte Ergebnis. Die NSDAP-Fraktion stimmte geschlossen für ihren Kandidaten, die Gemeinderatsopposition beharrte auf ihrer ablehnenden Position. Obwohl sich der Ortsgruppenleiter letztlich durchgesetzt hatte, war der gesamte Vorgang doch ein für die Partei ziemlich peinliches Ereignis, das über die Lokalpresse in seinen wesentlichen Einzelheiten an die Öffentlichkeit gelangt war.

Der Fall ALTDORF macht deutlich, daß für die alten Gemeindeeliten unter bestimmten Konstellationen die Chance bestand, durch das Einschleusen von Freunden und Bundesgenossen in die NSDAP, durch eine Unterwanderungsstrategie ihre lokalen Machtpositionen zu behaupten. Ob dies in ALTDORF bewußt geplant war, läßt sich kaum noch ermitteln, da verläßliche Zeugen nicht mehr zur Verfügung stehen. Auffällig ist jedoch, daß in der Ortsgruppe ALTDORF im März/April 1933 durch den Massenzustrom neuer Parteimitglieder die NSDAP die höchste Quote an Parteigenossen pro Einwohner von allen Gemeinden im Bezirk erlangte, was wohl ein Indiz dafür ist, daß die Partei es hier unterlassen hat, die Neuzugänge auf ihre politische Zuverlässigkeit zu überprüfen. Auch scheint der Ortsgruppenleiter über das Netz der persönlichen Beziehungen innerhalb der Gemeinde nicht genau informiert gewesen zu sein, sonst wäre ihm wohl kaum eine derartige Fehleinschätzung in der Auswahl der Gemeinderatsmitglieder unterlaufen. In anderen Gemeinden, wo ohne öffentliches Aufsehen mit Zustimmung der neuen (oft aus Neu-Parteigenossen bestehenden) NSDAP-Fraktion ehemalige BVP-Bürgermeister in ihren Ämtern belassen wurden, kann es sich durchaus um Beispiele erfolgreicher Unterwanderungstaktik gehandelt haben, ohne daß das im einzelnen klar nachweisbar ist. Die Voraussetzungen für solche Taktik waren häufig gegeben, aber es ist, da die Interna nicht aktenkundig geworden sind, nur schwer abzuschätzen, in welchem Umfang die Taktik der Unterwanderung der NSDAP von den alten Gemeindeeliten angewandt wurde, um ihre Machtpositionen erfolgreich gegen den Zugriff der Alten Kämpfer zu verteidigen.

Etwas anders gelagert ist der Fall RIEBLINGEN. Auch in dieser Gemeinde die einen etwas stärkeren Anteil an Industriearbeitern aufzuweisen hatte als die meisten anderen Landgemeinden des Bezirks, hatte die NSDAP schon vor der Machtübernahme die Mehrheit der Stimmen gewonnen, vor allem auf Kosten des Bauernbundes. In dieser Gemeinde bildete sich schon 1929, also relativ früh, eine Ortsgruppe der NSDAP, deren Mitglieder überwiegend aus dem gewerblichen Mittelstand oder der Arbeiterschaft stammten. Der einzige Landwirt in der Ortsgruppe – er hatte die Gründung initiiert – wurde zum Ortsgruppenleiter ernannt. Bei der Gleichschaltung des Gemeinderats fielen fünf Sitze der NSDAP, zwei der BVP und einer der SPD zu. Die SPD wurde wie überall zum Verzicht gezwungen, der freiwerdende Sitz ging an die NSDAP.

Das besondere an dem Gleichschaltungsvorgang in RIEBLINGEN bestand darin, daß der Ortsgruppenleiter bei der Verteilung der Gemeinderatsämter, die der NSDAP zustanden, die Alt-Parteigenossen, darunter relativ viele Arbeiter, fast vollständig überging. Die neue NSDAP-Gemeinderatsfraktion bestand fast ausschließlich aus Landwirten. Es waren durchweg Partei-Neulinge, einige waren noch nicht einmal Mitglied der NSDAP. Offensichtlich fühlte sich der Ortsgruppenleiter von RIEBLINGEN seinen bäuerlichen Standesgenossen wesentlich stärker verpflichtet als seinen Parteigenossen. Er wollte wohl auf jeden Fall verhindern, daß der Gemeinderat der trotz des hohen Arbeiteranteils immer noch überwiegend bäuerlichen Gemeinde von Arbeitern majorisiert würde, was eingetreten wäre, wenn er die NSDAP-Gemeinderatsfraktion konsequent mit Altparteigenossen besetzt hätte. Es ist aber auch denkbar, daß das Verhalten des Ortsgruppenleiters nicht nur von den in der Gemeinde bestehenden sozialen Gegensätzen, sondern durch ganz persönliche Sympathien und Abneigungen bestimmt war. Vielleicht mußte er befürchten, daß durch einen anders zusammengesetzten Gemeinderat ein anderer zum Bürgermeister gewählt worden wäre als er selbst, weshalb er aus völlig eigennützigen Motiven seine Klientel in den Gemeinderat hievte.

Das Bezirksamt bestätigte die Gleichschaltung der Gemeinde RIEBLINGEN ohne zu zögern. Der Kreisleiter war wohl nicht oder nur einseitig durch den Ortsgruppenleiter über die Verhältnisse in RIEBLINGEN informiert worden. Die um ihre Posten betrogenen Alten Kämpfer ließen aber nicht locker. Die Stammgruppe, durchweg SA-Mitglieder, setzte sich mit der Kreisleitung in Verbindung, beklagte sich, als sie dort zunächst auf taube Ohren stieß, bei ihren SA-Führern, die wiederum Druck auf die Kreisleitung auszuüben versuchten, bis sie schließlich, nach knapp einem Jahr, an ihr Ziel gelangten. Der Kreisleiter intervenierte und zwang den gesamten Gemeinderat zum Rücktritt. Nur der Ortsgruppenleiter durfte als Bürgermeister in seinem Amt bleiben, der Gemeinderat wurde völlig neu besetzt, so daß er schließlich nur noch zur Hälfte aus Landwirten und zur anderen Hälfte aus Arbeitern, durchweg Alte Kämpfer und SA-Mitglieder bestand.

Der RIEBLINGER Ortsgruppenleiter hatte den Bogen überspannt. Er hatte seine eigene Macht über- und die der aktiven SA-Männer und SA-Unterführer – in dieser Anfangszeit des Regimes – unterschätzt. Im Fall RIEBLINGEN wird deutlich, daß die Partei auch zum Austragungsort sozialer Konflikte werden konnte, daß sie auch die adäquate Gruppenrepräsentation in den kommunalen Entscheidungsgremien nicht unbeachtet lassen konnte. Der Kreisleiter, der solche partei-internen Konflikte in der Regel in letzter Instanz zu entscheiden hatte, entschied sich übrigens nicht nur im Fall RIEBLINGEN für einen gewissen sozialen Ausgleich. Die rigorose Ausschaltung der SPD bei der Gleichschaltung hatte in den Gemeinden mit relativ hohen Arbeiteranteilen häufig zunächst zur Folge, daß überwiegend aus Bauern und Mittelständlern zusammengesetzte Gemeinderäte die Macht übernahmen. Dieser Trend zur Unterrepräsentierung der Arbeiterschaft in den Gemeinderäten wurde 1935, bei der Einführung der Deutschen Gemeindeordnung, zum Teil korrigiert. Zu einer quantitativ auch nur in etwa adäquaten Repräsentation der Arbeiterschaft in den Gemeinderäten haben jedoch auch diese Korrekturen nicht geführt.

Die Macht der Ortsgruppenleiter

Die beiden eben behandelten Fälle RIEBLINGEN und ALTDORF haben gezeigt, daß es auch in Gemeinden mit klaren nationalsozialistischen Mehrheiten zu scharfen Konflikten um die Gemeinderatsbesetzung kommen konnte. In aller Regel verlief aber die Gleichschaltung in den Gemeinden mit hohen NS-Mehrheiten relativ problemlos. Ein Beispiel hierfür bietet der Gleichschaltungsvorgang in der Gemeinde LANGENBACH.

Die Gemeinde LANGENBACH, ein kleines Bauerndorf mit traditionell hoher Bauernbundsmehrheit, tendierte schon relativ früh und stark zur NSDAP. Bei den Märzwahlen errang die NSDAP 77 Prozent, die BVP 7,6 und der Bauernbund 5,7 Prozent der Stimmen. Von diesem Ergebnis ausgehend, konnten BVP und Bauernbund nur im Falle einer Listengemeinschaft ein Mandat im Gemeinderat beanspruchen. Kam eine derartige Listenverbindung nicht zustande, so fielen automatisch alle Sitze der NSDAP zu. Der bisherige Bürgermeister und die Gemeinderäte hatten sämtlich schon vor 1933 mit der NSDAP sympathisiert, doch keiner von ihnen war der Partei beigetreten. In der Gemeinde hatte sich schon 1932 ein Stützpunkt der NSDAP gebildet, der vor allen Dingen von den jungen Bauern getragen wurde. Auch der Ortsgruppenleiter war ein verhältnismäßig junger Bauer, der sonst im Gemeindeleben keine auffällige Rolle spielte.

Der junge Ortsgruppenleiter sah sich bei der Aufgabe der Durchführung der Gleichschaltung in seinem Ort überfordert und zog von sich aus den Kreisleiter zu Rate. Dieser erschien in einer Gemeinderatssitzung und forderte die bisherigen Gemeinderäte zum Beitritt in die NSDAP auf, wenn sie ihr Amt behalten wollten. Die meisten entsprachen dieser Aufforderung, und so vollzog sich die Gleichschaltung in LANGENBACH – wie in vielen NS-Gemeinden – ohne größeres Revirement. Der Ortsgruppenleiter verzichtete nach dem Rat des Kreisleiters auf einen Sitz im Gemeinderat, er bekam dafür einen Sitz im Bezirkstag zugeschanzt, wodurch seine persönlichen Machtansprüche und auch die der Ortsgruppe weitgehend befriedigt wurden.

Solche relative Zurückhaltung des Ortsgruppenleiters im innergemeindlichen Machtverteilungskampf war durchaus nicht untypisch. Die Fälle, in denen – wie in RIEBLINGEN – Ortsgruppenleiter ihre Machtposition ausnützten, um sich selbst z. B. das Amt des Bürgermeisters zu sichern, bildeten seltene Ausnahmen. Nur sechs der insgesamt 38 Ortsgruppen- und Stützpunktleiter des Bezirks Günzburg beanspruchten und erhielten das Amt des Bürgermeisters. Und die Parteistatistik des Jahres 1935 weist aus, daß eine Personalunion von Ortsgruppenleiter- und Bürgermeister-Ämtern auch sonst nur in weniger als 10 Prozent der Gemeinden zustande kam[22]. Sehr viele Ortsgruppenleiter im Bezirk (etwa 37%) begnügten sich mit einem Sitz im Gemeinderat, fast die Hälfte verzichtete ganz auf ein kommunales Amt. Nicht selten sorgten sie aber dafür, daß enge Freunde oder Verwandte in führende Positionen kamen, Leute, die ihr Vertrauen genossen, die aber andererseits eine größere Chance hatten, von der Gesamtgemeinde akzeptiert zu werden. So verzichtete z. B. der Ortsgruppenleiter in der Gemeinde DORFEN auf das Bürgermeisteramt zugunsten eines etwas älteren Freundes, der aufgrund seiner Vereinstätigkeit und als Sohn des langjährigen Altbürgermeisters und nicht zuletzt aufgrund seines höheren Alters mehr Ansehen in der Gemeinde genoß. In zwei anderen Gemeinden des Bezirks wurden jeweils die Brüder der Ortsgruppenleiter zum Bürgermeister ernannt, Männer, die schon kommunalpolitische Erfahrung und Ansehen in der Gemeinde erworben hatten.

Der Kreisleiter förderte die Zurückhaltung der Ortsgruppen- und Stützpunktleiter, indem er diese mit kommunalpolitischen Ämtern auf Bezirksebene oder höheren Parteiämtern »belohnte«. Besonders zurückhaltend im gemeindlichen Machtkampf verhielten sich diejenigen Ortsgruppenleiter, die nicht unmittelbar aus dem abständigen Gemeindemilieu, dem eingesessenen dörflichen Bauern- oder Mittelstand kamen, vor allem die Lehrer, die relativ häufig als Ortsgruppenleiter fungierten. Von der 6 Lehrern unter den 38 Ortsgruppen- und Stützpunktleitern rückte 1933 nur ein einziger in den Gemeinderat seines Dorfes ein. Auch hierin sprach sich Rücksichtnahme auf die Gemeindebewohner aus, die es mit Befremden aufgenommen hätten, wenn nicht einer von ihnen, sondern ein dem Ort nicht so stark verbundener, dem Milieu doch etwas fremder, außenstehender Lehrer als Gemeinderat oder gar Bürgermeister tätig geworden wäre.

Im übrigen lassen sich die Daten der Parteistatistik aus dem Jahr 1935 über die Häufigkeit der Personalunion von Ortsgruppen- bzw. Stützpunktleitern der NSDAP und Gemeindebürgermeistern keineswegs schon immer als Kriterium der Machtdurchsetzung der NSDAP in den Gemeinden verwenden. Verhielt es sich doch vielfach so, daß sich nicht Ortsgruppenleiter in das Amt des Bürgermeisters gedrängt hatten, sondern amtierende Bürgermeister nachträglich als Ortsgruppen-, Stützpunkt-, oder Zellenleiter eingesetzt worden waren. Wenn manche Bürgermeister große Neigung verspürten, die angebotenen Parteiämter anzunehmen, so oft aus ganz anderen als originär »nationalso-

---

[22] Der Reichsdurchschnitt lag bei 7,67%; vgl. Schäfer, a. a. O., S. 27.

zialistischen« Motiven. In der Begründung eines Urteils der Spruchkammer über einen Bürgermeister, der ein wichtiges örtliches Parteiamt angenommen hatte, heißt es:

»Der Betroffene willigte ein und dieses schon deshalb, weil er sich von der Personal-Union Bürgermeister-Stützpunktleiter mehr versprach, als wenn ihm ein anderer politischer Hoheitsträger beigegeben worden wäre und sich die Kompetenzen bei der zukünftigen Verwaltungsarbeit womöglich ständig überschnitten hätten . . .«.

Der Betroffene selbst drückte dies so aus:

»Der Kreisleiter hat die verschiedenen Ortsgruppen- bzw. Stützpunktleiter aufgerufen zur Vereidigung. Für meine Gemeinde wurde F. [der bisherige Stützpunktleiter] vorgerufen, dann aber gesagt, für R. [die betreffende Gemeinde] bestimme ich den bisherigen Bürgermeister H. In R. gab es Unstimmigkeiten und um diese abzuschaffen, wurde ich bestimmt, Stützpunktleiter zu werden. Ich wollte erst ablehnen, habe aber gesehen, daß in den Gemeinden, wo der Ortsgruppenleiter und Bürgermeister zwei Personen waren, in die Verwaltung hineingespukt wurde, und um dieses aus der Welt zu schaffen, habe ich diesen Zellenleiterposten übernommen . . .«.

In vielen Fällen hat also nicht die Partei die Herrschaft in den Gemeinden übernommen, sondern es war gerade umgekehrt; um die Herrschaft der Partei in der Gemeinde zu verhindern, haben Vertreter der alten Gemeindeeliten Ämter in der Partei übernommen. Aber selbst da, wo rein äußerlich das Faktum der Machtübernahme durch die Partei gegeben war, wo also z. B. ein Alter Kämpfer, Ortsgruppen- oder Stützpunktleiter den alten Bürgermeister aus seinem Amt verdrängt hatte, muß man die so entstandene »Herrschaft der Partei« sehr differenziert betrachten. Wie diese Parteiherrschaft letztlich konkret aussah, hing stark ab von der Persönlichkeit dessen, der die »Herrschaft« ausübte, von seiner tatsächlichen weltanschaulichen Einstellung, von seinen Motiven für den Parteieintritt usw. Das läßt sich am besten anhand eines Beispiels verdeutlichen, am Lebenslauf des Ortsgruppenleiters GEORG SAAL, der – oberflächlich betrachtet – das typische Beispiel von Parteiherrschaft in einer Gemeinde bildete.

GEORG SAAL, Parteigenosse seit 1930, aktiver SA-Mann, Stützpunktleiter seit 1932, avancierte durch die Partei zum »Alleinherrscher« in der Gemeinde, indem er sowohl das Amt des Bürgermeisters als auch des Ortsbauernführers an sich zog. Er schreibt in seinem Lebenslauf:

»Ich wurde am 12. Juni 1901 [Datum geändert] als 13. Kind der Landwirtseheleute JOSEF und ELEONORE SAAL in LICHTENBERG geboren. Nach dem Besuch der Volks- und Fortbildungsschule erlernte ich im Anwesen meines Vaters die Landwirtschaft . . . Während des Weltkrieges 14/18 standen 6 Brüder im Felde, davon starben 3 den Heldentod, während 2 weitere schwerkriegsbeschädigt zurückkamen.

Im Jahre 1926 verheiratete ich mich mit der Bauerntochter Therese S. aus O. und übernahm das väterliche Anwesen. Da ich aus dieser Ehe 3 Kinder hatte, begann für mich ein schwerer Kampf um die Existenz. Das Anwesen umfaßte lauter alte Gebäude und nur 22 Tagwerk Grund. Im Stall hatte ich damals 4 Kühe, 2 Ochsen und einige Jungrinder. Außerdem mußte ich 5000.– RM Schulden als Abfindung für meine Geschwister und den Austrag für meinen Vater übernehmen. Es folgten harte Jahre der Arbeit für mich und meine Frau, denn einen Dienstboten konnten wir uns nicht leisten. Dazu brach bald die Zeit des wirtschaftlichen Niederganges herein. Der Milchpreis wurde gesenkt, das Vieh ging im Preis immer mehr zurück. Gelegentliches Unglück im Stall vergrößerte die Not. Bald sah ich mich nicht mehr hinaus, denn [trotz] größter Sparsamkeit und größter Mühe wollte das Geld nicht mehr reichen.

In diesen Jahren half mir gelegentlich bei der Ernte ein guter Freund, der als Schreinergeselle bei meinem Bruder arbeitete und damals schon der NSDAP angehörte. Wir unterhielten uns gelegentlich über politische Tagesfragen, über die allgemeine wirtschaftliche Lage, und dabei nahm dieser die Gelegenheit wahr, mich mit den wesentlichen Punkten der Partei vertraut zu machen. Er wußte mich zu überzeugen, daß nur von dieser Partei Rettung und Hilfe zu erwarten sei. Ich gab schließlich seinem Drängen nach und wurde am 1. Mai 1930 Mitglied der Nazi Partei. Als Anhänger dieser Partei stand ich nicht einzeln da, denn die Mehrzahl der Bauern waren schon Hitleranhänger und Wähler . . . Bis zum 31. Dezember 1931 war ich alleiniges Mitglied der Partei. Zu dieser Zeit veranlaßte der damalige Ortsgruppenleiter von R. eine Werbeversammlung im Nachbardorf G. mit dem damaligen Kreisleiter von Günzburg als Redner. Dieser warb anschließend 12 Mitglieder, welche mich am Sonntag darauf zum Stützpunktleiter wählten. Bis zum 1. März 1935 unterstand ich dem Ortsgruppenleiter von R. Zu dieser Zeit wurde LICHTENBERG durch Zunahme einer weiteren Ortschaft Sitz einer Ortsgruppe mit rund 50 Pg.

Meine Tätigkeit als Ortsgruppenleiter spielte sich ganz am Rande ab. Ich war Bauer, Bürgermeister und Ortsbauernführer. Diese Tätigkeiten füllten meine Zeit vollständig aus. Politische Reden habe ich nachweislich nie gehalten . . . Meine Aufgabe als Ortsgruppenleiter der Partei bestand in folgenden Aufgaben: Die alljährlich ein bis zweimal in der ganzen Ortsgruppe von der Kreisleitung angeordneten und von derselben mit Rednern beschickten Versammlungen zu eröffnen und zu schließen. Weiter die Unbedenklichkeitszeugnisse auszustellen, welche ich in keinem Falle (Freund oder Gegner der Partei) verweigerte. Weiter bei Gefallenehrung(en) einen Kranz niederzulegen. Vor dem Kriege, solang noch ein Lehrer im Ort war, fanden noch jeden Winter 2 bis 3 Schulungsabende statt, welche aber meistens in Form von Gesellschaftsabenden bei Kartenspiel stattfanden . . . Das einzig Sichtbare der Partei war die Ortsgruppentafel.

Ich kann den Nachweis erbringen, daß weder *Stürmerkasten* noch Pressekasten in meiner ehemaligen Ortsgruppe vorhanden waren . . . In der SA leistete ich vor 1933 wenig Dienst, das heißt besuchte wenige Appelle. Nach 1933 leistete ich überhaupt keinen Dienst mehr und wurde mir dauernd mit Hinauswurf gedroht . . .

Die Juden konnten in meiner Gemeinde ohne jede Belästigung Handel treiben . . . Ein Jude namens H. E., ein persönlicher Freund meines Vaters, besuchte mich sogar noch 19-1 im Juni. Obwohl ich schon die Erntewagen bereit hatte zum Wegfahren ins Heu, unterhielt ich mich mit ihm kameradschaftlich und gab ihm Lebensmittel, weil ich ihm die Not ansah. Leider ist dieser Mann verschollen . . .

Mit der Kirche hatte ich trotz allem ständigen Kontakt. Ich bin nicht aus der Kirche ausgetreten. Meine Kinder schickte ich stets regelmäßig in den Religionsunterricht und in den Gottesdienst. Das Kreuz war und blieb trotz allem in der Schule und in meinem Dienstzimmer . . .«.

Es folgt die Schilderung einer Reihe von Fällen, in denen der Ortsgruppenleiter die Weiterleitung von politischen Denunziationen an die Kreisleitung oder an die Polizei unterschlagen hatte. Obwohl man natürlich in Rechnung stellen muß, daß diese Aussagen vor der Spruchkammer gemacht wurden, so sind sie doch im großen und ganzen durchaus glaubwürdig, auch durch Zeugenaussagen und Dokumente erhärtet. Dieses Verhalten des Ortsgruppenleiters ist auch durchaus nachzuvollziehen. Von ihm als Bauer und Bürgermeister wurde vor allem Solidarität mit seinen Standesgenossen und mit seiner Gemeinde erwartet, und es hätte seiner Stellung und seinem Ansehen in der Gemeinde außerordentlich geschadet, wenn ein Gemeindemitglied verhaftet worden wäre. Natürlich gab es genügend andere Fälle. Aber es trifft doch kaum die Wirklichkeit in den Landgemeinden, wenn unser bereits eingangs zitierter Historiker schreibt: »Überwachung, Denunziation und Spitzeldienste waren für den Nationalsozialismus notwendig, um sich auf dem flachen Lande behaupten zu können«[23]. Gewiß lassen sich zahlreiche Denunziationsfälle als Beleg für eine solche Aussage anführen, zumal das

---

[23] Aretin, a. a. O.

Regime der Neigung Vorschub leistete, das Mittel der politischen Denunziation auch zur Austragung ganz persönlicher Konflikte und Streitfälle einzusetzen[24]. Die andere Wirklichkeit in den Landgemeinden aber bestand darin, daß der starke soziale Normendruck und die soziale Verhaltenskonvention in dörflich-bäuerlichen Kleingruppen vielfach auch die Funktionäre der Partei banden, ihre (wenn überhaupt vorhandenen) weltanschaulichen Einstellungen und politischen Zielsetzungen moderierten oder gar neutralisierten und – wie lokale Fälle zeigen – auch manche Verfolgungen und Denunziationen abblockten. Die Stabilität der NS-Herrschaft an der Basis beruhte – viel stärker als auf Repressionen – auf der Tatsache, daß die Repräsentanten der Partei, vor allem die Bürgermeister, in der Regel in dieses gemeindliche Beziehungsnetz einbezogen waren, daß sie dazugehörten und nicht als Exponenten einer politischen Diktatur und Fremdherrschaft empfunden wurden.

Nationalsozialistische Personalpolitik in den Gemeinden – Anspruch und Wirklichkeit

Nach den Vorstellungen der nationalsozialistischen Führungskader im Bereich der Kommunalpolitik sollten die Leiter der Gemeinden vor allem als »Erzieher zum Nationalsozialismus« fungieren. Der Geschäftsführer des Amtes für Kommunalpolitik der Reichsleitung, Pg. Schön, schrieb in der *Nationalsozialistischen Gemeinde* zur Frage der Personalbesetzung in den Gemeinden:

»Die Ehrlichkeit und Aufrichtigkeit des politischen Glaubensbekenntnisses Adolf Hitlers ist das erste Erfordernis, das wir Nationalsozialisten allgemein an die Leiter deutscher Gemeinden ... stellen müssen. In der Erkenntnis nationalsozialistischer Weltanschauung liegt das Verständnis aller politischen Vorgänge ... Völlig irrtümlich ist es daher, zu glauben, daß fachliches Wissen und Eignung primäre Notwendigkeiten für ein Amt seien. Wer ein Amt im Staate versieht, muß zuerst bewußt als Nationalsozialist fühlen«[25].

An anderer Stelle heißt es in dem Artikel:

»Wer überzeugter und wahrhaftiger Nationalsozialist ist, sieht stets vor sich die große Linie unseres Handelns und kennt die Grundsätze und Lehren unserer Weltanschauung auch in ihrer praktischen Auswirkung«[26].

Eines der zentralen Elemente der nationalsozialistischen Weltanschauung war der Antisemitismus. Selbstverständlich hätten sich die »praktischen Auswirkungen« dieser »Lehre« auch in der Amtstätigkeit der Gemeindebürgermeister niederschlagen müssen. Die Aussagen des Ortsgruppenleiters und Bürgermeisters Saal vor der Spruchkammer, in seiner Gemeinde sei der Handel mit Juden in keiner Weise beeinträchtigt worden, ist durchaus glaubwürdig. Wie diskrete Erhebungen der Gendarmerie zu Tage brachten, zeigten die Bauern, darunter auch zahlreiche Parteigenossen und Funktionäre, wenig

---

[24] Siehe Zofka, a. a. O., S. 298, 300.
[25] Die Nationalsozialistische Gemeinde (1934), H. 2, S. 486.
[26] Ebenda.

Neigung, von der traditionellen Übung des Viehhandels mit Juden Abstand zu nehmen[27]. Nach dem offiziellen Verbot fand der Handel oft im geheimen, unter dem Deckmantel bäuerlicher Solidarität statt.

Die Haltung der Bürgermeister in der Antisemitismusfrage wird durch einen Fall schlaglichtartig beleuchtet. Im Juli 1935 wurde einem jüdischen Viehhändler die Ausstellung der Legitimationskarte für den Viehhandel verweigert, da von der Kreisleitung gegen ihn der Vorwurf erhoben wurde, er habe sich »betrügerische Machenschaften« zuschulden kommen lassen. Das Bezirksamt vertröstete ihn: er werde die Genehmigung erhalten, wenn er aus mindestens 10 Gemeinden die Bestätigung erbringen könne, daß er sich als Händler immer korrekt verhalten habe. Wahrscheinlich war das Amt der festen Überzeugung, daß kein Bürgermeister es wagen werde, eine derartige Bescheinigung auszustellen. Der Jude versuchte die Sache trotzdem. Viele Bürgermeister erklärten sich grundsätzlich bereit, wenn andere mitmachen würden, wollten aber nicht den Anfang machen. Schließlich hatte Bürgermeister IHLE den Mut, als erster die Unterschrift zu leisten, worauf sämtliche anderen Bürgermeister im Handelsgebiet des Juden ebenfalls die Bestätigung ausstellten.

Der Vorgang wurde an die Regierung von Augsburg gemeldet, die empört reagierte, und das Bezirksamt anwies, im Benehmen mit der Kreisleitung zu überprüfen, ob nicht die Amtsentlassung dieser politisch unzuverlässigen Bürgermeister zu erfolgen habe. IHLE, der als erster unterschrieben hatte, wurde polizeilich vorgeladen und gab zu Protokoll:

»A. [der jüdische Viehhändler] kam damals . . . zu mir und teilte mir mit, daß ihm seitens des Bezirksamts eröffnet worden sei, es würden gegen die Ausstellung einer Legitimationskarte für Viehhandel an ihn durch die Kreisleitung der NSDAP Bedenken erhoben. Es werde ihm zur Last gelegt, daß er sich bei Ausübung des Viehhandels verschiedentlich betrügerische Machenschaften habe zuschulden kommen lassen. Um diesen Vorwurf zu widerlegen, benötigte er von einer Reihe von Bürgermeistern die Bestätigung, daß Fälle dieser Art in den betreffenden Gemeinden nicht bekannt seien . . .

Ich erachtete es deshalb nicht als unvereinbar mit meinen Amtspflichten als Bürgermeister, die erbetene Bestätigung auszustellen. Dies um so mehr, als ich durch meinen Amtseid verpflichtet war, in allen Angelegenheiten ohne Ansehen der Person der Wahrheit zu ihrem Recht zu verhelfen . . .«[28]

Diese mutigen Äußerungen IHLES entsprachen mehr den traditionellen Normen der Dorfbürgermeister als den nationalsozialistischen Grundsätzen, die von ihm erwartet wurden. Dennoch blieb es bei einer Verwarnung. Keiner der Bürgermeister wurde abgesetzt. Dies war gerade im Fall IHLES auch fast undenkbar, denn IHLE gehörte zu den prominentesten NS-Bürgermeistern im Bezirk. Er galt als einer der großen Vorkämpfer des Nationalsozialismus im Bezirk, der sich vor 1933 auf den Wahlversammlungen – ohne offiziell Parteimitglied zu sein – nachhaltig für die NSDAP eingesetzt hatte, was angesichts seines großen Bekanntheitsgrads als energischer Verfechter bäuerlicher

---

[27] Siehe Zofka, a. a. O., S. 316 f. Zur Antisemitismusproblematik vgl. Kershaw, Ian: Antisemitismus und Volksmeinung. Reaktionen auf die Judenverfolgung, in: Broszat, Martin und Elke Fröhlich (Hrsg.): Bayern in der NS-Zeit II, München 1979, S. 281–398.

[28] StA Neuburg, Bezirksamt Günzburg, Nr. 6864, Protokoll der polizeilichen Vernehmung IHLES vom 5. 12. 1935.

Interessen (z. B. in seinem Amt als Mitglied der Bezirksbauernkammer) weit über seine eigene Gemeinde hinaus von Bedeutung war. Der Ort, in dem er seit 1925 als Bürgermeister amtierte, gehörte zu den Gemeinden, in denen die NSDAP schon sehr früh ihre stolzesten Wahlerfolge erzielen konnte. IHLE konnte es sich in seiner Gemeinde leisten, anläßlich der Neuberufung der Gemeinderäte im April 1933 in klarer Abweichung vom Gleichschaltungsgesetz eine Gemeindeversammlung einzuberufen und durch diese die neuen Gemeinderäte wählen und auch sich selbst durch Wiederwahl in seinem Bürgermeisteramt bestätigen zu lassen. Diese Eigenmächtigkeit war damals schon bei der Kreisleitung unangenehm aufgefallen, aber hingenommen worden. Inzwischen war IHLE auch zum SS-Rottenführer und ehrenamtlichen Richter am Reichserbhofgericht avanciert. Wenn gerade er als politisch unzuverlässig aus dem Bürgermeisteramt entlassen worden wäre, hätten viele die Welt nicht mehr verstanden, und die Folgen einer solchen Maßnahme für die politische Atmosphäre in IHLES Gemeinde wären gar nicht abzusehen gewesen.

Mit ihrer Forderung, die Bürgermeisterämter mit weltanschaulich zuverlässigen Männern, mit »Erziehern zum Nationalsozialismus« zu besetzen, standen die nationalsozialistischen Führungsstellen, das macht der Fall IHLE deutlich, oft auf verlorenem Posten. Und zwar keineswegs nur in bezug auf die im Amt belassenen, vor 1933 der NSDAP oft sogar feindlich gesinnten Bürgermeister, an deren Amtsführung nach 1933 sich praktisch kaum etwas änderte, sondern auch in bezug auf viele Alte Kämpfer und Anhänger der Bewegung. Rekrutierten sich diese doch ebenso wie die alten Bürgermeister aus dem bäuerlichen Milieu und waren daher dem traditionellen Denken, den Normen dieses Milieus meist weit stärker verbunden als den weltanschaulichen Grundsätzen der NSDAP, der sie fast durchweg aus interessenspolitischen Erwägungen beigetreten waren[29]. Es fehlten einfach die Voraussetzungen, um aus diesen Männern »echte«, weltanschaulich gefestigte Nationalsozialisten zu machen.

Auch die nationalsozialistischen Führungsstellen sahen dieses Problem, zumindest in bezug auf die alten, im Amt gebliebenen Bürgermeister, machten sich aber vor, dem Problem durch nachträgliche Schulung abhelfen zu können. Im kommunalpolitischen Organ der NSDAP konnte man 1934 in einem Artikel über »die Notwendigkeit der Erziehung der Leiter der Gemeinden zu politischen Führern« lesen:

»Was nun die Führer der Gemeinden ... betrifft, so müssen wir diese in drei Gruppen teilen:
1. solche, die die gesinnungsmäßigen und fachmännischen Qualitäten besitzen. Zu dieser Gruppe zählen Kommunal- und Juristenbeamte ..., die alte Parteigenossen sind;
2. solche, die aus dem Stamm alter Parteigenossen herauskommen, als Ortsgruppenleiter oder sonst in der PO aktiv tätig waren, aber keine fachliche Vorbildungen besitzen;
3. solche, die unter dem alten System tätig waren und von der Bewegung im Amt belassen waren, aber nur zu einem ganz kleinen Teil zu uns gehören.

Mit den vorstehend geschilderten drei Tatsachen müssen wir uns abfinden und darauf achten, daß jeder führende Kommunalpolitiker seinen Posten voll und ganz ausfüllt ... Die meiste Arbeit verursachen die Bürgermeister unter 3. Sie müssen mit allen Mitteln zum nationalsozialistischen Menschen umgeformt werden und dann in derselben Weise frisch und geschmeidig erhalten werden, wie die zu 1. und 2. genannten Kollegen. Am wichtigsten ist und bleibt aber immer die

---

[29] Siehe Zofka, a. a. O., S. 116 ff., 346 ff.

politische Schulung . . . Das wird am besten erreicht in Schulungslagern, zu denen die Gau- und auch die Landesführerschulen benutzt werden könnten . . . Hier können Volksgenossen geformt werden, die bis auf die Knochen Nationalsozialisten sind . . .«[30].

Tatsächlich wurden die Schulungskurse an den Gauführerschulen von den Bürgermeistern kaum besucht[31]. Die im Bezirk durchgeführten Schulungstreffen waren meist fachlichen und nicht weltanschaulichen Themen gewidmet. Bei den Schulungsveranstaltungen der Partei glänzten die mit Arbeit eingedeckten Bürgermeister meist durch Abwesenheit. Schon allein von den äußeren Bedingungen her wurde die groß angekündigte weltanschauliche Erziehung der Bürgermeister zu einem völligen Mißerfolg. Mit der Schulung der Parteigenossen in den Landgemeinden, die wenigstens rein äußerlich besser funktionierte, stand es aber – fragt man nach dem Ergebnis – letztlich auch nicht viel besser, ganz zu schweigen von der weltanschaulichen Erziehung der dörflichen Volksgenossen.

Schlussbetrachtung

Unsere Fallbeispiele haben gezeigt: Die nationalsozialistische Personalpolitik bei der Besetzung der Gemeinderäte und Bürgermeisterposten in den meist kleinen Gemeinden des Bezirks verfolgte keineswegs nur eine rücksichtslose Durchsetzung der Machtansprüche der NSDAP, sondern nahm, wenn sie es nicht mit den in aller Regel rigoros ausgeschalteten Exponenten der sozialistischen Arbeiterbewegung in Gemeinde- und Stadträten zu tun hatte, durchaus Rücksicht auf das jeweilige politisch-soziale Milieu und die traditionellen Eliten und Meinungsführer. Es ging der NSDAP im großen und ganzen darum, die eigene Machtdurchsetzung bei größtmöglicher Anerkennung der von ihr vorgeschlagenen Gemeinderatsmitglieder und Bürgermeister zu erreichen. In den meisten Fällen sah sie lieber davon ab, Alte Kämpfer oder treue Parteigenossen für die gemeindlichen Mandate zu nominieren, wenn es diesen an fachlicher Qualität oder persönlichem Ansehen in der Gemeinde fehlte. Daß die Nazis dabei auch zahlreiche ehemalige BVP-Bürgermeister und -Gemeinderäte im Amt beließen, geschah weniger aus Schwäche als aus dem bewußten oder instinktiven Bestreben heraus, das neue Regime mit den alten Eliten zu verschmelzen, den örtlichen Vorgang der Machtergreifung und Gleichschaltung auch bei den Nichtnationalsozialisten möglichst konsensfähig zu machen und der potentiellen Opposition des politischen Katholizismus wenig Nahrung zu geben. Diese überwiegende Praxis war auch unter dem Gesichtspunkt der Machtsta-

---

[30] Oedekoven, H.: Die Notwendigkeit der Erziehung der Leiter der Gemeinden zu politischen Führern, in: Die Nationalsozialistische Gemeinde (1934), H. 2, S. 32 f.
[31] So hatten z. B. in Schwaben bis August 1937 kaum mehr als 10% der Bürgermeister an diesen Kursen teilgenommen. Vgl. dazu die Einführung von Elke Fröhlich zu den Berichten der kommunalpolitischen Gauämter, in: Martin Broszat, Elke Fröhlich, Falk Wiesemann (Hrsg.): Bayern in der NS-Zeit I, München 1977, S. 552 f.

bilisierung des Regimes, seiner Verankerung in der Bevölkerung mittel- und langfristig meist erfolgreicher als die rabiate Durchsetzung des lokalen Parteiwillens. Sie ging aber auf Kosten der weltanschaulichen und politischen Zuverlässigkeit und hatte nicht selten zur Folge, daß die Grenzen zwischen Funktionären des Regimes und Protektoren der Opposition sich bei den Bürgermeistern und Gemeinderäten oft ganz und gar verwischten. Die Integrationstaktik der Nazis begegnete der Unterwanderungstaktik traditioneller politischer Eliten und verschmolz sich mit ihr zu einem oft kaum noch auflöslichen Mixtum von opportunistischer Kollaboration und partieller Opposition. Die Folgewirkungen dieses Umstandes – vor allem in ländlichen katholischen Kleingemeinden – bestanden nicht zuletzt darin, daß der Nationalsozialismus auf der unteren Ebene dieser dörflicher Primärgruppen häufig in relativ moderater Form vermittelt wurde. Die Weltanschauungspolitik brach sich vielfältig und schliff sich ab an dem ihr entgegenstehenden politisch-sozialen Milieu. Das trug freilich auch wesentlich dazu bei, sie als relativ harmlos erscheinen zu lassen und verhinderte eher eine prinzipielle Fundamental-Opposition.

Dokumente aus oberbayerischen Landgemeinden

Die folgenden Dokumente sollen die Befunde des vorstehenden Beitrages auf eine breitere Grundlage stellen. Sie zeigen, daß die für den Kreis Günzburg geschilderten Vorgänge bei der Besetzung von Gemeindeämtern nach 1933 ähnlich auch für Landgemeinden im katholischen Oberbayern nachzuweisen sind. Darüber hinaus lassen sich mit den folgenden Dokumenten einige Sachverhalte noch etwas plastischer veranschaulichen als es die Günzburger Quellen erlauben. Daß für diese ergänzende Dokumentation ausschließlich Quellen aus Oberbayern herangezogen wurden, die im Staatsarchiv München (StAM) im Bestand der Akten der Landratsämter (LRA) oder unter den Restakten der NSDAP verwahrt sind, hatte vor allem praktische Gründe: Infolge der im Rahmen des Projekts »Widerstand und Verfolgung in Bayern 1933–1945« von den Bayerischen Staatlichen Archiven durchgeführten sachthematischen Modellinventarisierung der Landratsamts- und NSDAP-Akten aus Oberbayern lassen sich einschlägige Dokumente aus diesem Regierungsbezirk relativ einfach ermitteln und auffinden, und die Arbeit des Forschers ist wesentlich erleichtert.

Zur Vereinfachung der Dokumentation (Verzicht auf Anmerkungen) wird die Herkunft der Dokumente (Signatur der Faszikel) jeweils in der Überschrift über den einzelner Auszügen in eckiger Klammer vermerkt. Auch die wenigen zum Verständnis des Hintergrundes oder weiteren Verlaufs der in den Dokumenten-Auszügen zur Sprache kommenden Vorgänge werden zwischen die Dokumententexte eingefügt. Die Namen der in den Dokumenten genannten Personen wurden nur anonymisiert, wenn dies aus Gründen des Persönlichkeitsrechtsschutzes notwendig war, nicht wenn die betreffenden Personen in durchaus ehrenvollen oder ihr Ansehen nicht belastenden Zusammenhängen genannt sind.

Aus der Fülle des Materials war der Verfasser bemüht, eine repräsentative Auswahl zu treffen und sie nach symptomatischen Fallgruppen zusammenzusetzen.

1. Schmale Personaldecke der NSDAP in den Landgemeinden – ein Ortsgruppenleiter schildert seine Nöte

Aus dem Bericht des Ortsgruppenleiters von Dorfen vom 17. März 1934 [StAM, LRA 146157]:

»Als ich im April vorigen Jahres vor die Aufgabe gestellt wurde, in 10 Gemeinden die Bürgermeister und Gemeinderäte zu benennen und zur Wahl vorzuschlagen, war dies insofern im Ortsgruppenbezirk besonders schwierig, weil u. a. in 9 Gemeinden ein einziger alter Pg. vorhanden war, so daß ich gezwungen war, die Bürgermeister sowohl wie die Gemeinderäte in der Hauptsache aus Volksgenossen zu bilden, die kurz erst – nach der Machtübernahme – zur Partei zugeströmt waren, oft nur zu dem Zwecke, in den Gemeinderat zu kommen oder Bürgermeister zu werden.

Zudem trat bekanntlich die vorerwähnte Aufgabe durch die neuen Verhältnisse ziemlich unvorbereitet und überraschend auf, so daß eine entsprechende rechtzeitige Vorbereitung nicht möglich war.

Durch die geschilderten Umstände waren natürlich Mißgriffe sehr leicht möglich, ja fast unausbleiblich«.

2. Das Bezirksamt sorgt für die – nach dem Gesetz – korrekte Durchführung der Gleichschaltung

Aus einer Verfügung des Bezirksamtes Erding vom 28. April 1933 [StAM, LRA 146157]:

»Das Ergebnis der Neubildung des Gemeinderats Gebensbach wird gemäß § 1 des Gesetzes zur Gleichschaltung der Gemeinden und Gemeindeverbände mit Reich und Land vom 7. April 1933 dahin richtig gestellt, daß auf den Wahlvorschlag der Nationalsozialistischen Deutschen Arbeiterpartei drei und auf den der Bayer. Volkspartei fünf Sitze entfallen.

Die erstgenannte Partei hat bei der Reichstagswahl am 5. März 1933 im Gemeindebezirk Gebensbach nicht 109, sondern 55 gültige Stimmen erhalten«.

Die örtliche Wahlkommission hatte der NSDAP widerrechtlich 5 und der BVP nur 3 Sitze zugesprochen. Ähnliches ereignete sich in mehreren Gemeinden des Bezirks Erding, in jedem Fall jedoch schritt das Bezirksamt dagegen ein.

3. Angesehene Vertreter einer BVP-Mehrheitsgemeinde ersuchen um Bestätigung ihres bewährten Bürgermeisters – Der Kreisleiter will gegen die Wahlentscheidung die Einsetzung eines Nationalsozialisten als Bürgermeister durchsetzen.

A. Handschriftlicher Brief dreier Vertreter der Gemeinde Wang an das Bezirksamt Wasserburg vom 12. Mai 1933 [StAM, NSDAP 599]:

»Die Bürger der Gemeinde Wang erfahren zu ihrer größten Bestürzung, daß ihr Bürgermeister Herr Benno Thaler die amtliche Bestätigung [des Bezirksamtes, offensichtlich auf Einspruch des Kreisleiters] nicht erhalten hat. Gegen diese Nichtbestätigung erhebt sowohl der Gemeinderat wie auch die Gemeindebürger Protest und führt zu seiner Begründung folgendes an:

1. Herr Benno Thaler besitzt als Bürgermeister das volle Vertrauen der Gemeinde. Bei der letzten freien Bürgermeisterwahl [1929] trafen 92% der abgegebenen Stimmen auf Thaler. Bei der jetzigen Bürgermeisterwahl durch den Gemeinderat erhielt er von 6 gültigen abgegebenen Stimmen 5. Selbst Anhänger der N.S.D.A.P. [sic] versichern ihm persönlich ihr Vertrauen als Bürgermeister.

2. Seine bisherige 13jährige Amtstätigkeit war musterhaft und zur größten Zufriedenheit der vorgesetzten Behörden. Erst bei der letzten amtlichen Gemeindevisitation im April durch Herrn Dr. Dörring wurde dieses aufs neue und in besonderer Weise bekundet.
Seine unparteiische, gerechte und väterliche Behandlung Aller, welche zu ihm aufs Amt kommen, wird von Allen rückhaltlos anerkannt. Jedermann ohne Unterschied von Stand und Partei findet bei ihm Zuvorkommenheit und Unterstützung. Es darf auch darauf hingewiesen werden, daß trotz der gegenwärtig schwierigen Lage durch Fürsorgelasten u. dgl. es dank der klugen Verwaltung möglich war, bisher ohne besondere Erhebung von Gemeindeumlagen auszukommen. Dazu trug auch bei die großen persönlichen Opfer des Herrn Bürgermeisters. So z. B. hat er den Knaben Karl Kirschner, welcher der Gemeinde zur Last gefallen wäre, ohne jede Entschädigung groß gezogen.

3. Wenn sich Bürgermeister Thaler zur bayr. Volks-Partei bekennt, so dürfte dieses wohl kein hinreichender Grund sein, einem so tüchtigen, gewissenhaften, für das Wohl seiner Gemeinde väterlich sorgenden Bürgermeister die Bestätigung zu versagen. Der Herr Ministerpräsident Siebert in seiner Landtagsrede 28. April 1933 wünschte, daß ›die nationalen, christlichen und moralischen Kräfte anderer Parteien und Weltanschauungen, die hinter den im Kabinett vertretenen Männer stehen, zusammengefaßt werden können zum Segen unseres bayr. und deutschen Volkes‹. Diese Absicht und dieser Wunsch unseres Herrn Ministerpräsidenten weckt in uns die Hoffnung, daß wenn wir die Bitte um Bestätigung des Herrn Benno Thaler als Bürgermeister der Regierung vortragen, daß dann diese im Interesse der Gemeinde genehmigt wird.

Dieses Gesuch überreichen wir hiermit dem Bezirksamt mit dem Ersuchen, es unter Begutachtung an das zuständige Ministerium weiterzuleiten.

Mit vorzüglicher Hochachtung
Der Gemeinderat und Gemeindebürger von Wang

Im Namen des Bauernstandes [handschr. unterzeichnet]   Leonhard Mitter
                                                          Bauer in Steinbichl
Im Namen d. Handwerkerstandes [handschr. unterzeichnet]   Bach. Haider
                                                          Schuhmachermeister in Wang
Im Namen d. Arbeiterstandes [handschr. unterzeichnet]   Mittermayr Johann,
                                                          Zimmermann in Wang, Gemeinderat«

B. Schreiben des Kreisleiters X. an Bürgermeister Thaler in Wang vom 15 Mai 1933 [StAM, NSDAP 599]:

»Wie ich soeben erfahre, besteht für Sie in der Gemeinderatsfrage keine Klarheit. Hierzu folgendes:
Der Ausschluß eines Gemeinderatsmitgliedes der Mitglied der NSDAP ist, ist eine reine Angelegenheit der politischen Leitung für die der Kreisleiter des Bezirks Wasserburg zuständig ist. Es hat weder die Gemeinde weder noch das Bezirksamt sich in unsere Angelegenheiten hineinzumischen, es scheint, daß Sie als BVP die Zeichen der Zeit noch nicht erfaßt haben. Bestimmen tun wir Nationalsozialisten und nicht die Bayer. Volkspartei und verbiete mir auf das allerschärfste von Ihnen Vorschriften machen zu lassen. Wenn Sie vielleicht glauben Unruhe in die Gemeinde hineinzutragen und unsere Parteigenossen in Wang zu schikanieren, so werde ich den Antrag stellen, daß Sie in Schutzhaft genommen werden und für ein paar Monate nach Dachau fliegen. Damit Sie nun volle Klarheit haben, sage ich Ihnen zum letzten mal, daß der . und II. Bürgermeister ein Nationalsozialist wird auch in der Gemeinde Wang. Haben Sie vielleicht noch einen Zweifel so stellen Sie sich bitte bei mir persönlich vor.
                                                          Heil Hitler!
                                                          Der Kreisleiter«.

Die Akten geben keine Auskunft, wie der Konflikt in der Gemeinde Wang ausging.

4. *»Bescheidenheit« bei der Machtergreifung – Die Nazis unter Rechtfertigungszwang*

Aus einem Artikel im *Aichacher Amtsblatt* vom 1. April 1933 [StAM, LRA 130147]:

»Ist eine Person in der Gemeinde vorhanden, die tüchtiger ist, als eine aus eigenen Reihen, so wird unbedingt auf diese zurückgegriffen, ganz gleich, wenn sie auch nicht weltanschaulich dem Nationalsozialismus angehört. Voraussetzung ist allerdings, daß die Person keiner marxistischen Bewegung angehört. Die hiesigen Nationalsozialisten haben gegen den bisherigen Bürgermeister, Herrn Kommerzienrat Haselberg nicht das *Geringste auszusetzen*. Sie erkennen voll und ganz die uneigennützige Ausübung des Bürgermeisteramtes an und wissen, daß Hr. Kommerzienrat Haselberger bei seiner Ausübung des Bürgermeisteramtes das Vertrauen der meisten Einwohner der Stadt Aichach erworben hat. Durch das letzte Wahlergebnis, das den Nationalsozialisten die meisten Stimmen gebracht hat, sahen sich dieselben gezwungen, unbedingt einen Einfluß in die Gemeinde zu bekommen und haben daher in bescheidener Weise den 2.

Bürgermeisterposten gefordert. Durch ein Mißverständnis trat sodann auch der Hr. 1. Bürgermeister zurück, was von den Nationalsozialisten nicht beabsichtigt war. Daraufhin sah sich der Kommissar gezwungen, einen kommissarischen Bürgermeister zu ernennen«.

5. Rücktritt oder Anpassung? Die BVP-Gemeinderäte nach der Auflösung ihrer Partei

A. Aus dem Bericht des Bürgermeisters von Eibach an das Bezirksamt Erding vom 15. August 1933 [StAM, LRA 146157]:

»Die aufgrund des Wahlvorschlags ›Bayerische Volkspartei‹ berufenen Mitglieder Josef Unterreitmeier, Gütler in Kienraching, und Anton Wandinger, Baumwart in Weckerling, haben ihr Amt als Gemeinderatsmitglieder freiwillig niedergelegt. Die übrigen auf den Wahlvorschlag ›Bayerische Volkspartei‹ berufenen Mitglieder haben Anschluß als Hospitanten bei der Fraktion der NSDAP. gefunden. Dies sind die Landwirte: V. S. in Kirnham, L. K. in Haus, R. N. in Kalling, M. W. in Obergebensbach und B. O. in Wicheling«.

B. Aus dem Bericht des Bürgermeisters von Dorfen an das Bezirksamt Erding vom 7. August 1933 [StAM, LRA 146157]:

»Das Amt als Gemeinderat hat niedergelegt der Brauereibesitzer Jakob Obereisenbuchner (Bayer. Volkspartei), Anschluß als Hospitanten bei der Fraktion der N.S.D.A.P. haben folgende Mitglieder der ehem. Bayer. Volkspartei gefunden: V. K., J. [Justiz] O.[ber] Insp.[ektor];
   M. S., Dentist
   W. G., Brauereibes.[itzer];
   F. A., Metzgerm«.[eister]

6. Ehemalige BVP-Mitglieder kämpfen, trotz Unterstützung durch das Bezirksamt, vergeblich um ihre Gemeindeämter.

A. Aus einem Schreiben des Bezirksamts Erding an die zuständige Kreisleitung der NSDAP vom 16. November 1933 [StAM, LRA 146157]:

»Aufgrund der Bestimmungen der M. B. [Ministerialbekanntmachung] vom 13. Juli 1933 – *Staatsanzeiger* Nr. 161 – hätte von den in den Gemeinderat Matzbach seinerzeit gewählten Gemeinderatsmitgliedern auch der derzeitige Gemeindekassier Ludwig Gaigl, Bauer von Obergeislbach, auszuscheiden. Nach Mitteilung des Bürgermeisters von Matzbach hat zwar Gaigl, wie auch die beiden andern aufgrund des Wahlvorschlags der Bayer. Volkspartei in den Gemeinderat berufenen Mitglieder sich um den Anschluß bei der NSDAP bemüht; inzwischen aber forderten andere Angehörige der Partei, in den

Gemeinderat berufen zu werden, welchem Ansinnen wenigstens seitens der Kreisleitung auch stattgegeben worden zu sein scheint.

Für die Gemeinde indessen wäre ein Verbleiben Gaigls im Gemeinderat dringend notwendig, da er bisher seine Kassengeschäfte sehr gut geführt hat, und nach Ansicht des Bürgermeisters sich unter den übrigen Mitgliedern des Gemeinderats keine für die Kassenführung geeignete Person findet. Zwar hat Gaigl bisher die Kassengeschäfte noch weitergeführt; nach den neuen Rechnungsvorschriften muß indessen der ehrenamtliche Gemeindekassier dem Gemeinderat angehören, so daß Gaigl, wenn er wirklich aus dem Gemeinderat ausscheiden muß, auch sein Amt als Kassier niederlegen muß«.

B. Aus dem Antwortschreiben des Kreisleiters von Erding vom 28. Dezember 1933 [StAM, LRA 146157]:

»Die Aufnahme des Ludwig Gaigl, Bauer von Obergeislbach, in den Gemeinderat Matzbach kommt aus politischen Gründen nicht in Frage. Der Bürgermeister von Matzbach war heute hier vorstellig und mußte seine Meinung widerrufen, daß nach seiner Ansicht unter den übrigen Mitgliedern des Gemeinderates Matzbach keine für die Kassenführung geeignete Person sich befinde. Der Bürgermeister teilte heute mit, daß das Gemeinderatsmitglied Huber Paul in Holmberg wohl als Kassier geeignet sei«.

C. Aus einem Schreiben des Bezirksamts Aichach an die Regierung von Oberbayern vom 20. Mai 1933 [StAM, LRA 103129]:

»Der zum 1. Bürgermeister der Gemeinde Oberdorf gewählte Landwirt Josef Kreitmeir in Gartelsried wird vom Kreisleiter abgelehnt, weil er bei der Wahl gegen die N.S.D.A.P. gehetzt habe; er ist aus diesem Grunde auch von dem Sonderkommissar Hesse in Schutzhaft genommen worden. Aus den anliegenden Verhandlungen dürfte indes hervorgehen, daß Kreitmeir sich keineswegs so verhalten hat, daß dieser Vorwurf begründet und die Ablehnung seiner Wahl gerechtfertigt wäre.

Josef Kreitmeir ist ein sehr intelligenter Landwirt, der dem bisherigen Bezirkstag und Bezirksausschuß als Vertreter der B.V.P. angehörte, ebenso auch der Bezirksbauernkammer. Er genießt großes Ansehen bei der ländlichen Bevölkerung und ist sicher der am meisten befähigte Bewerber seiner Gemeinde für das Bürgermeisteramt. Seine nationale Gesinnung ist über jeden Zweifel erhaben. Er ist stellvertretender Bezirks-Obmann des Bayer. Kriegerbundes und hat eine große Tätigkeit in der Kriegervereinsbewegung entfaltet. Er ist ein aufrichtiger ehrlicher Charakter, ein national u. sozial denkender Mann. Die Voraussetzungen in Ziff. 1–3 der angeführten Min. Entschl. sind bei ihm in vollem Maße gegeben. Bedenken gegen seine Bestätigung liegen daher nicht vor«.

Das Bezirksamt konnte sich auch in diesem Fall nicht durchsetzen. Der Bürgermeister trat auch als Gemeinderatsmitglied zurück und stellte – im Gegensatz zu seinen BVP-Fraktionskollegen – keinen Antrag, als Hospitant in die NS-Fraktion aufgenommen zu werden.

7. *Keineswegs ein Sonderfall – Ein ehemaliges BVP-Mitglied tritt auf Wunsch der Gemeindekonservativen der NSDAP bei, um sein Gemeindeamt zu erhalten.*

Aus dem Schreiben des Landrats von Bad Aibling an die zuständige Behörde der US-Militärregierung vom 12. Dezember 1945 [StAM, LRA 46923]:

»Hinterstocker war vom Jahre 1919–1935 ununterbrochen Mitglied des Gemeinderates der Gemeinde Mietraching. Zeitweise verwaltete er die Armenkasse und die Verwaltungsgeschäfte der Gemeinde. Er war Mitglied der Bayerischen Volkspartei bis zu deren Auflösung im Jahre 1933. Er trat im Jahre 1933 auf Drängen der Nichtparteigenossen der Gemeinde in die NSDAP ein, um weiterhin seine Betätigung als Gemeindekassier weiterbehalten zu können und um zu vermeiden, daß ein Anhänger der NSDAP diese Funktion übernahm. Im Jahre 1935 übernahm Hinterstocker ebenfalls auf Drängen der nazifeindlichen Kreise der Gemeinde das Amt des 1. Bürgermeisters, um zu vermeiden, daß der ehemalige, berüchtigte Sonderkommissar der NSDAP, Altparteigenosse M., der sich um den Bürgermeisterposten bewarb, dieses Amt übernahm.

Hinterstocker hat während der ganzen Zeit seiner Tätigkeit als 1. Bürgermeister die Unterdrückungsmaßnahmen der Naziregierung weitgehenst von seiner Gemeinde abgehalten. Ferner hat er stets eine dem Nationalsozialismus negative Einstellung an den Tag gelegt und als äußeres Zeichen dafür jedes Jahr ohne Ausnahme an der Fronleichnamsprozession teilgenommen.

Der Gemeinderat ist der Auffasung, daß 90% der gesamten Gemeindebevölkerung die Wiedereinführung Hinterstockers in das Amt des 1. Bürgermeisters wünscht und daß jeder Vorwurf gegen Hinterstocker, daß er jemals auch nur im geringsten die nationalsozialistische Ideenwelt vertreten hatte, unberechtigt sei«.

8. *Maßregelung von SA-Leuten wegen Störung der Fronleichnams-Prozession – ein »schwarzer« Bürgermeister erprobt seine Macht.*

Der Bürgermeister Braun von Arget, Bezirksamt München, hatte am 5. Juni 1937 die Gemeinderäte Henle und Zellermayr für zehn Sitzungen aus dem Gemeinderat ausgeschlossen, da sie an einer Störaktion der SA gegen die Fronleichnamsprozession teilgenommen hatten. Der zuständige Ortsgruppenleiter (Ortsgruppe Sauerlach) legte daraufhin eine Dienstaufsichtsbeschwerde gegen den Bürgermeister ein.

A. Aus der Begründung der Dienstaufsichtsbeschwerde des Ortsgruppenleiters vom 8. Juni 1937 [StAM, LRA 42612]:

»Um die beiden SA-Kameraden Henle und Zellermayr ganz verdrängen zu können, versuchte Braun in letzter Zeit bei der Kreisleitung durchzusetzen, daß Arget ein eigener Stützpunkt wird, mit dem deutlich erkennbaren Hintergedanken, selbst Stützpunktleiter zu werden und dann mit seiner schwarzen Gesellschaft ungehindert schalten und walten zu können . . .

Arget ist im Kreisgebiet die schwärzeste Gemeinde. Der Ortspfarrer Weiss ist als einer der ärgsten Hetzer bekannt. Trotz aller möglichen Versuche kann die Bewegung auch heute noch nicht in Arget richtig Fuß fassen. Die Ergebnisse bei allen Sammlungen sind immer ganz kläglich. So ergab z. B. die Sammlung für das Dankopfer der Nation bei ca. 550 Einwohnern in durchwegs guten Vermögensverhältnissen die Riesensumme von 29,– RM, Pgg. sind es ganze 7, davon 1 aktiv, 3 Männer sind bei der SA., 1 bei der SS., HJ. und BDM. kämpfen hier mit den größten Schwierigkeiten von Seiten der Eltern. Bei der Lockerung der Mitgliedersperre kommen zur Neuaufnahme nur 3 Männer in Frage. Bei der Versammlungswelle am 14. März mußte der Gauredner persönlich sich vom Saale in die untere Wirtsstube begeben, um die Leute von dort zur Versammlung zu bringen. Der NS-Frauenschaft gehören 3 Frauen an.

Ich bitte sofort Schritte zu unternehmen, daß die Verfügung des Bürgermeisters aufgehoben wird, weil ich befürchte, daß Braun die Gelegenheit benutzen wird, um verschiedene Maßnahmen zugunsten seiner schwarzen Freunde durchzuführen«.

B. Aus dem Rechtfertigungsschreiben des Bürgermeisters vom 15. Juni 1937 [StAM, LRA 42612]:

»Ich habe die Verfügung vom 5. Juni 1937 nicht, wie mir vorgeworfen wurde, darauf gestützt, daß die Gemeinderäte Zellermeier [sic] und Henle statt an der Prozession teilzunehmen, am SA.-Appell teilgenommen hatten, sondern darauf, daß sie ihre Treuepflicht mir gegenüber dadurch verletzt hatten, daß sie durch Veranlassung der Abhaltung eines SA.-Appells während der Fronleichnamsprozession an dem herkömmlichen Prozessionsweg in die Bevölkerung eine Beunruhigung gebracht haben und daß sie mich als Bürgermeister nicht verständigt hatten. Ich konnte dies wohl in Anspruch nehmen, weil ich als Bürgermeister für die Aufrechterhaltung der Ordnung verantwortlich bin und weil der Appell auch auf einem der Gemeinde gehörigen Platz stattfand. Nachdem die Prozession und der Appell ohne Störung verliefen, hätte ich auch keinerlei Folgerungen gezogen, wenn die Bevölkerung nicht allgemein ihren Unmut über die Anberaumung des SA.-Appells an besagter Stelle geäußert hätte. Die Erbitterung galt nicht etwa dem SA.-Appell als solchem, sondern war verursacht durch die Annahme, daß man den Appell nur als Demonstration gegen das als besonders schwarz verschriene Arget am Prozessionstag und am Prozessionsweg anberaumt habe. Ich mußte als Bürgermeister bei dieser Sachlage befürchten, daß unter Umständen aus irgend einer Unbedachtsamkeit Ordnungsstörungen entstehen könnten und war darüber erbittert, daß mir, wie ich zu vermuten Grund habe, die genannten Gemeinderäte diese schwierige Lage herbeigeführt hatten«.

Der Bürgermeister machte seine Verfügung gegen die beiden der SA angehörenden Gemeinderatsmitglieder auf Aufforderung der Aufsichtsbehörde wieder rückgängig. Er wurde für die Dauer des Dienstaufsichtsverfahrens beurlaubt, jedoch am 10. September 1937 als »entlastet« in seinem Amt bestätigt.

9. *Ein Bauer soll Landbürgermeister sein! – Soziale Aspekte bei der Auswahl von Bürgermeistern und Gemeinderäten*

A. Aus einem Schreiben des Bezirksamts Erding an die Kreisleitung Erding vom 5. März 1937 [StAM, LRA 146180]:

»Das Bezirksamt ist nicht in der Lage, sich dem Vorschlage, den Schneidermeister S. zum Bürgermeister der Gemeinde Langenpreising zu berufen, anzuschließen. Bei der Beratung mit den Gemeinderäten haben diese einhellig den Wunsch geäußert, den bisherigen Bürgermeister Nyrt zu belassen, da er als Landwirt sich für diesen Posten besser eigne, als der vorgeschlagene Schneidermeister S. Auch das Bezirksamt ist der Ansicht, daß für eine reibungslose Führung der gemeindlichen Geschäfte eine bessere Gewähr gegeben ist, wenn ein angesehener Bauer Bürgermeister ist«.

B. Aus dem Schreiben des Ortsgruppenleiters von Dorfen an die zuständige Kreisleitung (Erding) vom 15. August 1934 [StAM, LRA 146157].

In dem Schreiben bat der Ortsgruppenleiter, den Bürgermeister von Eibach, der sich als Fehlbesetzung erwiesen habe, abzulösen und schlug vor, den Gemeinderat und Blockwart, Pg. F., kommissarisch mit dem Bürgermeisteramt zu betrauen. Zur Begründung führte er u. a. aus:

»In der Gemeinde Eibach befinden sich eine verhältnismäßig große Zahl renitenter Menschen; der neue kommissarische Bürgermeister wird daher schweren Widerstand zu überwinden haben. Einmal wird man es verübeln, daß nicht ein Bauer mit der Stelle des I. Bürgermeisters beauftragt wird; dann wird man es verargen, daß die Stelle einem Manne übertragen wird, der aus einem Gütleranwesen stammt, das zunächst noch gar nicht ihm, sondern seinen Eltern gehört, bei denen er wohnt, weswegen er auch noch unverheiratet ist.

Ich habe aber niemand anderen in der Gemeinde, auf den ich mich verlassen könnte, während F. als Blockwart und zuerst als Obmann sich ganz gut bewährt hat, sehr fleißig alle Versammlungen, Sprechabende und Schulungsabende besucht hat, und sich auch sonst befleißigt, richtiger N.S. zu werden. Übrigens ist er sehr intelligent und fleißig, was er in den vergangenen Monaten als Gemeindeschreiber bewiesen hat. Es hat vielfach das über Wasser gehalten, was der I. Bürgermeister vernachlässigt hat, sonst hätte dieser noch viel schlechter abgeschnitten . . .

Den dritten Weg zu beschreiten – wie man mir da und dort geraten hat – und wieder einen ehemaligen Volksparteiler aus der Reihe der Bauern vorzuschlagen, noch dazu ohne daß dieser überhaupt Pg. ist, und zuzusehen, wie er sich entwickelt, dazu kann ich mich nicht entschließen«.

F. wurde als kommissarischer Bürgermeister eingesetzt, doch schon am 15. Oktober 1934 widerrief das bayerische Innenministerium dessen Bestätigung (wegen der Unruhe in der Bevölkerung) und beauftragte den bisherigen Zweiten Bürgermeister Baumgartner als kommunalen Bürgermeister. Vom Gemeinderat gewählt wurde als Erster Bürgermeister der Bauer Georg Manhart, dieser wurde aber – wegen eines Einspruchs des Kreisleiters – nicht bestätigt. Auch der dann vom Gemeinderat gewählte Bauer Johann Brandlhuber wurde vom Bezirksamt auf Betreiben des Kreisleiters nicht bestätigt. Aber auch der vom Kreisleiter schließlich nominierte Bauer G. M.

gelangte nicht ins Bürgermeisteramt – wegen eines gegen ihn anhängigen Meineidsverfahrens. Daraufhin wurde der zunächst vom Kreisleiter abgelehnte Brandlhuber als Bürgermeister eingesetzt.

C. Aus dem Schreiben des Bürgermeisters von Grünbach an das Bezirksamt Erding vom 12. Mai 1933 [StAM, LRA 146157]:

In diesem Schreiben erklärte Bürgermeister H. seinen Rücktritt, da der vom Gemeinderat gewählte Zweite Bürgermeister, Gutsbesitzer Binding, vom Bezirksamt nicht bestätigt worden war, weil dieser nicht der NSDAP angehörte. Zur weiteren Begründung führte er aus:

»Da ich sehr viel Wert darauf legen muß und aus Erfahrung zu gut weiß, daß wenn ich den größten Besitzer unserer kleinen Gemeinde nicht im Gemeinderat habe, wo man gezwungen ist, alle Möglichkeiten auszunützen, viel leichter durchkommt, als wenn so ein Gemeindebürger fernsteht. Vor der Wahl schon stellte ich die Bedingung, daß wenn Herr Binding nicht 2. Bürgermeister werde, glaube auch ich den Posten eines 1. Bürgermeisters nicht annehmen zu können, da ich die wirtschaftlichen Belange der Gemeinde nur so am Besten gewahrt wüßte«.

Der Bürgermeister ließ sich schließlich überreden, in seinem Amt zu bleiben. Der Gemeinderat verzichtete dann auf einen Zweiten Bürgermeister und wählte Binding zum Stellvertreter des Bürgermeisters.

10. »Im Dritten Reich wird der Bürgermeister nicht mehr gewählt!« – Schwierigkeiten mit der Gewöhnung an das Führerprinzip

A. Aus der Niederschrift über die Beratung des Gemeinderats von Oberhaching vom 22. September 1938 [StAM, LRA 18741]:

»In Anwesenheit des Kreisleiters der NSDAP, Pg. Ziehnert, hat der Gemeinderat – 7 Gemeinderäte waren anwesend – im Hinblick auf § 1 der Hauptsatzung der Gemeinde einstimmig den bisherigen 1. Beigeordneten Josef Knaus zum Bürgermeister der Gemeinde gewählt.

Als 1. Beigeordneter wurde einstimmig bisheriger 2. Beigeordneter Bartholomäus Zierl, als 2. Beigeordneter wurde einstimmig der bisherige 3. Beigeordnete Heinrich Keimel gewählt«.

B. Aus der Stellungnahme des Bezirksamtes München vom 27. September 1938 [StAM, LRA 18741]:

»Die Niederschrift über die Beratung vom 22. September 1938 entspricht nicht den Vorschriften der deutschen Gemeindeordnung. Der Bürgermeister wird nach der neuen Gemeindeordnung in keinem Fall mehr gewählt, sondern nach § 41 DGO. nach Vorschlag des Beauftragten der NSDAP mit Zustimmung der Aufsichtsbehörde ernannt.

Die Sitzung der Gemeinderäte vom 22. September 1938 wollte zweifellos das Verfahren im Sinne der Gemeindeordnung durchführen, es genügt deshalb eine Richtigstellung der falschen Niederschrift, wonach der Beauftragte der NSDAP sich mit den Gemeinderäten über die Ernennung des 1. Bürgermeisters und zweier Beigeordneter beraten hat und die Zustimmung der Gemeinderäte zum Vorschlag Knaus, Zierl und Keimel gefunden hat.

Abschrift der berichtigten Niederschrift ist vorzulegen«.

PETER HÜTTENBERGER

Heimtückefälle vor dem Sondergericht München 1933–1939

Einleitung

In allgemeinen Darstellungen über die NS-Zeit, aber auch in Spezialuntersuchungen über die Rechts- und Justizentwicklung im Dritten Reich, so bei Hubert Schorn[1], Ilse Staff[2] und Albrecht Wagner[3], sind die 1933 eingerichteten Sondergerichte, ebenso wie der 1935 gebildete Volksgerichtshof zwar immer wieder als Paradigma der politischen Justiz aufgeführt, aber alles in allem doch nur sehr kursorisch behandelt worden. Vor allem die Rechtsprechung der Sondergerichte ist bisher überhaupt nicht systematisch untersucht worden. Einzelne Äußerungen der genannten Autoren, z. B. die von Schorn, daß die Sondergerichte auf »Vernichtung der politischen Gegner des Dritten Reiches gerichtet waren«[4], oder die Bemerkung von Wagner, die Sondergerichte hätten »eine große, sehr gefährliche Macht« besessen[5], sind in gewisser Weise sogar irreführend. Suggerieren solche Äußerungen doch, die Sondergerichte seien zusammen mit oder neben dem Volksgerichtshof die entscheidenden Instrumente der nationalsozialistischen Justiz zur Verfolgung aktiven Widerstandes im Dritten Reich gewesen.

Tatsächlich waren die Sondergerichte bis zu Kriegsbeginn im Jahr 1939 in ihrer praktischen Tätigkeit im wesentlichen mit der Strafverfolgung an sich meist harmloser individueller regimekritischer Äußerungen beschäftigt, aber gerade als Mittel zur Unterdrückung freier Meinungsbekundungen und der Verfolgung Tausender von Personen interessiert uns das Sondergericht München in der nachstehenden Betrachtung. War es doch für das politische System des Dritten Reiches kennzeichnend, daß sich die Strafverfolgung nicht allein auf Personen beschränkte, die in organisierter, konspirativer und illegaler Form gegen das Regime kämpften und seinen Sturz zu bewirken suchten.

---

[1] Schorn, Hubert: Der Richter im Dritten Reich. Frankfurt 1959.
[2] Staff, Ilse: Justiz im Dritten Reich. Frankfurt 1978.
[3] Wagner, Albrecht: Die Umgestaltung der Gerichtsverfassung und des Verfahrens- und Richterrechts im nationalsozialistischen Staat. Stuttgart 1968.
[4] Schorn, a. a. O., S. 110.
[5] Wagner, a. a. O., S. 244.

Diese für die NS-Herrschaft sicher viel gefährlicheren Bestrebungen wurden, sofern nicht die Gestapo gegen sie ohne Einschaltung der Justiz mit ihren eigenen Mitteln (Schutzhaft, Konzentrationslager) vorging, in der Regel als Hochverrat oder versuchter Hochverrat vom Reichsgericht, ab 1934 vom Volksgerichtshof oder von einzelnen Oberlandesgerichten in erster Instanz verfolgt. So war es in Bayern das Oberlandesgericht München (bis zum 31. März 1935: Bayerisches Oberstes Landgericht), vor dem die große Mehrzahl der gegen kommunistische, sozialdemokratische oder andere oppositionelle Aktivitäten anhängig gemachten Verfahren verhandelt wurden, sofern sie ab 1934 nicht der Volksgerichtshof an sich zog[6].

Wir haben es also, wenn wir uns im folgenden mit den Strafverfahren vor dem Sondergericht München beschäftigen, nicht mit solchen eindeutig oppositionellen Aktivitäten zu tun. Es ist deshalb zunächst zu klären: Wer waren die Angeklagten vor Sondergerichten? Welcher Delikte wurden sie beschuldigt? Für welche Fälle waren die Sondergerichte in den zwölf Jahren des Dritten Reiches zuständig?

Die Sondergerichte wurden aufgrund einer von der nationalsozialistischen Regierung erwirkten Notverordnung des Reichspräsidenten am 21. März 1933 gebildet, als eine neue Form der politischen Schnelljustiz ohne Revisionsmöglichkeit und mit verkürzten Rechtsmitteln für die Angeklagten. Anlaß für die Bildung der Sondergerichte gab die am gleichen Tag erlassene Notverordnung zur Abwehr heimtückischer Angriffe gegen die Regierung der nationalen Erhebung[7]. Auch das wenig später erlassene Gesetz zur Abwehr politischer Gewalttaten vom 4. April 1933[8], das u. a. eine Strafverschärfung bei politischen Attentaten vorsah, sollte in den Zuständigkeitsbereich der Sondergerichte fallen, sofern die Staatsanwaltschaft nicht, was meist geschah, den Straftatbestand des Hochverrats als gegeben ansah.

Maßgeblich für die Sondergerichte wurde aber vor allem das Gesetz gegen heimtückische Angriffe auf Staat und Partei und zum Schutz der Parteiuniformen vom 20. Dezember 1934, das die Heimtücke-Verordnung vom März 1933 ablöste und inhaltlich erweiterte[9].

Aufgrund dieser Verordnungen und Gesetze wurde auch in Bayern 1933 in jedem der drei rechtsrheinischen Oberlandesgerichtsbezirke je ein Sondergericht gebildet: in München beim Landgericht München I für den Zuständigkeitsbereich des OLG München (Regierungsbezirke Oberbayern, Niederbayern, Schwaben), in Nürnberg für den Zuständigkeitsbereich des dortigen OLG (Regierungsbezirke Mittelfranken und Oberpfalz) und in Bamberg für den Bereich des OLG Bamberg (Regierungsbezirke Ober- und Unterfranken). Während des Krieges, nachdem durch eine ganze Reihe von neuen Strafverordnungen die Zuständigkeit der Sondergerichte erheblich erweitert

---

[6] Im Rahmen des Forschungsprojekts »Widerstand und Verfolgung in Bayern 1933-1945« hat die Generaldirektion der staatlichen Archive Bayerns ein Inventar der Akten- und Registerunterlagen der Staatsanwaltschaft bei dem Oberlandesgericht München erstellt (Archivinventare, Band 7, München 1977), das Aufschluß über die vor diesem Gericht zwischen 1933 und 1945 verhandelten Hochverratsfälle gibt.
[7] RGBl. I, S. 135.
[8] RGBl. I, S. 162.
[9] RGBl. I, S. 1269. Dazu die erste Durchführungsverordnung vom 15. 2. 1935 (RGBl. I, S. 204), die zweite Durchführungsverordnung vom 22. 2. 1935 (RGBl. I, S. 276) und die dritte Durchführungsverordnung vom 6. 3. 1935 (RGBl. I, S. 387).

worden war und die Zahl der verhandelten Fälle kontinuierlich anwuchs, wurden beim Sondergericht München die Zahl der Senate vermehrt und 1942 zur Entlastung der Sondergerichte Nürnberg und Bamberg in Bayreuth (für den Zuständigkeitsbereich der Landgerichte Würzburg und Aschaffenburg) zusätzliche Sondergerichte gebildet.

Geht man von den vorgenannten Verordnungen und Gesetzen der Jahre 1933 und 1934 aus, so könnte man bei einer sprachanalytischen Interpretation der Gesetzestexte den Eindruck gewinnen, das Regime habe sich mit der Begründung der Sondergerichte in erster Linie vor Gewalttaten, Sprengstoffanschlägen, Attentaten, Überfällen und der Konspiration organisierter Gegner oder illegaler Propaganda schützen wollen. Wir deuteten schon an, daß dieser Eindruck falsch ist. Mag der Gesetzgeber bei der Einrichtung der Sondergerichte im März 1933 tatsächlich in erster Linie an ein wirksames justitielles Abwehrmittel zur Bekämpfung organisierten Widerstands während der frühen nationalsozialistischen Machtergreifungsphase gedacht und mithin auch nur einen vorübergehenden Einsatz dieses Instruments für notwendig gehalten haben, so verlief die faktische Entwicklung doch anders. Die Sondergerichtstätigkeit blieb keineswegs auf die Periode der nationalsozialistischen »Revolution« beschränkt. Sie wuchs vielmehr auch nach 1934, als illegale kommunistische, sozialdemokratische oder andere oppositionelle Gruppen kaum noch auftraten, stetig an. Unter extensiver Auslegung des Heimtückegesetzes vom Dezember 1934 wurden die Sondergerichte zu dauerhaften Instrumenten der Unterdrückung der öffentlichen Meinung, bzw. da es keine ungelenkte öffentliche Meinung mehr gab, vor allem der Repression der alltäglichen Meinungsbekundung. Diese tatsächliche Entwicklung läßt sich nicht aus den Gesetzen und Verordnungen ersehen, sie kann nur durch die Untersuchung der praktischen Rechtsprechung der Sondergerichte belegt werden.

Als exemplarisches Beispiel hierfür haben wir das Sondergericht München im Zeitraum 1933 bis 1939 ausgewählt. Das Münchener Sondergericht war nicht nur wegen seines, drei bayerische Regierungsbezirke umfassenden Zuständigkeitsbereichs das wichtigste unter den bayerischen Sondergerichten. Mit rund 10 000 erhalten gebliebenen Verfahrensakten aus den Jahren 1933 bis 1945 ist auch die Aktenüberlieferung dieses Gerichts am vollständigsten[10].

Die Begrenzung dieser Untersuchung von 1933 bis Kriegsbeginn ist in der Tatsache begründet, daß nur während dieser Zeit fast ausschließlich politische Fälle vor den Sondergerichten verhandelt wurden. Schon die am 20. November 1938 gemeinsam von Reichsjustiz- und Reichsinnenministerium erlassene Verordnung über die Erweiterung der Zuständigkeit der Sondergerichte[11] gab den Staatsanwaltschaften die Möglichkeit, außer bei Heimtückefällen auch bei gewöhnlichen Verbrechen Anklage vor dem Sondergericht zu erheben, wenn sie der Auffassung waren, »daß mit Rücksicht auf die

---

[10] Aus der Tätigkeit des SG Nürnberg sind noch rund 4500 Verfahrensakten erhalten. Die große Zahl dieser aktenmäßig nachweisbaren Verfahren bildet einen eindrucksvollen Beleg für den außerordentlichen Umfang der Sondergerichtstätigkeit. Dabei sind die Zahlen für München und Nürnberg keineswegs exzeptionell. So lassen sich z. B. für das Sondergericht Köln 19 046 und für das Sondergericht Düsseldorf 8578 Verfahren nachweisen.
[11] RGBl. I, S. 1632.

Schwere oder die Verwerflichkeit der Tat oder die in der Öffentlichkeit hervorgerufene Erregung die sofortige Aburteilung geboten« erschien.

Nach Kriegsbeginn setzte sich die Erweiterung und Veränderung der Sondergerichtsfunktion durch eine Reihe weiterer Verordnungen fort. Zu nennen sind hier: die Verordnung über Maßnahmen auf dem Gebiet der Gerichtsverfassung vom 1. September 1939[12], die Verordnung über außerordentliche Rundfunkmaßnahmen vom 1. September 1939 mit dem Verbot des Abhörens ausländischer Rundfunksender[13], die Kriegswirtschaftsverordnung vom 4. September 1939[14], die Verordnung gegen Volksschädlinge vom 5. September 1939[15], die sogen. Wehrkraftschutzverordnung vom 25. November 1939[16] und die Verordnung gegen Gewaltverbrechen vom 5. Dezember 1939[17].

Aufgrund dieser Flut neu eingeführter Strafandrohungen, für die die Sondergerichte ganz oder teilweise zuständig waren, veränderte sich der Charakter ihrer Rechtsprechung in qualitativer und quantitativer Hinsicht erheblich. Die Heimtückevergehen, die vor 1939 den Regelfall bildeten, wurden die Ausnahme. Im Vordergrund der Spruchtätigkeit auch des Münchener Sondergerichts stand ab 1939/40 die Verurteilung von Personen, die unter Ausnutzung der Kriegsbedingungen (Verdunkelung u. ä.) Eigentumsdiebstähle oder Gewaltverbrechen begangen hatten, wegen des Abhörens ausländischer Sender oder wegen des unerlaubten Umgangs mit Kriegsgefangenen bzw. »Fremdarbeitern« denunziert worden waren. Eine Sonderkategorie besonders scharfer Strafverfolgung durch die Sondergerichte ergab sich aus der Sonderstrafverordnung für Polen und Juden vom 4. Dezember 1941[18], wobei nicht selten die Todesstrafe verhängt wurde. Diese Verordnung[19] führte dazu, daß kleinste Vergehen polnischer Zivilarbeiter im Altreichsgebiet mit härtesten Strafen geahndet wurden[20].

Man kann mithin sagen, daß die Tätigkeit der Sondergerichte in zwei zeitliche Abschnitte zerfällt: In der Phase von 1933 bis 1939 ging es im wesentlichen um die sogenannten Heimtückevergehen. Die Sondergerichte waren in diesen Jahren vornehmlich ein Instrument zur Unterdrückung der Volksmeinung, angefangen bei eindeutig oppositionellen Äußerungen bis hin zu oft unqualifizierbaren Nörgeleien an Zuständen und Lebensbedingungen der NS-Zeit. In der zweiten Phase überwogen in der Rechtsprechung der Sondergerichte unpolitische Delikte, vor allem die Verstöße gegen den mit der Kriegssonderstrafrechtsverordnung neu eingeführten Straftatbestand der Wehrkraftzersetzung. Diese waren von den Motiven her eigentlich auch unpolitisch, da es sich hierbei (das gilt jedenfalls für das Sondergericht München) fast ausschließlich um Fälle des privaten Umgangs mit Kriegsgefangenen und Fremdarbeitern handelte.

---

[12] RGBl. I, S. 1658.
[13] RGBl. I, S. 1683.
[14] RGBl. I, S. 1609.
[15] RGBl. I, S. 1679.
[16] Verordnung zur Ergänzung der Strafvorschriften zum Schutz der Wehrkraft des Deutschen Volkes vom 25. 11. 1939; RGBl I, S. 2319.
[17] RGBl. I, S. 2378.
[18] RGBl. I, S. 759.
[19] Vgl. hierzu Wagner, Walter: Der Volksgerichtshof im NS-Staat. Stuttgart 1974, S. 71.
[20] Der im Rahmen des Projekts »Widerstand und Verfolgung in Bayern 1933–1945« von der Generaldirektion der staatlichen Archive Bayerns herausgegebene Archivinventarband 3 über das SG München liefert dafür zahlreiche Belege.

Bis zum Ende des Jahres 1939 wurden vor dem Sondergericht in München 4453 Verfahren anhängig, deren Akten ganz oder teilweise erhalten geblieben sind. Auf diesem Materialfundus basiert die folgende Studie. In ihr geht es weniger darum, unter der Perspektive einer rechts- oder justizgeschichtlichen Betrachtung die Spruchtätigkeit des Gerichts und der an ihr beteiligten Richter darzulegen, als die vielfältigen Formen der Nonkonformität im Grenzbereich von politischer Opposition und privater Nichtanpassung aufzuzeigen.

Der räumliche Zuständigkeitsbereich des Sondergerichts München kann nicht als repräsentativ für das Deutsche Reich bezeichnet werden. Aber mit der unterschiedlichen Zusammensetzung seiner Bevölkerung, den beiden Großstädten München und Augsburg mit ihrem hohen Industrialisierungsgrad und Arbeiterschaftsanteil, zahlreichen Mittel- und Kleinstädten sowie weiten landwirtschaftlichen Gebieten, einigen evangelischen Gegenden (vor allem in Schwaben) neben überwiegend katholischen Regionen, stellt er doch soziologisch und kulturell ein interessantes Gemenge von traditionalistischen und modernistischen Strukturen und Einstellungen dar. Wenn die Ergebnisse der Untersuchung, die die Heimtückevergehen dieser bayerischen Bevölkerung zum Gegenstand hat, sicher nicht ohne weiteres verallgemeinert werden können, so haben sie ebenso gewiß Aussagekraft über dieses Untersuchungsfeld hinaus.

I. Das Verfahren und die Entscheidungen des Sondergerichts München

Wie die Handlungsweise der Justiz in der NS-Zeit überhaupt, war auch die des Sondergerichts München abhängig von den politischen Rahmenbedingungen des Regimes und den konkreten, daraus hervorgehenden Rechtsvorschriften, die sein formelles Verfahren und die Normen der Rechtsprechung festlegten. Der subjektive Faktor der politischen oder sonstigen persönlichen Einstellung der Richter bzw. der gesellschaftlich verankerter Vorurteile des Richterstandes darf daneben, bei dem erheblichen Ermessensspielraum, den das Heimtückegesetz der Rechtsanwendung ließ, gewiß nicht als geringfügig veranschlagt werden. Eine Rolle spielten sicher auch die spezielle bayerische Strafrechtstradition und das Milieu des Münchener Justizapparates, aus dem die Richter des Sondergerichts rekrutiert wurden. Auf solche subjektive Ursachen und lokale Einflüsse ist es wohl zurückzuführen, wenn es schon in der NS-Zeit hieß, daß das Sondergericht in München »milder« sei als das in Nürnberg. Die Akten des Münchener Gerichts, die uns zur Verfügung standen, lassen vielfach – davon wird noch die Rede sein – das Element subjektiver Beurteilung und Strafzumessung durchschimmern. Da diese Akten weder die persönliche Einstellung der Richter noch die Art ihrer Verhandlungsführung zu erkennen geben, die unter Formalia und Standardformeln der Justiz verborgen sind, ist von der Quellengrundlage her selbst eine ungefähre Einschätzung dieses subjektiven Faktors unmöglich. Sie bedürfte eines ganz speziellen methodischen Verfahrens und einer weit über das Münchener Material hinausgehenden Vergleichsmöglichkeit. Da diese Frage für unsere Problemstellung auch nur am Rande von Bedeutung ist, zumal die Abweichungen, die aus der persönlichen Einstellung der Richter resultierten, insgesamt wohl kaum zu Buche schlugen und sicher die Grundstruktur dieser Judikatur nicht entscheidend veränderten, ist es zulässig, subjektive Faktoren weitgehend zu vernachlässigen. Wohl aber bedarf das auch für das Münchener Sondergericht maßgebliche allgemeine Verfahrensrecht über die wenigen in der Einleitung gemachten Andeutungen hinaus noch einiger Erläuterungen.

Grundsätzlich galten für das Sondergericht die allgemeinen Vorschriften der Strafprozeßordnung (StPO) und des Gerichtsverfassungsgesetzes, von denen wichtige Elemente jedoch durch die VO vom 21. März 1933 umgebogen worden waren. So durfte ein Richter nur einmal abgelehnt werden, eine mündliche Verhandlung über den Haftbefehl fand nicht statt, es gab keine gerichtliche Voruntersuchung – in der Münchener Praxis kam sie gelegentlich doch vor – und es bedurfte keines Beschlusses über die Eröffnung des Hauptverfahrens. Der Vorsitzende des Gerichts konnte die Hauptverhandlung von sich aus anordnen. Ferner betrug die Ladungsfrist nur 3 Tage und konnte sogar auf 24 Stunden herabgesetzt werden. Das Gericht durfte eine Beweiserhebung ablehnen, wenn es zur Überzeugung gelangt war, dies sei nicht erforderlich. Ein Vorgehen, das sich in München allerdings nicht als Praxis etablierte. Gegen eine Entscheidung des Sondergerichts war kein Rechtsmittel zulässig. Schließlich: Die Ergebnisse der Vernehmung brauchten in das Protokoll der Hauptverhandlung nicht aufgenommen zu werden.

Das Gericht besaß also im Vergleich zur StPO einen großen Handlungsspielraum gegenüber dem Angeklagten. Es war überdies in der Lage, äußerst rasch auf eine Tat zu reagieren, eine Möglichkeit, die das SG München vor allem 1933/34 wahrnahm, später jedoch vernachlässigte, da zahlreichen Angeklagten erst nach Wochen und Monaten der Schutzhaft der Prozeß gemacht wurde. Angesichts der Unwägbarkeiten der polizeilichen Schutzhaft bedeutete die Praxis der verzögerten Aburteilung eher eine zusätzliche Härte für die Angeklagten als die unmittelbare und rasche Bestrafung mit ihren kalkulierbaren Konsequenzen. Das ursprünglich zur Verschärfung der Strafjustiz konzipierte, verkürzte Verfahren konnte also das Gegenteil bewirken, gewissermaßen Milde für den Betroffenen bedeuten.

Welcher Typ von Delikten kam vor das Sondergericht?

Gemäß der VO vom 21. März 1933 waren es zunächst zwei miteinander zusammenhängende neu eingeführte Straftatbestände:
– der unbefugte Besitz und/oder das unbefugte Tragen der Uniform/oder des Abzeichens eines Verbandes, der »hinter der Regierung der nationalen Erhebung steht« ohne dazu befugt zu sein (§§ 1 und 2);
– das Begehen oder Androhen einer strafbaren Handlung unter Verwendung der mit den Paragraphen 1 und 2 gekennzeichneten Uniformen oder Abzeichen.

Beide Vorschriften waren in zweifacher Weise auslegbar: Sie konnten sich gegen unpolitische Kriminelle richten, die den Respekt vor den nationalsozialistischen Symbolen für den eigenen Vorteil ausnutzen wollten, oder gegen politische Gegner, die versuchten, getarnt durch NS-Uniformen und -Abzeichen Partei- und Staatsorgane zu infiltrieren oder öffentliche Unruhen zu erzeugen.

Daß die neuen Machthaber gerade mit letzterer Möglichkeit rechneten, zeigt Paragraph 2, Absatz 2, in dem es heißt, daß derjenige, der eine solche strafbare Handlung in der Absicht begeht, Aufruhr, Angst oder Schrecken zu erregen oder dem Reich außenpolitischen Schaden zuzufügen, mit Zuchthaus nicht unter drei Jahren oder lebenslänglich bestraft werden soll.

Hinzu kam freilich in Paragraph 3 noch eine wichtige Deliktkategorie: die vorsätzliche Aufstellung und Verbreitung einer unwahren und gröblich entstellten Behauptung tatsächlicher Art, die geeignet ist, das »Wohl des Reiches oder eines Landes« oder das »Ansehen der Reichsregierung oder einer Landesregierung oder der hinter diesen Regierungen stehenden Parteien oder Verbände« schwer zu schädigen. Eine solche Tat sollte mit Gefängnis bis zu 2 Jahren, und wenn sie öffentlich begangen worden war, mit Gefängnis nicht unter 3 Monaten bestraft werden. Bei besonderer Schwere der Tat konnte das Gericht auf Zuchthausstrafe erkennen.

Die Ausdrücke »Wohl des Reiches oder eines Landes«, »Ansehen der Reichsregierung oder Landesregierung oder hinter diesen Regierungen stehende Parteien und Verbände« und »schwer zu schädigen« deuten auf die Absicht des Gesetzgebers hin, eine gewichtige und weite Kreise ziehende, durch öffentliche Medien oder durch Gerüchte verbreitete Propaganda zu unterbinden. So gesehen ging es darum, politische Gegner, z. B. Kommunisten, Sozialdemokraten oder Liberale, zu bekämpfen.

Die juristische Subsumtionstechnik mit ihrer zwangsläufigen Isolierung und Individualisierung von Sachverhalten ermöglichte jedoch auch eine Umsetzung der auf das Politische abzielenden Paragraphen ins Simple und Banale. Eine derartige Ausweitung des materiellen Inhalts der Vorschriften bedeutete, daß darunter auch unbedachtes Gerede verstanden wurde. Zumal Begriffe wie »Wohl«, »Ansehen« und »schwer schädigen« ihrer Intensität nach kaum exakt zu definieren waren und daher im politischen Alltag fast jede gewünschte Interpretation zuließen.

Die Heimtücke-VO bildete mithin eine Vorschrift, die sowohl zur Bekämpfung politischer Gegner als auch zur Verfolgung Nonkonformer aller Art einzusetzen war. Entbehrte die Funktion der politischen »Waffe« angesichts der gespannten Lage 1933 und des noch geringen Konsolidierungsgrades des Regimes nicht ganz der Logik der Macht, so stellte die Umwertung zum allgemeinen Verfolgungsinstrument selbst unter diesem Gesichtspunkt eine Perversion dar.

Die Stabilisierung des Nationalsozialismus hätte eigentlich die Heimtücke-VO weitgehend überflüssig machen müssen, aber das Gegenteil trat ein: Das Gesetz vom 20. Dezember 1934 verstärkte die schon in der VO vom 21. März 1933 angelegte Tendenz zur Überdehnung der Begriffe noch weiter. Es ergänzte den ursprünglichen Paragraphen 3 der VO (nun Paragraph 1) durch einen Paragraphen 2, wonach »gehässige, hetzerische oder von niedriger Gesinnung zeugende Äußerungen« über die Partei oder Persönlichkeiten des Staates oder der NSDAP, über ihre Anordnungen oder ihre Einrichtungen mit Gefängnis zu bestrafen waren. Damit war der Weg freigegeben zur Pönalisierung des Alltäglichen und Trivialen, des mißmutigen Geredes meist unpolitischer Personen.

Selbst die Reichsregierung, die das Gesetz »im Großen und Ganzen nur als eine Anpassung« der VO vom 21. März 1933 an die Änderung der rechtlichen und tatsächlichen Verhältnisse hinzustellen suchte, konnte die qualitative Funktionsveränderung in einer Zeit, als es politische Unruhen nicht mehr gab, wohl aber noch kritische Reden über die Machthaber, kaum verschleiern, auch wenn sie von der auf einer Stufe mit Landesverrat stehenden Greuelpropaganda« sprach[21].

Mit der Bekämpfung »heimtückischer Angriffe« erschöpften sich die Aufgaben der Sondergerichte nicht. Durch sie konnte auch, gemäß dem Gesetz zur Abwehr politischer Gewalttaten vom 4. Oktober 1933, mit dem Tode oder lebenslangem Zuchthaus bestraft werden, wer gegen das Gesetz gegen verbrecherischen und gemeingefährlichen Gebrauch von Sprengstoffen vom 9. Juni 1884 oder gegen die Paragraphen 307-308, 311, 229, 312, 315 (Abs. 2) und 324 des Strafgesetzbuches (Inbrandsetzung öffentlicher Bauten, Giftbeimischung, Erzeugung von Überschwemmungen, Beschädigung von Eisenbahnanlagen und gemeingefährliche Vergiftung) verstieß.

Die nationalsozialistische Regierung aktualisierte und verschärfte damit altes, aus der Zeit vor der Weimarer Republik stammendes Recht. Sie verfolgte den Zweck, politische Unruhen zu unterbinden, zumal Paragraph 1 (Abs. 2) des Gesetzes ausdrücklich betonte, daß ein in Angst und Schrecken Versetzen der Bevölkerung verhindert werden solle.

Freilich, im Bezirk des Sondergerichts München kamen solche Tatbestände, die das Gesetz vom 4. April 1933 im Auge hatte und die nicht gleichzeitig den verschärften Tatbestand des Hochverrats erfüllten und damit in die Zuständigkeit des Oberlandesgerichts München oder des Volksgerichtshof fielen, überhaupt nicht vor. Das Sondergericht mußte sich lediglich mit einigen harmlosen Waffennarren beschäftigen, die nicht recht begreifen konnten, daß der selbst so militärisch auftretende Nationalsozialismus den ungenehmigten Besitz von Gewehren verfolgte, oder mit Bauern, die Sprengkapseln zum »Stockschießen« (Roden von Baumwurzeln) unerlaubt im Hause hatten. Auch hier das Abgleiten »revolutionärer« Gesetze ins Banale!

Roland Freisler lieferte 1936 zu dieser Entwicklung des Rechts eine theoretische Begründung. In seiner, im Rahmen der Ausarbeitung eines NS-Strafgesetzbuches entstandenen Abhandlung »Das neue Strafrecht als nationalsozialistisches Bekenntnis« schrieb er:

»Der Angriff auf den Führer ist universeller Angriff auf das ganze Volk ... Jeder Ehrenträger bedarf des Schutzes seiner Ehre ... Es genügt die Selbstverständlichkeit dieser Anschauung zu unterstellen und die Verleumdung des deutschen Volkes, den Schutz der Ehre des deutschen Volkes, seines Reiches, der NSDAP und ihrer Gliederungen gegen unwahre, gröblich entstellte, herabsetzende Behauptungen oder gegen sonstige Beschimpfungen, den Schutz der Ehre des deutschen Volkes in seiner Geschichte, in seinen nationalen Wahrzeichen, in seinen Weihestätten wie Ehrenmalen und Thingstätten, in der Ehre seiner Rasse, in seinen Organen und in der Ausübung seiner Hoheitsaufgaben, etwa seiner Rechtspflege, ausdrücklich in das Gesetz aufzunehmen«[22].

Eine solche Theorie der Identität von Führer, Volk, Partei und Reich, gestützt auf einen schwammig-atavistischen, undefinierbaren Ehrbegriff, lieferte praktisch eine generelle Rechtfertigung für strafrechtliches Vorgehen gegen jede in aggressiver oder beleidigender Form vorgetragene, wenn auch von ihren Motiven und Anlässen her noch

---

[21] Deutsche Justiz, 1935, S. 42.
[22] Freisler, Roland: Das neue Strafrecht als nationalsozialistisches Bekenntnis, in Gürtner, Franz und Roland Freisler: Das neue Strafrecht. Berlin 1936, S. 98f.

so harmlose regimekritische Äußerung. Geht man davon aus, daß die NS-Herrschaft 1934/35 bereits auf sicheren Füßen stand und eine solche Strafprophylaxe zur Machterhaltung nicht notwendig gewesen sei, so bleibt, wenn man keine sinnlose Fortwucherung des Strafwillens um seiner selbst willen annehmen will, nur eine Deutungsmöglichkeit: Zum Totalitätsanspruch der NS-Herrschaft gehört nicht nur die Ausschaltung tatsächlicher Gegenkräfte, sondern auch die Unterbindung jeglicher Verhaltens- und Äußerungsformen, die nicht begeisterter Bejahung, Gefolgschaftstreue und respektvoller Ehrerbietung oder Bewunderung gegenüber den Führern, Organen und Symbolen des Regimes entsprachen.

Durch eine Reihe inhaltlicher Beispiele und statistischer Auswertungen aus den 4453 Verfahren, die von 1933 bis 1939 vor dem Sondergericht München anhängig waren, sollen die vorstehenden allgemeinen Bemerkungen zur Funktionsveränderung dieser politischen Justiz veranschaulicht und präziser begründet werden. Ein Gesichtspunkt ist dabei die stark absinkende Zahl und Bedeutung der Fälle, bei denen es nicht nur um individuelle Regimekritik ging, sondern um eindeutig politisch-gegnerische Aktivitäten; meßbar z. B. an der Zahl und dem Inhalt jener Delikte, die mehrere Angeklagte gemeinschaftlich begangen hatten (Gruppendelikte). Greifen wir zum Vergleich die Jahre 1933 und 1936 heraus, so ergibt sich unter diesem Gesichtspunkt das folgende Bild: 1933 machten die vor dem Sondergericht verhandelten Gruppendelikte (47 von 277) 16,5 Prozent, im Jahre 1936 (34 von 375) noch 9,1 Prozent aus. Wichtiger aber sind die inhaltlichen Unterschiede. Während 1933 von den 47 verhandelten Gruppendelikten allein 26 auf gemeinschaftliche Verbreitung kommunistischer Schriften entfielen, also mindestens zum Randbereich illegaler kommunistischer Widerstandtätigkeit gehörten, weitere 4 Delikte auf kommunistische Demonstrationen und 13 auf gemeinschaftliche Regimekritik, wobei in einigen Fällen der kommunistische Hintergrund ebenfalls deutlich wurde (Erzählungen aus Dachau etc.), spielten kommunistische Gruppenaktivitäten bei den Sondergerichts-Prozessen des Jahres 1936 so gut wie keine Rolle mehr. Von den 34 in diesem Jahr verhandelten Gruppendelikten entfielen 12 auf Bibelforscher-Aktivitäten und 19 auf gemeinschaftliche Regimekritik, wobei es sich offenbar nur in einem Fall (Akte 8382) um eine Gruppe ehemaliger Kommunisten handelte.

Aber auch bei den Individualdelikten, die vor das Sondergericht gebracht wurden, kann man beim Vergleich der Fälle von 1933 und 1936 erhebliche qualitative Unterschiede feststellen. Während 1933 noch Dutzende individueller kommunistischer, seltener auch sozialdemokratischer u. a. Betätigungen (meist wiederum im Zusammenhang mit der Verbreitung von Propagandamaterial) vor Gericht kamen und auch die Anklagen wegen regimekritischer Äußerungen vielfach noch politische Kritik aufwiesen (Äußerungen über Mißhandlungen in Dachau, über die angebliche Inbrandsetzung des Reichstags durch die Nazis), enthielten 1936 nur noch wenige der vom Sondergericht München verhandelten Fälle einen harten Kern konkreter Regimekritik. Sie fielen vielfach in den Bereich der »Meckereien«, z. B. über das Winterhilfswerk. Und es ist auffällig, daß jetzt – im Gegensatz zu 1933, wo kein einziger solcher Fall vor das Sondergericht kam – in nicht weniger als 15 Fällen Angeklagte wegen des Erzählens politischer Witze oder von Spottversen vor Gericht standen und deswegen auch – in der

Regel zu einigen Monaten Gefängnis – verurteilt wurden[23]. Die vielfach diffusen, oft durch zufällige Anlässe ausgelösten Formen der politischen Kritik, die in den Heimtückefällen seit 1935 überwogen, lassen sich meist nur noch vage als »abwertende Äußerungen« über das Regime qualifizieren. Sehr erheblich ist dabei der Anteil personenbezogener Gerüchtebildung (Hitler sei homosexuell, Görings Frau sei eine Jüdin u. ä.), deren Häufigkeit ein Indiz für die Verbreitung bestimmter Gerüchte in bestimmten Phasen darstellt.

Als bemerkenswert kann auch gelten, daß 1936 – im Gegensatz zu 1933 – in einem halben Dutzend von Fällen katholische Geistliche wegen ihrer Predigten vor dem Sondergericht standen, daß überhaupt die Thematik des Kirchenkampfes in den regimekritischen Äußerungen stärker zum Ausdruck kommt. Daneben aber auch schon (ausgelöst durch die Rheinlandbesetzung im März 1936) der Vorwurf der »Kriegsanzettelei« durch das NS-Regime. Nicht selten wurde die Waffe des Sondergerichts jetzt auch zur Disziplinierung von Mitgliedern der NSDAP eingesetzt, so 1936 in einem Fall, als 8 junge SA- und SS-Männer im Zusammenhang mit den 1935/36 in oberbayerischen Dörfern häufigeren gewalttätigen Auseinandersetzungen mit katholischen Jungmännern mittels einer Sprengladung einen weiß-blauen Maibaum umgestürzt hatten[24].

Eine statistische Übersicht über Entwicklung und Veränderung der Spruchtätigkeit des Sondergerichts München in den Jahren 1933–1939 geben die folgenden Tabellen.

Die Tabelle 1 zeigt die Zahl der jährlich beim Sondergericht anhängigen Verfahren (unterteilt nach Prozessen und solchen Verfahren, die vom Gericht eingestellt wurden und somit gar nicht zur Verhandlung kamen) und die der Beschuldigten (gegliedert nach Beschuldigten wegen politischer Delikte im weitesten Sinne, hier zusammengefaßt unter »Heimtücke«, und krimineller Delikte).

Tabelle 1
Zahl der Verfahren und der Beschuldigten vor dem Sondergericht München 1933 – 1939

Jahr	Zahl der anhängigen Verfahren			Zahl der Beschuldigten		
	insgesamt	Prozesse	eingestellte Verfahren	insgesamt	wegen politischer Delikte (Heimtücke)	wegen krimineller Delikte
1933	325	277	48	468	425	43
1934	415	277	138	483	414	69
1935	254	241	13	321	268	53
1936	379	375	4	488	445	43
1937	449	270*	179	598	571	27
1938	1303	154	1149	1530	1501	29
1939	1328	267	1061	1534	1445	89
Summe	4453	1861	2592	5422	5069	353

* Im Jahre 1937 sind außerdem vom SG München 18 Gruppen von Bibelforschern zu meist mehrmonatigen Gefängnisstrafen verurteilt worden, ohne daß die Gesamtzahl der Beschuldigten und Angeklagten aus den Gerichtsakten erkennbar ist.

---

[23] Vgl. StA München, Staatsanwaltschaft 8192, 8193, 8209, 8220, 9227, 8229, 8274, 8320, 8342, 8343, 8358, 8372, 8380, 9008, 9004.
[24] StAM, Staatsanwaltschaft 8382.

In den ersten beiden Jahren des NS-Regimes, als es noch um politische Gegnerbekämpfung im engeren Sinne ging, war die Zahl der Beschuldigten ziemlich konstant, 1935 nahm sie merklich ab. Die kontinuierliche Zunahme ab 1936 hängt offensichtlich mit der geschilderten Funktionsveränderung der Sondergerichte zusammen, der Ausweitung der gerichtlichen Verfolgungsmaßnahmen auch auf Bagatellsachen, auf politische »Miesmacher und Meckerer«. Ein Teil des Anstiegs geht wohl auf neue soziale Störungen und Unzufriedenheiten zurück, die nach der Überwindung der Massenarbeitslosigkeit 1936/37 sowohl bei Teilen der Arbeiterschaft (wegen zu geringer Löhne) als auch bei den Bauern und dem gewerbetreibenden Mittelstand infolge der Wirtschaftspolitik des Regimes auftraten. Der steile Anstieg der Zahl der Beschuldigten in den beiden Jahren vor dem Krieg dürfte im Zusammenhang mit der beschleunigten Aufrüstung und der krisenhaften Zuspitzung der außenpolitischen Lage stehen, die, neben der verbreiteten Euphorie, auch zu stärkeren Unmutsäußerungen und Besorgnissen führten. Das angewachsene Unmutspotential dieser Jahre wird auch in den Stimmungsberichten der bayerischen Regierungspräsidenten und Landräte deutlich.

Die Tabelle bestätigt im übrigen, daß bis 1939 die Sondergerichtsfälle ohne politische Implikation (Kriminalität) nur eine marginale Rolle spielten (insgesamt 6,9%). Dabei ergibt sich aus den Gerichtsakten, daß unter den wegen krimineller Delikte Beschuldigten der Anteil von Angehörigen der NSDAP oder ihrer Nebenorganisationen relativ hoch war, in den Jahren 1934–1936 vor allem auch in Relation zu den wegen Heimtücke beschuldigten NSDAP-Angehörigen.

Tabelle 2
NSDAP-Angehörige vor dem Sondergericht München

	1933	1934	1935	1936	1937	1938	1939	Summe
Heimtücke	17	26	13	26	15	105	124	326
Kriminalität im Sinne des StGB	–	8	6	13	6	6	10	49
insgesamt	17	34	19	39	21	111	134	375

Der Grund hierfür lag einerseits sicherlich darin, daß NSDAP-Angehörige in dem Bewußtsein ihrer Machtfülle gegen die Bestimmungen des Strafgesetzbuches verstießen, zum anderen wohl darin, daß das Regime von ihnen – nach dem Ende der sogenannten »Revolution« – eine höhere Disziplin verlangte.

Eine genauere Aufschlüsselung der Heimtückefälle (ohne Berücksichtigung der kriminellen Delikte) ergibt Tabelle 3. Wir haben die Gesamtheit dieser Fälle (= Beschuldigten) hier zunächst aufgeschlüsselt nach den Ergebnissen des Verfahrens, d. h. ob es zur Verurteilung (V), zum Freispruch (F) oder zur Verfahrenseinstellung (E) kam. Berücksichtigt wurden auch jene Fälle, bei denen die Einstellung ihren Grund darin hatte, daß der Beschuldigte der Gestapo zur Schutzhaft (ES) übergeben wurde. Ferner haben wir die Beschuldigten gruppiert nach Personen, die vor 1933 bestimmten politischen Parteien angehörten bzw. als Amtsträger oder Aktivisten in religiösen und weltanschaulichen Gemeinschaften eine Rolle spielten, und solchen Personen, die

Tabelle 3
Gruppierung der Beschuldigten und Ergebnisse der Verfahren bei Heimtückefällen 1933–1939

Politische und religiöse/ weltanschauliche Bindung der Beschuldigten	1933 V	1933 F	1933 E	1933 ES	1933 insges.	1934 V	1934 F	1934 E	1934 EA	1934 insges.	1935 V	1935 F	1935 E	1935 ES	1935 insges.	1936 V	1936 F	1936 E	1936 EA	1936 insges.
A. *Politisch*																				
SAP	–	8	–	–	8	–	–	1	–	1	–	–	–	–	–	–	–	–	–	–
KPD	135	23	4	–	162	16	3	18	–	37	16	4	4	–	24	13	–	–	–	13
SPD	9	1	4	–	14	9	2	5	–	16	8	1	4	–	13	5	1	–	–	6
konservativ	2	4	1	–	7	6	–	9	–	15	6	–	1	–	7	1	3	–	–	4
NSDAP	12	–	5	–	17	8	1	16	1	26	7	–	2	3	12	21	3	1	–	25
NSDAP (ehemalig)	–	–	–	–	–	–	–	–	–	–	1	–	–	–	1	1	–	–	–	1
Zwischensumme	158	36	14	–	208	39	6	49	1	95	38	5	11	3	57	41	7	1	–	49
B. *Religiös/weltanschaulich*																				
Kath. Kirche	–	–	2	–	2	7	4	3	2	16	5	3	3	–	11	6	4	2	–	12
Evang. Kirche	–	–	–	–	–	–	–	–	–	–	–	–	–	–	–	1	1	–	–	2
Bibelforscher	–	–	–	–	–	–	–	–	–	–	2	–	–	–	2	60	10	10	–	80
Juden	–	–	1	–	1	3	–	–	–	3	1	2	1	–	4	3	1	1	–	5
Adventisten	–	–	–	–	–	–	–	–	–	–	–	–	–	–	–	–	–	–	–	–
Freimaurer	–	–	–	–	–	–	–	–	–	–	–	–	–	–	–	–	–	–	–	–
Zwischensumme	–	–	3	–	3	10	4	3	2	19	8	5	4	–	17	70	16	13	–	99
C. *Unorganisiert*	124	45	42	3	214	122	63	75	40	300	117	51	22	4	194	197	76	23	1	297
insgesamt	282	81	59	3	425	171	73	127	43	414	163	61	37	7	268	308	99	37	1	445

Zeichenerklärung: V = Verurteilung, F = Freispruch, E = Eingestellt, EA = Eingestellt wegen Amnestie, ES = Eingestellt aber Schutzhaft

Gruppierung der Beschuldigten und Ergebnisse der Verfahren bei Heimtückefällen 1933–1939

Politische und religiöse/ weltanschauliche Bindung der Beschuldigten	1937 V	F	E	EA	ES	insges.	1938 V	F	E	EA	ES	insges.	1939 V	F	E	EA	ES	insges.
A. *Politisch*																		
SAP	–	–	–	–	–	–	–	–	–	–	–	–	–	–	–	–	–	–
KPD	6	4	1	–	–	11	5	–	13	8	2	28	9	–	7	5	1	22
SPD	10	2	–	–	1	13	1	1	10	4	3	19	8	–	9	2	–	19
konservativ	5	2	–	–	–	7	3	–	9	5	–	17	5	–	10	4	–	19
NSDAP	12	2	–	–	–	14	4	1	28	25	4	62	3	–	43	32	3	81
NSDAP (ehemalig)	–	–	–	–	–	–	5	–	24	13	1	43	14	–	15	14	–	43
Zwischensumme	33	10	1	–	1	45	18	2	84	55	10	169	39	1	84	57	–	184
B. *Religiös/weltanschaulich*																		
Kath. Kirche	2	1	9	9	–	21	1	–	32	43	1	77	5	1	35	23	–	64
Evang. Kirche	–	–	2	10	–	12	2	2	7	6	–	17	–	–	2	2	–	4
Bibelforscher	142	2	14	–	–	158*	11	2	1	3	5	22	8	2	3	1	–	14
Juden	3	–	3	1	–	7	1	1	3	–	1	6	6	1	8	5	–	20
Adventisten	9	–	–	–	–	9	–	–	–	–	–	–	–	–	–	–	–	–
Freimaurer	–	1	–	–	–	1	–	–	–	–	–	–	–	–	–	–	–	–
Zwischensumme	156	4	28	20	–	208	15	5	43	52	7	122	19	4	48	31	–	102
C. *Unorganisiert*	122	20	158	9	9	318	75	19	728	334	54	1210	110	12	766	266	5	1159
insgesamt	311	34	187	29	10	571	108	26	855	441	71	1501	168	16	898	354	9	1445

* Im Jahre 1937 sind außerdem vom SG München 18 Gruppen von Bibelforschern meist zu mehrmonatigen Gefängnisstrafen verurteilt worden, ohne daß die Gesamtzahl der Beschuldigten und Angeklagten aus den Gerichtsakten erkennbar ist.

»unorganisiert« waren. Das diesem Kreis angelastete Heimtücke-Delikt hatte keinen unmittelbaren Zusammenhang mit politischen oder religiös-weltanschaulichen Bindungen.

Tabelle 3 bestätigt eindrucksvoll, wie sehr der Anteil der Beschuldigten mit parteipolitischer Bindung (und Motivation) bei den Heimtückefällen zurückging. 1933 betrug er noch fast 50 Prozent, 1934 noch rund 25, 1935 rund 20 und in den Jahren 1936–1939 durchschnittlich nur noch 12 Prozent. Betrachtet man zunächst nur die Gruppe der politisch gebundenen Angeklagten, so fällt auf, daß die Zahl der kommunistisch motivierten 1933 außerordentlich hoch ist, danach aber drastisch abnimmt. 1933 jedenfalls ist sie unvergleichlich höher als die anderer Parteien. Die Hauptfunktion der Sondergerichte bestand also während der Machtergreifung in der Unterdrückung des kommunistischen Widerstandswillens, was, jedenfalls aus der Perspektive der Sondergerichte gesehen, gelungen zu sein scheint. Allerdings ist hierbei zu berücksichtigen, daß zahlreiche Kommunisten später nicht mehr vor die Sondergerichte kamen, da die Bayerische Politische Polizei bzw. die Gestapo sie gleich in Schutzhaft nahm, oder sie wegen Hochverrats vor ein Oberlandesgericht bzw. den Volksgerichtshof gestellt wurden. Demgegenüber fällt auf, daß die Zahlenreihe für die Sozialdemokraten nicht analog zu der der Kommunisten verläuft. Sie bleibt bei kurzer Abwärtstendenz von 1935–1937 auf einem relativ niedrigen Niveau ziemlich konstant.

Die Zahlenreihe der »Konservativen«, in der vorwiegend ehemalige Stahlhelmmitglieder und Monarchisten zusammengefaßt sind, steigt erst vor dem Krieg merklich an. Die Zahl der Nationalsozialisten folgt, freilich auf einem höheren Niveau, dem Trend der Konservativen. Die Regimekritiker der Nationalsozialisten, darunter viele inzwischen aus der Partei Ausgetretener, die schon 1933/34 (mit 14%) unter den »Politischen« keine geringe Rolle gespielt hatten, machten 1938/39 fast zwei Drittel der Beschuldigten mit politischer Bindung aus; ein Gradmesser nicht nur der Unzufriedenheit unter den anfänglichen Anhängern der NSDAP, sondern wohl noch mehr – da es sich hierbei meist nicht um fundamentale politische Opposition handelte – des zunehmenden Anteils der relativ harmlosen, nur partiellen Regimekritik unter den Heimtückefällen in den Jahren vor dem Krieg.

Betrachtet man demgegenüber die religiös gebundenen Angeklagten, so ergibt sich ein anderes Bild. Die Zahl der katholisch motivierten Beschuldigten, darunter zahlreiche Geistliche, wächst ab 1934 kontinuierlich an. Hier spiegelt sich der verschärfte, vor allem gegen die katholischen Vereine gerichtete Kampf wider. Die evangelisch Gebundenen erreichen erst 1938 eine größere Zahl, die jedoch nicht an die der katholischen herankommt. Der evangelische Kirchenkampf in Bayern vom September/Oktober 1934 hat also hinsichtlich der Sondergerichtsbarkeit keine Konsequenzen gehabt. Ein Sonderproblem bilden die Ernsten Bibelforscher (Zeugen Jehova). Die gegen sie gerichtete Repressionswelle erreichte 1937 ihren Höhepunkt und klang dann, vermutlich mangels Masse, bald wieder ab.

Das Sondergericht hatte demgegenüber mit der Verfolgung der Juden kaum etwas zu tun. Es beschäftigte sich mit Juden nur dann, wenn einschlägige Vergehen vorlagen, so z. B. 1936 ein sogen. Rassenschandefall.

Die für unsere Betrachtung wichtigste Zahlenreihe der Tabelle 3 bildet die Gruppe der Heimtücke-Beschuldigten ohne erkennbare politische oder religiös-weltanschauliche Bindung. Ihr Anteil unter den Heimtückefällen stieg von 50 Prozent im Jahre 1933 auf 72 Prozent in den Jahren 1934/35, ging 1936 (67%) und 1937 (56%) vorübergehend wieder zurück, erreichte dann aber 1938/39 mit 80 bzw. 81 Prozent den absoluten Höhepunkt. Diese Beschuldigten stellten ein erhebliches, wenngleich irrlichterndes Unmutspotential dar, das bislang von der Widerstandsforschung meist übersehen worden ist. Im weiteren Fortgang unserer Untersuchung sollen sie deshalb der Hauptgegenstand sein.

Unter dem Gesichtspunkt des Verfahrensergebnisses zeigt Tabelle 3 weiterhin, daß Freisprüche und Einstellungen von Verfahren (in der Regel mangels Beweises oder aufgrund ungünstiger Beurteilung der Belastungszeugen durch das Gericht) nicht selten waren und selbst bei als Kommunisten qualifizierten Angeklagten durchaus vorkommen konnten. Das Gericht folgte also nicht blind jeder Denunziation und jeder polizeilichen Ermittlung nahm nicht jeden Verdacht zum Anlaß für eine Verurteilung. Die auffällig zahlreichen Einstellungen in den Jahren 1938 und 1939 sind auf die Amnestierungsgesetze vom 30. April 1938 aus Anlaß der Wiedervereinigung Österreichs mit dem Deutschen Reich[25] (für Straftaten aus politischen Gründen bis zu 6 Monaten Freiheitsstrafe) und vom 9. September 1939[26] (für Geldstrafen bis 1000 RM und Gefängnis bis zu 3 Monaten) zurückzuführen[27]. Angesichts der in diesen Jahren bei der Mehrheit der Bevölkerung bestehenden Hochstimmung glaubte das Regime, sich solche Großzügigkeit leisten zu können. Andererseits wird in der Tabelle auch deutlich, daß, besonders in den Jahren 1933, 1935, 1936 und 1937, der Anteil der Verurteilungen (einschließlich Einstellung wegen Schutzhaft) unter den politisch Organisierten sehr viel höher lag als bei den übrigen Kategorien, vor allem den weder politisch noch religiös-weltanschaulich Gebundenen (1933: Politische 76%, Unpolitische 59%; 1937 Politische 73%, Unpolitische 41%). In der Tabelle 4 (S. 450) soll dieser Aspekt des Strafmaßes noch stärker differenziert werden.

Die Tabelle macht deutlich, daß die Gesamtzahl der Verurteilungen nicht nur im Verhältnis zur Zahl der ab 1936 rasch ansteigenden Gesamtzahl (Tab. 1) der Verfahren abnimmt, sondern auch im Verhältnis zur Zahl der Verurteilungen von 1933 und 1934. Ausnahmen bilden lediglich die Jahre 1936 und 1937, wobei die verurteilten Zeugen Jehovas 1937 eine Rolle spielen. Das Strafmaß lag überwiegend bei 1–6 Monaten Gefängnis. Strafen von über 12 Monaten waren verhältnismäßig selten und trafen in der Regel Angeklagte, die als »fortgesetzte« Anhänger der KPD und SPD galten. Das Gericht hat also nicht schematisch und pauschal bestraft.

Die Tabelle deutet weiters darauf hin, daß sich nach 1934 mit dem Abklingen der Erregung über die Machtergreifung ein Funktionsverlust des Gerichts abzeichnete, der durch die nochmalige Ausweitung der Tatbestände für Heimtücke, durch das Gesetz vom Dezember 1934, aufgefangen wurde. Dabei ist nicht zu übersehen, wie das Gesetz

---

[25] RGBl. I, S. 443.
[26] RGBl. I, S. 1753.
[27] Amnestien hatte es auch am 7. 8. 1934 (RGBl. I, S. 769) aus Anlaß der Vereinigung des Amts des Reichskanzlers mit dem des Reichspräsidenten für Geldstrafen bis 1000 RM und Freiheitsstrafen bis 6 Monate in Heimtückesachen und am 23. 4. 1936 (RGBl. I, S. 378) gegeben.

Tabelle 4
Das Strafmaß bei den verurteilten Heimtückefällen

Verurteilung Heimtücke	1933 unorg.	1933 org.	1934 unorg.	1934 org.	1935 unorg.	1935 org.	1936 unorg.	1936 org.	1937 unorg.	1937 org.	1938 unorg.	1938 org.	1939 unorg.	1939 org.
1 bis 3 Monate	54	4	47	17	20	10	49	38	35	74	17	12	24	11
4 bis 6 Monate	39	62	43	17	49	18	83	47	64	64	31	13	47	28
7 bis 12 Monate	17	56	13	5	18	13	47	22	16	38	19	3	34	16
über 12 Monate	5	20	–	1	–	3	4	9	1	11	2	4	3	1
Geldstrafe	9	16	19	15	30	2	14	–	6	3	6	2	2	–
	124	158*	122	55*	117	46*	197	116*	122	190*	75	34*	110	56*

* davon sind (1933): KPD 135, SPD 8, NSDAP 12

* davon sind (1934): KPD 16, SPD 9, NSDAP 14, Priester 7, Juden 3, Konservative 6

* davon sind (1935): KPD 16, SPD 8, NSDAP 7, Kirche 5, Juden 1, Ernste Bibelforscher 2, Konservative 7

* davon sind (1936): KPD 13, SPD 5, NSDAP 28, Kirche 7, Juden 2, Ernste Bibelforscher 60, Konservative 1

* davon sind (1937): KPD 6, SPD 10, NSDAP 12, Kirche 11 darunter Adventisten 9, Juden 3, Ernste Bibelforscher 143 sowie Gruppen 18, Konservative 5

* davon sind (1938): KPD 5, SPD 1, NSDAP 11, Kirche 2, Juden 1, Ernste Bibelforscher 11, Konservative 3

* davon sind (1939): KPD 9, SPD 8, NSDAP 15, Kirche 5, Juden 6, Ernste Bibelforscher 8, Konservative 5

teilweise gewissermaßen ins Leere zielte, da das Gericht an der Verurteilung von Bagatellsachen kein sonderliches Interesse zeigte oder aber zahlreiche Beschuldigungen nicht zweifelsfrei klären konnte und daher von einer Bestrafung Abstand nehmen mußte. Unter dem Gesichtspunkt des Strafmaßes ist die Beschränkung unserer Betrachtung auf die Vorkriegsjahre freilich geeignet, einen falschen Eindruck von der Intensität der Strafverfolgung durch das Sondergericht München zu vermitteln. Bildete vor 1939 die Verhängung von mehrjährigen Zuchthaus- oder Gefängnisstrafen eine seltene Ausnahme – Todesstrafen wurden bis 1939 vom Sondergericht München, soweit unsere Aktenunterlagen das erkennen lassen, überhaupt nicht verhängt –, so änderte sich dies in den Kriegsjahren entscheidend. Das Sondergericht München verhängte jetzt härteste Strafen; so z. B. ein Dutzend Todesstrafen gegen Deutsche und ausländische Zivilarbeiter in Augsburg wegen Plünderns nach einem Luftangriff (vgl. Prozeßakten Nr. 8901–8907 und 8942). Auch der durch die Wehrkraftschutzverordnung vom November 1939 verbotene private Umgang mit Kriegsgefangenen zog in der Regel Gefängnisstrafen von 1–1½ Jahren nach sich (vgl. z. B. Prozeßakten Nr. 9321–9324, 9827, 9329–9335). Schärfer als in der Friedenszeit wurde jetzt auch Regimekritik geahndet, wobei das seit Kriegsbeginn verbotene Abhören ausländischer Rundfunksender selbst in Fällen, wo keine Weiterverbreitung solcher abgehörten Nachrichten nachgewiesen werden konnte, einen wesentlichen Teil der »politischen« Delikte ausmachte. Auch hier hatten die Angeklagten während der zweiten Kriegshälfte in der Regel mit Strafen von über einem Jahr Gefängnis zu rechnen (vgl. z. B. Prozeßakten Nr. 8561/62, 8564, 8568/69, 8593, 8597, 8599 8601). Bei erschwerenden Umständen fielen die Strafen noch erheblich schärfer aus. So erhielten ein Zeitungsverkäufer »wegen Abhörens des Senders Beromünster und wegen politischer Äußerungen« drei Jahre Zuchthaus (8566), eine Schriftstellerin in Garmisch-Partenkirchen, in deren Wohnung mehrere Personen gemeinsam ausländische Rundfunknachrichten gehört hatten, zwei Jahre, 8 Monate Zuchthaus (8571) und ein Bauer, der in Gegenwart eines polnischen Zivilarbeiters ausländischen Rundfunknachrichten zugehört hatte, 2 Jahre, 3 Monate Zuchthaus (8579).

Ebenso fielen die wegen regimekritischer Äußerungen während des Krieges verhängten Strafen erheblich schärfer aus als in der Friedenszeit. Einige durchaus repräsentative Beispiele aus dem Jahre 1944 sollen das belegen: Ein Postschaffner erhielt »wegen kritischer Äußerungen über militärische Vorgesetzte« 1 Jahr Gefängnis (8559); ein Schlossermeister aus München »wegen einer abfälligen Bemerkung über Hitler« 2 Jahre Gefängnis (9325), eine Bäckersfrau aus Kolbermoor (Kreis Aibling) »wegen Erzählung eines Gerüchts über Goebbels« 1 Jahr Gefängnis (9328), ein Betriebsführer aus dem Kreis Pfaffenhofen 1 Jahr, 8 Monate Gefängnis, »weil er die deutschen Offiziere als Halunken und Leuteschinder bezeichnete« (9351), und eine Frau aus dem Kreis Passau allein »wegen Beschimpfung der NSDAP« 10 Monate Gefängnis (9352). Eine Kellnerin aus Wegscheid bekam nicht weniger als zwei Jahre Gefängnis »wegen Schimpfens über Hitler, der den Krieg nicht beende« (9356), und ein Holzkaufmann wurde »wegen abfälliger Äußerungen über Hitler und den Krieg« zu 2 Jahren, 3 Monaten Gefängnis verurteilt (9370).

Bei erschwerenden Faktoren, die ebenso in der Person des Angeklagten, wie in den Begleitumständen der Kritik liegen konnten, waren die Strafen z. T. noch härter. So bestrafte das Sondergericht einen als Friseurgehilfe tätigen (tschechischen) Protektoratsangehörigen »wegen deutschfeindlicher Äußerungen« mit 3 Jahren, 6 Monaten Gefängnis (9353). Und ein Pflastermeister in Augsburg erhielt 4 Jahre Gefängnis »wegen politischen Schimpfens auf offener Straße« (9364). Diese Urteile sprechen für sich. Sie zeigen deutlich, wie drakonisch vor allem in der zweiten Hälfte des Krieges, als die Masse der Bevölkerung nur noch wenig Regimebegeisterung zeigte, alle Ansätze des Defaitismus, die zu einer aktiven Opposition hätten führen können, mit Hilfe des Sondergerichts unterdrückt wurden.

II. Urteilsbegründungen bei Heimtücke-Äusserungen

Nach dem allgemeinen Überblick über die Strafpraxis des Gerichts kehren wir zum engeren Umkreis der in den Friedensjahren zwischen 1933–1939 verhandelten Heimtückefälle zurück. Gestützt auf eine Reihe von Beispielen aus den Prozeßakten (die jeweiligen Verfahren werden mit den im Archiv-Inventar für die Akten des SG München aufgeführten Prozeß-Nummern bezeichnet), soll vorwiegend veranschaulicht werden, wie das Gericht bei Heimtücke-Äußerungen argumentierte und sein Urteil begründete.

Die Problematik der Rechtsfindung begann bei diesen regimekritischen Äußerungen damit, daß das Gericht in der Regel die Sprache der Angeklagten in die Amtssprache übersetzen mußte und um die Inhalte subsumtionsfähig machen zu können, die übersetzten Ausdrücke dann im Blick auf die Straf-Vorschriften zu selektieren hatte.

Die Übersetzung konnte sich z. B. nach folgendem Schema vollziehen: Ein Angeklagter hatte geäußert: »Der Reichskanzler fliegt von Stadt zu Stadt und wird von der Partei unterhalten«. Man mußte dem Redenden nicht unbedingt Böswilligkeit unterstellen, denn daß Hitler sich sogar rühmte, seine Propaganda mit Hilfe des Flugzeugs effektiver als andere Parteiführer gestaltet zu haben, war bekannt, und daß er von der Partei ein Gehalt bezog, konnte nicht ehrenrührig ausgelegt werden. Das Gericht interpretierte den Satz jedoch so: Die Äußerung enthalte den Vorwurf, daß der Reichskanzler nicht arbeite, sondern auf Kosten der Partei spazieren fliege. Dies sei unwahr. 3 Monate Gefängnis (7759).

Ein weiterer Angeklagter hatte gesagt, Hitler gehe zum Stehlen, wie es die anderen gemacht haben. Wenn das Wort »die Andern« auf die Reichskanzler und die Politik der Weimarer Republik oder des Kaiserreiches anspielen sollte, dann könnte man zunächst zu der Auffassung kommen, der Angeklagte wollte sagen, die Zeiten hätten sich nicht geändert. Hitler verhalte sich eben wie Politiker früherer Zeiten. Das Gericht hob jedoch eine andere Inhaltsnuance hervor und warf dem Beschuldigten vor, er habe sagen wollen, Hitler bereichere sich ungerechtfertigterweise, was unwahr sei und daher mit 3 Monaten Gefängnis bestraft werden müsse (7364).

Schließlich ein drittes Beispiel, bei dem die Argumentation des Gerichts besonders umfangreich und spitzfindig ausfiel: Ein Angeklagter, ein Journalist, hatte in Anspielung auf die Ermordung Röhms gesagt, Hitler sei ein Mörder. Das Gericht reagierte so: Als Schriftleiter sei dem Angeklagten bekannt gewesen, daß der Reichskanzler und seine engsten Mitarbeiter immer wieder vor Eingriffen fernstehender SA-Kommissare in die staatliche Tätigkeit gewarnt und gegen Verstöße Bestrafung angedroht haben. Er habe auch wissen müssen, daß der Reichskanzler seit seiner Betrauung mit der obersten Reichsgewalt nichts getan habe, was nur entfernt als Vergeltung an früheren Widersachern angesehen werden konnte. Zahllose Gegner aus den marxistischen und bürgerlichen Lagern würden auch nach der Übernahme der Regierung durch die NSDAP in ihrer persönlichen Sicherheit nicht im geringsten beeinträchtigt . . . Wenn daher im Verlauf der Strafaktion vom 30. Juni 1934 mit dem drohenden Hoch- und Landesverrat nicht in Zusammenhang stehende Personen ihr Leben verloren, so mußte sich der Angeklagte, wie jeder billig denkende Deutsche sagen, daß es sich hier um vom Kanzler nicht gewollte und mißbilligte Exzesse untergeordneter Organe handelte. Die Behauptung, der Tod dieser Leute sei auf das Eingreifen des Reichskanzlers zurückzuführen, sei daher unwahr und geeignet, im Ausland den Eindruck zu erwecken, als könne die deutsche Regierung sich nur durch Anwendung von Terror, Gewalt und Mord auf ihrem Posten halten. Der Schriftleiter erhielt sechs Monate Gefängnis (8930).

Die Argumentation ist selbst bei Annahme eines minimalen Kenntnisstandes über die Vorgänge am 30. Juni 1934 ausgesprochen lügenhaft und brüchig, denn die Richter wußten mit Sicherheit, daß im KL Dachau politische Gegner inhaftiert waren, daß Hitler die Verantwortung für die Erschießungen trug und Exzesse und Morde in einem Rechtsstaat nicht vorkommen dürfen.

Das Urteil ist eines der traurigsten des Sondergerichts München, traurig nicht wegen der Härte der Strafe, sondern wegen der Verdrehungstechnik der Argumentation.

Das Gericht konnte jedoch auch, wie folgender Fall zeigt, anders verfahren. Ein Angeklagter hatte ausgerufen: »Wenn ich will, kann ich Hitler und seinesgleichen hochgehen lassen«. Er verteidigte sich mit dem Hinweis, er habe »Ein Hitler« gesagt (Nationalsozialisten wurden in Bayern umgangssprachlich auch »die Hitler« genannt), was also nicht Adolf Hitler, sondern irgendeinen Nationalsozialisten bedeutete. Das Gericht akzeptierte diese Verteidigung, da im Münchener Dialekt die Äußerung so wohl gefallen sein konnte. Es erkannte auf Freispruch mangels Beweises (7377).

Das Gericht besaß also einen gewissen Freiraum, Äußerungen für Angeklagte positiv oder negativ zu interpretieren, einen Freiraum, der vor dem 30. Dezember 1934, dem Inkrafttreten des Heimtückegesetzes, größer war als nachher. So konnte vor 1935 eine Äußerung als Werturteil gelten und nicht »als unwahre Behauptung tatsächlicher Art«. Das zeigt folgendes Beispiel, wo ein Angeklagter wegen einer ganzen Serie von Äußerungen vor Gericht stand. Er hatte u. a. gesagt: Die neue Regierung sei genauso wie die alte und tauge nichts, die SA mache sich lachhaft, wenn sie rumexerzieren und rumdrillen lasse, und die SA Wachmannschaften im KZ Dachau stehlen wie die Wachteln. Das Gericht wertete allein den Vorwurf des Diebstahls der SA als Verstoß gegen die Heimtücke-VO, die übrigen Bemerkungen hielt es für Werturteile, die nicht unter die VO fielen (7433).

In einem anderen Fall hatte ein Angeklagter gesagt, es grenze an Diebstahl wenn man einem die Sachen wegnehme. Das Gericht meinte dazu, der Angeklagte habe die

Beschlagnahme der Möbel des ins Ausland geflüchteten früheren Abgeordneten der SPD Hoegner als Diebstahl bezeichnet. Es handelte sich hierbei nur um ein grob ungehöriges Werturteil, weshalb ein Freispruch erfolgte (7753).

Schließlich sei noch das Verfahren gegen einen Angeklagten zitiert, der gemeint hatte, man habe sich in Deutschland »noch größere Lumpen hingelockt«. Die Urteilsbegründung lautete, damit sei ein ganz allgemein gehaltenes Werturteil beleidigender Art über ein nicht näher bezeichnetes Mitglied der Regierung abgegeben worden. Es läge lediglich »grober Unfug« nach Paragraph 360 Ziffer 11 StGB vor.

Nach dem Erlaß des Heimtückegesetzes schwand die Differenzierung zwischen der »unwahren Behauptung tatsächlicher Art« und dem »Werturteil«. Es griff die Tendenz um sich, aus bestimmten, konkreten Äußerungen eine pauschale Regimekritik herauszulesen und diese zu bestrafen. So wurde im Jahre 1936 die Bemerkung eines Angeklagten, Hitler arbeite nur für seinen persönlichen Ruhm, von dem Gericht nicht mehr als Werturteil angesehen, sondern als böswillige Äußerung über eine »leitende Persönlichkeit des Staates« (8270). 1938 stand ein Angeklagter vor Gericht, der gesagt hatte, die NS-Führer hielten Reden und ließen Arbeiter und Mittelstand notleiden, von Schirach habe sich von Staatsgeldern ein Haus gebaut, Goebbels habe eine »große Klappe« und das Reich werde im Falle eines Krieges Gebiete Bayerns dem Feind preisgeben. Im Urteil über diesen Fall hieß es pauschal, der Angeklagte habe nicht nur an einzelnen Einrichtungen des Dritten Reiches Kritik geübt, vielmehr an den Verhältnissen im nationalsozialistischen Deutschland überhaupt kein gutes Haar gelassen. Seine Ausführungen zeigten, daß es dem Angeklagten darauf angekommen sei, den Nationalsozialismus als solchen und seine Leistung in den Schmutz zu ziehen (8640).

Noch folgenreicher war aber eine andere Verschärfungstendenz der Rechtsprechung. 1933 und 1934 neigte das Gericht meist noch dazu, Äußerungen, die nicht in der Öffentlichkeit gefallen waren, als belanglos abzutun und den Beschuldigten freizusprechen, umgekehrt aber Heimtückereden vor Publikum zu bestrafen. Es ging dem Gericht damals noch nicht um die Pönalisierung der Gesinnung, sondern die Unterbindung von regimeabträglicher Nachrichtenverbreitung, d. h. die Zerschlagung einer oppositionellen öffentlichen Kommunikation.

Ab 1935 begann das Gericht darüber hinaus auch »falsche« Gesinnung zu bestrafen. Als 1936 ein Angeklagter eine Anordnung der Regierung als »Schwindel und Krampf« bezeichnet hatte, verurteilte das Gericht nicht nur diese »hetzerische Äußerung«, sondern bemerkte in der Urteilsbegründung, daß diese »das Produkt seiner gehässigen Einstellung gegen die Regierung« sei (8286). In einem anderen Fall wurde zu Protokoll genommen, der Angeklagte habe wiederholt gegenüber dem ihm unterstellten Dienstboten Bemerkungen gemacht, aus denen sich ergebe, daß er gegen das Dritte Reich eingestellt sei (8237).

Entscheidend blieb allerdings auch nach dem Heimtückegesetz nicht die regimefeindliche Gesinnung, sondern eine Heimtückeäußerung, die geeignet erschien, das Vertrauen des Volkes in die politische Führung zu untergraben.

Es überwog also immer noch das politische Motiv der Herstellung konfliktfreier Beziehungen zwischen nationalsozialistischer Regierung und Volk vor der Kontrolle der ideologischen Einstellung einzelner, wenngleich im Alltag die Grenzen zwischen beiden fließend waren.

Welche Äußerungen schienen dem Gericht geeignet, das Vertrauen des Volkes in die politische Führung zu erschüttern? Um davon eine Vorstellung zu vermitteln, genügt es einige, wahllos herausgegriffene Äußerungen katalogartig zusammenzustellen:
- das Reichsjagdgesetz diene den privaten Interessen Görings
- die Partei unterdrücke die Freiheit des Volkes
- Göring habe sein Vermögen in die Schweiz transferiert (dies sei die Unterstellung einer volksverräterischen Handlungsweise)
- das (Veranstaltung mit einer Hitler-Rede) sei »Krampf«, die (Zuhörer) können klatschen, die werden bezahlt
- es stünden Säuberungen bevor
- die Beamten bekämen zu hohe Gehälter
- die Bauern würden durch zu hohe Steuern bedrückt
- im KZ Dachau würden Menschen geprügelt (das Gericht meinte, dies beinhalte den Vorwurf, die Reichsregierung dulde unmenschliche Mißhandlungen)
- die Regierung sei früher besser gewesen als heute
- die HJ verderbe die Kinder
- Hitler sei ein Bazi
- Hitler solle heiraten, dann kann er . . .
- der Braunauer Malergeselle sei heute noch seine Miete schuldig
- der *Stürmer* sei eine »Kulturschande«

Kurz: Praktisch jede gegenüber dem Nationalsozialismus kritische, abträgliche, beleidigende, obszöne und unanständige Bemerkung konnte das »Vertrauen des Volkes erschüttern« und somit zur Verurteilung führen. So gesehen, drängt sich der Eindruck auf, daß das Regime und das Gericht selbst nur geringes Vertrauen in das »Vertrauen des Volkes« setzten. Die zahlreichen Amnestien, Verfahrenseinstellungen und Freisprüche zeigen freilich auch, daß man sich des Bagatellcharakters vieler dieser Äußerungen bewußt war.

Das Verhalten des Gerichts gegenüber den Angeklagten läßt sich noch unter einem weiteren Gesichtspunkt genauer kennzeichnen, nämlich durch die Zusammenstellung der Kriterien, die zur Strafverschärfung oder Strafmilderung führten. Eine Durchsicht der Urteilsbegründungen zeigt, daß bestimmte Kriterien immer wieder, fast stereotyp vorkommen. Sie lassen sich inhaltlich folgendermaßen gruppieren:

1. Strafverschärfend wirkten Vorstrafen wegen übler Nachrede oder Heimtücke, auch wenn sie aus der Zeit vor 1933 stammten,
hartnäckiges Wiederholen von Heimtückereden auf Vorhaltungen der Gesprächspartner, über eine lange Zeitdauer fortgesetzte Heimtückereden,
Unbelehrbarkeit durch Polizei, Partei und Gericht und Leugnen vor Polizei und Gericht.
Man ging in solchen Fällen davon aus, daß der Angeklagte ein in der Wolle gefärbter Gegner des Dritten Reiches oder ein wegen seiner persönlichen Neigung zur üblen Nachrede sowieso unbelehrbarer Mensch sei.

2. Strafverschärfend war ferner
unstete Lebensweise in Form von Landstreicherei, Hausieren, Betteln und Umherwandern.
Hierbei spielt eine Rolle, daß Wandernde schwer zu überwachen und imstande waren, Nachrichten und Gerüchte besonders intensiv und schnell weiterzuverbreiten.
3. Eine Heimtückerede konnte unter ein erhöhtes Strafmaß gestellt werden, wenn sie einer verdrossenen Stimmungslage der Bevölkerung oder sogenannten unwahren Tendenzgerüchten zugeordnet wurde. Ein Kriterium, dem die Absicht zugrunde lag, repressiv gegen Mißstimmungen in der Bevölkerung vorzugehen und leichtfertige Äußerungen zu unterbinden.
4. Ferner mußten intelligent erscheinende Angeklagte mit überdurchschnittlich höheren Strafen rechnen. So heißt es in einer Urteilsbegründung, der Angeklagte suchte mit seinen Hetzreden »bei seinen ihm geistig unterlegenen Zuhörern« Mißtrauen gegen das Dritte Reich und seine Führung zu erwecken (8290).
Schließlich unterlag die Person »des Führers« im Laufe der Zeit einer zunehmenden Tabuisierung und Sakralisierung. 1933 sprach das Gericht noch altmodisch davon, eine Heimtückerede habe die dem Reichskanzler geschuldete »Ehrerbietung« verletzt; 1936 hielt es eine Äußerung für besonders »gehässig und böswillig«, da sie »den Führer persönlich angegriffen hat«, dem der Angeklagte es verdanke, daß er in Arbeit stehe (8389).

Die Kriterien für Strafmilderungen beruhten nicht wie die der Strafverschärfung auf vorwiegend politisch-objektiven Überlegungen, sondern in erster Linie auf einer gewissen Rücksichtnahme auf die subjektive Bedingtheit eines Angeklagten. Als strafmildernd galten: »vaterländische« Einstellung, Verdienste (z. B. 1. Weltkrieg), körperliche Gebrechen (wie Krüppelhaftigkeit oder chronische Krankheiten), Trunkenheit während der Äußerung einer Heimtückerede, die Jugend oder das hohe Alter eines Angeklagten, leichte Erregbarkeit, Geltungsbedürfnis und aller Welt einsichtige Dummheit von Heimtückereden.

Natürlich sind damit die Gesichtspunkte, nach denen das Gericht Angeklagte bewertete, keineswegs erschöpft. Bei zahlreichen Urteilen schwingt eine von gesellschaftlichen Vorurteilen geprägte Betrachtungsweise mit, die quantitativ überhaupt nicht und auch hermeneutisch nur schwer zu fassen ist, die man jedoch an einigen vorsichtig ausgewählten Beispielen zeigen kann.

Ein Angeklagter, der wegen Paßvergehens und Betrugs einsaß, sagte im Gefängnis, Hitler sei homosexuell. Das Gericht nannte diese Äußerung »eine Ungeheuerlichkeit« und bestrafte ihn mit einem Jahr Gefängnis (7703), wobei die Vorstrafen strafverschärfend eine Rolle spielten.

Als dagegen ein angesehener Bauer behauptet hatte, Hitler sei »geschnitten« [kastriert], bewertete das Gericht diese Behauptung nur als »grobfahrlässig, halb ungewollt getan«, für nur zwei Tischnachbarn bestimmt und im »betrunkenen Zustand« geäußert. Es verurteilte den Bauern zu 100 RM Geldstrafe oder 20 Tagen Haft (7691). In dem einen Fall ein Jahr, im anderen Falle 20 Tage Gefängnis!

Ein Dienstknecht schimpfte einmal, die »großkotzigen Hunde . . ., die gehören alle weggeräumt; Hitler gehört der Kopf runtergehaut«. Dazu lautete das Urteil vier Monate

Gefängnis, da der Angeklagte zwar ein »fleißiger Arbeiter« sei, aber eine »niedrige Gesinnung« zeige, »planmäßig hetzerisch« gehandelt habe, »äußerst freches Benehmen« an den Tag lege und als »stark egozentrisch« gelte.

Demgegenüber erfuhr ein Landwirt eine andere Behandlung. Er besaß 100 Tagwerk, hatte einen guten Leumund als »tüchtiger, fleißiger Landwirt« und »anständiger Kerl«. Sein Vater war NSDAP-Mitglied. Zweimal hatte er zu verschiedenen Zeiten, ein Tatbestand, der gewöhnlich eine Strafverschärfung nach sich zog, gesagt, »er täte den Führer gern herunterschießen«. Das Gericht hielt ihm zugute, er beweise Reue, sei ein unreifer Junge, und spielte seine Äußerungen als »dummes, unüberlegtes Geschwätz«, das auf der Alkohol zurückzuführen sei, herunter. Er erhielt nur 2 Monate Gefängnis, halb soviel wie der Dienstknecht.

Ein Hausierer, der früher schon gebettelt hatte, machte 1938 seinem Unmut mit den Äußerungen Luft, das Mehl werde schlechter, bald werden wir Marken bekommen, Geld ist keins mehr da, uns drücken sie 20 RM in die Hand, die anderen haben es nach Tausenden. Hitler sei ein Schlawiner und Göring ein »Dickwamperter«. Das Gericht nannte die Äußerungen »böswillig zersetzende Hetzreden«, »gemeingefährliche Handlungsweise«, einen »dreisten und gemeinen Angriff auf den Führer und seine engsten Mitarbeiter« und verhängte 8 Monate Gefängnis (8637).

Als dagegen ein angesehener Bauer bemerkte, Hitler sei ein Überläufer, den Deutschland nicht gebraucht habe, akzeptierte das Gericht die Erklärung des Angeklagten, er habe nur sagen wollen, Hitler sei »ungerufen« gekommen; es meinte, dies schädige nicht das Ansehen der Regierung, es liege nur eine grob ungebührliche Handlung vor, die mit 100 RM oder 20 Tagen Haft zu bestrafen sei (8883).

Man kann sich des Eindrucks nicht erwehren, daß das Gericht nicht selten, wenn auch nicht durchgängig, angesehene und bessergestellte Angeklagte milder behandelte als »Asoziale« oder Angehörige der Unterschichten, daß es für sogenannte »anständige« Leute mehr Verständnis zeigte als für Bettler, Hausierer, Dienstboten, Knechte, Alkoholiker und langjährige Arbeitslose, Menschen, deren Auftreten oft ungehobelt, roh und ungeschickt war.

Es wird spürbar, das Gericht orientierte sich keineswegs nur an Prinzipien der nationalsozialistischen Ideologie, vielmehr auch an allgemein herrschenden, herkömmlichen Vorstellungen über den minder- oder höherwertigen Charakter von Menschen. Überhaupt lassen verräterische Bemerkungen, die sporadisch in den Protokollen, insbesondere in denen der Gendarmerie, auftauchen, die Vermutung entstehen, daß die Verurteilung von Heimtückedelikten hin und wieder ein probates Mittel war, um örtlich unbeliebte »Asoziale« von der Straße zu bringen, gegebenenfalls in Verbindung mit Schutzhaft im KL Dachau in die »Zucht der Arbeit« zu nehmen.

III. Die Angeklagten vor dem Sondergericht

Nach der ersten Analyse der Urteile und ihrer Begründungen wenden wir uns wieder den Angeklagten zu. Bei dem Ziel, genauer feststellen zu wollen, welchen Schichten und

Gruppen der Bevölkerung sie angehörten, welches die Qualität und was die Motive ihrer Heimtückeäußerungen waren und wie sie sich bei den Vernehmungen durch die Polizei oder vor Gericht verhielten, stellt sich mit besonderem Nachdruck die Frage nach der Ergiebigkeit, Zuverlässigkeit und Vollständigkeit der Aktenüberlieferung. Bevor wir weitere Befunde der Aktenauswertung vorstellen, bedarf es deshalb einer quellenkritischen Erörterung, die auch mit den Eigentümlichkeiten der Aktenüberlieferung des Sondergerichts näher vertraut machen soll.

1. Eine quellenkritische Erörterung

Die Untersuchung des Informationsgehalts der Aktenüberlieferung des SG München ergibt, daß eine Rekonstruktion des sozialen Status der Angeklagten auch auf statistisch-quantitative Weise annähernd möglich ist. Das bedeutet aber nicht, daß die Akten ein getreues Abbild der Persönlichkeit der Angeklagten und ihrer Lebenssituation zeichnen würden. Sie liefern vielmehr in der Regel nur das Bild, das sich die Polizei, der Staatsanwalt und das Gericht von den Betreffenden machten, und – bestenfalls – das Bild, das die Angeklagten selbst vor dieser »Obrigkeit« präsentierten.

Wenn die Möglichkeiten einer quantitativen Analyse auch begrenzt sind, so kann jedoch auf sie nicht verzichtet werden. Sie deutet immerhin Größenordnungen und allgemeine Proportionen an, die die gesellschaftliche Relevanz eines Tatbestandes zeigen. Es ist von entscheidender Bedeutung, ob historische Tatbestände sich lediglich auf wenige Personen beziehen oder auf eine große Menge. Dies gilt dann in einem besonderen Maße, wenn diese Personen nicht in einem festen organisatorischen Zusammenhang standen und nicht das Gewicht einer Organisation in die Waagschale der politischen Auseinandersetzungen werfen konnten, sondern nur als isolierte Individuen handelten und litten. Verfahrensakten von Sondergerichten des Dritten Reiches überliefern weitgehend gleichförmige, auf bürokratischer Standardisierung von Massenschriftgut bei Polizei und Justiz beruhende Informationen. Im Rahmen sozialgeschichtlicher Fragestellungen scheinen sie eine relativ problemlose Quelle für quantitative Analysen abzugeben. Dennoch ist Vorsicht angebracht: Eine eingehendere Quellenkritik zeigt eine Reihe von Schwierigkeiten, die im folgenden aufgezeigt werden sollen.

Zunächst: Sondergerichtsakten stehen in einem komplexen Überlieferungszusammenhang von Schriftgut unterschiedlicher Provenienz, ohne dessen Gesamtkenntnis weder die jeweiligen Tathergänge noch die Abläufe bei der Polizei oder vor Gericht vollständig zu rekonstruieren sind, ein Zusammenhang, der aber in der Regel Lücken aufweist. Zu jenem Schriftgut gehören:
1. Personalakten von Polizei und Geheimer Staatspolizei sowie Vorverfahrensakten der Staatsanwaltschaft
2. einschlägige Personenakten der NSDAP, ihrer Gliederungen und angeschlossenen Verbände, die Denunziationsfälle dokumentieren
3. Verfahrensakten von herkömmlichen Strafkammern, die ebenfalls in politischen Strafsachen aktiv werden konnten

4. Schutzhaftakten und Unterlagen des Strafvollzuges
5. Akten von Strafverteidigern sowie vereinzelt auch private Korrespondenz von Angeklagten
6. Akten der Konzentrationslager
7. Schriftgut aus dem privaten Bereich (das fast gänzlich fehlt).

Nur in seltenen Ausnahmefällen ist es möglich, alle diese Elemente der Überlieferung eines einzelnen Verfahrens zusammenzutragen. Die Gestapo-Akten sind bis auf einige Restbestände weitgehend vernichtet, Akten von Strafverteidigern meist nicht zugänglich, und ein großer Teil des Schriftgutes aus den Konzentrationslagern ging verloren, während allerdings in den Registraturen von Kreisverwaltungen häufig Unterlagen über Schutzhaftvorgänge zu finden sind, freilich außerordentlich verstreut, so daß es technisch kaum möglich ist, sie selbst nur für einen Oberlandesgerichtsbezirk lückenlos zu sammeln.

Der Informationsverlust ist also außerordentlich groß, was nicht nur die Verifikation von überlieferten Angaben, sondern auch die Komplettierung von Lücken erschwert oder gar verhindert.

Hier könnte eingewandt werden, warum gerade Verifikationen und Ergänzungen von Gerichtsakten notwendig erscheinen, da Gerichte, zumindest was die formalen Belange angeht, meist akribisch arbeiten. Das Bedürfnis nach solcher Überprüfung ergibt sich jedoch gerade aus der Struktur der Sondergerichte; sie verfuhren rascher, kursorischer und unkontrollierter als die normale Strafjustiz, wobei ihnen Irrtümer und Flüchtigkeitsfehler, zuweilen sogar Widersprüche unterlaufen konnten. Zudem selektierten und reduzierten sie entsprechend dem weiten Spielraum der Vorschriften den Tathergang verhältnismäßig drastisch. Sie hatten auch kein ausgleichendes Regulativ in der Widerrede der Angeklagten und der Verteidiger, deren Rechtsmittel verhältnismäßig beschränkt waren. Schließlich waren die von den Ermittlungsbehörden eingebrachten Informationen, insbesondere wenn es sich um »Asoziale« oder Zeugen Jehovas handelte, vielfach von Voreingenommenheit durchsetzt, die die Sondergerichte nicht immer eliminieren konnten.

Die Problematik von Sondergerichtsakten rührt jedoch nicht nur von einem gestörten Überlieferungszusammenhang her, sondern auch von der spezifischen Position der Gerichte im Rahmen des nationalsozialistischen Regimes. Diese Position hing u. a. von den Kompetenzen, die der Staat den Sondergerichten zugewiesen hatte und deren Verlagerung im Lauf der Zeit ab. In den Jahren 1933–1938 gab es eine Reihe von gesetzlichen Grundlagen für die Tätigkeit der Sondergerichte, von denen jedoch nur das »Gesetz gegen heimtückische Angriffe auf Partei und Staat zum Schutz der Parteiuniform« vom 20. Dezember 1934 bzw. dessen Vorläuferverordnung von 1933 größere Bedeutung gewann. Gleichzeitig konnten Verfahren politischen Charakters aber auch vor herkömmlichen Strafkammern verhandelt werden, da die Staatsanwaltschaften das Recht besaßen, zwischen den verschiedenen Gerichtsarten zu wählen. Seit dem Erlaß der »Verordnung über die Erweiterung der Zuständigkeit der Sondergerichte« vom 20. November 1938 konnte die Staatsanwaltschaft Verfahren, die bislang nur vor normale Strafgerichte gehörten, vor die Sondergerichte bringen. Die Zuständigkeit der Sondergerichte war also erstens tatsächlich begrenzt und zweitens veränderlich. Das bedeutet, daß die Erhebungsbasis für quantitativ auswertbare Daten nicht fest umrissen ist, sondern zeitlich und sachlich bedingten Schwankungen unterliegt. Eine quantitative Analyse kann daher stets nur einen Ausschnitt mit biegsamen Grenzen aus dem Gesamtbild bieten.

Die Relevanz des Schriftgutes der Sondergerichte ist außerdem noch durch die Rechtsfigur der Schutzhaft eingeschränkt. Eine Durchsicht von Schutzhaftakten zeigt nämlich, daß es Fälle gab, die vom Tatbestand her in die Zuständigkeit des Sondergerichts gehört hätten, dort jedoch nicht auftauchten, da sie mit polizeilichen Mitteln geahndet wurden. Zudem existieren Fälle, bei denen die Angeklagten vom Sondergericht freigesprochen, anschließend aber durch die Gestapo in Schutzhaft genommen wurden.

Neben diesen äußeren Problemen einer Auswertung des Schriftgutes besteht jedoch eine Reihe innerer Probleme, die einer eingehenden Berücksichtigung bedürfen.

Eine vollständige Sondergerichtsakte, jedenfalls eine Akte aus den Beständen der Staatsanwaltschaft München, setzt sich aus drei verschiedenen Typen von Schriftstücken zusammen:
1. Den Ermittlungsunterlagen der Polizei und des Untersuchungsrichters, Vernehmungsniederschrift, Personalbogen sowie Beweismittel
2. Unterlagen der Justizverwaltung (wozu die wenig informativen Zustellungsurkunden von Zeugenvorladungen, Kostenabrechnungen sowie Verschiebungsanweisungen gehören)
3. Die Unterlagen des Prozesses im engeren Sinne: die Anklageschrift, das in der Regel inhaltlich recht dürftige Verhandlungsprotokoll und die ausführliche Urteilsniederschrift.

Für die quantitative Auswertung kommen vor allem drei Schriftguttypen in Betracht: der Personalbogen, das polizeiliche Vernehmungsprotokoll und die Urteilsniederschrift.

Die polizeilichen Vernehmungsprotokolle sind entweder von der Bayerischen Politischen Polizei bzw. Gestapo oder der Gendarmerie verfaßt. Es fällt auf, daß die Protokolle der BPP/Gestapo meist umfangreicher und genauer sind als die der Gendarmerie. Gewöhnlich liegen jedoch Unterlagen von seiten der Gendarmerie vor, was darauf schließen läßt, daß die Politische Polizei erstaunlich wenig an der Vorbereitung von Sondergerichtsverfahren Anteil nahm.

Das Vernehmungsprotokoll einer bayerischen Gendarmeriestation ist in den dreißiger Jahren auf der ersten Seite, entsprechend dem Brauch bayerischer Aktenführung, in zwei Spalten aufgeteilt. Die linke Spalte enthält Anschrift der Station, Namen von Vernehmungsbeamten, den Betreff mit dem Namen der angezeigten Person und ihres angenommenen Vergehens, den Adressaten, meist die zuständige Staatsanwaltschaft beim Landgericht, zuweilen aber auch den Anklageleiter beim Sondergericht München, sowie Weiterleitungs- und Sichtvermerke. Sie bietet relativ wenig Material zur Auswertung, ist aber wichtig für die Einschätzung des Rahmens, in dem ein Verfahren sich abspielte. Die rechte Spalte enthält die Beschreibung der Beschuldigung, die gewöhnlich mit dem Passus einsetzt: Die Person X von Beruf Y, aus dem Ort Z macht zum Zweck der Anzeige gegen die Person A folgende Angaben. Zuweilen steht noch dabei, daß X Parteimitglied oder Parteifunktionär sei und durch einen Dritten den Inhalt seiner

Angaben erfahren habe. Dieser Passus ist oft nicht uninteressant, häufig ist er ein Indikator des Kontroll- und Denunziationsgeschehens im Dritten Reich und läßt Rückschlüsse zu, ob den Sondergerichtsverfahren Denunziationen durch Privatpersonen oder Anzeigen durch Parteifunktionäre oder Spitzel zugrunde lagen. Diese Frage ist von nicht geringer Bedeutung, da hierbei auch sichtbar wird, wie das Block-, Zellen- und Ortsgruppenleitersystem bei der Überwachung der Bevölkerung funktionierte, ja ob es überhaupt funktionierte, oder ob nicht umgekehrt die Bevölkerung freiwillig zum Nutzen des nationalsozialistischen Regimes sich selbst gegenseitig kontrollierte.

Allerdings dürfen keine voreiligen Schlußfolgerungen gezogen werden. Vereinzelt enthalten die Sondergerichtsakten auch später zugefügte Durchschläge von Entnazifizierungsurteilen aus der Zeit nach 1945, bei denen Denunzianten nun wegen ihrer Denunziation im Dritten Reich selbst denunziert und angeklagt worden waren. Diese Entnazifizierungsunterlagen zeichnen zuweilen ein anderes Bild von Vorgängen im Dritten Reich als die Sondergerichtsakten. Dafür geben wir im folgenden ein Beispiel: In einem Polizeiprotokoll vom 28. August 1937 heißt es: »Am 28. August 1937 gegen 19 Uhr kam der ledige Feinmechaniker Kn. auf die Wache und gab an: ›Am 28. August 1937 gegen 18 Uhr 15 begab ich mich in das Friseurgeschäft Schl., um meine Haare schneiden zu lassen. In dem Friseurladen waren außer dem Geschäftsinhaber Schl. und dem Friseurgehilfen St. noch drei Männer, die ich nicht kenne, anwesend. Ich hörte aus dem Mund des Br., während dem er rasiert wurde, die Worte . . .‹« (es folgt die Heimtückerede).

Die Anklageschrift vom 8. Dezember 1937 stellt den Fall folgendermaßen dar: »Der Beschuldigte Br. äußerte in dem Friseurgeschäft des Schl. in M., das er in betrunkenem Zustand aufsuchte, um sich rasieren zu lassen . . . [es folgt die Heimtückerede]. Als der Beschuldigte im Damensalon des Geschäfts einige Frauen sah, sagte er, daß diesen ihre Bubiköpfe auch nichts nützten, Hitler wolle bloß Mädchen mit 14 Jahren und langen Zöpfen . . . Zeugen: H., Kn., Schl., St. und Z«. Die Urteilsniederschrift vom 6. Januar 1938, berichtete über denselben Vorgang: »Am Samstag, dem 28. August 1937, nachmittags, kam der Angeklagte in betrunkenem Zustand in das Friseurgeschäft des Schl. in M. in dem er ständiger Kunde ist, um sich rasieren und die Haare schneiden zu lassen . . . Der Angeklagte mußte daher längere Zeit warten. Er benutzte diese Zeit dazu, um sich an den Eingang des an den Herrensalon anschließenden Damensalons zu stellen und die dort sitzenden Frauen durch verschiedene Bemerkungen und Zoten zu belästigen. Nachdem ihm dies verboten worden war, kehrte er in den Herrensalon zurück und ging dort auf und ab. Er begann nun zu schimpfen . . . Der Zeuge Kn. hat weiter bekundet, er habe den Angeklagten schon einige Zeit vor dem Vorfall im Friseurgeschäft einmal auf der Straße in Nähe seiner Wohnung beobachtet. Auch damals habe der Angeklagte in betrunkenem Zustand laut geschimpft und über die nationalsozialistische Staatsführung losgezogen«.

Alle drei aus der NS-Zeit stammenden Schriftstücke liefern keine substantielle und eindeutige Information über die Denunziationsmotivationen des Kn. Durch den zuletzt zitierten Satz der Urteilsniederschrift könnte der Eindruck aufkommen, Kn. habe aus politischer Gründen heraus seine Anzeige erstattet. Dagegen vermittelt eine zu diesem Fall überlieferte Urteilsniederschrift der Entnazifizierungshauptkammer München vom

30. Juni 1949 in wichtigen Nuancen ein anderes Bild. Gegen Kn. lag ein Antrag des öffentlichen Anklägers auf Einstufung in die Gruppe II der Belasteten vor, da Kn. 1937 den Br. denunziert habe. Die Hauptkammer reihte Kn. jedoch in die Gruppe der Mitläufer ein, mit der Begründung: »Der Betroffene Kn. ist von Beruf Juwelenfasser [laut Polizeiprotokoll war er Feinmechaniker]; wie die mündliche Verhandlung ergab, hat Kn. am 28. August 1937 auf der Polizeiwache Anzeige erstattet. Der Anzeige zugrunde lagen wiederholte fortgesetzte öffentliche Beleidigungen, die sich gegen die damalige Braut des Betroffenen und ihn selbst richteten. Br. war schwer betrunken ... Er beleidigte die dort [Friseurladen] anwesenden Frauen in unflätiger Weise, darunter auch die Braut des Betroffenen. In der Erregung fuhr der Betroffene mit seinem Motorrad zur Wache und wurde von dem dortigen Beamten auf den Weg der Privatklage verwiesen, da er aber [ob zufällig oder absichtlich, bleibt offen] auch die politische Äußerung des Br. wiederholte, kam es zum Sondergerichtsverfahren gegen Br. am 6. Januar 1938« (8501).

Es kommt für das hier angeschnittene Problem nicht so sehr darauf an zu klären, ob Kn. den Br. tatsächlich aus Verärgerung über Beleidigungen oder aber aus Opportunismus gegenüber dem Nationalsozialismus denunziert hat. Möglicherweise war beides im Spiel, denn Kn. hätte ja die Heimtückeäußerungen des Br. bei der Polizei übergehen und den Weg der Privatklage beschreiten können. Festzuhalten ist vielmehr, daß dieselbe Situation in den verschiedenen Aktengruppen unterschiedlich dargestellt wird. Die Aktengruppen des Dritten Reiches suggerieren den Eindruck des öffentlich-politischen Handelns eines Denunzianten, die der Nachkriegszeit des privat-zufälligen. Die Gründe für die Differenz liegen auf der Hand und müssen hier nicht diskutiert werden.

Unter quellenkritischem Gesichtspunkt ist jedenfalls zu konstatieren, daß die Sondergerichtsakten eine zuverlässige Information, z. B. über die Denunziationsvorgänge, nicht immer gewährleisten. Eine systematische Überprüfung des Geschehens durch mündliche Befragungen ist zwar stellenweise möglich, angesichts der Überlieferung von Zehntausenden von Fällen allerdings kaum praktikabel.

Das Polizeiprotokoll enthält nach dem Einleitungspassus zunächst die Aussage des Anzeigenden, die in der Regel in drei Abschnitte gegliedert ist: Angaben über die Umstände, wie es zur Anzeige kam, eine Beschreibung des angeblichen Vergehens des Denunzierten und schließlich Bemerkungen zum Verhalten des Denunzianten während des Tathergangs. Ferner sind im Polizeiprotokoll oft Aussagen von anderen Belastungszeugen zu finden sowie eine Stellungnahme des Angezeigten selbst und schließlich hin und wieder eine Würdigung des Beschuldigten durch den Polizeibeamten, die dessen Voreingenommenheit oft durchschimmern läßt. Ein derartiger Text liefert auch für eine quantitative Analyse wichtige Variablen: Ort des Vergehens, soziale Stellung der Denunzianten und des Denunzierten, Typen des Vergehens.

Die Auswertung hat aber mit weiteren Schwierigkeiten zu tun. Je nach Intelligenzgrad, Sprachgewandtheit und beruflicher Versiertheit des Vernehmungsbeamten sind die Protokolle mehr oder minder präzise und vollständig. Zahlreiche Texte weisen Lücken und ins Auge springende Ungenauigkeiten auf. Ferner erhebt sich bei offenkundiger Voreingenommenheit die Frage, ob die Aussagen im Protokoll überhaupt korrekt wiedergegeben sind. Bei Beschuldigten, die damals als asozial galten – ein Typ von

Angeklagten, der bei den Sondergerichtsverfahren recht zahlreich vorkommt –, scheinen die Polizisten manchmal durch ihre Formulierungen den Inhalt von Zeugenaussagen noch verschärft zu haben. Schließlich ist auf eine Erkenntnis zu verweisen, die eine kürzlich im Auftrag des Bundeskriminalamts durch das Institut für Kommunikationsforschung an der Universität Bonn angestellte Untersuchung über die Beziehungen zwischen Vernehmungsbeamten und Vernommenen ergeben hat[28]: daß die Niederschriften nur dann Aussagen von Zeugen und Beschuldigten exakt wiedergeben, wenn diese so intelligent sind, daß sie die Inhalte ihrer Aussage den Beamten direkt in die Maschine diktieren können; dagegen zeigt die selbständige Niederschrift durch den Vernehmenden die Tendenz, den Inhalt von Aussagen im Interesse der Praktikabilität polizeilichen Vorgehens umzumünzen. Die Ermittlungsniederschriften der Polizei sind also für eine differenzierte Auswertung nicht unproblematisch. Zur Ergänzung korrespondierender Urteilsschriften stellen sie gleichwohl eine wichtige Quelle dar.

Die Personalbögen, die den höchsten Standardisierungsgrad unter den Sondergerichtsakten aufweisen, bieten Angaben zur Person eines Beschuldigten: Alter, Beruf, Familienstand, Militärdienst, Wohnort, Konfession, Vorstrafen, Arbeitsfähigkeit, Vermögen und Kinder. All diese Daten sind geeignet zur quantitativen Verwertung, insbesondere wenn es um die Skizzierung der sozialen Lage eines Angeklagten geht. Mit ihrer Hilfe läßt sich untersuchen, aus welcher gesellschaftlichen Gruppierung die Beschuldigten stammten und gegen Angehörige welcher Schichten sich die Strafverfolgungen der Sondergerichte richteten. Allerdings birgt auch diese Quelle einige methodische Probleme. Zunächst, nicht jede Akte enthält einen Personalbogen. Ferner: die von den Beschuldigten in den vorgeschriebenen Rubriken gemachten Angaben sind nicht immer vollständig, und schließlich erfassen die gestellten Fragen, wie z. B. nachträglich beigefügtes Beweismaterial zuweilen zeigt, oft nicht die reale soziale Lage einer Person. Ein Problem, auf das noch später einzugehen ist.

Die Urteilsniederschrift schließlich ist das im quellenkritischen Sinne zuverlässigste Dokument unter den Sondergerichtsakten, da sie einerseits manchmal auf einer durchaus skeptischen Prüfung der bislang angefallenen Information und andererseits auf der mündlichen Verhandlung mit Gegenrede beruht. Formal ist sie dreigliedrig aufgebaut: Am Anfang steht eine Art Präambel, in der der Angeklagte und der Tatbestand genannt, die Namen der Richter und des Staatsanwaltes aufgezählt werden sowie der Sitzungstermin festgehalten wird. Dieser Passus bietet Daten über die Zusammensetzung des Gerichts, dessen Veränderungen sowie die zeitliche Abfolge der Sitzungen, auf ein Jahr oder die Gesamtheit des Dritten Reiches verteilt.

Der Präambel folgt der Urteilspassus, der den Namen des Angeklagten, sein Geburtsdatum, seinen Geburtsort, den Familienstand, den Beruf und den Wohnort, dann die Strafe und das Strafmaß einschließlich der Rechtsvorschrift, aufgrund deren die Strafe ausgesprochen wurde, enthält. Alter, Familienstand und Beruf könnten bei oberflächlicher Betrachtung als gesicherte Daten gelten, dennoch tauchen auch hier Probleme auf. Als Beruf kann im Urteilsspruch z. B. »Maurermeister«, stehen, während ein Nebensatz in der Urteilsbegründung darauf hinweist, daß der Betreffende seit Jahren arbeitslos ist

---

[28] Bauscherns, Jürgen: Polizeiliche Versuchung: Formen, Verhalten, Protokollierung. Wiesbaden 1977.

und tatsächlich ein Wandergewerbe betreibt. Damit verschiebt sich jedoch das Bild seiner sozialen Lage erheblich.

Den dritten Teil einer Urteilsniederschrift bildet die Begründung des Urteils, die selbst wiederum einen hohen Grad von Formalisierungen aufweist. Sie beginnt mit einer Schilderung der Vergangenheit des Angeklagten, offensichtlich unter dem Gesichtspunkt, ob daraus strafmildernde oder -verschärfende Umstände abgeleitet werden können. War ein Angeklagter z. B. Kommunist, wobei dies nicht unbedingt eine Mitgliedschaft in der KPD meint, dann vermerkte dies das Gericht in der Regel und leitete daraus eine – in diesem Fall strafverschärfende – Motivation des Vergehens ab. War er dagegen Kriegsteilnehmer, dann hielt ihm das Gericht dies zugute. Angesichts dieser Praxis scheinen manche Angaben aus Viten von Angeklagten durchaus zweifelhaft, zumal das Gericht aufgrund des vorgeschriebenen raschen Ablaufs der Prozesse nur selten in der Lage war, genaue Nachprüfungen von Informationen vorzunehmen.

Dann folgt in der Urteilsbegründung die Beschreibung des Tathergangs, im Heimtückefall einschließlich der jeweiligen Äußerungen, wobei festzustellen ist, daß das Gericht tendenziell schwer nachweisbare Heimtückereden aus den Vernehmungsprotokollen der Polizei zugunsten leicht beweisbarer fallen ließ. Der Tathergang wird anschließend im Licht der Zeugenaussagen erörtert und auf seine Widerspruchsfreiheit hin geprüft. Dieser Passus liefert Hinweise auf die Bedingungen, unter denen »heimtückische« Äußerungen gemacht wurden. Dabei muß jedoch deutlich zwischen den Ausführungen über die allgemeinen Bedingungen, die dem Handeln eines Angeklagten zugrunde lagen und denen über die unmittelbaren Anlässe unterschieden werden. Allgemeine Bedingungen können u. a. sein: ideologisch gegensätzliche Einstellung, schlechte wirtschaftliche Lage des Betroffenen, Krankheit, politische Ungebildetheit oder Gewohnheitsnörgelei. Es handelt sich dabei jedoch nur um virulente Verhaltensdispositionen, die erst bei bestimmten Anlässen zu Heimtücke-Äußerungen führen. Solche Anlässe konnten sein: vorangegangener Ärger über eine Behörde oder eine Parteidienststelle, Streit mit nationalsozialistisch gesinnten Gesprächspartnern, Trunkenheit o. ä. Nimmt man Bedingungen und Anlässe als Variable der Motivation, dann zeigt sich meist, daß die Anlässe oft recht gut dokumentiert sind, die Bedingungen dagegen nicht, da das Gericht sie nur dann erwähnte, wenn sie im Rechtssinn erheblich waren. Das Interesse des Gerichts und heutige sozialgeschichtliche Fragestellungen sind nicht deckungsgleich.

2. Quantitative Auswertung: Die Sozialstruktur der Angeklagten

Wenn wir im folgenden, nach der Auszählung einer Reihe von Informationen, die wir aus den Akten entnommen haben, unter verschiedenen Gesichtspunkten eine quantitative Auswertung, besonders in bezug auf die soziale Stellung und Motivation der Angeklagten, versucht haben, so kann diese nur im Zeichen der quellenkritisch erörterten Einschränkungen stehen. Sie bedarf deshalb auch der Ergänzung und Vertiefung durch eine hermeneutische Interpretation der Quellen, wobei es auch darum geht, die quantitativen Befunde durch exemplarische, qualitative Zeugnisse zu ergänzen.

Zunächst empfiehlt sich eine grobe Differenzierung nach dem Herkunftsmilieu der wegen Heimtücke Angeklagten. Der OLG-Bezirk München war, sieht man von München und Augsburg ab, im wesentlichen ländlich/kleinstädtisch geprägt. Diesem Sachverhalt folgen wir mit einer entsprechenden Unterteilung. Eine weitere Aufspaltung nach Dörfern und Kleinstädten ist schon aufgrund der Quellenlage wenig sinnvoll.

Tabelle 5
Wohnsitz der Angeklagten (Heimtückefälle)

Jahr	Land/Kleinstädte	München	Augsburg	München und Augsburg	ohne Wohnsitz	ohne Angaben
1933	105	92	5	97	8	1
1934	131	149	8	157	1	6
1935	94	75	11	86	5	6
1936	178	95	15	110	2	1
1937	197	99	15	114	1	1
1938	751	384	37	421	9	14
1939	730	358	36	394	4	16
insgesamt	2186	1252	127	1378	30	45

Die Tabelle zeigt im allgemeinen die gleiche Entwicklung wie die der Heimtückefälle von Ungebundenen: 1934 leichter Anstieg sowohl auf dem Land und in den Kleinstädten als auch in München und Augsburg, 1935 Rückgang (freilich nicht in Augsburg, was auf lokale Gegebenheiten zurückgeführt werden könnte), 1936 langsamer Aufschwung und anschließend rasches Emporschnellen kurz vor dem Krieg. Die Tabelle weist aus, daß im Bereich des OLG München (Oberbayern, Niederbayern, Schwaben) nicht allein Städter dem Regime kritisch gegenüberstanden, sondern auch Landbewohner. Ein Resultat, das im Blick auf die Bevölkerungszusammensetzung und die Region nicht überrascht, das aber der gängigen Vorstellung zuwiderläuft, im wesentlichen hätten nur die Industriearbeiter ein Grundreservoir des Unmuts gegenüber dem Nationalsozialismus gebildet.

Vergleicht man nun die Zahlen von Land/Kleinstadt und den beiden Großstädten, dann ergibt sich folgende Differenz:

Tabelle 6
Wohnsitze der Angeklagten im Stadt-Land-Vergleich

Jahr	Land/Kleinstadt		München und Augsburg	Differenz
1933	105	:	97	8
1934	131	:	157	18
1935	94	:	86	8
1936	178	:	110	68
1937	197	:	114	83
1938	751	:	421	330
1939	730	:	394	336
insgesamt	2186	:	1379	807

Die Differenz bleibt 1933 bis 1935 relativ konstant, 1936 tritt eine einigermaßen überraschende Entwicklung ein, durch die sich die ursprünglichen Proportionen verändern: Die Zahl der Angeklagten vom Land bzw. aus den Kleinstädten wächst schneller als die aus den Großstädten. Ein Befund, der darauf hindeutet, daß das Verhältnis zwischen Regime und Land/Kleinstadt-Bevölkerung ab 1936/37 sich rascher verschlechterte als in den Großstädten. Zur Erklärung können einige Faktoren aufgeführt werden: die erhöhten Leistungsanforderungen an die Landwirtschaft, die Auseinandersetzungen zwischen NSDAP und katholischer Kirche bzw. der Partei und dem katholischen Kulturmilieu auf dem Lande, der Untergang ländlicher Berufe im Zuge der wachsenden Industrialisierung Bayerns und die erwachende Skepsis der Bauern gegenüber dem Erbhofgesetz und dem Reichsnährstand.

Andererseits ist zu sagen, daß die Land/Kleinstadtsphäre gewissermaßen nur aufholt, denn man muß folgendes berücksichtigen: Nach den Zahlen von 1932 betrug das Bevölkerungsverhältnis zwischen den beiden Großstädten zusammen und den Land- und Kleinstädten rund 853 000:2 445 000. Die beiden Großstädte, insbesondere München, weisen in den drei Anfangsjahren des NS-Regimes im Verhältnis zur Gesamtbevölkerung des OLG-Bezirkes mehr Angeklagte auf als das Land/Kleinstadtgebiet, eine Proportion, die sich allerdings nach 1936 allmählich ausgleicht.

Interessant erscheint uns auch die Frage, ob aufgrund der Lage des Konzentrationslagers in der Stadt Dachau eine erhöhte Zahl von Heimtückeangeklagten registriert werden kann. Vordergründig ist anzunehmen, daß hier in besonderem Maße Redereien über das KL, eine Ausnahmeerscheinung, vorgekommen sein müßten.

Tabelle 7
Angeklagte (Heimtückefälle) mit Wohnsitz in Dachau

1933	1934	1935	1936	1937	1938	1939
1	–	1	2	–	4	4

Die Zahlen der Tabelle sind absolut unsignifikant. Dachau bildete keine Ausnahme gegenüber anderen vergleichbaren Kleinstädten. Wenn über das Lager negativ geredet wurde, was nicht selten vorkam, dann geschah dieses in der Regel, wie aus den Einzelakten hervorgeht, in München. Den Ursprung dieser Heimtückereden bildeten Personen, die aus Dachau nach München zurückgekehrt waren und einiges erzählten. Erzählungen, die dann in der Form von Gerüchten weitergetragen wurden und so unter das Heimtückegesetz fielen.

Die Unterscheidung in Land/Kleinstadt- und Großstadtangeklagte ist jedoch relativ oberflächlich; genauere Aufschlüsse liefern hingegen erst Angaben zu den Berufen. Allerdings bereitet die Klassifikation der Berufe erhebliche Schwierigkeiten. Zum einen arbeitet das Gericht selbst nicht mit standartisierten Begriffen, ein Bauer kann z. B. unter der Bezeichnung »Bauer«, »Erbhofbauer«, »Landwirt« und »Gütler« vorkommen. Bauer ist eine Berufsbezeichnung nach dem Reichserbhofgesetz. Da jedoch »Bauer« ein schon früher gebräuchlicher Begriff war, werden die Erbhofbauern im Rechtssinne hin und wieder auch als solche genannt. Demnach muß ein Bauer nicht immer ein

Erbhofbauer sein. Landwirte sind Personen mit Höfen, die nicht unter das Erbfolgegesetz fallen, aber wenn ein Erbhofbauer mit dem Reichsnährstand nicht zufrieden war, dann mag er zuweilen aus Protest als Beruf Landwirt angegeben haben. Problematisch ist auch die Trennung zwischen Handwerkern und Facharbeitern in der Industrie. Ein Schlosser, der bei einem Handwerksbetrieb einer Kleinstadt arbeitet ist seinem sozialen Umfeld und seinen Motivationen nach etwas anderes als ein Schlosser in einer Rüstungsfabrik. Da die Abwanderung vom Land in die Großstädte während des Dritten Reiches in Bayern verhältnismäßig groß war, waren die allgemeinen Berufsverhältnisse und damit auch die Nomenklaturen im Fluß. Auch erlauben die Angaben in den einzelnen Prozeßakten häufig keine eindeutigen Zuordnungen. Einen wenngleich willkürlichen Ausweg bietet die Möglichkeit, zur Kategorie der Handwerker die traditionellen Handwerksberufe zu rechnen, Schreiner, Schmiede, Schneider, Sattler, Drechsler, Wagner usw., und zu den Industriefacharbeitern die neu entstandenen Fachberufe. Dennoch bleiben Unsicherheitsfaktoren, die sich erhöhen, wenn man in Urteilsbegründungen liest, daß ein Angeklagter zwar ursprünglich Spenglerei gelernt habe, diesen Beruf jedoch seit Jahren nicht mehr ausübe, weil er mehrmals vorbestraft war und nirgendwo mehr aufgenommen worden sei oder weil er infolge der Weltwirtschaftskrise jahrelang arbeitslos umhergewandert sei. Eine Sozialstatistik auf der Grundlage der Gerichtsakten vermittelt daher lediglich ein in den Trends richtiges, in den Grenzbereichen jedoch unscharfes Bild, das auch nicht durch die Anwendung der Berufsklassifikationen des statistischen Reichsamtes entzerrt werden kann. Weitere Probleme bestehen bei den Arbeitern und den Hilfsarbeitern. Betrachtet man die Lebensläufe der Arbeiter und Hilfsarbeiter in den Akten genauer, dann fällt auf, daß selten klare Unterscheidungen zwischen beiden Berufsgruppen getroffen wurden. Arbeiter sind manchmal sogar nur Gelegenheitsarbeiter. Schließlich bestehen auch fließende Grenzen im Bereich der Angestellten- und Beamtengruppen, zumal Bank- oder Versicherungsangestellte sich oft als Beamte bezeichneten. Insgesamt liegt der folgenden Klassifikation das Prinzip zugrunde, die sozialen Verhältnisse, wie sie sich aus den formalen Angaben entnehmen lassen, als Grundlage aufzugreifen, sie jedoch durch die übrigen Informationen in den Akten zu ergänzen. Dies impliziert den Verzicht auf ein starres formales Verfahren und auf eine kaum aussagekräftige Schichtunterteilung. Unter solchen Vorbehalten ist die folgende Tabelle im Rahmen der Problematik von Widerstand und zivilem Ungehorsam gleichwohl aussagekräftig.

Nach dieser Aufschlüsselung bilden die Handwerker die größte Gruppe der Angeklagten, gefolgt von den Bauern, den kleinen Angestellten und Beamten. Wenn man indes die Hilfsarbeiter und Arbeiter zusammenzählt, was erlaubt ist, da aus den Akten hervorgeht, daß ihre soziale Lage durchweg ähnlich ist, übersteigt diese Gruppe die der Handwerker um 40 Personen. Rechnet man jedoch die Beamten bzw. Angestellten und die kleinen Selbständigen zusammen, dann bilden sie die größte Gruppe der Angeklagten. Aus den Prozeßeinzelakten läßt sich erschließen, daß es sich dabei in der Regel nicht um Bürgerliche im Sinne einer bürgerlichen Ober- und Mittelschicht handelt, sondern um »kleine Leute«, die man auch zum unteren Mittelstand rechnen kann, der jedoch aufgrund seiner dürftigen finanziellen und allgemein schlechten sozialen Lage in vielen Zügen der Schicht der Arbeiter gleichzustellen ist. Jedenfalls ist hervorzuheben, daß vier

Tabelle 8
Berufsklassifikation der Angeklagten (Heimtücke)

Jahr	Bauern	landwirt-schaftliche Arbeiter	Maurer	Bau-hilfs-arbeiter	Handwerker	Industrie-facharbeiter	Industrie-hilfs-arbeiter	Arbeiter	Gastwirte kleine Laden-inhaber
1933	11	6	5	4	36	25	18	9	6
1934	14	14	6	6	48	20	17	11	8
1935	17	6	3	3	17	12	12	17	8
1936	26	12	4	11	28	28	38	15	16
1937	31	9	7	5	55	26	33	10	13
1938	148	44	13	22	110	73	92	41	79
1939	125	26	18	24	122	83	89	54	64
	372 +	117	56 +	75	416	267	299	157	185
	489		131						

Jahr	kleine Beamte Angestellte	gehobene Angestellte Selbständige	Studenten Schüler	Kriegsinvalide Rentner	Hausierer Wanderhändler	ohne Wohnsitz	ohne Angabe
1933	9	19	2	3	11	8	5
1934	24	36	1	5	18	1	3
1935	21	23	—	2	15	3	3
1936	29	19	1	7	19	1	1
1937	34	12	1	4	18		—
1938	111	122	5	25	50	7	8
1939	99	85	5	20	40	4	10
	306	326	15	66	160	24	31

soziale Gruppen sich herauskristallisieren, in denen die Heimtückerede besonders geläufig ist: die unteren Mittelschichten, die untersten Arbeiterschichten, Handwerker, vor allem die Handwerker traditioneller, zum Teil vorindustrieller Berufe, und schließlich Bauern. Ihnen folgen erst in einem gewissen Abstand die Industriefacharbeiter. Bemerkenswert ist das häufige Vorkommen von Gastwirten, kleinen Ladenbesitzern sowie Hausierern, Wanderhändlern, Maurern und Bauhilfsarbeitern. Es ist evident, daß Gastwirte, Ladenbesitzer und Hausierer eine für Heimtückereden besonders gefährdete Gruppe darstellen, da sie in einer Art permanenter Öffentlichkeit leben und deswegen für Denunziationen außerordentlich anfällig sind. Die Redereien unter den Maurern lassen sich nicht ohne weiteres erklären, zumal angesichts der erhöhten Bautätigkeit im Dritten Reich ihre soziale Lage nicht schlechter war als die vergleichbarer Facharbeitergruppen.

Das Unmutspotential unter den Hilfsarbeitern und Arbeitern blieb offensichtlich deshalb hoch, weil sich selbst bei Vollbeschäftigung für sie keine besonders günstigen wirtschaftlichen Verhältnisse eingestellt hatten. Lediglich die erfolgreiche Arbeitsbeschaffung 1934/35 scheint Mißstimmungen zeitweise abgebaut zu haben. Demgegenüber weisen die Industriefacharbeiter eine geringere Neigung zur Heimtückerede auf, vielleicht weil ihre Lage sich gebessert hatte. Bemerkenswert sind jedoch die kräftigen Unmutstendenzen unter den Handwerkern, die sich bis auf das Jahr 1935 auf einem gleichbleibenden Niveau halten. Möglicherweise sind sie bedingt durch die in den 30er Jahren in Bayern hereinbrechende Industrialisierung, die sie beruflich häufig in schwierige Situationen brachte. Die Bauern in Bayern, damals die zahlenmäßig bedeutendste Bevölkerungsgruppe, stellen zunächst einen verhältnismäßig geringen Anteil unter den Angeklagten. Vermutlich empfanden sie in den ersten Jahren nach der Machtergreifung die Maßnahmen des Regimes für die Landwirtschaft als positiv und hegten daher keine Neigung zur Heimtückerede. Auch die zunächst zurückhaltende Politik des Nationalsozialismus gegenüber der katholischen Kirche scheint auf die durchweg katholischen Bauern beruhigend gewirkt zu haben. Allerdings steigt die Zahl der bäuerlichen Angeklagten 1937/38 drastisch an. Es ist zu vermuten, daß die massierten Eingriffe der Partei in das katholische Kulturmilieu und des Reichsnährstandes in das bäuerliche Gewerbe zu verstärktem Unmut führten. Das Regime wurde offensichtlich ab dieser Zeit als bedrückend, die gewohnten Lebensformen störend, empfunden.

Ähnliche Merkmale wie bei den Bauern zeigen die Zahlenreihen bei den kleinen Beamten, Angestellten und den gehobeneren Angestellten bzw. Selbständigen. Sie drücken möglicherweise wachsende Enttäuschung über das NS-Regime aus, zumal gerade diese Bevölkerungsgruppierungen 1933 erhebliche Erwartungen in den Nationalsozialismus gesetzt hatten.

Die große Zahl von Hausierern, Wanderhändlern und Gastwirten/kleinen Ladeninhabern stellt ein Sonderproblem dar. Gewiß war ihre wirtschaftliche Situation in der Regel nicht besonders gut, was auch aus vielen Lebensläufen in den Einzelakten zu entnehmen ist. Aber hinzu kommt, daß sie aufgrund ihres Berufsmilieus, das sie zwang, zahlreiche oberflächliche Kontakte mit Fremden über den Ladentisch, im Wirtshaus oder an der Haustür zu unterhalten, besonders denunziationsanfällig waren.

Die Tabelle macht schließlich noch deutlich, daß die Oberschicht und die gebildeten

Bürgerlichen fast gänzlich fehlen. Lediglich von den Bauern und Selbständigen dürften einige wenige oberen sozialen Schichten zuzurechnen sein. Kommt hier und da unter den Angeklagten mal ein Fabrikdirektor vor, ein Oberstudiendirektor oder ein adliger Bildhauer, der allerdings geistesgestört war, so fallen sie, absolut gesehen, nicht ins Gewicht. Daraus darf nicht voreilig geschlossen werden, daß es in den Oberschichten keine Heimtückerede gegeben habe. Zumindest ist zu bedenken, daß sich gebildete Bürgerliche bei ihren Äußerungen verschlüsselter ausdrückten als Bauern oder Hilfsarbeiter und in der Regel ihre Äußerungen in einem geschlosseneren, privaten Milieu machten, das nicht so denunziationsanfällig war wie die quasi Öffentlichkeit der Wirtshäuser, Läden und Arbeitsplätze.

Heimtückereden gebildeter Bürgerlicher waren sowohl wegen ihrer Sprachgewohnheiten als auch ihrer Lebensformen für die Organe des Regimes sehr viel schwerer zu entdecken. Es sei denn, sie denunzierten sich gegenseitig oder wurden gezielt durch Spitzel beobachtet. Der o. g. Fabrikdirektor jedenfalls war durch einen seiner engsten Mitarbeiter im Betrieb beim Kreisleiter angezeigt worden.

Abschließend ist zu sagen, daß die vorgelegten Thesen einer weiteren Analyse und Bestätigung bedürfen, die freilich nicht mit dem vorhandenen Zahlenmaterial möglich ist, sondern die nur auf der Grundlage einer später anzustellenden Einzeluntersuchung über die Umstände der Denunziation und die Lebensbedingungen der Angeklagten unternommen werden kann.

Um zu einer weiteren Differenzierung des Bildes zu gelangen, haben wir auch die wegen einer Heimtückerede beschuldigten Frauen ausgezählt, deren Anteil nicht gering war.

Tabelle 9
Aufschlüsselung der Angeklagten nach Geschlechtern

Jahr	Frauen	Männer
1933	36	177
1934	68	232
1935	32	162
1936	42	255
1937	49	269
1938	261	949
1939	291	868

Insgesamt gesehen entspricht die Entwicklung der Zahlenreihe in etwa der der männlichen Angeklagten. Um die Gruppe der Frauen noch näher zu kennzeichnen, kann man sie nach ihrem Beruf ausdifferenzieren (Tab. 10, S. 471).

Der überproportionale Anteil an Berufstätigen – im Verhältnis zur Gesamtzahl aller berufstätigen Frauen – unter den angeklagten Frauen rührt vermutlich daher, daß sie in höherem Maße als die Hausfrauen in der Öffentlichkeit auftraten und daher denunzia-

Tabelle 10
Berufstätigkeit der angeklagten Frauen

Jahr	Hausfrauen	Berufstätige
1933	21	15
1934	38	28
1935	18	14
1936	24	18
1937	37	15
1938	155	86
1939	196	95

tionsanfälliger waren. Andererseits mögen die berufstätigen Frauen auch stärker politisiert gewesen sein als die Hausfrauen.

Schließlich haben wir versucht, den Altersaufbau der wegen Heimtücke Beschuldigten zu erfassen (Tab. 11, S. 472).

Die Tabelle deutet darauf hin, daß die Masse der Angeklagten den Jahrgängen zwischen 1890 und 1910 angehörte. Es handelt sich dabei um Personen, die in ihrer Jugend Krieg, Revolutionszeit, Inflation und Weltwirtschaftskrise in dichter Folge während der Aufbaujahre ihres Lebens erlebt hatten. Gerade wenn man die schwierigen beruflichen Verhältnisse zahlreicher Angeklagter betrachtet, wird deutlich, daß es sich um eine Generation handelte, die die Katastrophen der jüngsten deutschen Geschichte in vollem Maße erlebt hatte und oft bis an den Rand des Existenzminimums getrieben worden war. Vom Dritten Reich erwartete sie soziale und wirtschaftliche Befriedigung. Da dies nicht gelang, mußten Enttäuschungsmomente gehäuft auftreten – eine These, die freilich noch durch Einzelbetrachtungen genauer zu belegen ist.

Zusammenfassend kann gesagt werden, daß die Angeklagten vor dem Sondergericht München durchweg ein Konglomerat »kleiner Leute« mit der Tendenz zur sozialen Deklassierung bildeten. Es überwiegen die Handwerker, Bauern, Hilfsarbeiter und die unteren Mittelschichten. Sie sind in der Regel 25–40 Jahre alt und kommen in den ersten Jahren des nationalsozialistischen Regimes verstärkt aus München und Augsburg, später aber in erhöhter Zahl auch vom Land und aus den Kleinstädten. Darunter sind zahlreiche Personen, die vor 1933 zum Nationalsozialismus neigten und, was die unteren Mittelschichten, Handwerker, Ladenbesitzer und Bauern angeht, zu dessen Hauptwählerpotential gerechnet werden können. Es ist daher anzunehmen, daß bei ihnen Enttäuschungshaltungen eine große Rolle spielten.

Tabelle 11
Altersstruktur der Angeklagten

Altersgruppe Jahr	insgesamt	15–19	20–24	25–29	30–34	35–39	40–44	45–49	50–54	55–59	60–64	65–69	70–74	75–	ohne Altersangabe
1933	213	4	34	28	33	40	18	14	15	11	8	5			3
1934	300	3	20	33	51	51	29	34	19	21	17	10	7		5
1935	194	1	13	19	25	36	26	13	22	18	10	6	1		4
1936	297	4	22	24	44	40	48	39	25	23	16	8	3		1
1937	318	4	10	31	42	60	45	29	37	29	15	12	1	1	2
1938	1210	13	48	105	138	182	185	150	142	94	58	43	21	5	26
1939	1159	30	42	98	143	166	158	155	111	115	73	29	14	9	16

IV. Heimtückereden und Heimtückediskurs

Die Äußerungen von Personen, die ein Sondergericht als Heimtücke gewertet hat, sind durchweg unvollständig überliefert, denn die Akten dokumentieren keineswegs die Gesamtsituation eines realen Sprechaktes. Eines Sprechaktes, der in seinem Kern aus dem Dialog zwischen zwei oder mehreren Menschen bestand. Heimtückeäußerungen standen nicht isoliert, wie die Gerichtsakten suggerieren, sondern wuchsen aus einem Rede- und Antwortspiel erst allmählich heraus, wobei affektive Elemente, Gestik und Mimik eine große Rolle gespielt haben müssen.

Die Fragmentierung der Sprechakte beruht zum einen auf dem Erinnerungsverlust von Zeugen und Angeklagten, zumal zahlreiche Heimtückeäußerungen oft Monate, ja schon Jahre zurücklagen. Manche Zeugen hatten aber auch ein Interesse daran, eigene, den Angeklagten provozierende Heimtückeäußerungen vor dem Richter zu verbergen oder in den Hintergrund zu spielen. Sie stellten sich dann, um glaubwürdig zu erscheinen, als besonders regimekonforme Personen dar.

Anderen Zeugen kam es darauf an, die Heimtückevorgänge in einer Form zu schildern, daß den Angeklagten daraus ein Schaden entstehen mußte. Wieder andere Zeugen wollten sich einfach aufspielen, sich ohne Sinn und Zweck wichtig tun, beteuerten vor Gericht, sie hätten versucht, im Gespräch auf den Angeklagten »beruhigend« einzuwirken, sie hätten gemahnt, gedroht und ihn verwarnt. Daran sollte man sehen können, wie verstockt der Angeklagte sei oder wie staatstreu und aufrichtig der Zeuge.

Andererseits hatte auch das Gericht schon aus verfahrensrechtlichen Gründen kein Interesse daran, den gesamten Sprechakt zu rekonstruieren und in seinen Unterlagen aufzubewahren. Es war nur auf die Ermittlung der Teile eines Dialoges aus, die sich unter die Vorschriften des Heimtückegesetzes subsumieren ließen. Es unterband sogar Versuche von Angeklagten, den gesamten Sprechakt zu wiederholen, indem es bestrebt war, durch gezielte Fragen die Heimtückerede aus der ursprünglichen Situation herauszupräparieren und so zu isolieren.

Die Überlieferung bietet daher in bezug auf den einzelnen Vorgang ein fragmentarisches, in bezug auf die der Beschuldigung zugrunde liegenden Vorgänge gleichwohl ein recht breites Material. Diese Quellenlage erfordert eine begriffliche Unterscheidung: die in der jeweiligen Quelle überlieferte einzelne Heimtückeäußerung soll im folgenden »Heimtückerede« heißen, der politisch und gesellschaftlich bedeutsame Grundtenor von zahlreichen verschiedenen Heimtückereden »Heimtückediskurs«.

Der Heimtückediskurs ist mehr als die Einzelrede; er übersteigt auch die Summe der Heimtückereden. Er stellt vielmehr in seiner Querschnitthaftigkeit einen quasi-öffentlichen, wenn auch unterdrückten Gesamtdiskurs dar. Er bildet eine Abstraktion, die das Typische herausgreift. Er überschreitet das »Schimpfen« des einzelnen und zielt auf eine allgemeine Relation zwischen dem nationalsozialistischen Regime und einem bestimmten Anteil der Beherrschten ab.

Methodisch läßt sich der Heimtückediskurs durch einen Vergleich der zahlreichen in den Akten überlieferten Heimtückereden rekonstruieren, die ihrerseits häufig in direkter Rede wiedergegeben sind, aber selbst in der indirekten Rede der direkten Rede nahestehen.

Das sprachliche Grundmuster einer Heimtückerede ist die Sprunghaftigkeit, die Wechselhaftigkeit, das Abschweifen, die Armseligkeit der Argumentation, die Thesenhaftigkeit und oft auch die Floskelhaftigkeit. Sie zeigt lediglich negative Gefühle an. Die Heimtückerede steht dem Gerücht nahe, häufig transportiert sie nur Gerüchte, die dann vom Gericht individualisiert und damit erst zum Heimtückedelikt hochstilisiert werden. Als typisch kann die Rede eines Oberkellners aus dem Jahre 1934 gelten, die wegen ihrer ausführlichen Überlieferung zitiert werden soll. Die Gesamtrede, in einem Atemzug gesprochen, läßt sich in sieben verschiedene Aussagen aufspalten. Zunächst nannte der Oberkellner die SA »braune Affen« und Hitler-»Bagage«, dann fuhr er fort:
1. Das ganze »braune Haus« ist verseucht.
2. a) Hitler ist ein Depp. Ich kenne eine Dame, die bei Hitler auf seinem Landsitz in Stellung war, die behauptet auch, daß Hitler rumgeht, als wenn er es nicht richtig im Kopf hätte.
b) Hitler ist ein Deserteur, ist aus Österreich geflohen.
c) Er war auch gar nicht beim List-Regiment, ich habe mehrere Kameraden vom List-Regiment getroffen, die behaupten das gleiche.
3. Röhm ist gar nicht erschossen worden. Hitler hat ihm und seiner Mutter nach England verholfen. Das habe ich von einem Bekannten gehört.
4. Baldur von Schirach hat große Unterschlagungen gemacht und hat sich erschossen.
5. Der Schwindelbande ist alles zuzutrauen.
6. Zu einem anwesenden Hitlerjungen: Du schaust aus, als wenn du mit Scheißdreck angeschmiert wärst (Anspielung auf die braune Uniform).
7. a) Wenn ich einmal nach Dachau komme, dann müssen sie mich gleich herauslassen.
b) Dann melde ich mich sofort nach Frankreich und verrate sie hinten und vorne (Akte 7696).
Der Textzusammenhang läßt erkennen, daß die Rede durchweg staccatohaft und unzusammenhängend hervorkam, eine unkontrollierte Rede, die in ihren Steigerungen geradezu in eine Art Zwanghaftigkeit mündete.
Ein weiteres Grundmuster des Heimtückediskurses bildet die Neigung zu überpointierten Kontrasten, wobei einer der Hauptkontraste ist: »Wir armen Leute hier« und die »Großen da oben«. So sagte ein Invalide 1936: » . . . jetzt haben sie mir meine Rente genommen. Nun soll ich mit 50 Pfennig am Tag leben. Pfui Teufel! Das sind Lumpen des 3. Reiches! Die leben in Saus und Braus und die armen Leute müssen verhungern . . . Das 3. Reich baut Mordstrümmergebäude und die Armen müssen verrecken . . .« (8370). Oder 1938 sagte ein Gartenbautechniker: »Bei uns in Deutschland wird nur sehr viel geredet, aber gehandelt oder geschaffen wird nicht . . . Die Arbeiter und der Mittelstand haben nichts, sondern leiden Not. Immer soll man geben, aber man weiß nicht, wo man das Geld hernehmen soll . . . [eine Anspielung auf die zahlreichen Sammelaktionen]. Die großen Herren können sich jetzt Häuser bauen, so z. B. Schirach, der habe sich aus Staatsgeldern eine Villa gebaut« (8640). Beide Grundmuster der Diskurs-Reden sind häufig durchsetzt mit Beschimpfungen und Invektiven, die sich zu freilich leeren Drohungen steigern können: z. B. »die Verbrecherregierung«, »die Schlawinerregierung« oder wie ein Landwirt sich ausdrückte: »Dieser Bande gehörten die Köpfe weggehaut! Hitler der Lausbub, habe ihn um 16 000 RM gebracht. Verrecken

sollen sie diese Geschwollköpfe! Diesen Sauköpfen geht es zu gut! dem Bürgermeister [gemeint ist Oberbürgermeister Fiehler in München] renne er noch das Messer hinein!« (8234).

Die einzelnen Sequenzen einer Heimtückerede gehören nicht zur Sprache der Wortgewandten, sondern vielmehr der Schwerfälligen, der sprachlich Hilflosen, die Mühe haben, einen plötzlich aufkommenden Gedanken oder ein Gefühl in einem glatten Satz auszudrücken und die im Affekt nur kurze Wort- und Satzfetzen herauszustoßen vermögen. Eine sprachliche Hilflosigkeit, die sich auch in der Neigung ausdrückt, sich selbst und die Objekte ihres Angriffs nicht mit Namen zu nennen, sondern mit Wendungen der Anonymität zu bezeichnen: »*die* wissen schon, warum . . . *Wir* werden ja bloß angelogen . . . *Wir* müssen nur den Bullen machen, *die* stehlen den Leuten bloß das Geld ab« (7594).

Zahlreiche Ausdrücke der Heimtückereden gehören zum oberbayerischen bzw. schwäbischen Dialekt und klingen in dieser Alltagssprache durchaus nicht immer besonders hart. Eine Drohung wie »ich schneide ihm die Gurgel durch«, ist keineswegs wörtlich ernst gemeint, sondern stellt häufig nur eine – oft hilflose – Drohgebärde dar. Da jedoch im Rahmen der Sondergerichte derartige Ausdrücke in die Sphäre des Politischen und der Justizhochsprache gerieten, transformierten sie sich in eine für den Redenden oft unbegreifliche amtliche Fassung, über deren gefährliche Folgen er sich ursprünglich selten im klaren war. Ähnlich verhält es sich mit allgemein umgangssprachlichen Floskeln. Während einer Hitlerrede sagte ein Schlosser 1936 abfällig: »Das ist lauter Krampf, die [gemeint sind vernehmbar klatschende Zuhörer im Radio] können schon klatschen, die werden dafür bezahlt, aber die Sache steht doch schief und deshalb macht man so viel Propaganda . . ., ja die werden bezahlt dafür. Das braucht man nicht zu glauben, was da alles gesprochen wird«.

Der Schlosser spielte bei seiner Rede auf die Welt des Theaters mit ihren Claqueurs an, um über das Publikum einer Hitlerrede zu spotten und die Inszenierung des Ganzen bloßzustellen. Der Satz »die sind ja doch nur bezahlt« ist eine umgangsprachliche Floskel, die, in einer anderen Umwelt geäußert, keine besondere Bedeutung gehabt hätte. Nun aber wurde sie als politische Diffamierung gedeutet. Hier liegen Formen einer spontanen, unreflektierten Umgangssprache vor, keine politisch durchkonzipierte Hochsprache von Funktionären oder Gebildeten.

Der Heimtückediskurs bedient sich also durchweg der Umgangssprache der »einfachen Leute«. Sein Inhalt ist trotz der gerichtlichen Umstilisierungen meist vieldeutig, denn er will weniger etwas aussagen, als ein Publikum beeindrucken und Gefühle mitteilen. Das Sondergericht würdigte sogar diesen Tatbestand zuweilen zugunsten eines Angeklagten. So heißt es in einer Urteilsschrift über einen Mann, der in einer Gastwirtschaft vor Publikum ausgerufen hatte: »Wenn mir einer 500,– RM gibt, dann schneide ich dem Hitler die Gurgel ab«, der Angeklagte habe sich einem Publikum gegenüber befunden, von dem er nicht erwarten könne, daß ihm jemand wirklich 500,– RM geben werde für die Tötung des Reichskanzlers. Die Äußerung sei vielmehr eine Art Ausdruck der Mißachtung des Kanzlers.

In seinen dialektbedingten, umgangssprachlichen Redensarten traf die Struktur des Heimtückediskurses im Dritten Reich auf die Absicht des NS-Regimes, die verbale

Kommunikation, vor allem die Flüsterpropaganda politischer Gegner, zu unterbinden. Eine Absicht, die unversehens zur Folge hatte, daß unpolitisches Gerede der Bevölkerung politisch interpretiert wurde. Der Heimtückekomplex war somit durch eine merkwürdige Ambivalenz bestimmt: Das Regime tat einerseits so, als fühle es sich durch gefährliche Gegner bedroht, andererseits erfaßte es doch gerade das nur so Dahergeredete und vollzog damit eine Transformation privat gemeinter Sprache in eine öffentlich-politische Aussage. Der gesamte Vorgang scheint allerdings nicht systematisch geplant gewesen zu sein; er entwickelte sich unter der Hand in gleitenden Übergängen von politischer Repression gegen aktive politische Gegner im Jahre 1933 zur Unterdrückung der unbedacht Handelnden.

Welche typischen Motive treten nun im Heimtückediskurs auf? Man kann zunächst drei verschiedene Haupttypen unterscheiden:
1. Motive, die sich lediglich an vorübergehenden, freilich herausragenden politischen Ereignissen entzünden und dann wieder verschwinden. Sie tragen nicht selten Merkmale des Gerüchts oder stehen mit Gerüchten in einem engen Zusammenhang.
2. Motive, die das Führungspersonal des Regimes betreffen.
3. Motive, die sich mit konstanten, vom Nationalsozialismus geschaffenen, aber auch vornationalsozialistischen Verhältnissen beschäftigen.

Um die Motive in ihren Färbungen und in ihrer sprachlichen Atmosphäre zu erfassen, sollen sie ausführlich, möglichst in wörtlicher Rede zitiert werden. Zunächst zum ersten Typ, der chronologisch dargestellt werden kann.

Die Angeklagten kommentierten 1933 bevorzugt einzelne Vorgänge der Machtergreifung: den Ämterwechsel im Reich, im Land und den Gemeinden, die Zerschlagung von Parteien und Gewerkschaften, die Umbildung der bäuerlichen Vereine und Verbände, die Entstehung der KZ's. Sie drückten dabei in der Regel Skepsis, Mißtrauen und Pessimismus aus. Eine Obsthausiererin bezweifelte die moralische Erneuerung und die Abschaffung des Bonzentums: »Die ganze Regierung gehöre auf einen Haufen zusammengebunden und in diesen dann hineingeschossen. In der Zeitung hat man früher geschrieben, daß die Bonzen heraus müssen, und jetzt seien noch größere Lumpen und Bonzen hineingesetzt worden« (7589). Ein Hilfsarbeiter, arbeitslos, projizierte seine schlimme Lage auf das neue Regime: »Hitler stiehlt genauso wie die anderen gestohlen haben . . . bei den Sozis habe ich früher Arbeit gehabt und jetzt habe ich keine mehr« (7483). Und ein Oberpostsekretär sah nur eine Verschlechterung der Situation und hielt den Nationalsozialisten vor: »Nun was macht jetzt euer Hitler, soviel ich bis jetzt gehört und gesehen habe, nimmt er bloß den kleinen Leuten das Geld und die großen läßt er laufen« (7598). Und ein Invalide, der geglaubt hatte, nun werde seine alte Vorstrafe aus dem Strafregister getilgt, sagte: »Früher war es schöner, Hitler habe auch noch nichts anderes gemacht, wir haben einen Zuchthausstaat« (7508). In vielen Äußerungen kamen Zweifel an den politischen und administrativen Fähigkeiten der Nationalsozialisten zum Ausdruck. Ein Malermeister hielt Hitler außenpolitisch für unfähig: »Der Reichskanzler hat schon einen Tobsuchtsanfall gehabt, der sei nun bald erledigt. Deutschland sei nicht freiwillig aus dem Völkerbund ausgetreten, sondern dort hinausgeworfen worden. Ebenso sei Deutschland aus den internationalen Arbeiterkonferenzen entfernt worden«

(7698). In der Rede des Malermeisters scheint die in der Sozialdemokratie häufig gehegte Hoffnung hervor, Hitler werde aus Unfähigkeit bald abwirtschaften.

Ein Ereignis der Machtergreifung spielte eine besondere Rolle: der Reichstagsbrand. Zahlreiche Heimtückereden griffen die Behauptung der KPD auf, die Nationalsozialisten hätten selbst den Reichstag angesteckt. Häufig sind daher Mutmaßungen wie: »Hitler hat einem Kommunisten 50 000 Reichsmark gegeben, damit dieser das Reichstagsgebäude anzünde« (7361); oder »Hitler ist ein Waschlappen. Lubbe ist von Hitler [gemeint sind die Nationalsozialisten] zum Reichstagsbrand bezahlt worden« (7627).

Solche Äußerungen drücken nicht nur subjektive Gedanken oder Stimmungen aus, sie stellen zudem eine Umstülpung der nationalsozialistischen Propagandaformeln vom »Neuen Staat«, der »neuen Zeit« und vom »neuen Reich« dar. Es handelt sich dabei jedoch in erster Linie nicht um eine gezielte Gegenpropaganda, sondern vielmehr um etwas, was man als »Subpropaganda« von Menschen bezeichnen könnte, denen die nationalsozialistische Selbstdarstellung und die übersteigerten Versprechen zuwider waren und unglaubwürdig erschienen.

Andererseits gab es zur selben Zeit Personen, die sich, offensichtlich ohne Nationalsozialisten zu sein, auf die Aufbruchsstimmung der Machtergreifungsphase eingelassen hatten und glaubten, nun sei ein moralisch unantastbares Führungspersonal an die Regierung gelangt. Personen, bei denen sich jedoch erste Spuren des Zweifels und der Enttäuschung schon im Frühherbst 1933 ankündigten. Anders ist die Weitergabe eines im Juni 1933 auftauchenden Gerüchts kaum zu erklären. Ein Gastwirt berichtete: »Was meinst Du was mir passiert ist! Ich bin Posten gestanden im braunen Haus [unwahr], da ist der Führer so überraschend gekommen, daß ich nicht einmal Achtung rufen und meinen Alten [den Vorgesetzten] nicht mehr aufmerksam machen konnte. Der Führer ist herein, hat das Tischtuch weggezogen und schon hat es gescheppert. Gebrüllt hat er, daß die Leute stehenblieben. Der Alte hat mir nachher einen schönen Krach gemacht« (7468). Ein Bildhauer berichtete von der gleichen Szene, stellte sie allerdings etwas ziviler, sozusagen bürgerlicher dar: »Hitler ist ins braune Haus gekommen und hat dort dabei verschiedene Herren in zweifelhafter Gesellschaft beim Sektfrühstück angetroffen. Der Reichskanzler hat aus Ärger darüber das Tischtuch heruntergerissen, so daß es Scherben gegeben hat. Hitler hat auch Innenminister Adolf Wagner im braunen Haus eine Ohrfeige angeboten« (7454). Eine alte Rentnerin brachte den Vorgang sogar in Verbindung mit dem Katholischen Gesellentag 1933 in München, den die Nationalsozialisten erheblich gestört hatten. Sie schilderte den Vorgang so: »Der Reichskanzler sei am Kath. Gesellentag unverhofft in das braune Haus gekommen und habe zu den Posten gesagt, man solle ihn nicht melden. Der Reichskanzler sei dann in ein Zimmer gekommen, in dem Innenminister Wagner, Minister Schemm und noch andere Herren bei einem gemütlichen Sektgelage beisammensaßen. In einem Augenblick von Zorn habe der Herr Reichskanzler das Tischzeug samt allem, was darauf war, heruntergerissen und auf den Fußboden geschleudert. Hierbei soll der Herr Reichskanzler geäußert haben: ›Ihr schlemmt hier und ich sitze in Berlin und arbeite wie dumm‹. Im braunen Haus und im Hotel Reichsadler soll der Herr Reichskanzler einen solchen Krach gemacht haben, daß er bis auf die Straße gehört wurde. Das sind eben seine Bonzen, die machen es genauso wie sie es früher gemacht haben. Minister Schemm sei auch ein großer Unterdrücker der

Katholiken, weil er protestantisch sei (7565). Ein Arbeiter stellte die Situation ziemlich drastisch dar: »Minister Wagner und die SA hatten im braunen Haus ein Sektgelage gehabt. Hitler, der dazu unerwartet gekommen ist, hat in seiner Empörung sogleich das Bier und den Wein heruntergeworfen. Der Innenminister Wagner ist gleich abgehauen und 80 SA-Leute [sind] nach Dachau gewandert« (7488). Bei aller Verschiedenheit im Erzählstil und in der Ausschmückung der Geschehnisse können zwei Merkmale dieser Heimtückerede, die dem Gerücht sehr nahe kommt, hervorgehoben werden. Zum einen wuchs auch in Bevölkerungsteilen, die den Nationalsozialismus nicht von vornherein abgelehnt hatten, die Überzeugung, daß die nationalsozialistische Führungsschicht sich mehr und mehr als sogenannte Bonzen erwiesen, vor allem die lokalen »Führer«, die aus irgendeinem Grund unbeliebt waren. Bei der Rentnerin war es Schemm, der als protestantischer Kultusminister in Bayern im Verdacht stand, die katholische Kirche zu drangsalieren, oder Innenminister Wagner und die SA, die als Urheber von Straßenterror und Verfolgung galten. Das Wort »Sektgelage« signalisierte insbesondere für arme Leute den Inbegriff der Ausschweifung Reicher. Zum anderen galt Hitler als der »deus ex machina«, der Retter, der die »Bonzen« züchtigt und die Gerechtigkeit wiederherstellt.

Das Gerücht erinnert im Kern an die Geschichte Jesu, als er den Tempel in Jerusalem von Händlern und Geldwechslern reinigte. Hitler erhielt so die Merkmale eines Heilsbringers, womit die nationalsozialistische Propaganda der Pseudosakralisierung »des Führers« in der Öffentlichkeit Wirkung zeigte. Hierbei deutet sich die später in der Bevölkerung gängige Spaltung des Bildes von der NS-Führerschicht an, die zwischen dem »guten Hitler« und seiner »bösen Umgebung«, die ihn womöglich auch noch vom Volke abschirmt, unterscheidet. Dieser Typ des Heimtückediskurses indiziert also eine gewisse Enttäuschung in der Öffentlichkeit darüber, daß die nationalsozialistischen Führer nicht jene moralische Integrität an den Tag legten, die sie bei der Machtergreifung und in ihrer Propaganda gegen die Weimarer Republik versprochen hatten. Aber immer noch bestand die Hoffnung, Hitler würde verderbliche Entwicklungen in seiner Partei unterbinden. Nach der Ermordung Röhms und einer Reihe von SA-Führern kam Hitler tatsächlich jener dualen Vorstellung entgegen, indem er mit dem Argument operierte, Röhm sei nicht aus politischen Gründen, sondern wegen seiner Homosexualität eliminiert worden. Er entsprach so dem Bedürfnis in weiten Teilen der Bevölkerung nach Reinigung der nationalsozialistischen Führungskader.

Allmählich drangen Ende 1933 nach München und Umgebung Nachrichten aus dem Konzentrationslager Dachau. Sie waren zwar häufig diffus und oft übertrieben, beruhten zuweilen auf Angeberei und blutrünstiger Phantasie, aber in ihrer Gesamtheit schilderten sie doch zutreffend Vorgänge im Lager. Im August 1933 erzählte ein Bürstenmacher, die Gefangenen in Dachau würden geschlagen, daß ihnen das Blut herunterlaufe; das Essen, das die Gefangenen erhielten, sei derart schlecht, daß es fast nicht genießbar sei, damit würden sonst nur noch die Schweine gefüttert. Wer sich von den Gefangenen nicht füge, komme in eine Zelle und werde erschossen. Die Außenwelt erfahre nie, wo der Mann hingekommen sei, da sagen sie nur, er sei auf der Flucht erschossen worden (7561). Ein Hilfsarbeiter behauptete im September 1933 von sich selbst, er sei in Dachau gewesen, was nach Ermittlungen des Gerichts nicht stimmte, und er habe erlebt, wie einem später entflohenen Kommunistenführer [er meinte wohl Hans Beimler, dem es wirklich gelungen war zu fliehen] Hakenkreuze in die Hände und Fußsohlen gebrannt worden seien (7603). Ein Handelsvertreter verbreitete im Dezember 1933 das Gerücht, der ehemalige Abgeordnete Unterleitner müsse bis zum Halse im Moor stehen und mit der Schere Binsen schneiden; ferner müßten solche Lagerinsassen, die sich in irgendeiner Weise im Lager etwas zuschulden kommen ließen, einen schweren Sack tragen, und der Begleiter schlüge mit der Peitsche den Träger immer über die Füße (7692). Auch noch später, 1935, teilte eine Zugehfrau, deren Mann in Dachau tatsächlich eingesessen war, ihrer Nachbarin mit: »Es ist haarsträubend, viele Frauen meinen, ihre in Dachau verhafteten Männer kämen wieder heim, während sie schon längst tot sind ... die werden weggeschossen. Das Schrecklichste sei für die Gefangenen zu beobachten, wie die Juden in Dachau behandelt würden ... die im KZ untergebrachten Juden bekommen nur halbe Portion, müßten aber das Doppelte an Arbeit leisten als andere Gefangene (8089). Ein wegen Rohheitsdelikten wiederholt vorbestrafter Händler, der 22 Monate im KL Dachau gewesen war, belehrte auf einer Busfahrt einen Fahrgast mit den Worten: »Jawohl ich spreche davon, ich war im KZ Dachau. Jeder anständige Deutsche gehörte ins KZ, um so etwas zu sehen« (8318).

Es ging aber auch die unrealistische, auf Wunschvorstellungen beruhende Meinung um, nicht nur Gegner des Regimes, sondern auch korrupte Nationalsozialisten würden in Dachau bestraft. So bemerkte ein Assessor, dort wären 10 SA- oder SS-Männer erschossen worden (8222), und ein Automechaniker, der von sich behauptete, er sei in Dachau gewesen, berichtete, es sei einmal im Lager Dachau ein Plakat angeschlagen gewesen, auf dem zu lesen stand, daß ein Angehöriger des Wachkommandos einem Gefangenen die Uhr gestohlen habe und daß dieser Wachmann deshalb von der SS entlassen worden sei (8972).

Das Gericht konnte den Angeklagten häufig nachweisen, daß sie nicht in Dachau gewesen waren oder zumindest nicht zu dem Zeitpunkt, den sie in ihrer Heimtückerede angegeben hatten und daß die behaupteten Einzeltatsachen nicht zutrafen. Dennoch ist festzuhalten: Es gab in der Öffentlichkeit, nicht nur bei den unmittelbar Betroffenen schon ab 1933 weit verbreitete, unter der Hand zugetragene Nachrichten über schlimme Zustände im KL Dachau. Darauf läßt auch die häufig in Polizeiprotokollen von Denunzianten vorkommende Drohung schließen, man würde einen Kritiker nach Dachau bringen. Gerade sozial Deklassierte und Asoziale empfanden das Lager, sofern sie nicht schon dagewesen waren, als eine ihnen unbekannte, dunkle Bedrohung, die sie manchmal sogar auftrumpfend überspielen wollten. So sagte ein lange Zeit arbeitsloser Hilfsarbeiter auf Drohungen, man werde ihn nach Dachau bringen, das sei ihm recht, da wolle er hin, dann könne er ihnen [dem Regime] seinen Standpunkt anzeigen (8871). Ein Automechaniker rief aus: »Ich bin Sozi, mir macht es nichts aus, ich war so viele Monate in Dachau. Ich habe mich gut gehalten ...« (8972).

Das aus den Heimtückereden über das KL Dachau hervortretende, tiefe Mißtrauen gegenüber der Selbstdarstellung des Nationalsozialismus schimmert auch aus den Kommentaren zur Ermordung Röhms und seiner SA-Führer 1934 durch. Durch die in der Zeitung stehende Todesanzeige des ehemaligen Generalkommissars von Kahr angeregt, bemerkte im August 1934 ein Journalist: »Hier stehen die anderen [gemeint sind SA-Führer] nicht drin, die sie auf das Oberwiesenfeld hinausgetrieben und erschlagen haben. Hitler ist ein Mörder, wie die ausländischen Zeitungen schreiben. Das Volk, wenn es alles wüßte, dann wäre er sofort erledigt« (8930). Noch aus dem Jahr 1937 ist folgender bezeichnender Dialog zweier Bauern überliefert: A: »Glaubst Du denn, der Führer hat den Röhm erschießen lassen wegen dem, was er gemacht hat [Homosexualität]?« B: »Freilich nicht, weil ja nur auf Hochverrat Todesstrafe steht«. A: »Wegen dem nicht, weil er [Hitler] selbst so ist, deswegen hat er auch nicht geheiratet«. B: »Wenn das ein SA-Mann hören tät!« (9145). Beide Angeklagten stülpten also die im Dachau- und Röhm- bzw. SA-Komplex angelegten Rechtfertigungen der Handlungen Hitlers, die mit dem Hinweis auf die politische Notwendigkeit und die moralischen Defekte der Ermordeten operierten, nicht nur um, sondern sie bezeichneten sie als das, was sie waren, nämlich als Verbrechen. Indem das Gericht ihnen allerdings nachweisen konnte, daß sie jene Verbrechen in den Einzelheiten nicht kennen konnten, gewann es eine Handhabe, vor der Bevölkerung zu demonstrieren, daß alles, was über Dachau und Röhm geredet wurde, insgesamt unwahr sei.

Die Verdrossenheit über angebliches oder tatsächliches »Bonzentum« vor Nationalsozialisten, die sich schon im Spätsommer 1933 im Sektgelage-Motiv angekündigt hatte, verdichtete sich 1936 erneut in einer in zahlreichen Heimtückereden anklingenden Hoffnung auf eine große politische Säuberung oder sogar den Sturz des Regimes. Eine Hoffnung, die vermutlich durch die bis dahin umlaufenden Gerüchte über Unterschlagungen und Bereicherungen nationalsozialistischer Führer genährt wurde, wobei vielleicht auch Meldungen über Säuberungen in der Sowjetunion derartige Vermutungen anregten. Sie drückte sich entweder in der Behauptung plausibel erscheinender politischer Tatbestände oder in vagen Prophezeiungen aus. Ein Arbeiter erging sich in folgenden Worten: Er habe ein Prophezeiungsbuch gelesen, das immer recht habe. In diesem Buch stehe, man habe in Deutschland einen starken Mann, der aber erschossen werde (8345). Ein vagabundierender Hausierer kündigte ebenfalls die Erschießung Hitlers an: »Hitler ist ein Bazi, in der Partei sind die größten Vagabunden, die es gibt«. Eine Bemerkung, die den ganzen Trotz eines von den Nationalsozialisten verachteten, vagabundierenden Händlers kundgibt. Und er wiederholte: »So geht es nicht mehr lange her, dann wird Hitler erschossen« (8304). Ein Bauarbeiter meinte sogar zu jemand, der ihm gesagt hatte, er sei nicht in der NSDAP: »Das ist ganz richtig, es dauert ja sowieso nicht mehr lange, dann wird dem Hitler die Gurgel abgeschnitten«. Worauf der andere sagte, das gebe es nicht, denn es gäbe viele Anhänger. Zur Antwort bekam er: Aber wir Arbeiter sind auch viel, weißt du, die kleinste Kugel ist nicht zu schade, den Hitler zu erschießen« (8389). Die Ansicht, das Volk erhebe sich bald, drückte auch ein Metzger aus: »Heute reißt er [Hitler] das Maul wieder auf, der Schlawiner, aber der Krampf zieht nicht mehr lange. Das Volk ist nicht mehr so dumm, die werden schon schaun bei der Wahl. Da hamm's verstanden das Volk so auszusaugen ...« (8342). Und ein früher zeitweise der KPD angehörender Hilfsarbeiter sagte zu einem Nationalsozialisten: »Was glaubt denn ihr, ihr habt uns alles so vorgemacht und versprochen im 3. Reich und haltet es aber doch nicht ein«. Darauf entgegnete der Nationalsozialist, alles sei im Aufbau und er erhielt die Antwort: »Ja, glaubst Du denn, daß die Regierung in zwei Jahren noch so droben ist, wie sie heute droben ist« (8390).

In diesen Vorhersagen schwingen zwei Dinge mit: 1. die Enttäuschung vieler, denen es auch 1936 nicht besser erging als zuvor, und 2. die von den politischen Gegnern des Nationalsozialismus 1933 gehegte Meinung, die NSDAP würde bald selbst abgewirtschaftet haben. Eine Meinung, die offensichtlich in der Bevölkerung weiterlebte und sich mit der Enttäuschung über die reale Situation und das »Bonzentum« verband.

Vorhersagen können auch in zwei weiteren Varianten vorkommen: Die eine geht davon aus, daß die Wehrmacht die Nationalsozialisten stürzen werde. So habe der »Gefreite Hitler] nichts mehr [gegenüber General Blomberg] zu sagen«, meinte ein Hilfsarbeiter (8344); und ein Werkzeugmacher behauptete: »Warten wir noch ein halbes Jahr, bis Blomberg die Wehrmacht durchgeführt hat, dann ist es aus mit der SS und der SA. Da werden sie heimgeschickt, die Partei ist erledigt. Es hat dann niemand mehr etwas zu reden, es wird ein Brudermorden einsetzen, wie es noch nie gewesen ist«. Der Werkzeugmacher lieferte dann auch gleich die Begründung für seine Ansicht: »Das Volk hungere, es habe nicht zu essen, ein Staatsmann darf eben sein Volk nicht hungern lassen, wenn die Oberen im Reich nur schwelgen tun . . .« (9039). In dieser Variante wird deutlich, daß die Redenden offensichtlich eine gewisse Distanz zwischen Wehrmacht und Nationalsozialismus spürten oder vielleicht sogar genauer kannten, aus der sie dann Mutmaßungen über die politische Zukunft Deutschlands ableiteten, ja sogar annahmen, es könne ein Bürgerkrieg entstehen. Dagegen setzten die Redenden der zweiten Variante, wie schon im Sektgelage-Motiv von 1933, erneut auf Hitler und wurden groteskerweise dafür sogar noch bestraft; so z. B. ein Arbeiter, der meinte: »Der Führer begibt sich wegen einer Säuberung nach München. Es sind große Unterschlagungen vorgekommen, bei einer Kreisleitung der DAF und einem Finanzamt« (8417). Ein Vermessungstechniker sagte Ende 1935, im Frühjahr 1936 werde etwas Neues passieren, was aber ganz anders ausfallen werde, als die Sache vom 30. Juni 1934. Es stünden schon eine ganze Menge von angesehenen Persönlichkeiten auf einer »schwarzen Liste«, die dann weggeräumt würden. Man wisse auch in der Partei ganz genau, daß Goebbels ein Jude sei, er werde als Minister verschwinden, wenn die Olympiade herum sei (8158). Die 1936 verdichteten, dann aber wieder abnehmenden Heimtückereden, das Regime werde nach einem Bürgerkrieg mit der Reichswehr verschwinden oder aber, es werde sich selbst intern säubern, wirkten gerade zu jener Zeit paradox, denn der Nationalsozialismus war 1936 weitgehend konsolidiert. Äußere Anzeichen einer tiefen Krise gab es nicht, das Arbeitslosenproblem war bewältigt und das Regime hatte durch die Olympiade sogar für jedermann sichtbar ausländische Anerkennung gefunden. Der Inhalt der Aussagen ist daher im Grunde genommen von geringer Bedeutung, entscheidend ist vielmehr die untergründige Stimmungslage.

1937 tauchte allmählich eine neue Gruppe von Heimtückereden auf, die in den beiden folgenden Jahren stark anwuchs. Motive, die insgesamt die Ängste der Angeklagten vor einem Krieg und dessen Begleiterscheinungen ausdrückten. Sie traten ebenfalls in mehreren Varianten auf: Eine Variante spielte auf die Verknappung und Verschlechterung der Waren an, die im Zuge der forcierten Aufrüstung 1936/37 einsetzte. Ein Rentner rief aus: »Da sehts ja, das Mehl müssen's schlechter machen. Schlechter ist es jetzt schon wie im Krieg. Jetzt werden sie bald Marken haben und bekommen kannst Du nichts mehr« (8537). Ein pfiffiger Hausierer versuchte mit dieser sich verbreitenden Stimmung Geschäfte zu machen: »Kauft Stoffe, wir bekommen eine ganz traurige Zeit, es gibt bald nichts mehr als Papierstoffe«. Er sollte Recht behalten, aber 1938 wurde er dafür noch mit einigen Monaten Haft bestraft. Eine andere Variante drückte den Unmut über Kriegstreiberei aus. So eine Putzfrau: »Jetzt werden die Leute wieder in den Krieg gehetzt. Arbeit und Brot haben sie uns versprochen, das Fleisch fressen sie selber und füllen ihre Bäuche und Ranzen. Göring und Goebbels werden überhaupt nicht mehr fertig vor lauter Schauspielerinnen Nachlaufen« (9297). Andere Heimtückeredner formulierten einen »Ohne-mich-Standpunkt«. Ein Kaufmann 1937: »Militärische Übungen? Lassen Sie mir meine Ruhe mit dem Schwindel. Dafür habe ich mich auch 1914 nicht interessiert und interessiere mich auch nicht, wenn es diesmal losgeht. Die sollen den Dreck alleine machen!« (8457). Ein Melker bemerkte recht zynisch über seine Landsleute: »Die Niederbayern sind so dumm und machen andauernd Kinder. Hitler soll sie sich selbst machen, wenn er welche braucht. Wenn einmal der Krieg kommt, werden sie doch alle erschossen!« (8450). Und ein Schreiner glaubte wohl 1939 noch an eine höhere Gerechtigkeit, als er bemerkte, wenn ein Krieg käme, »würden die da oben zuerst erschossen, weil sie am Krieg schuld seien« (9401).

Die Reden gegen Krieg und Rüstungslasten stellen einige der wenigen Formen des offenen, zivilen Ungehorsams gegenüber dem Regime dar, während die anderen Arten des Diskurses lediglich einen verdeckten Ungehorsam bzw. eine vorübergehende Verdrossenheit ausdrücken. Sie richteten sich damit nicht gegen das Regime überhaupt oder kritisch-rational gegen bestimmte Maßnahmen, sondern sie kommentierten lediglich in enttäuschter, ablehnender und abwertender Form Zustände und Ereignisse, die über diese Menschen hereingebrochen waren, und zeichneten damit ein Bild der nationalsozialistischen Herrschaft aus der Perspektive eines nonkonform gestimmten Teils der Deutschen.

Jenes negative Bild gewinnt freilich bei der Betrachtung des zweiten Typus des Heimtückediskurses, der vom Führungspersonal handelt, weitaus schärfere Konturen. Als Beispiel kann zunächst eine Art Travestie der zehn Gebote zitiert werden, die das Regime in spöttischer Form charakterisierte. Die in den Akten (8074) des Sondergerichts München überlieferte Version ist nicht ganz vollständig. Sie lautet:

Erstes Gebot	Du sollst allein Adolf Hitler glauben und keine fremden Götter neben Dir haben.
Zweites Gebot	Du sollst den Namen des Führers nicht verunehren.
Drittes Gebot	Du sollst die nationalsozialistischen Feiertage halten.
Viertes Gebot	Du sollst Deine Eltern bespitzeln, wo Du kannst, und sie zur Anzeige bringen, damit es Dir gut gehe im 3. Reich.
Fünftes Gebot	Unbekannt.
Sechstes Gebot	Du sollst röhmeln. [Anspielung auf Homosexualität]
Siebtes Gebot	Du sollst SA-len. [Anspielung auf Unterschlagungen]
Achtes Gebot	Du sollst goebbeln. [Anspielung auf die Lügen der Propaganda]
Neuntes Gebot	Du sollst göringen. [d. h. eine geschiedene Frau heiraten]
Zehntes Gebot	Unbekannt

Der »Dekalog« umfaßt drei Hauptaspekte: Die Sakralisierung Hitlers, die Angst vor Denunziation und Bespitzelung und die Korruptheit des Führungspersonals. Alles

Aspekte, die durch die in den Sondergerichtsakten überlieferten Schimpfereien über die SA, die HJ, die NSDAP, das WHW weiter vertieft werden, während SS, Polizei und Deutsche Arbeitsfront verhältnismäßig selten vorkommen. Allerdings wird noch die Beamtenschaft angegriffen, wobei es sich jedoch um einen Typ der Krittelei handelt, der auch schon in der Weimarer Republik gängig gewesen war. Mißmut und Spott entzündeten sich dabei an relativ äußerlichen Merkmalen, was darauf schließen läßt, daß Kenntnisse über politisch-strukturelle Zusammenhänge des Nationalsozialismus nur bei einer Minderheit der Angeklagten vorhanden waren.

Vor allem die SA galt als lächerlich und korrupt. So sagte ein Schneider schon im Mai 1933: »Die neue Regierung ist genauso wie die alte und taugt ebenfalls nicht. Die SA macht sich lachhaft, wie sie sich herumexerzieren und herumdrillen läßt. Die SA-Wachmannschaft im KZ-Dachau stiehlt wie die Wachteln. Sie haben dem Johann K. aus einem Eßpaket das Bessere gestohlen...« (7433). Ein Schäfer behauptete ein Jahr später, Hitler und die SA seien »gekauft« (7734); und ein Bauernsohn antwortete auf die Frage, warum er nicht zur SA gehe: »Warum der Krampf? Das Beitragsgeld ist mir zu hoch, das braucht der Hitler doch nur für seine Menscher« (7485). Ein Friseur meinte 1936: »Die SA stecken in braunen Uniformen und inwendig sind die meisten Lumpen« (8175). Eine durchs Dorf ziehende SA-Marschkolonne reizte noch 1938 einen Bauern zu dem Ausspruch: »SA marschiert, die braunen Kolonnen, die Kommunisten!« Und er fuhr, zu einem NSKK-Mann gewandt, fort: »Da braucht Ihr nicht so zu schauen, ihr Spartakisten!« Die These, daß SA und NSKK kommunistisch seien, geht auf eine in katholischen Kreisen verbreitete Meinung zurück, die nationalsozialistische Schul-, Jugend- und Kirchenpolitik bilde lediglich eine Vorstufe zum Kommunismus. Die SA war auch deshalb als Angriffsobjekt in der Bevölkerung beliebt, weil sie mit den Unterschichten besonders verflochten war. SA-Männer kannte man besser als die sich elitär gebenden SS-Leute.

Eine ähnliche Rolle wie die SA spielten im Bewußtsein breiter Bevölkerungsgruppen die HJ und die von ihr betriebene Jugendpolitik. So erregte das oft überhebliche Auftreten jugendlicher HJ-Führer die Öffentlichkeit: »Es ist unerhört«, äußerte ein Arzt, »daß die jungen Burschen heute vor der Front gehen und kommandieren. Die sollen sich selbst erst erziehen lassen« (8834). Insbesondere die Bauern waren ungehalten: »Heute müssen die Kinder mit zwölf Jahren zu den Appellen. Was lernen sie da: lügen und stehlen und mit zwölf Jahren sind sie Huren und Sittlichkeitsverbrecher« (8211). In Anspielung auf ein Mädchen, das sich wegen eines unehelichen Kindes erhängt hatte, schimpfte ein anderer Bauer: »Das kommt davon, weil die Kinder bei der HJ sind, wo sie verdorben werden, weil sie die Eltern nicht mehr in der Hand haben« (9045). »Die ganze Hitlerjugend ist ein Schmarrn«, rief ein Landwirt einem HJ-Mitglied zu, »Ihr wißt ja selbst nicht, was Ihr wollt! Ihr rennt bloß draußen herum. Deshalb gebe ich meinen Sohn nicht dazu, da es ja bloß Blödsinn ist. Ein Junge bis zu zwanzig Jahren gehört ab 8.00 Uhr abends herein und hat sich nicht draußen herumzutreiben« (8189).

Die HJ entzog in der Tat die Kinder der väterlichen Kontrolle und Autorität. Sie stellte auf dem Land eine Art Gegenautorität gegen die traditionelle des Vaters, Lehrers und Pfarrers dar, die zu einer Reihe von innerfamiliären Konflikten führte. Vor allem entzogen sich die Jugendlichen mit dem Hinweis auf den befohlenen HJ-Dienst den üblichen Arbeiten auf den Höfen und durchbrachen so geläufige Erziehungs- und Lerngewohnheiten. Die HJ brachte auch eine Lockerung der traditionellen ländlichen Sitten mit sich, zumal im Umgang der jungen HJ-Männer mit den BdM-Mädchen. Die Bauern sahen aber nicht die Zusammenhänge der Politik zwischen NSDAP, HJ und nationalsozialistischen Formierungsansprüchen der Gesellschaft, sie beschränkten sich auf vordergründige, die eigene Interessenssphäre berührende Tatbestände.

Die NSDAP wurde besonders häufig wegen des sozialen Signals in ihrem Namen angegriffen: »Das möchte eine Arbeiterpartei sein«, sagte ein Bergwerksschmied 1933, »die die ganzen Unternehmer bei sich hat« (7715). Ein Gastwirt rief aus: »Das sind mir schon die Richtigen, die bei der Partei sind. Das soll eine Arbeiterpartei sein. Nicht einer sitzt um Hitler herum, der nicht Schwindler, Betrüger, Bazi und Dieb ist. So sind die Arbeiter noch nie bestohlen worden!« (7882). Beide Angeklagte versuchten in ihrer Kritik die Propaganda, die mit dem Namen »Arbeiterpartei« betrieben wurde, als Lüge zu entlarven. Ein Kraftwagenfahrer ging 1936 noch weiter, indem er die gesamte NSDAP als »Schwindelunternehmen« anprangerte und behauptete, »der Reichsschatzmeister der NSDAP wurde von Juden beliefert, weil die Juden nämlich um 5 bis 10 Pfennig billiger liefern« (8165). Zahlreiche Menschen störte auch an der NSDAP, daß sie jungen Leuten zu Karrieren in den Behörden verhalf: »Die Leute mit 18 bis 25 Jahren hat man als Bürgermeister eingesetzt, die wo zuerst die großen Lumpen und Bazis gewesen sind, die überall verdorben sind«, sagte ein Angeklagter (9015).

Schließlich mißfiel vielen Leuten auch der Kult um die Erschossenen vom 9. November 1923, der in München vor der Feldherrnhalle regelmäßig zelebriert wurde und deswegen besonders ins Auge fiel. Ein Maurerpolier, der im Krieg an der Front gewesen war, hielt ihn schlichtweg für ungerecht: »Da wird immer nur gesagt: die alten Kämpfer. Wir waren aber auch Kämpfer, von uns hört man nichts mehr. Aber wegen diesen 16, da macht's Ihr einen solchen Klimbim, draußen sind Millionen gefallen« (8458). Einen Kaufmann ärgerten vor allem die Kosten der Feierlichkeiten: »Die [beim Hitlerputsch 1923 Getöteten] hätte man ruhig liegen lassen sollen, wo man sie zuerst beerdigt hat, da ist ja doch nicht mehr herausgekommen, als Dreck und Gebeine. Außerdem hat ein Sarg für einen Mann 3000 Reichsmark gekostet, sechs Griffe sind daran. Ein Griff zu 300 Reichsmark. Also kostet der Sarg für einen Reichsmann annährend 5000 Reichsmark [sic]. Wer bezahlt das? Das arme deutsche Volk!« (9096). Schließlich verstieg sich ein Rentner 1934 zu einer Behauptung, mit der er ausdrücken wollte, selbst die »Alten Kämpfer« seien unzufrieden: Die »Alten Kämpfer« wollten den Zug am 9. November nicht mehr mitmachen, sie wollten eine Gegendemonstration anzetteln (7929). Den drei zitierten Heimtückereden über das Ritual an der Feldherrnhalle ist gemeinsam, das von der nationalsozialistischen Propaganda ins Feierliche, fast Mystische hochstilisierte Andenken an die Gefallenen des gescheiterten Hitlerputsches als »Klimbim« darzustellen, die zelebrierte Aura zu zerstören. Deutlich wird dies in der Bemerkung des Kaufmanns, der die Toten drastisch nur noch als »Dreck und Gebeine« bezeichnete und buchhalterisch, ja geradezu krämerisch die Sargkosten hochzurechnen bemüht war. Gerade die Heimtückereden über die Feierlichkeiten an der Feldherrnhalle weisen ein wichtiges Merkmal des Heimtückediskurses auf: die Zerstörung des pseudoreligiösen nationalsozialistischen Gehabes. In den Augen des Regimes mag diese

Tendenz als besonders gefährlich erschienen sein, höhlte sie doch seine Legitimationsstrategien aus.

Das Winterhilfswerk kam bei den armen Leuten ins Gerede. Entweder weil sie nicht so viel von ihm erhielten, wie sie sich erhofft hatten, oder weil sie sich schämten, Objekt der Fürsorge sein zu müssen, oder weil ihnen die ständigen Sammlungen, für die sie schon aus politischen Gründen bei ihrem geringen Einkommen etwas spenden mußten, lästig waren. Sie zweifelten dann meist am Sinn und Zweck des Winterhilfswerkes: »Bis das Winterhilfswerk dahin kommt, daß es an die Armen verteilt wird«, sagte ein verarmter Sägewerksbesitzer, »da bleibt nicht viel, weil sich die anderen zuerst die Hände abwischen. Das geht durch drei oder vier Hände, und da wischt sich jeder die Hände ab« (7937). Ein Schäfer meinte: »Winterhilfe wird zur Aufrüstung verwendet, mit dem WHW stimme es nicht, und ein Bekannter von ihm habe nichts bekommen« (7734). Das Grundmotiv hinter diesen Äußerungen klingt deutlich an: Der Nationalsozialismus ist korrupt. Ein Motiv, das auch die Heimtückereden über Prominente des Dritten Reiches, die »kleinen Adolfe und Göringe«, wie ein Maschinenschlosser sie bezeichnete (9037), immer wieder bestimmte.

Die Heimtückereden über die nationalsozialistischen Führer verdienen schon wegen ihrer großen Zahl und Beliebtheit Beachtung. Im Oberlandesgerichtsbezirk München standen oft bayerische Politiker im Vordergrund. Adolf Wagner, Gauleiter von München-Oberbayern und bayerischer Innenminister, war Gegenstand zahlreicher Angriffe, die er anfangs zu ignorieren bemüht war, dann aber zunehmend bestrafen ließ. Ein Rentner nannte Wagner 1937 »Rauschminister« (7530), ein Arbeiter behauptete 1934 »jener habe vergessen, 200 000 Reichsmark Gewerkschaftsgelder abzuführen« (7939), ein Händler verbreitete das Gerücht, Wagner könne sich nicht mehr sehen lassen, weil er wie Fiehler [der Oberbürgermeister von München] Schulden habe (8183); eine Kellnerin teilte 1935 ihrer Umgebung als angebliche Beobachtung mit, Wagner, Fiehler und Ministerpräsident Siebert seien anwesend gewesen, als sie einmal anläßlich eines Festessens als Kellnerin beschäftigt war. Die Damen der führenden Personen hätten weiße Kleider aus Seide und Spitze getragen und die Schuhe hätten nicht dazu gepaßt. Wenn eine das Maul aufgemacht habe, dann habe man schon gewußt, wo sie her ist. »Zuerst waren sie nichts anders als Dienstfotzen!« Und diese Fresserei werde nur von den Steuern bezahlt. Den Kellnerinnen habe man verkochte Makkaroni hingestellt (8282). Kultusminister Schemm wurden immer wieder Unterschlagungen vorgeworfen, an Hermann Esser kritisierte man die linke Vergangenheit, d. h. in der Sprache der Heimtückerede die »Gesinnungslumperei« (8854). Ein Erbhofbauer bezeichnete Streicher als feige und eigensüchtig, der sei nämlich im Feld nicht so tapfer gewesen wie in der Heimat als Parteimann. Wörtlich behauptete der Bauer: »Er hat sich einige Male krank gemeldet, besonders in der Schlacht bei Morrel«. Streicher habe außerdem die von einem Unteroffizier namens Meixner gefertigte Skizze eines Tankangriffes mitgenommen und diese Skizze als seine eigene ausgegeben. Er habe ferner einem Unteroffizier, der mit ihm im selber Granattrichter gelegen sei, nicht erlaubt, in dem Trichter seine Notdurft zu verrichten. Der Unteroffizier habe daher den Trichter verlassen müssen und dann einen Rückenschuß bekommen (8543).

Über den preußischen Ministerpräsidenten Hermann Göring wurden nicht nur gutmütige Witze erzählt, sondern es wurde auch ausgiebig geschimpft. Sein pompöses Auftreten und seine umfängliche Gestalt erregten besondere Abneigungen. In den Augen vieler Angeklagter vor dem Sondergericht war er der Prototyp des »Bonzen«. Ein Maschinenschlosser sagte 1934: »Göring wird der größte Schweinehund sein, wie's da sind. Ihr seid damisch genug, wenn ihr als Arbeiter der Regierung helft« 7703). Eine Schriftstellerin verbreitete 1936 die Ansicht, Göring bringe sein Vermögen in die Schweiz, die Ratten würden schon das Schiff verlassen (8277), und ein Bauer nörgelte über den großen Aufwand des preußischen Ministerpräsidenten: »Die größen Lumpen müssen da alle sein, da kommen's daher mit zwölf, mit dreizehn Wägen, wo jeder gleich einen Bauernhof wert ist. Mit den großen Fotzen da bringen's alles fertig« (8099). Die Bauern regten sich vor allem über die Jagdleidenschaft Görings auf und über dessen Jagdgesetz. Mit dem neuen Jagdgesetz wollen sie die unwürdigen Elemente ausmerzen. Die unwürdigen Elemente sind aber wir, die Bürger, damit die großen Herren die Jagd alleine haben (8013). Ein Bauhilfsarbeiter äußerte sich in ähnlichem Sinne: »Der Göring geht auf die Alm und schießt alles was ihn freut, und wir haben nichts zu fressen. Wir sind auch für uns da und nicht bloß für die. Göring ist ein gewamperter Kerl«

Hess, Ley, von Schirach und Himmler waren ebenfalls Gegenstand von Heimtückereden, wenn auch weniger als die bayerischen NS-Führer und Göring. Die Heimtückereden unterstellten insbesondere Hess und Schirach Unterschlagungen und Ley eine jüdische Herkunft. Von Himmler erzählte ein Lagerarbeiter, er kenne ein Dienstmädchen, das bei der Familie Himmler gewohnt habe. Sie habe berichtet, wie es bei diesen Leuten zugehe. Haarsträubend seien die Zustände, die da herrschten. Wenn dies die SA- und SS-Angehörigen wissen würden, dann sei es schade, wenn ein SA- oder SS-Mann auch nur noch einen Pfennig Beitrag bezahle; im übrigen dürfte sich der 30. Juni 1934 wiederholen, damit eine ordentliche Säuberung der obersten SA- und SS-Führung durchgeführt werde, von der der größte Teil zum Teufel gehauen würde (3067).

Der Heimtückediskurs über die NS-Führer ist undifferenziert, in vielen Einzelheiten oberflächlich, wenn nicht gar falsch. Er operiert mit nur wenigen Topoi: Charakterdefekte, Bereicherung, Unterschlagung, dunkle Vergangenheit, prunkvolles Auftreten, Feigheit vor dem Feind während des Krieges – Allgemeinplätze, die wahrscheinlich bei jedem Regime in den Unterschichten zirkulieren. Sein Spezifikum im Dritten Reich war freilich: Er stellt die Selbstdarstellung der Nationalsozialisten einfach auf den Kopf, nämlich die angebliche Unbestechlichkeit, Bescheidenheit, soldatische Tapferkeit und Gesinnungstreue. Insbesonders unterstellt er den Nationalsozialisten alle diejenigen Defekte, die sie vor 1933 den Führungsgruppen der Weimarer Republik zugesprochen hatten. Auf diese Weise banalisierte er die in der Propaganda herausgestrichene Erhabenheit der Führung und führte sie auf ihre trivialen Ursprünge zurück.

Der Heimtückediskurs zeichnete in den Augen des Regimes eine »verkehrte Welt«, die Gegenwelt zur eigenen Propaganda. Jene verkehrte Welt trat in besonders scharfen Konturen im Hitlerbild hervor: Sein Hitler ist verzerrtes Spiegelbild des Hitlers der nationalsozialistischen Propaganda. Dabei wird die gesamte Biographie des Führers aufgegriffen; es beginnt mit Redereien über seine Herkunft: »Hitler ist ein Slawak, ein Ausländer; seine Mutter ist eine Böhmin, eine Slawakin« (7734). »Fünf Generationen kann er bloß nachweisen, bei der sechsten kommt der rumänische Gradlerkarren. Was ist denn der gewesen, der Kriegsschnapser« (8178). »Hitler ist ein Hunnenabkömmling« (7891). Es handelt sich um Angriffe auf das sogenannte »Volkstum« des Führers, dem böhmische Herkunft oder die Abstammung von rumänischen Zigeunern nachgesagt wurde. Besonders harte Angriffe, zumal im Dritten Reich die Zigeuner als artfremd verfolgt wurden und slowakische Ahnen das »Germanentum« Hitlers in Frage stellten und ihn so zum »Minderwertigen« stempelten. Ähnlich wurde der Ausbildungsweg Hitlers herabgesetzt: »Zuerst ist er Maurer gewesen, da hat er nichts getaugt. Dann ist er in die Realschule gegangen, da war er zu dumm, und dann hat er die Regierung angepackt«, sagte ein Bauer sarkastisch (8178). Ein Tierheilkundiger rief aus: »Die Lumpen versprechen einem allemal, daß es besser werde, oh mein Gott, der Hitler war auch schon eingesperrt, der Handwerksbursche ist auch schon betteln gegangen« (8431), womit der Angeklagte, dem es selbst schlecht ging, zum Ausdruck bringen wollte, daß Hitler nicht besser als er selbst sei. Ein Händler fragte: »Was will denn der Malergeselle, der hat seinen Lebtag keine Schaufel in der Hand gehabt, der hat in Wien gestempelt. Der war ein Stempelbruder und heute möchte er Deutschland führen« (8321).

Der Sinn der Kritik an Hitlers Bildung liegt darin, daß sie dem Führer Kompetenz und Legitimierung zur Leitung der Regierungsgeschäfte absprach. Ebenso zweifelte man auch an seiner vielgerühmten Tapferkeit im Krieg. Ein Arbeitsloser sagte 1934: »Wenn der Adolf Hitler der tapferste Soldat gewesen ist, dann sind wir, die vorne waren, die Deppen gewesen. Hitler hat 40 km hinter der Front mit Weibern herumgehurt. Dabei hat er sich den Wambs verbrannt, das ist seine eigentliche Verwundung gewesen!« (7891). Hitlers Gesinnungstreue wird entgegengehalten, er sei ja doch nur ein Schlawiner und kein Deutscher, sondern ein »österreichischer Deserteur« (8407) oder er sei ein »Überläufer« (8883) und er habe sich erst die deutsche Staatsangehörigkeit einkaufen müssen (7376).

Ein weiteres Heimtückemotiv spielt auf angeblich körperliche und geistige Unzulänglichkeiten des »Führers« an. Ein Bauer bezeichnete ihn als »Schwulen« (7720). Ein Arbeiter meinte, Hitler sei ein »Spinaterer« [Vulgärausdruck für Homosexuelle], sonst hätte er schon längst geheiratet (8914). Ein anderer mutmaßte, Hitler wolle die Urenkelin von Richard Wagner zur Frau, aber er bekomme sie nicht, weil er ein »Spinaterer« sei (7524). Die Tatsache, daß Hitler nicht verheiratet war, wurde nicht, wie die Regimepropaganda es gesehen wissen wollte, als bewundernswerte Askese betrachtet, sondern als persönlicher Defekt. Bemerkenswert ist dabei, daß die hier zitierten Reden schon vor der Röhm-Affäre lagen, also nicht von daher abgeleitet waren. Die in die Öffentlichkeit gedrungene Bekanntschaft Hitlers mit der Familie Wagner und seine Richard Wagner-Verehrung lösten ebenfalls Spekulationen aus, die typisch für den Heimtückediskurs waren, darauf gerichtet, durch vulgäre oder triviale Floskeln Erhabenheit zu zerstören. Es tauchte auch der Verdacht auf, Hitlers Antisemitismus sei erlogen. Ein Schreinermeister sagte, er habe eine Jüdin gehabt und mit ihr zwei Kinder gemacht, die habe ihn studieren lassen (7774). Nach der Meinung eines Bordenmachers ging Hitler mit einem Judenmädel (7688). Hier wird Hitler unterstellt, er halte sich selbst nicht an seine eigene Ideologie. Das Korruptionsmotiv, das bei der Bewertung der Unterführer relativ häufig ist, kommt in bezug auf Hitler seltener vor. Dagegen war die Annahme verbreitet, er besitze keineswegs die Macht im Dritten Reich, sondern sei lediglich ein propagandistisch aufgebauter Strohmann. Ein Arbeiter, früher zeitweise Mitglied der KPD, sagte, entsprechend der Parteiideologie, Hitler sei ein gemeines, vom Kapital bezahltes Subjekt. Er, der Arbeiter, grüße daher nicht mit »Heil Hitler«, sondern weiter mit »Grüß Gott!« (8036). Ein Landwirt meinte, Hitler helfe ja doch nur den Großen (8780), und ein anderer Arbeiter hielt Goebbels und Göring für die Hintermänner Hitlers, die »schrieben und Hitler dürfe nur unterschreiben« (8407). Ein Bauer war schließlich der Ansicht, von Papen sei der eigentliche Regierende, Hitler habe nichts zu reden (8879). Ein Maurerpolier konnte sich nicht vorstellen, daß Hitler etwas gegen die Generalität ausrichten könne: »Aber das ist ja doch nur ein Schnapser [Obergefreiter]. Hitler ist der Führung der Regierung nicht fähig, hierzu sind andere da, was will der Hitler einem General kommandieren, das ist ja nur ein Schnapser!« (8038). Typisch für den Heimtückediskurs ist auch die Absicht, Hitler Unfähigkeit und zugleich Größenwahn vorzuwerfen, denn nur der Größenwahnsinnige maßt sich eine Position an, die ihm in einer Ordnung nicht zusteht, eine Position, die er auch nicht auszufüllen vermag. So konstatierte ein Ingenieur: »Der macht das nicht, um das Volk aufzurichten, sondern der macht es nur, um ein großer Mann zu werden« (8276). Ein Käser verglich ihn 1936 mit Napoleon: »Der Führer ist ein Diktator, ein zweiter Napoleon, ein Blutsauger, der die ganze Welt erobern will und unter dessen Regierung nichts zu erwarten ist als Krieg« (8326). Und ein Volksschullehrer hielt den Führerkult, den das Regime betrieb, für eine lächerliche Schwäche, es sei eine »zwergenhafte Schwäche des Führers«, der sich im ganzen deutschen Volk mit »Heil Hitler« grüßen läßt. »Das ist eine zwergenhafte Schwäche, daß er sich 400fach zum Ehrenbürger ernennen läßt« (8459).

Für manche war der Größenwahn nicht weit vom Irrsinn entfernt; ein Kaufmann meinte lapidar, der Führer sei »irrsinnig« (8334), ein Oberkellner: »Hitler sei ein Mann, der herumgeht, als wenn er nicht richtig im Kopf es hätte« (7896). Ein Hausmeister verdächtigte ihn des Kannibalismus: »Hitler ist der gleiche Lump wie Stalin, er hat genau wie jener ein neu geborenes Kind gegessen« (7360).

Der Heimtückediskurs über Hitler bildet alles in allem eine vollständige Demontage des offiziellen, tabuisierten und sakralisierten Führerbildes. Er beweist, daß die exaltierte Führerpropaganda keineswegs kritiklos hingenommen wurde, sondern umgekehrt ihre eigene triviale Negation erzeugte. Die nationalsozialistische Justiz war nicht nur gezwungen, den Heimtückediskurs zu bestrafen, weil er ein Gegengewicht zur Propaganda darstellte, sondern vorwiegend auch, weil er die Tabuisierung Hitlers unterlief, ein Tabu, das zu den Grundlagen des Führerstaates gehörte.

Bislang wurden in erster Linie Einzelmotive des Heimtückediskurses, die sich mit Maßnahmen des Dritten Reiches oder seinem Führungspersonal beschäftigen, dargestellt, nicht jedoch die Motive, die aus der Lage der Angeklagten hervorgingen. Erst die Einbeziehung dieses Aspekts stellt die tatsächliche Relation zwischen den Angeklagten und dem Regime her.

Vorweg ist festzuhalten, daß sich die Angeklagten in der Regel nicht mit der Verfassung oder der gesellschaftlichen Ordnung im Dritten Reich befaßten, sondern in erster Linie mit sich selbst und mit den Einwirkungen des Regimes auf ihre eigene Situation. So liefert der Heimtückediskurs trotz der Konkretheit einzelner Reden methodisch nur mit größter Vorsicht brauchbare Belege zur Beschreibung der realen

Lage sozialer Schichten. Wie egozentrisch der Heimtückediskurs meist war, zeigt die Tatsache, daß keine seiner Aussagen den hart verfolgten Zigeunern oder Bibelforschern gewidmet ist und nur wenige den Juden. Wenn Juden genannt werden, dann oft in einer seltsamen Verdrehung, durch die nur mittelbar Rassenpolitik und Judenverfolgung angesprochen werden, unmittelbar jedoch die unbeliebten nationalsozialistischen Führer. Deutlich wird dies an den folgenden Aussagen eines Landstreichers, eines Ingenieurs und eines Arbeiters: »Die Juden sind mir beim Arsch lieber, wie Hitler beim Gesicht« (7889), »Emma Sonnemann [Görings Frau] ist eine Jüdin, war mit einem Juden verheiratet und ist infolgedessen eine Jüdin« (8073), und »der Gauleiter Streicher ist ein Narr, sonst könnte er keine Weiber oder Frauenspersonen in seiner Zeitung [*Stürmer*] hineinsetzen lassen ... Den Juden wird unrecht getan, denn die Juden meinen's ja nur gut« (9055). Andererseits beschäftigten sich die Leute aber auch mit den negativen Folgen der Judenpolitik. Ein Metzger prophezeite 1936 wirtschaftliche Schäden, wenn die Juden aus dem Landhandel herausgedrängt werden, humanitäre Probleme spricht er nicht an: »Solange ich lebe, handle ich mit den Juden, die Regierung macht das größte Unglück, daß sie die Juden bekämpft, denn von ihnen kommt das Geld. Wer wird den Bauern das Getreide abkaufen, wenn es den Juden verboten ist?« (9036). Ein Händler verweist in ganz ähnlichem Sinne auf mögliche Nachteile für die deutsche Wirtschaft im Ausland, wenn er sagt, die Juden seien gegen uns, und das könne zum Krieg führen. Mitleid mit den Juden leuchtet nur dann auf, wenn es darum geht, ihre Lage im KL Dachau darzustellen. So erzählte ein Bäcker, die Juden müßten in Dachau ihr eigenes Grab ausschaufeln und würden, ganz gleich was sie sagten, erschossen und hineingeschoben (8686).

Ein zentrales Motiv des Heimtückediskurses bildet dagegen die soziale Lage der Bauern und der Arbeiter. Die Bauern beschweren sich in erster Linie über den im Zuge der Aufrüstung auf sie ausgeübten Druck und die wachsenden Kontrollen von Seiten des Reichsnährstandes. Dafür können die Stimmen folgender Bauern stehen: »Wir werden noch ärmer als zuvor. Über jedes Quantum Milch, über jedes Ei und über jedes Getreidekorn müßt ihr euch verantworten. Bis 60 Jahre müßt ihr einrücken und ihr werdet schon sehen, was noch wird« (8286). »Die jetzige Regierung hat den Bauern von Leitershofen ihre Wiesen abgestohlen, um Kasernen bauen zu können« (8225). »Ich bin und bleibe ein bayerischer Bauer und würde mich schämen, wenn ich ein deutscher Bauer wäre. Den Hopfen haben sie uns gestohlen, für den Weizen geben sie uns nur 9 Reichsmark. Das Dritte Reich soll ein Bauernreich sein?« (8420). »Den Bauern und den Arbeitern geht es heute schlecht, die können nicht mehr genug Steuern bezahlen« (8230). Ein Knecht meinte dazu, »Hitler tauge nichts für die Bauern, da gehen die Bauern zugrunde. Er spüre es selbst, weil er nur 8 Mark verdiene« (8373). Das Fazit der bäuerlichen Klage läßt sich in der Heimtückerede eines Bauern zusammenfassen: »Die jetzige Regierung ist schlechter als wie die frühere. Sie ist von den Kommunisten und greift ein in unseren Besitz. Das Erbhofgesetz haben die Sozialdemokraten gemacht« (8193). Der Heimtückediskurs der Bauern kennt im wesentlichen drei Themen:
– die Klage über die zu geringen Produktionspreise,
– die Klage über die Eingriffe in die Höfe durch den Reichsnährstand und die Behörden und

– die Klage über Personalknappheit, die aus der Wehrpflicht und Landflucht resultierte.

Der Heimtückediskurs der Arbeiter unterschied sich von dem der Bauern. Er bestand aus folgenden Grundmotiven:
– in der Anfangszeit des Dritten Reiches in Sorge um den Arbeitsplatz,
– die Klage über die niedrigen, festgeschriebenen Löhne und
– die Klage über steigende Preise (wobei oft hin und wieder bezweifelt wurde, ob es dem Dritten Reich überhaupt gelungen sei, Arbeitsplätze zu schaffen).

So sagte ein Arbeiter, es sei »ein Schmarren, daß Reichskanzler Hitler zweieinhalb Millionen Arbeitslosen Arbeit verschafft habe. Zweieinhalb Millionen seien eingesperrt« (7760). Und ein Zimmermann meinte: »Das ist ja das Traurige, daß der Führer auch nichts taugt, er sperrt die Leute lieber ein, als daß er ihnen Arbeit gibt« (7936). Die Löhne und Abgaben bildeten durchgängig Anlaß zur Unzufriedenheit. Ein Knecht sagte, er halte nichts von Hitler, der sei gegen die Arbeiter. Er, der Knecht bekomme weniger Lohn als früher und habe noch nichts davon verspürt, daß es besser geworden sei (7684). Eine Arbeiter-Witwe beklagte sich 1934, ein Verwandter sei zur Organisation [oft ist nicht festzustellen, was damit gemeint ist] gezwungen worden, müsse monatlich 3,80 RM bezahlen. Das nennten sie Freiheit, »die Nazibrüder«. Schließlich, 193-, erwiderte ein Hilfsarbeiter einem Beamten, der behauptet hatte, in Kürze werde es keine Arbeitslosen mehr geben: »Banditenwirtschaft, was bringen sie denn fertig? Nichts! Früher hatte einer 20 Mark Stempelgeld gekriegt, jetzt kriegt er 20 Mark wenn er arbeitet. Das wäre auch noch was, Ihr seid Beamten, was tätet Ihr denn, wenn Ihr bloß 20 Mark bekommt« (8871). Die ab 1935/36 steigenden Preise und verknappten oder verschlechterten Lebensmittel kamen dann auch prompt ins Gerede. So rief ein Invalide aus Ärger: »Zuerst haben wir 30 Eier für 1 Reichsmark bekommen und jetzt kosten 10 Stück 1,40 Mark« (8379). Ein Schlosser drückte seine Verbitterung sarkastisch aus: »Ich habe dem Hitler sein Prinzip ausgeführt und vier Kinder gemacht und bekomme nichts dafür ... Einen germanischen Stamm sollen wir züchten, mit Margarine und Kunstzeug!« (8542).

In der Regel war der Heimtückediskurs nicht in der Lage, die Ursachen der sozialen Probleme zu nennen. Er heißt die Nationalsozialisten »kommunistisch« oder vergleicht das Regime mit dem der Sowjetunion. Ein Bauhilfsarbeiter stellte 1936 alles auf den Kopf, indem er sagte, dem Arbeiter geht's schlechter als in Rußland. In Deutschland ist der reinste Kommunismus (8389), und ein Kaufmann bezeichnete 1937 90 Prozent der Nationalsozialisten als Kommunisten.

Zusammenfassend kann man feststellen: Der Heimtückediskurs weist eine Reihe unterschiedlicher Merkmale auf. Er neigt dazu, die politischen und sozialen Verhältnisse zu personifizieren, wobei er sich einseitig an der Häufigkeit des Auftretens von nationalsozialistischen Politikern in der Öffentlichkeit und an deren Eigenheiten orientiert. Personen mit Einfluß auf die Wirtschaft wie die Leiter großer Unternehmen, die Funktionäre des Vier-Jahresplanes und Beamte des Reichswirtschaftsministeriums erwähnt er nicht oder nur höchst selten.

Der Heimtückediskurs geht in der Tendenz von einer subjektiven Perspektive aus. Er ist weder im Stande stringente Beweisketten aufzubauen, noch abstrakte Zusammenhänge zu formulieren. Er verallgemeinert eine individuelle unmittelbare Erfahrung zu einer eliptischen, unklaren Gedankenführung, was nicht überraschen darf, da er in der

Regel spontan und unreflektiert aus Gesprächen hervorgeht. Er ist naiv, egozentrisch und sieht die politischen und sozialen Verhältnisse nicht differenziert, sondern durchweg dichotomisch nach dem Schema: Uns hier geht es schlecht, schuld daran sind »die da oben«. Die Menschen, die ihn im Munde führen, sind meist arm und von geringer Bildung. Sie halten sich an das Nächstliegende und projizieren die Probleme ihres Kleinmilieus auf die Politik des gesamten Regimes.

Der Heimtückediskurs formuliert eine Art Gegenbild gegen die Scheinwelt der nationalsozialistischen Selbstdarstellung. Ein Gegenbild, das jedoch nicht unbedingt das humanere ist. Er verzerrt die Einzelheiten und gibt sie unzutreffend wieder, was den Richtern die Gelegenheit bot, die Redenden als »Hetzer« zu verurteilen. Er ist weder theoretisch noch empirisch in irgendeiner Weise fundiert und kann daher auch nicht als Quelle der Beurteilungen von Vorgängen innerhalb der Partei oder des Staates verwendet werden; dennoch drückt er die Empfindungen und Erfahrungen von Menschen aus, indem er Eigenschaften des Regimes, vor allem dessen Wirkung auf Individuen in den Unterschichten, pointiert ausspricht. Er markiert umgekehrt überdeutlich die Banalität der NS-Propaganda, die an den realen Verhältnissen abprallte, sowie die Brüchigkeit des Führerprinzips außerhalb der offiziellen Organisationen.

Welche politische Bedeutung hatte der Heimtückediskurs im Rahmen des nationalsozialistischen Regimes?

Hervorzuheben ist, daß er keinen politischen Umsturz bewirken konnte; insofern war er sinnlos. Die politischen Widerstandsgruppen waren auch nicht imstande, ihn propagandistisch oder auch nur als rhetorischen Topos auszunützen. Der Heimtückediskurs war zuweilen das Surrogat der Propaganda zerschlagener Parteien oder konspirativer Gruppen, das eine enge Verbindung mit wild wuchernden Gerüchten eingegangen ist. Die Heimtückeredner stellten infolge ihrer Naivität und Vereinzelung nur bedingt ein Potential für Widerstandsaktionen dar. In ihrer Subjektivität fehlte ihnen das Gespür für politische Solidarität und die notwendige Systematik eines Widerstandskampfes, die stets über ein spontanes Murren hinausgehen muß.

Andererseits artikulierte der Heimtückediskurs die Sorgen, Nöte, Ängste und Aversionen von Schwachen, Deklassierten, Außenseitern, sozial gefährdeten Menschen, die das Regime nicht beheben konnte, die es vielmehr sogar durch seine Politik verstärkte. Er ist somit nicht als Nörgelei und Kritikasterum abzutun, selbst wenn beides in ihm vorkommt. Er ist vielmehr eine Art sprachliche, wenngleich diffuse Herausforderung, die keine unmittelbare Wirkung erzielen konnte, die dennoch die NS-Führung beunruhigte, da sie ihr die Gefahr der Erosion der Volksgemeinschaft signalisierte. Der Nationalsozialismus mußte, wenn er seine Herrschaft stabil halten wollte, darauf achten, daß der Heimtückediskurs quantitativ nicht zunahm.

Der Heimtückediskurs kann insofern nicht unter dem Begriff »Widerstand« klassifiziert werden, als keiner der Angeklagten jemals systematisch daran arbeitete, das Regime zu stürzen oder ihm langfristig und wirksam zu schaden. Die häufig vorkommenden wütenden Drohungen sind in diesem Sinne »leeres Gerede«. Er birgt allerdings alle Elemente des zivilen Ungehorsams und der zeitweisen individuellen Verweigerung. Damit zeigt er an, daß es dem Nationalsozialismus weder mit der Propaganda noch mit repressiven Maßnahmen gelang, in sämtliche Verzweigungen der Gesellschaft vollständig einzudringen, Gedanken und Gefühle in seinem Sinne zu standardisieren. Die zahlreichen nationalsozialistischen Kontrollorganisationen lagerten oft nur als dünner Firnis über einem verkarsteten gesellschaftlichen Untergrund.

Der Heimtückediskurs ist häufig mit umlaufenden Gerüchten verflochten, von denen er bestimmte Varianten wiedergab. Das nationalsozialistische Regime trug durch seine gelenkte und restriktive Informationspolitik selbst zur Entstehung von Gerüchten bei, ja provozierte sie geradezu, denn das Unbekannte bringt Halbgewußtes oder vermeintlich Gewußtes hervor, reizt zur Spekulation. Insofern war der Nationalsozialismus selbst Bedingung für Heimtücke, erzeugte er selbst immer wieder die in der Form des Diskurses enthaltene Ablehnung und war infolgedessen auch zu keiner Zeit fähig, die Heimtückereden vollständig zu unterbinden.

V. Milieu-Bedingungen und Motivationen

Der Heimtückediskurs stellt eine der möglichen unter den zahlreichen Relationen zwischen den Beherrschten und den Herrschenden im Dritten Reich dar. Er ging, wie viele Heimtückereden zeigen, aus einem mikrosozialen Milieu hervor. Dieses Milieu bedarf noch der genauen Untersuchung. Als Anhaltspunkte hierfür bieten sich an:
1. die Sprechakte zwischen den Beschuldigten bzw. Angeklagten einerseits und den Zeugen, der Polizei, der Staatsanwaltschaft und den Richtern im Rahmen der Ermittlungs- und Gerichtsverfahren andererseits,
2. die Spuren von Sprechakten der Beschuldigten außerhalb der Behörden, die erst zu den Strafverfahren führten.

Eine Heimtückerede entstand in der zweiten Kategorie von Sprechakten in einem bestimmten Milieu sozialer Primärgruppen. Die Rekonstruktion dieses mikrosozialen Milieus ist meist nur auf der Grundlage der in den Akten überlieferten Spuren möglich. Spuren, die wegen der Verschleierungsabsicht der Beschuldigten, der Gedächtnislücken oder der Lügen der Denunzianten und Zeugen und der Subsumtionsmethoden der Behörden allerdings hohe Informationsverluste aufweisen. Dabei ist noch einmal ausdrücklich festzuhalten, daß ein Sprechakt nicht nur die wenigen Sätze der Heimtückerede umfaßt, sondern vielmehr einen Gesamtdialog zwischen dem später Beschuldigten, den späteren Zeugen und sonstigen Mithörern, wobei zum Dialog nicht nur die mündliche oder schriftliche Rede gehörten, sondern auch das örtliche Umfeld, die Mimik, Gestik und die Intonation im Gespräch. Gerade Heimtückereden mit ihrem hohen emotionalen Gehalt standen in einem unauflösbaren Zusammenhang mit ihrem konkreten Kommunikanden und personellen Umfeld. Wir versuchen, dieses Umfeld an einigen relativ vollständig überlieferten und auch bestätigten Sprechakten zu analysieren.

1934 standen sich in einem Dialog gegenüber: der Erbhofbauer H., in gesicherten wirtschaftlichen Verhältnissen, der bei der örtlichen Polizei einen guten persönlichen Leumund hatte und als sozial gesinnt galt, jedoch weiterhin als Anhänger der BVP und der katholischen Kirche eingeschätzt wurde, und der Stützpunktleiter Sch. der örtlichen NSDAP, zugleich Gemeindedirektor, den der Erbhofbauer als kleinen Beamten nicht recht leiden konnte, weil ihm dessen geschäftige Fragereien und gewiß wohlmeinenden Belehrungen auf die »Nerven gingen«.

Sch. kam zu H. auf den Hof, um zu einer Gemeindeversammlung zu laden, Geld für die NSV zu sammeln und die Wohlfahrtsgabe für 1934 zu erheben. H. sah dabei in die Hebeliste von Sch. und fragte, warum der Nachbar, der Bauer Hö., keine Wohlfahrtsabgaben zu bezahlen habe. Sch. antwortete, Familien mit vier Kindern seien die Abgaben erlassen. H. war offensichtlich über die gehäuften Anforderungen und Sammlungen schon lange verärgert, so daß sich seine Mißstimmung plötzlich Luft machte. Er schimpfte über die Ungerechtigkeiten im neuen Staat, die es überall gäbe, wo man nur hinsähe: »Ich glaube überhaupt nichts mehr«, rief er, »Ihr seid nicht besser wie die anderen, sondern im Gegenteil noch viel schlechter!« Sch., offensichtlich aufgebracht, fragte nun, was ihm denn nicht gefalle, worauf H. hervorstieß: »Glaubst Du, daß ich das glaube, wenn die Zeitungen schreiben, daß zwanzigtausend Arbeiter eingestellt worden sind. Nein Wenn zwanzigtausend eingestellt werden, so werden vorher zwanzigtausend entlassen«. Sch. entgegnete, er kenne aber Arbeiter, die Arbeit gefunden hätten. H. dazu: »Ich glaube nichts, weil bloß wir zahlen müssen für Leute, welche alles verwirtschaftet haben«. Hierbei handelt es sich wohl um eine Anspielung auf den Ortsgruppenleiter der NSDAP, einen ehemaligen Lehrer, der früher »wegen Verfehlungen gegen das Eigentum« aus seiner Beamtenstellung entlassen worden war. Jedenfalls geht dies aus der Polizeiakte hervor. Darauf wieder Sch.: »Du hast doch keinen Grund zu schimpfen. Du hast keine Kinder ... keine Sorgen ...«. H. unterbrach dabei Sch. mit den Worten: »Es wird immer von Volksgemeinschaft gesprochen; das ist doch keine Volksgemeinschaft, wenn man diejenigen heraussucht, die bezahlen sollen«. Sch. verteidigte sich: »Es ist doch nicht herausgesucht, sondern gesetzlich geregelt, daß man diejenigen berücksichtigt, die viele Kinder und Sorgen haben ... das entspricht doch auch dem Christentum ... Es hilft doch das Beten allein nichts, wenn einer im Gegensatz dazu wiederum neidisch ist und seinen Mitmenschen nichts vergönnt ...«. Sch. spielte hier auf die bekannte Frömmigkeit des Erbhofbauern an und wollte ihn wohl damit in die Enge drängen. »So vergönne dem Nachbar, daß er aufgrund seiner vielen Kinder vom Staat berücksichtigt wird, so Du doch weißt, wie schwer es wirtschaftlich um Deinen Nachbarn steht«. H. daraufhin: »Aber die Kinder sind doch erwachsen! ... Ich vergönne es ihm ja, aber daß da solche Ausnahmen gemacht werden, das ist ungerecht ... Ich ginge heute noch nach Österreich, man hat uns zu den Preußen getan. Ich bin ein bayerischer Bauer und bleibe bayerischer Bauer und würde mich schämen, wenn ich deutscher Bauer sein müßte. Ich habe für Euch keinen Respekt!« Über diese Illoyalitätserklärung geriet Sch. in Wut: »Ich hätte diesen Verräter in den Boden schlagen können«, schrieb er in der späteren Anzeige. Sch. wörtlich zu H: »Wir wollen auch gar nicht, daß Du uns respektierst, denn Du bist kein Deutscher! ... Wenn Du Dich schämst, daß Du ein deutscher Bauer bist, dann bist Du auch nicht wert, daß Du den deutschen Boden besitzt«. Sch. dunkel drohend, dämpfte aber dann doch seine Erregung und fragte listig: »Aber sag doch, wer Dich gegen uns so aufhetzt?« Sch. nahm wohl an, der Ortspfarrer übe auf H. Einfluß aus. H. daraufhin: »Niemand hetzt mich auf ... Das sind doch keine Getreidepreise«. Sch. entgegnete: »Aber erinnere dich doch, wie früher die Bauern über die Getreidepreise geschimpft haben . . . Wenn Du wirklich glaubst, schau doch die Haferpreise an und vergleiche den Schweinepreis mit den vor zwei Jahren«. Nun aber tobte H. los: »Die Schweine sind nie gleich im Preis und kosten immer bald mehr bald weniger! . . . Wir haben eine Zwangswirtschaft, wie wir es während des Krieges unter dem Kommunalverband hatten! . . . Ich war noch nie ein Hitler und werde auch keiner, Ihr seid nichts anderes als verschleierte Kommunisten! Ich sage Euch dieses, und wenn Ihr mich auch nach Dachau bringt!«. Sch. meinte daraufhin, er solle aber nicht hetzen, er brauche ja kein Hitler zu sein. H: »So, was war denn bei der Wahl am 12. November. Geholt habt Ihr mich! Noch vor dem Wahllokal habt Ihr gesagt, daß ich mit ›ja‹ stimmen muß!«. Während Sch. noch nach einer Entgegnung suchte, fiel ihm H. erneut ins Wort: »Es ist doch ungerecht, daß es in Deutschland nur eine Partei gibt . . . Da sind in der Regierung lauter Gleiche beieinander und niemand kann gegen die beschlossenen Gesetze etwas machen. Da wird ein Gesetz angenommen und wir müssen es bezahlen! Das Entschuldungsgesetz ist auch das ungerechteste, was es gibt. Wir sollen für Leute bezahlen, was diese verwirtschaftet haben . . .!«. Sch. »Aber du hast doch nicht zahlen müssen!«. H. daraufhin: »Nein! Ich will von niemand von Euch etwas wissen und Du brauchst auch auf meinen Hof nicht mehr kommen«. Sch. ging und erstattete Anzeige gegen H.

Der Dialog liefert ausreichend Material zur Analyse des Umfelds. Ausgangsbedingung war 1. die konservativ-partikularistische und kirchliche Gesinnung des Bauern, 2. seine Verärgerung über die zahlreichen Abgaben, aufgrund derer er, der Erfolgreiche, sich zugunsten von vermeintlichen Versagern ausgebeutet fühlte, und 3. seine besondere Aversion gegen den Gemeindeschreiber; andererseits die zwar nationalsozialistische, aber doch soziale Einstellung des Funktionärs, der ursprünglich den Bauern wohl nicht denunzieren wollte. Auslösendes Moment für den Gefühlsausbruch und den Redeschwall des Bauern waren Mitteilungen über die sich häufenden Forderungen an ihn, vor allem aber die Information, der Nachbar müsse nichts zahlen.

Sch. faßte die ersten Sätze von H. zunächst als eine verhältnismäßig belanglose Schimpferei auf und wollte den Bauern nur aufklären, provozierte ihn aber mit seiner belehrenden Art zu immer neuen, heftigeren Ausbrüchen. Besonders die Anspielung des Nationalsozialisten auf die notwendige christliche Nächstenliebe scheint den Bauern in Rage gebracht zu haben. Jedenfalls stieg sein Zorn an jener Stelle des Dialogs so, daß er es ablehnte, sich noch weiter zur deutschen Nation zu bekennen. Sch., selbst wohl ein leidenschaftlicher Nationalist, geriet nun ebenfalls in Wut und sprach H. das Recht auf den eigenen Boden ab, was für einen stolzen Bauern eine schwere Beleidigung bedeutete.

Die Heimtückerede selbst trat im Gesamtdialog nur als ein kleines Teilstück hervor. Der Staatsanwalt beschuldigte H. nämlich lediglich wegen der Äußerung, »Ich glaube nicht, daß zwanzigtausend Arbeiter eingestellt worden seien«, eine Äußerung, die also gar nicht auf dem Höhepunkt des Streites gemacht worden war. Die Heimtückerede stellt also in einem Sprechakt keineswegs immer das Kernstück dar, sondern kann als Nebensache auftauchen. Zwar erzielt der Sprechakt insgesamt jene negative Wirkung beim Gesprächspartner, aber oft wird nur ein Teilstück angezeigt, während der Rest des

Sprechaktes wegfällt. Oder aber die Verfolgungsbehörde selektiert, wie im vorliegenden Beispiel, die Heimtücke aus dem Zusammenhang heraus.

Der Sprechakt ist ein verhältnismäßig kompliziertes Gebilde, das bei guter Überlieferung aber eine recht genaue Rekonstruktion der wichtigsten Elemente des mikrosozialen Milieus zuläßt. Zu ihnen gehören:
1. die Bedingungen der Örtlichkeit,
2. die Bedingungen, die vor 1933 entstanden sind. In unserem Beispiel die katholisch-volksparteiliche Gesinnung des Sch. und die wirtschaftlichen Interessen des Erbhofbauern,
3. die Bedingungen, die das nationalsozialistische Regime selbst geschaffen hat, wobei in diesem Beispiel die Sammelwut der NS-Organisationen und die Preispolitik des Reichsnährstandes herausragen sowie die Unbeliebtheit des Gemeindeschreibers,
4. die unmittelbaren Anlässe für die Auslösung eines Sprechaktes. Hier die an einem Tag vorgebrachten, gehäuften finanziellen Forderungen an den Bauern sowie die Mitteilung, daß der Nachbar nichts zahlen müsse.

Dabei ist anzumerken, daß der Begriff »Bedingung« dem Begriff »Ursache« vorzuziehen ist, da der Nachweis, daß ein bestimmter Faktor einen Sprechakt und damit eine Heimtückerede mit logischer Notwendigkeit bewirkt hat, nicht zu führen ist. Somit geht jede Heimtückerede aus einer bestimmten Bedingungs- und Anlaßkonstellation hervor. Sie ist jedoch nicht das Resultat zwingender Notwendigkeit.

Die vorhandene Überlieferung erlaubt es nicht, in jedem Fall sämtliche Bedingungen und Anlässe gleichmäßig darzustellen. Die Prozeßakten gewähren jedoch in der Regel wenigstens eine Blick auf einen oder zwei Aspekte der Bedingungskonstellation, die Stoff für unsere Analyse enthalten.

Orte, an denen Heimtückereden besonders häufig vorkamen, sind Dorfwirtschaften und Arbeiterschenken. Dort treffen sich Personen, die sich in der Regel gegenseitig kennen, die gleiche Sprache reden und gewohnt sind, sich hier, im kleinen Kreis und im Vertrauen auf das gewohnte überschaubare Milieu auszusprechen. Dabei waren sich zahlreiche Wirtshausbesucher durchaus nicht im unklaren darüber, daß sich unter den Bekannten und Freunden auch Sympathisanten und Mitglieder der NSDAP oder einfach Opportunisten befanden.

Ein Wirtshausgespräch, das sich hinzieht, hat häufig etwas Pendelndes an sich. Es springt unkontrolliert von einem Thema zum anderen, von privaten Stoffen zu lokalem Klatsch und schließlich auch zum sogenannten »Politisieren«, eine Pendelbewegung, die die Sprechenden oft in Heimtückereden geradezu hineinschlittern läßt.

Deutlich wird dies an dem folgenden Fall. In einer Wirtschaft saßen ein paar Männer zusammen und unterhielten sich in guter Laune – ein Zeuge erinnerte sich später vor Gericht, »es sei schon mehr eine Gaudi gewesen«. Offensichtlich neckten sie sich gegenseitig in etwas grober, riskanter Form, wobei sie es auch auf politische Anspielungen ankommen ließen. So nannte G. den späteren Angeklagten »einen Kommunisten« und fuhr fort: »Eure Kommunistenführer sind zu feig zum Abeiten, jetzt müssen sie in Dachau arbeiten«. Als dann der Name Hitlers ins Gespräch kam, rückte B. mit einer persönlichen Reminiszenz heraus: Er, B., habe in demselben Regiment wie Hitler gedient. Dem widersprach P., ein anderer Gast, später ebenfalls angeklagt, wohl um B.

zu ärgern, mit der falschen Behauptung, das stimme nicht. Er, P., habe von 1914-1916 in jenem Regiment gedient, in dem auch Hitler gewesen sei, und er habe den B. nicht gesehen. Wo er denn dort gewesen sei? B. dazu: »Beim Bataillonsstab«. P. reagierte: »Dann warst Du ein schöner Drückeberger!«.

Die Staatsanwaltschaft warf G. und P. vor, sie hätten Hitler einen »Arbeitsscheuen« und »Drückeberger« genannt. Das Gericht erkannte dagegen das Schwebende des Gesprächs an und sprach beide Angeklagten frei, da die Heimtückerede nicht genauer nachzuweisen sei, vor allem der Wille gefehlt habe, den Reichskanzler zu diffamieren.

Heimtückereden konnten in Wirtshäusern auch aus heftigen Wortgefechten, verbunden mit handfesten Prügeleien hervorgehen. Das Gericht rekonstruierte einen Vorfall folgendermaßen: Der Angeklagte kam am 2. April 1933 nachts in eine Wirtschaft in Truchtlaching. Er hatte zuvor schon eine andere Wirtschaft besucht. Er setzte sich mit einigen Gästen zusammen, und die Runde fing an zu »politisieren«. Einer der Gäste zog dabei über die Kommunisten her. Der Angeklagte, selbst kein Kommunist, schimpfte im Gegenzug über die Nationalsozialisten (Heimtückerede). Ein weiterer Gast, ein Lehrer, wies den Angeklagten zurecht, der daraufhin wütend wurde, worauf ein weiterer Gast dem Angeklagten vorhielt, er solle doch seine Schulden bezahlen. Auf diese Äußerung hin sprang der Angeklagte auf und warf dem zuletzt Redenden ein Bockbierglas aus zwei Meter Entfernung mit solcher Wucht an die Stirn, daß das Glas in Scherben ging und der Getroffene eine klaffende Wunde erlitt. Der Angeklagte drang mit einem weiteren Glas und einem Stuhl erneut auf den Gast ein, konnte jedoch festgehalten werden.

Die Heimtückerede selbst resultierte in diesem Fall aus dem sich rasch entzündenden Widerspruchsgeist des Angeklagten. Seine Gewalttätigkeit entsprang also nicht der politischen Abneigung gegen den Nationalsozialismus oder Hitler oder seine Anhänglichkeit an die kommunistische Partei, sondern der rasch hochkommenden Wut über die vielleicht zutreffende Anspielung auf seine persönlichen Schulden, d. h. seine persönlich mißliche und als Schande betrachtete soziale Lage. Der Angeklagte war für dieses Verhalten in der Wirtschaft gewiß disponiert. Er war einerseits, wie die Akten sagen, angetrunken und andererseits wegen Gewalttätigkeit schon vorbestraft. Seine Gesprächspartner äußerten jedoch vor Gericht, er sei im Grunde genommen ein gutmütiger Kerl, neige jedoch bei Trunkenheit zu Ausbrüchen. Diese Einschätzung läßt sogar die Vermutung zu, daß er in einer anderen Situation auch politisch das Gegenteil gesagt hätte, etwa wenn seine Gesprächspartner über den Nationalsozialismus geschimpft hätten.

Der Angeklagte wurde von seinem Kontrahenten auch nicht wegen der Heimtückereden angezeigt, sondern wegen der Gewalttätigkeit und wegen der privaten Beleidigungen. Erst die Polizei griff die im Gesamtvorgang nebensächlichen politischen Äußerungen heraus und reichte sie an die Staatsanwaltschaft weiter.

Heimtückereden in Wirtshäusern dürfen nicht als bloßes Wirtshausgerede bagatellisiert werden. Das Wirtshaus ist der Ort der Öffentlichkeit von Unterschichten, zumal in einer Gesellschaft, in der dem Regime nicht konforme Vereinigungen (Gewerkschaften, Clubs, Verbände) verboten sind; der einzige öffentliche Ort also, an dem sie eine Kritik artikulieren können, selbst wenn dies gefährlich ist. Heimtückereden sind somit

Bestandteil normaler Sprachspiele von Beherrschten, die sich mit den Herrschenden auseinandersetzen.

Zahlreiche Heimtückereden entstanden in angetrunkenem Zustand. Die Quellen lassen allerdings in der Regel nicht ausmachen, wie stark betrunken die Angeklagten jeweils waren, denn sie bemühten sich durchweg mit dem Hinweis auf ihre Volltrunkenheit als zeitweise unzurechnungsfähig anerkannt zu werden, während Zeugen und Gericht eher bestrebt waren, die Trunkenheit herunterzuspielen. Gleichgültig, wie es auch immer wirklich gewesen war, festzuhalten ist: Die Heimtückerede hatte ihre Bedingungen nicht im Alkohol. Die Trunkenheit senkte nur die Schwelle der Vorsicht. Sie gehörte daher zu den Randerscheinungen der Bedingungen einer Heimtückerede.

Bedingungen, die vor 1933 entstanden sind und solche, die durch den Nationalsozialismus geschaffen wurden, können durchweg in enger Verzahnung stehen. So scheinen nationalsozialistische Uniformen auf manche Menschen provozierend gewirkt zu haben, wie aus dem folgenden Beispiel zu erkennen ist. Der Angeklagte, ein Kranführer beim Bau des Hauses der Deutschen Kunst in München, früher einmal Schutzhäftling im KL Dachau, mußte wegen Regenwetters die Arbeit unterbrechen. Er begann mit seinen Kollegen in der Baukantine zu trinken, ging dann mit zwei Steinmetzen in eine Wirtschaft in München. Dort kam ein SS-Standartenführer in Uniform herein. Der Angeklagte setzte sich, erstaunlicherweise, zu dem SS-Mann und begann mit ihm eine Unterhaltung: »Ich bin kein Nationalsozialist; ich bin ein Gegner dieser Regierung und bleibe es«. Der SS-Mann mahnte ihn, vorsichtig zu sein. Der Angeklagte entgegnete darauf: »Ich bin ein Sozi, mir macht es nichts aus; ich war schon sieben Monate in Dachau, ich habe mich gut gehalten und bin durchgekommen. Auch in Dachau gehören SS-Leute eingesperrt, weil sie die Gefangenen bestehlen«. Der Standartenführer bezweifelte die Behauptung und drohte dem Kranführer, der daraufhin erschrak und anfing, seine Behauptung zu erklären. Er habe in Dachau gesehen, daß man ein Plakat angeschlagen habe, auf dem zu lesen war, ein SS-Wachmann habe eine Uhr gestohlen, weswegen er gesucht würde. Offensichtlich wollte der Kranführer nun beschwichtigend verdeutlichen, daß zwar Diebereien in Dachau vorgekommen seien, die SS-Führung diese Vergehen aber verfolge.

Die dem Kranführer aus Dachau wohlbekannte SS-Uniform hatte ihn veranlaßt, sich zu dem ihm unbekannten Standartenführer zu setzen und mit diesem über das KL zu reden. Der Anblick der Uniform ließ in ihm wohl auch Verbitterung und Zorn über das in Dachau erlittene Unrecht hochkommen. Er wollte daher dem auf der anderen Seite stehenden Uniformträger darlegen, daß die in Dachau aus politischen Gründen Eingesperrten moralisch besser seien als die SS-Wachmannschaften, die in Wirklichkeit aus Kriminellen bestünden.

Der Inhalt des Sprechaktes, die Wachmannschaft im KL Dachau bestehle die Gefangenen, ist daher gar nicht entscheidend, wenngleich das Gericht ihn herausgriff und abstrahierte. Von Bedeutung ist vielmehr die Absicht des Angeklagten, dem SS-Führer zu sagen, daß er, der Angeklagte, seine Gesinnung nicht wechsle, daß seine Gesinnungsfreunde die »Sozis« seien und daß jene, eingesperrt und verurteilt, moralisch höher zu bewerten seien als die SS. Die Wirkung der Rede auf den Standartenführer wird in den Akten nicht in aller Klarheit deutlich: Es ist nicht erkennbar, ob der SS-Mann über die moralische Abqualifizierung der SS beleidigt war oder ob er sich nur über die Äußerung ärgerte. Die Bemerkungen des Kranführers reichten ihm jedenfalls, um ihn zu denunzieren, und das Gericht zog in seinem Urteil beide Aspekte zur Begründung der Strafe heran.

Am Beispiel des Kranführers wird deutlich, daß bei zahlreichen Heimtückefällen von den Vertretern des NS-Regimes Provokationen ausgingen. Der Begriff »Provokation« hat dabei jedoch eine zweifache Bedeutung: Man muß unterscheiden zwischen momentanen und langfristigen, strukturellen Provokationen. Momentane, unmittelbare Provokationen könnten Ansprachen Hitlers, Görings oder Goebbels' sein, die im Rundfunk übertragen und gemeinschaftlich angehört wurden. Ferner Uniformen von Nationalsozialisten oder vorübermarschierende HJ- und SA-Einheiten, die zu abfälligen Bemerkungen bei den Zuschauern anregten. Langfristige Provokationen waren dagegen die sozialen und wirtschaftlichen Verhältnisse im Dritten Reich, einzelne Maßnahmen der nationalsozialistischen Führung oder allgemeine, durchaus nicht nur NS-spezifische Verwaltungsakte von Behörden, die jedoch von den Betroffenen dem Regime angelastet wurden.

Mißerfolge bei Behörden selbst in Bagatellsachen wurden oft als Versagen des Nationalsozialismus, Hitlers oder eines der Unterführer gedeutet. So äußerte ein alter Bauer, Goebbels, Frick und Göring seien genauso wie die anderen (gemeint sind Politiker der Weimarer Republik): »Sie schauen nur auf sich selber und kennen keinen armen Teufel nicht«. Bedingung für diese Aussage war die Verärgerung darüber, daß der Bauer einen Rechtsstreit wegen einer Lohnforderung vor Gericht verloren hatte und bei seinem Versuch, die Wiederaufnahme seines Prozeses zu erlangen, stets abgewiesen worden war. Selbst die Partei, die Landesbauernschaft und der Arbeitsdienst, die er um Hilfe gebeten hatte, hatten sich nicht um ihn gekümmert. Der Bauer hatte sogar erfolglos an den Reichskanzler geschrieben. Endgültig enttäuscht resümierte er: » . . . mich lassen sie überall hängen, weil ich ein armer Teufel bin« (8107). Das Gericht konstatierte, er sei wohl unbelehrbar, könne aber vermutlich seines hohen Alters wegen nicht mehr loskommen.

Ähnlich gelagert war der Fall eines Dienstknechts. Die Mutter des Knechts hatte einen Autounfall erlitten, weswegen sie lange Zeit zur Heilung im Krankenhaus gelegen war. Sie verklagte den Fahrer des Pkw's, das Verfahren wurde jedoch eingestellt, da der Unfall nicht zuletzt aufgrund ihrer eigenen Unvorsichtigkeit passiert war. Überdies hatte sie in einem Zivilprozeß keinen Erfolg gehabt. Der Dienstknecht war am Ausgang dieser Streitsache lebhaft interessiert. Er las aufmerksam sämtliche Schriftstücke, und so oft ein ablehnender Bescheid in seine Hände gelangte, begann er über das Gericht und die Staatsführung zu schimpfen: »Die großköpfigen Hunde, die machen Gesetze« (8679).

Die Steuern bildeten bei den durchweg armen, oft am Rande des Existenzminimums lebenden Angeklagten eine ständige Quelle des Unmuts gegen Staat und Nationalsozialismus. Die zahlreichen Haus- und Straßensammlungen sowie die Aufrufe zu mehr oder minder freiwilligen Spendenaktionen aller Art vermehrten die schon vorhandene Mißstimmung bis hin zu einer tiefen Verbitterung. Ein Gastwirt hatte am 16. November 1934 beim Finanzamt seine Umsatz- und Kirchensteuer bezahlt. Am selben Tag erhielt er darüber hinaus die Aufforderung zur Abgabe der Gemeindeumlage in Höhe von 45,–

Reichsmark. Am Nachmittag des folgenden Tages bediente er Gäste in seiner Wirtschaft, unter denen sich jemand mit einem Parteiabzeichen befand. Er machte eine verächtliche Handbewegung und schimpfte über die Steuern und das Abgabenunwesen: »Dem Volk wird vorgelogen vom Winterhilfswerk, dabei brauchen sie dies zum rüsten«. Das Gericht brachte ein gewisses Verständnis für den Angeklagten auf und anerkannte seine Verärgerung als Grund für die Strafmilderung (7882).

Die Ablehnung von Abgaben, Spenden und Steuern ist in der Regel mit dem Verdacht verknüpft, die Gelder dienten zur Bereicherung der nationalsozialistischen Prominenz oder zur Aufrüstung. Es handelt sich dabei nicht nur um die üblichen Widersetzlichkeiten gegen lästige oder bedrückend empfundene Steuern, sondern um Zweifel über die funktionsgerechte Verwendung der Gelder. Zweifel, die die sozial firmierenden und sich als unbestechlich gebenden Nationalsozialisten für eine besonders heimtückische Hetze hielten.

Ein weiterer Fall der Enttäuschung über eine Behörde war der eines Forstarbeiters, der die Propaganda vom Rückgang der Arbeitslosigkeit 1934 als einen »Bluff« bezeichnete. Er war zwar zu dieser Zeit selbst arbeitslos und haderte daher mit dem Nationalsozialismus. Vielleicht allerdings zu unrecht, da nach Ansicht des Gerichts seine Arbeitslosigkeit auf einem langen Vorstrafenregister beruhte. Er selbst begründete sie mit der im Dritten Reich üblichen Bevorzugung sogenannter »Alter Kämpfer« bei der Arbeitssuche (8634).

Heimtückeredner hatten die Neigung, eigenes Versagen dem Regime anzulasten. Andererseits ist zu bedenken, daß unpolitische Individuen nicht immer fähig waren, den Widerspruch zwischen den pompösen Erfolgsmeldungen von NSDAP und Staat, etwa bei der Beseitigung der Arbeitslosigkeit, und der eigenen schlechten Lage rational zu erklären. Dies gilt auch für zahlreiche, wegen Heimtücke angeklagte Bauern. Die Bauern standen u. a. vor der Diskrepanz zwischen ihrer Aufwertung durch die »Blut und Boden«-Ideologie und hohen Leistungsanforderungen des Reichsnährstandes sowie der in Bayern herrschenden Landflucht der landwirtschaftlichen Arbeiter. So saß der Bauer W., ein »guter Bauer«, wie das Polizeiprotokoll vermerkte, mit anderen Bauern in einem Gasthaus. Er klagte darüber, daß sein Knecht zum Militär einrücke, seine Magd weggehe und er die Arbeit allein erledigen müsse. Dann sagte er, so etwas könnten »die« im Dritten Reich und brächten es nicht fertig, daß man jemand zur Arbeit habe. Das sei doch eine »Schwindelgesellschaft«. Dann wörtlich: »Ich bin ein Schwarzer und bleibe ein Schwarzer«. Diese Unterhaltung hörte der Ortsgruppenleiter, der »zufällig« draußen vorbeiging, und meldete sie dem Dorfgendarmen. Der Bauer hatte gewiß vor 1933 die Bayerische Volkspartei gewählt, stand also dem Nationalsozialismus von vornherein distanziert gegenüber. Aber nicht allein in seiner Gesinnung lag die Bedingung für die Heimtückerede, sondern in der üblen Laune über das Fehlen der notwendigen Arbeitskräfte. Er artikulierte damit lediglich ein allgemeines Problem der Landwirtschaft, wobei für ihn individuell verschärfend hinzukam, daß im Ort gerade eine Flurbereinigung stattfand, die ihm vermehrte Arbeit aufbürdete. Dem Dorfpolizisten tat der Bauer leid. Er zeigte jedenfalls ein gewisses Verständnis für ihn, als er schrieb, man könne dem Bauern nicht mehr helfen, da er schon einmal wegen Schimpfereien fast in Schutzhaft genommen und nur wegen seines guten Ansehens verschont worden sei.

Demgegenüber gab es im Mittelstand, dem die NSDAP vor 1933 ja große Verspre-

II. Anklageschrift.

Ich erhebe öffentliche Klage

gegen   S c h u t z h a f t !

▬▬▬▬▬▬ Alois, Forstarbeiter in Marktl,
verheiratet, geboren am 29.3.
1904 in Bergham, BA. Altötting.
Eltern: Max ▬▬▬▬ und ▬▬
geb. ▬▬▬.

vorbestraft,

seit 29.6.1937 in Schutzhaft im Gerichtsgefängnis Altötting,

den ich beschuldige,

1. böswillige, gehässige, hetzerische und von niedriger Gesinnung zeugende Äusserungen über leitende Persönlichkeiten des Staates und der NSDAP. gemacht zu haben, die geeignet sind, das Vertrauen des Volkes zur politischen Führung zu untergraben, wobei er damit rechnen musste, dass seine Äusserungen in die Öffentlichkeit dringen würden,

2. öffentlich das Reich und die deutsche Wehrmacht beschimpft und böswillig und mit Überlegung verächtlich gemacht zu haben.

T a t b e s t a n d :

1. Der Beschuldigte sagte vermutlich am 5.4.1937 an einer Baustelle in Dornitzen, Gde. Schützing, vor den dort beschäftigten Arbeitern:

"Früher haben's regiert in Gottes Gnaden,
heut regiert der Lump von Berchtesgaden."

51. Anklageschrift des Sondergerichts München (1937).

chungen gemacht hatte, heftige Kritik an der angeblichen Bevorzugung der Bauern und Arbeiter. So schimpfte ein Kolonialwarenhändler aus der Umgebung von München, der vor 1933 mit der NSDAP sympathisierte, Ende 1933 seine Gesinnung aber geändert hatte (was mit dem Scheitern der bayerischen Mittelstandspolitik von Minister Esser zusammenfiel), daß die Bauern auf Kosten der Geschäftsleute von der Regierung bevorzugt würden. Diese Meinung äußerte er wiederholt vor einem Kunden, einem Pg, der ihn schließlich anzeigte. Der Angeklagte konnte vor allem die Entschuldungspolitik der Bauern nicht verstehen, die er aus nächster Nähe beobachtete. Andererseits spürte er jedoch, daß die ursprünglich angekündigte Förderung des Mittelstandes nicht zum Zuge kam.

Auch manche Sozialhilfeempfänger, besonders aber »Asoziale« waren über den Nationalsozialismus schon bald tief enttäuscht. Ein Metzgergeselle, seit dem 1. Weltkrieg Invalide, erhielt vom Wohlfahrtsamt regelmäßig Unterstützung. 1933 trat er in die SA ein. Am 9. November 1933 wollte er sich den Aufmarsch an der Feldherrnhalle in München ansehen, wurde jedoch wegen der Absperrungen nicht durchgelassen. Verärgert lief er zu seinem Bekannten und schrie: »Ich bin zur Partei gegangen, weil ich glaubte, ich könnte mir etwas herausholen, was aber nicht der Fall ist«. Er zerriß aus Wut sein SA-Hemd und nannte Hitler »einen Schlawiner« (8780). Der Metzger war nach Aussage des Gerichts »arbeitsscheu«. Er hatte sich erhofft, der Nationalsozialismus würde ihm ein besseres, sorgloseres Leben garantieren, wenn er in die SA einträte. Tatsächlich änderte sich aber an seinen Unterhaltssätzen nichts. Seine Enttäuschung schlug dann in spontane Wut um, als er trotz seiner SA-Uniform den Aufmarsch an der Feldherrnhalle nicht von einem guten Platz aus ansehen durfte.

Die Akten enthalten bemerkenswerterweise zahlreiche Beispiele dafür, daß Rentner, Wohlfahrtsempfänger und Winterhilfswerk-Unterstützte gerade nach Erhalt von Geld oder Naturalien in eine Stimmung verfielen, in der sie Heimtückereden riskierten. Dabei mag eine Rolle gespielt haben, daß sie sich durch den Zwang, Hilfe annehmen zu müssen, öffentlich gedemütigt fühlten, weil sie auch der sogenannte »Neue Staat« nicht auf eigene Füße hatte stellen können.

Über die schlechten Zeiten wurde, wie die Akten zeigen, außerordentlich viel geschimpft. Eine Schreinersehefrau, deren Mann Sozialdemokrat gewesen war, kam 1934 in eine Sennerei und kaufte Käse und Butter, die sie aber nicht bezahlen konnte. Sie sprach von den schlechten Zeiten, woraufhin die Sennerin entgegnete, die Lage habe sich doch im Dritten Reich gebessert. Daraufhin begann die Kundin auf das Regime zu schimpfen. Die Sennerin drohte, sie solle nichts über die Regierung sagen, sonst komme sie nach Dachau. Die Angeklagte entgegnete erbost, »das sei ihr egal, da habe sie wenigstens etwas zu fressen« (8854).

Ähnlich verhielt sich eine Jüdin, eine der wenigen, die vor dem Sondergericht stand. Bei ihr herrschte zwar keine akute Geldnot, wie bei der Schreinersfrau, aber Empörung und Trauer darüber, daß ihr mitgeteilt worden war, sie müsse ihre Wohnung räumen und Deutschland verlassen. Sie ging in einen Gemüseladen, um Spinat zu kaufen, erhielt aber die Auskunft, es gäbe keinen. Sie fragte dann, ob am nächsten Tag welcher vorhanden sei, und bekam die Antwort, man könne es nicht sagen, da nicht vorauszusehen sei, was der Markt biete. Daraufhin die Jüdin: »Aber Göring sagt, daß alles da ist!«. Sie kaufte einen Blumenkohl, geriet dabei mit einer anderen Kundin ins Gespräch, schließlich in einen Wortwechsel, durch den sich ihre Gesprächspartnerin persönlich beleidigt fühlte und sie dann anzeigte.

Die Jüdin war gewiß nicht nationalsozialistisch gesinnt, aber sie schien sich bislang in allem zurückgehalten zu haben. Erst der Räumungsbefehl ließ in ihr die Verbitterung aufsteigen, so daß ein kleiner Anlaß, das Fehlen von Gemüse, genügte, um sie zur Heimtückerede im Streit mit einer Frau, die sie nicht kannte, zu provozieren.

Eine weitere Bedingung, aus der Heimtückereden hervorgehen konnten, bildete das Auftreten lokaler Parteiführer und Funktionäre, die nicht beliebt waren und wenig respektiert wurden. Bauern äußerten häufig ihren Mißmut darüber, daß als Reichsnährstandsfunktionäre junge, oft als Landwirte kaum erfolgreiche Männer nun im Dorf das »Sagen« hatten. Auch die Konflikte zwischen Mitgliedern der aufgelösten Parteien und der NSDAP sowie zwischen Mitgliedern der gleichgeschalteten traditionellen bäuerlichen Vereine und ihren nationalsozialistischen Konkurrenzorganisationen bildeten einen ständigen Nährboden für Heimtückereden. So schimpfte ein Bauernsohn, Mitglied eines katholischen Burschenvereins, 1934 über das Dritte Reich. Er gab bei der Polizei als Beweggrund an: »Gegen die Person des Reichskanzlers Hitlers habe ich auch jetzt nichts einzuwenden und bin ich mit dessen Taten vollständig einverstanden. Ich bin hauptsächlich gegen die mir bekannten Unterführer der Partei eingestellt, da mir deren Verhalten nicht entspricht«. Diese Abneigung kam nach seiner Darstellung hauptsächlich daher, daß sein Onkel, der früher Ortsführer des bayerischen Bauern- und Mittelstandsbundes, abgesetzt worden war und dauernd schikaniert wurde. Außerdem hatte die Partei 1933 bei der Hochzeit eines Burschenvereinsmitglieds nicht erlaubt, daß der Verein ein Ständchen spiele und bei der Feier auftrete. »Darüber habe ich mich geärgert und dabei auch gegenüber dem F. [einem späteren Zeugen] geschimpft« (7627).

Eine andere Quelle der Mißstimmung auf dem Lande ergab sich aus Maßnahmen des Nationalsozialismus, die in alltägliche Lebensgewohnheiten eingriffen, so z. B. aus dem neuen Jagdgesetz, dessen Vorschriften Teile der ländlichen Bevölkerung aufreizten oder dem durch KdF in Bayern organisierten Urlaubswesen. Das gemütliche Herumspazieren von Urlaubern wurde von der ländlichen Bevölkerung, die ja keinen Urlaub kannte, als Faulheit ausgelegt. In den Akten finden sich daher Äußerungen wie: Die Urlauber laufen den ganzen Tag spazieren und wir müssen dafür zahlen.

Schließlich regten die Repressionsmaßnahmen, insbesondere die häufig verhängte Schutzhaft, sowie die Sondergerichtsjustiz und das Bekanntwerden von Vorgängen in Dachau Heimtückereden an. Die Skala reicht von mitleidigen Äußerungen über die als unrecht empfundenen Schutzhaftverhängungen, dem Weitererzählen von Vorfällen im KL bis hin zum Schimpfen wegen Verurteilungen durch das Sondergericht. Ein ruhiger, als fleißig und unpolitisch geltender Arbeiter machte seinem Unmut in einem Wirtshaus Luft. Entscheidend war jedoch, daß ein ihm bekannter Arbeiter, früher Mitglied der KPD, im März 1933 für vier Wochen in Schutzhaft genommen worden war. Der Arbeiter empfand dies als ungerecht, zumal ihm bekanntgeworden war, daß der Verhaftete in Not geraten war. Er sagte, Hitler solle dem ehemaligen Kommunisten für einen Tag Haft 4,00 Reichsmark zahlen. Die hier vorliegende Heimtückerede entsprang weniger einer prinzipiellen Ablehnung des neuen Regimes, als vielmehr dem Mitgefühl für einen Kollegen, das dann allerdings zu Ablehnungserscheinungen führte (7376).

Ein Konditor, Mitglied der NSDAP und SA, denunzierte im Dezember 1933 bei der Polizei einen ihm gut bekannten Handelsvertreter und Friseur, weil dieser »Greulmärchen« über das KL Dachau erzählt habe. Der Vater des Denunzierten war vor 1933 Mitglied der SPD und Stadtrat gewesen, der Sohn aber stand der NSDAP nahe. Jedenfalls war er bei Wahlen für die Ortsgruppe als Schlepper und Fahrer des Ortsgruppenleiters tätig gewesen. Obgleich der Denunzierte nicht der sozialdemokratischen Gesinnung seines Vaters zuneigte, sondern eher dem neuen Regime, machte er dennoch Aussagen, die als regimefeindlich gewertet wurden. Wie kam es dazu? Ende 1933 gingen in Kreisen ehemaliger Sozialdemokraten Gerüchte über die schlechte Behandlung von KL-Häftlingen in Dachau um. Der Denunzierte, der in diesem Milieu lebte, erfuhr davon und wollte sich bei einem Parteiangehörigen halb sensationslüstern, halb ungläubig vergewissern, ob diese Gerüchte zuträfen. Er machte dabei Angaben, die den Merkmalen eines Gerüchts, jener Mischung aus Konkretheit und Vagheit, Übertreibung und Plausibilität, entsprachen. Der Konditor, der davon erfahren hatte, gab vor der Polizei an, er sei über das Gehörte zunächst empört gewesen und hätte geantwortet: »Wenn man sich das [gemeint war der Sadismus in Dachau, von dem die Rede war] nur vorstellt, so ist das vom menschlichen Standpunkt aus gar nicht möglich« Er habe die Angelegenheit einem nationalsozialistischen Stadtrat weitererzählt, der ihm geraten habe, Anzeige zu erstatten.

Bemerkenswert an diesem Fall ist, daß weder der Denunzierte noch der Denunziant die Gerüchte über Dachau glauben wollten, daß der Denunzierte, wohl in seiner Gesinnung schwankend, eine Bestätigung haben wollte und der Denunziant seinerseits vermutlich aus Übereifer und Opportunismus gehandelt hatte. Die vorliegende Heimtückerede geschah in einer seltsamen Grauzone, bestehend aus Gesprächen zwischen verängstigten, verfolgten Sozialdemokraten und Menschen, die diesem Milieu zwar entstammten, sich aber an das nationalsozialistische Regime anpassen wollten. Eine spannungsreiche Grauzone, in der die Unsicherheit groß war und daher die Gerüchte wucherten. Allerdings waren einige der Nachrichten nicht ganz falsch, denn sie stammten aus dem Munde der Ehefrau eines KL-Häftlings, der jedoch nichts nachzuweisen war und die deshalb auch nicht belangt wurde (7692).

Gerade das KL Dachau löste zahlreiche Redereien in München und Umgebung aus. Die Sondergerichtsakten vermitteln jedenfalls den Eindruck, daß über die schlimmsten Zustände im Lager in weiten Teilen der Bevölkerung des Raumes vielerlei bekannt war, vor allem unter einfachen Leuten, denen ja häufig mit der Verschickung ins KL gedroht wurde und die auch Verbindungen zu ehemaligen Häftlingen besaßen.

Wenn man im Rahmen einer Soziologie abweichenden Verhaltens[29] von der Annahme ausgehen kann, daß es im Dritten Reich so etwas wie Widerstandskarrieren gegeben hat, liegt die Vermutung nahe, daß Widerstands- und Heimtückekarrieren im einzelnen Fall ineinandergreifen konnten. Unter Heimtückekarrieren sind dabei Lebenswege zu verstehen, die in ein als nonkonform geltendes Verhalten einmündeten. Es handelt sich

---

[29] Becker, Howart S.: Außenseiter. Zur Soziologie des abweichenden Verhaltens. Frankfurt 1973.

hier um Vorgänge, die sich gleitend oder schubweise vollziehen. Sie können auch relativ kurzphasig auftreten. Da die Angeklagten vor Sondergerichten in der Regel Erwachsene waren, begannen ihre Karrieren häufig vor der Machtergreifung. In solchen Fällen verstießen sie zwar nicht gegen nationalsozialistische Verhaltenskodices, sondern nur gegen die anders gelagerte Normativität der Weimarer Republik. Oder aber ihr Verstoß wurde wegen Belanglosigkeit überhaupt nicht wahrgenommen. Darüber hinaus war der Fall möglich, daß Personen vor 1933 zwar keine Verhaltensregeln verletzt hatten, weil die Öffentlichkeit entsprechende Vorschriften noch gar nicht besaß, sich aber Motivationskonstellationen herausbildeten, die bei Inkrafttreten von einschlägiger Kodices zu Konflikten mit den neuen Instanzen und gesetzeswidrig ausgelegtem Verhalten führen konnten. Die Akten der Sondergerichte liefern zahlreiche Belege für solche Zusammenhänge.

Ein Angeklagter erlernte den Beruf eines Zimmermanns. 1923 beging er einen schweren Diebstahl und wurde zu zwei Jahren Gefängnis verurteilt. Es folgten zwölf weitere Vorstrafen. In der Weltwirtschaftskrise wurde er arbeitslos, was ihn an den Rand des Existenzminimums brachte, zumal er verheiratet war und vier Kinder hatte. Vor 1933 gehörte er einem freigewerkschaftlichen Zimmererverband an. Er warf wohl seine ganze Hoffnung auf den Nationalsozialismus, denn er versuchte in die NSDAP einzutreten, hatte aber keinen Erfolg. Seine wirtschaftliche Lage verbesserte sich außerdem keineswegs, insbesondere fand er keine Anstellung in seinem erlernten Beruf. So ging er dazu über, als Textilhausierer über Land zu ziehen und so sein Leben zu fristen, wobei er sich wohl nicht immer sauberer Verkaufsmethoden bediente. Jedenfalls bot er 1937 einer Bäuerin Stoffe mit den Worten an, kaufen Sie, es kommen schlimme Zeiten; wörtlich: »Die Männer müssen bald fort« (8641). Es folgten Schimpfereien über den Nationalsozialismus, die ihm später als Heimtücke zur Last gelegt wurden. Der Zimmermann/Hausierer legte also der Bäuerin nahe, Stoffe zu horten. Die Neigung des Hausierers zu einem von den Gesetzen abweichenden Verhalten war, wie die Vorstrafen zeigen, schon vor 1933 entstanden: Sie hielt wohl auch im Dritten Reich an, schlug nun aber in einen Vorstoß gegen spezifisch nationalsozialistische Verhaltenskodices um. Die anhaltend miserable wirtschaftliche Lage des Angeklagten, der sich nach 1933 zudem in seinen Erwartungen betrogen sah, verstärkte seine Anlage und schuf so jenen spezifischen Komplex von Verbitterung und skrupelloser Ausnützung der Umwelt.

Ähnlich ist der Fall eines Hilfsarbeiters gelagert, der 1908 einen schweren Verbrennungsunfall erlitten hatte, wodurch ihm seine linke Hand steif geblieben war. Er bekam eine Unfallrente von 35,50 Mark monatlich. Seit 1909 versuchte er sein geringes Einkommen als Zeitungsvertreiber aufzubessern, wohl kaum mit großem Erfolg, denn das Gericht konstatierte bei ihm 1938, er mache einen verbitterten Eindruck. Seine Heimtückerede ist geradezu typisch für einen armen »Hungerleider«: »Schauts den Goering an, wie er rausgefressen ist!« (8637). Der Hilfsarbeiter, körperbehindert und bitterarm, hatte sichtlich die Demütigungen, die er zeit seines Lebens erlebt hatte, in sich hineingefressen, ehe seine Ansichten über die Ungleichheit der Verhältnisse, sein erbärmliches Einkommen auf der einen Seite und das pompöse, luxuriöse Auftreten Goerings andererseits, gefühlsgeladen aus ihm herausbrachen. Der Nationalsozialismus war nicht schuld an seiner Körperbehinderung, auch nicht daran, daß er beruflich nicht weitergekommen war, allerdings daran, daß es dem Hilfsarbeiter nach 1933 trotz Versprechungen aus der Zeit der Wahlkämpfe vor 1933 nicht besser gegangen war. Er lieferte indes in Goering ein Symbol, das zu Heimtückereden besonders reizte.

Schließlich soll noch die Heimtückekarriere eines Nationalsozialisten angeführt werden. Es handelt sich um einen 1912 geborenen Bäcker, der möglicherweise der uneheliche Sohn eines Juden war, was er allerdings bis 1935 nicht wußte. Er trat 1931 der NSDAP bei, arbeitete bei einer Kreisleitung, stellte sich 1933 als Hilfspolizist zur Verfügung und erhielt sogar eine Belobigung. Eine Dauerbeschäftigung bei der Polizei bekam er jedoch nicht. So trat er Ende 1933 in den freiwilligen Arbeitsdienst ein, besuchte 1934 die SA-Nachrichtenschule, kam aber auch hier nicht weiter. Er leistete 1934/35 freiwillig Militärdienst ab, erhielt später einen Posten als Zeitangestelter bei der Polizeidirektion und arbeitete zuletzt kurzzeitig als Ordonnanz beim höchten Parteigericht in München. Er konnte aber dort nicht bleiben und wurde 1936 Pförtner bei der Wehrmacht. Der Bäcker ist ein durchaus verdienstvoller Nationalsozialist, jedenfalls kein »Märzgefallener« oder »Maiveilchen«. Er versuchte fortwährend einen beruflichen Aufstieg in einer durch den Nationalsozialismus geschaffenen oder geförderten Institution (der Hilfspolizei, dem Arbeitsdienst, der SA, der Reichswehr oder dem Parteigericht), kam aber nicht voran, wobei aus den Akten nicht hervorgeht, ob aufgrund eigenen Versagens oder weil die geeigneten Stellen für ihn fehlten. Die Partei honorierte seine Verdienste, indem sie sich um ihn kümmerte, sie bot ihm aber keine Chance zum Aufstieg, denn sie vermittelte ihn nur in untergeordnete Stellen (8686).

Der Bäcker sah jedoch, daß andere Personen Karriere machten. Seine ursprüngliche Begeisterung scheint in Haß umgeschlagen zu sein, denn 1937 sprach er über »Parteiwirtschaft«, »Parteikram« und »Bonzentum«, und in Dachau würden die Juden umgebracht. Der Bäcker wollte offensichtlich sozial aufsteigen, aber er war kein opferbereiter, sich selbst bescheidender, verzichtender Nationalsozialist. In der Weimarer Republik wählte er nicht den schwierigen Weg einer Karriere durch höhere Qualifizierung (vielleicht war er ihm auch nicht möglich), sondern er trat in die 1931 zunehmend erfolgreiche NSDAP ein, vermutlich um einen kollektiven Aufstieg mitzuerleben und sich der Patronage durch den Nationalsozialismus zu versichern. Seine Heimtückekarriere begann, als er einsehen mußte, daß der Aufstieg nicht gelang und daß er weiter auf demselben niedrigen beruflichen Niveau herumpendelte, mit dem er begonnen hatte. Die Grundbedingung des abweichenden Verhaltens jenes Bäckers lag also in der gehegten Hoffnung, durch die Partei vorwärtszukommen, da angesichts der damaligen herrschenden Verhältnisse der individuelle Weg wenig aussichtsreich erschien. Eine Bedingung, die vermutlich bei zahlreichen, nach der Reichstagswahl von 1933 in die Partei eingetretenen jungen Männern eine große Rolle spielte. Die »Gleichgültigkeit der Partei« erzeugte dann jene Konstellation, die in diesem Falle zur Heimtückerede führte.

Die drei genannten Beispiele verdeutlichen in den Akten relativ gut belegte Heimtückelaufbahnen. Die Quellen geben aber nicht immer so gute Auskünfte, sondern liefern oft nur Hinweise, die einige Rückschlüsse auf Karrierebedingungen vor 1933 zulassen. Eine wichtige Hauptbedingung entstand im Ersten Weltkrieg. Ein in Gasthäusern auftretender Zitherspieler äußerte im »Schwanenhof« beim Geldsammeln, Hitler habe versprochen, die Renten zu erhöhen. In Wirklichkeit bekämen die Leute nicht mehr.

Hitler bewirke nichts. Der Zitherspieler hatte sich im Krieg ein chronisches Ekzem zugezogen, bekam als Invalide 55,50 Mark Rente und versuchte sein Zubrot als Musiker, der mit dem Hut an Gasthaustischen herumgeht, zu verdienen. Möglicherweise hielt er diese Art der verdeckten Bettelei für unwürdig, jedenfalls stieß er seine Heimtückereden immer beim Geldsammeln hervor. Es hatte jedoch vor 1933 noch ein weiteres auslösendes Moment bei ihm gegeben. Er war wegen einer geringfügigen Verkehrsübertretung angezeigt worden, und in seinem neuen Leumundszeugnis stand noch, daß er vor 30 Jahren wegen Bettelns eine Strafe erhalten hatte. Das Regime stellte sich ihm gegenüber der Weimarer Republik als kaum verändert dar: Entscheidend war jedoch, daß die Kriegsverhältnisse ihn zum Invaliden gemacht und ihm damit jede Aussicht auf eine gesicherte berufliche Lage verstellt hatten.

Ganz ähnlich ist der Fall eines Oberkäsers, der im Keller der Käserei sagt: »Auf so ein Vaterland scheiß ich, bevor man einem nicht gibt, was man einem genommen hat«. Sein Zuhörer widersprach ihm, worauf der Käser sagte: »Beim Militär mußt Du Dich bloß als Mörder und Straßenräuber abrichten lassen«. Die Äußerung klingt ziemlich pazifistisch, beruht jedoch weniger auf einem politischen Konzept als auf der unglücklichen Lebensgeschichte des Oberkäsers. Er war nämlich Infanterist gewesen und hatte wohl infolge der schweren kriegsbedingten Belastungen 1918 einen Nervenzusammenbruch erlitten, der einen langen Lazarettaufenthalt erforderlich gemacht hatte. Zu allem Unglück waren auch noch seine Ersparnisse in der Inflation verlorengegangen. Er lebte in dem Bewußtsein, daß er für das Vaterland gelitten und daß jenes Vaterland ihn um sein Vermögen gebracht hatte. Er war schwer verbittert. Eine Verbitterung, die sich nicht in erster Linie gegen die Weimarer Republik und den Nationalsozialismus, sondern gegen das Militär und das Vaterland überhaupt richtete. Er war noch nicht einmal, wie das Gericht feststellte, besonders hartnäckig gegen die nationalsozialistische Regierung eingestellt. Er drückte nur seinen tiefen Unmut über die Obrigkeit insgesamt aus (7594).

Nicht nur im Fall des Oberkäsers bildete bei den Gefühlen und Einstellungen die Inflation von 1922/23 eine wichtige Komponente. Im Rahmen von Heimtückedialogen tauchen immer wieder Erinnerungen an jene Zeit auf, bei der viele Menschen erheblich an Vermögen verloren haben.

So war die Inflation eine wichtige Bedingungskonstellation im Fall eines adligen Grundbesitzers. Er schrieb im August 1933 an die Bayerische Landessiedlung: »Schließlich werden nur neu-geadelte Emporkömmlinge berücksichtigt. Derselbe Bolschewismus«. Der Vorstand der Bayerischen Landessiedlung zeigte den Briefschreiber bei der Bayerischen Politischen Polizei an. Das Sondergericht verurteilte ihn jedoch nur zu einer geringen Strafe. Die Formulierungen des Grundbesitzers lassen zunächst nicht auf eine grundsätzliche Gegnerschaft gegenüber dem Nationalsozialismus schließen, sondern nur auf eine Enttäuschung über eine Regierung, die den alten Adel nicht fördert. Woraus resultierten nun jene Enttäuschungen? Der Grundbesitzer war 1912 angeblich wegen Geistesschwäche entmündigt worden, eine vermutlich nicht ganz zutreffende Entscheidung, denn die Entmündigung war 1930 wieder aufgehoben worden. Während der Inflation hatte der Grundbesitzer sein Gut an die Bayerische Landessiedlung zum Teil verloren. Er fühlte sich dadurch schwer geschädigt und strengte einen Aufwertungsstreit an, der zu nichts führte. »Nach der nationalen Erhebung«, so das Gericht, »hoffte er zu seinem vermeintlichen Recht zu kommen«. Er schrieb wiederholt an die Landessiedlung. Im Juli 1933 hatte er sogar gesagt, er baue und vertraue auf die oberste Führung. Jedoch ohne Erfolg. Die Fernbedingung für die Heimtückerede bildete die Verbitterung über die materiellen Verluste und die vermeintlichen Ungerechtigkeiten bei dem Versuch, das Gut wiederzubekommen. Der eigentliche Anlaß aber ergibt sich aus seiner plötzlichen Einsicht, daß sich mit dem Nationalsozialismus für seine eigene Lage nichts geändert hat, sondern daß, wie schon in der Weimarer Republik, »Emporkömmlinge« an der Macht waren. Bei dem Gutsbesitzer handelt es sich um einen jener zahlreichen Menschen, die vom Nationalsozialismus die Lösung ihrer alltäglichen Sorgen erwarteten und alsbald erkennen mußten, wie wenig das Regime imstande oder auch nur geneigt war, ihnen zu helfen (7593). Das Erlebnis der Inflation, die Meinung, daß die Regierung nicht helfen wolle, hatte bei dem Gutsbesitzer das Vertrauen in jede Art von Obrigkeit erschüttert. Er stand somit auch dem Nationalsozialismus skeptisch gegenüber, wenngleich er momentan die Hoffnung gehabt hatte, er würde ihm helfen.

Eine ähnliche Wirkung wie die Inflation zeigte auch die Weltwirtschaftskrise. Sie trug ebenfalls zur Herausbildung von Hintergrundfaktoren für die Heimtückerede bei. Das zeigt sich am Beispiel eines Oberkellners, der 1929 zu Beginn der Wirtschaftskrise aus seinem Beruf entlassen worden war, dann eine Pension führte, 1933 aber erneut entlassen wurde und nunmehr krank und arbeitslos bis 1934 seinen Unterhalt als Gelegenheitsarbeiter verdiente. Er redete gegenüber seiner Geliebten fortwährend negativ über das Dritte Reich. Er war ein Mann, der durch Krankheit und Arbeitslosigkeit, die der Nationalsozialismus unmittelbar nicht verschuldet hatte, verbittert war und sich sozial deklassiert fühlte. Seine Verbitterung führte er jedoch nicht auf seine Krankheit zurück, sondern auf die wirtschaftlichen Verhältnisse am Ende der Weimarer Republik und schließlich vor allem auf das Dritte Reich. Genauer gesagt auf Hitler, den er als Homosexuellen bezeichnete, und Baldur von Schirach, der seiner Ansicht nach Unterschlagungen begangen hatte. Offensichtlich wollte der Oberkellner in seiner sprachlichen Hilflosigkeit darlegen, daß auch das neue Regime nicht fähig sei, ihm zu helfen. Übrigens – die Geliebte denunzierte sein Gerede, weil er sie verlassen hatte (7896).

Weltkrieg, Inflation, Weltwirtschaftskrise und auch Landwirtschaftskrise stellten also Bedingungen für Heimtückereden dar. Sie hatten dem nationalsozialistischen Regime eine große Hypothek in Gestalt zahlreicher obrigkeitsfeindlicher, verarmter, verbitterter und aus der Bahn geworfener Menschen hinterlassen, die ihr Leben als Gelegenheitsarbeiter, Hausierer, Rentner, Wohlfahrtsempfänger, verschuldete Bauern fristeten und die zum Teil, wenigstens für kurze Zeit 1933, ihre Hoffnung auf den Nationalsozialismus geworfen hatten. Nicht selten waren es die schlimmsten Lebensumstände, die viele zu kleinen Betrügereien, zu Bettelei und Diebstahl gezwungen hatten. Sie waren deshalb straffällig geworden und so in die Sphäre der sogenannten Asozialität geraten. Manche der Betroffenen hatten sogar erwartet, der Nationalsozialismus würde die Bagatellstrafen, deren Ursachen sie in der Regel nicht bei sich selbst suchten, tilgen, was jedoch nicht geschah.

Die nationalsozialistischen Arbeitsbeschaffungsmaßnahmen, die Unterstützungs- und Wohlfahrtsaktionen vermochten diesen Personenkreis offensichtlich nicht oder nur am Rande zu erreichen. Invaliden, Landstreicher, Hausierer, Kranke und Vorbestrafte fanden auch jetzt kaum ein befriedigendes Auskommen, und die Unterstützungen des Winterhilfswerks waren nur ein Tropfen auf den heißen Stein. So stellten sich Enttäuschungsmomente bei ihnen ein, die bei bestimmten Anlässen, etwa Streitigkeiten, ablehnenden Behördenbescheiden und Trunkenheit, zu Heimtückereden führten. Manchmal scheinen sich die Betroffenen ihren Unmut nur von der Seele geredet zu haben. Personen, die durch ihren Eintritt in die NSDAP einen kollektiven Aufstieg oder auch nur eine Überwindung ihrer wirtschaftlichen Schwierigkeiten gesucht hatten, aber im Dritten Reich ebenfalls nicht zum Zuge gekommen waren, tendierten ebenfalls zur Heimtückerede. Die in den Tabellen 2 und 3 aufgeführten Nationalsozialisten oder ehemaligen Nationalsozialisten standen durchweg in diesem Bedingungszusammenhang.

Dagegen waren die im Dritten Reich erst geschaffenen Bedingungen für Heimtückereden anderer Art; hier geht es darum
1. daß der Nationalsozialismus im alltäglichen Leben die herkömmliche Staats- und Verwaltungspraxis oft wider Erwarten beibehielt, z. B. Strafen im Register nicht tilgte oder Renten nicht erhöhte,
2. daß er sich immer weitergehende Eingriffe in die Privatsphäre der Menschen erlaubte, etwa der Reichsnährstand bei der Bewirtschaftung bäuerlicher Betriebe,
3. daß er das traditionelle Kulturmilieu störte, z. B. die HJ die alten Autoritätsstrukturen von Vater und Priester auf dem Lande,
4. daß er durch Aufrüstung und Kriegsvorbereitung die wirtschaftliche Lage merklich verschlechterte und
5. daß er durch das rüde oder luxuriöse Auftreten seiner lokalen, regionalen oder nationalen Prominenz die Menschen reizte.

Die Bedingungen aus der Zeit vor 1933 und die vom Nationalsozialismus geschaffenen trafen in den konkreten Einzelfällen in wechselnden Konstellationen zusammen, wobei zu beobachten ist, daß die Redenden in der Regel eine nur geringe politische Bildung besaßen. Sie waren sich auch nicht immer der vom Nationalsozialismus geforderten Verhaltenskodices bewußt. Daher konnten sie die Konsequenzen ihrer Reden häufig nicht absehen, erkannten nicht die Entschlossenheit und die Härte des Regimes. So tappten viele blind in ihr Unglück. Dies konnte geradezu groteske Fehlreaktionen hervorbringen, wie z. B. die eines SS-Mannes, der 1933 erzählte, Hitler habe die Bonzen im »braunen Haus« zurechtgewiesen, also jenes Gerücht vom Retter Hitler weitertrug, das damals in München umging. Der SS-Mann bekam eine hohe Gefängnisstrafe von 7 Monaten. Warum hatte er als Angehöriger einer nationalsozialistischen Organisation derartige Redereien verbreitet? Das Gericht gestand zu, der SS-Mann habe »die Energie des Führers beweisen wollen«. Er wollte also dem Regime gar nichts Übles nachsagen, war aber zu dumm zu durchschauen, daß das Regime seine Reden nicht duldete, sondern sie von seinen guten Absichten abstrahierte und negativ auslegte (7468).

Die Gruppe der Heimtückeredner übte einen diffusen, aber vom Regime doch wahrgenommenen und als beunruhigend empfundenen Druck aus; anders ist nicht zu erklären, wieso der Nationalsozialismus sie mit derartiger Penetranz verfolgte. Der Heimtückediskurs machte eine Sphäre sichtbar, in der die Propaganda versagte und auch die staatlichen sozialen Maßnahmen nicht mehr griffen. Die so zutage tretende Hilflosigkeit des Nationalsozialismus kompensierte er durch Repressionen gegen das abweichende Individuum.

Dabei muß aber noch der Frage nachgegangen werden: Wie konnten angesichts der Privatheit, Alltäglichkeit, Normalität und Banalität der Heimtückereden die Behörden davon Kenntnis erhalten; denn ohne Kläger keine Richter.

Daraus ergeben sich zwei weitere Fragestellungen:
1. die nach den formalen Mechanismen der Denunziation sowie der bürokratischen Verarbeitung von Denunziationen und
2. die nach den Motiven der Denunzianten.

Zunächst zum formalen Anzeigemechanismus und seiner bürokratischen Behandlung. Beides soll an Beispielen demonstriert werden. Nachdem die Partei die Block- und Zellenorganisation aufgebaut hatte, existierte ein geradezu formalisierter Denunziationsweg: Am 11. August 1935 hörte ein Dienstknecht im Bezirksamt Rosenheim eine Heimtückerede. Er meldete sie dem zuständigen Zellenleiter, der sie an den Ortsgruppenleiter weitergab. Die Ortsgruppe machte eine Anzeige bei der örtlichen Gendarmeriestation, die die Ermittlungen aufnahm und die Ergebnisse an das Bezirksamt leitete. Der Instanzenzug in der NSDAP mußte jedoch nicht immer eingehalten werden. So schrieb z. B. am 11. November 1934 ein Arbeiter im Kreis Kempten an den Kreisleiter Kempten-Stadt: »Er, ein Landwirt, ist ein bekannter Hetzer und Verleumder, treibt schon lang das Unwesen. Es ist nun genug. Ich sehe schon lange zu. Als alter Parteigenosse [tatsächlich war der Denunziant nur SA-Mann] ist es meine Pflicht, daß ich es mir nicht dulde [sic] und gefallen lassen kann. Hab jetzt lange gewartet. Ich glaube, daß ich mich an die richtige Stelle melde, um die Sache gerecht zu machen!« (7968). Der Kreisleiter Kempten-Stadt gab die Denunziation an den Kreisleiter Kempten-Land ab, der sie am 4. Januar 1935 mit einem Schreiben an das Bezirksamt Kempten schickte. Das Bezirksamt beauftragte die Gendarmeriestation in S. am 7. Januar 1935 mit den Ermittlungen, die ihrerseits die Gendarmeriestation in O. bat, den denunzierten Landwirt zu verhören. Nach Abschluß des Ermittlungsverfahrens ging die Akte an die Staatsanwaltschaft beim Sondergericht, das auch tatsächlich Klage erhob. In solchen Fällen handelt es sich um Denunzianten, die auf eigene Initiative einen Heimtückeredner bei der Partei anschwärzten. Die informierten Parteidienststellen gehen jedoch nicht selbst gegen die Denunzierten vor, sondern melden die Angelegenheit der Polizei bzw. dem Bezirksamt. Ein wenig anders war die Lage in einem Fall, der in H. bei München vorkam. Ein SA-Mann, Lagerist von Beruf, schimpfte in einer Wirtschaft auf die SS und Himmler. Zwei Parteimitglieder, die zufällig mithörten, denunzierten ihn beim SA-Sturm 2/I, der den SS-Streifendienst München am 16. Mai 1935 bat, den SA-Mann festzunehmen. Dies gelang einer Streife am 18. Mai um 10.30 Uhr, als der Gesuchte sich an seinem Arbeitsplatz befand. Die Streife führte ihn sogleich um 11,45 Uhr zur Politischen Polizei Abt. I 1 C, die ihn verhörte und am 22. Mai dem Ermittlungsrichter überstellte (8067). Der Denunzierte war bis 1932 Reichsbannerführer gewesen. Im März 1933 hatte er fünf Wochen Schutzhaft im Gefängnis Stadelheim abgesessen. Er trat im Dezember 1933 dem SA-Sturm 2/I bei, tat aber ab November 1934 keinen Dienst mehr, weil Mitglieder des SA-Sturmes ihn wegen seiner früheren Reichsbannerzugehörigkeit häufig schikanierten und ihm mißtrauten. Es hieß, er spitzele für die Sozialdemokraten.

Der SA-Sturm hatte offensichtlich auf eine Gelegenheit gewartet, dem Lageristen Schaden zuzufügen. Die beiden Denunzianten scheinen ihn auch gekannt zu haben, anders ist nicht zu erklären, woher der SS-Streifendienst seinen Arbeitsplatz kannte.

Der Zufall spielte bei Denunziationen hin und wieder eine gewisse Rolle. Insbesondere dann, wenn Partei-, SA- oder SS-Mitglieder eine Heimtückerede gleichsam im Vorübergehen vernahmen und aus Pflichtbewußtsein eine Anzeige erstatteten. Hier ein Beispiel als Beleg. Ein Arbeiter schimpfte in einer Wirtschaft über das Dritte Reich. Zufällig hörten zwei SS-Rottenführer, die Wachmänner St. und S. aus dem KL Dachau, mit. St. und S. gingen am selben Tag, dem 5. Juni 1937, zum 26. Polizeirevier, Schupo-Süd in München, und zeigten den ihnen bekannten Arbeiter an. Das 26. Polizeirevier verhaftete den Denunzierten vorläufig, vernahm ihn und entließ ihn wieder. Am 12. Juni 1937 meldete S. den Vorfall dem Führer der SS-Totenkopfhundertschaft, der am 14. Juni die Angelegenheit an den SS-Sturmbann C weiterleitete und am 16. Juni St. und S. vernehmen ließ. Die Vernehmungsniederschriften gingen am selben Tag vom SS-Sturmbann C an den »I/SSTV Oberbayern«. Der I/SSTV Oberbayern übergab die Angelegenheit an die Gestapoleitstelle München, die sie an das Polizeipräsidium Abt. Dst 521 weiterleitete, da die Anzeige bereits dort bearbeitet wurde. Der Arbeiter wurde am 17. Juni festgenommen und in der Abt. 5 Dst 521 verhört, anschließend nach Dachau verbracht. Die Akte ging an den Oberstaatsanwalt beim Landgericht München I, der seinerseits noch eine Reihe von Ermittlungen brauchte und deshalb am 2. September 1937 den Kommandeur des Konzentrationslagers Dachau bat, die beiden anzeigenden Rottenführer im Auftrag der Staatsanwaltschaft erneut zu vernehmen. Der Vorgang wurde einige Zeit später wiederholt, da die Aussagen der beiden immer noch ungenau waren. Erst am 28. Dezember 1937 kam eine Anklageschrift zustande und am 25. Januar 1938 ein Prozeß (8636). Die gesamte Angelegenheit war verfahrenstechnisch verwickelt, da die Staatsanwaltschaft die Denunzianten nicht selbst verhören konnte, sondern die SS-Vorgesetzten wiederholt darum bitten mußte. Hier zeigt sich an einem konkreten Beispiel das Auseinanderdriften der politisch-rechtlichen Sphären im Dritten Reich: der Sphäre der SS, deren Mitglieder die Justiz nicht mehr wie normale Bürger als Zeugen herbeizitieren und vernehmen konnte, sondern die nur noch im eigenen Verband befragt wurden, und der Sphäre des Staates, in diesem Falle der Justiz.

Gegenüber den Denunziationen per Zufall, ist die Zahl der gezielten Aushorchereien relativ niedrig. Ein Beispiel wie das folgende ist in den Akten nur gelegentlich zu finden. Auf einer Baustelle arbeitete in Prien 1937 ein ehemaliger Parteisekretär der SPD als Hilfsarbeiter. Die örtliche Gendarmeriestation ließ ihn diskret überwachen. Einer seiner Arbeitskollegen, ebenfalls ein Hilfsarbeiter, jedoch seit 1933 Mitglied der SA, hatte wohl den Auftrag, sich um den Sozialdemokraten zu kümmern. Im April 1937 teilte der Spitzel der Gendarmerie mit, der ehemalige Parteisekretär führe auf der Baustelle gehässige Reden über das Dritte Reich. Der zuständige Gendarm beauftragte daraufhin erneut den Hilfsarbeiter ausdrücklich, weiter den Denunzierten auszuhorchen, der seinerseits nichts davon wußte, sich aber bedroht fühlte. Bei einer weiteren Heimtückerede sagte er einmal: »Wenn mich jetzt einer verkauft, dann bin ich sofort in Dachau«. Dennoch hielt er sich mit seiner Kritik am Nationalsozialismus keineswegs zurück und wurde auch prompt von seinem Arbeitskollegen denunziert, der gleichzeitig auch den

Bekanntenkreis des Sozialdemokraten ausspähte und denunzierte. Erst als einiges zusammengekommen war, informierte die Gendarmerie ihrerseits die Geheime Staatspolizei, die dann den Fall nach weiteren Ermittlungen an das örtliche Amtsgericht weiterreichte.

Hier gab durchaus nicht die Gestapo den Auftrag, einen Verdächtigen genau zu überwachen, sondern der zuständige Ortsgendarm. Überhaupt kann weder anhand der Polizei- noch der Justizakten nachgewiesen werden, daß Heimtückeredner durch systematisch von Gestapo oder SD eingesetzte Spitzel entdeckt wurden. In der Regel waren es irgendwelche Bürger, die Anzeige erstatteten, oder Partei-, SS-, SA-, SV-, DAF-Angehörige, die Kontakt mit den von ihnen denunzierten Personen hatten. Selbst wenn man annimmt, daß Spitzel vor Gericht ihre Tätigkeit nicht aktenkundig werden ließen, so kann aus den Gesamtsituationen der jeweiligen Sprechakte mit großer Sicherheit angenommen werden, daß der Normalfall der Denunziation durch Zufall oder aufgrund bestimmter Motive zustandekam.

Allerdings ist die Denunziationsbereitschaft zu differenzieren. Die Bevölkerung neigte vor allem dann zu Anzeigen, wenn es um asoziale oder ortsfremde Personen ging, während sie gegenüber den im Ort angesiedelten Bürgern oder gar Honorationen meist Zurückhaltung übte, selbst wenn diese als Gegner des Regimes galten. Als Beispiel für die Denunziation eines »Asozialen« kann hier der Fall eines Schmiedes dienen, der häufig wegen Bettelei vorbestraft worden war. Er schlug sich mit Gelegenheitsarbeiten auf dem Lande durch. Bei Bauern hatte er einmal um 3 Liter Most gebettelt, bei einem weiteren Bauern nochmals um 2 Liter, die er jedoch nur nach Bezahlung bekam. Angetrunken fing er an, unflätig über Hitler zu reden, was die Bäuerin sich verbat. Er meinte dazu, die Leute seien zu dumm – das Stichwort für die Gastgeberin, ihn durch eine Anzeige loszuwerden. (7889).

In der Regel erfolgte die Denunziation durch Personen, die auf demselben sozialen Niveau standen wie die Denunzierten. Das Milieu denunzierte sich in der Regel selbst, gleichgültig ob Denunzianten einer nationalsozialistischen Organisation angehörten oder nicht. An wen wandten sich die Denunzianten? Parteimitglieder, SA- und SS-Männer, DAF-Funktionäre zeigten meist bei den ihnen bekannten Parteidienststellen an, die ihrerseits eine Meldung an die zuständigen Polizeibehörden weiterleiteten. Die Polizei unternahm dann die Ermittlungen. Nicht-Parteigenossen wandten sich in der Regel unmittelbar an die staatlichen Behörden, die nächstliegende Polizeistation, den Bürgermeister oder den Landrat. Es kam auch gelegentlich vor, daß sie Mitteilungen an einen ihnen bekannten Funktionär, den Ortsgruppenleiter oder Kreisleiter usw., machten. Denunziationen unmittelbar bei der BPP/Gestapo waren höchst selten. Die Denunzianten scheinen den Aufbau und die Funktionsweise der Geheimen Staatspolizei kaum gekannt oder durchschaut zu haben. Allerdings bezogen Polizei und Staatsanwaltschaft gelegentlich die BPP/Gestapo in laufende Verfahren zur Ermittlung ein. Die Beteiligungsrate nahm, soweit aus den Akten erkennbar ist, mit der Zeit zu. 1933/34 war sie noch relativ selten; 1938/39 ziemlich häufig, ein Zuwachs, der die allmähliche Ausdehnung des Apparats der Politischen Polizei in die Primärgruppen der Gesellschaft hinein signalisiert. Dennoch ist zu betonen, daß nur sehr wenige Heimtückefälle durch gezielt eingesetzte Spitzel der BPP/Gestapo bekannt wurden. Die Gestapo trat meist nur als Ermittlungsapparat auf. Jedenfalls erwecken die Sondergerichtsakten den Eindruck, daß ihre Spitzelnetze überwiegend auf ausdrückliche politische Gegner, wie z. B. die Kirchen, die Kommunisten, die Sozialdemokraten und die Ausländer, angesetzt wurden oder der Registrierung der allgemeinen Stimmung in der Bevölkerung dienten.

Warum denunzierten sich nun Menschen mit gleicher Herkunft, mit gleichen sozialen und wirtschaftlichen Problemen? Die Motive der Denunzianten konnten sehr verschieden sein. Sie reichten von der spontanen, aber inhaltslosen Empörung über die Beschimpfung von Staat und Partei bis hin zur Feindschaft mit einem ehemaligen Freund und Verwandten. Eine solche Zufallsdenunziation ohne erkennbar persönliches Motiv lag im folgenden Fall vor.

Ein Schauspieler kam in ein in der Nähe des Bahnhofs gelegenes Hotelrestaurant und setzte sich dort zu zwei ihm bislang unbekannten Ehepaaren an den Tisch. Er begann ein Gespräch und kritisierte dabei den Anschluß Österreichs an das Reich. Plötzlich merkte er wohl an der Reaktion seiner Gesprächspartner, daß er zu weit gegangen war. Er verabschiedete sich abrupt und sagte, er müsse zum Zug, zahlte und ging. Die Ehepaare berieten sich noch einen Moment über den Mann, wollten ihn dann am Bahnhof erwischen und verhaften lassen. Sie fanden ihn aber nicht auf dem Bahnsteig. Sie liefen daraufhin zur Polizei und zeigten den ihnen Unbekannten an. Es gelang der Polizei aufgrund der Beschreibung, den Mann zwei Tage später festzunehmen (9326).

Besonders gefährlich war es, in einem parteifreundlichen Milieu Heimtückereden zu äußern. So erging es einem Papierfabrikarbeiter in St. Mang schlecht. Er war in eine Wirtschaft gekommen und hatte über Hitler geschimpft. Die Wirtsfrau, die den Gast nicht kannte, benachrichtigte den ihr gut bekannten Kreisobmann der DAF in Kempten, der seinerseits die Gendarmeriestation in K. benachrichtigte. Daraufhin gingen zwei Polizeibeamte in die Wirtschaft und nahmen den Arbeiter in Schutzhaft. Es ist nicht genau zu erkennen, aus welchem persönlichen Motiv die Wirtsfrau den Arbeiter denunzierte. Sie stand jedenfalls der NSDAP nahe, denn sie kannte persönlich den DAF-Kreisobmann, und in ihrem Lokal verkehrten ziemlich viele nationalsozialistische Funktionäre. Der Zusammenhang des Geschehens läßt die Annahme nicht zu, die Wirtin sei ein beauftragter Spitzel der Gestapo gewesen; denn sie rief einen ihr gut bekannten Funktionär an, der seinerseits die Gendarmen informierte.

Häufig kamen Anzeigen aber auch vor, weil zwei Personen, die sich kannten, miteinander in Streit gerieten und der eine sich vom anderen beleidigt fühlte, insbesondere wenn ein Parteifunktionär dabei betroffen war. Folgender Fall: Ein Postsekretär kam angetrunken in einen Gasthof, wo ein Druckereibesitzer und ein Ortsgruppenbetriebszellenobmann saßen. Er kannte beide, setzte sich zu ihnen und begann unvermittelt auf Hitler zu schimpfen. Der Parteifunktionär verbat sich die Redereien. Daraufhin sagte der Postsekretär: »Kleines NSBO-Mannderl, du hast überhaupt nichts zu reden . . .«. Der Nationalsozialist war über die ihn in seiner Macht und Position herabsetzende Äußerung offensichtlich beleidigt. Er denunzierte den Postsekretär. Andererseits aber gab er zu Protokoll, daß jener schon früher den Nationalsozialismus kritisiert hatte, weswegen er in Altötting als »Kommunist« verschrieen gewesen sein soll. Dies war sicherlich falsch, denn Beamte waren in Bayern selten Kommunisten. Hier zeichnet sich ein weiteres Denunziationsmotiv ab. Eine gängige üble Nachrede bezeichnete jeden, der abwertend über das Regime sprach, als »Kommunisten« oder »kommunistischen Hetzer«, selbst wenn er zu keiner Zeit etwas mit der KPD zu tun gehabt hatte.

Hitler leistete selbst einem solchen Diskurs Vorschub, als er am 27. Juni 1933 im *Völkischen Beobachter* schrieb: »In München wird zur Zeit durch Kreise der BVP im Verein mit Marxisten das Gerücht verbreitet . . .« (7444). Er verwischte bewußt mit seiner vagen Redewendung den Begriff Marxismus, setzte Sozialdemokraten und Kommunisten gleich und suchte sie in die Nähe der Bayerischen Volkspartei zu bringen. Im Denken einfacher, unpolitischer Menschen mußte ein solches Sprachspiel die simple Vorstellung hervorrufen, jeder kritische Kopf sei gleich ein Marxist oder Kommunist.

Es konnte auch geschehen, daß ein Beleidigter zwar zur Polizei lief, um den Beleidiger nicht wegen einer politischen Redewendung anzuzeigen, sondern wegen einer persönlichen Beleidigung. Die Polizei kümmerte sich zuweilen nicht um die persönliche Seite der Anzeige, sondern griff eine darin lediglich zufällig vorkommende negative Äußerung über den Nationalsozialismus auf und ermittelte dann wegen Heimtücke.

Denunziationen aufgrund von politischem Opportunismus und wirklicher nationalsozialistischer Überzeugung sind in der Regel schwer voneinander zu unterscheiden. Im folgenden Fall eines Ukrainers lag dagegen eine besondere Form des Opportunismus vor, die jedoch zugleich mit der persönlichen Feindschaft zwischen dem Denunzierten und dem Denunzianten verknüpft war. Der Ukrainer, Mitglied der SA, lebte in München-Daglfing. Er verkehrte in einem kleinen Lebensmittelladen, dessen Besitzer eines Tages auf das nationalsozialistische Regime schimpfte. Warum hat nun der Ausländer den Deutschen denunziert, zumal beide Nachbarn waren und ursprünglich als miteinander befreundet galten? Nach eigener Aussage des Ukrainers war er bei dem Ladenbesitzer mit einer für ihn nicht unbedeutenden Summe verschuldet, weigerte sich aber, das Geld zurückzuzahlen. Daraus entstand nun ein persönlicher Streit. Andererseits aber bemühte sich der Ukrainer, zumindest nach außen hin, sich mit dem Nationalsozialismus zu identifizieren. Hinter seinem Bemühen steckte nach Meinung der Nachbarn die Absicht, in der örtlichen Gesellschaft Aufnahme zu finden, denn er galt nach Aussage der Polizei nur als »der Russe«. Der Ukrainer hoffte also mit seiner Denunziation »zwei Fliegen mit einer Klappe« zu schlagen, sich des persönlichen Feindes zu entledigen, sich gleichzeitig bei der örtlichen Parteileitung beliebt zu machen und auf diesem Wege vielleicht in Deutschland Fuß zu fassen (8092).

Demgegenüber handelte der Denunziant im folgenden Beispiel wohl aus einer tatsächlichen Sorge um das Funktionieren seines SA-Verbandes heraus. Ein junger Bauernknecht, ursprünglich Mitglied der Bayernwacht, wurde von einem seiner Bekannten, einem eifrigen SA-Mitglied, 1933 aufgefordert, in die SA einzutreten. Der Bauernknecht weigerte sich freilich, dies sei ihm zu teuer – es folgte dann die Heimtückerede gegen Hitler. Eine Woche später drängte die Mutter des SA-Mannes den Bauernknecht ebenfalls, Mitglied der SA zu werden, der nun verärgert reagierte. Mutter und Sohn unterließen zunächst eine Anzeige. Erst später, als der Bauernknecht tatsächlich schon der SA angehörte, denunzierten sie ihn aufgrund folgender Situation. Der Denunziant schimpfte über die zahlreichen, säumigen und gleichgültigen SA-Mitglieder, worauf der Bauernknecht antwortete, das gehe doch niemand etwas an:

Nationalsozialistische Deutsche Arbeiterpartei
Gau München-Oberbayern

Gaugeschäftsstelle: München, Prannerstraße 20
Fernruf 923 43
Postscheckkonto: Adolf Wagner 275 88 München

Kampfzeitung des Gaues: „Sonntag-Morgenpost"
München, Paul Heysestraße 9–13, Fernruf 50535/36
Postscheckkonto 139 91 München

Kreisleitung München
Geschäftsstelle Giselastraße 4
Geschäftsstunden: 8.30–12 und 2.30 bis 7 Uhr, Samstag 8.30–1 Uhr
Fernruf 345 55
Konto-Nr. 20183 Städt. Spark. München, Zweigstelle 8

Ortsgruppe Daglfing
Geschäftsstelle Daglfingerstr. 82
Telefon 44835

An die

Polizeidirektion   München

(Abt. Politische Polizei)

München.
Ettstr.

Abt.:   Diktat: München, den 18. Juni 1935

Betreff: Josef Holzgartner:

In der Anlage übersende ich einen Bericht des Waldemar ▬▬▬▬▬ München, über den Inhaber des Lebensmittelgeschäftes Josef H o l z g a r t n e r , der seit einiger Zeit sich durch hetzerische Redensarten gegen unsere Regierung und deren Massnahmen besonders hervortut. Da die Gefahr besteht, dass Holzgartner sich trotz Verwarnung meinerseits, noch weiterhin im gegnerischem Sinne betätigt, bitte ich um sofortiges Einschreiten.

1 Beilage

Heil Hitler
Hanke
Der Ortsgruppenleiter

52. Weiterleitung einer Denunziation durch die NSDAP-Ortsgruppe Daglfing (1935).

»Äußerlich bin ich ein SA-Mann und was ich innerlich bin, das geht Dich einen Dreck an!«.

Der Dienstknecht hatte mit seinem Eintritt in die SA widerwillig dem politischen und sozialen Druck nachgegeben. Er konnte indes den Eifer des Denunzianten und seiner vom Nationalsozialismus begeisterten Familie nicht nachvollziehen. Der Denunziant seinerseits war über den mangelhaften Corpsgeist seiner neu eingetretenen »Kameraden« besorgt und suchte wohl an dem Dienstknecht ein Exempel zu statuieren, indem er ihn, im SA-Jargon gesprochen, beim Sturmbannführer »verpfiff«, um so auf die schlechte Stimmung im Sturm aufmerksam zu machen (7485).

Denunziationen aus politischem Konformismus bildeten nicht das einzige und das Hauptmotiv. Mindestens ebenso häufig geschahen Anzeigen in der Absicht, einen Geschäftspartner, einen Gläubiger oder Schuldner, einen Konkurrenten oder einen Vorgesetzten zu schädigen oder ihn gar beiseite zu schieben. Sie traten in sämtlichen Lebensbereichen der damaligen Gesellschaft auf. So denunzierte 1938 ein Knecht seinen Erbhofbauern, der zuhause auf dem Hof in einer Zeitung lesend, ein Bild Mussolinis betrachtete und dabei äußerte, das sei ein Blindenführer, weil das Volk blind sei. Er zeigte den Bauern jedoch nicht aus politischen Gründen an, sondern weil er sich häufig mit ihm gestritten und deshalb den Hof hatte verlassen müssen. Die Reibereien zwischen den beiden waren ausgebrochen, weil der Erbhofbauer dem Knecht Tierquälerei und den verbotenen Umgang mit einem verfeindeten Nachbarbauern vorgeworfen hatte. Der Knecht handelte also ausschließlich aus Rache gegen den ehemaligen Dienstherrn, was allerdings die Polizei und das Gericht nicht daran hinderte, der Heimtückerede nachzugehen (9299).

Im folgenden Fall geriet der Denunzierte, ein Bauer, der als »Schreier« bekannt war, wegen eines Kuhtausches mit einem Viehhändler in Konflikt und zeigte diesen wegen Betrugs an. Kurz vor Ausbruch der Streitereien hatte der Bauer in einem Gespräch mit dem Viehhändler Hitler als einen Homosexuellen bezeichnet. Der Viehhändler nutzte nun die Gelegenheit und denunzierte den Bauern wegen der Heimtückerede. Keiner der Beteiligten war am Nationalsozialismus interessiert. Der Viehhändler war jedoch schlau und boshaft genug, sich mit Hilfe des nationalsozialistischen Regimes seines Gegners zu entledigen. Der Fall kam nicht selten vor: Es handelte sich hierbei um einen unpolitischen alltäglichen Konflikt, der durch die Denunziation auf eine politisch-administrative Ebene gehoben wurde (7524). In einem städtischen Milieu spielte sich folgender Fall ab: Ein Reisender und Gelegenheitsarbeiter namens P. lernte einen Architekten namens F. kennen. Er erzählte dem Architekten, er sei Generalvertreter von Bausparrgesellschaften und bot ihm die Gründung einer gemeinsamen Firma an. Beide kamen in der Tat überein, ein Büro zu eröffnen, an dessen Haustür das Firmenschild der Generalvertretung angebracht wurde. Die Handwerkskammer forderte jedoch nach einiger Zeit die Entfernung des unberechtigterweise geführten Schildes, was P. auch tat. Der Architekt erfuhr so, daß P. ihn hintergangen hatte und trennte sich von ihm. Zur gleichen Zeit etwa knüpfte P. mit den Inhabern einer kleinen Baufirma, A. und Fl. genannt, Geschäftsbeziehungen an, denen er zahlreiche Bauaufträge versprach. Beide ließen sich von P. beeindrucken und zogen sogar mit ihm in ein Büro. Zwischen den dreien entstand für kurze Zeit ein freundschaftliches Verhältnis und auch geselliger Umgang, währenddessen P. gelegentlich über das nationalsozialistische Regime schimpfte, z. B. Goering als den Urheber des Reichstagsbrandes bezeichnete. Weder Fl. noch A. störten sich zunächst daran. Sie mußten jedoch bald feststellen, daß P. ihnen keine Bauaufträge beschaffen konnte. Die beiden gerieten in Streit mit ihm und versuchten ihn alsbald loszuwerden. Wörtlich sagte später A. vor der Bayerischen Politischen Polizei laut Protokoll aus: »Mit P. stehe ich nicht auf gutem Fuß, weil er meine Firma schädigt, wo er nur kann. In dieser Hinsicht hat auch schon Architekt F. bittere Klage geführt und dieser frug mich einmal, ob man diesem Volksschädling, den wir als Staatsfeind Nummer 1 betrachten, nicht einmal ankommen könnte wegen seiner Äußerungen in politischer Hinsicht ... Auf Ansuchen von Herrn F. kam ich auf den Gedanken, die Angelegenheit der politischen Polizei zu übergeben. Ich habe es dann einem Freund von mir erzählt, der beim Gestapo Berlin tätig ist ...«. P. war gewiß kein »Unschuldslamm«; er war schon vor 1933 wegen Betrugs bestraft worden. Auch waren seine Absichten gegenüber dem Architekten und den beiden Baugeschäftsinhabern nicht lauter gewesen, aber Betrug konnten ihm alle drei nicht nachweisen; sie waren davon überzeugt, er wolle sie schädigen und entschlossen sich daher, ihn aufgrund seiner früheren unbedachten politischen Äußerungen zu denunzieren. Die drei beruhigten ihr schlechtes Gewissen mit dem Hinweis, P. sei ein »Volksschädling« und »Staatsfeind«. Sie machten aus einem simplen Betrüger einen politischen Staatsgegner und verlagerten so ihren eigenen Privatkonflikt auf die staatliche Ebene. Die Bayerische Politische Polizei verhörte dann auch den gesamten Bekanntenkreis von P. und vermochte so herauszubringen, daß jener schon früher gegen das Dritte Reich Heimtückereden geäußert hatte. P. wurde mit einem Jahr Gefängnis bestraft.

Allerdings sind nicht nur politische und beruflich bedingte Motive überliefert, sondern auch solche aus dem freundschaftlichen und familiären Umfeld. Die Abneigung zwischen ehemals guten Bekannten, Freunden, ja Verwandten konnte sich bis zum Haß steigern, der sich dann in der Denunziation einer manchmal lange zurückliegenden Heimtückerede, meist in der Privatsphäre geäußert, entlud. Gerade die nachträgliche Anzeige alter Gespräche, die noch unter dem Zeichen gegenseitigen Vertrauens geführt worden waren, war eine besonders boshafte Form der Denunziation. Drei Beispiele sollen hier zur Demonstration eines solchen Sachverhaltes vorgestellt werden.

Ein Ehepaar, das nie der Partei angehört hatte, war mit einem Uniformschneider namens F. befreundet. F. neigte schon vor der Machtergreifung der NSDAP zu, ohne jedoch Mitglied geworden zu sein. 1933 hoffte er, das neue Regime würde die Reichswehr ausbauen und ihm mehr Aufträge als bisher bescheren. Da sich jedoch seine Auftragslage nicht sofort besserte, erzählte er aus Verärgerung das damals umlaufende Gerücht über die Sektgelage im Braunen Haus weiter. Gleichzeitig war er aber auch in die Ehefrau verliebt und stellte ihr nach, was die Frau ihrerseits veranlaßte, sich dieser Nachstellung zu erwehren und ihn wegen Weiterverbreitung des Gerüchts bei der Partei zu denunzieren (7574); eine Anzeige, die also auf einer Liebesaffäre beruhte.

Ein anderes Beispiel! Ein Ingenieur namens H. und ein Referendar namens A. waren eng befreundet. H. unterstützte A. sogar laufend mit Geld. Als jedoch seine Mittel knapp wurden, zog er seinerseits für mehrere Wochen zu A. in die Wohnung. Während dieser Zeit redete A. häufig über den Gauleiter Adolf Wagner; unter anderem, jener habe

Unterschlagungen begangen, was zunächst H. freilich keineswegs veranlaßte, A. zu denunzieren. H. zeigte seinen Freund erst an, als er auf dessen Hilfe nicht mehr angewiesen war, wobei aus den Unterlagen der Polizei nicht hervorgeht, ob dies willkürlich, aus Opportunismus gegenüber dem Regime oder aus neu entstandener Feindschaft geschehen ist. Anzunehmen ist jedoch, daß zwischen den beiden Streit ausgebrochen war (7939).

Ein Obergefreiter schrieb an den ihm bekannten Leiter der Gestapoleitstelle Augsburg:

»*Ich habe dem schädlichen und gemeinsten Treiben meines Stiefvaters O. lange genug zugeschaut und möchte nun mittels Ihrer Hilfe nichts unversucht lassen, diesen Teufel unter Dach zu bringen, da Sie meine Mutter, die mir allem vorgeht, schon Jahre kennen und über unsere Verhältnisse genau im Bilde sind ... Der derzeitige Gesundheitszustand meiner Mutter ist sehr schlecht und nur zurückzuführen auf die unverschämte Art und Weise, mit der mein Stiefvater schon oft gegen meine Mutter ungerechterweise vorgegangen ist. Dieser Mann ist ein alter, unverbesserlicher Nörgler und Volksschädling, den zu überzeugen, niemand in der Lage sein wird. Schon x-Mal habe ich versucht, ihn über das heutige System ... aufzuklären, aber auch gar nichts hat geholfen. Im Gegenteil, er ergeht sich stets in Verleumdungen gegen die Nazis. Über die Behandlung durch K. kann ich mich eigentlich nicht beklagen. Er zeigte sich mir gegenüber nach außen hin stets gut gesinnt, wenn er auch innerlich eine maßlose Wut und Eifersucht gegen mich hegte. Dieser innerliche Haß vergrößerte sich noch, als ich zur Landespolizei eintrat*«.

Es folgte nun eine Reihe von Anklagen, u. a. die, der Stiefvater habe die Familie geschädigt und der Sohn müsse die Mutter mit Geld unterstützen und könne deshalb nicht heiraten. Die eigentliche Denunziation lautet jedoch, der Stiefvater habe Umgang mit ehemaligen KPD-Mitgliedern und sei kommunistisch gesinnt. Er habe die DAF eine »Armleuchtergesellschaft« genannt. Außerdem komme er mit Bibelforschern zusammen. Die Mutter des Denunzianten bestätigte gegenüber der Gestapo die Angaben ihres Sohnes über den eigenen Mann.

Die Motivkonstellation stellt sich in diesem Fall folgendermaßen dar: Der junge Mann war darüber verärgert, daß er mit seinem geringen Gehalt die Mutter weiter unterstützen mußte und selbst nicht heiraten konnte. Die Ursache sah er in seinem Stiefvater, der angeblich die Mutter schlecht behandelte. Hinzu kam noch, daß er möglicherweise eifersüchtig auf den Stiefvater war, wobei nicht ausgeschlossen werden kann, daß tatsächlich eine schlechte Behandlung der Mutter vorlag. Schließlich ist zu bedenken, daß der Denunziant Nationalsozialist war und möglicherweise bei der Gestapo als besonders loyal und konform auffallen wollte.

Zusammenfassend ist festzustellen: Denunzianten stammen aus demselben Milieu wie die Denunzierten. Die Denunziationen gehen in der Regel aus persönlichen Streitereien, Feindschaften und Aversionen aller Art hervor; selbstverständlich auch aus Abneigung zwischen Nationalsozialisten und Nicht-Nationalsozialisten. Ihnen lagen also Alltagskonflikte in sozialen Primärgruppen zugrunde, wie sie immer und überall in jedem Staat und jeder Gesellschaft vorkommen.

Das nationalsozialistische Regime machte sich jedoch die Konflikte zunutze, indem es die Heimtückerede zum Verfolgungsgegenstand aufwertete. Es bot sich so die Möglichkeit, den Privatstreit aus der persönlichen Sphäre in eine politisch-bürokratische Öffentlichkeit zu heben. Gasthäuser und Arbeitsplätze mit ihrer halb-öffentlichen Atmosphäre stellten dafür gewissermaßen ein gesellschaftliches Medium dar.

Der Nationalsozialismus vermochte mit dieser Methode ein bestimmtes Unmutspotential in der Bevölkerung, dort wo soziale Hilfen nicht wirksam waren, mit repressiven Maßnahmen aufzufangen und es unter Kontrolle zu halten. Er stärkte seine Herrschaft auf den untersten Ebenen der Gesellschaft, indem er nonkonforme Verhaltensweisen schon im Stadium ihrer Entstehung aufgriff und durch Isolierung der Individuen beseitigte. Eine wesentliche Voraussetzung dafür bildete die Denunziation, wohlgemerkt die hunderttausendfache Denunziation, wie die große Zahl der Sondergerichtsprozesse beweist.

Die Verfolgung und Ermittlung gegen Heimtückeredner geschah in der Regel nicht durch SS, den SD und die Bayerische Politische Polizei bzw. Gestapo, sondern durch die Staatsbehörden, die Gendarmerie, die Bürgermeister, die Bezirksämter und die Justiz. Es kam gewiß auch vor, daß Polizisten Anzeigen nicht aufgriffen, bewußt vergaßen oder verlegten und daß sie es mit einer Verwarnung bewenden ließen – selten allerdings bei Asozialen und Ortsfremden, häufiger bei ihnen bekannten Personen; aber wie zahlreiche Bemerkungen in den Akten zeigen, begaben sich die Polizisten durchweg mit Nachdruck an die Ermittlungsarbeit. Dies bedeutet: Die Gesamtheit der unteren und untersten zuständigen Staatsbehörden und Parteidienststellen waren in das Heimtückephänomen verwickelt.

Schlussbetrachtung: Heimtückefälle und Widerstandsbegriff

Zum Schluß unserer Betrachtung der Heimtückefälle vor dem Sondergericht München stellt sich die Frage: Lassen sich diese überhaupt und gegebenenfalls unter welchem Gesichtspunkt dem »Widerstand« zuordnen?

Die Erörterung dieser Frage bedarf zunächst einer kritischen Reflexion des Widerstandsbegriffs, wie er sich nach 1945 herausgebildet hat. Wir stoßen dabei auf eine Reihe heterogener Ursprünge, Bezugsfelder und Bedeutungsgehalte.

Nehmen wir beispielsweise die Selbstdarstellung deutscher Emigranten vom »anderen Deutschland«, so begegnen wir einem Widerstandsbegriff, der – schon von der realen Lage seiner Urheber her – die polare Entgegenstellung eines politisch-humanitären, zivilisierten Kultur-Deutschland gegenüber dem aggressiven nationalistischen, militaristischen, imperialistischen und faschistischen Deutschland behauptete. Damit wurden die tatsächlich starken Verbindungslinien und Interdependenzen zwischen den keineswegs einlinigen historischen Strängen der neuzeitlichen deutschen Entwicklung aus der Situation der faktischen Ausgeschlossenheit heraus weitgehend unterschlagen. Die Selbstdarstellung des »anderen Deutschland« konnte dabei an die antagonistischen deutschen Nationsvorstellungen des 19. Jahrhunderts anknüpfen, die Unterscheidung zwischen der deutschen Kulturnation und dem deutschen nationalen Machtstaat.

Von der Perspektive des »anderen Deutschland« her bedeutete »Widerstand« die absolute, prinzipielle Negation des nationalsozialistischen Deutschlands. Gekoppelt mit dem politisch-moralischen Bedürfnis, die nach 1945 in West- und Ostdeutschland entstehende neue Staats- und Gesellschaftsordnung als Fortsetzung der Tradition des »anderen Deutschland« anzusehen, wurde der Widerstandsbegriff schließlich zu einem staatskonstitutiven Legitimationsbegriff. Er bildete damit aber auch einen Nebenschauplatz des Kalten Krieges. Jeder der beiden deutschen Staaten war bemüht nachzuweisen, daß er der legitime Nachkomme des antinationalsozialistischen Deutschland sei, wobei man in der DDR vor allem auf das Faktum des opfervollen antifaschistischen Widerstandskampfes und die fanatische Verfolgung der deutschen Kommunisten in der NS-Zeit, in der Bundesrepublik Deutschland vor allem auf die Totalitarismus-Devise rekurrieren konnte.

Ganz anders verhielt es sich dagegen mit dem Begriff des Widerstandes, der im Rahmen der Entlastungsstrategie bei der Entnazifizierung nach 1945 von zahlreichen Beteiligten des Dritten Reiches in Anspruch genommen wurde. Hier konnte und sollte keine totale, grundsätzliche Negation des NS-Regimes nachgewiesen werden, vielmehr das Widerstehen, das Nicht-Mitmachen, die Protektion von Diskriminierten u. a. im Einzelfall. Um den Vorwurf der Belastetheit zu entkräften, verwiesen die Betreffenden darauf, daß sie trotz des Risikos von beruflichen Sanktionen an kirchlichen Prozessionen teilgenommen, den Hitler-Gruß verweigert, einzelnen Juden geholfen hätten.

Dieser Widerstandsbegriff ist individualisierend, quasi-juristisch, zielt auf das Alltägliche ab und orientiert sich nicht am prinzipiell »anderen Deutschland«, sondern an der Gegen-Norm, der vom NS-Regime erwarteten Parteigängerschaft. Er ist angesiedelt in der breiten Zone zwischen Teilanpassung und partieller Nonkonformität und korrespondiert vielfach mit dem von der Gestapo gebrauchten Begriff der »Volksopposition«.

Eine interessante Zwischenposition ergab sich in den frühen 50er Jahren aus dem Bedürfnis, beim Aufbau der Bundeswehr das deutsche Militär zu rehabilitieren. Unter Berufung auf die an der Verschwörung des 20. Juli 1944 beteiligten Offiziere wurde einerseits der Widerstandsbegriff des »anderen Deutschland« in Anspruch genommen. Andererseits suchten sich einzelne Offiziere vom Vorwurf der Mitläuferschaft zu befreien, indem sie auf Einzel-Konflikte mit Exponenten der Partei oder SS oder auf ihre Haltung im Kirchenkampf verwiesen. Im Zuge des weiteren Ausbaus der Bundeswehr geriet der Widerstandsbegriff aber zunehmend in das Spannungsfeld der Problematik von Befehl und Gehorsam, von Macht und Ethos, das Friedrich Meinecke schon in seinem Buch über die »Idee der Staatsräson« nach dem Ersten Weltkrieg, im Blick auf die damalige deutsche Niederlage, thematisiert und zum Inbegriff einer tragisch gestimmten Geschichtsverfassung gemacht hatte.

Von hier aus gewann der Widerstandsbegriff in der älteren, konservativen westdeutschen Geschichtswissenschaft (Hans Rothfels, Eberhard Zeller, Gerhard Ritter) seine tragische Intonierung und gestattete eine auch literarisch eindrucksvolle Darstellung der Ereignisse des 20. Juli 1944. Es war vornehmlich Hans Rothfels, der die Vorstellung vom »anderen Deutschland« auf den tragischen Idealismus der »Helden« vom 20. Juli projizierte und in einer pathetischen, fast priesterlichen Sprache die Bedeutung des Widerstandes – dem Antigone-Motiv ähnlich – an der »Größe« des ethischen Gewissenskonflikts, nicht aber an der politischen und wirkungsgeschichtlichen Bedeutung maß. Von daher schenkte er auch dem in festen, vorgegebenen Anti-Haltungen begründeten Widerstand der sozialistischen Arbeiterbewegung weniger Beachtung.

Mit diesen Bemerkungen ist angedeutet, auf welchem schwankenden Begriffsfeld sich die historische Beschäftigung mit dem Widerstand in der NS-Zeit seit 1945 lange Zeit bewegte. Erst mit zunehmendem Abstand vom Dritten Reich und dem Abklingen des »Kalten Krieges« verloren sich in der historischen Wissenschaft die aktuellen politischen Implikationen des Widerstandsbegriffs. Statt dessen zeichnete sich die Tendenz ab, den Begriff als Sammelbezeichnung für sämtliche, den Nationalsozialismus ablehnende Denk- und Verhaltensweisen zu verwenden, allerdings unter verschiedener Gewichtung einzelner Arten. So behandelt Karl-Dietrich Bracher in seinem 1969 erschienenen Buch »Die deutsche Diktatur« unter dem Stichwort »Widerstand« sowohl »die Linke« als auch die Kirchen und die »zivile und militärische Opposition«. Um einer Verwässerung vorzubeugen, verwendet er die Begriffe »Widerstand« und »Opposition« teilweise mit leichter Bedeutungsverschiebung. Die inzwischen weitverbreitete Vagheit des Begriffs wird noch deutlicher in Hans Peter Hoffmanns Buch »Widerstand, Staatsstreich und Attentat«, in dem er das Wort »Widerstand« sogar in Parenthese setzt.

Angesichts dessen scheint mir die Lage der historischen Forschung heute durch zwei Fakten bestimmt zu sein:
1. Sie kann nicht mehr zu den legitimatorisch-politisch geprägten Inhaltsvarianten des Widerstandsbegriffs der 50er Jahre zurück.
2. Sie kann sich aber auch nicht mit der verwaschenen Blanketthaftigkeit eines Widerstandsbegriffs begnügen, der für Darstellungszwecke nützlich sein mag, aber kaum Differenzierungen und tieferen Einsichten dienlich ist.

Wenn die Widerstands-Begrifflichkeit den historischen Sachverhalten besser entsprechen soll, wird man m. E. zunächst nicht umhinkönnen, das ihr immer noch vorrangig zugrundeliegende dichotomische Prinzip von »Gut« und »Böse« zugunsten eines relational angelegten Begriffs fallenzulassen, der deshalb keineswegs wertneutral ausfallen muß, aber doch das jeweils verschiedene real-historische Verhältnis zwischen den Widerstand-Leistenden und dem Gegenstand ihres Handelns, d. h. in bezug auf die jeweils konkreten Ausformungen, Exponenten, Zumutungen des Regimes etc., an dem sich Widerstands-Verhalten entzündete, zum Ausgangspunkt nimmt. Von einem solchen relationalen Begriff her lassen sich vielerlei oppositionelle Aktivitäten unterhalb der Schwelle des beabsichtigten Regimesturzes, die sicher weiterhin als Widerstand im engeren, eigentlichen Sinne zu gelten haben, kategorial unterscheiden als
a) Aktivitäten zur Verteidigung eigener politischer Positionen, die man auch als Widersetzlichkeiten bezeichnen könnte, und
b) Aktivitäten, durch die sozialer Druck auf das Regime angewandt wurde.

Bei der Kategorie a) ist entscheidend, daß es dabei vorrangig um die Wahrung der eigenen Identität und Interessen ging, wobei unter »Interessen« statuarisch festgelegte oder institutionell verankerte Interessen verstanden werden sollen. Aus solcher Identitäts- und Interessensverteidigung konnten gegenüber dem Nationalsozialismus durchaus ambivalente Haltungen entstehen: Dieselben Personen und Gruppen, z. B. innerhalb der Kirchen oder des Militärs, die es, um der eigenen Sache willen, auf Konflikte mit dem Nationalsozialismus und entsprechende Verfolgung ankommen ließen, konnten in Angelegenheiten, die sie nicht unmittelbar betrafen, z. B. der Außen-, Wirtschafts- und Kriegspolitik, durchaus bereit sein, das Regime zu unterstützen.

Oppositionelle Verhaltensweisen aufgrund unorganisierter Interessenwahrung wären dagegen der Kategorie b) zuzuordnen und unter dem Begriff »sozialer Druck« zu subsumieren. Sozialer Druck soll dabei heißen: Unorganisierte bzw. spontane Handlungen und Äußerungen aller Art, Forderungen wirtschaftlichen, kulturellen oder sozialen Inhalts, die von einer so großen Menge von Menschen gestellt wurden, daß das Regime sie nicht einfach übergehen konnte. Diese Definition setzt voraus, daß das NS-Regime wenigstens zeitweise Pressionen ausgesetzt war, daß es nicht imstande war, die deutsche Gesellschaft willkürlich und total zu lenken und zu beherrschen.

In den Rahmen dieser Kategorie gehört auch jener »Druck«, der innerhalb von NS-Organisationen, etwa der DAF, aufkommen konnte, sofern deren Ziele und Interessen nicht in genügendem Maße berücksichtigt wurden. Hierher gehört ferner der Lobbyismus der oft nur äußerlich »gleichgeschalteten« Standesorganisationen, z. B. der gewerblichen Wirtschaft. In bezug auf die Widerstandsproblematik interessieren uns aber besonders jene Formen des sozialen Drucks, die keine Fürsprecher innerhalb des Regimes besaßen, und die deshalb zu Erscheinungsformen der Nonkonformität führten, wie wir sie in den Heimtückefällen vor dem Sondergericht kennengelernt haben. Im Blick auf die Angeklagten des SG München läßt sich die soziale Herkunft und Erfahrung hinter solcher Ungehorsams-Artikulation genauer bestimmen:

1. Es existieren auch während des Dritten Reiches in der deutschen Gesellschaft seit dem 19. Jahrhundert anhaltende Transformationsprozesse, die nichts mit dem Nationalsozialismus zu tun hatten, also unorganisiert waren, sondern Folge des Industrialisierungsprozesses und damit verbundener Wandlungen waren. Damit waren insbesondere Abstiegs- und Verarmungsprozesse von Berufsgruppen, z. B. alten Handwerksberufen, oder umgekehrt Aufstiegsprozesse neuer Berufsgruppen, z. B. der Angestellten, deren Position jedoch während des Dritten Reiches noch prekär war, oder schließlich die Umsetzung von Berufen, z. B. der bäuerlichen Dienstboten in Industriearbeiter, verbunden. Transformationsprozesse, die im individuellen und kollektiven Bereich Schwierigkeiten hervorriefen und bei den einzelnen Individuen nach 1933 zu Erwartungs- und Enttäuschungshaltungen mit entsprechend negativen Reaktionen führten.

2. Es existierten noch nach 1933 die bislang ungelösten, verschleppten sozialen Probleme des I. Weltkrieges, der Inflation, der Landwirschaftskrise und der Weltwirtschaftskrise, die zahlreiche sozial deklassierte Menschen zurückgelassen hatten, z. B. Kriegsversehrte ohne ausreichende Versorgung, inflationsgeschädigte Geschäftsleute, verschuldete und enteignete Bauern und heruntergekommene Arbeiter. Die Zahl der Betroffenen ist bis heute unbekannt, es gibt jedoch Anhaltspunkte, die darauf hindeuten, daß sie sich in die Hunderttausende beläuft. Auch diese Menschen waren verärgert, verbittert und geneigt, bei Nichterfüllung ihrer Hoffnungen ihrerseits den Nationalsozialismus anzuklagen oder sich ihm gegenüber zu verweigern.

3. Schließlich produzierte der Nationalsozialismus selbst Formen des sozialen Gegendrucks, z. B. durch Nichteingehen auf soziale Wünsche, durch überzogene Leistungsforderungen an Arbeiter und Bauern im Rahmen der Aufrüstung oder durch negative,

externe Effekte der nationalsozialistischen Wirtschaftspolitik, z. B. den Mangel an guten Rohstoffen, der zu Schwierigkeiten bei Akkordarbeiten führte. Bei allem konnten Unfähigkeit oder Überheblichkeit von lokal und regional einflußreichen nationalsozialistischen Partei- und Organisationsfunktionären eine verstärkende Rolle spielen. Gemeinsam ist allen drei Herkunftstypen, daß die negativen Folgen historischer Strukturen und Ereignisse bestimmte Gruppen der deutschen Gesellschaft in besonders schwerem Maße belastet haben und so sozialen Druck auf das politische Regime erzeugten.

Jener Druck äußerte sich in zahlreichen Formen sozialen Ungehorsams und Unverdrossenheit, die Partei und Staat mit Besorgnis registrierten. Hier ist also die Heimtückeproblematik einzuordnen. Der Widerstandsbegriff ist – jedenfalls im deutschen Sprachraum – gewöhnlich mit »Öffentlichkeit« und auch mit »politisch bedeutsam« verflochten. Verbindet man den Begriff Organisation mit einem ebenso spezifischen Öffentlichkeitsbegriff, dann reduziert man auch den Begriff der Opposition auf jene Handlungen, die planvoll in das politisch-öffentliche Gefüge eingreifen. Alle übrigen Handlungen werden folglich in die Sphäre des Privaten, Individuellen und Zufälligen abgeschoben. Das wird jedoch der sozialen und politischen Realität des Dritten Reiches nicht gerecht. Gelang es dem Nationalsozialismus doch seit 1933/34 die Mehrzahl selbst der nur potentiell oppositionellen intermediären Organisationen zu zerstören. Die Menschen jedoch, die ihnen vor 1933 angehört hatten, lebten weiter und besaßen politische Auffassungen und soziale Interessen, die sie nun nicht mehr organisiert zu artikulieren vermochten. Man muß also den Begriff Organisation von dem Begriff »öffentlich, politisch bedeutsam« freimachen und den Bereich des »Privaten« miteinbeziehen, wenn man dem Herrschaftsgefüge und -anspruch des NS-Regimes gerecht werden will.

Auszugehen ist vielmehr von der Bestimmung »Organisation als Gesamtheit der sozialen Lebensordnung einer Gesellschaft«, somit der privaten, nicht-politischen, nicht-staatlichen Lebensordnung, z. B. den Ordnungen der Familien, der Beziehungen zwischen den Familien, der Ordnung von Arbeitgebern und Arbeitnehmern, der Ordnung des Arbeitsplatzes und der religiösen sowie geselligen Vereinigungen und Institutionen. Sie funktionieren sowohl nach historisch gewachsenen, oft unreflektierten, nicht aufgezeichneten als auch nach planvollen und im juristischen Sinne geregelten Grundsätzen. Diese Ordnungen haben ein Gemeinsames: Sie sind nicht auf politische, schon gar nicht antinationalsozialistische Aktivitäten angelegt, können ihnen aber ihrer Struktur nach förderlich oder hinderlich sein.

Angesichts eines Regimes, das öffentliche Kommunikation außerhalb seiner eigenen Institutionen unterband, das keine Opposition der Meinungen und Verbreitung kritischer Äußerungen zuließ, sind alle sozialen Organisationen für regime-ablehnende Äußerungen und Handlungen förderlich, in denen ein Kommunikationsaustausch möglich ist, der über die kleinsten Primärgruppen hinausgeht und dennoch nicht durch die Organe des Regimes vollständig zu kontrollieren ist; z. B. Gaststätten, gesellige Zirkel, der Arbeitsplatz oder der Weg zum Arbeitsplatz. Ferner sind sämtliche sozialen Großorganisationen förderlich, in denen Kommunikationsnetze bestehen, die gegenüber dem Zugriff des Regimes verdeckt sind, aber für die Verbreitung kritischer Meinungen oder illegaler bzw. halblegaler Handlungen benutzt werden können, z. B.

kirchliche Gemeinden oder Behörden, Clubs. Schließlich gehören auch die Organisationen dazu, die wegen ihres hohen Grades an Privatheit vom Regime aus gesehen konspirative Tätigkeiten erlauben, z. B. verzweigte Familienkreise bzw. Freundesgruppen. Sie stellen geradezu einen günstigen Bedingungsrahmen für Widersetzlichkeiten. Sie können vor allem dann einen guten Bedingungsrahmen bilden, wenn in ihnen dem Regime fremde oder entgegengesetzte Traditionen überliefert und gepflegt werden, z. B. in intakten Kirchengemeinden, in denen Personen verschiedener Herkunft zusammenkommen, die sich als Träger christlicher Gesinnung und damit als Gegner einer christenfeindlichen nationalsozialistischen Propaganda empfinden, wenn in ihnen soziale und wirtschaftliche Probleme artikuliert werden, z. B. Gaststätten, in denen sich ein sozial spezifisches Publikum trifft, das bereit ist, sich öffentlich über seine Schwierigkeiten, Neigungen und Abneigungen zu unterhalten. Damit ergibt sich, daß nicht nur die politisch-bewußt Organisierten von Bedeutung für die Untersuchung sind, sondern auch jene, die in unorganisierter Form ungehorsam gegenüber dem Regime waren.

Unorganisierter Ungehorsam sollen die Handlungen heißen, die das Regime des Dritten Reiches als abweichend betrachtete und die innerhalb sozialer Organisationen vorkamen, deren Ordnung nicht auf Widerstand angelegt war, ihn aber strukturell begünstigen konnte. Ungehorsam kann sich selbstverständlich systematisch entwickeln, dann nähert er sich dem organisierten Widerstand. Er ereignet sich jedoch in der Regel spontan.

Gerade diese planlosen Aktivitäten erscheinen, jede für sich betrachtet, politisch belanglos. Keine von ihnen gefährdete den Bestand des Dritten Reiches oder rief ernsthafte Störungen hervor. Eine individualisierende Betrachtungsweise führt daher auch zu keinem Resultat, ebenso ergibt eine prosopographische Reihung aller Einzelfälle keinen Fortschritt, sie führt bestenfalls zu vordergründigen Typenbegriffen. Insofern liegt hier, auf das Gesamtregime bezogen, eine Art »leeres Feld« vor, das nur durch eine schrittweise Rekonstruktion von Teilaktivitäten zu umreißen ist.

Die Bestimmung »unorganisierter Ungehorsam« ist aber erst dann einigermaßen abgeschlossen, wenn geklärt ist, welche Personengruppen und welche ihrer speziellen Tätigkeiten das Regime nicht duldete. Aufgrund des gegenwärtigen Forschungsstandes kann behauptet werden, daß drei Arten von Nichtduldung im Dritten Reich bekannt waren:
1. die Stigmatisierung von Personengruppen, z. B. Juden, Zigeunern, Fremdvölkischen, Geisteskranken und Homosexuellen auf der Grundlage der Rassenideologie, die zur systematischen Vernichtung führte;
2. die Stigmatisierung aus machtpolitischen Interessen; betroffen waren Personengruppen, die sich als politische Gegner des Regimes fühlten und sich dementsprechend verhielten, z. B. Kommunisten, Sozialdemokraten, Christen und Liberale;
3. die Stigmatisierung von Personen, die die nationalsozialistischen Verhaltensnormen und Leistungsanforderungen nicht zu akzeptieren imstande oder bereit waren.

Im dritten Fall liegt ein besonderes Problem vor. Das Unvermögen der Anerkennung oder Anpassung an ein politisches Regime beruht nicht nur auf den vorgeprägten Einstellungen von Personen, sondern vielmehr auf dem Normenkodex des NS-Regimes selbst. Der nationalsozialistische Normenkodex war erstens nicht klar definiert, zweitens veränderte er sich häufig. Er war drittens personenbezogen und viertens fehlte ihm ein konstant wirksames Normengerüst, das in Zweifelsfällen hätte befragt werden können. Hitlers »Mein Kampf« und Rosenbergs »Mythos des 20. Jahrhunderts« lieferten keine präzisen Ausgangsnormen. Zudem wurden alle Aussagen, die zu operationalisieren gewesen wären, durch Hitlers Pragmatismus und Voluntarismus überwuchert, und Rosenberg vermochte sein Ziel, zum obersten Parteiideologen aufzusteigen, nicht zu erlangen. Allein der Begriff »Volksgemeinschaft« bot einen, wenn auch vagen Ansatzpunkt zur Normierung des Verhaltens der Bevölkerung. Mit ihm waren Leistungsanforderungen und Wohlverhaltensansprüche wenigstens zu rechtfertigen, wenn auch im einzelnen nicht inhaltlich zu formulieren. Die Polyvalenz des Begriffes »Volksgemeinschaft« erlaubte den Führungscliquen jedoch, das, was als Nutzen für die Volksgemeinschaft galt, je nach Lage und Eigeninteresssen umzudefinieren, d. h. verschiedene Verhaltensnormen zu verschiedenen Zeitpunkten für bindend zu erklären. Eine Schwierigkeit bestand darin, daß sich die NS-Ideologie aus Verhaltensnormen unterschiedlicher historischer Zeitstufen zusammensetzte. So vermischten sich Forderungen nach geradezu atavistischem Verhalten, z. B. im Todes- und Ordenskult sowie in der Kampfideologie, mit Ansprüchen an moderne, bürokratische und technizistische Effizienz oder mit Gehorsamsregeln, die sich aus einer Bandenmentalität ergaben.

Diese Widersprüche und Schwankungen machten es für den einzelnen, der meist nicht über die internen Vorgänge des Regimes Bescheid wußte, schwer, sich richtig einzustellen; sie konnten für alle diejenigen, die die Konsequenz ihrer eigenen Rede nicht genau einzukalkulieren wußten oder die Gefährlichkeit des Polizeistaats unterschätzten, verhängnisvoll werden. Eine weitere Besonderheit bildete die Personenbezogenheit der nationalsozialistischen Verhaltensnormen. An höchster Stelle stand Hitler, aber auch die nachgeordneten Führer, z. B. Goebbels, Himmler, Göring, Frick, Röhm, in Bayern Epp und Wagner, Streicher, verlangten ein bestimmtes Maß an Respekt und Gehorsam. Aber ihr Bild schwankte je nach ihrer sich verändernden Position in der labilen Hierarchie des Nationalsozialismus. Und gerade ihre evident negativen Züge konnten zu Widerspruch, Spott und Ablehnung aufreizen.

Die oberste Instanz zur Entscheidung war gewiß Hitler, aber er griff nur sporadisch ein. Oft verschob er die Entscheidung. Um alltägliche Dinge kümmerte er sich selten. So fielen Kontrolle und Sanktionierung von Ungehorsam der Partei, den Behörden, dem politischen Polizeiapparat, der Justiz, dabei wechselweise den Sondergerichten, den Strafgerichten oder dem Volksgerichtshof zu. Jede dieser Instanzen besaß jedoch andere Interessen. Die Partei hatte primär die Gesinnung im Auge, da sie darauf angelegt war, mit verbalen Mitteln Wohlverhalten in der Bevölkerung zu erzeugen. Sie konnte lediglich durch psychischen Druck sanktionieren oder aber durch Einflußnahme auf den Verwaltungsapparat. Der Politischen Polizei ging es in erster Linie um die Staatssicherheit, wobei sie jeden einzelnen unmittelbar bestrafen konnte.

Sondergerichte und Strafgerichte, soweit mit relativ konservativ eingestellten Richtern besetzt, hatten die Wahrung der Rechtsdogmatik im Auge. Für das Schicksal einer Person konnte es von entscheidender Bedeutung sein, mit welcher Instanz sie in Berührung kam, denn jede der drei erwähnten bewertete ein besonderes Verhalten unterschiedlich und reagierte entsprechend. Eine Untersuchung der Angeklagten vor Sondergerichten liefert nur ein ausschnitthaftes Bild, das freilich dadurch einen gewissen Allgemeinheitsgrad gewinnt, daß die von den Sondergerichten traktierten Normen an die Verhaltensnormen des Gesamtregimes gebunden waren, sich mit ihnen veränderten oder stabilisierten. Man kann auf diesem Weg in das Feld einer vieldeutigen sozialen und politischen Grauzone vorstoßen, die in besonderem Maße den Alltag der Deutschen im Dritten Reich dokumentiert.

Aus alledem ergibt sich: Bei den Problemen des sozialen Drucks handelt es sich durchaus nicht um nebensächliche Vorgänge. Sie konnten die nationalsozialistische Führung beunruhigen, ja in Erinnerung an die Vorgänge des Ersten Weltkrieges sogar in das Trauma versetzen, massiver sozialer Druck könne ihre Herrschaft gefährden. Gewiß, sozialer Druck und ziviler Ungehorsam kommen in jeder Staatsform vor, aber die Instrumente, ihn aufzufangen, sind verschieden. Das Dritte Reich reagierte mit einem ihm eigentümlichen Gemisch aus Vergabe von Vergünstigungen, nicht selten »Betreuung« genannt, und Terror, wobei offen ist, ob und inwieweit diese Maßnahmen bewußt aufeinander abgestimmt waren. Daß jedoch alle Formen zivilen Ungehorsams überwiegend politisch ausgelegt wurden, ist eine der Besonderheiten des NS-Regimes.

Festzuhalten ist abschließend:
1. Es liegt nahe, daß ziviler Ungehorsam eine mögliche Voraussetzung für Widersetzlichkeiten und demnach auch Widerstand bildet. Für den individuellen Bereich ist entsprechend den Theorien von abweichendem Verhalten festzuhalten, daß so geradezu »Karrieren des Widerstandes« entstanden; Personen und Gruppen durchliefen, vom Nationalsozialismus provoziert, die Stadien: ziviler Ungehorsam, Widersetzlichkeit und schließlich Widerstand. Oder sie unterlagen schon vor 1933 einer Einübung im aggressiven Verhalten, z. B. gegenüber der »kapitalistischen Gesellschaft«, der »feindlichen Welt« oder der »dekadenten Zeit«, und übertrugen dann eingeprägte Aggressionen oft undifferenziert auf den Nationalsozialismus, wenn dessen äußere Erscheinungsform ihrem »Feindbild« entsprachen.

Angesichts dessen bedarf das Motivationsproblem einer näheren Betrachtung. Widerstandshandlungen und zivilem Ungehorsam aller Art lagen im Dritten Reich verschiedene, oft widersprüchliche Motive zugrunde, die sich in der Regel aus langfristigen sozialen Bedingungskonstellationen und verwickelten Wirkungszusammenhängen im kleinen Milieu eines Handelnden zusammensetzten. Man kann die Zahl der individuellen Einzelmotive, vor allem aber die Kombinationen der Motive fast ins Unendliche verlängern. Das Motiv des ethischen Idealismus ist dabei nur eines unter vielen und taucht selten im Handlungsgeschehen auf.

Die Kombination von Motiven bildet jedoch gerade das Verbindungsstück zwischen den vorstehend erörterten Begriffsserien, in ihr drückt sich die Verquickung allgemeiner gesellschaftlicher, kultureller, politischer Bedingungen und Ursachen mit individuellen Wünschen, Hoffnungen, Enttäuschungen und Einsichten aus. Das Problem der Motivkombinationen und ihrer Bedingungen bedarf besonderer Differenzierungen.

Dabei hat sich gezeigt, daß es methodisch unabdingbar ist, aus den jeweiligen Konstellationen der Motive von Individuen oder Gruppen sowohl deren Zukunftsprojektionen und theoretisch ausgearbeitete Konzeptionen als die damit zusammenhängenden normativen Vorstellungen und die wirtschaftlich-sozialen Interessen auszudifferenzieren.

2. Sozialer Druck als Ganzes stellt ein Destabilisierungspotential für die Intaktheit des Regimes dar, das möglicherweise von seiten entschlossener Gegner des Dritten Reiches im Rahmen eines Staatsstreichs hätten ausgenutzt werden können. Soweit heute zu sehen ist, waren aber weder Kommunisten noch Konservative in der Lage, sich dieses Potentials zu bedienen.

ARNO KLÖNNE

Jugendprotest und Jugendopposition

VON DER HJ-ERZIEHUNG ZUM CLIQUENWESEN DER KRIEGSZEIT

Vorwort

Über die reale Situation der Jugend im Dritten Reich, die Wirkung des NS-Regimes auf die Jugendlichen und jugendliches Verhalten in der NS-Zeit liegen bisher erstaunlicherweise kaum systematische Studien vor. Erziehungswissenschaftliche Untersuchungen über die Hitlerjugend- und Schulerziehung im Dritten Reich haben sich fast ausschließlich mit dem inhaltlichen Programm und den Methoden der NS-Erziehung befaßt. Welchen Effekt Hitlerjugend und NS-Erziehung hatten, ist dagegen nur selten oder beiläufig dargelegt worden. Der Grund hierfür liegt wohl vor allem darin, daß die offiziellen Erziehungsnormen und institutionellen Verhältnisse sich aus den Quellen sehr viel leichter reproduzieren lassen als die Wirklichkeit des »Alltagslebens« der Jugend im Dritten Reich und die realen jugendlichen Motivationen und Verhaltensformen innerhalb und außerhalb der Hitlerjugend.

Bemerkenswert ist auch, wie randläufig die Opposition Jugendlicher in allgemeinen Darstellungen über den Widerstand in der NS-Zeit meist behandelt wird. Auch die nach 1945 wiedererstandenen Jugendverbände haben nur wenig dazu beigetragen, die Geschichte der Unterdrückung und der halb legalen, halb illegalen Fortführung ihrer Vorläufergruppierungen zwischen 1933 und 1945 zu vergegenwärtigen[1]. Im historisch-politischen Unterricht in der Bundesrepublik wird, worauf Otto Ernst Schüddekopf in einer gründlichen Untersuchung aufmerksam gemacht hat, die Opposition Jugendlicher

---

[1] Zur Jugendopposition im NS-Staat insgesamt liegen nur zwei Buchveröffentlichungen vor: Jahnke, Karl-Heinz: Entscheidungen. Jugend im Widerstand 1933–1945. Frankfurt 1976; Klönne, Arno: Gegen den Strom. Bericht über Jugendwiderstand im Dritten Reich. Hannover 1958 (Neudruck 1978). – Zur katholischen Jugend: Schellenberger, Barbara: Katholische Jugend und Drittes Reich. Mainz 1975; Roth, Heinrich: Katholische Jugend in der NS-Zeit. Düsseldorf 1959. – Zur evangelischen Jugend: Priepke, Manfred: Die evangelische Jugend im Dritten Reich. Hannover 1960; Riedel, Heinrich: Kampf um die Jugend. Evangelische Jugendarbeit 1933–1945. München 1976. – Zur kommunistischen Jugend: Jahnke, Karl-Heinz: Jungkommunisten im Widerstandskampf gegen den Hitlerfaschismus. Berlin 1977. – Eine Fülle zeitgenössischen Materials zur Jugendopposition aus Emigrationsschriften enthält: Jugend contra NS, hrsg. von Hans Ebeling und Dieter Hespers. Frechen 1966.

gegen den NS nur unzureichend oder gar nicht berücksichtigt, und die ausnahmsweise häufige Erwähnung der »Weißen Rose«, der Widerstandsgruppe um die Geschwister Scholl, in den Geschichtsbüchern kann unter diesen Umständen geradezu als Alibi der Vernachlässigung des Gesamtthemas angesehen werden[2]. Daß die Jugendopposition im Dritten Reich wissenschaftlich, politisch-pädagogisch und publizistisch bisher nur geringe Aufmerksamkeit gefunden hat, mag auch daran liegen, daß die Hitlerjugend selbst vielfach fälschlich als »weitgehend unpolitische Institution« (Conrad Ahlers) und relativ harmloser Teil des NS-Systems angesehen wird[3].

Die folgende Darstellung kann die genannten Lücken der Forschung nicht in ausreichendem Maße ausfüllen, aber mit ihrer Perspektive vielleicht zu weitergehenden Untersuchungen anregen. Eingebettet in den allgemeinen methodischen Rahmen des Projekts »Widerstand und Verfolgung in Bayern in der NS-Zeit« soll das Thema Jugendprotest und Jugendopposition – bezogen vor allem auf Bayern – im folgenden unter drei Hauptaspekten dokumentiert werden, aus denen sich auch die Gliederung der Darstellung (Teil I – III) ergibt.

Im ersten Teil versuchen wir die – sowohl zwanghafte wie suggestive – »Eingliederung« der Jugendlichen in die Hitlerjugend (HJ) und den Konflikt zwischen Anspruch und Wirklichkeit der HJ-Integration im Dritten Reich wenigstens skizzen- und beispielhaft aufzuzeigen. Die Hitler-Bewegung hatte sich vor 1933 immer wieder als Bewegung des »jungen Deutschland« ausgegeben und zweifellos unter der jungen Generation besonders starken Anhang gewonnen. Für die Studentenschaft beispielsweise ist durch neuere Arbeiten eingehend nachgewiesen worden[4], daß bereits im Jahre 1931 die Mehrheit der Hochschuljugend mit dem Nationalsozialismus sympathisierte, während damals von der Gesamtbevölkerung allenfalls 20 Prozent für die Hitler-Bewegung gewonnen waren. Abgestandene, elitäre Formen des überlieferten studentischen Korporationswesens, die soziale Misere und die schlechten akademischen Zukunftsperspektiven hatten zahlreiche Studenten veranlaßt, sich dem als zeitgemäß empfundenen Nationalsozialistischen Studentenbund zuzuwenden. Ähnlich trugen auch manche elitäre »bündische« oder althergebrachte Formen der konfessionellen Jugenderziehung dazu bei, die Jugendlichen für die HJ zu erwärmen. Unter dem Gesichtspunkt der Wirkung der HJ auf die Jugendlichen ist mithin nicht nur darzulegen, welchen Beitrag die HJ als Parteiorganisation der Jugendlichen im Rahmen der nationalsozialistischen Gleichschaltung und weltanschaulichen Erziehung spielte; es stellt sich auch die Frage, ob und inwieweit die HJ eine neue, »moderne« Form der Jugendmobilisation wenigstens zeitweilig für Teile der Jugend darstellte, inwieweit sie als Gegenkraft zu den tradierten Normen der von den Erwachsenen in Elternhaus, Schule und Kirche ausgehenden Erziehung an emanzipatorische Bedürfnisse anknüpfte und partiell »befreiend« und sozial ausgleichend zu wirken vermochte.

---

[2] Schüddekopf, Otto-Ernst: Der deutsche Widerstand gegen den Nationalsozialismus. Stuttgart 1977.
[3] Conrad Ahlers, in: Hitler-Jugend. Sonderdokumentation der Serie »Das III. Reich«. Hamburg o. J. (1978).
[4] Vgl. vor allem Faust, Anselm: Der Nationalsozialistische Deutsche Studentenbund. Studenten und Nationalsozialisten in der Weimarer Republik, 2 Bde., Düsseldorf 1973 und Kater, Michael H.: Studentenschaft und Rechtsradikalismus in Deutschland 1918–1933. Eine sozialgeschichtliche Studie zur Bildungskrise in der Weimarer Republik. Hamburg 1975.

Gerade in einem Lande wie Bayern, in dessen ländlichen Gebieten die moderne Jugendbewegung eher unterentwickelt und die Jugendarbeit konfessionell, politisch und sozial stark segmentiert war, ergab sich aus dem von der HJ übernommenen jugendbündischen Prinzip (Jugend will von Jugend geführt werden) und ihrem Anspruch auf »volksgemeinschaftliche« Zusammenfassung der Jugend aller sozialer Schichten neben dem bald eintretenden Zwang zum Mitmachen auch mancher unverkennbar innovatorische Impuls der Jugendsozialisation. Infolgedessen läßt sich auch die z. T. starke Resistenz, auf die die nationalsozialistische Staatsjugend vor allem im katholisch-agrarischen Milieu Bayerns in den Jahren nach 1933 vielfach stieß, nicht so ohne weiteres und unbesehen unter den politisch-moralischen Begriff des »Widerstandes« subsumieren. Vielfach wurde die HJ hier aber auch zielbewußt zur Bekämpfung und Verfolgung katholischer Jugendgruppen eingesetzt. Und mit zunehmender »Großorganisation«, Disziplinierung und Militarisierung verlor sie schon vor Beginn des Krieges viel von ihrer anfänglichen Attraktivität. Im ersten Teil unserer Betrachtungen versuchen wir besonders diese Ambivalenz der Wirkungsgeschichte der HJ aufzuzeigen: Die Verquickung attraktiver Jugendsozialisation mit dem instrumentalen Charakter der HJ als eines Organs zur totalitären Erfassung und Kontrolle der Jugendlichen.

Der zweite Teil unserer Darstellung hat die Gleichschaltung, Verfolgung und Opposition der vor 1933 bestehenden politischen, konfessionellen und bündischen Jugendorganisationen in Bayern zum Gegenstand. Ausgehend von den organisierten Gruppen soll dabei zunächst gezeigt werden, daß hinter dem Begriff der nationalsozialistischen »Gleichschaltung« in bezug auf die verschiedenen Richtungen der Jugendorganisationen eine durchaus unterschiedliche Praxis des Vorgehens stand.

Zwischen der scharfen Bekämpfung, etwa der Jugendgruppen der Arbeiterbewegung, und der freiwilligen Selbstgleichschaltung, z. B. von großen Teilen der evangelischen Jugendbewegung, spannte sich ein weiter Bogen höchst unterschiedlicher Modalitäten bei der Durchsetzung des Jugendorganisations-Monopols der HJ. Unter Einschluß der vielerlei Spielarten opportunistischer oder von illusionären idealistischen Motiven geleiteter Anpassung, die es dabei gegeben hat, soll in diesem Teil der Dokumentation ferner verdeutlicht werden, daß kompromißloser, aufopferungsbereiter Widerstand in allen politischen und konfessionellen Lagern in hohem Maße gerade von den Jugendlichen ausging und getragen wurde. Nicht in gleichem Maße wie die Erwachsenen durch existentielle beruflich-soziale Rücksichten gebunden, vermochte jugendliche Unbekümmertheit, die oft schwere Opfer forderte, tatkräftige Opposition auch dann noch eine Zeitlang aufrechterhalten, als die illegalen Erwachsenenorganisationen, z. B. der Arbeiterbewegung, schon fast ganz zerschlagen waren. Die organisatorisch eher lockere, in ihrer Sozialisations- und Integrationskraft aber besonders intensive Form jugendlichen Kleingruppen-Zusammenhalts erwies sich vielfach als eine den Großorganisationen der Parteien und Konfessionen überlegene soziologische und kommunikative Voraussetzung für illegale Widerstandstätigkeit.

Im dritten Teil unserer Darstellung befassen wir uns schließlich mit jenen Arten jugendlicher Nonkonformität, die – ohne direkten Traditionszusammenhang mit den vor 1933 bestehenden nicht-nationalsozialistischen Jugendorganisationen – durch die zunehmend repressive Politik des NS und der HJ hauptsächlich in der Kriegszeit selbst provoziert und evoziert wurden. Als normative und habituelle jugendliche Gegenkultur angesichts eines immer weniger jugendgemäßen »Betriebes« der HJ verdienen die verschiedenen, in der zeitgeschichtlichen Forschung lange Zeit fast ganz vernachlässigten[5] Äußerungsformen dieses Jugendprotestes gegen die Erziehungsnormen des Dritten Reiches besonderes Interesse. Als eine Verweigerungs-Reaktion lassen sie gleichsam spiegelbildlich die »Defizite« der späteren HJ-Erziehung und Jugendmobilisation erkennen. Als Protestformen auf dem Grenzgebiet von politischer Opposition, unpolitischer Nonkonformität, Asozialität und Kriminalität, die sich u. a. auch in der forcierten Distanzierung von der vom Regime gepredigten Sexualmoral, in der »freien« Subkultur von Jungen- und Mädchen-»Banden« ausdrückten, zeigen sie auch, wie wenig der gängige, konventionelle Widerstandsbegriff ausreichend ist zur Erfassung der vielfältigen Resistenz-Erscheinungen in der NS-Zeit. In dem Maße, in dem das NS-Regime mit dem Jugendschutzgesetz, der Kontrolle von Jugendlichen durch den HJ-Streifendienst, der Maßregelung von Jugendlichen durch Jugendarrest oder gar durch Jugenderziehungslager die Spontaneität jugendlicher Selbstbestimmung immer mehr unterdrückte, gewannen vornehmlich in den Großstädten während des Zweiten Weltkrieges die verschiedenen Spielarten jugendlicher Subkultur – von der »Swing-Jugend« höherer Schulen bis zu den in erster Linie aus dem Arbeiterschaftsmilieu hervorgegangenen Gruppierungen der »Edelweißpiraten«, »Meuten« oder »Blasen« – zunehmend an Bedeutung und begannen die HJ-Führung ebenso wie die Gestapo zu beunruhigen und veranlaßten sie zu immer schärferen Unterdrückungsmaßnahmen. Bei der Dokumentation dieser Formen des Jugendprotests, die ihre Schwerpunkte in den nord-, west- und mitteldeutschen Großstädten hatten, müssen wir gelegentlich über Bayern hinausgreifen. Die nur begrenzte Quellenbasis, die in bezug auf dieses Thema erschlossen werden konnte, läßt weitere Arbeiten auf diesem noch weitgehend unerforschten Feld als besonders dringlich erscheinen, zumal es hier um ein Stück Gesellschaftsgeschichte der Jugend in der NS-Zeit geht, die in mancher Hinsicht bereits deutlich auf spätere Formen radikaler jugendlicher Normen-Enttabuisierung und Selbstbefreiung aus Anpassungszwängen verweist, die 35 Jahre später weltweit Aufsehen erregen sollten.

---

[5] Zu den »wilden« Jugendgruppen, speziell den sog. Edelweißpiraten siehe: Horn, Daniel: Youth Resistance in the Third Reich, in: Journal of Social History Jg. 77 (1973), S. 26ff.; Hehr, Dieter und Wolfgang Hippe: Navajos und Edelweißpiraten. Berichte vom Jugendwiderstand im Dritten Reich. Frankfurt 1981; Peukert, Detlev: Die Edelweißpiraten. Köln 1980; Gruchmann, Lothar: Jugendopposition und Justiz im Dritten Reich. Die Probleme bei der Verfolgung der »Leipziger Meuten« durch die Gerichte, in: Miscellanea. Festschrift für Helmut Krausnick, hrsg. von Wolfgang Benz. Stuttgart 1980, S. 103–130.

I. Hitlerjugend-Sozialisation: Anspruch und Wirklichkeit

1. Die organisatorische und strukturelle Entwicklung der HJ

Für die Herausbildung der nationalsozialistischen Staatsjugendorganisation[6] war die besondere Bedeutung, die in der deutschen Gesellschaft der Weimarer Republik Jugendbewegung und Jugendverbandswesen gewonnen hatten, eine wichtige Voraussetzung. Hier boten sich Anknüpfungspunkte für die HJ sowohl im Hinblick auf jugendliche Lebensformen und Verhaltensorientierungen als auch unter dem Aspekt der Hochschätzung von »Jugendbewußtsein« im Verständnis der Gesamtgesellschaft. Aber das Verhältnis der HJ zur Jugendkultur der Zeit vor 1933 war widersprüchlich: Der Monopolanspruch der NS-Jugenderziehung war nur durchsetzbar mittels der Verdrängung konkurrierender, in Teilen der jungen Generation nachhaltig verankerter Jugendbünde und -verbände, und die Abhängigkeit der HJ von der NS-Staatsführung mußte in Konflikt geraten mit dem Selbständigkeitsdrang, der sich gerade unter dem Einfluß der Jugendbewegung als Verhaltensmuster in der nachwachsenden Generation verbreitet hatte.

Bis zur Machtergreifung durch den NS bestand in Deutschland eine außerordentlich umfangreiche, im gesellschaftlichen Bewußtsein hoch bewertete freie Jugendarbeit. Im Reichsausschuß Deutscher Jugendverbände waren vor 1933 mehr als hundert Jugendverbände und -bünde mit zusammen rund sechs Millionen Mitgliedern vertreten. Zahlenmäßig bildeten dabei die Sportjugend und die konfessionellen Jugendorganisationen den stärksten Teil; die sozialistischen Jugendverbände und die freien Jugendbünde lagen demgegenüber weit zurück. Allerdings reichte der Einfluß der Formen und Ideen der Jugendbewegung bzw. der bündischen Jugend bis weit in die konfessionellen Jugendverbände und auch in die Sportjugend hinein.

Die HJ, im Jahre 1926 als Jugendorganisation der NSDAP gegründet, hatte bis 1933 im wesentlichen die Funktion einer Jugendabteilung der SA inne, d. h. das Schwergewicht ihrer Tätigkeit lag bei der Unterstützung politischer Agitation, bei Straßenmärschen und Demonstrationen. Das Erscheinungsbild und die Lebensformen der damaligen HJ waren deutlich anders als bei den bündischen oder konfessionellen Jugendorganisationen und der Arbeiterjugendbewegung; von eigentlicher Jugendarbeit oder von Jugendbewegung konnte zu dieser Zeit bei der HJ kaum die Rede sein. Eine Ausnahme bildeten einige – bündisch geprägte – Jungvolkgruppen in der HJ. Strukturell vergleichbar war die HJ damals am ehesten den jugendlichen »Frontorganisationen« der KPD. Ein maßgeblicher HJ-Führer bestätigte diesen Eindruck später wie folgt: »Der Kampf um die Macht im Reich ließ die HJ nicht dazu kommen, eine Jugendarbeit in großem Umfange zu gründen. Nur vereinzelt konnten Aufgaben außerhalb der politischen Propaganda und organisatorischen Formung von ihr in Angriff genommen werden«[7].

---

[6] Näheres zu diesem Abschnitt bei Klönne, Arno: Hitlerjugend – Die Jugend und ihre Organisation im Dritten Reich. Hannover 1960; vgl. ferner Brandenburg, Hans Christian: Die Geschichte der HJ. Köln 1968.
[7] Neeße, Gottfried: Die Erziehung der Jugend im Dritten Reich, in: Wille und Macht Jg. 4 (1936), H. 21.

Eine Kooperation zwischen der HJ und anderen Jugendorganisationen bestand vor 1933 kaum; selbst zu den betont völkischen und nationalsozialistischen Jugendbünden gab es nur wenig Verbindungen. Im Reichsausschuß Deutscher Jugendverbände war die HJ nicht vertreten.

Der 30. Januar 1933 brachte auch für die HJ eine völlig neue Lage und Aufgabenstellung mit sich. Wenn der NS seine Herrschaft auf Dauer stellten wollte, dann war die möglichst umfassende nationalsozialistische Prägung der Jugend eines der wichtigsten Mittel hierzu. Der vorgegebenen Bedeutung von Jugendbewegung und Jugendarbeit in der »politischen Kultur« des damaligen Deutschland sowie der Skepsis der NS-Führung gegenüber der Funktion der Schulerziehung für die Eingewöhnung in die nationalsozialistische »Weltanschauung« entsprach es, wenn die Sozialisation der Jugend im Sinne des NS nicht allein und nicht einmal in erster Linie von einer Gleichschaltung des Schulsystems, sondern vor allem vom Ausbau der NS-Jugendorganisation erwartet wurde. Von der Machtergreifung an erhob die HJ auf dem Gebiet der Jugendorganisation einen Monopolanspruch und suchte ihn durchzusetzen. Es war kein Alleingang Baldur von Schirachs, wenn dieser proklamierte: »Wie die NSDAP nunmehr die einzige Partei ist, so muß die HJ die einzige Jugendorganisation sein«[8]. Hitler selbst betonte auf dem Reichsparteitag 1934 in Nürnberg, die Jugend müsse sich für das nun angebrochene neue Reich in »einer Organisation« heranbilden.

Der Ausschließlichkeits-Anspruch der HJ auf dem Gebiet der Jugendarbeit enthielt von vornherein nicht nur die Tendenz, alle anderen Jugendverbände und -bünde auszuschalten, sondern auch das Bestreben, sich möglichst viele Erziehungsfunktionen, Betätigungsfelder und einflußnehmende Institutionen unterzuordnen und nach und nach die Gesamtheit der Jugend zu erfassen. Daraus erwachsende Übergriffe auf Kompetenzen der Eltern und der Schule führten schon bald zu mancherlei Konflikten. Aber gestützt auf die Repressionsmittel des NS-Regimes konnte die HJ, institutionell betrachtet, ihr Programm in den folgenden Jahren Zug um Zug realisieren. Am 5. April 1933 ließ Schirach durch einen HJ-Trupp die Geschäftsstelle des Reichsausschusses Deutscher Jugendverbände überrumpeln, setzte dessen gewählten Vorstand ab und beanspruchte die Leitung dieses Dachverbandes für sich. Bei dieser Aktion gewann die HJ-Führung wichtiges Material über Struktur, Leitungen und Binnenverhältnisse der Jugendverbände, das ihren Ausschaltungsbemühungen sehr zugute kam. Wenige Tage später schloß Schirach die sozialistischen und die jüdischen Jugendverbände aus dem Reichsausschuß aus. Bald darauf wurden die parteipolitisch oder gewerkschaftlich orientierten Jugendverbände zusammen mit den entsprechenden Erwachsenenorganisationen aufgelöst oder verboten. Rechts stehende politische Jugendpflegeorganisationen führten ihre Jugendgruppen geschlossen der HJ zu. Gleichzeitig hatte die HJ aber auch einen starken Zustrom bisher nicht organisierter Jugendlicher zu verzeichnen; aus den bündischen und den konfessionellen Jugendorganisationen traten zunehmend Einzelgruppen zur HJ über, hauptsächlich auf protestantischer Seite. Auch das Jugendherbergswerk wurde von der HJ übernommen.

---

[8] Schirach, Baldur von: Die Hitlerjugend. Berlin 1934, S. 69.

Bei alledem kam der HJ zur Hilfe, daß zumindest in der bürgerlichen Jugend, zum Teil aber auch in der Arbeiterjugend, in der Endphase der Weimarer Republik eine vage Hoffnung auf »nationale Erneuerung«, auf »Überwindung des Parteiengezänks« und »Einigung der Jugend« zur vorherrschenden Orientierung geworden war. Die von der HJ nach der Machtergreifung zunächst vertretenen Parolen einer »nationalen und sozialen Gesundung des deutschen Volkes« unterschieden sich auf den ersten Blick kaum von den Leitbegriffen der bündischen Jugend und auch eines Großteils der konfessionellen Jugendverbände. Ein emphatischer, mitunter pseudoreligiöser Nationalismus, der auch das »Liedgut« der Jugendbewegung in starkem Maße prägte, war auch außerhalb der HJ fast überall anzutreffen. Das Leitbild von »Führer und Gefolgschaft«, von »Befehl und Gehorsam« bestimmte weithin die Vorstellungswelt auch der anderen Jugendverbände; »soldatische« Verhaltensmuster waren um 1933, von wenigen Ausnahmen abgesehen, in den Jugendorganisationen von rechts bis links dominant. Insofern bot die HJ von ihrem Erscheinungsbild her nichts Anstößiges, und überdies verband sich mit ihr nach der Machtergreifung für viele Jugendliche und Jugendgruppen die Erwartung einer Form der Jugendorganisation, in der alle Trennungen in der Jugend abgeschafft sein könnten, in der sich auf freiwilligem Wege so etwas wie »Volksjugend« herausbilden würde.

Ein politisches Widerstreben der ersten Stunde gab es innerhalb der organisierten Jugend nach der Machtergreifung nur auf seiten der sozialistischen oder kommunistischen Arbeiterjugendorganisationen und bei kleinen Teilen der freien Jugendbewegung oder pazifistischen Gruppen der katholischen Jugend. Hier hatte allerdings der Zugriff der Staatsorgane schon im Sommer 1933 jede legale Weiterführung der Arbeit von Jugendgruppen unterdrückt.

Die Eingliederung des Jugendsports und der berufsständischen Jugendarbeit stellte für die HJ-Führung kein politisches Problem dar. Schwierigkeiten bereiteten hingegen die konfessionellen Jugendverbände und die freien bündischen Organisationen. Für beide galt, daß sie im Frühjahr 1933 mehrheitlich dem neuen Staat Zustimmung oder wenigstens Loyalität entgegenbrachten und auch bereit waren, eine politische Führungsrolle der HJ zu akzeptieren; die Konfliktlinie lag dort, wo der Staat oder die HJ-Führung die Eigenständigkeit ihres Bundes- und Gruppenlebens in Frage stellte.

Um für die Gleichschaltung der noch konkurrierenden Jugendverbände eine formale Legitimation zu gewinnen, drängte Schirach auf eine entsprechende – über die HJ hinausgehende – allgemeine Kompetenz für die Jugendarbeit. Sie wurde ihm eingeräumt mit der durch eine Verfügung Hitlers vom 17. Juni 1933 ausgesprochenen Ernennung zum »Jugendführer des Deutschen Reiches«, wobei dieses Amt in Personalunion mit dem des Reichsjugendführers der NSDAP verbunden wurde. Die neugeschaffene Funktion verschaffte Schirach die Aufsicht über die gesamte Jugendarbeit in Deutschland; damit waren zugleich sämtliche Jugendorganisationen und Institutionen der Jugendarbeit unter die Kontrolle und Lenkung der HJ-Führung gebracht.

Noch am Tage seiner Ernennung löste Schirach den »Großdeutschen Bund« auf, in dem sich die meisten bündischen Organisationen korporativ zusammengeschlossen hatten; wenig später wurden durch eine staatliche Verbotsverfügung die übrigen freien Jugendbünde unterdrückt. Eine zeitweilige Sonderstellung hatte in diesem Bereich der

Jugendverbände lediglich die »Reichsschaft Deutscher Pfadfinder«, die – um eventueller Auslandskontakte willen, die der HJ zugute kommen sollten – noch einige Zeit geduldet und dann 1934 ebenfalls aufgelöst wurde.

So standen ab Mitte 1933 der HJ als konkurrierende Jugendverbände von Bedeutung nur noch die konfessionellen Organisationen gegenüber. Der Selbständigkeit der evangelischen Jugendverbände vermochte die NS-Führung schon Ende 1933 den Boden zu entziehen. Das zeitweilige Übergewicht der regimetreuen »Deutschen Christen« in den Leitungskreisen der Evangelischen Kirchen und die Durchsetzung des von Hitler favorisierten Ludwig Müller als »Reichsbischof« führten am 18. Dezember 1933 zu einem Abkommen zwischen Schirach und der Evangelischen Reichskirchenleitung, das – entgegen den Stellungnahmen der Vorstände der evangelischen Jugendverbände – die formale Eingliederung der evangelischen Jugend Deutschlands in die HJ zustandebrachte. Dieses Abkommen beraubte die evangelischen Jugendverbände aller Mitglieder unter 18 Jahren, die nun in die HJ überführt werden sollten; die evangelische Jugendarbeit (»kirchliches Jugendwerk«) sollte auf den seelsorgerischen Bereich beschränkt sein; wer im Alter von 10 bis 18 Jahren nicht Mitglied der HJ bzw. ihrer Untergliederungen war, konnte nicht in den kirchlichen Jugendwerken betreut werden. Auch wenn diese Regelung in der Praxis der HJ den angestrebten organisatorischen Zuwachs nicht in vollem Umfange brachte, so war damit doch der legalen Verbandsarbeit der evangelischen Jugend der Garaus gemacht[9]. In den Berichten über die Lage der evangelischen Gemeinden vor allem in den fränkischen Landesteilen Bayerns nach 1933, die im ersten Band dieser Reihe (»Bayern in der NS-Zeit« I, S. 377f.) abgedruckt sind, kommen die Hoffnungen und Konflikte, die bei der Verschmelzung der evangelischen Jugendverbände und der HJ auftraten, vielfach zum Ausdruck.

Die NS-Jugendführung strebte eine analoge Lösung auch für die katholische Jugendarbeit an. Das Terrain war hier freilich für die HJ um einiges ungünstiger. Während in den evangelischen Jugendverbänden vor 1933 parteipolitisch Sympathien für die Deutschnationale Volkspartei und die NSDAP dominierten, galten für die katholischen Jugendorganisationen die Zentrumspartei bzw. die Bayerische Volkspartei als zumindest nahestehende Kräfte, was nach der Machtergreifung und vor der Märzwahl 1933 auch noch einmal seinen Ausdruck in einem Wahlaufruf der größten katholischen Jugendverbände fand. Insofern mußte man hier also mit einer stärkeren Distanz gegenüber der NS-Politik rechnen, wenngleich die katholischen Bischöfe und die Führungen der katholischen Jugendverbände schon bald darauf ihre Loyalität gegenüber der Staatsführung beteuerten. Im Kreise der Bischöfe gab es im Frühjahr 1933 Tendenzen, die katholischen Jugendverbände in die HJ einzugliedern, sofern diese dafür das Recht zur kirchlichen Betreuung ihrer katholischen Mitglieder garantiere; die Führungen der katholischen Jugendverbände konnten Bestrebungen dieser Art jedoch so lange mit Erfolg entgegenarbeiten, bis durch den Abschluß des Reichskonkordats zwischen der Hitler-Regierung und dem Vatikan die katholische Verbandsjugendarbeit zeitweise einigen Schutz erhielt. Bei den Verhandlungen hierüber zeigte sich übrigens Rom hartnäckiger in der Verteidigung der Rechte der katholischen Jugendverbände als die in dieser Sache tätigen

---

[9] Vgl. hierzu Priepke, a. a. O.

deutschen Bischöfe. So kam es, daß die organisierte katholische Jugendbewegung im Dritten Reich länger überleben konnte als alle anderen Jugendverbände; allerdings bot auch das Reichskonkordat nur eine sehr begrenzte Hilfe. Von 1934 an war die HJ-Führung bestrebt, durch ständige Schikanen, Tätigkeitsbeschränkungen, Repressalien gegenüber Jugendlichen und Eltern und schließlich durch regionale Verbote den Aktionsradius der katholischen Jugendverbände immer mehr einzuschränken, bis dann 1937/38 auch diese Jugendorganisationen endgültig aufgelöst und unterdrückt wurden[10].

Schon in den ersten beiden Jahren des Dritten Reiches erlebte die HJ aufgrund all dieser Voraussetzungen einen rapiden Zuwachs. Hatte sie zu Beginn des Jahres 1933 nicht einmal 100 000 Mitglieder gezählt, so konnte sie Ende 1934 auf einen Mitgliederstand von 3,5 Millionen verweisen. Die Ausschaltung konkurrierender Jugendorganisationen, die Anfälligkeit großer Teile der Jugend für die nationalsozialistische Propaganda und die mit vielfältigem moralischen Zwang verbundenen »Werbe«-Methoden der HJ wirkten hier zusammen. Mit Hilfe der Partei konnte vielfach erreicht werden, daß in Lehr- und Ausbildungsverhältnisse nur zugelassen wurde, wer Mitglied der HJ war; daß Beamte und Angestellte im öffentlichen Dienst veranlaßt wurden, ihre Kinder in die HJ zu schicken; daß HJ-Mitgliedschaft als Voraussetzung zum Studium galt u. ä. m. Ab 1934 wurde die sozialpolitische Jugendarbeit der HJ eingegliedert, die Landjugend in die HJ überführt und dieser auch der Jugendsport einverleibt. Die HJ inszenierte den Reichssportwettkampf und im Einvernehmen mit dem Reichsarbeitsministerium den Reichsberufswettkampf. Sie erhielt ein Mitspracherecht auf dem Gebiet der Jugendpresse und des Jugendverlagswesens ebenso wie bei der Jugendfürsorge und Jugendgerichtsbarkeit. Auf den verschiedensten Ebenen wurden persönliche und berufliche Interessen von Jugendlichen mit der Einpassung in das System der HJ gekoppelt.

Ihren Abschluß fand diese Entwicklung durch das »Gesetz über die Hitlerjugend« vom 1. Dezember 1936, das der HJ die gesamte »körperliche, geistige und sittliche Erziehung der Jugend außerhalb von Schule und Elternhaus« übertrug (die Kirchen wurden als Erziehungsträger nicht mehr erwähnt). Die Exekutive wurde dem Reichsjugendführer der NSDAP übertragen, der den Rang einer Obersten Reichsbehörde erhielt und Hitler unmittelbar unterstellt wurde. Nachdem so die Position der HJ formal abgesichert war, wandte die HJ-Führung ihre Aufmerksamkeit wieder stärker den gegnerischen oder zumindest nicht linientreuen Erscheinungen innerhalb der Jugendarbeit oder Jugendbewegung zu. Im Jahre 1936 begann der Vernichtungsfeldzug gegen die noch bestehenden katholischen Jugendverbände; im gleichen Jahr erneuerte und verschärfte die NS-Führung das Verbot und die Repression bündischer Jugendgruppen; jetzt wurde auch das Deutsche Jungvolk – die Untergliederung der HJ für 10- bis 14jährige Jungen – von Restbeständen bündischer Lebensformen und ehemaligen bündischen Führern »gesäubert«, während bis dahin in diesem Sektor der HJ manche Traditionen und Personenzusammenhänge aus den Jugendbünden der Zeit vor 1933 überdauert hatten.

Bereits einige Jahre vor dem Krieg trat die vormilitärische Ertüchtigung in den Mittelpunkt der Erziehung männlicher Hitlerjugend. Der Nachfolger Schirachs als

---

[10] Schellenberger, a. a. O.

Reichsjugendführer, Arthur Axmann, schrieb später hierzu: »An die Seite des Leistungssports und der Grundschule der Leibesübungen trat schon in Friedenszeiten immer stärker die Erziehung zur Wehrfreudigkeit und Wehrfähigkeit. Sie erstreckt sich auf die Schießausbildung und den Geländedienst...«[11]. Auch die an technische Interessen der Jugendlichen anknüpfenden Sondereinheiten (Flieger-, Marine-, Nachrichten- und Motor-HJ) dienten vor allem der Weckung der Wehrbegeisterung und der vormilitärischen Ausbildung.

Der Trend zu einer militärähnlichen, mehr und mehr normierten und alle Jugendlichen der entsprechenden Altersstufe obligatorisch erfassenden Organisation wurde abgeschlossen durch die im März 1939, also noch vor Kriegsbeginn erlassene »Jugenddienstverordnung«, eine Durchführungsverordnung zum »Gesetz über die Hitlerjugend«.

Diese leitete aus dem Gesetz über die Hitlerjugend eine alle Jungen und Mädchen zwischen 10 und 18 Jahren betreffende Jugenddienstpflicht öffentlich-rechtlichen Charakters ab, die gleichgeordnet neben Arbeitsdienst- und Wehrpflicht trat. Vernachlässigungen der HJ-Dienstpflicht konnten nun durch Jugendarrest, Bestrafung der Erziehungsberechtigten u. ä. geahndet werden. Ein genau geregelter »Dienstweg« bestimmte nun auch die innere Struktur der HJ; Dienstbetrieb und Erscheinungsbild der HJ-Einheiten waren bis in Belanglosigkeiten hinein zentral vorgeschrieben und durch Dienstkontrollbücher, Disziplinarordnung und Dienstvorschriften von der »Bekleidungsvorschrift« bis zur »Lagerverpflegungsordnung« im Stile von Militärdienstreglements einheitlich geordnet. Eine Sondereinheit, der HJ-Streifendienst, überwachte nicht nur den HJ-Betrieb, sondern auch das außerdienstliche Verhalten der Jugend, vor allem die Einhaltung der 1940 erlassenen Jugendschutzverordnung, die den Jugendlichen den Besuch von Lokalen, Amüsierbetrieben, das öffentliche Rauchen u. a. verbot. Durch ein Abkommen mit dem Reichsführer der SS wurde diese Einheit zugleich als Nachwuchsreservoir der SS anerkannt.

Ab etwa 1937/38 war die HJ infolgedessen ein recht starres Gebilde geworden, das nur noch wenig Raum für Spontaneität, innere Dynamik und freiwillige Gruppenbildung ließ.

Die Staatsjugend des Dritten Reiches hatte ein System entwickelt, das fast nur noch auf Diensterfüllung und Leistungswettbewerb abgestellt war und mit der Inanspruchnahme von Wetteifer und Geltungsbedürfnis nur noch einen Teil jugendtypischen Betätigungsdrangs anzusprechen vermochte.

Die »perfekte« HJ stellte einen Sozialisationsraum dar, dem man sich kaum noch freiwillig und mit der Absicht und Möglichkeit der Selbstgestaltung, sondern nur durch Akte selbstentäußernder Hingabe zuordnen konnte. Die HJ-Führung nahm schon in den Jahren vor dem Krieg Abschied von jener Art »Jugenddynamik« und dem besonderen Jugend-Generationsbewußtsein, die sie zunächst als Vehikel der eigenen Mobilisation selbst erfolgreich benutzt hatte. Aus Anlaß der Verkündung des HJ-Gesetzes von 1936 erklärte Schirach den Konflikt der Generationen für überwunden. Der Bruch mit dem Selbstverständnis der Jugendbewegung konnte allerdings z. T.

---

[11] Axmann, Arthur: Hitlerjugend 1933–1943. Berlin 1943, S. 35.

verhüllt werden, da man an anderen Elementen dieses Selbstverständnisses weiterhin festhielt, insbesondere dem damals gängigen Leitsatz »Jugend wird von Jugend geführt«.

Am Beispiel der jugendlichen Führer der HJ offenbart sich aber auch ganz deutlich die Widersprüchlichkeit zwischen jugendgemäßen Strukturen und regimekonformer Funktionalität, die für die HJ schon ab Mitte der dreißiger Jahre charakteristisch wurde. In den kleinen Einheiten lokaler Jungvolk- oder Jungmädel-Gruppen hing, wie auch aus den Berichten von NS-Bürgermeistern oder Ortsgruppenleitern hervorgeht, der Erfolg oder Mißerfolg, die Integrationsfähigkeit und Anziehungskraft der HJ in hohem Maße von den jeweiligen Führern und Führerinnen, ihrer Begabung, Beliebtheit, ihrem »Schwung« und Erfindungsreichtum ab. Und es kann nicht bezweifelt werden, daß es zahlreiche jugendliche Führer und Führerinnen von HJ-Einheiten gab, die sich ohne sonderliches weltanschauliches Engagement leidenschaftlich und mit ansteckender Begeisterungsfähigkeit gerade den jugendgemäßen Aktivitäten, der Organisation und Improvisation von Fahrten und Lagern, von Lese- und Musik-Heimabenden, der Inszenierung von Sport und Spiel hingaben. Vor allem im Deutschen Jungvolk, dessen Führer sich in den Groß- und Kleinstädten zum größten Teil aus höheren Schülern rekrutierten, die früher auch das Hauptrekrutierungsfeld der bündischen Jugend abgegeben hatten, blieben Züge dieser »bündischen« Verfaßtheit – die um den anerkannten Führer gescharte Kleingruppe – teilweise noch bis in die Kriegsjahre hinein erhalten. Daß junge Leute zwischen 15 und 18 Jahren, die im Gymnasium selbst noch auf der Schulbank saßen, im Rahmen der HJ als Jungzug- oder Fähnleinführer mit großer Selbständigkeit das »Kommando« über 40 oder 100 Jugendliche führen konnten, übte naturgemäß besonderen »Reiz« auf diese jugendlichen Führer aus und hatte im positiven Falle – mit der frühzeitigen Einübung in sehr weitgehende Verantwortlichkeit – durchaus günstige charakterbildende Konsequenzen.

Diese »ideale« Potentialität der HJ-Arbeit kann aber nicht darüber hinwegtäuschen, daß die Wirklichkeit vielfach anders aussah. Da die jugendlichen Führer »von oben« eingesetzt wurden, infolge des strengen Führerprinzips für jugendliche Mitbestimmung kaum Raum blieb, erhielten 15- bis 18jährige eine Befehlsgewalt, der sie in diesem jugendlichen Alter vielfach nicht gerecht zu werden vermochten, die zum Mißbrauch, zur jugendlichen Großmannssucht und – in sehr starkem Maße – zur jugendlichen Provokation der Erwachsenen reizte.

In der lokalen Berichterstattung werden solche Fälle so häufig erwähnt, daß sie kaum mehr als Ausnahmen betrachtet werden können: Das Braunhemd und das Führer-Abzeichen verliehen der Aggressionslust zahlreicher jugendlicher HJ-Führer gleichsam amtliche Sanktion, verschafften der Unreife und jugendlichen Brutalität eine Weltanschauungs-Legitimation und trugen erheblich dazu bei, daß sich in der HJ vielfach eine mit Selbstgerechtigkeit gepaarte Normenverwilderung breit machte, die Lehrer und Eltern mit Entsetzen erfüllte. Wenn in vielen Stimmungsberichten z. B. anläßlich der außenpolitischen Krisenlage im Herbst 1938 immer wieder davon die Rede ist, daß den größten Teil der älteren Generation die Gefahr kriegerischer Entwicklung mit tiefer Sorge erfüllte, die Mehrheit der Jugend aber für scharfe Maßnahmen gegen die Tschechen eintrete und auf kriegerisches Losschlagen brenne, so war solche ahnungslose Jugend-Aggressivität sicher in erheblichem Maße dem Geist der HJ-Erziehung zuzuschreiben, einer Erziehung, die Ernst Wiechert 1935 in einer Rede an der Münchener Universität als Vermittlung einer Art »Boxerethos« bezeichnete (was dazu beitrug, ihn ins KZ zu bringen).

Dabei waren es wahrscheinlich weniger die Schulungskurse der HJ, in denen die NS-Weltanschauung in der Regel mehr oder weniger pflichtgemäß und dürftig wiedergegeben wurde, die solche Gesinnung erzeugten, als die starke Ausrichtung der ganzen HJ-Tätigkeit auf Kampfspiele, Wettstreit und Wettbewerb, die die Ideale der Stärke, des »Siegers«, des »Erfolgreichen« auch ohne explizite ideologische Begründung wirksam vermittelte und dabei zugleich Gefühllosigkeit gegenüber Schwächeren, Minderheiten und Unterlegenen und mithin eine tiefgreifende Inhumanität des Denkens und Fühlens hervorbrachte. In der Dissertation eines HJ-Führers über die NS-Jugenderziehung lesen wir:

> »Entsprechend dem Willen des Führers ist körperliche Ertüchtigung erste und höchste Pflicht der jungen Generation. Das Messen der Kräfte bedingt den Kampf, der allein zu einer rassischen Auslese der Besten führt. Selbstvertrauen durch Kampf und Sieg muß schon von Kindheit an dem jungen Volksgenossen anerzogen werden. Seine gesamte Erziehung muß darauf angelegt sein, ihm die Überzeugung zu geben, anderen überlegen zu sein. Der junge Mensch muß sich aber auch frühzeitig daran gewöhnen, die Überlegenheit des Stärkeren anzuerkennen und sich ihm unterzuordnen . . .«[12].

Melita Maschmann, vor 1945 Mitarbeiterin in der Reichsjugendführung, beschreibt in ihrem autobiographischen Bericht »Fazit« noch eine andere Konsequenz der in der HJ forcierten Wettbewerbs-Aktivität:

> »Altersbedingter Überschuß an Tatendurst und Bewegungsdrang fand in dem ständig auf Hochtouren laufenden Aktionsprogramm der HJ ein weites Feld. Es gehörte zur Methodik der nationalsozialistischen Jugendführung, daß fast alles in Form von Wettkämpfen abgewickelt wurde. Man kämpfte nicht nur im Sport und im Beruf um die beste Leistung. Jede Einheit wollte das schönste Heim, das interessanteste Fahrtenbuch, das höchste Ergebnis bei der Spendensammlung fürs Winterhilfswerk haben oder sollte es doch haben wollen. Im ›musischen Wettstreit‹ kämpften Chöre, Spielmannszüge, Kammerorchester und Laienspielgruppen der HJ . . . Dieser ständige Kampf um die Leistung brachte schon in Friedenszeiten ein Element der Unruhe und forcierter Betriebsamkeit in das Leben der Gruppen. Er fing den jugendlichen Aktionsdrang nicht nur auf, er fachte ihn an, wo es sinnvoller und notwendiger gewesen wäre, dem einzelnen in seiner Gruppe und der Gruppe als Ganzem einer behüteten inneren Reifungs- und Entfaltungsmöglichkeit zu schaffen . . . Die Führerschaft einer solchen, auf Aktivität und Leistung gedrillten Jugend bildete allmählich einen eigenen Managerstil heraus. Sie wurde selbst von einer Aktion in die andere gejagt und jagte ihre Gefolgschaft von einer Aktion in die andere . . .«[13].

Von den Jugendverbänden der Zeit vor 1933 unterschied sich die HJ im übrigen auch dadurch, daß ihr zunehmend gesellschaftliche und staatliche Aufgaben übertragen wurden. Dementsprechend entwickelte sich auch der HJ-Führer zunehmend zum Funktionär des NS-Systems. Seine Selbständigkeit und Improvisationsmöglichkeit als Jugendführer wurde mehr und mehr begrenzt durch »hoheitliche« Funktionen, sei es im »Streifendienst« der HJ, im HJ-Landdienst, beim Reichsberufswettkampf, später im Krieg, z. B. auch bei der »Kinderlandverschickung« aus bombengefährdeten Gebieten. Die HJ wurde zur Partei der Jugendlichen und der HJ-Führer zum jugendlichen

---

[12] Heußler, Wilhelm: Aufbau und Aufgaben der nationalsozialistischen Jugendbewegung. Würzburg 1940, S. 25.
[13] Maschmann, Melita: Fazit – Mein Weg in der Hitler-Jugend. München 1979, S. 153.

Parteifunktionär. Die erfolgreiche Karriere innerhalb der HJ prädestinierte zu späteren höheren Funktionen in der NSDAP, SS, im Reichsarbeitsdienst u. a. m. In dem Maße, in dem das HJ-Führerkorps zur jugendlichen Eingangsstufe in das Karriere-System des NS wurde, verlor der ursprüngliche Impuls der Jugendarbeit an Bedeutung.

2. Bruchstellen und »Defizite« der HJ-Sozialisation

Die vorstehend skizzierte erfolgreiche organisatorische Durchsetzung der HJ bis zur Realisierung eines auch inhaltlich weit über das Maß früherer Jugendverbandstätigkeit ausgedehnten Staatsjugend-Monopols mußte, wie schon angedeutet, erhebliche Auswirkungen bei der Prägung der Jugendmentalität im Dritten Reich haben und war insofern keineswegs harmlos. Die allgemeine Gleichschaltungs- und Organisationsgeschichte der HJ würde aber – für sich genommen – ein einseitiges und falsches Bild perfekter totalitärer Jugenderfassung erzeugen. Die Realität der HJ-Integration und -Sozialisation sah oft anders aus. Die Skizze der allgemeinen Entwicklung bedarf deshalb der Ergänzung durch die konkrete Fall-Dokumentation. Dafür stehen uns eine Reihe von Erlebnisberichten, aber auch amtliche Unterlagen und Dokumente aus bayerischen Archiven zur Verfügung.

Der anfängliche, vielfach positive »Appeal«, der von der HJ ausging, ist nicht nur in der propagandistischen Selbstdarstellung der HJ – oft bis zum Überdruß – in Wort und Bild vorgestellt worden. Ein im Bundesarchiv Koblenz archivierter Propagandafilm über Fahrten und Lager des HJ-Gebietes »Hochland« (bestehend aus den Regierungsbezirken Oberbayern und Schwaben) in den bayerischen Bergen ist dafür ein besonders suggestives Beispiel. Auch Zeugnisse von Jugendlichen, die aus anderen Jugendgruppen nach 1933 zur HJ übertraten, können dafür angeführt werden. Als Beispiel zitieren wir den 1959 verfaßten Bericht des Führers einer evangelisch-bündischen Jugendgruppe, die 1933 in die HJ überführt wurde:

»Im August 1933 erfuhren der Gemeindepfarrer und ich beim zuständigen Bannführer die Bedingungen, zu denen wir in die HJ übertreten konnten. Sie waren so günstig, wie wir es nicht zu hoffen wagten: als Schar in einer Sing- und Spielgefolgschaft konnten wir zusammen Dienst tun. Die Jüngeren unter 14 Jahren traten dem Jungvolk bei, in welchem die Pfadfinder sehr geschickt ihre Jungen und Führer bereits unauffällig verteilt hatten... Der Dienst in der HJ war aufopfernd, man ging darin auf und tat es in der Gemeinschaft gern. Die Heimabende stiegen bei uns in bündischer Manier und bereiteten uns – im Gegensatz zur allgemeinen HJ – überhaupt keine Schwierigkeiten. Wir hatten Klampfen, sangen nach gewohnter Lust und Art, und wenn Besichtigung durch einen höheren HJ-Führer erfolgte, hatte der Bannführer jederzeit die Möglichkeit, mit uns zu glänzen... Unsere Kameradschaft und Gruppe in der HJ so lange wie möglich zu erhalten, schien mir wertvoller, als sie auffliegen zu lassen und einzeln zu trauern, zu versauern. Dies währte fünf Jahre, und die Zeit wurde mir nicht schwer. Ich selbst mußte 1938 die HJ verlassen, da es mir unmöglich war, in meinem Dienst als Kulturstellenleiter Eheweihen zu inszenieren, als Ersatz für kirchliche Trauungen. Hier kam ich mit meinem Gewissen in Konflikt. Außerdem lag auf der HJ-Gebietsdienststelle eine kritische Stellungnahme von mir zu gewissen Unzulänglichkeiten des damaligen Standortführers vor... Anfang 1939 ging in unserer Stadt die ›bündische Aera‹ in der HJ zu Ende, im hiesigen Jungvolk schon einige Jahre früher...«[14]

---
[14] Bericht von Steen, Ferdi, in: Rundbrief, H. 9, Darmstadt 1959.

Nicht nur in den fränkischen evangelischen Gebieten Bayerns, auch in manchen katholischen Regionen suchte die HJ anfangs ihre positive Haltung zur christlichen Kultur und Erziehung unter Beweis zu stellen und dadurch für sich zu werben[15].

Gerade in der ländlich-bayerischen Provinz, wo vor 1933 die von Geistlichen oder Pfarrfrauen geleitete kirchliche Jugendarbeit häufig die einzige Form organisierter Jugendtätigkeit darstellte, vermochte die ungezwungenere, jugendgemäßere Form der HJ vielfach anziehend zu wirken. Das galt insbesondere für den BDM, weil hier den Mädchen auf dem Lande oft zum ersten Mal überhaupt die Möglichkeit einer »modernen« Jugendarbeit einschließlich sportlicher Aktivitäten geboten wurde¹. Aus dem kleinen Ort Heiligenstadt in der Fränkischen Schweiz berichtete eine Bäckerstochter über ihre Erlebnisse beim BDM: »Wir lernten dort tanzen, und fühlten uns wohl«[17].

Ähnliche »Modernisierungs«-Wirkungen waren auch in anderen provinziellen Regionen Bayerns zu verzeichnen; z. B. durch die Förderung gesunden Sports unter der Dorfjugend, die oft erst unter dem Einfluß der HJ in den Genuß eines dörflichen Sportplatzes gelangte. Spiegelbildlich äußert sich dies in Beschwerden eines HJ-Arztes in einer kleinen Landgemeinde bei Berchtesgaden noch aus dem Jahr 1941, der Klage darüber führt, daß »die gesundheitlichen Verhältnisse der Jugend dort sehr zu wünschen übrig« ließen, »weil innerhalb der Gemeinde für die Jugend keinerlei Möglichkeit für sportliche Betätigung gegeben ist«[18].

Zu den sozialen Attraktivitäten der HJ gehörte es natürlich auch, daß die Jungen und Mädchen aus armen Bevölkerungsschichten, die außerstande waren, ihren Söhnen und Töchtern Ferienreisen zu ermöglichen, im Rahmen der HJ an Sommerlagern oder im Winter an Skilagern teilnehmen konnten, die sie auch aus der engeren heimatlichen Umgebung herausführten und daß die HJ-Führung Behörden der staatlichen Verwaltung wie der Partei zu finanziellen Zuschüssen für solche Ferienlager zu veranlassen wußte.

Als Beispiel zitieren wir aus dem Schreiben des Bannführers der HJ von Berchtesgaden an den Bezirkstag Laufen vom 5. August 1935, in dem es heißt:

»Von den aus dem Bezirksamt Laufen sich im Hochlandlager befindlichen 111 . . . Jungen sind rund 50% aus teilweise noch sehr bedürftigen Familien heraus, so daß es uns vollständig unmöglich war, die hierfür [für den Lageraufenthalt] anfallenden Kosten von den Jungen selbst hereinzubekommen«[19].

Auch die von der HJ im ganzen Reichsgebiet und so auch in Bayern seit 1934/35 forcierte Aktion zum Bau von örtlichen HJ-Heimen (»Schafft Heime«!), in denen die Jugendlichen ihre Heimabende und Zusammenkünfte im Rahmen der HJ abhalten konnten, wurde unter jugenderzieherischen und »sittlichen« Gesichtspunkten (als Vorkehrung gegen das »Herumlungern« von Jungen und Mädchen) unabhängig von

---

[15] Vereinzelt kamen solche Fälle auch in der Kriegszeit noch vor, so z. B. der kommissarische Bannführer des HJ-Bannes Deggendorf im Juli 1943 bei einem Vortrag über die Pflege christlicher Kultur in der Jugend.
[16] Vgl. Klaus, Martin: Mädchen in der Hitlerjugend. Köln 1980.
[17] Aussage in einem Fernseh-Interview, Juni 1978, für den Dokumentarfilm »Bayern in der NS-Zeit«. Erstsendung am 25. November 1978.
[18] StA München (StAM), NSDAP 348, Schreiben des Bannes Berchtesgaden an die NSDAP-Kreisleitung vom 24. 3. 1941.
[19] StAM, NSDAP 348.

politisch-weltanschaulichen Einstellungen gerade in der Provinz vielfach als Fortschritt begrüßt. Und daß solche HJ-Heimabende oft ganz unpolitisch verliefen, versöhnte auch manche anfänglichen Skeptiker und Gegner unter den Erwachsenen. Es war keineswegs untypisch, wenn der HJ-Führer von Berchtesgaden an den dortigen Bürgermeister und Kreisleiter im Jahre 1935 folgende Einladung richtete:

»Am Montag den 12. August abends 8.15 Uhr halten das Jungvolk und Jungmädel im Hotel Watzmann (Saal) einen Heimatabend mit Theater, Schuhplatteln, Tänzen, Gedichten usw. ab. Da wir wissen, daß Sie ein Freund und Gönner der Jugend sind, laden wir Sie zu diesem Abend herzlich ein«[20].

Wenn man weiß, daß auch die NSDAP sich in der bayerischen Provinz in den Jahren nach 1933 vielfach dadurch bei der Bevölkerung attraktiv zu machen suchte, daß sie auf politisch-weltanschauliche Schulungen weitgehend verzichtete und statt dessen Heimatkulturabende veranstaltete, wird man sich nicht wundern, daß die HJ ähnlich verfuhr. Diesen harmlosen Aspekten der HJ-Tätigkeit standen freilich ganz andere gegenüber.

In vielen katholischen Gemeinden Bayerns durchbrach die HJ sehr bald nach 1933 die anfangs auferlegte Zurückhaltung gegenüber der kirchenfrommen Einstellung großer Teile der Bevölkerung. Sie beteiligte sich vielerorts aktiv an der Drangsalierung katholischer Jugendorganisationen. Und in manchen Orten Bayerns, wo die katholischen Jugendorganisationen eine relativ starke Stellung hatten, kam es 1933–1935 zu handgreiflichen Konflikten. Zur Veranschaulichung zitieren wir im folgenden einige Beispiele aus den Akten oberbayerischer Bezirksämter.

In der ländlichen Umgebung von Berchtesgaden und Reichenhall in Ost-Oberbayern, wo die Rekrutierung der HJ auf den starken Widerstand katholischer Geistlicher und Jugendvereine stieß, unternahm die HJ schon 1933/34 offenbar gezielte Aktionen: In Hainham (Bez. Berchtesgaden) überfielen ca. 75–100 HJ-Jungen aus Bad Reichenhall eine von einem katholischen Geistlichen geleitete Versammlung des katholischen Burschenvereins, zwangen dessen Mitglieder, sich ihrer Blauhemden zu entledigen, zogen sie ihnen gewaltsam aus[21].

Im Juli 1934 berichtete das Bezirksamt Laufen abermals über ähnliche Gewalttätigkeiten: HJ-Angehörige seien in das Heim eines konfessionellen Jugendvereins eingedrungen und hätten gewaltsam die Vereinsfahnen entfernt und sich auch »Ausfälle gegen die Gendarmerie« erlaubt[22]. Im November 1935 meldete das Städtische Polizeiamt Bad Reichenhall die gewaltsame Besetzung und Durchsuchung der Räume des katholischen Jugendvereins durch eine HJ-Einheit, deren Führer anschließend der herbeigerufenen Polizei erklärte, »im Auftrag einer höheren Parteidienststelle« tätig geworden zu sein, da der Verdacht bestehe, daß die Vereinsangehörigen »noch im Besitze verbotener Fahnen und Abzeichen seien und sich auch sonst in verbotener Weise betätigen«[23].

Über ähnliche Aktionen gegen katholische »Blauhemden« beschwerte sich im Bezirk Erding der dortige Präses des katholischen Jungmännervereins[24]. Und auch aus Penzberg

---

[20] Ebenda.
[21] StAM, LRA 30 655.
[22] StAM, LRA 29 655, Bericht des Bezirksamts Laufen an die Regierung von Oberbayern vom 20. 7. 1934.
[23] StAM, LRA 31 476, Bericht des Städt. Polizeiamtes Bad Reichenhall vom 4. 11.1935.
[24] StAM, LRA 146 270.

im Bezirk Weilheim wurde berichtet, daß die HJ gewaltsam gegen die Träger von Blauhemden vorging[25].

Im Oktober 1935 unternahm die HJ aus Berchtesgaden auch eine gewaltsame Durchsuchung des katholischen Lehrlingsheims »St. Vinzentinus« in Bad Reichenhall, worauf der dortige Ortsgruppenleiter die Schließung des Heims und die Versetzung des Leiters des katholischen Gesellenvereins anregte[26]. Im selben Monat verbot das Bezirksamt beabsichtigte Zusammenkünfte der Vorstände der katholischen Arbeitervereine in verschiedenen Orten des Bezirks Berchtesgaden und Laufen wegen »der erheblichen Reibungsflächen zwischen den konfessionellen Verbänden und der NSDAP, insbesondere der HJ«[27]. An diesen in den Akten überlieferten Vorfällen wird deutlich, daß die gegen die katholischen Jugendvereine gerichteten rechtswidrigen Aktionen der HJ mit Hoheitsträgern der NSDAP und auch mit nationalsozialistischen Amtsvorständen in den Bezirksämtern abgestimmt waren, um letztere zu Verboten der katholischen Vereinstätigkeit mit der fadenscheinigen Begründung der »Aufrechterhaltung von Ruhe und Ordnung« zu veranlassen.

In einigen Fällen versicherte sich die HJ, über die zuständigen Kreisleitungen der NSDAP, auch der »Unterstützung« durch die Bayerische Politische Polizei, so z. B. Ende 1936 in Schongau, als es um die Beschlagnahme eines ehemaligen katholischen Jugendheimes für die Zwecke der HJ ging[28].

Anläßlich der Caritassammlung in München im Mai 1935 rissen HJ-Angehörige älteren Frauen öffentlich Caritas-Abzeichen von der Kleidung und beteiligten sich an den antikatholischen Provokationen. Auch für antisemitische Aktivitäten stellte sich die HJ in einer ganzen Reihe von bayerischen Gemeinden zur Verfügung. Auf dem Julimarkt in Penzberg verteilten 1935 HJ-Angehörige vor jüdischen Markthändlern demonstrativ *Stürmer*-Zeitungen und provozierten Kundgebungen gegen die jüdischen Händler, die deswegen schließlich gezwungen waren, den Markt zu verlassen[29].

In Hohenwart (Bez. Schrobenhausen) war es die HJ, die im Mai 1935 zum Mißfallen der Bauern an den Ortseingängen Schilder aufstellte mit der Aufschrift »Juden sind hier unerwünscht«[30].

Immer wieder stand die HJ aber vor allem in der vordersten Linie des Konflikts mit dem Katholizismus und der Katholischen Kirche. Im Dezember 1936 versuchte die HJ in Bad Aibling einen Lehrer zu veranlassen, in der Schule ein Plakat aufzuhängen, in dem die Religion verächtlich gemacht wurde[31]. In Berchtesgaden veranlaßte die HJ im Herbst 1935 die Inschutzhaftnahme eines Bäckermeisters, der vor seinen Lehrlingen die HJ kritisierte[32]. In Landsberg a. Lech hielten auch nach der gesetzlichen Institutionalisierung der HJ zur »Staatsjugend« eine ganze Reihe von Eltern ihre Kinder absichtlich vom HJ-Dienst zurück, weil sie, wie das Bezirksamt berichtete, dort vom Besuch der Kirche

---

[25] StAM, NSDAP 627.
[26] StAM, NSDAP 395.
[27] StAM, NSDAP 409.
[28] StAM, NSDAP 571, Kreisleiter an BPP vom 14. 12. 1936.
[29] StAM, NSDAP 627.
[30] StAM, LRA 72 055, Gendarmerie-Anzeigen 1935.
[31] StAM, LRA 47 128.
[32] StAM, LRA 31 475.

53. HJ-Schulungswagen in Landsberg.

54. HJ-Schaukasten.

abgehalten würden[33]. In München weigerten sich Eltern im Frühjahr 1937 ihre Kinder weiter am HJ-Dienst teilnehmen zu lassen, weil ein höherer HJ-Führer bei einem Appell das Kruzifix von der Wand genommen und erklärt hatte, »Unser Glaube sei Deutschland«[34]. Der Inhaber einer katholischen Buchhandlung in Berchtesgaden beschwerte sich im Sommer 1938 darüber, daß von Angehörigen der HJ das Wort »katholisch« in seinem Firmenschild »zweimal mit roter Ölfarbe verschmiert« worden sei[35]. Beamte oder Geschäftsleute, von denen bekannt war, daß sie ihre Kinder von der HJ fernhielten, versuchte die HJ direkt oder über die Partei einzuschüchtern.

Die Ansetzung von HJ-Appellen während des Sonntagvormittag-Gottesdienstes oder bewußt provozierendes lautes Fanfaren-Blasen von HJ-Einheiten vor der Kirche und ähnliche Vorkommnisse trugen in Bayern vielerorts dazu bei, der Hitler-Jugend das Image einer bewußt kirchenfeindlichen Organisation zu verleihen, was zahlreiche Eltern auch nach 1936 noch veranlaßte, ihre Kinder nach Möglichkeit von der HJ fernzuhalten.

Eine Aufstellung über die Schuljugend der Stadt Berchtesgaden vom 11. September 1935[36] zeigt gleichwohl, daß schon zu diesem Zeitpunkt ein erheblicher Teil der schulpflichtigen Jugend auch bayerischer kleiner Städte in der HJ bzw. im BDM organisiert war. Die Aufstellung weist aus, daß in Berchtesgaden im Herbst 1935 die Jungen und Mädchen der Volksschule zu 70 Prozent, die der Mittelschule zu 85 Prozent und die Knaben der Berufsschule zu 86 Prozent organisiert waren.

Sehr viel geringer war der Organisationsgrad der HJ aber in der ländlichen Umgebung der kleinen Städte. Das zeigt sich gerade im ostoberbayerischen Gebiet um Berchtesgaden, Reichenhall und Laufen, wo erhalten gebliebene Landrats- und NSDAP-Akten mancherlei Klagen über den schlechten Zustand der HJ-Organisationen und -Führung auf dem Lande aufweisen. Gerade hier war es wegen der starken kirchlichen Gebundenheit der Bevölkerung für die HJ auch schwer, geeignete Führer zu finden. In Teisendorf hatte ein HJ-Führer durch geschmacklose antikatholische Kundgebungen 1934 die Bevölkerung so sehr gegen die Hitler-Jugend aufgebracht, daß sich schließlich auch der Ortsgruppenleiter der NSDAP beschwerdeführend an den Kreisleiter wandte:

»So geht es nicht weiter. Wenn in diesem Sinne ... weitergearbeitet wird, ist in kürzester Zeit eine HJ nicht mehr vorhanden. Schließlich sind die Eltern ja die ersten Erzieher ihrer Kinder. Wenn diese aber so etwas sehen oder hören ... dann braucht man sich nicht wundern, wenn dieselben ihre Jungen nicht mehr gehen lassen. Die bisherige Führung der HJ lehnte die Bevölkerung ab und muß ich ablehnen, da sie mir in meinem Ortsgruppengebiet schon mehr zerstör, was ich in jahrelanger mühsamer Kleinarbeit aufgerichtet habe«[37].

Ähnlich war der Inhalt des Schreibens eines Lehrers und Parteigenossen aus dem Dorf Froitsmoos (Ortsgruppe Palling) an den Kreisleiter von Laufen-Berchtesgaden vom 23. Februar 1935:

»Seit längerer Zeit laufen bei mir ständig Beschwerden von Eltern über den äußerst mangelhaften Betrieb bei Jungvolk und HJ in unserem nördlichen Bezirk ein. Am Samstag, dem eigentlichen

---

[33] StAM, LRA 45 157.
[34] StAM, LRA 58 312.
[35] StAM, NSDAP 326.
[36] StAM, NSDAP 348.
[37] Ebenda.

Appelltag des J. V. ist überhaupt nicht Dienst, weder in Palling noch in Froitsmoos oder Tyrlaching. Die Kinder lungern zu Hause herum ... Führer ist keiner da; die Buben sind sich selbst überlassen, und das nun schon seit Wochen. Werbung zum Eintritt in J. V. kann dieser vollständig unmögliche Betrieb wirklich nicht machen, eher wirkt er als Abschreckung; die besseren J. V.-Angehörigen, die hören und lesen, wie anregend und interessant der Betrieb anderswo gestaltet wird, wollen nicht mehr mittun, die Eltern aber schimpfen! Bei einer Werbung zum Eintritt in die HJ muß man sich das gröbste Stück an den Kopf werfen lassen, ohne etwas Stichhaltiges erwidern zu können«[38].

Auch in den Jahren 1938/39 scheint sich der organisatorische Zustand der HJ in manchen ländlichen Gebieten Ost-Oberbayerns noch in einem recht desolaten Zustand befunden zu haben. Am 2. Februar 1938 wandte sich der Kreisamtsleiter der NSDAP im Kreis Laufen an die Bannführung der Hitler-Jugend in Traunstein mit der Bitte, »sämtliche örtliche HJ-Führungen im Kreisgebiet Laufen einer Prüfung zu unterziehen um zu erreichen, daß die Hoheitsbereiche Führer erhalten, die die Jungs zusammenhalten können«[39]. Kurz zuvor, am 30. Januar 1938, hatte der Leiter des NSDAP-Stützpunktes Fridolfing dem Bannführer über die Lage der HJ berichtet:

»Im Standort Fridolfing, meines Stützpunktes, wird die Schar der HJ von einem Scharführer S. geführt. Der Scharführer mag sicher einen sehr guten Willen haben, seine Jugend in Ordnung zu halten, aber er steht ziemlich machtlos dem Umstand gegenüber, daß die Jugendlichen die Appelle in äußerst geringer Zahl besuchen. Eine kürzlich diesbezüglich gemachte Stichprobe ergab eine Antrittsstärke von 5 Mann von einer Sollstärke von 28 Mann«[40].

Noch zum Juni 1939 meldete der Bürgermeister der Gemeinde Hemhof aus dem Kreis Rosenheim: »HJ und BDM sind seit über 6 Monaten ohne Führung«[41].

An solchen Beispielen wird ein Strukturproblem sichtbar: Während für die Jungvolk-Gruppen zumindest im städtischen Bereich im allgemeinen ein größeres Reservoir von ehrenamtlichen »Einheitsführern« im Alter von 15 bis 17 Jahren zur Verfügung stand (zumeist Mittel- oder Oberschüler), waren für die Gliederung der 14- bis 18jährigen HJ-Jungen nur schwer ehrenamtliche Führer mit einigem Altersvorsprung zu finden, vor allem nach der Einführung der allgemeinen Arbeitsdienst- und Wehrdienstpflicht in den Jahren 1935/36. Hinzu kam, daß die Oberschüler, die über relativ viel Freizeit verfügten, vielfach zur Absonderung in den erwähnten Sondereinheiten neigten oder sich am ehesten noch als Pimpfen-Führer für das Jungvolk bereitfanden. Lehrlinge und Jungarbeiter waren durch Berufsausbildung und Arbeit stärker beansprucht und nicht so leicht in der Lage, der zeitaufwendigen Tätigkeit als ehrenamtlicher HJ-Führer nachzugehen; die ganz anderen Lebenserfahrungen, über die sie verfügten, machten sie wiederum zu einer schwierigen »Gefolgschaft« für gleichaltrige oder nur wenig ältere Oberschüler als Führer[42].

Für den BDM standen Führerinnen in größerem Umfange zur Verfügung, weil hier nur die Arbeitsdienst-, nicht die Wehrdienstzeit das Reservoir einschränkte; außerdem ließ sich die ehrenamtliche Führerinnen-Rolle mit Berufs- oder Ausbildungssituationen,

---

[38] Ebenda.
[39] StAM, NSDAP 382.
[40] Ebenda.
[41] StAM, NSDAP 532.
[42] Vgl. hierzu die Interpretation des ehemaligen HJ-Führers Taege, Herbert: Über die Zeiten fort. Lindhorst 1978, S. 76f.

in denen der Anteil von Frauen besonders hoch war (Volksschullehrerinnen, Sozialberufe), leicht verbinden.

Insofern läßt sich festhalten, daß die Untergliederung der 14- bis 18jährigen Jungen, die HJ im engeren Sinne, das schwächste Glied im System der NS-Jugendorgansiation darstellte, obwohl dem politisch-erzieherischen Anspruch der HJ nach gerade diese Untergliederung den Kern des »jungen Nationalsozialismus« ausmachen sollte.

Aufs Ganze gesehen, erwies sich die Ambition, über die HJ die Gesamtheit der Jugend zu organisieren und im NS-Sinne zu sozialisieren, als pädagogisch unrealistisch. Wenn die Jugendlichen bis in jedes Dorf und möglichst ohne Ausnahme in den HJ-Dienst einbezogen werden sollten, dann setzte dies ein Reservoir an HJ-Führern bzw. -Führerinnen voraus, das zumindest auf dem Lande so nicht zur Verfügung stand; in den städtischen Regionen konnte die HJ dieses Personalproblem in den Jahren 1933 bis 1935 noch am ehesten lösen, als sie in größerem Umfange »vorqualifizierte« Jugendleiter oder Gruppenführer aus den aufgelösten oder in Auflösung befindlichen bündischen und konfessionellen Jugendverbänden an sich heranzuziehen vermochte. Auch diese Quelle versiegte aber, ironischerweise durch die Unterdrückungsmaßnahmen und »Säuberungsaktionen« der HJ-Führung selbst; und der HJ-Betrieb, wie er sich nach dem Gesetz über die Hitler-Jugend von 1936 und endgültig mit der Jugenddienstverordnung von 1939 entwickelte, war nicht unbedingt dazu angetan, pädagogisch motivierten Nachwuchs an Jugendleitern für die HJ herauszubilden. Die Reichsjugendführung ging nun dazu über, die Ausbildung zumindest zum höheren HJ-Führer zu professionalisieren, also ihr Führerkorps auf eine institutionalisierte Ausbildung (Akademie für Jugendführung in Braunschweig) und fixierte Berufskarierre umzustellen[43]. Durch zahlreiche Verordnungen, Erlasse und Bestimmungen der Reichsjugendführung bis hin zur »Anzugsordnung für das Führerkorps der Hitler-Jugend« wurden Laufbahn und Typ des HJ-Führers bis ins Detail in einer Mischung von militärischen und verwaltungsmäßigen Mustern normiert.

Auf diesem Wege konnten aber wiederum nur die höheren bzw. hauptamtlichen Leitungsfunktionen besetzt werden.

Angesichts dieser Personalschwierigkeiten ging die HJ gerade in ländlichen Gebieten von ihrem eigenen Prinzip der Führung Jugendlicher durch Jugendliche in großem Maßstab ab; die ländliche HJ-Erziehung war weitgehend auf die Mitarbeit von Lehrern und Lehrerinnen angewiesen. Eben dadurch ergaben sich aber wiederum neue Konflikte und innere Widersprüche, und man geht wohl nicht fehl in der Annahme, daß in weiten Teilen des Landes die nahezu restlose Organisierung der Jugendlichen durch die HJ ein Erfolg war, der lediglich auf dem Papier stand und sich höchstens in gelegentlichen »Appellen« und Aufmärschen realisierte. Die Berichte der Behörden und Parteidienststellen Bayerns sind voll von Klagen über diese Problematik. Als typisch kann hier für die Situation um 1936 ein Bericht des Bezirksamts Ebermannstadt gelten, in dem es heißt:

». . . Das Jugendfest wurde, soweit die Schulleitungen beteiligt waren, pflichtgemäß durchgeführt. Soweit die Durchführung in den Händen der Jugendorganisationen (HJ, JV, BdM) lag, war die Durchführung mangelhaft, zum Teil völlig ungenügend. Es zeigte sich wieder, daß auf dem Lande

---

[43] Vgl. Schultz, Jürgen: Die Akademie für Jugendführung der HJ in Braunschweig. Braunschweig 1978, S. 27f.

die erforderlichen Führer nicht vorhanden sind und daß die mit der Durchführung beauftragten Personen diesen Aufgaben nicht im entferntesten gewachsen sind. Die Bevölkerung hat demgemäß an den Veranstaltungen im Gegensatz zu den vergangenen Jahren in keiner Weise Interesse genommen ... Im ganzen gesehen war das diesjährige Jugendfest keine Propagandaveranstaltung für die Organisation der Staatsjugend. Es muß ehrlich ausgesprochen werden, daß man auf den bisher beschrittenen Wegen der Jugendführung unter Ausschaltung der Lehrer wirkliche Erfolge nicht verzeichnen kann; jedenfalls hat auf dem Land und in den kleinen Städten die Jugend erneut den Beweis erbracht, daß sie nicht in der Lage ist, sich selbst zu führen. Die Ortsgruppenleiter haben mir durchwegs diese Auffassung bestätigt ...«[44].

Die erklärte Absicht der Reichsjugendführung war es, Schule und HJ-Dienst nicht ineinander verschwimmen zu lassen, wohl auch deshalb, weil sie vermutete, daß die HJ nur als strukturelle Alternative zur Schule attraktiv werden könne. Schirach hatte in seinen Stellungnahmen hierzu stets verkündet, »Lehren und Führen« seien grundverschiedene Tätigkeiten, und in der HJ-Publizistik fanden sich immer wieder Äußerungen, die HJ und Schule in einen Vergleich setzten, der zugunsten der Staatsjugendorganisation ausfiel. Auch die NS-gebundenen Teile der Lehrerschaft reagierten hierauf häufig sehr empfindlich. In einem Tätigkeitsbericht des NSLB des Gaues München-Oberbayern wurde z. B. folgende Kritik an der HJ-Führung geübt:

»... Wir Erzieher, die wir wie kein anderer Stand neben unserer nervenaufreibenden beruflichen Tätigkeit in ehrlichster und anständigster Weise unsere ganze Freizeit, teilweise sogar einen Teil unserer wohlverdienten Ferien, der Arbeit in der Partei, ihren Gliederungen und angeschlossenen Verbänden ... freudig opfern, haben es nun endlich satt, uns und unsere ehrliche Arbeit in der Öffentlichkeit mit Dreck beschmeißen zu lassen. Der HJ muß endlich einmal und deutlichst zum Bewußtsein gebracht werden, daß die Frontkämpfer der Jahre 1914 mit 1918 – und die meisten Erzieher waren ja Soldaten des Weltkrieges! – zwar stärkste Disziplin zu halten verstehen, die sie nicht in der HJ gelernt haben, daß in ihnen aber auch noch der alte Frontgeist der Jahre 1914 mit 1918 lebt, der vor allem eines nicht kannte und auch heute noch nicht kennt: Feigheit!«[45].

Einige Jahre später schrieb eine NSDAP-Ortsgruppe im Gau Franken in ihrem Monatsbericht:

»... Unsere größte Sorge auf dem Lande bereitet uns die Jugenderziehung, denn sie droht uns ganz aus der Hand zu gleiten. BdM hat z. Zt. gute Führung, aber das JV verlottert von Tag zu Tag mehr, denn die Lehrer haben ihre seitherige Mitarbeit fast völlig eingestellt. Sie gehen sogar dazu über, den Schülern an den Jugendtagen [schulfreier Sonnabend für HJ-Angehörigen] Hausaufgaben zu geben, so daß die Jungen dem Dienst fernbleiben. Ein Hauptgrund, warum die Lehrer nicht mehr mitarbeiten, ist der, daß der Reichsjugendführer sowohl in Reden als auch in seiner Presse fortwährend die Lehrer angreift. Die Gründe der Lehrer sind verständlich und ich bitte, im Interesse der Jugend mit größtem Nachdruck dahin zu wirken, daß diese Angriffe eingestellt werden. Es ist ausgeschlossen, daß die Führer des JV auf dem Lande sich durchsetzen, von der HJ [hier als Unterscheidung der Altersgruppen in der HJ gemeint], überhaupt zu schweigen. Die HJ besteht nur mehr dem Namen nach, da ein gleichaltriger HJ-Führer mit diesen in den besten Lümmeljahren stehenden Kameraden nur in ganz seltenen Fällen sich durchsetzen kann ...«[46].

Im gleichen Jahr berichtete das NSDAP-»Amt für Erzieher« eines Kreises aus Oberbayern:

---

[44] Bayern in der NS-Zeit I. Soziale Lage und politisches Verhalten der Bevölkerung im Spiegel vertraulicher Berichte, hrsg. von Martin Broszat, Elke Fröhlich, Falk Wiesemann. München 1977, S. 93.
[45] Ebenda, S. 546.
[46] Ebenda, S. 524.

»In unserem Kreise liegt die Führung des JV fast 100% in den Händen der Lehrerschaft, und es zeigt sich erfreulicherweise, daß die Lehrerschaft sehr wohl imstande ist, auch außerschulisch die deutsche Jugend ohne Pedanterie und falsche Schulmeisterei zu führen. Überall dort, wo die Jugend sich selbst überlassen bleibt, zeigt sich ein erschreckender Mangel an geeigneten Führerpersönlichkeiten. Entweder wird die Appellzeit hilflos vertrödelt oder die Appelle finden überhaupt nicht statt . . .«[47].

Die zitierten Äußerungen lassen erkennen, daß Reibereien zwischen Lehrern und der HJ-Führung auch dort an der Tagesordnung waren, wo beiderseits NS-loyale Kräfte standen. Für die Mehrzahl der NS-Lehrerschaft mußte eine Lockerung der »Schulzucht« auch dann bedenklich sein, wenn sie auf die Staatsjugend zurückzuführen war. Sie sahen die Aufgabe der Schule noch immer vor allem darin, gediegene Kenntnisse zu vermitteln.

Gerade in der »rückständigen« Provinz stieß die HJ aber auch auf Motive und Formen der Resistenz, die mit konträren prinzipiellen Erziehungszielen wenig zu tun hatten, vielmehr in den Bereich des antimodernen Traditionalismus gehören. Schon allein die Tatsache, daß die BDM-Mädchen Sport und Spiel in leichten Turnanzügen verrichteten, galt in manchen katholischen Dörfern als sittenwidrig und anstößig. Vor allem aber auch die traditionelle Heranziehung der Kinder für die Arbeit auf dem Lande wirkte dem HJ-Freizeitangebot entgegen. Solche Einstellungen der Eltern, oft mit katholischer antinationalsozialistischer Gesinnung eher verbrämt als fundiert, kamen deutlich zum Vorschein, als die nationalsozialistische Lehrerin einer Fortbildungsschule in der Gemeinde Weildorf im Bezirk Laufen Anfang August 1936 sechs Schülerinnen ihrer Klasse aufforderte, schriftlich zu erklären, »weshalb sie nicht dem BdM beitreten«.

Die so zustandegekommenen Schülererklärungen, sämtlich vom 2. August 1936, wurden von ihr anschließend zur Veranschaulichung der Verhältnisse in Weildorf an den Kreisleiter der NSDAP weitergereicht. Sie sollen im folgenden vollständig wiedergegeben werden[48].

Mädchen A:
»Warum gehe ich nicht zum B.d.M. In der Regierung Adolf Hitler wurde dieser Verein aufgebracht. Wir sollen auch zu diesem Verein dazu gehen, aber leider ich darf von daheim aus nicht dazu gehen, sonst würde ich ausjagt. Meine Eltern wollen keine Ferkel sehen. Mir ist es viel zu beschwerlich in den Appell zu gehen. Am Werktag kann man arbeiten, daß uns die Rippen krachen, und am Sonntag statt dem Gottesdienst können wir fest exerzieren, darum gehe ich nicht zum B.d.M.«.

Mädchen B:
»Ich habe zum B.d.M. nicht dazu gehen dürfen. 1. Weil in Weildorf niemand dabei ist. 2. Weil ich auch an den Werktagen nicht Zeit hätte zum Mitmachen. 3. Weil ich von den anderen ausgelacht werde«.

Mädchen C:
»Ich gehe nicht zum B.d.M., weil ich, wenn ich dabei wäre, in den Appell gehen müßte. Dazu habe ich am Werktag nicht Zeit. Abends und an den Feiertagen freut es mich nicht. Da möchte ich ausruhen. Auch ließen mich die Eltern mit Badeanzug *öffentlich* nicht auftreten und auch nicht von solchen, welche Badeanzüge öffentlich tragen, nicht erziehen«.

---

[47] Ebenda, S. 550f.
[48] StAM, NSDAP 348.

55. Werbeplakat für den Bund Deutscher Mädel.

Mädchen D:
»1. Die Eltern haben es mir nicht erlaubt. 2. Habe ich auch kein Interesse dazu. 3. An den Werktagen habe ich keine Zeit und an den Feiertagen muß ich in die Kirche gehen. 4. Täte ich mich auch schämen«.

Mädchen E:
»Wir müßten uns schämen mit dem Turnanzuge. Wir sind auf dem Land und nicht in der Stadt. Am Tage haben wir nicht Zeit. Am Abend sind wir müde von der Arbeit«.

Mädchen F:
»Bereits in allen Gegenden ist der Bund deutscher Mädel eingeführt nur in Weilcorf nicht. Die Gründe sind: 1. Weil wir während des Tages nicht Zeit haben und am Abend und anderen Feiertagen einmal nach starker Arbeit ruhen wollen. 2. Weil wir uns schämen mit den Turnanzügen, wie sie sie bereits haben müßten, im Freien herumzulaufen und von den anderen verlacht zu werden«.

Die Erklärungen sprechen für sich selbst und bestätigen, daß HJ und BDM unter solchen Verhältnissen tatsächlich in gewisser Weise »emanzipatorische« Momente enthalten konnten. Aber ehe ein solcher, in der Provinz zwangsläufig auf große Schwierigkeiten stoßender Effekt sich auswirken konnte, begannen HJ und BDM, spätestens in der Kriegszeit, ihre anfängliche Attraktivität mehr und mehr einzubüßen.

Wir zitieren hierzu noch einmal Melita Maschmann:

»Die Hitler-Jugend war, wenn man von ihren Anfängen in der Kampfzeit absieht, keine ›Bewegung‹, sie wurde mehr und mehr ›Staatsjugend‹, d. h. sie institutionalisierte sich mehr und mehr und wurde schließlich ein Instrument, mit dessen Hilfe die nationalsozialistische Staatsführung ihre weltanschauliche Ausrichtung der Jugend und den Kriegseinsatz bestimmter Jahrgänge dirigierte. Gründe für diese Entwicklung lassen sich auch in gewissen äußeren Zwangssituationen finden. Etwa darin, daß die HJ nach 1933 einen Zuwachs an Mitgliedern integrieren mußte, der jedes gesunde Größenwachstum unmöglich machte. Die Massen, deren Zustrom bewältigt werden sollte, konnten nicht nach dem Prinzip der Jugendbewegung innerlich langsam gewonnen und von einer Auslese qualifizierter Führer in die Gemeinschaft einbezogen werden. Das Äußerste, das geleistet werden konnte, war ihre organisatorische ›Erfassung‹ und eine primitive weltanschauliche ›Abrichtung‹ nach Schema F. Bei Kriegsausbruch war dieser Prozeß der Einschmelzung noch nicht beendet . . ., und schon drohte eine neue Nötigung zum Verzicht auf das eigentlich jugendgemäße Gruppenleben: der praktische Kriegseinsatz, der im Laufe der Jahre fast alle anderen Betätigungen der HJ überwucherte. Ich möchte behaupten, daß es in der HJ Ansätze zu echter Jugendbund-Arbeit gegeben hat, aber sie wurden von der Ungunst der geschichtlichen Entwicklung an ihrer Entfaltung gehindert, und es ist mehr als fraglich, ob sie – ohne diese Behinderung – hätte wachsen dürfen . . .«[49].

Was die HJ im Zuge ihrer Institutionalisierung als Pflichtorganisation an jugendbündischer Attraktivität verlor, suchte sie zu kompensieren durch den Ausbau eines ganzen Systems jugendlicher Leistungskonkurrenzen und – bei den Jungen – durch das Angebot militärähnlicher, zumeist mit technischen Interessen verquickter Möglichkeiten jugendlicher Aktivität.

Man wird allerdings annehmen können, daß die hier in Gang gesetzte Motorik die Jugendlichen nicht unbedingt langfristig anzog; insbesondere die militärähnlichen Übungen, die ja zwangsläufig durch Gleichförmigkeit gekennzeichnet waren, büßten für viele Jungen ihre Anziehungskraft ein, wenn sie zur Gewohnheit geworden waren. In

---

[49] Maschmann, a. a. O., S. 151f.

Erlebnisberichten Nürnberger Schüler, die unmittelbar nach 1945 aufgeschrieben und gesammelt wurden, findet sich eine Aussage, die wohl nicht untypisch ist:

»Im April 1940 wurde ich in das Jungvolk aufgenommen. Wir waren alle mit großem Eifer dabei, Gleichschritt, Wendungen und Robben zu lernen. Es war, wie alles Neue, am Anfang sehr schön. Später jedoch, als man zweimal in der Woche zum Dienst mußte, um wieder einmal mit lautem Gesang die Straßen zu durchlaufen, verlor es für mich seinen Reiz. Dazu kam, daß ich keine ›Führernatur‹ war, nicht angeben und schreien konnte. Folglich war mir das Los bestimmt, ewig ein Glied der Herde zu sein, die stumpfsinnig die Befehle ihrer Führer ausführt. Das war keine Aufmunterung für mich . . .«[50].

Eine dauerhafte Attraktion boten vermutlich am ehesten die technisch oder sportlich ausgerichteten Sondereinheiten der HJ, also die Motor-, Flieger-, Nachrichten-, Reiter- und Marine-HJ. Allerdings waren solche Sondereinheiten nicht überall zur Verfügung, zudem entwickelten sie sich häufig zu Ansammlungen von privilegierten Jungen, also Gymnasiasten oder Jugendlichen aus dem gehobenen Mittelstand, die ihre Sonderstellung gegen »Eindringlinge« zu schützen wußten.

Wie sehr die – z. T. schon vorher auf dem Lande schwache – Organisation der HJ während der Kriegszeit infolge der geschilderten Entwicklung vielerorts in Bayern zu wünschen übrig ließ, zeigen die Berichte bayerischer Staats- und Parteidienststellen, aus denen wir im folgenden zitieren[51]:

NSDAP-Ortsgruppenleiter aus Nassenfels im Juli 1939:

». . . HJ, Jungvolk, BdM und Jungmädel halten einen Dornröschenschlaf. Trotz aller meiner Bemühungen habe ich noch keine Besserung herbeiführen können. Wenn die Mitglieder der HJ und des BdM aus der Schule entlassen sind, dann kümmern sie sich nicht mehr um HJ und BdM, sondern bleiben einfach weg von den Heimabenden. Scheinbar sind sie der Ansicht, daß mit ihrer Schulentlassung auch ihre Entlassung aus der HJ und dem BdM getätigt ist . . .«.

Gendarmerieposten Oberneukirchen im Januar 1940:

». . . Bei den HJ- und BdM-Appellen ist festzustellen, daß diese von den Jungen und Mädchen nur unvollständig besucht werden. Als Grund hierfür wird meistens vorgebracht, daß die Jungen und Mädchen mangels geeigneter Arbeitskräfte vollauf zuhause in der Landwirtschaft beschäftigt sind und deshalb ihre wenige freie Zeit zum Ausruhen benötigen würden; auch wird geltend gemacht, daß von den HJ- und BdM-Führern und -Führerinnen der Jugend nichts Lehrreiches angeboten werde . . .«.

Landrat des Kreises Weilheim im Oktober 1940:

». . . Bei den gemäß Gesetz über die Hitlerjugend durchgeführten Erfassungsappellen mußte festgestellt werden, daß ein großer Teil der HJ-Dienstpflichtigen nicht erschienen ist . . .«.

Landrat des Kreises Mühldorf im Dezember 1940:

». . . Die Schwierigkeiten mit der Pflicht-HJ sind jetzt geringer geworden, seitdem die Teilnahme durch eine gewisse Strafgewalt erzwungen werden kann. Besonders gut sind die Erfahrungen jetzt in Mühldorf selber, seit ein Feldwebel sich der Sache angenommen hat . . .«.

---

[50] Glaser, Hermann und Axel Silenius (Hrsg.): Jugend im Dritten Reich. Frankfurt 1975, S. 103.
[51] Die nachstehenden Auszüge sind aus folgenden Beständen genommen: StA München, LRA 29 656; StA München LRA 135 112–117; StA München, NSDAP 617; StA Neuburg, NSDAP und Gliederungen, Gauleitung Schwaben 9; StA Nürnberg, LRA, Hilpoltstein Abg. 71, Nr. 1530; StA Nürnberg, NSDAP Nr. 8, 56–65.

NSDAP-Kreisleitung Augsburg-Stadt im Oktober 1941:

»... Die Meldungen von HJ und BdM zur Partei stehen in gar keinem Verhältnis zur Stärke der Jugend, selbst wenn man berücksichtigt, daß ein Teil und vielleicht gerade die Besten aus der HJ schon zum Arbeitsdienst oder zur Wehrmacht eingerückt sind. Scheinbar hat sich nun diese Erscheinung nicht nur in Augsburg gezeigt, sondern im ganzen deutschen Reich, da man ja eine Fristenverlängerung für die Eingliederung vorgenommen hat. Es muß in diesem Zusammenhang immer wieder darauf hingewiesen werden, daß so, wie jetzt die Jugend geführt wird, sich auf die Dauer gesehen kein günstiges Erlebnis herauskristallisieren wird und sich unter Umständen sogar eine eigene Auffassung über Nationalsozialismus breitmachen kann ...«.

Der Landrat des Kreises Hilpoltstein im März 1942:

»... Die Überweisung des Jungvolks in die HJ war aber sehr mißglückt. In Hilpoltstein war nicht einmal der Jungvolk-Führer anwesend zur Verabschiedung seiner Pimpfe, weil er nicht eingeladen war. Der nach dem Programm auftretende Posaunenchor der HJ war nicht erschienen. Er spielte Fußball. Auch Urkunden waren zu wenig da. Die Vorbereitung der Verpflichtung war schlecht organisiert, da Urkunden und Listen nicht aufeinander abgestellt waren, so daß ein langes Suchen entstand. So hat die Feier leider stark gelitten und nicht die Feierlichkeit gehabt, die sie hätte unbedingt haben sollen ...«.

Gendarmerie-Posten Aschau im Mai 1942:

»... In letzter Zeit ist es bei den HJ-Appellen aufgefallen, daß dort bei den Übungen, die jeden Dienstag von 20.30 bis 22.30 angesetzt sind, Mißstimmung herrscht und nicht einmal die Hälfte der Pflicht-HJ anwesend ist ...«.

NSDAP-Kreisleitung Weißenburg im Februar 1943:

»... Die weltanschauliche Ausrichtung der Jugend läßt zu wünschen übrig. Die sehr jugendlichen Führer können diese Aufgabe nicht bewältigen. Eine Zusammenarbeit mit der Partei auf diesem Gebiete ist nicht vorhanden. Wenn nicht die Schulungsarbeit der HJ der Partei übertragen wird, wächst eine Jugend heran, die von Weltanschauung wenig weiß und auch nichts wissen will ... Die Unkenntnis der Jugend über den Weg der Partei usw. ist erschreckend groß ...«.

NSDAP-Kreisleitung Neustadt/Aisch im Februar 1943:

»... Jugend: hier liegt die Sache nach eigenen Erfahrungen und nach Berichten von allen Seiten sehr im argen. Es fehlt an geeigneten Führern. In manchen Ortsgruppen ist überhaupt keiner da. In den meisten anderen ›wirken‹ als Führer Jungens, die ihrer Aufgabe nicht gewachsen sind. Sie lassen zwar fleißig antreten, aber der Dienst hat nicht den geringsten Wert. Von einer erzieherischen Wirkung kann keine Rede sein. Vielmehr ist das Gegenteil festzustellen ...«.

NSDAP-Kreisleitung Lauf/Pegnitz im April 1943:

»... Durchwegs wird festgestellt, daß die Jugend die meiste Zeit führerlos dasteht, wodurch eine Auflockerung der Disziplin festzustellen ist. Dadurch leidet das Ansehen der HJ. Schule und Berufsschule sind noch die zuverlässigsten Stützen jugendlicher Erziehung. Es erscheint notwendig, daß der Ortsgruppenleiter der Partei die Verantwortung übernimmt ...«.

NSDAP-Ortsgruppenleiter in Laufen/Oberbayern im Juli 1943:

»... Es ist auch hier als eine betrübliche Tatsache zu bezeichnen, daß bei einem Teil der Jugend nicht derjenige Geist herrscht, der für sie als notwendig zu betrachten wäre. Die Teilnahme an den Jugendveranstaltungen, Appellen der Hitlerjugend, Sportveranstaltungen usw. läßt sehr zu wünschen übrig. Sogar auch die Teilnahme an den Heldenehrungen ...«.

NSDAP-Kreisleitung Rothenburg o. d. Tauber im Juni 1944:

»... Bei der Jugend kann überhaupt nicht von einer weltanschaulichen Erziehung gesprochen werden. Es liegt dies hauptsächlich an dem dauernden Führermangel. Die weltanschauliche

Schulung der HJ müßte durch die Partei durchgeführt werden. In letzter Zeit machen sich auch bereits stärkere Anzeichen von Verwilderung bemerkbar ...«.

Die Aufreihung solcher Berichte über Funktionsschwächen oder gar den Ausfall der HJ-Erziehung ließe sich fortsetzen. Es wird deutlich, daß zumindest in den agrarisch oder kleinstädtisch geprägten Regionen Bayerns die Hitlerjugendsozialisation vielfach nur sehr begrenzte Wirkungen hatte. Es wäre jedoch falsch, aus solchen Berichten pauschal abzuleiten, daß die HJ in weiten Teilen des Landes ohne jeden Effekt geblieben sei. Die Reaktionen der Jugendlichen auf Angebot und Zwang der HJ-Organisation waren je nach den lokalen und sozialen Voraussetzungen und den Bedürfnissen des einzelnen höchst unterschiedlich.

Wer bis zur Einführung der HJ keine Möglichkeit gehabt hatte, »aus dem Haus zu kommen«, Sport zu treiben, an Fahrten und Lagern teilzunehmen, der empfand den HJ-Dienst gewiß positiver als der Gleichaltrige, dem solche Aktivitäten nichts Neues waren, der sie vor dem Verbot durch den NS-Staat in freien Jugendgruppen längst weniger reglementiert hatte wahrnehmen können. Wer aus einem »national« oder nationalsozialistisch eingestellten Elternhaus kam, geriet durch Teilnahme an der HJ-Erziehung möglicherweise in kleine Reibereien mit häuslichen Anforderungen, jedoch nicht in Normenkonflikte; anders war es bei jenem Jugendlichen, der aus einer Familie kam, die durch die Arbeiterbewegung oder durch konfessionell motivierte Ablehnung des NS geprägt war. Auch hier hat es sicherlich in Einzelfällen die Entscheidung des Jugendlichen gegen die Herkunftsnormen und damit gegen die Eltern gegeben; aber häufiger war wohl eine Verhaltensweise, die der HJ nur das zubilligte, was sich nicht vermeiden ließ, nämlich passive Hinnahme, und die womöglich eine alternative Form jugendlicher Gesellung suchte, zumal die Altersgenossen oft aus demselben, NS-resistenten Milieu kamen.

Wer in der HJ seine persönlichen Neigungen, technische oder sportliche Hobbies, »Aufstiegs-« oder »Befehlschancen« berücksichtigt sah, der identifizierte sich eher mit dieser Organisation als derjenige, der solche Angebote dort nicht suchte oder nicht vorfand. Und wem in der HJ ein angenehmer oder gar pädagogisch begabter Führer und freundschaftliche Beziehungen zu Gleichaltrigen zufielen, der hat diese Organisation anders erlebt als derjenige, dem sie nur als Drill und Zwangsgruppe entgegentrat.

Insgesamt kann man davon ausgehen, daß die Wirklichkeit des HJ-Betriebs und der HJ-Erziehung »unten« auch nicht annähernd dem Bild entsprach, das der NS-Staat und die NS-Jugendführung als Anspruch entworfen hatten[52]. Gerade nach dem Wandel zur Staatsjugend und zur Jugenddienstpflicht und insbesondere in den Kriegsjahren wies die HJ keineswegs die von oben mit allen denkbaren Mitteln angestrebte Effektivität und Sozialisationsdichte auf.

Meist lag der Effekt eher im Verhindern, vor allem darin, daß die freie Jugendarbeit unterdrückt war, daß alternative Erfahrungs- und Lernprozesse für Jugendliche in

---

[52] In den letzten Jahren sind einige detaillierte, in der politischen Interpretation überwiegend apologetische Darstellungen der Hitler-Jugend erschienen, deren Autoren ehemalige HJ-Führer sind. Diese Veröffentlichungen enthalten interessantes Material zum Konzept der HJ, jedoch kaum Aufschlüsse über die Realität des HJ-Betriebes. Siehe vor allem: Blohm, Erich: Hitler-Jugend – soziale Tatgemeinschaft. Vlotho 1979; Griesmayr, Gottfried und Otto Würschinger: Idee und Gestalt der Hitlerjugend. Leoni 1979; Taege, a. a. O.

Jugendverbänden und Jugendgruppen legal nicht mehr möglich waren. Wie sehr der NS-Staat und die HJ-Führung, die ihren eigenen Erziehungsanspruch nur sehr reduziert und keineswegs bei der Gesamtheit der Jugend durchsetzen konnten, darauf aus waren, jede konkurrierende Form der Gruppierung von Jugendlichen auszuschalten, – und in welchen Zusammenhängen, unter welchen Bedingungen und mit welcher Wirkung sich dennoch Oppositionsströmungen in der Jugend aufrechterhalten oder neu entfalten konnten, wird im folgenden Teil unserer Darstellung skizziert werden. Und welche unterschiedlichen Motivationen, Formen und Entwicklungslinien jugendlicher Opposition gegen HJ und NS-Staat sich dann während der Kriegsjahre ergaben, soll im abschließenden dritten Teil unserer Untersuchung zur Sprache kommen.

II. Ausschaltung, Verfolgung und Widerstand politischer, konfessioneller und bündischer Jugendorganisationen

1. Die Jugendorganisationen der sozialistischen Arbeiterbewegung

Die erste Phase der Opposition Jugendlicher gegen den NS-Staat war geprägt durch den unmittelbar politischen Widerstand aus den Reihen der vor 1933 bereits in der Auseinandersetzung mit dem Nationalsozialismus engagierten politischer Jugendorganisationen der Arbeiterbewegung, in erster Linie des Kommunistischen Jugendverbandes (KJVD) und vieler Gruppen der sozialdemokratischen Sozialistischen Arbeiterjugend (SAJ) oder der »Naturfreunde«. Gebietsweise traten hier auch junge Widerstandszirkel aus dem Bereich linkssozialistischer Organisationen (SAP, ISK) oder aus antifaschistischen »nationalrevolutionären« Jugendbünden (Jungnationaler Bund) auf. Motivation für diese Opposition war nicht so sehr die Auseinandersetzung mit der NS-Jugenderziehung und -Jugendorganisation (die HJ war zu dieser Zeit noch im Anfangsstadium ihrer Entwicklung zur Staatsjugend), sondern der Abwehrkampf gegen die endgültige Durchsetzung der NS-Herrschaft, wobei in den Jahren 1933 bis spätestens 1935 vielfach bei jungen Sozialisten und Kommunisten noch die Hoffnung bestand, der NS-Staat sei auf kurze Sicht durch die illegale Arbeiterbewegung machtpolitisch zu schlagen. Die Perspektive des Widerstandskampfes lag in diesem Zusammenhang in der Fortführung der verbotenen Organisationen der Arbeiterbewegung und in der Verbreitung von Agitationsmaterial, das in der Arbeiterschaft über den NS aufklären und für die illegalen Parteien der Linken werben sollte. Hauptträger dieser Form des Widerstandes waren die Kommunisten. Als der NS-Staat im Jahre 1933 die Kaderstruktur der KPD terroristisch zerschlug, rückten überall Angehörige des KJVD nach, und vielfach schlossen sich auch junge Sozialdemokraten der – gemessen an den sozialdemokratischen illegalen Aktivitäten – sehr aktivistischen kommunistischen Opposition an. Die politischen Erwartungen, die sich mit dieser Form des Widerstandes verbanden, waren illusionär, was sich um 1935 auch in der KPD als Einsicht durchsetzte; angesichts der

---

56. Der Wandel der Jugend von der Weimarer Republik zum Dritten Reich aus nationalsozialistischer Sicht. Die Bilderserie wurde am 30. Januar 1937 im *Völkischen Beobachter* unter der Überschrift: »Das Dritte Reich gab dem deutschen Volke wieder: Gesunde Jugend, Ehre, Kraft und Schönheit« veröffentlicht.

Aufnahmen: Heinrich Hoffmann (2), Presse-Bild-Zentrale (3), Weltbild (1)

Die verelendete Jugend einer disziplinlosen Zeit, krank und verhetzt (Bild links), bedurfte einer starken Hand, um daraus ein neues, gesundes, lebensfrohes Geschlecht zu formen (Bild rechts), das sich zukunftsgläubig in das feste Gefüge der Volksgemeinschaft eingliedert

gnadenlosen Verfolgung solcher Aktivitäten durch den NS-Staat blutete die junge kommunistische Oppostition in dieser Zeit im Sinne des Wortes geradezu aus. In den Jahren 1933/34 wurden Hunderte von antifaschistischen, überwiegend kommunistischen Jugendfunktionären ermordet, viele Tausende von jungen Kommunisten und Sozialisten kamen in die Zuchthäuser und Konzentrationslager des NS-Staates. Im Jahre 1935 war diese organisierte Weiterführung kommunistisch-sozialistischer Organisationen durchweg zerschlagen. Illegale Jugendgruppen dieser Art existierten ausschließlich in den alten Zentren der Arbeiterbewegung. Die soziale und politische Struktur Bayerns konzentrierte den kommunistisch-sozialistischen Jugendwiderstand im wesentlichen auf München, Augsburg, Nürnberg-Fürth und Schweinfurt.

Die illegale Fortsetzung kommunistisch-sozialistischer Jugendorganisationen unterschied sich von anderen, meist später auftretenden Formen der Jugendopposition dadurch, daß sie von vornherein eine klare politische Frontstellung gegen den NS-Staat beziehen konnte. Allerdings war ihre Einschätzung der weiteren Entwicklung des Dritten Reiches, wie schon angedeutet, auf gefährliche Weise unrealistisch; hinzu kam, daß sie in den Anfangsjahren des NS-Staates viele Möglichkeiten einer neuartigen Opposition Jugendlicher nicht hinreichend erkannten. Als die Führungen der KPD und auch der SPD im Exil ihre Strategie auf die tatsächlichen Kampfbedingungen unter dem »deutschen Faschismus« umzustellen begannen und damit auch die Chancen einer zunächst »vorpolitischen« oppositionellen Strömung in der Jugend des Dritten Reiches zur Kenntnis nahmen, waren ihre eigenen Verluste auch unter jungen Leuten schon so hoch, daß sich kaum noch personelle Anknüpfungspunkte für Verbindungen zu dieser »neuen« Opposition boten.

Auch in Bayern trat politischer Widerstand im engeren Sinne, d. h. eine aus der eindeutigen Frontstellung gegen den NS motivierte und auf dessen Sturz zielende Aktivität, in der jungen Generation in den ersten Jahren nach der Machtergreifung im wesentlichen nur bei Gruppen und Organisationen aus der sozialistischen oder kommunistischen Arbeiterbewegung auf. Ein Zentrum solcher oppositioneller Arbeiterjugendgruppen war Nürnberg, wo die Arbeiterbewegung vor 1933 besonders stark war. Auch die Geschichte des Arbeiterwiderstandes ist in bezug auf Bayern für diese Stadt bisher besonders gut aufgearbeitet worden[53].

Die Jugendorganisation der KPD (KJVD) war in Nürnberg schon in der Endphase der Weimarer Republik recht aktiv. Nach dem 30. Januar 1933 konnte der KJVD hier die erste Welle des Terrors offenbar einigermaßen unbeschadet überstehen. Als die Erwachsenenorganisation bereits weitgehend operationsunfähig gemacht war, nahmen die kommunistischen Jugendgruppen den illegalen organisatorischen und propagandistischen Kampf mit dem NS-Staat auf. Am Tage nach der Reichstagswahl vom 5. März 1933, als letzte Klarheit darüber bestand, daß der NS jedes weitere legale Auftreten von Kommunisten unterdrücken würde, versammelten sich in einem Wald bei Nürnberg die Jugendleiter des KJVD aus dem dortigen Raum. Sie trafen Absprachen über die künftige

---

[53] Soweit nicht anders angegeben, stützen sich die folgenden Berichte aus Nürnberg auf: Beer, Helmut: Der Widerstand gegen den Nationalsozialismus in Nürnberg 1933–1945. Diss. Erlangen 1975; sowie auf Schirmer, Hermann: Das andere Nürnberg – Antifaschistischer Widerstand in der Stadt der Reichsparteitage. Frankfurt 1974.

Arbeit im Untergrund; aus Berichten hierüber geht hervor, daß die jungen Kommunisten – wie die KPD insgesamt – zu diesem Zeitpunkt überzeugt waren, daß ein entschlossener Widerstand das NS-Regime schon bald in eine Krise treiben und einen Umschwung nach links hin bewirken könne. Daß ein solcher Widerstand harte Sanktionen und viele Opfer nach sich ziehen würde, war den jungen Illegalen durchaus klar. Ihre Strategie zielte darauf ab, den KJVD als »Massenorganisation« weiterzuführen, aber durch Aufgliederung der Stadtteilgruppen in kleine Fünferkreise den NS-Organen den Zugriff schwer zu machen. Gleichzeitig begann der illegale Nürnberger KJVD mit der Herstellung und Verbreitung eigener Flugblätter gegen den NS-Staat. Bald darauf gelang es auch, über eine Gruppe von Jungkommunisten in Hof eine Kurierverbindung zur Exilorganisation der KPD in der Tschechoslowakei aufzubauen und in regelmäßigen nächtlichen Grenzgängen kommunistische Zeitungen von dort ins Reichsgebiet zu schmuggeln und in recht ansehnlicher Zahl in Nürnberg und in anderen fränkischen Bezirken zu verbreiten.

Unter diesen Publikationen waren die *Junge Garde*, das Organ des KJVD, und die kommunistische Kinderzeitschrift *Trommel*. Ziel der illegalen kommunistischen Presse war es nicht nur, die im Untergrund aktiven Jungkommunisten zusammenzuhalten, sondern man wollte durch die heimliche Verbreitung der Zeitungen auch in der Arbeiterjugend aufklären und für die Mitarbeit bei den Kommunisten werben. Offenbar gelang es dem illegalen Nürnberger KJVD im Frühjahr 1933, die Verbindungen zu Gruppen der Jugendorganisation in Schweinfurt, Würzburg, in der Oberpfalz, in Bamberg und Bayreuth aufrechtzuerhalten oder wiederherzustellen; über die KJVD-Gruppe in Hof bestanden ferner Verbindungen zu kleineren Gruppen von Jungkommunisten in Oberfranken. Auch zum illegalen Zentralkomitee des KJVD wurde Kontakt aufgenommen. Alles deutet darauf hin, daß im gesamten nordbayerischen Raum der Anteil der Mitglieder des nun verbotenen KJVD, die sich an der illegalen Arbeit beteiligten, recht hoch war.

Eine für die Fortführung der kommunistischen Jugendillegalität vermutlich sehr nachteilige Umorganisation vollzog sich im Sommer des Jahres 1933. Im Nürnberger Raum, wie auch in vielen anderen Gebieten, rückten die jungen Kommunisten in die Kader der Erwachsenenpartei ein. Die KPD hatte schon in den ersten Monaten des Dritten Reiches durch den Terror des NS so hohe Verluste gehabt, daß sie nun versuchte, durch junge Leute die Erwachsenenorganisation wieder handlungsfähig zu machen. Da gleichzeitig der KJVD weitergeführt werden sollte, lagen nun häufig die Leitungen der KPD und des Jugendverbandes bei denselben Personen, was im Falle der Aufdeckung beide Organisationen schwächen mußte. Die kurze Perspektive des Kampfes zum Umsturze des Regimes, von der die KPD fälschlicherweise ausging, ist wohl mitverantwortlich für diese im Resultat verheerende Vorgehensweise. Die Literaturverteilung, die Kurierdienste, die Vervielfältigung eigener Flugblätter und die Kassierung der Mitgliederbeiträge wurden nun vielfach von jungen Leuten besorgt; die KPD propagierte unentwegt, die »entscheidende Klassenschlacht« stünde kurz bevor, eine von den Kommunisten geführte revolutionäre Bewegung werde Hitler hinwegfegen und den Sozialismus errichten . . .

Jungkommunisten und ehemalige SAJler, die zu ihnen gestoßen waren, stellten in einem Gartenhaus in Nürnberg und später in einer Höhle im Fränkischen Jura Flugblätter und eine illegale Zeitung der KPD für Nordbayern her, die unter dem Titel *Blätter der sozialistischen Freiheitsaktion* in einer Auflage von ein- bis zweitausend Stück verbreitet wurde. Andere Nürnberger Jungkommunisten entwarfen, vervielfältigten und verteilten ein Flugblatt, das dazu aufrief, am Internationalen Jugendtag, dem 2./3. September 1933, »für die Ziele unter dem siegreichen Banner der kommunistischen Jugendinternationale« zu demonstrieren.

Anfang September war die illegale Organisation von KPD und KJVD in Nürnberg jedoch bereits nahezu restlos zerschlagen.

Beim Transport der Zeitung *Freiheitsaktion* war der Drucker von SA-Leuten festgenommen worden. Ihn und einen weiteren verhafteten Illegalen hatte man dann auf brutalste Weise gefoltert und so die Namen der Leitung der Nürnberger Kommunisten herausbekommen; einer der »Verhörten« starb noch am Morgen nach seiner Einlieferung ins Polizeipräsidium an den Mißhandlungen. Eine Verhaftungswelle setzte ein, an deren Ende auch der Nürnberger illegale KJVD nicht mehr bestand.

Die Polizeidirektion Nürnberg-Fürth meldete am 14. Oktober 1933:

».. . Nachdem sich in den letzten Monaten der Kommunistische Jugendverband Deutschlands (KJVD) als das in der Hauptsache tätige aktivistische Element der kommunistischen Bewegung in Nürnberg erwiesen hatte, wurde im Rahmen der polizeilichen Sicherungsmaßnahmen für den Reichsparteitag Mitte August 1933 im engen Zusammenwirken mit der SA eine durchgreifende Aktion zur nachdrücklichen Ausschaltung der jungkommunistischen Organisation in Nürnberg eingeleitet. Durch Festnahme der Bezirksleitung und des engeren Funktionärsapparats (etwa 40 Personen) sowie Aushebung mehrerer illegaler Druckereien gelang es, für die folgenden Wochen jede nennenswerte kommunistische Tätigkeit lahmzulegen. Kurze Zeit nach dem Reichsparteitag wurde festgestellt, daß . . . intensiv an der Neuorganisierung des KJVD in Nürnberg gearbeitet wurde. Im Laufe des September konnte auch . . . die inzwischen neu gebildete Bezirksleitung und eine größere Zahl von Funktionären (insgesamt wieder etwa 40 Personen) festgenommen werden. Gegen sämtliche Funktionäre wird Strafanzeige wegen Vorbereitung zum Hochverrat u. a. erstattet . . .«[54].

Im Zusammenhang mit der Aufdeckung der »Höhlendruckerei« und der illegalen Leitungen von KPD und KJVD wurden im Sommer und Herbst 1933 in Nürnberg mindestens 122 Personen festgenommen und die »Rädelsführer« im Jahre darauf in vier großen Prozessen vor dem Obersten Landesgericht in München angeklagt und abgeurteilt. Die Anklage lautete auf Vorbereitung zum Hochverrat. In der Anklageschrift hieß es:

»Die Angeklagten . . . sind hinreichend verdächtig, gemeinsam durch dieselbe Handlung 1. ein auf gewaltsame Änderung der Verfassung des Deutschen Reiches gerichtetes Unternehmen vorbereitet, 2. es unternommen zu haben, den organisatorischen Zusammenhalt einer anderen politischen Partei als der NSDAP aufrechtzuerhalten . . . Die Angeschuldigten waren . . . zur Vorbereitung des Umsturzes in bewußtem und gewollten Zusammenwirken auch nach dem 5. März 1933 bis zu ihrer Festnahme in leitender Stellung des KJVD in Nürnberg . . . tätig. Auch haben sie in bewußtem und gewolltem Zusammenwirken noch nach dem 16. Juli 1933 bis zu ihrer Festnahme es unternommen, den Zusammenhalt des KJVD und der KPD aufrechtzuerhalten. Insbesondere förderten sie als Mittäter die Ziele der KPD dadurch, daß sie Beiträge für die Partei erhoben . . ., Unterführer und Verbindungsleute aufstellten. Zum Teil stellten sie auch Zeitschriften und

---

[54] Bayern in der NS-Zeit I, a. a. O., S. 215.

Flugblätter her und sorgten für ihre Verbreitung. Ferner hielten sie vom März 1933 bis zu ihrer Festnahme die Verbindung mit den Kommunisten in der Tschechoslowakei aufrecht, reisten zum Teil selbst dahin und wirkten für die regelmäßige Herbeischaffung, Verbreitung und Verwahrung ausländischer Zeitungen hochverräterischen Inhalts . . . Sie waren auch zum Teil bemüht, Genossen ausfindig zu machen, die in die nationalen Verbände eintreten und dort zersetzend wirken sollten . . .«[55].

Die Jungkommunisten, darunter zwei Mädchen, wurden zu Zuchthaus- bzw. Gefängnisstrafen zwischen drei Jahren und neun Monaten verurteilt. Die Strafen erscheinen vergleichsweise milde; tatsächlich waren die Folgen der Verhaftung und Verurteilung aber weitaus schlimmer, da die meisten Verurteilten nach der Strafverbüßung zur »Schutzhaft« in Konzentrationslager gebracht wurden.

Im Spätherbst des Jahres 1933 versuchten einige bisher nicht »auffällig« gewordene Jungkommunisten, darunter zwei zur Tarnung als SA-Anwärter in diese NS-Organisation eingetretene Studenten, noch einmal, den Organisationszusammenhang von KPD und KJVD in Nordbayern wiederherzustellen und die Verbreitung der vom Ausland her eingeschmuggelten kommunistischen Zeitungen, darunter auch der *Trommel*, neu zu organisieren. Auch sie wurden gefaßt und im Frühjahr 1934 verurteilt.

Damit war in diesem Gebiet der personelle Kern für eine Weiterführung jungkommunistischer Illegalität zerschlagen. Eine Organisationsstruktur des KJVD ist danach in Nürnberg und in Nordbayern nicht mehr festzustellen, was nicht ausschließt, daß in kleinen kommunistischen Untergrundzirkeln der späteren NS-Zeit auch junge Leute mitgearbeitet haben. Breitere Wirkungen hatten solche Ansätze jedoch nicht mehr.

In den anderen Landesteilen Bayerns war der KJVD vor allem in München und in Augsburg vertreten. Nach der Machtergreifung entwickelten sich hier die Aktions- und Verlaufsformen der jungkommunistischen Illegalität ähnlich wie in Nordbayern, wenn auch quantitativ nicht so bedeutend[56].

In München führte im Frühjahr und Frühsommer 1933 eine neu gebildete illegale Gruppe den KJVD fort und brachte Flugblätter und eine eigene kleine Zeitung unter dem Titel *Junge Garde* heraus, die in einem Zelt in der Umgebung Münchens hergestellt wurde. Diese Gruppe nahm auch Kontakt zu Augsburger Jungkommunisten auf und besorgte diesen ein Vervielfältigungsgerät für die Herstellung eigener Flugblätter. In München selbst existierten neben der erwähnten Gruppe, teils offenbar in Kontakt zu ihr, illegale Zirkel des KJVD in einigen Stadtteilen. Schon im September 1933 standen einige Münchener Jungkommunisten vor dem Sondergericht in München und wurden aufgrund der »Verordnung zum Schutz von Volk und Staat« vom 28. Februar 1933 zu Gefängnisstrafen verurteilt. Es gelang der Bayerischen Politischen Polizei zu Beginn des Jahres 1934, den personellen Kern des illegalen Münchener KJVD zu verhaften; dreiundzwanzig Jungkommunisten wurden wegen Vorbereitung zum Hochverrat angeklagt und die aktivsten von ihnen zu längeren Haftstrafen verurteilt, denen wiederum in der Regel KL-Haft folgte.

---

[55] Der Text ist dokumentiert bei Schirmer, a. a. O.
[56] Die Darstellung der Vorgänge in München stützt sich auf: Bretschneider, Heike: Der Widerstand gegen den Nationalsozialismus in München 1933 bis 1945. München 1968.

Im Bericht der Bayerischen Politischen Polizei über »illegale marxistische Bewegungen« im Laufe des Jahres 1934 heißt es hierzu u. a.[57]

».... Die illegale Jugend [gemeint: des KJVD] die nach dem Fünfergruppensystem organisiert war, Stadtteilinstrukteure geschaffen und Mitgliederbeiträge kassiert hatte, war eine der aktivsten kommunistischen Gruppen in München, hatte innerhalb ganz kurzer Zeit nicht weniger als sieben illegale Hetzschriften hergestellt und darunter neben ihrem aus dem Ausland eingeschmuggelten Organ *Junge Garde* auch ein Flugblatt ›An die gläubigen Katholiken‹ in mehreren Kirchen zur Verteilung gebracht, die Herausgabe einer Schulzeitung, die Gründung von Betriebs- und Schulzellen und die Zersetzung der Arbeitsdienstlager und Landhelfergruppen vorgesehen«.

Der Bericht zählt dann die Verhaftungen und die Strafmaßnahmen auf und schließt:

».... Die im Laufe des Jahres wiederholt unternommenen Versuche, die kommunistische Jugend wieder neu erstehen zu lassen, sind durch diese Aktion bisher immer wieder gescheitert ...«.

Ähnlich verlief das Schicksal des illegalen KJVD in Augsburg. Der Regierungspräsident von Schwaben berichtete am 5. September 1933:

».... In den letzten Wochen machte sich in Augsburg die Wühlarbeit der Kommunisten durch die Verteilung einer hetzerischen Flugschrift sowie durch das Ankleben von Handzetteln mit aufwieglerischem Inhalt in erhöhtem Maße bemerkbar. Der umfassenden Tätigkeit der politischen Polizei ist es gelungen, die Urheber hauptsächlich in den Kreisen der Augsburger Jungkommunisten festzustellen. Der zur Herstellung der Flugblätter verwendete Vervielfältigungsapparat konnte, in einem Heuschober versteckt, in Friedberg bei Augsburg ermittelt werden ...«[58].

Am 4. März 1935 fand vor dem Obersten Landesgericht in München ein Prozeß gegen einen weiteren – und offenbar letzten – illegalen Organisationsansatz des Augsburger KJVD statt, den die Politische Polizei im Frühjahr 1934 aufgedeckt hatte. Es wurden zehn Jungkommunisten zu durchschnittlich ein bis zwei Jahren Gefängnis verurteilt.

Damit war auch in Südbayern der Versuch der illegalen Fortführung kommunistischer Jugendorganisationen gescheitert. Die Mitarbeit einzelner junger Menschen, darunter auch ehemaliger Mitglieder der SAJ und der Naturfreundejugend, in illegalen Gruppen der KPD brach damit allerdings nicht ab, sondern ist auch für die späteren Jahre aus Prozeßakten nachweisbar. Erzwungenermaßen beendet war jedoch mit dem Jahre 1934 die spezifische Organisationsform und Untergrundaktivität kommunistischer Jugend. In den Jahren danach gelang es nicht mehr, illegale kommunistische Jugendarbeit in herkömmlicher oder in neuer Form in breiterem Umfange aufrechtzuerhalten oder neu zu entwickeln. Die Gründe dafür liegen wohl vor allem darin, daß die NS-Organe gegen kommunistische Gruppen mit besonderer Intensität der Beobachtung und Brutalität der Verfolgung vorgingen; daß der kommunistischen Jugend in der Illegalität ein halblegale, institutionalisierte Rückhalt fehlte, wie ihn die konfessionellen Jugendgruppen in den Kirchen fanden; daß schließlich die Kommunisten auch nicht ein jugendspezifisches, auf Organisation kaum angewiesenes »Jugendmilieu« anzubieten hatten, das die bündischen und die »wilden« illegalen Jugendgruppen langfristig existenzfähig machte. Bei allem Mut, den die Jungkommunisten in den Jahren nach 1933 bewiesen, stand dem Erfolg ihrer illegalen Arbeit die eigene, illusionäre Einschätzung der Entwicklung des NS-Regimes im Wege: Ein revolutionärer Sturz Hitlers und seines Systems war entgegen

---

[57] Bayern in der NS-Zeit I, a. a. O., S. 233.
[58] Ebenda, S. 214.

den Erwartungen der KPD und des KJVD in den Jahren 1933/34 überhaupt nicht zu realisieren, das Konzept der illegalen Fortführung des KJVD als einer traditionellen, politisch-kämpferischen Massenorganisation führte zu extremen Verlusten und blieb doch ohne längerfristigen Effekt.

Auf der Seite der sozialdemokratischen und linkssozialistischen Jugendorganisationen stellt sich das Bild der Entwicklung nach der Machtergreifung komplizierter dar als auf seiten der Kommunisten. Bereits im März 1933 waren auch die (sozialdemokratisch orientierte) SAJ, der SJVD (Jugendorganisation der SAP) und die Naturfreundejugend verboten worden. Die SPD hatte zunächst, anders als die KPD, keine einheitliche Vorstellung über die Weiterführung der politischen Arbeit unter dem NS-System. Viele junge Sozialdemokraten zogen sich resigniert aus der Politik zurück; andere suchten Anschluß an die aktivistischen Widerstandskreise der Kommunisten. Erst mit der politischen Stabilisierung der Emigrations-SPD, dem Neuauftreten radikaler Richtungen innerhalb des sozialdemokratisch-sozialistischen Spektrums (»Revolutionäre Sozialisten«, »Neu Beginnen«) und der Entwicklung eines illegalen Literaturvertriebs von der Tschechoslowakei in das Reichsgebiet hinein gewann die Sozialdemokratie wieder mehr Attraktivität für entschlossen antifaschistische junge Leute im Inland. Als dieses Stadium erreicht war, existierten jedoch kaum noch gruppierte Fortsetzungen der alten Jugendorganisationen, und die inzwischen erreichte Perfektion der Verfolgung machte den Aufbau neuer Gruppen sehr schwierig. Immerhin waren es vielfach junge Leute, die nun Kontakt zu den sozialdemokratisch-sozialistischen Exilorganisationen suchten. Eine eigene Jugendarbeit konnte aber von dieser Perspektive her nicht oder nicht mehr entwickelt werden.

Erfolgreicher waren in dieser Hinsicht Gruppen, die auf eigene Faust örtlich versuchten, den Wander- und Fahrtenbetrieb der alten sozialistischen Jugendbewegung in irgendeiner Form aufrechtzuerhalten und damit die Fortsetzung sozialistischer Ideen zu verbinden.

Die skizzierten unterschiedlichen Verlaufsformen sozialdemokratisch-sozialistischer Jugendillegalität lassen sich wiederum an Beispielen aus Nürnberg und München demonstrieren[59].

Im Sommer 1933 hatte sich in Nürnberg/Fürth eine illegale sozialistische Jugendgruppe aus Mitgliedern der ehemaligen SAJ und Jugendleitern der sozialdemokratischen Kinderfreunde-Organisation gebildet. Dieser Kreis wirkte mit beim Aufbau eines Vertriebsnetzes für die aus der Emigration nach Deutschland hinein verbreiteten sozialdemokratischen Zeitungen, vor allem der *Sozialistischen Aktion*, und hielt Verbindung zum Grenzsekretariat der Exil-SPD in der Tschechoslowakei. Allerdings standen die jungen Sozialisten der alten Parteiführung und auch dem Exilvorstand der SPD recht kritisch gegenüber. Sie unterhielten Kontakte auch zu ehemaligen SAJlern, die jetzt bei den Kommunisten mitarbeiteten, und es bestanden offenbar auch Verbindungen zur illegalen SAP. Mitte November wurde der Kopf dieses Kreises von der Polizei verhaftet. Die Politische Polizei schrieb die Tätigkeit der Gruppe dem SJVD zu:

---

[59] Näheres bei Schirmer, a. a. O. und Bretschneider, a. a. O.

».. . Durch die am 14. November 1933 in Weiden erfolgte Festnahme des früheren Jungsozialistenführers . . . aus Fürth wurde festgestellt, daß dieser und (ein weiterer Jungsozialist) N. N. in letzter Zeit als Bezirksleiter des SJV tätig waren und eine eigene Schrift *Marxistische Front* herausgaben, die sie insbesondere außerhalb Nürnbergs in Nordbayern zur Verbreitung brachten. Im Besitz des . . . wurden eine Anzahl kommunistischer Flugblätter aus letzter Zeit, Aufzeichnungen über Kurierfahrten und über den Vertrieb der *Marxistischen Front*, Manuskripte gemeiner Hetzgedichte gegen den nationalsozialistischen Staat usw. gefunden, die er . . . als Kurier in die Tschechoslowakei bringen sollte . . .«[60].

Der hier erwähnte Jungsozialist wurde am 3. Januar 1934 vom Sondergericht in Nürnberg zu drei Jahren Gefängnis verurteilt und nach der Strafverbüßung in ein KL eingewiesen.

Das Verteilernetz für die sozialdemokratischen Emigrationsschriften konnte noch einige Monate aufrechterhalten werden. Im Mai/Juni 1934 wurde dieser Zusammenhang aber schließlich durch eine große Verhaftungswelle, die sich über ganz Nordbayern und andere Teile des Landes erstreckte und mehr als 150 Personen erfaßte, zerschlagen. Anfang 1935 machte das Oberlandesgericht in München diesen illegalen Sozialdemokraten, darunter vielen jungen Genossen, den Prozeß.

Wie sehr zu dieser Zeit auch bei manchen Sozialdemokraten noch die Illusion bestand, man könne mit dem baldigen Ende des Dritten Reiches rechnen, wird aus dem Schlußwort eines Nürnberger Jungsozialisten bei diesem Verfahren deutlich; als der Staatsanwalt gegen ihn eine Zuchthausstrafe von zehn Jahren beantragt hatte, antwortete der Jungsozialist, die Strafhöhe lasse ihn kalt, da er sie wegen des schnellen Zusammenbruchs der Hitler-Herrschaft ohnehin nicht werde absitzen müssen[61]. Nach der Entdeckung des oben geschilderten Kreises kam im Nürnberger Raum eine illegale Organisationsstruktur der Sozialdemokratie nicht wieder zustande.

Einen anderen Weg als die Jungsozialisten, die sich am Wiederaufbau oder der Fortsetzung parteiähnlicher illegaler Organisationen beteiligt hatten, versuchten junge Leute aus Nürnberg, überwiegend ehemalige SAJler, die den Wanderbund »Albfreunde« gründeten.

Im Nürnberger Stadtteil Gostenhof hatte bis zum Verbot eine recht starke Gruppe der SAJ bestanden. Nach dem März 1933 sammelten sich hier junge Leute, die nicht gewillt waren, die Unterdrückung ihrer Ideen und ihrer Lebensformen hinzunehmen. Wanderfahrten schienen die beste Möglichkeit, den freundschaftlichen Zusammenhalt und offene politische Diskussionen weiter zu pflegen. Im November 1933 gründeten die jungen Leute zu diesem Zweck in der Nürnberger Gaststätte »Grober Wanderschuh« ganz formell einen Verein unter dem Namen »Albfreunde«. Den Kern bildeten ehemalige SAJler, aber es kamen auch neugeworbene Jugendliche hinzu. Man traf sich zu wöchentlichen Heimabenden und machte gemeinsame Wanderungen, hielt Kontakt zu oppositionellen Kreisen, beschaffte sich eingeschmuggelte sozialdemokratische Zeitungen und Broschüren und diskutierte darüber. Die »Albfreunde« nahmen auch an getarnten Treffen der verbotenen Naturfreundejugend in der Fränkischen Schweiz teil. Nach der Verhaftungswelle gegen illegale Nürnberger Sozialdemokraten wurde die

---

[60] Beer, a. a. O., S. 189.
[61] Ebenda, S. 205.

Gruppe politisch vorsichtiger, konnte aber ihre Existenz aufrechterhalten. Erst im Dezember 1935 flogen die »Albfreunde« auf; die Staatsorgane konnten zugreifen, weil die einige Jahre zurückliegende Beteiligung an der Verbreitung von SPD-Emigrationsschriften nachgewiesen werden konnte. In einem Prozeß wegen Vorbereitung zum Hochverrat wurden im Mai 1936 vierzehn junge »Albfreunde« aus Nürnberg verurteilt, einige von ihnen zu mehrjährigen Zuchthaus- bzw. Gefängnisstrafen. In der Anklageschrift hieß es:

»... Die sämtlichen Angeklagten stellten sich, teils durch Fortführung einer Unterabteilung der SAJ in Nürnberg in getarnter Form, teils durch die Zugehörigkeit hierzu, teils durch Verbreitung, Verkauf und entgeltlichen Erwerb illegaler, aus der Tschechei eingeführter Druckschriften der SPD bewußt in den Dienst der von der Tschechei aus geleiteten, auf die gewaltsame Entfernung der gegenwärtigen deutschen Regierung abzielenden Bestrebungen ... Im Sommer 1933 faßten die Beschuldigten ..., die in der SAJ Führerstellen innegehabt hatten, den Entschluß, eine als Wanderverein getarnte Organisation zu gründen, deren Zweck es sein sollte, ehemalige Angehörige der SAJ organisatorisch zu erfassen, ihnen die aufgelöste SAJ zu ersetzen, sie weiterhin marxistisch zu beeinflussen und die nach der Absicht der bezeichneten Gründer letzten Endes dazu dienen sollte, die Mitglieder des Vereins für den Fall des erwarteten gewaltsamen Umsturzes der SPD als revolutionäre Kämpfer zuzuführen ... Die Vereinsmitglieder kamen allwöchentlich einmal unter dem Vorwand des Musizierens zusammen. Bei den Zusammenkünften wurde an den in Deutschland bestehenden Verhältnissen Kritik geübt und die Erinnerung an die SAJ und an die politischen Vorstellungen des Marxismus wachgehalten ...«[62]

Eine ähnliche, ebenfalls jugendbündisches Gruppen- und Fahrtenleben fortsetzende Gruppe in Nürnberg wurde im August 1936 »ausgehoben«. Hier handelte es sich um ehemalige Mitglieder einer Naturfreundejugendgruppe unter dem Namen »Falkenhorst«, die nach dem Verbot im März 1933 heimlich weitergeführt worden war, 1935 sogar ihren alten Namen wieder übernahm und sich als Wandergruppe ausgab. Die Gruppe machte Fahrten, sang die alten Arbeiter- und Wanderlieder und trug als Gruppenzeichen das Symbol der Naturfreunde, zwei ineinander verschlungene Hände. Zwei Jugendliche aus der Gruppe nahmen im Juli 1934 an der Arbeiterolympiade in Prag teil; eine Zusammenarbeit mit der Emigration oder mit illegalen linken Parteigruppen bestand jedoch nicht. Im Beschluß des Gerichtes heißt es über die Tätigkeit der Gruppe[63]:

»... Die Angeschuldigten ... gaben sich mindestens in den ersten Jahren ihres Zusammenseins der Hoffnung hin, daß ein alsbaldiges Ende der nationalsozialistischen Regierung den Marxismus wieder aufleben lassen und die Naturfreunde wieder frei machen werde. Um sich in ihrer ablehnenden Haltung gegen den Nationalsozialismus und in ihrer marxistischen Grundeinstellung zu bestärken, übten sie ferner seit 1933 in der Gruppe abfällige Kritik an den Maßnahmen der nationalsozialistischen Regierung und suchten die führenden Männer des Staates und der Partei durch abfällige Witze verächtlich zu machen ... Die Angeschuldigten haben sich demnach bei der Fortführung der Naturfreundejugendgruppe bewußt nicht darauf beschränkt, unter Ausschaltung jeglicher politischer Tendenzen lediglich die bestehenden freundschaftlichen Beziehungen untereinander durch gesellige Zusammenkünfte und gemeinsame Wanderungen zu pflegen. Es kam ihnen vielmehr darauf an, die verbotene Organisation der Naturfreunde, soweit es ihnen im Rahmen der Nürnberger Jugendgruppe möglich war, trotz des Verbotes aufrecht zu erhalten und das politische Gedankengut der verbotenen Organisationen, insbesondere der aufgelösten ehemaligen SPD zu bewahren ...«.

---

[62] OLG München, OJs 8/36.
[63] Ebenda, OJs 124/36 und 187/36.

Nach langer Untersuchungshaft wurden im Januar 1938 von den zunächst neun in Haft genommenen jungen Naturfreunden fünf zu insgesamt 13 Jahren Gefängnis verurteilt. Aus der Strafhöhe ergibt sich, wie ernst das NS-Regime solche Gruppen nahm, selbst wenn sie – wie in diesem Falle – keinerlei nach außen gerichtete politische Tätigkeit ausübten und keinen Kontakt zu illegalen Parteiorganisationen hatten. Die Verurteilten erlitten zusammen insgesamt 19 Jahre Haft in Konzentrationslagern; einer von ihnen kam im KL, zwei weitere kamen in der berüchtigten Strafdivision 999 ums Leben.

Aus München sind für die Jahre 1933/34 ebenfalls illegale Gruppenbildungen ehemaliger SAJler und Kinderfreundeleiter überliefert, die mit ähnlichen Gruppen in Augsburg und Regensburg zusammenarbeiteten und sich u. a. an der Verbreitung illegaler Schriften der SPD beteiligten, die auch in diesem Falle aus der Tschechoslowakei kamen. Einige der Münchener Jungsozialisten wurden im Oktober 1934 vom Obersten Landesgericht verurteilt. Andere aus diesem Kreis stießen später zu der Widerstandsgruppe »Neu Beginnen«, die eher auf die Bedingungen konspirativer Tätigkeit eingestellt war als die sozialdemokratische »Breitenarbeit« der ersten Jahre nach 1933[64].

In München haben auch, ähnlich wie in Nürnberg, Fortsetzungen sozialistischer Jugendarbeit in Gestalt von Wanderbünden bestanden. Näheres Material hierüber liegt jedoch bisher nicht vor.

Insgesamt läßt sich über die Jugendillegalität aus dem Bereich der Sozialdemokratie festhalten, daß auch hier zunächst oft unrealistische Einschätzungen der Entwicklung des Dritten Reiches vorlagen, gleichzeitig unter den jungen Sozialisten vielfach Unbehagen gegenüber der Politik der Weimarer SPD sich gerade nach der Machtergreifung des NS regte und zur Suche nach neuen organisatorischen und politischen Möglichkeiten veranlaßte. Für längere Zeit und mit breiterem Einfluß auf Jugendliche konnten sich sozialdemokratische illegale Gruppen wohl am ehesten dann halten, wenn sie »jugendgemäße« Lebensformen als »Wandervereine« u. ä. pflegten. Ab etwa 1936 war aber – anders als bei den konfessionellen und bündischen Gruppen – auch die sozialdemokratisch orientierte Jugendarbeit, ähnlich der kommunistischen, auf kleinste Zirkel zurückgedrängt. Auch hier war eine jugendspezifische Form der Illegalität zu wenig entwickelt oder strukturell vorbereitet und der Zugriff der NS-Organe schon in den ersten Jahren nach 1933 zu brutal und nachhaltig, als daß sozialdemokratische Jugendgruppen in größerem Umfange hätten überleben können.

2. Evangelische und katholische Jugendarbeit

Entsprechend der einflußreichen Stellung vor allem der Katholischen Kirche aber auch der Evangelischen Kirche in Bayern war die konfessionelle Jugendarbeit vor 1933 hier stark entwickelt. Der Schwerpunkt oppositioneller oder nonkonformer Jugendbetätigung lag in Bayern nach 1933 infolgedessen bei den konfessionell gebundenen Gruppen.

---

[64] Bretschneider, a. a. O., S. 95ff.

Zur Auseinandersetzung zwischen organisierter evangelischer Jugend und NS-Regime hat vor einigen Jahren Heinrich Riedel, von 1934 bis 1943 erster Landjugendpfarrer in Bayern und zeitweise Vorsitzender der bekenntnistreuen Reichsjugendkammer der Evangelischen Kirche Deutschlands, eine größere Darstellung veröffentlicht, die sich in der Hauptsache auf Vorgänge in Bayern bezieht[65]. Wir können deshalb dieses Thema, gestützt auf die wichtigsten Ergebnisse dieser Studie, relativ knapp behandeln und versuchen, einige ergänzende Materialien darzulegen.

Es war schon angedeutet worden, daß nach der Machtergreifung des NS die evangelischen Jugendverbände durchweg den neuen Staat begrüßten und sich als Teil der »nationalen Bewegung« verstanden. Konflikte zwischen dem NS-Staat bzw. der HJ und der organisierten evangelischen Jugend ergaben sich zunächst nicht aus grundsätzlichen politischen, weltanschaulichen oder kirchlich-theologischen Gründen, sondern aus unterschiedlichen Auffassungen über den zukünftigen organisatorisch-institutionellen Charakter evangelischer Jugendarbeit. Das »freudige Ja zum Aufbruch der deutschen Nation«, das Ende März 1933 auf einer Bundeskonferenz des größten evangelischen Jugendbundes formuliert worden war, enthielt den Vorbehalt, daß evangelische Jugendarbeit auch weiterhin über ihre Struktur selbst bestimmen müsse. Dabei standen innerhalb der evangelischen Jugend zunächst recht divergierende Vorstellungen ungeklärt nebeneinander: Einerseits gab es Erwartungen, daß die evangelische Jugendarbeit als selbständige Teilorganisation innerhalb der Hitler-Jugend weiterexistieren und dort z. B. ihre volksmissionarische Tätigkeit, vom Staat unterstützt, ausdehnen könne; andererseits dachte man, daß die evangelischen Jugendverbände unabhängig von der HJ weitergeführt werden, sich dabei aber politisch als staatstreu bzw. nationalsozialistisch definieren sollten; drittens gab es auch die Konzeption, daß auf eine verbandsmäßige Sonderexistenz der evangelischen Jugend verzichtet werden könne, wenn die HJ der evangelischen Kirche die Aufgabe der Verkündigung unter Jugendlichen als gewissermaßen öffentliches Recht im Sinne einer protestantisch-nationalen Staatsauffassung zuweisen würde.

Dementsprechend entwickelte sich im Verlauf des Jahres 1933 das Verhältnis der evangelischen Jugendverbände zur HJ sehr unterschiedlich. Viele bisher den evangelischen Jugendverbänden zugehörige örtliche Gruppen oder Einzelmitglieder gingen zu den HJ-Einheiten über, motiviert durch die politischen Übereinstimmungen (die die Verbandsorgane der evangelischen Jugend selbst oft in emphatischer Form betonten) und durch den Wunsch nach der »Einheit der Jugend«. Andererseits hatten die evangelischen Jugendverbände auch Zugewinne, gerade aus bisher nur locker organisierten Gemeindejugendgruppen, weil sie Rückhalt gegenüber dem Anspruch der HJ zu bieten schienen. Zugleich vollzog sich eine engere Verbindung der evangelischen Jugendorganisationen untereinander. Die an der Jugendbewegung orientierten Bünde »Bibel-Kreise« (BK), »Bund christdeutscher Jugend« und »Christliche Pfadfinderschaft« schlossen sich zu einer Arbeitsgemeinschaft zusammen; in Bayern bildete sich schon im März 1933 ein »Landesverband der Evangelischen Jugend«, und Ende Juli 1933 gründeten alle wichtigen Verbände das »Evangelische Jugendwerk in Deutschland«.

---

[65] Riedel, a. a. O.

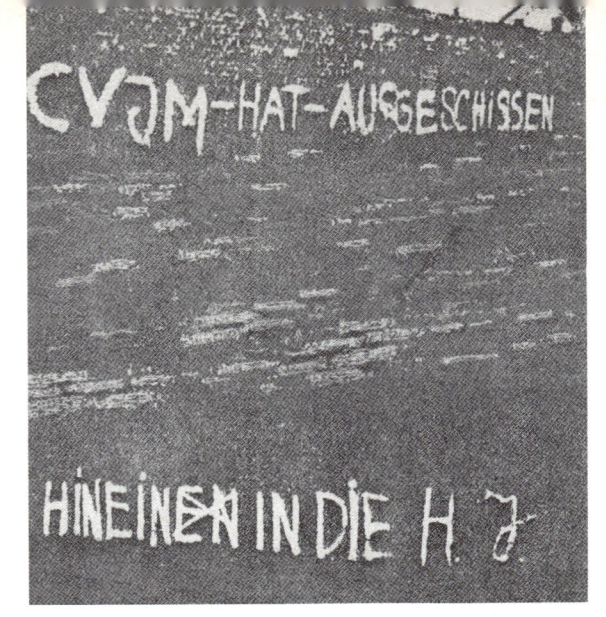

57. NS-Parole an der Hauswand eines CVJM-Heimes.

58. Bibelkreis der Evangelischen Jugend auf Pfälzer Ferienfahrt (1933).

59. CVJM in Nürnberg (1933).

Das Verhalten der HJ gegenüber der evangelischen Jugendarbeit war zu dieser Zeit noch sehr uneinheitlich; je nach den örtlich vorherrschenden Tendenzen standen bereitwillige Kooperation und feindseliger Druck nebeneinander. Aus den Monatsberichten der Dekanate der evangelischen Kirche in Bayern[66] ergibt sich, daß im Sommer und Herbst 1933 an manchen Orten die Jungvolk- oder HJ-Einheiten geschlossen die evangelischen Gottesdienste besuchten; daß nicht nur in Einzelfällen HJ-Treffen mit einem Feldgottesdienst begannen; daß Pfarrer oder kirchliche Mitarbeiter Funktionen in der HJ übernahmen und Vereinbarungen über Bibelstunden getroffen wurden. Als im Juni 1933 in Nürnberg die feierliche Amtseinsetzung des neuen Landesbischofs stattfand, standen HJ und BDM Spalier. Bei solcherart Annäherungen spielte gewiß aufseiten der HJ auch die besondere bayerische Situation mit; man versuchte hier, gegen das noch bestehende Übergewicht des organisierten Katholizismus und insbesondere der katholischen Jugendverbände auch durch Kooperation mit protestantischen Gruppen und Institutionen anzugehen.

Die erwähnten Berichte zeigen aber auch, daß an anderen Orten bereits im ersten Jahr des Dritten Reiches die HJ in massiver Weise gegen evangelische Jugendgruppen vorging, deren Heime verwüstete, Veranstaltungen störte und auf jede mögliche Weise den Zusammenbruch der evangelischen Jugendverbände zu erreichen versuchte. Zudem bestand in Bayern im Sommer 1933 das Uniform-, Veranstaltungs- und Aufmarschverbot gegen konfessionelle Jugendbünde weiter, das im Frühjahr erlassen, in anderen Teilen des Reiches aber dann zunächst wieder zurückgenommen worden war.

Am 20. Juli 1933 verschickte der Landeskirchenrat ein Schreiben an alle evangelischen Dekanate in Bayern, in dem es u. a. hieß:

»... Die politische Lage ist noch nicht geklärt. Erstlich ist noch nicht klar, wie die Frage der katholischen Jugendverbände im Konkordat geregelt ist. Sodann ist nicht geklärt, wie der zu erwartende Staatsvertrag der evangelischen Reichskirche diese Frage löst ... Endlich ist noch nicht ersichtlich, ob wirklich der evangelische Einfluß und die kirchliche Versorgung der HJ gewährleistet ist. Örtliche Abmachungen und Versprechungen ändern daran nichts. Doch ist der Landeskirchenrat in laufenden Verhandlungen mit den staatlichen Dienststellen, um diese Fragen zu klären. Deshalb ist es der Wunsch des Herrn Landesbischofs, daß im gegenwärtigen Augenblick die kirchliche Jugendarbeit durchhalten müsse ... Die Landeskirche hat bereits einen Führerstab von Pfarrern zusammengestellt, die sich mit den kirchlichen Aufgaben an der HJ befassen und hat mit dem HJ-Gebietsführer Klein bereits Vorverhandlungen gepflogen ...«[67].

In einem Bericht des damaligen Landesführers der Evangelischen Jugend Bayerns, Pfarrer Grießbach, vom 27. Oktober desselben Jahres wurde die Situation der evangelischen Jugend bereits sehr viel düsterer geschildert. Dort war die Rede von einer »ausgesprochen kämpferischen Haltung der HJ gegenüber den evangelischen Verbänden«, von Tätlichkeiten und einer HJ-Propaganda, die die baldige Auflösung der evangelischen Jugendverbände verkünde; der Bericht zog folgende Schlußfolgerung:

»... Es liegt auf der Hand, daß die Evangelische Jugend unter diesen Verhältnissen schwer leidet. Sie fühlt sich zu einer Jugend zweiter Klasse herabgewürdigt ... Unsere Jugend sieht sich wider Willen in eine Gegnerschaft zur HJ hineingedrängt. Sie wird irre im Glauben an die Gerechtigkeit

---

[66] Belege dazu in: Bayern in der NS-Zeit I, a. a. O., vor allem S. 377–395.
[67] Nachweise hierzu und zum folgenden bei Riedel, a. a. O., S. 48 f., 53f.

der Staatsführung. Sie sieht sich vor die vom evangelischen Standpunkt aus unmögliche Entscheidung gestellt, ob sie mehr christlich oder mehr vaterländisch, mehr kirchlich oder mehr staatlich sein will...«.

Der Vertrag über die Eingliederung der Evangelischen Jugend in die HJ, am 18. Dezember 1933 vom Reichsbischof Ludwig Müller gegen den Willen der meisten evangelischen Jugendverbände mit der HJ-Führung geschlossen, brachte eine negative Klärung der Lage. Zwar waren manche der ersten Reaktionen auf den Vertrag noch immer von den Illusionen geleitet, daß entweder die verbandliche evangelische Jugendarbeit doch wieder ihre Freiheit erhalten oder aber die HJ im Sinne der Evangelischen Kirche beeinflußt werden könne (so auch einige Stimmen bei einer Sitzung des Führerrats der evangelischen Jugendverbände Bayerns am 16. Januar 1934)[68], aber schon bald wurde klar, daß beide Ziele abseits der politischen Realität des Dritten Reiches lagen. Der Evangelischen Jugend blieb nun nur übrig, den Vertrag und damit die Unterdrückung der Jugendverbandsarbeit bei den Jugendlichen unter achtzehn Jahren hinzunehmen, jede Hoffnung auf eine »Verkirchlichung« der HJ beiseitezulassen und für die kirchliche Jugendarbeit neue Wege zu suchen. Proteste gegen den Eingliederungsvertrag, die aus den Jugendgruppen selbst kamen und über die auch aus Bayern amtliche Berichte vorliegen, blieben machtpolitisch wirkungslos. Aber auch der Versuch des bayerischen Landesbischofs Meiser, durch Berufung von Vertrauensmännern für die evangelische Jugend innerhalb der HJ die Folgen des Vertrags abzuschwächen, hatte praktisch kaum Konsequenzen.

Die Evangelische Landeskirche in Bayern gab am 12. Februar 1934 Anweisungen zur künftigen kirchlichen Jugendarbeit heraus, die den verbleibenden Freiraum wie folgt umrissen:

»... Die Leiter unserer Jugendvereine haben sich dahin verständigt, daß die evangelische Jugend unter 18 Jahren in einer männlichen und einer weiblichen Säule des Evangelischen Jugendwerks zusammengefaßt werden soll und daß die religiöse und seelsorgerische Betreuung künftighin noch mehr als bisher gemeindemäßig eingestellt werde. Alle evangelische Jugendarbeit geschieht künftig im Auftrag der Landeskirche auf dem Boden der Gemeinde. Trägerin der örtlichen Jugendarbeit an den unter 18jährigen wird zentral Bibelarbeit sein, wozu noch Pflege des religiösen Liedes und des Volksliedes, Kirchenmusik, Sprechchor, evangelische Lebensschulung, Wandern, Rüst- und Freizeiten kommen sollen...«[69].

Im Jahresbericht des CVJM in Nürnberg für 1934 wird dieser Schritt so beschrieben:

»... Verstummt sind ihre Trommeln und Pfeifen, erloschen ihre Lagerfeuer, die Fahnen wehen nicht mehr, aber heilig brennt es im Herzen: Das Wort sie sollen lassen stahn!«[70].

Die Umstellung der evangelischen Jugendarbeit von der Form der Verbände und Bünde auf die der kirchlichen Gemeindejugend vollzog sich in Bayern vergleichsweise recht erfolgreich, was auch darin begründet gewesen sein mag, daß der Evangelischen Landeskirche Bayerns die heftigen innerkirchlichen Auseinandersetzungen zwischen Deutschen Christen einerseits, Bekennender Kirche andererseits, wie sie ab 1933 den evangelisch-kirchlichen Raum in anderen Teilen Deutschlands vielfach beherrschten,

---

[68] Priepke, a. a. O., S. 203f.
[69] Riedel, a. a. O., S. 77ff.
[70] Ebenda, S. 80.

weitgehend erspart blieben. Die Geschlossenheit der Landeskirche in Bayern bot günstige Bedingungen für eine extensive Nutzung der legalen oder halb-legalen Möglichkeiten, die der evangelischen Jugendarbeit nach dem Eingliederungsvertrag noch geblieben waren. Die evangelische Jugendarbeit in Bayern hatte bis in die Kriegsjahre hinein immerhin noch über fünfzig hauptamtliche Kräfte zur Verfügung, die meist aus der früheren Jugendverbandsarbeit übernommen worden waren. Dem Landesjugendpfarramt gelang es hier, eine relativ offene institutionelle Struktur der evangelischen Jugendarbeit in Bayern von der Landeskirche über Bezirksjugendpfarrer bis hin zu den einzelnen Gemeinden aufrechtzuerhalten. Vervielfältigte Rundbriefe des Landesjugendpfarramts wurden von den Behörden geduldet, Mitarbeiterschulungen und -lehrgänge waren bis in die Kriegsjahre hinein legal möglich. Eine solche Situation war keineswegs typisch für alle anderen evangelischen Landeskirchen. In den Jahren 1936/37 waren in Bayern auch noch große Treffen der evangelischen Jugend zugelassen; der damalige Landesjugendpfarrer berichtete von Zusammenkünften mit zum Teil Tausenden von jungen Menschen zu Ostern und Pfingsten. Für die evangelische Jugendarbeit lag hierin eine wichtige Chance, über die einzelnen Gemeinden hinaus Zusammenhalt zu finden und durch das Treffen mit Gleichgesinnten in großer Zahl jugendliches Selbstbewußtsein auch gegenüber den Anfeindungen der HJ und des Staates aufrechtzuerhalten. In erstaunlich großem Umfange wurden von der evangelischen Kirche in Bayern bis 1938/39 Bibelfreizeiten für Jugendliche durchgeführt. Auch hierin lag eine Möglichkeit, über die kirchliche Verkündigung hinaus und verstärkt durch das Zusammenleben mit Gleichaltrigen in einem »Freiraum« abseits der HJ, evangelische Jugend als »Gegenmilieu« zur NS-Sozialisation zu stabilisieren. Solchen Hilfen ist es wohl auch zu verdanken, daß im Bereich der Evangelischen Landeskirche Bayerns die gesamte Dauer des NS-Regimes hindurch in der Mehrzahl der Gemeinden die Jugendkreise sich halten konnten. Für das Jahr 1941 wird eine Zahl von achtzehntausend Jugendlichen zwischen 14 und 18 Jahren angegeben, die in Bayern regelmäßig an den gemeindlichen Bibelkreisen oder Jugendstunden teilnahmen. An den Rüstzeiten der evangelischen Jugendlichen in Bayern vom Sommer 1936 bis zum Sommer 1937 waren mehr als siebentausend Jugendliche beteiligt. Ohne Zweifel handelte es sich bei alledem nicht etwa nur um kirchliche Seelsorge für Jugendliche, sondern zugleich um die Gestaltung eines der HJ entrückten Lebensraumes durch die Jugendlichen selbst.

Es versteht sich, daß die HJ und die Staatsorgane versuchten, auch diese Form »systemfremden« Jugendlebens zu unterdrücken und die Möglichkeiten evangelischer Jugendarbeit immer weiter einzuschränken. Wanderungen und Fahrten evangelischer Gemeindejugend wurden ab 1935 nicht mehr geduldet; die erwähnten größeren Treffen evangelischer Gemeindejugend waren nur bis 1937 möglich; im Jahre 1938 wurden dann auch Bibelfreizeiten verboten oder aufgelöst; ab November 1939 waren solche Veranstaltungen generell untersagt, mit der Begründung, die Jugendlichen würden auf diese Weise von »staats- und kriegswichtigen Aufgaben« abgehalten. Der NS-Staat bemühte sich ferner, durch den Staatsjugenddienst die kirchliche Jugendarbeit zeitlich zu verdrängen. Für alle Veranstaltungen der Gemeindejugend galten zeitliche und räumliche Beschränkungen. So gab z. B. der Regierungspräsident in Ansbach am 23. Februar 1937 einen Erlaß heraus, wonach Zusammenkünfte der kirchlichen Gemeindejugend im Winter um

18 und im Sommer um 21 Uhr beendet sein mußten; an Tagen, an denen HJ-Dienst stattfand, durften kirchliche Jugendkreise nicht zusammenkommen. Vor der endgültigen Unterdrückung der Bibelfreizeiten waren die Veranstalter und Teilnehmer ständigen Schikanen ausgesetzt; es mußten Teilnehmerlisten mit Anschriften der Eltern eingereicht und Urlaubsgenehmigungen der HJ beigebracht werden. Nach einer Aktennotiz des bayerischen Landesjugendpfarramts wurden kirchliche Freizeiten nicht zuletzt deswegen aufgelöst, weil sich dabei Äußerungsformen der verbotenen Jugendorganisationen gezeigt hätten, so etwa weil bei Spaziergängen mehrere Jugendliche hintereinander zu zweien oder zu dreien gingen, was als Übertretung des Aufmarschverbots galt; oder weil viele Teilnehmer in kurzen Hosen gekommen waren, was als Übertretung des Uniformverbotes ausgelegt wurde. Die Staatsorgane wachten ängstlich darüber, daß die Beschränkung auf »rein kirchliche« Aktivitäten eingehalten wurde. Mit welcher Pedanterie man hierbei vorging, zeigt – ein Beispiel für zahllose ähnliche – der folgende Ausschnitt des Berichts des Regierungspräsidenten der Pfalz vom 8. Februar 1938[71]:

> ».. In St. Julian und Hinzweiler wurde der Versuch gemacht, wieder protestantische Jugendorganisationen aufzuziehen. Die inzwischen durchgeführten Ermittlungen haben ergeben, daß der protestantische Pfarrer... in der Zeit vor Weihnachten ziemlich regelmäßig Zusammenkünfte der männlichen und weiblichen Jugend organisiert hat. So fand noch am 23. Dezember 1937 in Hinzweiler eine Zusammenkunft des evangelischen Knaben- und Mädchenbundes [gemeint: der Gemeindejugend] statt. Auf dieser Zusammenkunft gaben Pfarrer... und ein weiterer, nicht näher bekannter auswärtiger Pfarrer den Zweck dieser Zusammenkünfte bekannt. Es sollten Geschichten vorgelesen, Lieder gesungen, Unterhaltungsspiele geübt, Briefmarken gesammelt und die Bibel durchgenommen werden. Eine religiöse Betätigung war so gut wie gar nicht geplant... Die Geheime Staatspolizei Neustadt a. d. W. ist über die Vorgänge unterrichtet...«.

Zusammenfassend läßt sich zur Entwicklung der evangelischen Jugendarbeit während des NS-Systems sagen, daß der Eingliederungsvertrag die evangelischen Jugendverbände schon so rasch ihrer jugendlichen Basis beraubte, daß – anders als bei der katholischen Jugend – ein eigentlich jugendbündisches Leben evangelischerseits ab 1934 kaum noch existierte. Der erzwungene Rückzug in den innerkirchlichen Raum erfolgte hier früh, und wir finden auf evangelischer Seite nur selten eine direkte illegale Fortführung von Jugendgruppen. Zumindest dort, wo die kirchlichen Institutionen gegenüber dem NS-Staat ihre Selbständigkeit und Geschlossenheit behaupteten (was für die bayerische Landeskirche zutrifft), bildete sich aber eine recht haltbare neue Form kirchlicher Jugendarbeit heraus, die auch als Lebenszusammenhang Jugendlicher gegenüber der HJ resistent blieb: In den evangelischen Landesteilen Bayerns aber auch in München umfaßte die evangelische Gemeindejugend noch im Krieg Tausende von jungen Leuten und bedeutete für diese die Chance einer Sozialisation, die nicht den Normen des NS unterworfen war.

Die sperrigste und hartnäckigste Barriere, auf die der Monopolanspruch der HJ in Bayern stieß, ergab sich aus der traditionellen Stärke und Fortführung katholischer Jugendbewegung und Jugendarbeit nach 1933. Im Hinblick auf die Breite des oppositionellen Potentials und die Kontinuität des HJ-gegnerischen Milieus stellte – auf Reichs-

---

[71] Die kirchliche Lage in Bayern nach den Regierungspräsidentenberichten 1933–1943, Bd. V, Regierungsbezirk Pfalz, hrsg. von Helmut Prantl. Mainz 1977, S. 225.

ebene – höchstens die bündische Jugend in ihren verschiedenen Varianten ein ähnlich gewichtiges Problem für die Durchsetzung der Hitlerjugendsozialisation dar, wobei diese beiden Strömungen jugendlicher Opposition sich vielfach verbanden.

Gegenüber den evangelischen Jugendorganisationen hatten die katholischen Verbände den Vorteil, daß der ideologische Abstand zum NS bis zur Machtergreifung groß genug war, so daß auch nach dem 30. Januar 1933 gegenüber den Verlockungen einer »nationalen Einheit der Jugend« sofort starke Vorbehalte hervortraten. Zwar bekannten sich auch die katholischen Jugendverbände ab April 1933 zum »neuen Staat« und zur »nationalen Erhebung«, nachdem die wichtigsten von ihnen – ausgenommen der Schülerbund »Neudeutschland« – im Februar des Jahres noch einen Wahlappell zugunsten der Zentrumspartei unterstützt hatten. Dieses Einschwenken in die Loyalität gegenüber der »nationalen Regierung« entsprach dem allgemeinen politischen Kurs der katholischen Kirche in Deutschland, wie er u. a. in der gemeinsamen Erklärung der deutschen Bischöfe vom 28. März 1933 zum Ausdruck kam. Man hatte sich hier offenbar darauf eingerichtet, den Schutz der katholisch-kirchlichen Interessen nun nicht mehr über den »politischen Katholizismus«, also die Zentrumspartei und die BVP, sondern über den Abschluß eines Konkordats zwischen dem Vatikan und der neuen Regierung zu erhoffen. Ohne Zweifel gab es auch in der Politik des NS-Regimes Komponenten, die ihre Entsprechung in der politischen Vorstellungswelt weiter Teile des deutschen Katholizismus einschließlich der Jugendverbände hatten, so vor allem die Ablehnung von »Liberalismus« und »Marxismus«, die Betonung der »nationalen Würde« und die Bevorzugung eines autoritären Staatstyps. Die Identifikation des deutschen Katholizismus mit der parlamentarischen Demokratie der Weimarer Republik hatte sich in den dreißiger Jahren ohnehin abgeschwächt, so daß auf der unmittelbar politischen Ebene keineswegs eine unbedingte Gegenposition zum NS bezogen wurde, als dieser zur Macht gekommen war.

Andererseits war aber die weltanschauliche Ablehnung des NS vor 1933 beim deutschen Katholizismus – anders als bei der Evangelischen Kirche – vorherrschend; zugleich flossen in die späteren kirchenpolitischen Auseinandersetzungen mit dem NS-Staat katholischerseits auch immer wieder Restbestände oder Traditionen demokratisch-politischen Denkens aus der Zeit vor 1933 ein. Für die katholischen Jugendverbände war es jedenfalls 1933 keine Frage, daß sie ihre Existenz und ihre Arbeit durchaus unabhängig von der HJ fortzuführen gedachten. Lediglich im Kreis oder Umkreis der Bischöfe gab es nach der Machtergreifung offenbar kurzzeitig Überlegungen, die katholische Jugend korporativ in die HJ zu überführen. Die HJ-Führung hätte möglicherweise an solche Hoffnungen, ähnlich wie bei der evangelischen Jugend, taktisch angeknüpft, um auf diese Weise der katholischen Jugendverbandstätigkeit ein schnelles Ende zu bereiten; die praktischen Auseinandersetzungen zwischen HJ und katholischer Jugend, die schon zu dieser Zeit überall eindeutige Fronten hergestellt hatten, ließen solchen Kalkulationen aber keinen Spielraum.

Wegen der traditionellen Stärke des Katholizismus in diesem Gebiet gehörte Bayern zu den deutschen Ländern, in denen der Konflikt zwischen dem NS-Staat und der katholischen Jugend besondere Intensität gewann. Es scheint auch, daß die Bayerische Politische Polizei unter Heydrich die Bedeutung dieser Auseinandersetzung für den

Erfolg der NS-Jugenderziehung früher erkannt hatte als die Staatsorgane in anderen Regionen des Reiches. Die NS- und HJ-Führungen waren im Frühsommer 1933, kurz vor dem Zustandekommen des Reichskonkordats, sehr darum bemüht, die katholischen Jugendverbände möglichst noch vor dem Abschluß dieses Vertrags zu destruieren. So wurden z. B. die schon bis zum Juni 1933 in weiten Teilen des Reiches herausgegebenen Erlasse zum Verbot öffentlicher Veranstaltungen der konfessionellen Verbände in Bayern besonders strikt praktiziert, und es kam vielerorts zur Besetzung von Heimen der katholischen Jugend, zur Sperrung von Konten der Jugendverbände und zur Beschlagnahme von Organisationsunterlagen. Das Verbot öffentlichen Auftretens der konfessionellen Verbände wurde in Bayern auch nach der Paraphierung des Reichskonkordats noch zeitweilig aufrechterhalten; von Mitte September bis Anfang November 1933 war hier den katholischen Verbänden jede nach außen gerichtete Aktivität untersagt. Interventionen aus dem Reichsinnenministerium in Berlin führten dann zur Aufhebung dieser Verbote in Bayern; auch danach ging jedoch die BPP in vielen Einzelfällen gegen Veranstaltungen der katholischen Jugend vor.

Die Berichte der Gendarmeriestationen, Bezirksämter und Regierungspräsidenten in Bayern weisen, was z. T. schon dokumentiert wurde, bereits im Sommer und Herbst 1933 vielfach auf die offenen Konflikte hin, die sich zu dieser Zeit zwischen katholischen Jugendgruppen und der HJ oder anderen NS-Organisationen allenthalben abspielten[72]. Daraus ergibt sich auch der Eindruck, daß die katholische Jugend den Repressionen mit verstärkter Werbung entgegenarbeitete. Besonderen Ärger erregte es, daß vielerorts die HJ-Einheiten von der Teilnahme an den Fronleichnamsprozessionen ausgeschlossen wurden (zu dieser Zeit legten viele NS-Organisationen noch Wert darauf, über die Beteiligung an kirchlichen Veranstaltungen für die Bevölkerung vertrauenswürdig zu werden). In einem Bericht des Bezirksamtes Eichstätt vom 20. Juni 1933 heißt es:

». . . Daß unter diesen Umständen von der nationalsozialistischen Seite jeder Aufmarsch uniformierter Mitglieder katholischer Jugendvereine als eine unglaubliche Herausforderung aufgefaßt werden mußte, ist wohl nicht weiter verwunderlich. Wenn nun auch Aufzüge und Versammlungen zur Zeit verboten sind, so wird doch die Werbung für die katholischen und der Kampf gegen die nationalsozialistischen Jugendorganisationen in der Stille noch weitergeführt werden Da der Staat ein Interesse daran haben muß, daß die Jugend im staatsbejahenden Sinne erzogen wird, ist es allmählich höchste Zeit, daß denen die Jugend aus der Hand genommen wird, die sich nur widerwillig in den Staat einfügen oder ihn gar bekämpfen. Ein alsbaldiges Verbot aller nicht nationalsozialistischen Jugendverbände ist m. E. ein Gebot der Stunde . . .«[73].

Zum Spektakulum wurde der Gesellentag des Kolpingverbandes vom 8. bis 11. Juni 1933 in München, zu dem viele Tausende von Teilnehmern aus dem ganzen Reichsgebiet zusammengekommen waren. Trotz einer recht NS-freundlichen Programmatik und der Teilnahme des Vizekanzlers von Papen war diese Veranstaltung nur unter großen Schwierigkeiten erlaubt worden. Die BPP verbot dann plötzlich die »Kluft« der Kolpingsöhne; SA-Kolonnen fielen über die Veranstaltungsteilnehmer her, rissen ihnen die Hemden vom Leibe, zerstörten die Fahnen und sorgten dafür, daß der Gesellentag

---

[72] Die Berichte sind abgedruckt in: Die kirchliche Lage in Bayern nach den Regierungspräsidentenberichten 1933–1943, Bde. I–V, hrsg. von Helmut Witetschek, Walter Ziegler, Helmut Prantl. Mainz 1966–1977.
[73] Kleinöder, Evi: Verfolgung und Widerstand der Katholischen Jugendvereine. Eine Fallstudie über Eichstätt, in: Bayern in der NS-Zeit II, hrsg. von Martin Broszat und Elke Fröhlich. München 1979, S. 207f.

vor der Schlußmesse abgebrochen werden mußte. Im Anschluß daran wurden Gautage des katholischen Burschenvereins verboten, einer nur in Bayern bestehenden (etwa 40 000 Mitglieder zählenden) Jugendorganisation für die schulentlassenen Jungen auf dem Lande, die im altbayerischen Gebiet z. T. stärker war als der ansonsten dominierende katholische Jungmännerverband. Die Aktivitäten der BPP und der Münchener SA trugen sehr zur Aufklärung über den wahren Charakter des neuen Staates bei den katholischen Jugendlichen bei. Aus den Akten der Polizeidirektion München ist ein bezeichnender Fall überliefert: Ein Mitglied der »Sturmschar« des katholischen Jungmännerverbandes, wohnhaft in München, wurde am 20. Juli 1933 in Haft genommen, weil ein Brief von ihm entdeckt worden war, in dem er Ratschläge gegeben hatte, wie man die Auflösung der »Sturmschar« unterlaufen könnte, und über seine Erlebnisse beim Gesellentag berichtet hatte. In diesem Brief, gerichtet an einen auswärtigen Freund, hieß es:

»Vielleicht hält man wieder Haussuchung bei Dir und beschlagnahmt diesen Brief, dann wird man wenigstens die Wahrheit erfahren, die man sonst nicht erfährt ... Ich würde Dir gern noch weiteres erzählen, aber: O lieber Herrgott mach mich stumm, daß ich net nach Dachau kumm! Dachau ist ein schöner Kurort, 18 km von München, aber KZ-Lager für alle, die sich im Reden und Handeln nicht ›beherrschen‹ können ...«[74].

Der Briefschreiber kam daraufhin selbst ins KL Dachau.

Mit Ablauf des Jahres 1933 waren bei den katholischen Jugendverbänden die letzten Illusionen über ein mögliches Einvernehmen mit der HJ dahingeschwunden. Nun wurde mit viel Erfolg versucht, die eigene Jugendarbeit standfest gegen alle Angriffe des NS-Staates zu machen. Gerade im Jahre 1934 gewann der katholische Jungmännerverband mehr noch als bisher den Charakter einer attraktiven Jugendbewegung. Die katholischen Jugendverbände erlebten einen qualitativen Aufschwung und verloren auch nicht an Quantität. Die Zeitschriften aus der Zentrale der katholischen Jugendarbeit, dem Jugendhaus Düsseldorf, wurden in diesem Jahr zu den führenden Jugendpublikationen in Deutschland ausgebaut, die dank der spontanen Werbung durch junge Leute die HJ-Veröffentlichungen überflügeln konnten. Die katholische Jugendzeitung *Junge Front* (später *Michael*) steigerte ihre Auflage von 85 000 im Juli 1933 auf 200 000 im Juni 1934. Auch die für die Jüngeren gedachten Zeitschriften *Die Wacht* und *Am Scheidewege* gewannen enorm an Verbreitung. Die erstaunliche Belebung der katholischen Jugendarbeit zu dieser Zeit war keineswegs etwa ein Resultat der Politik des Episkopats; auch im Jahre 1934 dachten zumindest einige der deutschen Bischöfe immer noch eher an ein Arrangement mit dem NS-Staat in Sachen Jugendarbeit. Diese Tendenz kam auch in den Verhandlungen zum Ausdruck, die im Juni des Jahres Vertreter des Episkopats mit den staatlichen Stellen und der Parteiführung über die Auslegung des Reichskonkordats im Hinblick auf die Jugendverbände führten; das Verhandlungsergebnis wurde sowohl von den Jugendverbänden als auch vom Vatikan als zu defensiv gewertet und nicht akzeptiert. HJ-Führung und Staatsorgane waren derweil bemüht, der katholischen Jugendbewegung durch eine Fülle einzelner Maßnahmen den Boden zu entziehen. Auf Eltern, Schulen und Lehrfirmen wurde Druck ausgeübt, um Jugendliche an der

---

[74] StAM, Staatsanwaltschaft, 7520.

Mitarbeit in katholischen Jugendverbänden zu hindern. Nachdem schon 1933 die Doppelmitgliedschaft in der HJ und katholischen Jugendverbänden verboten worden war, wurden 1934 Angehörige katholischer Verbände auch von der Mitgliedschaft in der DAF ausgeschlossen, was für die Berufsausbildung oder den Berufsweg größte Nachteile mit sich brachte. Die BPP verbot mit einem Rundschreiben vom 30. Januar 1934 den freien Vertrieb der *Jungen Front* vor den Kirchen; als Ostern 1934 der Papst eine ermutigende Botschaft an die katholischen Jugendverbände Deutschlands gerichtet hatte, untersagte am 14. April 1934 die BPP die öffentliche Verbreitung dieses Textes. Im April und Mai 1934 preschten die Bezirksregierungen in Unterfranken, Ober- und Mittelfranken und in Oberbayern mit Erlassen vor, die den katholischen Jugendverbänden für etliche Monate »Kluft«, Abzeichen und jede sportliche Betätigung untersagten. Auch in anderen Teilen Bayerns und außerhalb dieser Monate wurden ständig Einzelverbote von Veranstaltungen katholischer Jugendverbände ausgesprochen, Jugendheime beschlagnahmt und bündische Formen katholischer Jugendarbeit verfolgt.

Diese Auseinandersetzungen zwischen HJ bzw. NS-Staat und katholischen Jugendverbänden spitzten sich im Jahre 1935 weiter zu. Die katholischen Jugendgruppen erhielten mancherorts Zuzug von Jugendlichen, die bisher in der HJ mitgemacht hatten; die Zeitschriften des Jugendhauses steigerten noch ihre Verbreitung. Ostern 1935 unternahmen fast zweitausend Jungen der katholischen Sturmschar eine demonstrative Fahrt nach Rom. Im Sommer 1935, kurz vor der Fuldaer Bischofskonferenz, lancierten Laienführer der katholischen Jugendverbände einen Artikel in der katholischen Emigrationszeitschrift *Deutsche Briefe*, in dem sie den Bischöfen nahelegten, zur Offensive gegen den NS überzugehen und das kirchliche Verbot der Zugehörigkeit zu den NS-Organisationen, das im Frühjahr 1933 aufgehoben worden war, wieder auszusprechen[75].

Die HJ konzentrierte ihre Tätigkeit im Jahre 1935 auf den Kampf gegen die katholischen Jugendgruppen. Die Zeitung *Junge Front* wurde zeitweilig verboten; über die Staatsorgane wurde der Druck auf die katholischen Eltern verschärft. In einigen bayerischen Regierungsbezirken wurden die Beamten und Angestellten im öffentlichen Dienst angewiesen, ihre Kinder aus den katholischen Jugendgruppen herauszunehmen; den Handwerkskammern wurde nahegelegt, Lehrverträge nur noch zu genehmigen, wenn die Jugendlichen Mitglieder der HJ waren.

Das Bayerische Staatsministerium des Innern verbot schließlich am 30. Juli 1935 ein für allemal den konfessionellen Jugendverbänden alle Betätigungen, die nicht als rein kirchlich-religiöse angesehen wurden, so insbesondere das Tragen von »Kluft« und Abzeichen, das geschlossene Auftreten in der Öffentlichkeit, das Wandern und Zelten, das öffentliche Mitführen von Fahnen und Wimpeln und jegliche Form des Sports. Diesem Erlaß lag eine Anweisung des Reichsführers-SS Himmler vom 23. Juli 1935 zugrunde, die in Bayern besonders rigoros durchgeführt wurde.

Die NS-Polemik gegen die katholischen Jugendverbände ging nun zu der Argumentation über, katholische Jugendbewegung und Kommunisten »arbeiteten Hand in Hand«. Da half es auch wenig, daß Kardinal Bertram als Beauftragter des deutschen Episkopats

---

[75] Hürten, Heinz (Hrsg.): Deutsche Briefe 1934–1938. Mainz 1969. Hier handelt es sich um die Sonderausgabe vom 16. 8. 1935.

am 13. August 1935 in einem Schreiben an die zuständigen Reichsminister beteuerte, die katholische Jugend habe »unablässig gegen Marxismus, Bolschewismus und Kommunismus und gegen alle Feinde der öffentlichen Ordnung den Kampf geführt . . .«[76].

Die alltäglichen Formen des Konfliktes zwischen NS-Staat, HJ und katholischer Jugendbewegung in den Jahren 1934/35 werden beispielhaft an den folgenden Zitaten aus Berichten bayerischer Regierungspräsidenten deutlich[77].

Regierungspräsident Schwaben, 2. Februar 1934:

». . . Innerhalb der nationalen Bewegung herrscht gutes Einvernehmen. Dagegen hält die schon früher berichtete Spannung zwischen der HJ und den katholischen Verbänden in Augsburg an . . . Wie anderwärts war auch in Augsburg die DJK eifrig bemüht, das Organ der katholischen Jugendorganisationen *Junge Front*, eine Wochenschrift, durch Werber an Kircheneingängen zu vertreiben. Die Polizeidirektion hat . . . Strafanzeige erstattet und 200 Stück dieser Wochenschrift beschlagnahmt und sichergestellt. Nunmehr legt die DJK während der sonntäglichen Gottesdienste ihre Zeitungen vor den Kirchentüren auf Tischen aus und veranlaßt die Kirchenbesucher durch einen daneben angebrachten schriftlichen Aufruf zur Abnahme der Zeitung mit dem Hinweis, daß der Gegenwert in die daneben stehende Sammelbüchse gelegt werden solle . . .«.

Regierungspräsident Oberbayern, 19. April 1934:

». . . Im Aushangkasten des kathol. Jungmännervereins in Friedberg wurde ein päpstlicher Brief an die Jungmänner öffentlich angeschlagen, der von einer neuen, von Christus weg und zum Heidentum hinführenden Jugendbewegung [gemeint war die HJ] sprach . . . Der Anschlag wurde sofort auf Veranlassung des Sonderbeauftragten beim Bezirksamt durch die Gendarmerie entfernt . . .«.

Regierungspräsident Oberbayern, 2. Mai 1934:

». . . Das Bezirksamt Berchtesgaden mußte das Tragen einheitlicher Kleidung und von Abzeichen durch konfessionelle Jugend- und Männerorganisationen verbieten, weil die Christus-Jugend in Schellerberg durch einen geschlossenen Zug vom Pfarrhof zur Schule die HJ und die nationalsozialistische Bevölkerung durch Absingen ihrer Kampflieder provozierte . . . In Töging kam es zu Zusammenstößen zwischen der DJK und der HJ gelegentlich eines Fußballspieles der DJK. Um neue ähnliche Zusammenstöße zu vermeiden, hat das Bezirksamt angeordnet, daß jede sportliche Betätigung der DJK in Töging bis auf weiteres zu unterbleiben hat . . .«.

Regierungspräsident Oberpfalz, 4. Mai 1934:

». . . Das gespannte Verhältnis im Amtsbezirk Amberg zwischen HJ und den katholischen Jugendverbänden besteht fort. Das Bezirksamt hat für die katholischen Verbände Uniformverbot verhängt . . . In Wörth a. d. Donau kam es am 22. April zu Auseinandersetzungen zwischen Mitgliedern der NSDAP und der DJK, die Tätlichkeiten zur Folge hatten. Der Sonderbeauftragte beim Bezirksamt Regensburg erließ . . . ein Tätigkeitsverbot für sämtliche katholischen Vereine . . .«

---

[76] Müller, Hans: Katholische Kirche und Nationalsozialismus. Dokumente 1930–1935. München 1963, S. 362f.
[77] Die Auseinandersetzung zwischen HJ und katholischer Jugend verlief gerade in Unterfranken besonders konfliktreich. Die nachfolgenden Beispiele sparen diesen Bezirk allerdings aus, da hierzu bereits eine anschaulich dokumentierende Darstellung vorliegt: Goldhammer, Karl-Werner: Der Kampf der NSDAP gegen die katholische Jugendarbeit in Unterfranken, in: Würzburger Diözesan-Geschichtsblätter, 37/38. Bd., Würzburg 1975, S. 657ff. Vgl. als faktengestützte Erzählung hierzu: Altenhöfer, Ludwig: Aktion Grün. Ein Buch vom Widerstand der Jugend gegen die Diktatur. Würzburg 1956. – Die folgenden Textstellen nach: Die kirchliche Lage in Bayern, a.a.O., Bde. I–V.

Regierungspräsident Oberpfalz, 5. Juli 1934:

».... Angehörige des katholischen Jungmädchenvereins St. Leonhard in Regensburg haben an einer Plakattafel ein Plakat angeschlagen mit dem Inhalt: ›Wenn Deutschland sich erholt, dann nur durch die Christusjugend. Darum werdet Mitglied der katholischen Aktion!‹ Diese Äußerung war gedacht als Antwort auf einen vorher von der HJ angeschlagenen Zettel mit der Aufschrift ›Gift für Deutschlands Jugend sind die schwarzen Verbände‹. Die Polizeidirektion hat den Jungmädchenverein St. Leonhard verboten und aufgelöst. Das Vereinsvermögen wurde beschlagnahmt ...«.

Regierungspräsident Oberbayern, 8. August 1934:

».... In Haar wurde der katholische Jugendverband auf Veranlassung der BPP verboten, weil er Mitglieder der HJ als ›braune Pest‹ beschimpfte und Münchener Gäste des Vereins auf den deutschen Gruß erwiderten: ›Laßt doch den Krampf‹. Wiederholte Schlägereien waren die Folgen des gespannten Verhältnisses ...«.

Regierungspräsident Oberbayern, 8. Dezember 1934:

».... Durch das Bezirksamt Pfaffenhofen wurde in Geisenfeld der kath. Jungmädchenverein ›Die weiße Rose‹ verboten, weil der Präses ... die Veranstaltung mehrfach nicht rechtzeitig anzeigte und zuletzt sogenannte ›Heimabende‹ abends in der Pfarrkirche bei verschlossenen Kirchentüren abhielt. Das Bezirksamt konnte feststellen, daß den Mitgliedern der ›Weißen Rose‹ durch Vorträge das Gefühl einer Art Märtyrertums unter der nationalsozialistischen Regierung eingeflößt wurde, das sie von den übrigen Volksgenossen absonderte und zu Geheimnistuerei veranlaßte ...«.

Regierungspräsident Schwaben, 7. März 1935:

».... Die katholischen Jungmännerorganisationen entfalten nach mehreren Berichten eine gesteigerte Tätigkeit, teils in Theateraufführungen zum Fasching, teils im Ausbau ihrer Vereine. Wie die Polizeidirektion Augsburg meldet, werden die angeblich zahlreichen Austritte aus der SA in den Landgemeinden um Augsburg in Parteikreisen hauptsächlich auf die reger werdende Werbetätigkeit der kathol. Burschenvereine zurückgeführt ...«.

Regierungspräsident Schwaben, 1. August 1935:

».... Am 7. Juli wollte eine Gruppe des Neudeutschlandbundes, bestehend aus 30 katholischen Jungen, geschlossen eine Ausfahrt mit Fahrrädern nach Uttenhofen machen. Die beabsichtigte Ausfahrt wurde unterbunden. Allgemein mußte man in letzter Zeit die Wahrnehmung machen, daß die katholische Jugend in verstärktem Maße in Einheitskleidung – schwarze Manchesterhose und Joppe – in der Öffentlichkeit aufgetreten ist. Am 8. Juli wurde hier die ... katholische Jugendbewegung ›Quickborn‹, Ortsgruppe Augsburg, verboten und aufgelöst. Sie hat wiederholt ohne polizeiliche Anmeldung Veranstaltungen und Zusammenkünfte abgehalten ...«.

Regierungspräsident Schwaben, 7. September 1935:

».... Die Tätigkeit der katholischen Jugendorganisation ist aktiver geworden. In der Stadt Augsburg sind sogar Austritte aus der HJ zu ihren Gunsten zu verzeichnen. Der Gegensatz zwischen HJ und den kath. Jugendorganisationen wird immer stärker. In der Stadt Augsburg wurden wegen Tragens einheitlicher Kleidung oder uniformierter Kleidungsstücke eine größere Anzahl Angehöriger katholischer Jugendverbände angezeigt. 18 solcher Kleidungsstücke wurden beschlagnahmt«.

Regierungspräsident Schwaben, 1. Dezember 1935:

».... Am 8. November zwischen 20 und 20 ¾ Uhr wurde in der katholischen Stadtpfarrkirche Peter und Paul von Angehörigen des katholischen Jungmännervereins bei verschlossenen Türen eine Führersitzung abgehalten. Vorsitzender war Stadtkaplan . . . und Einberufer der 20 Jahre alte, ledige Schreiner . . ., Präfekt des Jungmännervereins. Bei der Sitzung wurden verschiedene Fragen zur Aufrechterhaltung der Organisation besprochen. Bei der polizeilichen Kontrolle erklärte der Präfekt auf die Frage, warum er die Sitzung einberufen habe: ›Solange die Regierung das Konkordat nicht hält, brauchen auch wir nicht die Gesetze derselben zu befolgen‹. Der Präfekt wurde in Schutzhaft genommen. Der katholische Jungmännerverein wurde . . . aufgelöst . . .«.

Die Entwicklung der Jahre 1933 bis 1935 hatte gezeigt, daß der NS-Staat trotz aller Druckmittel und polizeilicher Einschränkungen bzw. partieller Verbote nicht in der Lage war, die katholischen Jugendverbände zu verdrängen; in den überwiegend katholischen Gebieten Deutschlands hatten diese fast überall ihre Positionen halten und zum Teil sogar noch gegenüber der HJ ausbauen können. Kirchliche Traditionen und jugendliche Interesse an einer Alternative zur HJ wirkten hier offenbar zusammen, wobei die zuletzt genannte Motivation allem Anschein nach ab 1934 eher zunahm als schwächer wurde. Angesichts dessen ging die NS-Führung ab 1936 trotz des Reichskonkordats dazu über, den katholischen Jugendverbänden alle noch bestehenden Wirkungsmöglichkeiten und jede restliche Legalität zu entziehen.

Die Gestapo nahm einige wenig bedeutsame Kontakte zwischen katholischen Jugendführern und illegalen Vertretern des KJVD zum Vorwand zu einer Großaktion gegen die Zentrale der katholischen Jugendarbeit. Im Februar 1936 wurden 57 Laienführer und Seelsorger der katholischen Jugendverbände, darunter der Generalpräses Ludwig Wolker, verhaftet, das Jugendhaus in Düsseldorf wurde zeitweilig geschlossen. Zwar mußten viele der Verhafteten, so auch Wolker, nach etlichen Wochen mangels eines Tatbestandes wieder entlassen werden (gegen die übrigen wurde erst im April 1937 vor dem Volksgerichtshof in Berlin ein Prozeß geführt), aber der Staat hatte seine Macht demonstriert und der Vorwurf der »katholisch-kommunistischen Einheitsfront« im Sektor der Jugendarbeit wurde nun zu einer wichtigen Waffe des Regimes gegen die katholische Jugendbewegung. Die deutschen Bischöfe wandten sich im Mai 1936 mit einem klarstellenden Hirtenwort an die katholische Jugend; zu diesem Zeitpunkt hatten sie allerdings die Hoffnung, die katholischen Jugendverbände am Leben erhalten zu können, bereits aufgegeben. Im April des Jahres war mit den vom deutschen Episkopat herausgegebenen neuen »Richtlinien für die Jugendseelsorge« der Prozeß der Umstellung der Jugendarbeit von den Verbänden und Bünden auf die innerkirchliche Ebene, vor allem die Pfarrgemeindejugend, eingeleitet worden. Im nachhinein läßt sich schwer darüber urteilen, ob die Bischöfe durch ein energisches, öffentliches Auftreten gegen die Unterdrückung der Jugendverbände den begrenzten Freiheitsraum für die katholische Jugendbewegung noch länger hätten aufrechterhalten können; in jedem Falle hätte ein solches Vorgehen einen massiven Konflikt zwischen Katholischer Kirche und NS-Staat hervorgerufen.

Im Jahre 1936 unterdrückte der NS-Staat auch das wichtigste öffentliche Organ der katholischen Jugendbewegung, die Wochenzeitung *Junge Front* bzw. *Michael*, die anderen Zeitschriften der katholischen Jugend wurden inhaltlich eingeengt und 1938 dann ebenfalls liquidiert. Auch das Ende 1936 verkündete »Gesetz über die Hitlerjugend«, das den formellen Schritt zur Staatsjugend mit Totalitätscharakter bedeutete, richtete sich deutlich gegen die noch bestehenden katholischen Jugendverbände. Die bayerischen Bischöfe versuchten mit einem Hirtenbrief, der am 13. Dezember 1936 in den Kirchen verlesen wurde, der katholischen Jugend in ihrer Auseinandersetzung mit der HJ Unterstützung zu geben; sie wiesen auf die »Bedrängung, Überwachung und Bespitzelung« hin, der katholische Jugendarbeit überall ausgesetzt war. Im Vergleich mit anderen Teilen des Reichsgebiets relativ früh, nämlich bereits im Laufe des Jahres 1937, waren in Bayern die katholischen Jugendverbände durch örtliche und bezirkliche Auflösungen und Verbote fast ausnahmslos aus der Legalität verdrängt. Im Januar 1938 kam dann das endgültige Verbot: Unter Berufung auf die Verordnung des Reichspräsidenten zum Schutze von Volk und Staat vom 28. Februar 1933 und unter Hinweis auf »staatsfeindliche Betätigung« lösten die BPP mit Verfügung vom 20. Januar und das Bayerische Staatsministerium des Innern mit Erlaß vom 31. Januar alle katholischen Jugendverbände auf, stellten jede Weiterführung derselben unter Strafe und beschlagnahmten das Vermögen der Verbände. Der Protest der bayerischen Bischöfe (Hirtenwort vom 6. Februar 1938) blieb ohne Eindruck auf den Staat.

Der erzwungene und seit 1936 von der Kirche bereits in Gang gesetzte Formenwechsel der Jugendarbeit hin zur Gemeindejugendseelsorge bedeutete freilich nicht das Ende jeder Art von katholischer Jugendbewegung. Es wurde vielerorts mit Erfolg versucht, im engen Raum der Pfarrjugendseelsorge jugendlicher Gruppenbildung und jugendgemäßen Lebensformen heimlich Ausdruck zu verschaffen. Religiöse Jugendwochen, Einkehrtage und Exerzitien, Jugendgottesdienste für mehrere Pfarreien und Wallfahrten wurden als Möglichkeiten genutzt, den jugendlichen Erlebniszusammenhang über die einzelne Gemeinde hinaus zu bewahren. Bekenntnistage der katholischen Jugend, Bischofsjubiläen, Prozessionen und ähnliche Veranstaltungen wurden zu Demonstrationen gegen die Unterdrückung der katholischen Jugendbewegung. Auch in diese Betätigungsformen griffen die staatlichen Organe immer wieder repressiv ein. Da sich zu solchen Gelegenheiten oft Tausende von katholischen Jugendlichen versammelten, war die Polizei darauf angewiesen, »Rädelsführer« herauszuholen, denen vorgeworfen wurde, kirchliche Feiern in Protestaktionen gegen den Staat »umfunktioniert« zu haben.

Gleichzeitig gab es viele – und oft erfolgreiche – Versuche, geschlossene katholische Jugendgruppen trotz Verbot im »Untergrund« fortzuführen. Die Berichte der bayerischen Regierungspräsidien bringen empörte Hinweise auf Lieder, die damals in der katholischen Jugend gesungen wurden und in denen die Umstellung auf eine illegale Existenzweise der Gruppen anschaulich wird, wie etwa: »Wir traben in die Weite, das Fähnlein steht im Spind. Viel tausend uns zur Seite, die auch verboten sind ...«, oder: »Die Trommel schlägt dumpf und ist Sturm im Land, die Kleider beschmutzt und zerrissen. Sind wir auch einsam und jetzt verkannt, wir werden die Fahne noch hissen«.

Die erwähnten amtlichen Berichte geben auch Auskunft über die Entdeckung illegaler »bündischer« katholischer Jugendgruppen, so etwa der verbotenen St. Georgs Pfadfinder und des Schülerbundes Neudeutschland, oder über »Meßdienergruppen«, in denen tatsächlich das Gruppenleben der verbotenen Jungschar oder Sturmschar fortgeführt wurde.

Bis weit in die Kriegsjahre hinein hielten sich in Bayern in großem Umfange Fortsetzungen katholischer Jugendbewegung, teils am Rande der »innerkirchlichen« Legalität, teils illegal. Ein hierfür typisches Dokument ist ein »Beobachtungsbericht« des

Augsburger HJ-Streifendienstes für den Zeitraum vom 1. März bis zum 30. Juni 1940. Darin war zu lesen[78]:

». . . 23. März 1940. Passionsfeier der Jugend in St. Ulrich. Die Feier begann mit kirchlichen Liedern. Dann Ansprache. Hierin rief der Redner vor allem die Jugend auf, entgegen allen äußeren Schwierigkeiten stets treu für die Kirche zu kämpfen. Dann Gebete und Lieder. Teilgenommen haben rund 100 männliche Jugendliche, 150 weibliche. Beim größten Teil dürfte es sich um Schuljugend (Volks- und Mittelschule) gehandelt haben . . .
22. März 1940. Nachtveranstaltung – ›Stunde der Wache‹ der kath. Jugend im Dom . . . Beginn 2 h. Von seiten der Pfarrjugend St. Ulrich waren 50 Jugendliche im Alter von 14–18 Jahren anwesend. In der Kirche sprach der Kaplan zum Thema ›Die Stunde der Wache‹. Er begann bei seinen Ausführungen mit dem Wachestehen der Soldaten, leitete das dann über in den geistig-religiösen Teil und ermahnte die Jungen, in dieser schweren Zeit besonders zur Kirche zu halten. Darauf folgen Lieder und Gebete. Ende 3 h. Die Veranstaltungen wurden die ganze Nacht durch von den Pfarreien durchgeführt, die sich stündlich ablösten. Vor der von uns besuchten Stunde war eine uns unbekannte Pfarrei im Dom mit 30 Jungen. Nach St. Ulrich kam die Pfarrei Hl. Kreuz mit rund 40 Jungen. Am Schluße der Stunden wurden die Teilnehmer ermahnt, sich aus gewissen Gründen schnell und lautlos nach Hause zu begeben.
Überwachung der Pfingstfahrt der kath. Pfarrjugend St. Ulrich. An der Fahrt haben sechs Jungen dieser Gruppe teilgenommen. Die Verfolgung erfolgte per Rad bis Utting, wo die Gruppe im Garten des kath. Müttererholungsheims zeltete. Die Gruppe wurde von Samstag abend bis spät in die Nacht beobachtet. Besondere Beobachtungen konnten nicht gemacht werden. Das Auftreten in Utting erfolgte immer getrennt. Das Lager wurde am 12. Mai wieder abgebrochen . . . Photos von der Gruppe konnten nur 2 Stück gemacht werden. Sie wurden mit Bericht an den Sicherheitsdienst abgeliefert . . .«.

Was hier jugendliche Spitzel über eine einzelne Pfarrjugend zu berichten wußten, spielte sich in Tausenden von anderen Gemeinden ähnlich ab. Es war dem NS-Staat und der HJ nicht gelungen, die kirchlichen Ausdrucksformen katholischer Jugendbewegung zu vernichten – sie lebten untergründig weiter, wenn auch aufs äußerste eingeschränkt, ständig verfolgt und ohne jede Möglichkeit, sich öffentlich zu tradieren.

Eine andere Form der Opposition Jugendlicher gegen die Hitlerjugendsozialisation, die im agrarisch-katholischen Milieu Bayerns häufig festzustellen ist, bestand in dem hartnäckigen Festhalten an überlieferten Formen ländlich-konfessioneller Geselligkeit und Bräuchen abseits der HJ. Zwei Beispiele für solche Verhaltensformen seien hier aufgeführt. Am 2. Juli 1937 berichtete das Bezirksamt Ebermannstadt:

». . . Zu einem Zwischenfall führte die Sonnwendfeier in Waischenfeld. Während die am 21. Juni von der Partei und ihren Gliederungen abgehaltene Feier nur schwach besucht war, fand sich am 24. Juni die Ortsjugend dortselbst zum Abbrennen eines eigenen Feuers zusammen. Unter Absingen eines althergebrachten Liedes sammelte die Jugend das Holz. Bereits um 17 Uhr fand sich die Jugend und mit ihr auch erwachsene Leute ein, um die Vorbereitungen für diese zweite Feier zu treffen. Bürgermeister und Ortsgruppenleiter faßte dies als Demonstration auf, um so mehr, als der Besuch der offiziellen Feier sehr schwach gewesen war. Durch die Gendarmerie wurde deshalb eine [gemeint: diese] gesonderte Sonnwendfeier unterbunden«[79].

Am 20. Dezember 1937 berichtete der NSDAP-Stützpunkt Langenaus im Gau Bayerische Ostmark über das folgende Erlebnis eines Lehrers und JV-Führers:

---
[78] StA Neuburg, NSDAP 120 557.
[79] Bayern in der NS-Zeit I, a. a. O., S. 102f.

»Gestern nachmittag probte ich mit hiesigem Jungvolk neue Lieder für die Weihnachtsfeier der NSDAP. Im Laufe dieses Beisammenseins wollte ich an befähigte Schüler Gedichte, die ebenfalls zur Ausgestaltung der Feier verwendet werden sollten, verteilen. Dabei passierte mir als Lehrer das Unglaubliche, daß sich ein 12- bis 13jähriger Schüler trotz dreimaliger, sehr freundschaftlicher Aufforderung weigerte, das Gedicht, das für ihn gedacht war, zu lernen. Ich glaube nicht, daß diese Gehorsamsverweigerung in diesem Jungvolkbuben selbst geboren wurde, es ist vielmehr anzunehmen, daß dem Buben vom Vaterhaus eingeschärft wurde, für Feiern, die die Partei organisiert, prinzipiell nichts mehr zu tun . . . .«[80].

Man kann wohl davon ausgehen, daß gerade auf dem Land die HJ bei einem Teil der Jugendlichen und der Eltern um so mehr an Vertrauen verlor, je eindeutiger sie sich auf eine antikirchliche, »germanisch-gläubige« weltanschaulich-kulturelle Linie einließ. Ganz im Gegensatz zu den »Blut- und Boden«-Theorien der Nationalsozialisten fand sie damit eben nicht den emotionalen Anschluß an die Vorstellungswelt der Landbevölkerung, sondern geriet durch solcherart künstliche Mythologie in Konflikt nicht nur mit den Traditionskirchen, sondern auch mit dem ländlichen Brauchtum.

In einzelnen Fällen entwickelte sich aus dem oppositionellen Milieu katholischer Jugendbewegung auch unmittelbar politischer Widerstand gegen den NS-Staat. Stellvertretend für solche Vorgänge sei hier über eine katholische Lehrlingsgruppe aus München berichtet, der am 24. September 1942 vor dem Volksgerichtshof in München der Prozeß wegen Vorbereitung zum Hochverrat gemacht wurde[81].

Die Jugendlichen hatten bis zum Verbot der Jungschar bzw. dem kathol. Jungmännerverein und dem Kolping-Gesellenverein angehört und kamen, wie die Urteilsschrift vermerkte, »auf diese Weise zu einer den Nationalsozialismus ablehnenden Einstellung«. Sie hatten im Jahre 1941 dann ausländische Rundfunksender abgehört, an Gebäuden in München-Bogenhausen antifaschistische Zeichen angemalt und Flugzettel hergestellt und verbreitet, auf denen Bilder und Meldungen von gefallenen Soldaten und von Zerstörungen in anderen Ländern abgedruckt waren und die Aufschriften enthielten wie: »Nieder mit Hitler – Volksverführer, Volksverderber, Volksverräter« sowie »Hitler kann den Krieg nie gewinnen, er kann ihn nur verlängern!«.

Ende 1941 waren die Jugendlichen dazu übergegangen, eigene Sender zu bauen, auf denen sie versuchsweise Schallplattenmusik und antifaschistische Texte ausstrahlten. Aus Protest gegen die Zerstörung dieser Stadt durch die NS-Wehrmacht nannten sie ihren Sender »Rotterdam«.

Drei der Jugendlichen, zur »Tatzeit« sechzehn bzw. siebzehn Jahre alt, wurden zum Tode, einer zu acht Jahren Zuchthaus verurteilt. In zwei Fällen wurde die Todesstrafe im Sommer 1943 in eine Zuchthausstrafe umgewandelt; der Kopf der Gruppe aber, der Lehrling Walter Klingenbeck, wurde am 5. August 1943 in München-Stadelheim hingerichtet. Kurz vor seinem Tod schrieb er an einen seiner Kameraden:

»Lieber Jonny! Vorhin habe ich von Deiner Begnadigung erfahren. Gratuliere! Mein Gesuch ist allerdings abgelehnt. Ergo gehts dahin. Nimm's net tragisch. Du bist ja durch. Das ist schon viel wert. Ich habe soeben die Sakramente empfangen und bin jetzt ganz gefaßt. Wenn Du etwas für mich tun willst, bete ein paar Vaterunser. Lebe wohl – Walter«.

---

[80] Ebenda, S. 514.
[81] Jahnke, Entscheidungen, a. a. O., S. 86–91; Anklage- und Urteilsschrift, in: IfZ, Fa 300/171.

3. Bündische Jugend

Die Bündische Jugend hatte in Bayern vor 1933 keine so große Rolle gespielt wie in anderen Teilen des Reiches, etwa im Rhein-Ruhrgebiet. Die Fortführung bündischen Gruppenlebens, sei es in der HJ bzw. im Jungvolk (JV), sei es in illegalen Gruppen neben der Staatsjugendorganisation, stellte infolgedessen, wie sich auch aus den verfügbaren Materialien ergibt, in Bayern für die HJ- und die NS-Organe kein so bedrängendes Problem dar, wie in anderen Teilen Deutschlands. Generell bildete die »Bündische Jugend« für die Führung des Dritten Reiches ein Zentrum der Jugendopposition; dabei wurden unter diesem Sammelbegriff allerdings recht unterschiedliche Strömungen verstanden, deren Gemeinsamkeit in bestimmten Formen der jugendlichen Gruppe und in einem jugendlichen »Milieu« bestand, das vor allem in Fahrten, Liedern, Kleidung, Aufmachung der eigenen »Bude«, Vorliebe für »exotische« Literatur und einem spezifischen Stil des Verhaltens und des Umgangs seinen Ausdruck fand. Dieses Milieu war offenbar für Jugendliche so attraktiv, daß es in popularisierter Form auch die ab 1938/39 sich ausbreitenden oppositionellen »wilden« Jugendgruppen in großem Umfange prägte.

Vor der Machtergreifung des NS hatten die Organisationen der (im engeren Sinne) Bündischen Jugend, also die Nachfahren der Wandervogelbewegung und der frühen Pfadfinderei, in ihrer Mehrheit keineswegs eine feindselige Stellung zum NS bezogen. »Nationale Erhebung«, »Besinnung auf's Völkische« und andere ideologische Komponenten des NS gehörten weithin auch zu den Standards der bündischen Gruppen vor 1933. Nach dem 30. Januar bekannten sich die meisten bündischen Führer zum neuen Staat. Allerdings gingen sie davon aus, daß innerhalb oder außerhalb der HJ die traditionelle Jugendbewegung weiterhin frei werde existieren können, und exakt hier lag dann auch später der Anstoß zum Konflikt mit dem NS[82].

Die HJ-Führung mußte, wenn sie die von ihr intendierte Jugenderziehung durchsetzen wollte, die freien Bünde und ebenso die bündischen Einflüsse in der eigenen Organisation möglichst restlos zu verdrängen bemüht sein.

Während unmittelbar nach 1933 die NS-Publizistik die Bündische Jugend vielfach als Wegbereiter des neuen Staates und die HJ als legitime Fortsetzung und zugleich »Aufhebung« der Jugendbewegung interpretierte, distanzierte sich die HJ-Führung bald danach von derlei »Verwandtschaft« und ging zu einer Argumentation über, wie sie in einer HJ-amtlichen Schrift formuliert ist: »Über die politische Zielsetzung der Bünde sei vermerkt, daß sie im wesentlichen oppositionell zur NSDAP gestanden haben, teilweise sogar unter Anlehnung an den Kommunismus«[83]. Nun traf diese Kennzeichnung zwar

---

[82] Vgl. hierzu etwa Laqueur, Walter: Die deutsche Jugendbewegung. Köln 1979; Pross, Harry: Jugend-Eros-Politik. Die Geschichte der deutschen Jugendverbände. Bern 1964; Raabe, Felix: Die bündische Jugend. Stuttgart 1961; Kater, Michael H.: Bürgerliche Jugendbewegung und Hitlerjugend in Deutschland von 1926 bis 1939, in: Archiv für Sozialgeschichte, Bd. XVII (1977), S. 127ff. – Aufschlußreiches Material bieten: Fick, Luise: Die deutsche Jugendbewegung. Jena 1939; Vesper, Will (Hrsg.): Deutsche Jugend – 30 Jahre einer Bewegung. Berlin 1934.
[83] Kriminalität und Gefährdung der Jugend – Lagebericht vom 1. 1. 1941, hrsg. vom Jugendführer des Deutschen Reiches. Berlin 1941, S. 106. (Der Bericht ist als »streng vertraulich – nur für den Dienstgebrauch« gekennzeichnet).

nicht für die Bündische Jugend vor 1933 insgesamt zu, wohl aber entsprach sie Tendenzen, die in der Endphase der Weimarer Republik in den Bünden an Einfluß gewannen und insbesondere von der sogenannten »Jungenschaftsbewegung«, inspiriert von dem Jugendbund »dj. 1. 11«, und dem Nerother Wandervogelbund getragen wurden. Diesen beiden Bünden vor allem galt denn auch der Haß der NS-Organe. In den Analysen und Anweisungen der HJ-Führung für den Umgang mit Bündischer Jugend werden stets der Nerother Wandervogel als »internationalistisch« und »homosexuell zersetzend«, die »dj. 1. 11.« als »östlich« und »bolschewistisch« und beide als »gegenvölkisch« geschildert, wobei »Homosexualität« und »Bolschewismus« als Etikettierungen für einen Lebensstil und eine Gedankenrichtung gesetzt wurden, die der NS kriminalisieren wollte, weil sie sich mit der Hitlerjugendsozialisation nicht in Einklang bringen ließen[84].

Praktisch richtete sich nach dem Verbot aller bündischen Organisationen in den Jahren 1933/34 der Angriff der HJ zunächst gegen bündische und jungenschaftliche Führer, Stilelemente und Gruppenformen in den eigenen Reihen. Im Schulungsblatt eines HJ-Gebietes hieß es z. B. im August 1934:

»Gruppen, die nicht gewillt sind, die Haltung der Hitlerjugend zu pflegen, haben nichts in unseren Reihen zu suchen und müssen verschwinden. Wir müssen gegen diese hinterhältigen Saboteure unserer neuen deutschen Jugend arbeiten. Es darf nicht mehr vorkommen, daß die alten bündischen Gruppen unter sich Großfahrten machen . . . ; vor allem müssen wir die Führer, die die Urheber dieser HJ-feindlichen Arbeit sind, unschädlich machen, denn es besteht die Gefahr, daß sich diese Führer Nachwuchs für ihren geheimen bündischen Betrieb heranholen . . .«[85]

Im Herbst 1934 wurde die Schriftleitung der Zeitschrift des JV, die bis dahin ein eher bündisches Bild bot, umbesetzt und der von der Reichsjugendführung neu eingesetzte Redakteur veröffentlichte in diesem Blatt nun Beiträge, die in scharfer Form jungenschaftlich-bündischen Gruppenstil als »fremdvölkisch« und als »Zersetzung des deutschen Lebensgefühls« attackierten:

». . . da kamen die, die ihr altes Leben fortsetzen wollten. Und sie versuchten, Einfluß zu nehmen auf die Führung im Jungvolk. Wir wollen ehrlich sein: es ist diesen Menschen gelungen, selbst alte Jungvolkführer auf ihre Seite zu ziehen. Doch der Versuch, das deutsche Jungvolk in fremde Welten hineinzuziehen, es durch kulturelle Zersetzung von seiner Idee abzubringen, ist gescheitert . . .«[86]

Tatsächlich wurde das JV bis Ende 1935 personell und ideologisch von allen Bündischen »gesäubert«; zahlreiche Verhaftungen verliehen dem Nachdruck. In Einzelfällen traten Relikte bündischer Lebens- und Gruppenformen und bündisch beeinflußte Führer auch später noch im JV auf; im allgemeinen war aber ab 1935 klargestellt, daß bündisch-jungenschaftliche Gruppen nur außerhalb der HJ und auch dort nur illegal

---

[84] Ebenda, S. 99–116. Vgl. ferner Gauhl, Werner: Gleichgeschlechtliche Handlungen Jugendlicher. o. O., o. J., S. 52–61. (Auch diese Schrift wurde mit dem Vermerk »Vertraulich – nur für den Dienstgebrauch« von der HJ-Führung herausgegeben). Aufschlußreich zu dieser Thematik auch Nitzsche, Max: Bund und Staat – Wesen und Formen der bündischen Ideologie. Würzburg 1942. – Ausführliche Materialien zur Auseinandersetzung des NS mit der Bündischen Jugend finden sich in folgenden Prozeßunterlagen: IfZ, Fa 117/2, Anklageschrift des ORA beim VGH Berlin, 16. 5. 1938; IfZ, Fa 117/154, Anklageschrift des ORA beim VGH Berlin, 16. 4. 1941; IfZ, Fa 117/101, Anklageschrift des ORA beim VHG Berlin, 17. 4. 1941.
[85] Schulungsblatt des Gebietes Nordmark der HJ, Ausgabe August 1934.
[86] Deutsches Jungvolk (1934), H. 7.

Die Entwicklung eines bündischen Leibpimpfen vom Eintritt in den Bund bis zum Endstadium der homosexuellen Verseuchung

60. Diffamierende »Gegner-Beschreibung« aus der ausschließlich für den geheimen Dienstgebrauch bestimmten Schrift »Kriminalität und Gefährdung der Jugend« (1941).

weiterexistieren konnten. Diesen Versuchen galt nun der zweite repressive Schritt der HJ-Führung. Im Jahre 1936 wurden die Verbote bündischer Organisationen von den NS-Organen überall erneut publiziert; Dienstanweisungen der HJ-Führung verboten den Gebrauch äußerer Stilmittel der Jungenschaft (bestimmte Zeltformen, Instrumente, Kleidungsstücke); die weitere Veröffentlichung von bündischer Literatur, bündischen Liederbüchern usw. wurde unterdrückt. Für die Gestapo war mit der Auffindung derartiger Publikationen oder Requisiten bei Jugendlichen von nun an der Tatbestand staatsgefährdender Einstellung oder Aktivität gegeben. *Wille und Macht*, die Führerzeitschrift der HJ, »enthüllte« die »Umtriebe« der Jungenschaftskreise:

»Die Auseinandersetzung mit der bündischen Jugend war jedoch mit dem Verbot noch nicht abgeschlossen. Immer wieder tauchten in der Folgezeit kleine Gruppen auf, die sich in geschickter Arbeit durch alle Verbote hindurch gerettet hatten. Vielfach wurde es offenkundig, daß die anarchistischen Kräfte der Vorkriegsjugendbewegung [gemeint: die freiheitlichen Strömungen im Wandervogel und die Freideutsche Jugend] stärker als zu erwarten gewesen waren, wieder lebendig geworden waren und sich sogar im NS-Reich durchzusetzen versuchten. Bis heute sind Versuche einer kulturellen Beeinflussung der deutschen Jugend in Lied oder Schrifttum zu beobachten, die mit einer Rußlandromantik kommunistische Propaganda verbanden...«[87].

In derselben Zeitschrift wurde ein Zusammenhang angegriffen, der der HJ-Führung als besonders gefährlich galt, nämlich die zunehmende Ausbreitung bündisch-jungenschaftlicher Strömungen in den noch legal bestehenden katholischen Jugendverbänden:

»Bündische Jugend ist heute Bolschewismus! . . . Heute sind die illegalen bündischen Gruppen Träger des Bolschewismus. Sie, als schärfste Gegner der HJ haben den Weg zur katholischen Jugend gefunden, beide haben einen gemeinsamen Feind: die Hitlerjugend! Diese bündischen Jugendverführer werden mit offenen Armen in die Reihen der katholischen Jugend aufgenommen und hetzen von dort aus gegen die Staatsjugend. Stelzer, einst Graphiker im Auftrag der kommunistischen Jungenschaft [gemeint ist der Jugendbund ›dj. 1. 11‹, dessen Leiter mit einigen Älteren sich 1932 der KPD und der ›Antifaschistischen Aktion‹ angeschlossen hatte], zeichnet heute eifrig im Büro der katholischen Jugendführung . . . Es wird versucht, illegale Gruppen aufzustellen. Wir können die Drahtzieher erkennen, wenn wir das Brauchtum dieser Gruppen näher betrachten. Da werden russische Lieder gesungen, man singt zur Balalaika, man schläft nicht im Zelt, sondern hat sich längst eine Kohte [durch ›dj. 1. 11‹ in die Gruppen eingeführte Form des Lappenzeltes] angeschafft, russische Tänze und Geschichten beleben die Gruppenabende . . . Hier wird über die Kultur unserer Feinde Lieder, Literatur und Brauchtum die Jugend zum Kommunismus hingeführt . . Es gibt heute noch einen Verlag, der ganz offen kultur-bolschewistische Schriften herausgibt: Günther Wolff, Plauen. Man betrachte sich einmal die Themen: Rußland, Japan, autonome Jungenschaft und ostasiatische Ethik. Es ist an der Zeit, daß diesem Hochverrat ein Ende gemacht wird . . .«[88].

Etliche Wochen vor Beginn des Zweiten Weltkriegs ging durch die deutsche Presse folgende Meldung:

»Der Reichsführer SS und Chef der Deutschen Polizei hat . . . das Verbot der Bündischen Jugend neu gefaßt. Hiernach ist die Fortsetzung der Bündischen Jugend (Deutsche Freischar, Freischar junger Nation, Großdeutscher Bund, dj. 1. 11, Deutsche Jungentrucht, Österreichisches Jungenkorps, Graues Korps, Nerother Bund, Reichsschaft deutscher Pfadfinder, Deutscher Pfadfinderbund, Österreichischer Pfadfinderbund, Christliche Pfadfinderschaft, Deutsche Pfadfinderschaft St. Georg, Quickborn-Jungenschaft, Deutschmeister-Jungenschaft, Stromkreis, Grauer Orden,

---
[87] Wille und Macht Jg. 3 (1935), H. 17.
[88] Ebenda, Jg. 4 (1936), H. 21.

61. Zeltlager der HJ in Nürnberg (1934).

62. Der Jungsturm »Hitler« der HJ (1933).

gendgruppe des Quickborn auf illegaler Wander- n den Allgäuer Alpen (1935).

64. Treffen des Quickborn auf Burg Rothenfeld a. M. vor 1933.

Freischar Schill und Eidgenossen, Bündischer Selbstschutz, Navajo usw.) untersagt. Wer es unternimmt, den organisatorischen Zusammenhalt einer der früheren Bündischen Vereinigungen aufrecht zu erhalten oder eine neue Bündische Vereinigung zu bilden, insbesondere, wer auf andere Personen durch Weitergabe von bündischem Schrifttum, Liederbüchern und dergleichen in diesem Sinne einwirkt, oder wer bündische Bestrebungen in anderer Weise unterstützt, wird gemäß § 4 der Verordnung des Reichspräsidenten zum Schutze von Volk und Staat vom 28. 2. 1933 bestraft«[89].

An diesem Erlaß ist bemerkenswert, daß auch Bünde genannt wurden, die sich erst nach 1933 illegal gebildet hatten (so etwa Stromkreis, Grauer Orden, Navajo, Bündischer Selbstschutz).

Noch 1941 stellte eine Publikation der Reichsjugendführung fest:

»Das Problem der Bündischen Jugend ist scheinbar nur noch von historischer Bedeutung. Die Praxis der Überwachungsarbeit hat jedoch gezeigt, daß diese Frage auch heute noch von höchster Bedeutung und Aktualität ist . . . Die Hitler-Jugend hat sofort, nachdem sie die von der Bündischen Jugend her drohende Gefahr auf politischem und sittlichem Gebiet erkannt hatte, alle Maßnahmen zu ihrer Bekämpfung getroffen. Zu diesen Maßnahmen gehören insbesondere:
1. Vernichtung der Bünde, ihrer Organisation und ihres Schrifttums, Bekämpfung der Cliquen [wilde bündische Gruppen].
2. Ausmerzung bündischer Führer aus der HJ bzw. Verhinderung ihrer Aufnahme.
3. Ausmerzung bündischer Ideen, Führungs-, Organisations- und Erziehungsgrundsätze aus der HJ.
4. Aufklärung der HJ-Führer.
Der Kampf gegen die Bündische Jugend ist auf größtes Unverständnis in der Öffentlichkeit gestoßen. Er ist noch nicht beendet, sondern muß vielmehr bis zur endgültigen Ausmerzung – insbesondere der Neubildung von Cliquen – weitergeführt werden . . .«[90].

Daß diese »Ausmerzung« am Ende des Dritten Reiches immer noch nicht gelungen war, trotz aller Verfolgungsakte, wird im folgenden Teil unserer Darstellung deutlich gemacht werden.

In Bayern hatten sich von den hier schwächer vertretenen bündischen Gruppen vor 1933 am ehesten bündisch orientierte Richtungen in den Pfadfinderverbänden entwickeln können. Dennoch setzten sich auch die bayerischen Polizeidienststellen kontinuierlich mit der illegalen Fortsetzung Bündischer Jugend auseinander. Im Sommer 1935 beschäftigten sich Rundschreiben der BPP mehrfach mit der bündischen Illegalität: Die Polizeidienststellen wurden angewiesen, Daten über ehemalige Bündische zusammenzutragen. Am 19. Juni 1936 warnte die BPP vor heimlichen Fortführungen der »Reichsschaft Deutscher Pfadfinder«, die bis zu ihrem Verbot im Jahre 1934 eine »Zufluchtstätte für oppositionelle Jugendliche« geworden sei. Im Herbst 1938 wurde bei einer Verhaftungsaktion gegen ehemalige Führer dieses Bundes auch der in Bayern lebende Senior der deutschen Pfadfinderei, Dr. Alexander Lion, in Untersuchungshaft genommen. Im Frühjahr 1939 gab die Münchener Gestapo in einem Rundschreiben Hinweise zur Verfolgung des illegalen bündischen Fahrtenwesens. Wie manisch jeder mögliche Ansatz bündischer Gruppen beobachtet wurde, läßt sich exemplarisch dem folgenden Schreiben der Gestapo-Staatspolizeistelle München an das Bezirksamt München vom 2. März 1938 entnehmen:

---
[89] DNB-Meldung vom 28. 7. 1939, in den Tageszeitungen abgedruckt.
[90] Kriminalität und Gefährdung der Jugend, a. a. O., S. 116.

65. Grafik mit dem Titel »Speerwacht« im letzten Heft der bündischen Jugendzeitschrift *Pfadfinder*. Die Bildunterschrift lautete: »Steht fest – wir wollen nicht untergehen«.

ssestelle der »Hitler-Jugend« Gebiet Ruhr/Niederrhein unter dem 1. September 1937: » ... Diese romantisch-ionäre Jugend bevölkert mit möglichst bunten Hemden, Haaren, aber desto kürzeren Hosenbeinen die Land straße. Diese Kreise setzen sich nur aus solchen Jugendlichen zusammen, die nichts mit der Bewegung zu tun haben wollen ... Die Leitung der Hitlerjugend hat einen Streifendienst organisiert, der Sonntags die Landstraßen abkämmt.«

65. Aus dem Novemberheft der antinationalsozialistischen Jugendzeitschrift *Kameradschaft*, in Brüssel herausgegeben, in Deutschland illegal verbreitet.

»Nach Mitteilung der Gestapo Berlin studiert ..., geboren am ... in ..., an der Universität München Medizin und wohnt in München ... Er hat früher in Hamburg dem jüdischen Bund ›Schwarzes Fähnlein‹ angehört. Im Januar 1938 versuchte er mit Angehöriger der illegalen bündischen Jugend, gegen die Ermittlungen eingeleitet sind, Verbindung aufzunehmen. Ich ersuche, über ... sofort Postüberwachung zu verhängen und insbesondere Briefe, die als Beweismittel von Bedeutung sind, in dreifacher Abschrift hier vorzulegen. Darüber hinaus ersuche ich sorgfältige Beobachtung über die Tätigkeit und Gepflogenheiten des ... anzustellen und durch vorsichtige Ermittlungen unauffällig festzustellen, mit welchen Personen er verkehrt und was dort über dieselben in politischer, krimineller und sonstiger Hinsicht bekannt ist ...«[91].

In der umfangreichen Literatur zur Münchener bzw. süddeutschen Widerstandsgruppe »Weiße Rose« (deren Aktionen und Schicksal in der Literatur ausführlich behandelt sind, so daß in diesem Beitrag darüber nicht weiter berichtet werden soll) wird übrigens die Herkunft der meisten Beteiligten aus illegalen Gruppen der bündischen Jugend zu wenig berücksichtigt. Die Geschwister Scholl waren bereits 1937, Willi Graf war 1938 wegen Fortführung der verbotenen Bündischen Jugend in Haft. Die Scholls waren durch Freundschaften mit Illegalen aus dem Jugendbund »dj. 1. 11« der HJ entfremdet worden; Graf gehörte zu dem illegalen Jungenschaftskreis »Grauer Orden«, über den der Münchener Universitätslehrer Fritz Leist berichtete:

»... Die Gruppen, die ich geführt habe und mit denen ich durch viele Jahre zusammen war, haben sich über ganz Süddeutschland und Westdeutschland erstreckt, und es waren immerhin mehrere Hundert junge Menschen. Der Kampf gegen die Nazis begann am ersten Tag. Der erste Verhaftungsbefehl gegen Freunde von mir und mich wurde bereits im Herbst 1934 ausgestellt. Die erste Verhaftung mit einer ganzen Gruppe in Würzburg geschah im Winter 1934, und so ging es fort, bis eine größere Haftaktion im Winterhalbjahr 1937/38 einen ganzen Kreis von 11-25jährigen erfaßte. Ich war damals über ein halbes Jahr verhaftet. Aber auch da war der Kampf nicht beendet, einer meiner besten Freunde, der Student Willi Graf, der im Zusammenhang mit der Münchener Studenten hingerichtet wurde, gehörte zu meiner Gruppe und wurde auf meiner Bude gefaßt ...«[92].

Von diesem illegalen Kreis aus bestanden enge Verbindungen zu Mitarbeitern des Jugendhauses Düsseldorf, also der Zentrale der katholischen Jugendarbeit. In den katholischen Jugendverbänden (vor allem der Sturmschar) und Jugendzeitschriften (vor allem *Junge Front*, später *Michael*, und *Die Wacht*) war nach 1933 bis zum Verbot eine bündisch-jungenschaftliche Orientierung immer stärker geworden. Als »Verbindungsperson« zu freien illegalen Jungenschaftskreisen wirkte im Jugendhaus vor allem Josef Rick, über dessen Gruppe die Gestapo zu berichten wußte, hier sei man »bemüht, bündisches Ideengut zur Grundlage der katholischen Jugendorganisationen zu machen« und »in kulturbolschewistischer Richtung schöpferisch tätig«[93].

In der NS-Zeit wirkten bündisch-jungenschaftliche Einflüsse in Bayern vor allem auf die katholischen Jugendorganisationen »Sturmschar« und »Neu-Deutschland« und auf »Quickborn«-Gruppen ein.

---

[91] StAM, LRA 58 509.
[92] Brief an den Verfasser vom 17. 12. 1956. Vgl. auch Vielhaber, Klaus: Gewalt und Gewissen – Willi Graf und die Weiße Rose. Freiburg 1964; ferner Hanser, Richard: Deutschland zuliebe. München 1980.
[93] Gotto, Klaus: Die Wochenzeitung Junge Front/Michael. Mainz 1970, S. 220f.

III. Jugendliche Cliquen und ihre Bekämpfung während der Kriegszeit

1. Die Anfänge in den Jahren 1937–1939

Schon seit 1937/38, nachdem die HJ als Staatsjugend mit ihrer Großorganisation und ihrer zunehmenden Disziplinierung, Formalisierung und Militarisierung dem Bedürfnis nach jugendlicher Selbstbestimmung in Kleingruppen immer weniger Spielraum gelassen hatte, kam in einigen Großstädten des Reiches als Gegenbewegung zur HJ ein oppositionelles jugendliches Cliquenwesen zum Vorschein. Oft ohne direkten Traditionszusammenhang mit der verbotenen Bündischen Jugend oder den ausgeschalteten Jugendorganisationen der Arbeiterbewegung, traten dabei gleichwohl bündische Stilelemente deutlich hervor, und das Milieu von Arbeitervierteln, in denen sich eine kritische Reserve gegenüber dem NS erhalten hatte, war ein wesentliches Rekrutierungsfeld dieses jugendlichen Cliquenwesens.

Ein Beispiel hierfür waren die sogen. »Meuten« in Leipzig[94], deren Rädelsführer und Initiatoren in zwei Verfahren, vor dem Volksgerichtshof in Berlin am 28. Oktober 1938 und vor dem 2. Strafsenat des Oberlandesgerichts Dresden am 22. und 25. Januar 1940, verurteilt wurden. Im Urteil[95] des letztgenannten Gerichts wurde über »das Wesen der Leipziger Meuten« u. a. folgendes festgestellt:

»Für das Land Sachsen war durch die Verordnung vom 31. März 1937 die ›Bündische Jugend‹ verboten worden. Noch in demselben Jahre machten sich in Leipzig Gruppen von Jugendlichen bemerkbar, welche die verbotene BJ insofern nachahmten, als sie sich mehr oder weniger nach ihrem Vorbild einheitlich kleideten, so daß schon an der äußeren Aufmachung eine gewisse Zusammengehörigkeit erkennbar war. Die vollständige Tracht bestand bei den Burschen im Sommer aus einer kurzen Lederhose, einem buntkarierten Skihemd, einem Koppel und Lederhosenträger, im Winter aus einer langen blauen Skihose und einer Slalombluse. Dazu wurden Bundschuhe und weiße Kniestrümpfe getragen. Unter diesen Jugendlichen befanden sich auch Mädchen. Ihre Tracht war bis auf den dunklen Rock, den sie statt der Lederhose trugen, derjenigen der Burschen ähnlich. Besonders beliebt waren bei Burschen und Mädchen rote Halstücher. An ihrem ›Geschirr‹ erkannten sich die Mitglieder dieser Jugendgruppen, für welche mit der Zeit der Name ›Meute‹ in Aufnahme kam. In Leipzig bildete sich eine ganze Anzahl solcher Meuten. Manche von ihnen hatten zahlreiche Mitglieder. Der Zeuge W. beziffert die Zahl der Jugendlichen, die zu diesen Meuten in irgendwelcher Verbindung standen, auf 1500.

Die einzelne Meute trat nicht als eine fest geschlossene Einheit unter einem von ihr gewählten Namen auf, vielmehr waren es mehr oder weniger lose Vereinigungen, deren Mitglieder nach den Örtlichkeiten, an denen sie sich vorzugsweise zu treffen pflegten, unterschieden wurden. Am bekanntesten sind die Meuten ›Hundestart‹, ›Reeperbahn‹ und ›Lille‹ geworden. ›Hundestart‹ hieß im Volksmund der alte Friedhof in Leipzig-Kleinzschocher, ›Reeperbahn‹ die Schlageterstraße in Leipzig-Lindenau wegen der dort befindlichen zahlreichen Kinos und Wirtschaften (die Hamburger Reeperbahn als weltbekannter Rummelplatz hat wohl denen, die diese Bezeichnung wählten, als Vorbild vorgeschwebt) und ›Lille‹ ist nach dem Lilienplatz benannt, wie im Volksmunde der Bernhardiplatz in Leipzig-Reudnitz hieß. An den genannten Orten kamen immer wieder dieselben

---

[94] Gruchmann, a. a. O.
[95] BA, R 22/1177.

jungen Burschen und Mädchen zusammen, so daß mit der Zeit jeder Kreis eines gewissen Zusammenhalts nicht entbehrte ... Zunächst war man geneigt, die Meuten als Auswüchse großstädtischen Rowdytums zu behandeln. Dann glaubte man in ihnen wegen ihrer Tracht eine Fortsetzung der verbotenen BJ sehen zu müssen. Schließlich stellte es sich heraus, daß den Meuten eine erhebliche innerpolitische Bedeutung beizumessen ist. Sie entwickelten sich – mindestens gilt es von einem Teil der Meuten, namentlich den genannten Meuten ›Hundestart‹, ›Reeperbahn‹ und ›Lille‹ zu einem gefährlichen Gegenspieler der HJ und des BDM, also der Staatsjugend. Gerade die bewußte Ablehnung der Staatsjugend war für viele Meutenangehörige der Anreiz, sich einer Meute zuzugesellen. In dem Bewußtsein des gemeinsamen Kampfes, den man gegen die Staatsjugend zu führen gedachte, fühlte man sich zueinander hingezogen ... Besonders die Disziplin in den nationalsozialistischen Organisationen war ihnen verhaßt. Es ist bekannt geworden, daß sie ein ungezwungenes und liederliches Leben, besonders auch in geschlechtlicher Hinsicht, führten ... Für die Meuten kennzeichnend wurde die Erfahrung, daß sie sich gerade in den Stadtteilen Leipzigs zusammenfanden, die zur Systemzeit als Hochburgen der marxistischen Parteien gegolten hatten. Die Wirtschaften, die sie besuchten, waren dieselben, in denen sich früher die kommunistische Jugend versammelt hatte. Einzelne der Meutenangehörigen kamen zu diesen aus den Kreisen des KJVD und der kommunistischen Jungpioniere. Sie pflegten die Tradition jener staatsfeindlichen Jugendgruppen. Den Neulingen erzählten sie von den Fahrten, die sie früher gemacht hatten und dem Lagerleben und organisierten weitere Fahrten, bei denen durch das gemeinsame Absingen marxistischer Lieder die Stimmung im marxistischen Sinne beeinflußt werden sollte. Man vermied den deutschen Gruß und ersetzte ihn durch den Gruß der Roten Jungpioniere ›Seid bereit – immer bereit‹, den man in einer verstümmelten russischen Übersetzung – bud cadoff – gebrauchte. Man wußte, wo und wann man sich traf, ohne daß es einer besonderen Verabredung bedurfte. Viele Angehörige der Meuten fanden sich regelmäßig an den bekannten Treffpunkten ein, manche an jedem Abend oder doch 2- bis 3mal in der Woche.

Den Gesprächsstoff in den Gruppen, die sich auf diese Weise zusammenfanden, bildeten vielfach politische Erörterungen. Die Anregung dazu wurde Berichten entnommen, die ausländische Sender, insbesondere der Sender Moskau, über Ereignisse der Tagespolitik gebracht hatten ...«.

Der Volksgerichtshof und die Dresdener Strafkammer konstruierten, daß die »Meuten« der Jahre 1937–1939 als eine Neubildung kommunistischer Jugendorganisationen zu betrachten und entsprechend zu verfolgen seien, räumten jedoch ein, daß eindeutig kommunistische Zielsetzungen nur bei einigen Meuten unter dem Einfluß einzelner Führer nachgewiesen werden konnten. Schon die in einigen Meuten gängigen Grußformeln (»Servus«, »by, by«) verwiesen auf ein anderes Genre. Gemeinsam sei ihnen aber auf jeden Fall das Ziel gewesen, die HJ aus bestimmten großstädtischen Vierteln zu verdrängen »und die Straße für sich zu erobern«. Einer der Angeklagten erklärte in der Hauptverhandlung in Dresden, zur Gewinnung weiterer Mitglieder bedurfte es keiner besonderen Aufklärungsarbeit gegen die HJ: »Die Jugendlichen waren alle schon anders eingestellt, die brauchten wir nicht erst bereit zu machen«. Die meisten Meutenangehörigen gehörten der HJ entweder nicht an oder entzogen sich dem HJ-Dienst. Sie verneinten vor Gericht, kommunistische oder andere politische Zielsetzungen verfolgt zu haben, räumten aber die Gegnerschaft zur HJ und Schlägereien mit HJ-Führern ein. »Sie waren alle scharfe Gegner der HJ und lehnten den Deutschen Gruß ab« resümierte das Dresdener Gericht und kam zu dem Ergebnis: Allein schon der Zusammenschluß in organisierten Gruppen außerhalb der HJ mit dem Ziel, durch den Zusammenhalt andere Bestrebungen der Jugendlichen als die der HJ zu fördern, verstoße gegen das Hitlerjugendgesetz.

Zur gleichen Zeit, »etwa ein Jahr vor dem Krieg«, machten sich, wie es in der späteren

Denkschrift eines dortigen Jugendrichters heißt[96], auch in Köln »wilde Jugendgruppen« bemerkbar, die später – nach Düsseldorfer Vorbildern – als »Edelweißpiraten« in Erscheinung traten. Ihre Vorläufer hatten diese Gruppen in den illegalen »Navajos« und »Kittelbachpiraten«, die im Rheinland vor allem 1937 in einer Reihe von Verfahren verfolgt worden waren; hier ergaben sich Verbindungslinien zu Gruppen des vor 1933 im rheinischen Raum vertretenen »Nerother Wandervogel« bzw. dessen »Piraten-Orden«.

Eine andere Spielart jugendlichen Cliquenwesens trat, ebenfalls schon vor Kriegsbeginn, zum ersten Mal in Hamburg hervor. In einer späteren Denkschrift der Reichsjugendführung der HJ vom September 1942[97] heißt es dazu:

»Im Winter 1937/38 schlossen sich in Hamburg Jungen und Mädchen meist aus gehobenen Gesellschaftsschichten, die sich schon von der höheren Schule oder aus exklusiven Sport-Klubs kannten, beim Eislaufen zur sogenannten ›Eisbahn-Clique‹ zusammen. Man besuchte gemeinsam ein bestimmtes Lokal, trug auffällige Kleidung und schwärmte für englische Musik und englischen Tanz«.

Daraus ging später die »Swing-Jugend« hervor, über die im folgenden noch mehr zu sagen sein wird.

Aus dem elitären Bewußtsein der Schüler eines aufgelösten katholischen Gymnasiums bildete sich bei Kriegsbeginn in Dresden eine noch stärker politisch geprägte oppositionelle Schülergruppe, über die vorgenannte Denkschrift der Reichsjugendführung berichtet. Nach der verfügten Schließung des katholischen »Bischöflichen St. Benno-Gymnasiums« in Dresden im Jahre 1939 und der gemeinsamen Überführung der Lehrer und Schüler dieser Schule in das Stadtgymnasium Dresden-Neustadt habe sich unter den Schülern, den Lehrern und der Elternschaft des ehemaligen St. Benno-Gymnasiums eine deutliche Oppostion bemerkbar gemacht:

»Die Oppositionsstimmung unter den Schülern machte sich zunächst in drohenden Äußerungen Luft. Am Stadtgymnasium pflegten diese Jungen einen festen Zusammenhalt, der zugleich weitgehend weltanschaulich bedingt war. Die katholische Kirche hat durch die Einführung sogen. ›Klassenabende‹, durch den Religionsunterricht und besonders durch die Tätigkeit eines Lehrers, des Paters S., Maßnahmen ergriffen, die das Zusammengehörigkeitsgefühl der Jugendlichen noch mehr stärkten. Man war stolz, ›Benno-Schüler‹ gewesen zu sein und bildete am städtischen Gymnasium Cliquen. Gegen andere Jungen war man mißtrauisch und fast hinterhältig. Die Schulgemeinschaft des Stadtgymnasiums litt darunter sehr stark. In diesen Schulcliquen, zu denen neben einigen Hitler-Jugend-Angehörigen auch evangelische Jugendliche aus Kreisen der Bekenntnisfront gestoßen sind, wurde vielfach zersetzende Kritik an Maßnahmen des Führers und des Staates geübt, die sich in Zwischenrufen im Unterricht, im Absingen von Spottliedern (z. B. auf Rudolf Heß u. s. w.) äußerten. Auch englische Lieder wurden gesungen, z. B. ›it's a long way to Tipperary‹. Lehrern nationalsozialistischer Einstellung wurde z. T. ein ordnungsgemäßer Unterricht unmöglich gemacht... In dem Kreis um den Schüler R. fiel die Äußerung, daß der Nationalsozialismus eine ›dem stumpfen Volk aufgeprägte Geistesrichtung‹ sei...«.

In bezug auf Frankfurt heißt es in derselben Denkschrift der Reichsjugendführung:

»Im Februar 1939 wurde in Frankfurt von 14–20jährigen Jugendlichen, hauptsächlich höheren Schülern und Lizeumsschülerinnen, der ›Harlem-Club‹ gegründet. Der Name stammt von einer im

---

[96] Denkschrift des Kölner Amtsgerichtsrats Pastor für den Kölner Amtsgerichtspräsidenten vom 7. 11. 1943. Kopie enthalten in Akten des Reichsjustizministeriums: BA, R 22/1177.
[97] Enthalten in BA, R 22/1177.

Club besonders beliebten Negertanzplatte. Im Herbst 1939 wurde von den bei der Erntehilfe eingesetzten Mädchen ebenfalls in Frankfurt der ›OK-Gang-Club‹ gegründet. Der Zweck dieser beiden Klubs, die zusammen ungefähr 160 Jugendliche umfaßten, war die Veranstaltung von Festen, bei denen nach englischen Schlagerplatten getanzt und im übrigen wahllos Geschlechtsverkehr getrieben wurde. Für alles Englische bestand – wie bei der Swing-Jugend – besondere Vorliebe. Englische Sitten und Kleidung wurden nachgeahmt ...«.

Obwohl die Denkschrift den »unpolitischen« Charakter beider Clubs unterstrich, erblickte sie in ihnen gefährliche Gegenströmungen gegen das HJ-Erziehungsideal. Auch für München berichtete die Denkschrift über Entwicklungen vergleichbaren jugendlichen Cliquenwesens, sogenannter »Blasen«, die schon vor Kriegsbeginn, in Opposition zur HJ, größere Bedeutung erlangten:

»Diese ›Blasen‹ sind in ihrem großen Maße lose Zusammenschlüsse Jugendlicher zu gemeinsamer Unterhaltung und gemeinsamen Vergnügungen. Durch ihr geschlossenes Auftreten werden die ›Blasen‹ zu Beherrschern von Tanzböden oder Lokalen 2. Ranges oder bestimmten Plätzen und Straßenzügen. Das führt zu Anrempeleien und Schlägereien mit anderen ›Blasen‹ und gelegentlich auch mit Erwachsenen. Diese ›Blasen‹ sind in München seit Jahrzehnten vorhanden und bekannt, wenn auch früher nur in geringem Umfang. – Nach Einführung der Jugenddienstpflicht [25. 3. 1939] wurden sie in Opposition zur Hitler-Jugend gedrängt, da sie sich deren Zucht nicht unterordnen wollen. Das führte zu vereinzelten Schlägereien und Überfällen auf Hitler-Jugend-Angehörige (besonders des Streifendienstes) ... Seit etwa 1937 ist jedoch auch in München eine gefährliche Entwicklung festzustellen. Diese besteht darin, daß die Bandenbildung erheblich zugenommen hat und in den letzten Jahren eine ausgesprochene Modeseuche unter den Münchener Jugendlichen geworden ist ...«.

In ihrer Zusammenfassung gelangte die Reichsjugendführung in der umfangreichen Denkschrift zu folgenden Feststellungen:

»Die Bildung von Cliquen, das heißt von Zusammenschlüssen Jugendlicher außerhalb der Hitler-Jugend, hat sich seit einigen Jahren vor dem Kriege, besonders aber im Kriege in einem Maße verstärkt, daß von einer ernsten Gefahr der politischen, sittlichen und kriminellen Zersetzung der Jugend gesprochen werden muß. Die Cliquen stehen zum Teil in offener politischer Gegnerschaft zum Nationalsozialismus und zur Hitler-Jugend ...«.

Zwar habe es derartige Zusammenschlüsse von Jugendlichen schon immer gegeben, aber erst mit der Entwicklung der HJ zur »Staatsjugend« (1936) nach der vorangegangenen »Auflösung oder Einschmelzung der bündischen, konfessionellen und politisch-gegnerisch eingestellten Jugendverbände« in den Jahren 1933–1935 sei es »zu einer Unzahl wilder Cliquenbildungen«, vor allem im »Westen des Reiches« gekommen, wo »von der Reichsjugendführung in Zusammenarbeit mit Sicherheitspolizei und Staatsanwaltschaft eine besondere Zentralstelle West mit dem Sitz in Düsseldorf geschaffen werden mußte, die von 1937 bis 1938 bestand«. »Seit den Jahren 1936/37« habe sich aber »auch im übrigen Reich eine stärkere Bildung wilder Jugendgruppen bemerkbar« gemacht.

Bei der Untersuchung der Gründe dieser Entwicklung kam die Reichsjugendführung selbst zu beachtlichen Einsichten:

»Im Entwicklungsalter (der ›Pubertät‹) gerät der Jugendliche mit wachsendem Selbstgefühl in Gegensatz zu den früher von ihm anerkannten Autoritäten, Elternhaus, Schule und zur gesamten Erwachsenenwelt. Gleichzeitig hat er das Bestreben, mit Gleichaltrigen und Gleichgesinnten eine Gemeinschaft zu bilden«.

Die Hitler-Jugend habe ihre Erziehungsarbeit zwar auch auf dieser psychologischen Grunderkenntnis aufgebaut, aber im Gegensatz zur Bündischen Jugend »die Jugendgemeinschaft nicht zum Selbstzweck« gemacht, sondern vor allem zum »Mittel der Erziehung der jungen Menschen zum kommenden Träger des nationalsozialistischen Staates«, weshalb innerhalb der HJ »für ein wildromantisch-ungebundenes Eigenleben wenig Raum« blieb.

»Dazu kommt, daß ein Teil der Jugendlichen sich von vornherein nicht in eine festumrissene Gemeinschaft wie die Hitler-Jugend einordnen will. Sei es, daß er anlagemäßig [!] asozial ist, daß er aus persönlichen Gründen den Eintritt in die Hitler-Jugend ablehnt, oder daß er aufgrund politischer oder konfessioneller Beeinflussung, deren Träger in manchen Fällen noch das Elternhaus ist, sich gegen die Hitler-Jugend auflehnt.

Diese unruhigen Elemente sammelten sich außerhalb der Hitler-Jugend. Sie ergänzten sich durch viele, die wieder aus der Hitler-Jugend ausschieden, weil ihnen die dort geforderte Ein- und Unterordnung nicht behagte, oder die im Zeitpunkt der Überweisung vom Jungvolk zur Hitler-Jugend ›verloren gingen‹, weil sie es nicht fertig brachten, sich in die neue Gemeinschaft einzuleben«.

Die jugendliche Cliquenbildung, so ein weiteres Fazit der Denkschrift, sei »eine ausgesprochen städtische Erscheinung«, auf »dem flachen Lande« spiele sie »keine Rolle«. Diese Feststellung traf freilich nur auf eine bestimmte Form jugendlicher Cliquen zu.

2 Nonkonformität der Jugend im Krieg und verschärfte Sanktionen

Der Bericht der Reichsjugendführung läßt einige der Gründe aus, die gerade unter der arbeitenden Jugend in den Städten, wie aus anderen Beobachtungen hervorgeht, zur Cliquen-Kompensation für das auferlegte Leistungssoll führten. Zu nennen ist hier die 1938/39 mit den Notdienstverpflichtungen einsetzende Praxis der Arbeitsämter, jugendliche Lehrlinge und Gesellen an ungeliebte Arbeitsplätze zwangsweise zu vermitteln, und die zunehmende Wochenstundenzahl der geforderten Arbeitsleistung in der Rüstungswirtschaft schon in den ersten Kriegsjahren. Einige Zeugnisse über die sich daraus ergebende »Arbeitsunwilligkeit« unter Jugendlichen auch in Bayern sind in den Berichten der den bayerischen Wehrkreiskommandos zugeordneten militärischen »Rüstungsinspektionen« und lokalen Rüstungskommandos zu entnehmen. So meldete das Rüstungskommando Würzburg am 29. Dezember 1941, ein Bad Neustädter Betrieb klage »über schwere Arbeitsvertragsbrüche jüngerer männlicher Arbeitskräfte«[98]. Dasselbe Rüstungskommando hatte schon Anfang 1941 in bezug auf Schweinfurter Rüstungsbetriebe darüber Klage geführt, daß zahlreiche jugendliche Arbeiter in der Rüstungsindustrie es vorzögen, sich freiwillig zum Wehrdienst zu melden: »Es fehlt den jungen Leuten das Verständnis, daß ihr Einsatz in einem Rüstungsbetrieb genauso wichtig ist wie in der Wehrmacht«[99].

---

[98] BA/Militärarchiv, R.W. 21-65/3, Kriegstagebuch Rüstungskommando Würzburg.
[99] Ebenda.

Auch die Rüstungsinspektion München vermerkte in ihrem Halbjahresbericht für die Zeit von Oktober 1941 bis April 1942: »Die Arbeitsdisziplin der Jugendlichen ließ häufig zu wünschen übrig«[100].

Die schon vor 1939 in den Großstädten, bei Jugendlichen sowohl aus den Unterschichten wie aus besser situierten Kreisen, erkennbare Tendenz zur Absonderung von der HJ und den Erziehungsnormen des NS-Regimes gewann durch den Krieg und vor allem seit 1941, nachdem die erste Welle der Sieges-Euphorie vorbei war und der totale Krieg sich bemerkbar machte, wachsende Bedeutung.

Nach dem Übergang der HJ zur Organisation mit Jugenddienstpflicht entwickelte sich im Verlauf des Krieges bei Jugendlichen zunehmend eine Renitenz gegen den HJ-Drill, Abneigung gegen die Unterdrückung jugendlicher Lebensbedürfnisse durch staatlich verordnete Kriegshilfsdienste und Arbeitsanforderungen, wobei die Grenzen zu jugendspezifischen Formen der Asozialität und Kriminalität oft fließend waren. Dabei ist freilich zu bedenken, daß erst durch die NS-Gesetzgebung zum Teil neue, spezifisch totalitäre Normen von »Kriminalität« gesetzt wurden; als »verwahrlost« galt nun auch, wer sich den Zwängen der staatlichen Jugenderziehung verweigerte.

Bereits im Januar 1940 beklagten die Teilnehmer einer internen Dienstbesprechung der Spitzen von Sicherheitspolizei und SD, Reichsjugendführung und anderen Staats- und Parteidienststellen eine vehement ansteigende »Jugendverwahrlosung« und »Jugendkriminalität«. Die Folgen derselben seien so schwerwiegend, daß auch die »Wehrfähigkeit« tangiert werde; notwendig seien strafrechtlich-polizeiliche Gegenmaßnahmen und eine Stärkung der Funktionsfähigkeit der HJ[101]. Am 9. März 1940 erließ Himmler in Vertretung des Reichsministers des Innern eine »Polizeiverordnung zum Schutze der Jugend«, in der festgelegt war: Jugendliche unter 18 Jahren durften sich »während der Dunkelheit« nicht »auf öffentlichen Straßen und Plätzen oder an sonstigen öffentlichen Orten herumtreiben«; der Zugang zu öffentlichen Lokalen, Lichtspieltheatern u. a. war für Jugendliche ohne Begleitung von Erziehungsberechtigten nach 21 Uhr generell, für Jugendliche unter 16 Jahren war der Lokalbesuch auch vor 21 Uhr verboten; Alkoholgenuß in Gaststätten wurde für Jugendliche eingeschränkt bzw. untersagt, ebenso für Jugendliche unter 18 Jahren der »Genuß von Tabakwaren in der Öffentlichkeit«.

Um bei der Sanktionierung von abweichendem Verhalten Jugendlicher flexibler und rascher zugreifen zu können, wurde mit Verordnungen des Ministerrats für die Reichsverteidigung vom 4. Oktober und 28. November 1940 ein neues Mittel eingeführt, der »Jugendarrest« (Arretierung von Jugendlichen durch jugendrichterliche oder polizeiliche Strafverfügung für höchstens einen Monat oder vier »Wochenendkarzer«). Roland Freisler, damals Staatssekretär im Reichsjustizministerium, begründete die Notwendigkeit des neuen Strafmittels, dem sich »ein weites Feld« eröffne, damit, daß die Richter in Jugendstrafsachen vor einer regelrechten Haftverhängung vielfach zurückschreckten bzw. auch bei Verurteilung diese Haft aussetzten:

». . . Ein Gefängnis, das der Jugendliche gar nicht kennen lernte, nicht einmal sah, konnte ihn weder vor künftigen Taten zurückschrecken lassen, noch ihn zum Nachdenken über sich selbst

---

[100] BA/Militärarchiv, R. W. 20-7/71, Kriegsgeschichte der Rüstungsinspektion VII.
[101] BA, R 22/1189, Bericht des Reichsführers-SS und Chefs der Deutschen Polizei.

veranlassen . . . Die Wirkung der Verurteilung verblaßte . . . unter dem den Verurteilten beruhigenden Eindruck, daß man ja nur eine Strafpolitik des ›als ob‹ ihm gegenüber betreibe . . .«[122].

Freisler war es auch, der in einem Erlaß vom 24. Oktober 1941 die Oberlandesgerichtspräsidenten und Generalstaatsanwälte anwies, speziell gegen »fehlende Arbeitsdisziplin« Jugendlicher den Jugendarrest »als geeignetes Zuchtmittel« im beschleunigten Verfahrensweg und mit sofortiger Vollstreckung einzusetzen. Dabei sei darauf zu achten, daß im Jugendarrest die Jugendlichen »unbedingt zu harter Arbeit, die sie auch körperlich ganz beansprucht, nachhaltig angehalten werden«. In einem Erlaß vom 3. Dezember 1941 stieß Freisler noch einmal nach: »Die Güte und Schlagkraft der Jugendstrafrechtspflege wird zur Zeit weitgehend nach ihrer Wirksamkeit bei der Bekämpfung der Vergehen gegen die Arbeitsdisziplin bewertet«.

Am 24. November 1942 gab der Reichsführer-SS und Chef der Deutschen Polizei einen Runderlaß heraus, wonach auf Antrag der zuständigen HJ-Dienststellen die staatlichen Polizeibehörden zur »Erzwingung der Jugenddienstpflicht« eingesetzt werden sollten. Gegen die Erziehungsberechtigten sei ggf. Zwangsgeld oder ersatzweise Zwangshaft zu verhängen, gegen die Jugendlichen selbst müsse ggf. mit polizeilicher Vorführung zum Dienst, Zwangsgeld und Jugendarrest vorgegangen werden, in Fällen von »Unerziehbarkeit« auch durch Einweisung in die Fürsorgeerziehung[123].

Da es bei der Durchführung des Jugendarrests offenbar einige Schwierigkeiten gab, empfahl der Reichsführer-SS und Chef der Deutschen Polizei mit einem Runderlaß vom 1. Juli 1943, bei »geringfügigen Verfehlungen Jugendlicher« Arbeitsauflagen (Arbeitsleistungen von Jugendlichen in der Freizeit) als »Zuchtmittel des Jugendrichters« anzuordnen[104].

Aus Unterlagen des Reichsministers der Justiz und des Statistischen Reichsamtes geht hervor, daß die erfaßte Jugendkriminalität in den Kriegsjahren ständig anstieg. Im Jahre 1941 wurden im Reichsgebiet 37 853, im Jahre 1942 gar 52 426 jugendliche Personen rechtskräftig verurteilt. Die Kriminalitätsquote bei Jugendlichen lag damit ganz erheblich über der aus den Jahren vor 1939 bzw. vor 1933. Dabei machten Zuwiderhandlungen von Jugendlichen gegen Rechtsvorschriften, die sich aus dem besonderen Charakter des politischen Systems oder der spezifischen Militarisierung der Lebens- und Arbeitsverhältnisse im Krieg ableiteten, einen erheblichen Anteil aus, so insbesondere Vergehen gegen Arbeitsdisziplinvorschriften und gegen Strafrechtsverordnungen »zum Schutze der Wehrkraft des deutschen Volkes«, hierbei wiederum speziell gegen das Verbot des Umgangs mit Kriegsgefangenen[105].

Auch in den Berichten der bayerischen Justizbehörden wurde die Zunahme des bis zur Kriminalität reichenden abweichenden Verhaltens von Jugendlichen seit Beginn des Krieges vielfältig beklagt. Wir geben dafür einige typische Beispiele:

Der Oberstaatsanwalt München I, 7. Dezember 1939:

---

[102] Freisler, Roland: Zur Handhabung des Jugendarrests, in: Deutsche Justiz. Berlin 1940, Ausgabe 51/52.
[103] Veröffentlicht in Deutsche Justiz. Berlin 1942, Ausgabe 49.
[104] Deutsche Justiz. Berlin 1943, Ausgabe 27.
[105] BA, R 22/1165.

». . . Seit Kriegsausbruch und dem Einsetzen der nächtlichen Verdunkelung haben Jugendgericht, Stadtjugendamt und Jugendstaatsanwaltschaft in München übereinstimmend die Beobachtung gemacht, daß die Kriminalität der Jugendlichen bedenklich im Steigen begriffen ist. Es zeigt sich mehr und mehr, daß die verdunkelte nächtliche Großstadt für die halbwüchsige Jugend der Schauplatz romantischer nächtlicher Streifzüge wird, die leicht einen kriminellen Charakter annehmen . . . Dabei sind es gerade die 14– bis 15jährigen, die bei diesen Untersuchungen mit eine führende Rolle spielen . . .«[106].

Generalstaatsanwalt München, März 1941:

»In einzelnen Bezirken sind mehr Jugendsachen angefallen. Allgemein wird von der Verhängung von Jugendarrest reichlich Gebrauch gemacht. Einzelne Jugendarrestanstalten sind dauernd gut, sogar voll besetzt. Es hat sich gezeigt, daß nur die strengen Tage mit hartem Lager und Kostschmälerung bei den Jugendlichen Eindruck machen . . .«[107].

Generalstaatsanwalt Nürnberg, Mai 1941:

». . . Daß nach Überwindung der anfänglichen Schwierigkeiten der Jugendstrafvollzug sowohl in Jugendarrestanstalten wie in Wochenendkarzern in Gang gekommen ist, wurde schon . . . erwähnt. Es sind inzwischen auch wenigstens schon einige Erfahrungen gesammelt worden. Dazu sei hervorgehoben, daß augenscheinlich der Dauerarrest von 1 Woche weniger wirkt als Wochenendkarzer von nur 2 Wochenenden. Bei der teils schweren Berufsarbeit, die die Jugendlichen zu leisten haben, empfinden sie es zum Teil als Ausgleich für den Freiheitsentzug, wenn sie eine Woche lang von ihrer schweren Arbeit befreit sind, während der nur in ihrer Freizeit vollzogene Wochenendkarzer als Härte empfunden wird . . .«[108].

Oberlandesgerichtspräsident München, April 1942:

». . . Ernste Sorge erwecken die zunehmende Disziplinlosigkeit und Verwahrlosung der Jugendlichen, über die von der Mehrzahl der mir unterstellten Gerichte lebhaft Klage geführt wird. Vor allem auf sittlichem Gebiet lockern sich die Anschauungen und die Lebensführung der Jugendlichen und hier wieder in besonderem der Mädchen vielfach in geradezu erschreckendem Maße. Die Jugendlichen treiben sich oft bis spät in die Nacht hinein auf den Straßen und in Lokalen herum und hören Dinge, die sie noch nicht verarbeiten können und die einen verderblichen Einfluß auf sie ausüben . . .«[109].

Als Gründe für die zunehmende Verwahrlosung der Jugend nennt der Münchener OLG-Präsident: Abwesenheit der Väter, Überarbeitung der – meist berufstätigen – Mütter, zu frühe Eingliederung der Jugendlichen in den Arbeitsprozeß, pädagogische Mängel bei manchen HJ-Führern. In diesem Zusammenhang wird unter Hinweis auf Äußerungen von Jugendrichtern die Frage aufgeworfen, »ob der Grundsatz ›Jugend muß sich selbst erziehen‹ wirklich als berechtigt auch nach dem Kriege aufrecht erhalten werden sollte . . .«[110].

Oberlandesgerichtspräsident Nürnberg, Mai 1942:

». . . Die Straffälligkeit Jugendlicher hat in den letzten Monaten merklich zugenommen. Im Vordergrund stehen Arbeitsverweigerungen, Eigentumsdelikte, besonders Fahrraddiebstähle, Sittlichkeitsdelikte und Verstöße gegen die Jugendschutzverordnung . . . Um das unerwünschte

---

[106] BA, R 22/1189.
[107] BA, R 22/3379.
[108] BA, R 22/3381.
[109] Ebenda.
[110] BA, R 22/3379.

Anwachsen der Jugendkriminalität aufzuhalten, wurden schärfere Strafen als früher ausgesprochen ...«[111].

Oberlandesgerichtspräsident Bamberg, März 1943:

»... Der Anfall an Jugendstrafen steigt, ein Zeichen der immer noch wachsenden Verwilderung der Jugend ... Besonders zahlreich sind selbstverständlich die Zuwiderhandlungen Jugendlicher beiderlei Geschlechts gegen die Polizeiverordnung zum Schutze der Jugend: Das nächtliche Herumstreunen auf den Straßen und der Besuch von verbotenen Filmveranstaltungen und von Gasthäusern nehmen bedenkliche Formen an ...«[112].

Oberlandesgerichtspräsident Nürnberg, März 1943:

»... Das Jugendgericht Nürnberg klagt über die zunehmende Verwahrlosung der weiblichen Jugend. In fast allen Strafverfahren und Fürsorgeerziehungsverfahren zeige sich, daß Mädchen im Alter von 12 bis 17 Jahren hemmungsloser und triebhafter geworden sind als früher. Das Verantwortungsbewußtsein gegenüber Arbeit und Pflichterfüllung sinke in demselben Maße wie die Vergnügungssucht und der Trieb nach sexuellem Ausleben steigen. Die Einstellung der Eltern zu der sittlichen Verwahrlosung ihrer Töchter sei vielfach ein trauriges Kapitel ...«[113].

Generalstaatsanwalt München, Oktober 1944:

»... Verstöße gegen die Arbeitsdisziplin nahmen vielfach zu; besonders sind es hier Jugendliche und Frauen, die sich den kriegsbedingten Anordnungen nicht fügen wollen ... Die Jugendkriminalität weist eine dauernde Zunahme auf. Dabei wird aus dem Bezirk des Oberstaatsanwalts München II vor allem eine Steigerung der Anzeigen wegen Arbeitsvertragsbruchs vermerkt, die teilweise auf eine Lockerung der Arbeitsdisziplin, teilweise aber auch darauf zurückzuführen ist, daß Jugendliche, deren Eltern in den Landkreisen wohnen, bestrebt sind, ihren Arbeitsplatz in der luftgefährdeten Großstadt aufzugeben. Aus diesem Bezirk wird auch eine Zunahme von Anzeigen gegen jugendliche Ausreißer gemeldet, die sich ohne Arbeit und Einkommen mit Vorliebe in den Gebirgsgegenden, in Grenznähe herumtreiben ... Aus einem anderen Bezirk (Deggendorf) wird eine auffallende Zunahme der Anzeigen gegen Jugendliche wegen Übertretung der Polizeiverordnung zum Schutze der Jugend gemeldet und bemerkt, daß die Disziplinarstrafen der HJ, die wegen derartigen Verstößen verhängt werden, wirkungslos bleiben ...«[114].

Die in all diesen Berichten konstatierte Zunahme der Jugendkriminalität (im Sinne der damals geltenden Definition) weist darauf hin, daß gerade bei den jungen Leuten der Unterschichten das NS-System an Kredit verlor. Das von der NS- und HJ-Führung reklamierte »heroische Verhalten« der Jugend im Krieg war keineswegs bei der Gesamtheit der jungen Generation zu finden; im Verlaufe des Krieges wuchs vielmehr, insbesondere bei der arbeitenden Jugend, die Tendenz an, sich auf Leistungssteigerung und Verzicht auf Freizeit nicht länger einzulassen und sich auf eigene Faust Entlastung und Genuß zu verschaffen, ein Bestreben, das rasch in Konflikt mit den NS-staatlich gesetzten Normen des Jugendlebens geraten mußte, das zum Teil aber auch zur Abkehr von überlieferten bürgerlichen Moralvorstellungen führte, deren Glaubwürdigkeit durch die Kriegserlebnisse ohnehin erschüttert worden war.

Die in den Berichten oft zitierte »Polizeiverordnung zum Schutze der Jugend« sollte die Jugendlichen »von der Straße bringen« und aus den Lokalen und Kinos verdrängen;

---

[111] BA, R 22/3381.
[112] BA, R 22/3355.
[113] BA, R 22/3381.
[114] BA, R 22/3379.

sie war aber gleichzeitig auch als vorbeugende Maßnahme gegen spontane Gruppenbildung unter Jugendlichen der städtischen und ländlichen Unterschichten eingesetzt, erfüllte den ihr zugedachten Zweck aber nicht; sie rief eher zusätzliches Widerstreben Jugendlicher hervor. Auch dies ist durch Berichte der Dienststellen bei Staat und Partei vielfach belegt.

Die SD-Außenstelle Würzburg meldete am 22. Oktober 1940:

»... Im Landkreis Würzburg wurden seit Bestehen der Verordnung [also in etwa 6 Monaten] bis jetzt etwa 200 Jugendliche gebührenpflichtig verwarnt. Zu erwähnen ist besonders, daß seitens der Nichtmitglieder der HJ eine gewisser Oppositionsgeist gegen die Bestimmungen der Verordnung zu Tage tritt...«[115].

Im Monatsbericht des Regierungspräsidenten in München vom Februar 1942 heißt es:

»... Die Landräte Freising und Pfaffenhofen melden eine Zunahme der Verstöße Jugendlicher gegen die Polizeiverordnung zum Schutz der Jugend, durch Besuch von Gaststätten und Kinos in den Nachtstunden...«[116].

Die SD-Außenstelle Friedberg meldete am 16. November 1942 nach Augsburg:

»... Meldungen aus den Landgemeinden zeigen, daß auch dort die Jugendverwahrlosung erschreckend zunimmt. Die Jugendlichen zeigen sich vielfach als frech und anmaßend, die Bestimmungen des Jugendschutzgesetzes werden ... nicht eingehalten. Selbst HJ Führer sind meist machtlos...«[117].

Im März 1943 schrieb der Landrat von Bad Tölz:

»Immer wieder wird von den Gendarmerieposten geklagt über das zügellose Verhalten der Jugendlichen, deren Herumstreunen während der Dunkelheit, ihre verbotenen Kinobesuche, über den hemmungslosen Geschlechtsverkehr erst 15- und 16jähriger und die Unbotmäßigkeit gegenüber Eltern, Arbeitgebern usw. Die Schule scheint jeden Einfluß verloren zu haben und das Elternhaus einen großen Teil. Sagt der Gendarm etwas, dann antworten die Burschen, sie kämen jetzt zum Arbeitsdienst oder zur Wehrmacht und hätten dann sowieso nichts mehr von ihrer Jugend und die Mädchen lachen bloß...«[118].

Ein symptomatisches Beispiel für den Versuch, die vielfach widerstrebenden Jugendlichen wenigstens äußerlich zu dem gewünschten »soldatischen Typ« zurechtzustutzen, findet sich in einem Bericht des Kreisschulungsamtes der NSDAP Eichstätt vom 15. März 1944[119]:

»Starke Mißbilligung unter der Jugend selbst wie auch in der Bevölkerung hat die Art und Weise der sogenannten ›Haarschnitt-Aktion für Jugendliche‹ durch die hiesige (HJ-)Bannführung ausgelöst. Der Bannführer ... erließ an sämtliche Friseure der Stadt Eichstätt folgendes Schreiben: ›Angesichts des heldenhaften Kampfes, den heute der deutsche Soldat an allen Fronten führt, ist es eine Selbstverständlichkeit, daß vor allem die deutsche Jugend in der Heimat sich sowohl in ihrer Haltung als auch im äußeren Auftreten dieses Kämpfertums würdig erweist. So ist es für die Hitler-Jugend unerträglich, daß es u. a. noch Jungen gibt, die das Erscheinungsbild der deutschen Jugend dadurch verunglimpfen, daß sie mit einer weichlichen Tangofrisur oder einer sog. Künstlermähne herumlaufen. Die ist undeutsch und entspricht nicht der soldatisch harten Zeit, in der wir leben. Ich

---

[115] Bayern in der NS-Zeit I, a. a. O., S. 604.
[116] BayHStA, MA 106 671.
[117] StA Neuburg, NSDAP und Gliederungen, Ordner 3.
[118] BayHStA, MA 106 671.
[119] Staatsarchiv Nürnberg, NSDAP Nr. 58.

Jugendprotest und Jugendopposition

habe deshalb angeordnet, daß im Bann Eichstätt ab sofort jeder Jugendliche kurzen Haarschnitt zu tragen hat. Wer sich dieser Anordnung widersetzt, wird nach der Kriegsdienststrafordnung der Hitler-Jugend wegen Befehlsverweigerung bestraft . . . .‹. Besondere Beachtung fand dieses Schreiben, als man in der Stadt erfuhr, daß auf der Banndienststelle und im Dienstzimmer des Bannführers gewalttätig ›Haarschuren‹ vorgenommen werden . . . .«.

Von der Ausbreitung eines diffusen Unbehagens und Protests gegen die HJ und in der HJ in den letzten Jahren des Krieges berichtet der Historiker Hansjoachim Koch aufgrund eigener Erlebnisse in München[120]:

»Es wurde bereits bemerkt, daß Bandenbildungen innerhalb der Hitler-Jugend-Einheiten durchaus nicht selten waren und besonders bei solchen, die täglich den Realitäten des Krieges ausgesetzt waren, wie z. B. die Luftwaffenhelfer. Es war für ein Mitglied des HJ-Führerkorps nicht ratsam, sich in einem Flakbunker sehen zu lassen oder bei den mit Aufräumarbeiten beschäftigten Hitlerjungen nach Bombenangriffen, sonst hätte er sich Angriffen und Beschimpfungen ausgesetzt, zu denen sich sonst wohl kein anderer deutscher Zivilist getraut hätte, es sei denn, er wollte sich unbedingt in ein Konzentrationslager einsperren lassen. Ein Beispiel: Im April 1944, kurz nach einem schweren Bombenangriff auf München, war eine große Hitler-Jugend-Versammlung in einem Kino der Stadt einberufen worden. Viele Jungen kamen direkt von den Aufräumarbeiten in den Trümmern dorthin und wurden von einem geschniegelten HJ-Führer, noch dazu ein ›Preiß‹, wegen ihres ›liederlichen‹ Auftretens angeraunzt. Ein Murren erhob sich aus dem Zuschauerraum, dann ertönten Pfiffe, und es folgte ein begeistert grölendes Absingen der letzten Strophen eines der bekanntesten Lieder des Bauernaufstandes: ›Dem Ritter fuhr ein Schlag ins Gesicht/ Und der Spaten zwischen die Rippen./ Er brachte das Schwert aus der Scheide nicht/ Und nicht den Fluch von den Lippen . . . .‹. Als der HJ-Führer es dann für klüger hielt, die Bühne zu verlassen, wurde sein Abgang von dem beliebten Lied begleitet: ›Es zittern die morschen Knochen‹, nur wurde es in eingeweihten Kreisen mit leicht abgeändertem Text gesungen und begann: ›Es zittern im Arsch die Knochen . . . .‹«.

3. *Verstärkung der jugendlichen Cliquen während des Krieges*

Die Bedingungen des Krieges trugen dazu bei, daß die in einigen Großstädten des Reiches schon vor 1939 bemerkbaren Cliquen von Jugendlichen erheblich zunahmen. Teils veränderte sich auch ihr Charakter. Eine vertrauliche Denkschrift, vom Referat »Überwachung« im Personalamt der Reichsjugendführung vom September 1942 wegen dieser der HJ-Führung immer bedrohlicher erscheinenden Entwicklung zusammengestellt, bemerkte[121]:

»Diese Entwicklung stieg erneut an mit Ausbruch des Krieges. Seitdem erreicht das Cliquenwesen in verschiedenen Teilen des Reiches einen Umfang, der die Reichsjugendführung und die örtlichen Führungsstellen der Hitler-Jugend veranlaßte, gegen Ende des ersten und zu Beginn des zweiten Kriegsjahres in größeren Aktionen (vor allem im Rahmen der Überwachung des Fahrtenwesens) in Zusammenarbeit mit Sicherheitspolizei und Justiz gegen die Bandenbildungen Jugendlicher einzuschreiten. In der Folge ergab sich – vermutlich durch die Schockwirkung dieses Vorgehens – eine mehrere Monate anhaltende Beruhigung. Im Verlauf des Jahres 1941 tauchten jedoch die wilden Zusammenschlüsse Jugendlicher aller Art erneut auf und erreichten in den

---

[120] Koch, Hansjoachim: Geschichte der Hitlerjugend. Percha 1975, S. 332.
[121] BA, R 22/1177, Reichsjugendführung, Personalamt-Überwachung: Cliquen- und Bandenbildung unter Jugendlichen, September 1942.

Großstädten einen Umfang an Verwahrlosung und Kriminalität, der nunmehr eine auf das ganze Reich augedehnte planmäßige Überwachungs- und Bekämpfungsaktion ... erforderlich machte«.

Die Reichsjugendführung unterschied bei der Untersuchung Zusammenschlüsse »mit vorwiegend krimineller Tätigkeit« von solchen »mit politisch-weltanschaulich gegnerischer Grundhaltung« und vorwiegend auf ausschweifendes Vergnügen gerichtete Gruppen. Sie räumte aber ein, daß »die Übergänge zwischen den einzelnen Gruppen fließend« seien und daß z. B. auch die Swing-Gruppen »durch ihre haltungsmäßig bedingte Ablehnung jeder Beschränkung der persönlichen Freiheit (auch des Hitler-Jugend-, Arbeits- und Wehrdienstes) sehr bald in einen scharfen Gegensatz zur Hitler-Jugend und dem Nationalsozialismus gekommen« seien. Im Unterschied zu den aus weltanschaulich-politischen Überzeugungen sich bewußt als Gegner des NS verstehenden Cliquen lehnten auch die Swing-Gruppen und andere ihnen verwandte Zusammenschlüsse, die »den zahlenmäßig weitaus größten Teil der zur Zeit auftretenden Cliquen« bildeten, »Staat und Bewegung« ab, besäßen aber »kein festumrissenes gegnerisches Programm«. Sie stellten »für die übrige Jugend« gleichwohl eine große Gefahr dar, da sie auf sie »eine starke Anziehungskraft« ausübten, der der örtliche HJ-Führer oft nicht genügend entgegentreten könne.

Die Gründe für diese Entwicklung lägen oft in Mängeln der HJ-Arbeit selbst:

»Durch den mit Kriegsbeginn verstärkt einsetzenden Führermangel wurde der Dienst vielfach einseitig und ungenügend. Die Gestaltung und Durchführung des Dienstes liegt seitdem zu stark auf den Schultern der unteren Führerschaft, die ihres Alters wegen Arbeits- und Wehrdienst noch nicht abgeleistet hat, naturgemäß häufig wechselt und daher in Eignung, Wissen und Können sehr unterschiedlich ist. Oft müssen Jungen als Einheitsführer eingesetzt werden, die – bei aller Anerkennung ihrer Leistung im einzelnen – ihrer Aufgabe noch nicht gewachsen sind. Oft beschränken sie sich darauf, bei jedem Dienst ›Ordnungsübungen‹ zu machen, weil die wenigen Kommandos sich rasch einprägen und durch den militärischen Akzent eine Autorität vorgetäuscht werden kann, die nicht vorhanden ist. Der junge Führer glaubt vielfach, durch forsches Auftreten der Mühe enthoben zu sein, sich echte Anerkennung zu erzwingen. Das macht selbst dienstwillige Jungen sehr bald dienstmüde und drängt die Aktiveren in Opposition. Eine innere Erfassung der Jugendlichen wird durch den Hitler-Jugend-Dienst heute nur selten erreicht, die Jungen, die der Dienst nicht befriedigt, verfallen leicht dem Einfluß eines ›Cliquenbullen‹, der meist eine sehr vitale Persönlichkeit ist und auf die Jungen im Reifealter seine Wirkung oft nicht ver ehlt. Selbst von Hause aus ›ordentliche‹ Jungen geraten auf diese Weise in Cliquen und ähnliche Zusammenschlüsse.

Verschärft wurde diese Entwicklung durch die Einführung der Jugenddienstpflicht im Frühjahr 1939. Es mußten alle Jugendlichen erfaßt und zum Dienst herangezogen werden, die bis dahin nicht freiwillig der Hitler-Jugend beigetreten waren. Das war an sich schon der schwer zu behandelnde Teil der deutschen Jugend, der der Hitler-Jugend gleichgültig oder ablehnend gegenüberstand ... Diese Jugendlichen sahen nun die Drohung staatlichen Zwanges vor sich, dem sie am besten zu entgehen können glaubten, wenn sie unter sich zusammenhielten. Durch die Bildung solcher ›Fremdkörper‹ wurde vielfach auch der Zusammenhalt bisher guter Hitler-Jugend-Einheiten zerstört und die Stamm-Hitler-Jungen in die Cliquen hineingezogen ...«[122]

In einer 44 Seiten langen Anlage führte die Denkschrift der Reichsjugendführung vom September 1942 zahlreiche »Einzelbeispiele für die Cliquen- und Bandenbildung in neuerer Zeit« an. Wir geben daraus einige der für unseren Zusammenhang bemerkenswertesten Beobachtungen aus verschiedenen Städten des Reiches wieder:

---
[122] Ebenda.

In Hamburg habe eine aus 30–40 Jugendlichen bestehende Clique, die sich »Totenkopfbande« nannte, seit dem Winter 1941/42 etwa 20 Überfälle auf Hitler-Jugend-Angehörige, vor allem des HJ-Streifendienstes verübt und diese z. T. mißhandelt. Gegen 28 Angehörige der Bande sei im Mai vor dem Landgericht Hamburg Anklage erhoben worden. Seit Anfang 1942 sei ferner bekanntgeworden, »daß die Hamburger ›Tangojünglinge‹ und ›Nichtorganisierten‹, die offiziell in der Pflicht-Hitler-Jugend zusammengefaßt sind, einen Bund gegründet hatten mit der Bezeichnung ›Bismarck-Bande‹«. Auch die Angehörigen dieser Clique hätten »planmäßige Überfälle auf Hitler-Jugend-Angehörige verübt«. Vor allem aber habe in Hamburg aus den Ansätzen der schon vor dem Krieg gebildeten Eisbahnclique aus höheren Schulen die Swing-Jugend großen Zulauf gewonnen:

»Um die Jahreswende 1939/40 gründete die Flottbecker Clique eine eigene Amateur-Tanzkapelle und veranstaltete mehrere geschlossene Tanzfeste, zu denen auch einige Klassen höherer Schüler und Mitglieder des besten Hamburger Sportclubs geladen waren. Das erste dieser Tanzfeste im Februar 1940 wurde von 500 bis 600 Jugendlichen besucht, brachte bereits ein hemmungslosen Swing-Betrieb und war wochenlang Gesprächsstoff unter der Hamburger Jugend ... Zum Tanz wurde nur englische und amerikanische Musik gespielt. Es wurde nur Swing getanzt und gehottet ... Die Teilnehmer begleiteten die Tänze und Songs ausnahmslos durch Mitsingen der englischen Texte, wie auch überhaupt während des ganzen Abends versucht wurde, fast nur englisch und an einigen Tischen sogar französisch zu sprechen. Der Anblick der Tanzenden war verheerend. Kein Paar tanzte normal, es wurde in übelster Weise geswingt. Teils tanzten zwei Jünglinge mit einem Mädel, teils bildeten mehrere Paare einen Kreis, wobei man sich einhakte und in dieser Weise dann umherhüpfte, mit den Händen schlug, ja sogar mit den Hinterköpfen aneinander rollte und dann in gebückter Stellung, den Oberkörper schlaff nach unten hängend, die langen Haare wild im Gesicht, mit den Beinen herumschlenkerte. Als die Kapelle einmal einen Rumba spielte, gerieten die Tanzenden in wilde Ekstase, alles sprang wild umher und lallte den englischen Refrain mit. Die Kapelle spielte immer wildere Sachen. Kein Mitglied der Kapelle saß mehr, sondern jeder ›hottete‹ wie wild auf dem Podium herum ...

Ein späteres Tanzfest wurde polizeilich geschlossen; daraufhin verzichteten die Cliquen auf Großveranstaltungen und trafen sich künftig in kleineren Kreisen, bei Heimfesten usw. Jetzt begann erst der eigentliche Cliquenbetrieb. Man besuchte in Gruppen zu 20 oder 30 Jugendlichen kleine Barlokale, in denen nach englischer Musik getanzt wurde, traf sich zu gemeinsamen Unternehmungen, besuchte eine bestimmte Badeanstalt, traf sich zu gemeinsamen Ausflügen und Fahrten. Überall erregten die Cliquen-Angehörigen durch auffälliges Benehmen, Kleidung, mitgebrachte Koffergrammophone mit englischen Schallplatten und durch ihren betont englischen Tanzstil Aufsehen. Daraufhin wurde im Oktober 1940 eine sicherheitspolizeiliche Aktion gegen die Mitglieder der ›Swing-Jugend‹ durchgeführt, in deren Verlauf 63 Jugendliche festgenommen wurden. Die Ermittlungen entlarvten die ›Swing-Jugend‹ als illegale Vereinigung staats- und parteifeindlich eingestellter Jugendlicher ... Die männlichen Mitglieder wurden legitimiert durch ihre langen, oft bis zum Rockkragen reichenden Haare (Haarlänge bis zu 27 cm). Vorwiegend trug man lange, häufig karierte englische Sakkos, Schuhe mit dicken, hellen Kreppsohlen, auffallende Shawls, auf dem Kopf einen Unger-Diplomat-Hut, über dem Arm bei jedem Wetter einen Regenschirm und als Abzeichen im Knopfloch einen Frackhemdenknopf mit farbigem Stein. Auch die Mädchen bevorzugten eine lange herabwallende Haartracht. Die Augenbrauen wurden nachgezogen, die Lippen gefärbt und die Fingernägel lackiert ... Bezeichnend für das Wesen der Swing-Jugend ist auch ihre Ausdrucksweise. Man redet sich untereinander an mit ›Swing-Boy‹, ›Swing-Girl‹ oder ›Old-hot-Boy‹. Man beendet Briefe mit ›Swing-Heil‹. Das Schlagwort ist ›lottern‹ ...

Schallplattenapparat und der ständige Erwerb der neu erscheinenden Tanzplatten gehört unbedingt zu einem Angehörigen der ›Swing-Jugend‹. Die Schallplatte spielte die Rolle des Buches.

67. Aufnahme von Adolf-Hitler-Schülern in die NSDAP.

Szenische »Gegner-Beschreibung« aus der NS-Denkschrift »Kriminalität und Gefährdung der Jugend« (1941).

68. »Englisch-lässig«.

69. »Zwei Swingtypen«

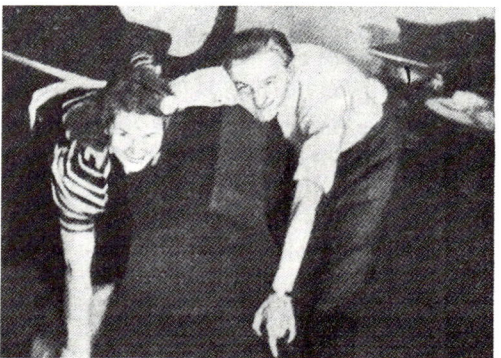

70. »Swingtanz bei einem Hausball«.

Sie wurde von Hand zu Hand verliehen . . . Ähnlicher Beliebtheit erfreut sich der englisch-amerikanische Film. Die in diesen Filmen gezeigte Lässigkeit in Haltung und Lebensführung gefiel so, daß sich die Jugendlichen nach eigenen Angaben bewußt bemühten, einen verlotterten Eindruck zu machen . . .

Dementsprechend stehen die Angehörigen der ›Swing-Jugend‹ dem heutigen Deutschland und seiner Politik, der Partei und ihren Gliederungen, der Hitler-Jugend, dem Arbeits- und Wehrdienst samt dem Kriegsgeschehen ablehnend oder zumindest uninteressiert gegenüber. Sie empfinden die nationalsozialistischen Einrichtungen als einen ›Massenzwang‹. Das große Geschehen der Zeit rührt sie nicht, im Gegenteil, sie schwärmen für alles, was nicht deutsch, sondern englisch ist. Der Gruß ›Heil Hitler‹ wird abgelehnt. Anläßlich der Gründung der neuen Clique im Klubzimmer eines Lokals wurde unter dem Jubel aller Teilnehmer das an der Wand hängende Führerbild mit der Vorderseite zur Wand gehängt . . .«.

Wir haben diesen Bericht, der im übrigen vor allem auch die freien geschlechtlichen Beziehungen zwischen Jungen und Mädchen der »Swing-Jugend« mit pedantisch versteckter Lüsternheit ausführlich schildert, so ausgiebig zitiert, weil er als authentisches Dokument besonders aufschlußreich erscheint, nicht nur für das Spezifikum der in ihm beschriebenen jugendlichen »Gegenkultur« der »Swing-Jugend«, sondern auch als Selbstzeugnis der Mentalität seiner Verfasser und der HJ-Erziehungs- und Verhaltensnormen, an denen sie sich orientierten.

Die Denkschrift konstatiert schließlich, daß trotz der polizeilichen Maßnahmen auch noch im Jahre 1942 die »Swing-Jugend« in Hamburg weitere Anhänger gefunden, darüber hinaus aber auch in anderen norddeutschen Städten (Hannover, Kiel) sowie in Berlin, Dresden, Saarbrücken, Frankfurt Nachahmung gefunden habe.

Von mindestens so starker überlokaler Ausstrahlungskraft waren unter den oppositionellen jugendlichen Cliquen die sogenannten Edelweißpiraten mit ihren Schwerpunkten im Rhein-Ruhr-Gebiet. Die für die Beobachtung und Verfolgung dieser Gruppierung zuständige Stapoleitstelle Düsseldorf berichtete darüber Anfang 1943[123]:

»Im Frühjahr 1942 machten sich in der Öffentlichkeit Fahrtengruppen, bestehend aus männlichen und weiblichen Jugendlichen, bemerkbar, die durch ihre betont lässige Kleidung und Haltung allenthalben auffielen und Anstoß erregten. Verschiedene Angehörige dieser Gruppen trugen weiße Strümpfe, kurze Lederhose, buntes Fahrtenhemd, Halstuch und als äußeres Erkennungszeichen ein Edelweiß. Sie führten auf ihren Wanderungen Klampfen mit, sangen Fahrten- und bündische Lieder und übernachteten draußen in Zelten oder bei Bauern in Scheunen. Eine allgemeine sittliche Verwahrlosung dieser Jugendlichen machte sich besonders auf den Rheinwiesen, an den Talsperren des Bergischen Landes und an sonstigen Plätzen, wo eine unbeaufsichtigte Badegelegenheit vorhanden war, bemerkbar. Zwischen den beiden Geschlechtern herrschte ein Umgangston und eine Umgangsform, die jeglichen Anstandes entbehrte. Vielfach lagerten und badeten die Jugendlichen beiderlei Geschlechts vollständig nackt zusammen. Weiter führten sie Garten- und Felddiebstähle aus; dort, wo sie mit HJ-Angehörigen in Berührung kamen und diese in der Minderheit waren, entstanden Schlägereien . . .

Als die Zusammenrottungen der Piratenjugend größeres Ausmaß annahmen . . ., wurde von der Staatspolizei Düsseldorf eine systematische vertrauliche Überwachung herbeigeführt . . . Am 7. Dezember 1942 wurde schlagartig mit der Überholung der einzelnen Gruppen begonnen und es wurden aufgelöst in:

---

[123] In einem achtseitigen Bericht »Wilde Jugendgruppen – Edelweißpiraten«; Kopie in den Akten des Reichsjustizministeriums: BA, R 22/1177.

Düsseldorf   10 Gruppen mit insgesamt 283 Jugendlichen,
Duisburg   10 Gruppen mit insgesamt 260 Jugendlichen,
Essen   4 Gruppen mit insgesamt 124 Jugendlichen,
Wuppertal   4 Gruppen mit insgesamt 72 Jugendlichen.

In über 400 Vernehmungen wurden 320 Jugendliche über ihre Zugehörigkeit und Betätigung innerhalb der wilden Gruppen befragt. Vorübergehend wurden 130 Jugendliche festgenommen . . .«.

Die Düsseldorfer Gestapo ging zu dieser Zeit selbst noch von einem unpolitischen Charakter dieser Gruppen aus, die sich aus Gründen der Jugendromantik als Piraten bezeichneten, weil sie in Gegenwendung zum Kriegsdrill dem Ideal eines »trotzigen, freien Abenteurertums« nachgingen, dem die HJ nicht gerecht wurde.

Noch aufschlußreicher als dieser Gestapo-Bericht ist die bereits erwähnte Aufzeichnung eines Kölner Jugendrichters[124] über die Entwicklung der dortigen »Edelweißpiraten« vom November 1943:

»Nach Kriegsbeginn verstärkte sich das Erscheinungsbild der Edelweißpiraten . . . Die Jugend der Altstadt . . . war sich jetzt noch mehr selbst überlassen. Sie traf abends, begünstigt durch Verdunkelungsmaßnahmen, zusammen und wartete auf den Alarm. Ein Musikinstrument war zur Stelle und damit bald eine ›Gruppe‹ begründet . . . Diese Jungens, von Haus aus leichtsinnig, charakterlich schwach und disziplinlos, erlebten auf der Arbeit eine einschneidende Wendung. Die in immer steigendem Maße in Köln und Umgebung untergebrachten Ostarbeiter und Ostarbeiterinnen führten, obwohl zum Teil noch jugendlich, ein Leben, das ihnen mehr Freiheiten erlaubte als einem gleichaltrigen deutschen Jungen. Denn sie durften auch noch bei Dunkelheit auf der Straße umherstehen, dürfen auf den Straßen rauchen und treiben sich paarweise in den Anlagen herum. In den Grüngürteln oder vor ihren Unterkünften pflegen sie ihre fremdländische Musik zu machen, ihre Lieder zu singen und Tänze aufzuführen. Das zog die deutsche Jugend an . . . Die staatlichen Maßnahmen, insbesondere die Polizeiverordnung zum Schutze der Jugend verbot den lieber zu Disziplinlosigkeiten und Abenteuern hinneigenden Jungens ein gleiches Treiben. Soweit hier nur der ›Schutzmann‹ störend in Erscheinung trat, hatten solche Zwischenfälle nichts besonderes an sich. Der Hitler-Jugend-Streifendienst und die Jugenddienstpflicht brachten hierin aber einen neuen Gesichtspunkt. Denn diejenigen, die hier Disziplin und Ordnung forderten und das wilde Wandern außerhalb der HJ-Formationen unterbinden wollten, waren Altersgenossen. Die selbstverständliche psychologische Folge war: ›So was lassen wir uns nicht bieten‹. So kam es zu Schlägereien und Überfällen auf die HJ-Streife, auf Angehörige der Hitler-Jugend, Zerstörung und Beschädigung von HJ-Heimen und ähnliches. Diese Jungens folgen allem, nur nicht dem Zwang. Sie wollen ›wilde Fahrten‹ machen und nicht eine geordnete Wanderung in Formation. Hierin liegt die Wurzel der oppositionellen Einstellung gegen die Hitler-Jugend und damit gegen den Staat . . .«.

Seit dem ersten schweren Luftangriff auf Köln am 31. Mai 1942 und den folgenden »Terrorangriffen« mit ihren Zerstörungen (auch derjenigen Lokale und Plätze, in denen sich die Altstadt-Jugend traf) habe, so führt der Berichterstatter weiter aus, die Kriminalität unter den »Edelweißpiraten« stark zugenommen. Als Leiter des Kölner Jugendarrestvollzuges habe er nach den »Terrorangriffen« beobachten können, »daß die Mehrzahl aller anfallenden Jugendlichen den Edelweißpiraten zuzuzählen« war und daß neben der erhöhten Kriminalität auch politisch-oppositioneller Einschlag sich verstärkt habe. Bei alledem könne man von einer einheitlichen Führung trotz des einheitlichen Auftretens der Edelweißpiraten in Köln nicht sprechen. Charakteristisch für diese

---

[124] Siehe Anm. 96.

Verhaltensformen seien außer den Gruppen-»Fahrten« die fast täglichen »Treffs« der zu einer Gruppe gehörenden Jugendlichen, meist nach Einbruch der Dunkelheit, an Straßenecken, in Torwegen oder Gastwirtschaften, wobei gemeinsame Lieder gesungen, Fahrtenerlebnisse erzählt und »über Straftaten berichtet wird, die jeder begangen haben will«. Das »Liedergut« der Edelweißpiraten gehe z. T. auf die Bündische Jugend zurück.

»Diese bündischen Lieder sind irgendwo aufgegriffen oder von älteren Brüdern oder Freunden, die jetzt bei der Wehrmacht sind, überliefert. Daneben ist die große Zahl von russischen Liedern, Steppenliedern und solchen, die sich mit russischen Sitten befassen, auffallend. Dieses Liedergut verbreitet sich selten durch Aufzeichnung, meist durch mündliche Überlieferung. Ein bemerkenswerter Zug ist ferner die Angewohnheit, sich mit selbstgewählten Bei- oder Spitznamen zu rufen und zu kennen. Diese Namen sind durchweg dem mexikanischen, mittel- und südamerikanischen Sprachschatz, darunter auch dem untergegangener Völker, z. B. der Azteken, entnommen. Hierin liegt ebenso wie bei dem Liedergut eine geistige Berührung mit den früheren Navajos vor . . .«.

Was im Vorstehenden für die Düsseldorfer und Kölner »Edelweißpiraten« nach den Beobachtungen von polizeilichen, Justiz- und HJ-Behörden dokumentiert wurde, charakterisierte offenbar die große Mehrheit auch anderer großstädtischer Jugend-Cliquen, die die Denkschrift der Reichsjugendführung mit z. T. unterschiedlichen Bezeichnungen vom September 1942 aufführt.

Wir geben einige Beispiele[125]:
In Essen waren vom dortigen Landgericht im April 1940 14 Burschen zu 2–4 Wochen Gefängnis verurteilt worden, die »in Essen und Umgebung Gruppen gebildet und das Gedankengut und Brauchtum der verbotenen Bündischen Jugend gepflegt« und durch Fahrten, regelmäßige Zusammenkünfte sowie das Singen bündischer Lieder aufgefallen seien und der HJ in »scharfem Gegensatz« gegenübergestanden hätten. Die Gruppe trug als Abzeichen Totenkopfring und Edelweiß. Sie nannten sich auch Edelweißpiraten. Ähnliche Cliquen bestünden noch »in einer ganzen Reihe von Essener Stadtteilen«. Die verhängten Strafen vermochten das Cliquenwesen nicht einzudämmen. Auch für Duisburg und Oberhausen wurden ähnliche Vorkommnisse wie aus Essen gemeldet, ebenso für Krefeld, wo im Juli 1942 etwa 10 in demselben Viertel wohnende Burschen wegen dieser Aktivitäten unter Anklage gestellt worden seien.

Berichte über Edelweißpiraten in dem hier zitierten Material und ergänzende Hinweise in anderen Unterlagen der NS-Staatsorgane belegen die Existenz solcher Gruppen in fast allen Städten des Rhein-Ruhrgebiets. Sie bestanden aber auch in anderen Regionen:

»Aus Leipzig wurde gemeldet, daß sich dort ›wilde Vereinigungen‹ Jugendlicher gebildet hätten, die äußerlich den westdeutschen Cliquen ähnelten. In Sachsen führten sie die Bezeichnung ›Meuten‹ oder ›Mobs‹ . . .«.
»In Dresden, besonders in Arbeitervierteln, werden seit längerer Zeit Zusammenrottungen Jugendlicher festgestellt, die sich selbst den Namen ›Mob‹ zugelegt haben und meist Jungen und Mädels im Alter von 15 bis 19 Jahren erfassen (›Hechtmob‹, ›Alaunmob‹, ›Fleischermob‹ usw.). Es handelt sich um Gruppen von 20 bis 40 Jugendlichen, die sich allabendlich an bestimmten Treffpunkten, Straßenecken, Anlagen, Eisdielen usw. zusammenfinden und durch ihr disziplinloses, flegelhaftes Benehmen auffallen. Andere Mobs fahren über das Wochenende in das Elbgebirge.

---

[125] Zitiert nach Bericht der Reichsjugendführung. Siehe Anm. 121.

Neben den sittlichen Verwahrlosungserscheinungen ist zugleich eine starke Kriminalität . . ., vor allem auch Verfehlungen am Arbeitsplatz festzustellen . . .

Die Angehörigen der Mobs sind fast sämtlich aus irgendwelchen Gründen aus der Hitler-Jugend entfernt worden oder selbst ausgeschieden. Zwischen ihnen und der Hitler-Jugend hat sich eine regelrechte Feindschaft entwickelt . . .«.

»Aus Halle wird im Frühjahr 1942 gemeldet, daß in den dortigen Arbeitervierteln ›Proletengefolgschaften‹ aufgetaucht sind, deren Struktur die gleiche ist wie die der oben beschriebenen Mobs und Meuten«.

Von Erfurt wurde berichtet, daß sich dort z. T. schon seit 1938 jugendliche Cliquen unter verschiedenen Namen (»Trenker-Bande«, »Meute«, »Texas-Club« u. a.) gebildet hätten, die nach Kriegsbeginn wieder besonders aktiv geworden seien, Angehörige des HJ-Streifendienstes »anrempelten« und »sich der Zucht und Ordnung innerhalb der Hitler-Jugend zu widersetzen« suchten.

Die vertrauliche Dienstschrift des Jugendführers des Deutschen Reiches vom 1. Januar 1941 über »Kriminalität und Gefährdung der Jugend« beschreibt die gemeinsamen Merkmale solcher »wilden Jugendgruppen« wie folgt:

»Häufige und regelmäßige Treffs an bestimmten Orten (Parks, Straßenecken, Lokalen) und zu einer bestimmten Zeit. Durchführung von Fahrten. Die Bildung der Gruppen erfolgt meist nach Bezirken und Treffpunkten.

Betonung der Zusammengehörigkeit durch Kleidung, Abzeichen oder Gruß, oft in unauffälliger bzw. getarnter Form. Ablehnung der Hitler-Jugend, z. T. schärfste Bekämpfung (Überfälle usw.). Sonstige staatsfeindliche Gesinnung und Zielsetzung. Die Gruppen sind teilweise – mit zahlreichen Abweichungen – nach dem Vorbild ehemaliger bündischer oder marxistischer Jugendgruppen ausgerichtet. Sie bilden entweder eine direkte Fortsetzung dieser Verbände oder betätigen sich in ihrem Sinne und pflegen ihre Tradition in bezug auf Liedgut, Schrifttum (Günther-Wolff-Verlag u. ä.), Kleidung, Abzeichen usw. . . .«.

4. Jugendliche Cliquen in Bayern und München

Obwohl dieses jugendliche Cliquenwesen in Bayern infolge seiner schwächeren städtischen Struktur und wohl auch wegen der Schwäche bündischer Jugend-Traditionen weniger in Erscheinung trat, wußte die Denkschrift der Reichsjugendführung vom September 1942 auch über ähnliche Tendenzen in bayerischen Städten zu berichten.

So hieß es über Landshut:

»Am 7. September 1942 meldete das Gebiet Bayreuth der HJ: In Landshut sollen sich 30–40 Jugendliche in einer Bande zusammengeschlossen haben, die sich ›Blase‹ oder ›Ankerbund‹ nennt und wöchentlich in einem bestimmten Gasthof gegenüber der Polizeidienststelle zusammenkommt. Vermutlich ist der Bund eine den Münchener ›Blasen‹ ähnliche Vereinigung (die Jungen sind erkennbar durch langen Haarschnitt, sogenannten Henkerschnitt). Sie tragen weite, lange Hosen und als Abzeichen einen goldenen Anker (auch in München ein beliebtes Blasenabzeichen). Viele der Jugendlichen sollen aus Metzgerkreisen stammen. An der letzten Zusammenkunft nahmen 7 Mädchen teil. Der K-Führer des Bannes Landshut ist des öfteren von solchen Burschen angerempelt worden. Es ist auch bereits zu Zusammenstößen mit dem Streifendienst gekommen . . .«.

Vor allem aber in München hätte sich die schon vor 1939 registrierte Aktivität jugendlicher »Blasen« seit Kriegsbeginn weiter verstärkt und zunehmend auch einen starken kriminellen Einschlag erhalten, wenngleich das Motiv der Nonkonformität mit dem Staatsjugendbetrieb der HJ weiterhin erhalten blieb. In der 1941 von der Reichsjugendführung für den Dienstgebrauch herausgegebenen Denkschrift »Kriminalität und Gefährdung der Jugend« heißt es, gestützt auf Materialien des Höheren SS- und Polizeiführers München:

». . . Zu diesen Banden, sogenannten ›Blasen‹, schlossen sich Jugendliche hauptsächlich im Alter von 14 bis 18 Jahren zusammen, um wohldurchdachte Verbrechen, vor allem Diebstähle und Einbrüche zu begehen . . . Verschiedenen Jugendlichen konnten bis zu 30 bis 40 Straftaten, die teils wiederholt begangen wurden, nachgewiesen werden . . . Weiter wurde festgestellt, daß verschiedene Jugendliche sich chemische Einspritzungen machen ließen, um sich vor dem Wehr- oder Arbeitsdienst oder der Arbeit zu drücken. Insgesamt wurden (in München) 106 Jugendliche, unter denen sich auch Angehörige der Hitler-Jugend und des Jungvolks befanden, festgenommen. Bis etwa Mitte November 1940 wurden von den Gerichten allein insgesamt 41 Jahre und sechs Monate Zuchthaus und 61 Jahre und neun Monate Gefängnis über Bandenangehörige verhängt«[126].

Die Denkschrift der Reichsjugendführung führt über die seit dem Krieg eingetretene Entwicklung in München aus:

». . . Es werden besondere Abzeichen geführt, teilweise auch eine Art Gleichtracht nicht bündischen Charakters getragen, z. B. Pullover mit dem gestickten Namenszug der ›Blase‹. Lange Haare und saloppe Kleidung sind weitere Kennzeichen. Da die ›Blasen‹ stets Verwahrlosungsherde sind, ist ihre Ausbreitung sehr bedenklich. Die bisher ergriffenen Bekämpfungsmittel haben keinen nachhaltigen Erfolg gebracht. Gleichzeitig ging mit der Vermehrung der ›Blasen‹ eine ausgesprochene Entwicklung zur Kriminalität Hand in Hand, die besonders bei den Eigentumsdelikten teilweise eine ganz erhebliche Schwere erreichte . . . Die Verbindung von jugendlich-romantischer ›Geheimbündelei‹ mit teilweise ausgesprochen krimineller Betätigung charakterisiert die Eigenart der Münchener ›Blasen‹, die sich insoweit deutlich von den oben geschilderten Zuständen im Düsseldorfer Bereich unterscheiden, wo eine strenge Trennung zwischen bündischen und kriminellen Cliquen festgestellt werden konnte . . . Am 12. Dezember 1941 wurden vom Jugendgericht München 5 Jugendliche wegen Diebstahl, Hehlerei und Erpressung zu Jugendarrest und mehrwöchigen Gefängnisstrafen verurteilt . . . Die Bande bezeichnet sich als ›Dreimühlenblase‹ und ihre Angehörigen als ›Buschwölfe‹ und stellte Ausweise aus . . . Bei den beteiligten Jugendlichen war das Vorleben, Führung und Leistung in Schule und Lehre bisher tadelfrei gewesen . . . Im Oktober 1944 wurde die sogenannte ›Charlie-Blase‹ aufgelöst, die im Norden der Stadt bestanden hatte. 10 Mitglieder im Alter von 15 bis 18 Jahren – größtenteils Lehrlinge – wurden festgenommen. Die Charlie-Blase war im Frühjahr 1940 gegründet worden. Ziel und Zweck soll lediglich geselliges Beisammensein, gemeinsame Ausflüge usw. gewesen sein. Äußeres Kennzeichen war ein blauer oder roter Pullover, auf den mit weißer Seide der Name ›Charlie‹ (engl. Form des Vornamens ›Karl‹ des Bandenhäuptlings) eingestickt war . . . 6 Angehörige waren Mitglieder der Hitler-Jugend . . . Die schwersten sittlichen Verfehlungen ließ sich ein noch strafunmündiges Blasenmitglied zuschulden kommen, das in 11 Fällen mit zwei ebenfalls noch nicht 14jährigen Mädchen regelrechten Geschlechtsverkehr ausübte . . .«.

Im Mai 1942 berichtete der Münchener Regierungspräsident[127]:

»In Wolfratshausen mußte die Polizei gegen eine Gruppe von Jugendlichen einschreiten, die sich als ›Zünftige Blase‹ bezeichnete . . . Metallabzeichen ›ZB‹ trug und sich durch Raufereien, Anrempelungen und flegelhaftes Benehmen hervortat. Der Landrat hat im Benehmen mit der Geheimen Staatspolizei und der zuständigen HJ-Dienststelle durch polizeiliche Strafverfügungen Jugendarrest ausgesprochen und die Jugendlichen und deren Eltern eindringlich verwarnt . . .«.

---

[126] Kriminalität und Gefährdung der Jugend, a. a. O., S. 117f.
[127] BayHStA, MA 106 671.

Im August 1942 berichtete der Münchener Regierungspräsident, in welcher Weise die »Blasen« sich von der Großstadt her in das Umland hinein verbreiteten[128]

».... Zum ersten Mal ist auch in Wasserburg ein Vertreter der sogenannten Münchener Ankerblase aufgetreten, der durch seinen zunftgemäßen Aufzug und Tragen des Ankers als auch durch seine Aufschneidereien und Hetzereien gegenüber einheimischen Jungen auffiel. Er erzählte von dem Terrorregime, das die Ankerblase in München gegen die HJ, insbesondere gegen die HJ-Streifen führt und von den vielen Villeneinbrüchen, die diese ›Blase‹ unternimmt. Der 17jährige Junge, der aus Wasserburg stammt, aber in München wohnt, befindet sich in Polizeihaft ...«.

Über Tatbestände und Strafmaß bei derartigen Jugendbanden geben u. a. auch die Akten des Sondergerichts München Auskunft. Hier ein exemplarischer Fall[129]: Am 15. Mai 1940 wurden vom Sondergericht München drei achtzehn bis neunzehn Jahre alte Lehrlinge wegen »schweren Diebstahls« in Verbindung mit dem Verstoß gegen die »Verordnung gegen Volksschädlinge« vom 5. September 1939 (Ausnutzung von Verdunkelungsmaßnahmen) zu Gefängnis- bzw. Zuchthausstrafen von zweieinhalb Jahren verurteilt. Für einen der Verurteilten wurde die Überführung in das Jugend-KL Moringen nach Strafverbüßung gleich mitverfügt. Die Diebesbeute: 140 Reichsmark, eine Flasche Schnaps, etliche Schallplatten, ein Herrenmantel, ein Feuerzeug und einige ähnliche Kleinigkeiten. In der Urteilsbegründung heißt es:

»... Seit ungefähr einem halben Jahr mußte in München beobachtet werden, daß sich Burschen im Alter von 15 bis 20 Jahren zusammenfinden und abends Straßenecken bevölkerten sowie Passanten anpöbelten. Darauf wurde anfänglich kein besonderes Augenmerk gegeben in der Annahme, es handele sich um jugendliche Auswüchse. Da aber in letzter Zeit auch HJ-Angehörige während der Verdunkelung von Halbwüchsigen überfallen und grundlos niedergeschlagen wurden, wurde auf die sogenannten Eckensteher besonderes Augenmerk gerichtet ... In München haben sich ›Stenzenblasen‹ (Spitzblase, Glockenblechblase usw.) gebildet. Die Beschuldigten gehörten der ›Spitzblase‹ an ... In den Sommermonaten trafen sie sich am ›Spitz‹ hinterm Volksbad und im Winter im Vorraum des Hofbräukellers ... Es handelt sich um Rauforganisationen ohne politischen Hintergrund, deren Mitglieder gemeinsam zum Baden gingen, im Winter gemeinsam die Eisbahn besuchten, gemeinsame Besuche in Wirtschaften und Tanzlokalen machten und gelegentlich auch Einbrüche verübten, da sie meist keiner geregelten Arbeit nachgingen ...«.

Ähnliche Fälle sind aus Nürnberg überliefert. Eine geheime Tagesmeldung des Höheren SS- und Polizeiführers im Wehrkreis XIII berichtete am 15. März 1944 aus Nürnberg[130]:

»Seit Herbst 1943, insbesondere aber nach dem Bekanntwerden verschiedener Straftaten durch eine Bande Jugendlicher, die sich ›Freikorps Plärrer‹ nannte und gegen die sich eine kleine Gruppe von HJ-Angehörigen unter der Deckbezeichnung ›Schwarze Hand‹ zur Wehr setzte, wurde von Jugendlichen in allen Stadtteilen Nürnbergs unter der Bezeichnung ›Schwarze Hand‹ Unfug getrieben. So wurden anonyme Drohbriefe und Schmähbriefe versandt, es wurden Jugendliche, vor allem HJ-Angehörige, auf ihrem Nachhauseweg in den Abendstunden angehalten und geschlagen ... Die Ermittlungen bezüglich dieser Vorfälle ergaben, daß es sich durchweg um Bubenstreiche einiger weniger Jugendlicher handelte. Ein besonderer organisatorischer Zusammenschluß war in diesen Fällen nicht festzustellen. Gegen sämtliche beteiligten Personen, die mit derartigen Straftaten in Zusammenhang standen, wurde Strafanzeige erstattet und ein Teil der Beschuldigten dem Richter zwecks Lösung der Haftfrage überstellt. Wesentlich anders verhält es sich bei einer

---

[128] Ebenda.
[129] StAM, Staatsanwaltschaft 9518.
[130] StAM, NSDAP 84.

Gruppe von Jugendlichen, die sich zu einer Bande zusammenschlossen und ebenfalls die Bezeichnung ›Schwarze Hand‹ führten. Sie trafen sich in der Gastwirtschaft Petersgrotte in der Glockenhofstraße und spielten dort Billard, Karten u. a. auch das verbotene Glücksspiel 17 + 4 um hohe Geldbeträge und versuchten ferner in den Besitz von Pistolen zu gelangen. Einige der Burschen waren im Besitz von Schußwaffen, Schlagringen und dergleichen. Die Ermittlungen in dieser Angelegenheit sind noch nicht abgeschlossen«.

Bei der in dieser Meldung erwähnten Jugendbande »Freikorps Plärrer« handelte es sich um eine Gruppe, deren Aktivitäten offenbar in vielem denen der Edelweißpiraten im Rhein-Ruhrgebiet glichen. Es ist hierzu eine nicht zur Veröffentlichung gedachte Meldung eines Nürnberger Gerichtsjournalisten vom 26. November 1943 überliefert, in der es hieß [31]:

»Hier hat sich seit einigen Wochen ein Club junger Burschen im Alter von 15 bis 19 Jahren gegründet, die darauf ausgingen, Angehörige der HJ zu verhauen oder deren Heime zu stürmen. In einem Fall wurde dies im Heim der HJ am Plärrer versucht. Der Ansturm mißglückte. Die Burschen rückten in Reih und Glied an. Verbündet waren sie mit Ostarbeitern, mit denen sie Lebensmittel gegen andere Waren austauschten. Neun Angehörige dieser Terrorgruppe wurden gestern verhaftet und kommen in Untersuchungshaft. Weitere Verhaftungen werden in den nächsten Tagen erfolgen.«

Im April 1944 erfolgte vor dem Sondergericht Nürnberg die Verurteilung der Jugendlichen aus dieser Gruppe. Eigentumsdelikte konnten nicht nachgewiesen werden; die im Bandenkrieg mit der HJ und den Kontakten zu »Ostarbeitern« identifizierte »Staatsgefährdung« reichte dem Gericht aber hin, um zwei der Jugendlichen zum Tode und etliche andere zu Freiheitsstrafen von einem bis acht Jahren zu verurteilen.

Die Jugendbanden des hier an Fällen aus München und Nürnberg beschriebenen Typs lassen es gewiß nicht zu, alle diese Cliquen als Erscheinungsformen des »Widerstandes« aufzufassen. Viele ihrer Aktivitäten wären auch unter normalen Verhältnissen als kriminell beurteilt worden. Dennoch fehlten fast bei keiner dieser jugendlichen Gruppierungen Motivationen, die in spezifischer Weise von den Bedingungen des NS-Systems hervorgerufen waren und in denen ein legitimes Widerstreben gegen den NS-Staat und die HJ zum Ausdruck kam. In diesen Banden regte sich in einer den »Unterschichten« gemäßen, d. h. ihnen möglichen Form der Protest gegen den Drill des HJ-Dienstes, gegen die Unterdrückung jeder freien Organisationschance für Jugendliche, aber auch das Gefühl von der Sinnlosigkeit des Krieges und der von NS und HJ propagierten »germanisch-deutschen Wertordnung« für die realen Lebensinteressen dieser Jugend.

Hinzu kommt, daß die terroristische Verfolgung freier Jugendgruppen, das erzwungene Fehlen erfahrener Jugendführer außerhalb der HJ und insbesondere dann die Umstände der Kriegssituation auch politisch-antifaschistisch motivierte Jugendliche oft in die Nähe oder in den praktischen Zusammenhang jugendkrimineller Banden drängten, was die Grenzen zwischen freien, bündisch-jugendlichen Lebensformen und jugendlicher Bandenkriminalität oft unscharf und fließend werden ließ. Zumindest die Jugendgruppen von der Art der »Edelweißpiraten« sind daher als eine Ausformung jugendlicher Opposition gegen den NS-Staat anzusehen, was sich auch in den dokumentierten Angriffen auf die HJ, in Kontaktnahmen zu »Fremdarbeitern« und Kriegsgefan-

---

[131] Schirmer, a. a. O., S. 222f.

genen, in bewußtem »Wehr-Defaitismus« und in ihren von HJ und Gestapo so sehr verfolgten Liedern zeigte, die ein freiheitliches, oft romantisches Bild des Jugendlebens jenseits des Zwangs von NS und HJ beschworen. In vielen Liedern, in der Kleidung und bei den Fahrten und Zusammenkünften dieser Gruppen wurde bewußt an Traditionen der verbotenen Bündischen Jugend angeknüpft, wobei diese – gemessen an der Realität der meisten bündischen Organisationen vor 1933 – nun vielfach in das Milieu der Arbeiterjugend projiziert wurden.

Daß die im Westen des Reichsgebietes stark verbreiteten oppositionellen Jugendgruppen vom Typ der »Edelweißpiraten« sich in den letzten Kriegsjahren ansatzweise auch nach Süddeutschland und Bayern hin ausbreiteten, wird an den folgenden Beispielen erkennbar: Im Juli 1944 wurde vor der Jugendstrafkammer beim Landgericht Schweinfurt gegen einen sechzehnjährigen Lehrling verhandelt, der angeklagt war, andere Jugendliche für einen »Geheimbund« unter dem Namen »Totenkopfpiraten« geworben und dafür Ausweise gedruckt zu haben[132]. In den Vernehmungen hatte der Jugendliche angegeben, er sei hierzu durch ihm unbekannte Jugendliche aus Würzburg angeregt worden, und unter Gleichaltrigen sei erzählt worden, daß anderenorts junge Leute wegen der Zugehörigkeit zu Gruppen der Edelweißpiraten sogar »geköpft« worden seien. Der Lehrling gab nach weiteren »Vorhaltungen« der verhörenden Beamten zu, daß er mit seinen Freunden, die »Totenkopfpiraten« werden wollten, auch über die Bündische Jugend gesprochen habe; diese sei seines Wissens »ein religiöser Verein, der seit 1933 nicht mehr besteht«. Bei solchen erzwungenen Aussagen muß dahingestellt bleiben, inwieweit es sich um gespielte Naivität handelte; oft waren aber auch die Informationen, die den Anstoß zur heimlichen Gruppenbildung gaben, in der Tat nur ungenaue »Überlieferungen«, die sich auch mehr auf ein jugendliches Lebensmilieu als auf ideologisch-organisatorische Herkünfte der »wilden Gruppen« bezogen.

Die Furcht, aus Kontakten mit Jugendlichen aus dem Rhein-Ruhrgebiet könnte sich eine Ausbreitung der Edelweißpiraten nach Bayern hin entwickeln, hatte die HJ im Gebiet Mainfranken schon am 16. Dezember 1943 zu einer Überprüfungsaktion in den fränkischen Kinderlandverschickungslagern veranlaßt.

Im Sommer 1944 wurde von der Kriminalpolizeistelle Würzburg, Außendienststelle Aschaffenburg, gegen eine ganze Reihe von Jugendlichen ermittelt, die im Verdacht standen, eine Gruppe von Edelweißpiraten gebildet zu haben, deren heimliches Zentrum die Schiffsjungenschule in Miltenberg darstellen sollte[133]. Dort wurden denn auch Edelweißabzeichen gefunden und Spuren von selbstgeschriebenen Liederheften entdeckt, in denen die Jungen Lieder der Edelweißpiraten aufgezeichnet hatten. Die Kriminalpolizeistelle gab das Ermittlungsergebnis an die Gestapo Würzburg – »unter Beigabe«, so vermerkte der Bericht an den Oberstaatsanwalt, »der Papierfetzen und des Edelweißabzeichens«. Einige der Jungen wurden aufgrund der »Verordnung zum Schutz von Volk und Staat« vom 28. Februar 1933 verurteilt, andere in Fürsorgeerziehung eingewiesen. Nach Verbüßung der Haftstrafe machte einer der Jungen zusammen mit einem Freund aus Aschaffenburg den Versuch, bei Lörrach über die Grenze in die

---

[132] StA Würzburg, Gestapo Würzburg, H 1737.
[133] Ebenda, H 7365.

Schweiz zu kommen. Dabei wurden beide von der Polizei gefaßt. Über ihr weiteres Schicksal geben die Akten keine Auskunft.

Einer der anderen angeklagten Jungen berichtete laut Vernehmungsprotokoll, auf welche Weise er mit der Existenz von Edelweißpiraten bekannt geworden war:

»Im Juni-Juli 1943 lagen wir mit unserem Schiff in der Werft in Köln-Mühlheim. Wir waren dort zwei Monate. Bei dieser Gelegenheit kam ich wiederholt mit anderen Schiffsjungen und auch mit Jungens in meinem Alter, die in Mühlheim wohnten und die ich weiter nicht kannte, zusammen ... Von diesen Jungen in Mühlheim hörten ich und auch andere Kameraden, daß in Mühlheim ein Club bestehe, der sich ›Edelweißpiraten‹ nennen würde und der staatsfeindlich eingestellt sei. Sie würden gegen die Hitlerjugend arbeiten, sie würden die Streifen der Hitlerjugend überfallen usw. Als Abzeichen würden die Angehörigen dieses Clubs das Edelweiß tragen und zwar entweder unter den Rockaufschlägen oder an den sogenannten Patschkappen zwischen Schild und Mützenstoff verdeckt. Zu diesem Club würden nicht nur Jungens sondern auch Mädel gehören ... Als Kleidung sollen die Mädels tragen weiße Blusen, blaue Röcke, weiße Söckchen. Die Jungens sollen kurze Hosen tragen, blau- oder rotkarierte Hemden, Schaftstiefel und weiße Kniestrümpfe ... Diese Mühlheimer Edelweißpiraten trafen sich gewöhnlich abends an der Rheinbrücke in Mühlheim und zwar am dem freien Platz an der Kirche. Es waren dort, wie wir selbst beobachten konnten, gewöhnlich 40–50 dieser Jungens beisammen. Auch Mädels waren darunter. Sie spielten Musik und sangen Lieder. Ich entsinne mich, daß auch einmal abends ein Auto des Überfallkommandos der Polizei und Streifen der Hitlerjugend dort waren, wo 75 Angehörige dieses Clubs angeblich festgenommen worden sein sollen. Sie sollen nach Brauweiler gekommen sein, wo sich ein Arbeitslager befinden soll ... Ich muß zugeben, daß ich dem ... ein Schulheft zeigte, in welchem ich verschiedene Lieder aufgezeichnet hatte, die alle gegen die Nation eingestellt waren und bei denen es sich um solche Lieder handelte, die von den Edelweißpiraten gesungen wurden ... Diese Lieder hatte ich von den Edelweißpiraten gehört und auch niedergeschrieben ...«.

Die Aussagen des Jungen lassen recht anschaulich erkennen, welche jugendlichen Lebensformen unter dem System der HJ-Erziehung bereits als »staatsfeindlich« galten; sie lassen ahnen, weshalb solcherart »wilde Gruppen« für Jugendliche trotz schärfster Verfolgung attraktiv wurden.

Eine ganz andere Ausdrucksform jugendlicher Opposition, die den spezifischen Motivationen und Lebensmöglichkeiten der intellektuellen Jugend oder doch zumindest des noch bildungsbürgerlich-humanistisch geprägten Teils derselben entsprach, wird aus einem Bericht über eine Gruppe von Münchener Studenten erkennbar[134]:

»Wir hatten keinerlei politische Überzeugung, – woher sollte diese auch kommen? Das Elternhaus aufgrund der terroristischen Maßnahmen des Regimes mit Vorsichtsmaßregeln vollauf beschäftigt war nicht in der Lage, in uns eine politische Überzeugung zu wecken geschweige denn zu festigen. Wir waren ganz einfach ›dagegen‹. Unser Kreis, zumeist aus wohlbehüteten und wohlsituierten Häusern des Bürgertums kommend, war – ich möchte sagen: soweit ›gebildet‹, um zumindest die Verlogenheit der Pädagogen in der Schule, in den Gymnasien und auf der Universität zu erkennen. Zwei bis drei Jahre Heeresdienst machten den meisten von uns klar, daß man mit den von unseren Lehrern und den vielen ›Lautsprechern‹ ausposaunten Sprüchen keine erträgliche Lebensformel finden konnte.

Vor mir liegt ein Dokument jener Zeit, eine Art Gästebuch. Der Einband trägt den Titel ›Wilhelm Busch‹, um Unbefugte vom Einsichtnehmen abzulenken. Dieses Gästebuch, das bis auf wenige Seiten selbst die Gestapo-Beschlagnahmung überdauert hat, enthält neben allerlei Schwabinger Unsinn ein paar Zeilen unseres Freundes Hanns Brückner, damals bei einer Luftwaffeneinheit stationiert, eingetragen zur Jahreswende 1943/44:

---

[134] Privatarchiv des Verfassers.

›Fragment.
Wenn irgendwo das freie Wort verboten,
Und wenn die Dummheit schönste Früchte trägt;
Wenn in den Ämtern dummfreche Heloten
Ein blödes Schlagwort für das Volk geprägt;
Wenn die Gerechtigkeit zurechtgebogen,
Und ein Freund Großmaul große Reden schwingt,
Kann man vom Volk, das man erst ausgezogen,
nicht noch verlangen, daß es fröhlich singt.
Nevertheless: we sing still!‹
Und eine zweite Eintragung unter dem Stichwort ›Meditationen eines Einsamen‹ lautete:

›Es ist Dir, geliebte Chronik, Zeugin und Denkmal froh beschwingter Tage und lito Nächte, auch nicht von Deinen Vätern an der Wiege gesungen worden, daß Du den Eintritt in das hoffnungsvolle Jahr 1944 in einer Umgebung begehen würdest, die Deinem innersten Wesen so polar entgegengesetzt ist: nämlich in einem militärischen Spind. Ein Milieu also, dessen einzige Parallele zu dem Lebenselement Deiner Schöpfer vielleicht in der in besagtem Spind beheimateten Unordnung zu finden ist. Aber ich weiß, ob Chronik, und Ihr, Mitschöpfer derselben, Ihr werdet mir diese Stillosigkeit verzeihen, sie ist ein faut de mieux, eine Notlösung, und wird dazu beitragen, dies Werk für jene Zeiten zu konservieren, in denen die z. Zt. in alle Winde zerstreuten right honorable members of the Hot-Club of Schwabing, fröhlich vereint, ihre geistigen Ergüsse auf diese Seiten projizieren werden. Möge dieser Zeitpunkt eintreten, bevor der Esprit der Schwabinger jeunesse dorée dem Geburtshaus dieses Werkes gleicht . . .‹ [Anspielung auf ein zerbombtes Haus in München] . . .«.

Die hier beteiligten Studenten gaben sich, wie man sieht, recht verspielt; aber unter den Bedingungen des NS-Systems war auch dies eine existentielle Form der Verweigerung gegenüber der herrschenden Politik. Daß auch von hier aus der Weg in den Widerstand führen konnte, dafür gibt es hinreichend Beispiele (so etwa die Münchener und Hamburger »Nachfolgegruppe« der Weißen Rose um Hans Leipelt, die sich aus Schülern und Studenten ähnlicher Herkunft rekrutierte).

Auch im Falle der Münchener Gruppe, von der hier die Rede ist, stand am Ende die politische Aktion gegen das NS-Regime. Der schon zitierte Berichterstatter erzählt:

»So snobistisch also unser Kreis war, er bezeugte dennoch verzweifelten Wagemut. Wir hektographierten Flugblätter, verschickten sie mit der Post, verteilten sie nachts, streuten sie im Park aus . . . Eine Flugblattaktion machten wir unter Anlehnung an das englische Flugblatt ›Die andere Seite‹, das wir vervielfältigten und heimlich verstreuten . . . Wir brachten auch einmal an Häusern und auf der Straße Beschriftungen mit antinazistischen Parolen an. Die Farbe dafür hatten uns französische Kriegsgefangene bzw. Zivilarbeiter beschafft . . .«.

Bei Schülern oder Studenten aus diesem Milieu entfaltete sich die politische Opposition gegen das NS-Regime oft aus der Auseinandersetzung mit der borniertten und totalitären Literatur- und Kunstpolitik des Dritten Reiches. Die Kenntnis und Aneignung freiheitlicher Literatur, vom NS als »zersetzend« verboten und verbrannt, oder die Sympathie für Kunstwerke, die vom NS als »entartet« angeprangert wurden, gaben vielfach den Anstoß zur generellen Kritik am NS-Staat. Texte von Ernst Wiechert, Werner Bergengruen, Reinhold Schneider, Walter Bauer oder von Poeten aus der Nachfolge des George-Kreises galten als Äußerungen einer versteckten oder verschlüsselten Opposition und wurden ebenso wie Ausschnitte aus der ausländischen Literatur oder Drucke von Franz Marc, Käthe Kollwitz, van Gogh, Chagall und anderen reproduziert und weitergegeben. Buch- und Kunsthändler vermittelten heimliche

Anregungen. Auch hier spielte die Herkunft aus früheren, meist schon illegalen bündischen Jugendgruppen oft eine den personellen Zusammenhang stiftende Rolle. Vielfach wurden von solchen Kreisen kleine »Untergrund«-Zeitschriften in einfacher Herstellung herausgegeben und von Person zu Person verschickt, in denen eigene literarische und künstlerische Arbeiten bekannt gemacht wurden, die sich als eine »innere Emigration« aus dem NS-System verstehen lassen.

5. Repressionen gegen nonkonforme Jugendliche

Besonderer Darstellung bedürfen die justiziellen, polizeilichen und sonstigen repressiven Methoden, mit denen das NS-System gegen die verschiedenen Formen jugendlicher Opposition und Nonkonformität vorging. Das Netz der Verfolgungsmaßnahmen und der dafür geschaffenen oder uminterpretierten Rechtsgrundlagen wurde im Laufe der Entwicklung des Dritten Reiches immer enger geknüpft, und wo rechtliche Legitimation des Handelns der Staatsorgane nicht zu konstruieren war, griff man zu »Sondermaßnahmen«. Das Instrumentarium der Unterdrückung und Verfolgung der Arbeiterjugendverbände, der konfessionellen und der bündischen Jugendorganisationen durch den NS-Staat ist bereits geschildert worden. An einzelnen Fällen wird auch schon deutlich geworden sein, daß die NS-Justiz gegen Jugendliche mit drakonischen Strafen vorging, dies insbesondere in der ersten Phase des Regimes, als jede illegale Fortführung der verbotenen Jugendorganisationen auf diese Weise zerschlagen werden sollte, und in den Kriegsjahren, als durch Brutalität gegen jede Oppositionsregung in der Jugend der »Wehrwille« abgesichert bzw. aufgezwungen werden sollte. Dabei schreckten die NS-Sondergerichte nicht vor Todesstrafen gegen Jugendliche zurück. Bekannt ist auch, daß sich unter den Zehntausenden von Wehrmachtsangehörigen, die in den letzten Kriegsjahren durch Kriegs- bzw. Standgerichte abgeurteilt wurden, verhältnismäßig viele junge Menschen, also Neunzehn- bis Fünfundzwanzigjährige befanden.

Bei der Verfolgung jugendlicher Opposition wurden neben den üblichen staatlichen Organen (Polizei, Gestapo, SD, Justiz) auch Einheiten der HJ eingesetzt, so vor allem der 1934 geschaffene HJ-Streifendienst, dem HJ-interne und -externe Überwachungs- und Kontrollfunktionen zugewiesen waren.

Es verwundert kaum, daß die NS-Staatsorgane sich nicht scheuten, gegen illegale oder – im Falle der katholischen Jugendverbände vor ihrem endgültigen Verbot – noch legale Jugendgruppen Jugendliche als Spitzel einzusetzen. Auch aus dem Arbeitsbereich der Bayerischen Politischen Polizei sind Versuche dieser Art mehr als genug überliefert. Als die katholischen Jugendgruppen noch zugelassen waren, bemühte sich die BPP, deren Mitgliederverzeichnisse zu erhalten, um personelle Daten für die Verfolgung zu sammeln. Durch ein Informationssystem der Gestapo quer durch das Reichsgebiet wurden der Opposition verdächtige Jugendliche gewissermaßen »begleitet«. Hierfür ein recht alltägliches Beispiel:

Am 15. Januar 1937 gab die Gestapo-Staatspolizeistelle Würzburg eine geheime Information an die Leitung des RAD-Lagers Jüterboog, in der es hieß:

». . . gehört dem (katholischen Jugendbund) ›Neudeutschland‹ an und ist ein durchaus staatsabträgliches Element, das vielleicht auch im Arbeitsdienstlager versuchen wird, für die katholische Aktion und für die Ziele Roms zu arbeiten. Er ist z. Zt. daran, einen Rundbrief auszuarbeiten. Ich bitte deshalb, seine Post genauestens zu kontrollieren und Abschriften der an ihn gelangenden Briefe hierher zu senden . . . Weiter ersuche ich, vertraulich feststellen zu lassen, wohin sich . . . nach seiner Entlassung aus dem RAD-Lager begibt und wo er Aufenthalt nehmen will. Er darf unter keinen Umständen von seiner Überwachung erfahren . . .«[135].

Die besondere Aufmerksamkeit der HJ-Führung galt der Überwachung des »Jugendfahrtenwesens« und schließlich dem Versuch, Fahrten Jugendlicher außerhalb des HJ-Betriebs generell zu unterdrücken. Nicht zu unrecht wurde angenommen, daß gerade bei Fahrten oppositionelle Jugendgruppen ihr eigenes Leben führen und auch miteinander Kontakt halten konnten. In der bereits zitierten Dienstschrift des Jugendführers des Deutschen Reiches vom 1. Januar 1941 wurde diesem Thema ein eigenes Kapitel gewidmet. Dort heißt es:

». . . [Festzustellen ist], daß auch HJ-Angehörige in Zivil miteinander oder mit selbstgesuchten Straßenfreunden Privatfahrten unternahmen. Daneben traten noch Fahrtengruppen unerfreulich in Erscheinung, die nur aus nicht der Hitler-Jugend angehörenden Jugendlichen bestanden . . . Eine weitere Folge war, daß die selbständig auf Fahrt gehenden Jugendlichen und Nicht-HJ-Angehörigen sich zu eigenen Cliquen und Gruppen zusammenschlossen, die auch die Fahrt selbst überdauerten. Es brauchten nur noch bündische Elemente zu einer solchen Gruppe zu stoßen, um eine bündisch-oppositionelle Clique entstehen zu lassen. Das wilde Fahrtenwesen ist daher heute nicht nur ein Gefahrenherd für die Verwahrlosung der Jugend, sondern kann auch zu einer politischen Gefahr werden . . . In der Hitler-Jugend hat der Streifendienst sich schon längere Zeit vor dem Kriege der Überwachung und Säuberung des Jugendfahrtenwesens durch regelmäßige Streifen gewidmet. Die wesentlichen Überwachungsaufgaben auf diesem Gebiet sind: Überwachung der Jugendherbergen (Säuberung von unerwünschten Elementen). Überwachung der wilden Übernachtungsstätten, Bahnhofsüberwachung, Bekämpfung des Trampens . . . , Bekämpfung des Gemischtwanderns, Überwachung der Natur- und Feuerschutzbestimmungen, Überwachung der Grenz- und Sperrgebiete und des Auslandswanderns . . . Ein besonderes Problem des Jugendwanderns ist das der wilden Übernachtungsstätten. Da die vorhandenen Jugendherbergen nicht ausreichen, werden Nicht-HJ-Angehörige in ihnen nicht mehr zugelassen. Die Hoffnung, dadurch gleichzeitig das wilde Fahrtenwesen etwas einzudämmen, hat sich nur in geringem Maße erfüllt. Die Jugendlichen sammeln sich in Übernachtungsstätten außerhalb der Jugendherbergen (Bauernscheunen, Zeltlager). Da sich unter ihnen auch Elemente befinden, die aus kriminellen und politischen Gründen dringend der Überwachung bedürfen, sind diese Übernachtungsstätten nicht nur Sammel- und Brutstätten für politisch-oppositionelle Bestrebungen, sondern auch Gefahrenherde auf dem Gebiet krimineller Jugendgefährdung . . .«[136].

Die Dienstschrift weist empfehlend auf eine in Zusammenarbeit von Innenministerium und HJ-Gebietsführung in Sachsen erlassene Polizeiverordnung hin, die das Übernachten Jugendlicher im Freien oder in Übernachtungsstätten außerhalb der Jugendherbergen gänzlich untersagte, zumindest abseits des HJ-Dienstbetriebs. Nachdem eine Fülle für die HJ-Führung erschreckender Berichte aus den einzelnen HJ-Gebieten zitiert sind, schließt die Dienstschrift diesen Abschnitt mit dem Satz, daß ». . . die Bekämpfung des wilden Fahrtenwesens unbedingt geboten ist«.

---

[135] StA Würzburg, Gestapo Würzburg, H 1737.
[136] Kriminalität und Gefährdung der Jugend, a. a. O., S. 171ff.

Wie wenig die HJ-Führung trotz aller Mühen in der Lage war, die freien Fahrten Jugendlicher zu unterdrücken, wird auch aus Berichten von HJ-Streifendiensteinheiten in Bayern deutlich, die für das HJ-Gebiet Schwaben mit Sitz in Augsburg in Einzelstücken erhalten sind. So meldete z. B. der Bannstreifenführer der HJ in Lindau am 10. September 1940[137]:

»Bei der Überwachung des Fahrtenwesens mußte immer wieder festgestellt werden, daß kaum einer einen HJ-Ausweis oder für die Übernachtung einen Jugendherbergsausweis bei sich hatte, ganz zu schweigen von vorschriftsmäßigen Ausweisen. Auf Fahrt gehen die Jungen durchschnittlich alle in Zivil, obwohl sich bei der Kontrolle herausstellt, daß sie Angehörige der HJ sind. Ganz verheerend sind die Käppchen und die Halstücher und es wäre wirklich an der Zeit, daß dieser Unfug verboten würde. Sehr viele gehen ohne Geld auf Fahrt...«.

Und der HJ-Streifendienst des Bannes Augsburg berichtete am 4. Juli 1940:

»Eine besondere Clique von Jugendlichen hat sich seit längerer Zeit im Westend gebildet. Es wurde an Pfingsten beobachtet, daß sich diese Bande zusammen mit den Jugendlichen vom ›Hohen Meer‹ und ›Regenbogen‹ gemeinsam mit Mädchen auf Fahrt begab. Ziel war der Ammersee und Utting... Die Übernachtung erfolgte, wie festgestellt werden konnte, gemeinsam mit den Mädchen in Gasthauszimmern und Heustadeln. Eine solche Gesellschaft, die in einem Stadel übernachten wollte, wurde von dem Uttinger Bürgermeister auf Betreiben der HJ-Streife vertrieben. Der Erfolg des alleinigen Verjagens mag aber bezweifelt werden...«[138].

Zur Unterdrückung und Verfolgung oppositioneller Regungen in der Jugend wurde vor allem gegenüber illegalen oder auch noch legalen bündischen und konfessionellen Jugendgruppen immer wieder auch der Verdacht und Vorwurf homoerotischer oder homosexueller Neigungen oder Handlungen als Mittel der Repression benutzt.

In ihren internen Verlautbarungen hat die HJ-Führung dabei keinen Hehl daraus gemacht, daß es ihr nicht um moralische, sondern um politisch-weltanschauliche Normen ging, wenn sie allenthalben nach gleichgeschlechtlicher »Zersetzung« suchte. In der von der HJ mit dem Vermerk »Vertraulich! Nur für den Dienstgebrauch!« eingesetzten und den Justiz- und Polizeiorganen als »Handreichung« dienenden Schrift eines HJ-Oberbannführers zum Problem »Gleichgeschlechtliche Handlungen Jugendlicher« heißt es einleitend:

»Die Frage der Homosexualität im allgemeinen hat im letzten Zeitraum Staatsführungen, Wissenschaftler wie auch öffentliche Meinung stark beschäftigt. Heute interessiert uns das Problem kaum von der Seite des Einzelwesens, sondern fast ausschließlich von der politischen Seite des Volksganzen aus... Der Standpunkt, daß die homosexuelle Veranlagung eines Einzelwesens nur eine gerade diese Person angehende Sache sei, darf als überholt gelten. Der Streit um die Einstellung, ob Homosexualität als Krankheit oder als naturgewollte Variation der Sexualsphäre zu deuten ist, erscheint heute unwesentlich. Wesentlich ist, inwieweit Abnormitäten einzelner noch in der Richtung eines völkischen Lebens liegen oder ob sie gegen diese Richtung stehen. Die Frage ›normal‹ oder ›anormal‹ ist also eindeutig geklärt durch den Satz: Normal ist, was die Art erhält, anormal ist, was gegen die Erhaltung der Art steht. In gleichem Sinne sind die Begriffe ›Gut‹ und ›Böse‹ zu deuten. Nicht langwierige Untersuchungen nach der Ursache einer Tat und deren Erklärungen durch Eigenarten des Einzelwesens sind maßgeblich, sondern böse ist, was eine Gemeinschaft als böse und gegen ihre Interessen gerichtet empfinden muß. Jede gleichgeschlechtliche Handlung ist daher als ›krankhaft‹ im Sinne einer Volksgemeinschaft anzusehen, und jeder

---

[137] StA Neuburg, NSDAP, 120 698.
[138] Ebenda, 120 556f.

Mensch, der eine gleichgeschlechtliche Handlung begeht, verfällt den scharfen Auslesegesetzen bzw. Ausmerzegesetzen dieser Gemeinschaft ...«[139].

Über die Praxis berichtete die schon zitierte Dienstschrift des Jugendführers des Deutschen Reiches über »Kriminalität und Gefährdung der Jugend«:

».... Bei der Bekämpfung der Bündischen Jugend aus politischen [im Original gesperrt] Gründen gelang mangels anderer gesetzlicher Grundlagen die Zerschlagung der Bünde fast immer auf dem Wege über ein Strafverfahren wegen Vergehens nach § 175 StGB ...«[140].

Ab 1939 richteten sich die Bemühungen der NS-Staatsorgane und der HJ-Führung verstärkt auf die Zerschlagung der spontanen Gruppenbildungen Jugendlicher. In der internen Denkschrift der Reichsjugendführung über »Cliquen- und Bandenbildung unter Jugendlichen« vom September 1942 wird angeregt, solche Gruppen schärfer zu überwachen und zu maßregeln, nicht nur durch den HJ-Streifendienst, sondern auch durch strafrechtliche Maßnahmen und Schaffung diesbezüglicher Rechtsgrundlagen. In diesem Zusammenhang heißt es[141]:

»Eine tatbestandsmäßig gefaßte, mit Strafe bedrohte Festlegung des Unrechtsgehalts der Cliquenbildung unter Jugendlichen erweist sich auf Grund der geschilderten tatsächlichen Lage als notwendig. Sie ist bis jetzt nicht vorhanden. Strafrechtlich faßbar sind Cliquenangehörige bisher nur, soweit sie ausgesprochen kriminell sind (Diebes- und Erpresserbanden, Homosexuelle usw.), nach den dafür jeweils geltenden Strafbestimmungen. Der besondere Unrechtsgehalt der in dem bandenmäßigen Zusammenschluß als solchem liegt, wird dabei nicht erfaßt. Das wird auch in gerichtlichen Entscheidungen immer wieder mit Bedauern festgestellt ... Zwar kennt das RStGB eine Reihe von Tatbeständen, bei denen auch die Tatsache des Zusammenschlusses bzw. der Zusammenrottung Gegenstand der strafbaren Handlung wird, doch betreffen sie entweder Delikte, die ihrer Art nach von Jugendlichen nur in wenigen Ausnahmefällen begangen werden, oder sie kommen aus juristisch-technischen Gründen (schwierige Beweisführung) nur selten zur Anwendung ... Die Geheime Staatspolizei hat sich energisch für die Bekämpfung des Cliquen- und Bandenwesens eingesetzt. Da – wie erwähnt – eine ausreichende Rechtsgrundlage nicht immer vorhanden war, hat sie mit den ihr zur Verfügung stehenden Sondermaßnahmen eingegriffen ...«.

Die Reichsjugendführung wies ferner darauf hin, daß auch durch gerichtliche Entscheidungen, die sich darauf stützten, daß jede Bildung von Jugendgruppen außerhalb der Hitler-Jugend unter die Strafandrohung des Gesetzes gegen die Neubildung von Parteien vom 14. Juli 1933 falle, den Cliquen und »wilden Fahrtengruppen« nicht in jedem Falle beizukommen sei, und schlug deshalb vor, »eine besondere Strafbestimmung gegen Zusammenschlüsse Jugendlicher zu schaffen, deren Tatbestand weit genug ist, um alle unerwünschten Erscheinungen dieser Art, die mit den jetzigen Bestimmungen nicht faßbar sind, bekämpfen zu können«. Ferner sei den Polizeibehörden die Vollmacht zu geben, gegen spontane Jugendgruppen mit »sofortiger Heranziehung zu kurzfristigem Arbeitseinsatz«, »zwangsweisem Heimtransport«, »Meldepflicht auf der Polizeidienststelle zu bestimmten Tagen und Stunden« u. ä. m. vorzugehen. Schließlich sei an die Einführung von Jugenderziehungs- oder Jugendarrestlagern zu denken.

---

[139] Gauhl, a. a. O., S. 9. – Vgl. zu diesem Themenkreis Siemsen, Hans: Die Geschichte des Hitlerjungen Adolf Goers. Düsseldorf 1947. Zur NS-Auffassung hingegen: Tetzlaff, Walter: Homosexualität und Jugend, in: Der HJ-Richter. Berlin 142, Folge 5.
[140] Kriminalität und Gefährdung der Jugend, a. a. O., S. 113.
[141] Vgl. Anm. 121.

Der zuletzt genannte Weg zur Unterdrückung jugendlicher Opposition und Nonkonformität wurde in der Folgezeit mit den Runderlassen des Reichsministers des Innern vom 21. Dezember 1943 (»Arbeitserziehung der Jugend«) und des Reichsführers-SS und Chefs der Deutschen Polizei vom 25. April 1944 (»Einweisung in die politischen Jugendschutzlager«) verwaltungsmäßig bzw. »rechtlich« geebnet. Bis Kriegsende waren allerdings als größere Lager nur die Jugendschutzlager Moringen/Solling (Jungen) und Uckermark/Mecklenburg (Mädchen) eingerichtet; die jugendlichen Häftlinge in diesen Lagern waren überwiegend noch aufgrund konventioneller Fälle von Jugendkriminalität bzw. gescheiterter Fürsorgeerziehung eingewiesen[142].

Eine gewissermaßen abrundende Übersicht der verschiedenen Sanktions- und Repressionsmöglichkeiten gegen oppositionelle Jugendliche bot der Runderlaß des Reichsführers-SS und Chefs der Deutschen Polizei vom 25. Oktober 1944, der »streng vertraulich« an die in dieser Sache tätigen Staats- und Parteiorgane ging[143].
Es wurden darin zur Anwendung empfohlen: Das Gesetz gegen Neubildung von Parteien vom 14. Juli 1933 (das sich gegen unmittelbar politisch orientierte illegale Jugendkreise einsetzen ließ); die Verordnung des Reichspräsidenten zum Schutz von Volk und Staat vom 28. Februar 1933 (die dem Wortlaut nach der »Abwehr kommunistischer staatsgefährdender Gewaltakte« dienen sollte, tatsächlich aber, äußerst extensiv ausgelegt, gegen sämtliche gruppierten Aktivitäten Jugendlicher außerhalb der HJ Verwendung fand, auch wenn es sich um Gruppen ohne direkt politische Zielsetzung handelte); ferner die heranziehbaren Normen des Reichsstrafgesetzbuches (so etwa »Verabredung hochverräterischer Unternehmungen«, »Aufforderung zum Hochverrat und Bildung von organisatorischen Zusammenschlüssen zur Vorbereitung des Hochverrats«, »Geheimbündelei«, »Teilnahme an staatsfeindlichen Verbindungen«). Der Runderlaß der SS- und Polizeiführung, unterzeichnet von Kaltenbrunner, legte nahe, die »Verordnung zum Schutz von Volk und Staat« in Verbindung mit Erlassen anzuwenden, die sich daraus herleiteten, so »inbesondere dem Runderlaß des Reichsführers-SS und Chefs der deutschen Polizei vom 20. Juni 1939 über das Verbot der Bündischen Jugend und den in den Ländern ergangenen Polizeiverordnungen gegen die konfessionellen Jugendverbände«. Das Rundschreiben konstatierte bedauernd, daß »das deutsche Strafrecht keine Bestimmung enthält, die die Cliquenbildung Jugendlicher an sich unter Strafe stellt«, wies aber ersatzweise auf folgende Strafrechtsnormen hin: Auflauf, Raufhandel, Bandendiebstahl, Landfriedensbruch, öffentliche Zusammenrottungen in Verbindung mit Nötigung oder Widerstand gegen Beamte.

Anhand dieser Paragraphen des Reichsstrafgesetzbuches ließen sich Jugendbanden in der Regel kriminalisieren. Bei »arbeitsdienst- und wehrdienstfeindlicher Einstellung« von jugendlichen wilden Gruppen, so das Rundschreiben, seien noch zusätzlich Strafvorschriften der Kriegssonderstrafrechtsverordnung vom 17. August 1938 und der Verordnungen zum Schutze der Wehrkraft des Deutschen Volkes vom 25. November 1939 sowie zum Schutze des Reichsarbeitsdienstes vom 12. März 1940 heranzuziehen. Als Rechtsgrundlagen für polizeiliche Maßnahmen könnten vor allem die Jugenddienst-

---

[142] Vgl. BA, R 22/1191, Erlasse über Jugendschutzlager; ferner: Verzeichnis der Haftstätten unter dem Reichsführer-SS 1933-1945, hrsg. vom Internationalen Suchdienst. Arolsen o. J.
[143] BA, R 22/1177.

verordnung und die Polizeiverordnung zum Schutze der Jugend dienen, und gegen individuelle Äußerungen des Unwillens über den NS-Staat oder einzelne seiner Führer ließen sich ferner die Strafbestimmungen der »Verordnung zur Abwehr heimtückischer Angriffe gegen die Regierung der nationalen Erhebung« vom 21. März 1933 sowie des »Gesetzes gegen heimtückische Angriffe auf Staat und Partei« vom 20. Dezember 1934 heranziehen.

Der Reichsminister der Justiz ergänzte diesen Runderlaß Kaltenbrunners mit einer Verfügung vom 26. Oktober 1944, in der es u. a. hieß:

»Unangebrachte Milde ist wegen der Gefährlichkeit der Cliquenbildung (Jugendlicher) fehl am Platze. Bei den Anführern und besonders aktiven Mitläufern werden meist längere Jugendgefängnisstrafen erforderlich sein. Soweit aber noch keine allgemeine Verwahrlosung vorliegt, ist häufig auch die Einweisung in ein Erziehungslager, die bisher auf die Bekämpfung von Disziplinlosigkeiten Jugendlicher am Arbeitsplatz beschränkt war, ein geeignetes Mittel, um auf den Lebenskreis des Jugendlichen abschreckend zu wirken und den Jugendlichen selbst zu Diziplin und Einordnung in die Volksgemeinschaft zu erziehen. Ist nach der Persönlichkeit des Jugendlichen mit den Mitteln des Jugendstrafrechts und der öffentlichen Jugendhilfe kein Erziehungserfolg mehr zu erwarten, so ist die Unterbringung in einem polizeilichen Jugendschutzlager anzuregen. Bei weniger beteiligten Mitläufern wird häufig mit der Zerschlagung der Clique die Ursache der Gefährdung weggefallen sein. Bei ihnen wird, soweit nicht eine Ermahnung ausreicht, meist die Erteilung von Arbeitsauflagen oder Weisungen oder Jugendarrest zur Erziehung genügen ... Die Wirkung von Maßnahmen gegen jugendliche Cliquen hängt entscheidend davon ab, daß ihre Anführer und die besonders aktiven Teilnehmer sofort aus ihrem Lebenskreis entfernt werden. Gegen sie ist daher, soweit nicht andere vorläufige Maßnahmen, z. B. die Unterbringung in Jugendarrestäumen ... angezeigt sind, die Untersuchungshaft anzuordnen ...«[144].

Diese ins Auge gefaßten und auch praktizierten »schärferen Mittel« der Bekämpfung der oppositionellen Jugendgruppen brachten offensichtlich nicht den angestrebten Erfolg. In dem schon zitierten Runderlaß vom 25. Oktober 1944 mußte der Reichsführer-SS und Chef der Deutschen Polizei mitteilen:

»In allen Teilen des Reiches ... haben sich seit einigen Jahren und in letzter Zeit in verstärktem Maße Zusammenschlüsse Jugendlicher (Cliquen) gebildet. Diese zeigen zum Teil kriminell-asoziale oder politisch-oppositionelle Bestrebungen und bedürfen deshalb, vor allem im Hinblick auf die kriegsbedingte Abwesenheit vieler Väter, Hitler-Jugend-Führer und Erzieher, einer verstärkten Überwachung ... Cliquen sind Zusammenschlüsse Jugendlicher außerhalb der Hitler-Jugend, die nach bestimmten, mit der nationalsozialistischen Weltanschauung nicht zu vereinbarenden Grundsätzen ein Sonderleben führen. Gemeinsam ist ihnen die Ablehnung oder Interesselosigkeit gegenüber den Pflichten innerhalb der Volksgemeinschaft oder der Hitler-Jugend, insbesondere der mangelnde Wille, sich den Erfordernissen des Krieges anzupassen ... Die Cliquen haben mehr oder weniger feste Treffpunkte und Wirkungsbereiche; sie gehen oft gemeinsam auf Fahrt. Den Cliquen gehören vorwiegend junge Burschen, mitunter aber auch Mädchen an. Zur Cliquenbildung kommt es u. a. durch die gemeinsame Zugehörigkeit zu einem Betrieb, einer Schule oder einer Organisation oder durch das Wohnen im gleichen Bezirk. Zunächst können derartige Zusammenschlüsse ganz harmlos sein, später jedoch, je nach den sich durchsetzenden Überzeugungen und Zielen, eine bedrohliche Entwicklung nehmen ... Im allgemeinen können innerhalb der einzelnen Cliquen drei verschiedene Grundhaltungen festgestellt werden, wobei jedoch beachtet werden muß, daß die wenigsten Cliquen nur eine dieser Grundhaltungen in ausgeprägter Form zeigen. Vielmehr führt die Betätigung auf einem Gebiet meist auch zu einer Betätigung auf dem andern. Es sind zu unterscheiden: a) Cliquen mit kriminell-asozialer Einstellung. Diese äußert sich in der

---
[144] Ebenda.

Begehung von leichten bis zu schwersten Straftaten (Unfug, Raufhändel, Übertretungen von Polizeiverordnungen, gemeinsamen Diebstählen, Sittlichkeitsdelikten, insbesondere auf gleichgeschlechtlicher Grundlage usw.) . . . b) Cliquen mit politisch-oppositioneller Einstellung, jedoch nicht immer mit fest umrissenem gegnerischen Programm. Sie zeigt sich in allgemein staatsfeindlicher Einstellung, Ablehnung der Hitler-Jugend und sonstiger Gemeinschaftspflichten, Gleichgültigkeit gegenüber dem Kriegsgeschehen und betätigt sich in Störungen der Jugenddienstpflicht, Überfällen auf Hitler-Jugend-Angehörige, Abhören ausländischer Sender und Verbreitung von Gerüchten, Pflege der verbotenen bündischen und anderer Gruppen, ihrer Tradition und ihres Liedgutes usw. Derart eingestellte Jugendliche versuchen häufig, zur eigenen Tarnung oder um die Möglichkeit zersetzenden Einwirkens zu gewinnen, in Parteiorganisationen einzudringen. c) Cliquen mit liberalistisch-individualistischer Einstellung, Vorliebe für englische Sprache, Ideale, Haltung und Kleidung, Pflege von Jazz- und Hotmusik, Swingtanz usw. Die Angehörigen dieser Cliquen stammen größtenteils aus dem ›gehobenen Mittelstand‹ und wollen lediglich ihrem eigenen Vergnügen, sexuellen und sonstigen Ausschweifungen leben. Dadurch kommen sie sehr bald in scharfen Gegensatz zur nationalsozialistischen Weltanschauung. Anforderungen von Hitler-Jugend, Arbeits- und Wehrdienst widerstreben sie und nähern sich sofern der unter b) charakterisierten Grundhaltung . . . Anführer der Cliquen (Rädelsführer) sind – ohne daß immer eine feste Führergewalt besteht – eine oder mehrere Personen . . ., die durch besondere Intelligenz, Initiative oder Roheit hervortreten. Sie sind teils in krimineller Hinsicht vorbelastet, teils entstammen sie den früher bündischen oder anderen politisch-oppositionellen Kreisen . . . Die Angehörigen einer Clique zeigen häufig einen übereinstimmenden Stil in Kleidung, Haartracht und Benehmen, und führen oft Spitznamen, die sie ihrer Vorstellungswelt oder dem von ihnen bejahten Gedankengut entnehmen . . .«[145].

Diese hypertrophe Gegnerbeschreibung von Jugendgruppen, deren besondere Anstößigkeit für die NS-Führung letzten Endes vor allem darin lag, daß sie außerhalb des beanspruchten Monopols der HJ-Organisation ein Sonderdasein führten und während des Krieges erheblichen Zulauf, z. T. auch von HJ-Angehörigen fanden, kann geradezu als klassisches Selbstzeugnis totalitärer Herrschaft gelten, aber auch als beweiskräftiges Dokument dafür, daß gerade gegenüber der Jugend das Programm einer totalen Gleichschaltung kontraproduktiv sein mußte. Daß sich nach der Zerschlagung der traditionellen politischen, konfessionellen und bündischen Jugendorganisationen – und als Reaktion auf die Erhebung der HJ zur Staatsjugend und die Einführung einer obligatorischen allgemeinen HJ-Dienstpflicht – vielfältige neue Formen jugendlicher Nonkonformität und jugendlichen Gruppenlebens bildeten, die ein alltägliches »Alternativleben« zur NS-Sozialisation und zur HJ für sich in Anspruch nahmen, beleuchtet eindrucksvoll den Mißerfolg bei der Realisierung des totalitären Anspruchs der HJ. Diese »wilden« Jugendgruppen waren nicht zuletzt ein Protest Jugendlicher gegen den schon vor dem Kriege militärähnlichen HJ-Dienstbetrieb. Angesichts dessen nahmen sich übrigens manche Vorstellungen von Repräsentanten des 20. Juli-Widerstandes über die geeignete Form der künftigen Jugendorganisation recht weltfremd aus. So wurde Anfang 1941 von Beck und Goerdeler in einer Denkschrift unter dem Titel »Das Ziel« zum Thema Jugend vorgeschlagen:

»Aus der Hitlerjugend wird die Staatsjugend. Die Spitzenorganisation der HJ wird sofort aufgelöst, ihr Vermögen sichergestellt. An ihre Stelle tritt ein in Erziehungsfragen bewährter General . . . Die Gleichaltrigen sind auch bezirklich zusammenzufassen. Zur Führung sind Offiziere berufen, die besondere pädagogische Begabung haben und für diesen Zweck besonders

---

[145] Ebenda.

geschult werden. Solchen Kräften liegen auch die Gauzusammenschlüsse und der Reichszusammenschluß [der Jugendlichen] ob . . .«[146].

Bei den neu auftretenden spontanen Oppositionsgruppen Jugendlicher lag keineswegs eine planmäßige »Anleitung« durch Widerstandsgruppen Erwachsener im Sinne der verbotenen Parteien oder durch kirchliche Gruppierungen o. ä. vor, wohl aber waren personelle und literarische Überlieferungen aus den verbotenen linken und konfessionellen Jugendverbänden und Traditionen der Lebensformen bündischer Jugend wichtige Komponenten dieses dem NS entgegengesetzten Jugendmilieus. Interessanterweise vermittelten sich nun Verhaltensmuster der früheren Bündischen Jugend, die sich bis zu ihrem Verbot 1933 verhältnismäßig stark aus Gymnasiasten rekrutierte, stärker in die Oppositionsgruppen der großstädtischen und zum Teil auch der provinziellen »Unterschichten«-Jugend, während die spontanen Oppositionskreise der »gehobenen Mittelschichten«-Jugend sich im Laufe des Dritten Reiches stärker an ausländischen Formen des Jugendlebens orientierten. Daneben existierten kleinere und fester geschlossene illegale Grupen antinazistischer Schüler und Studenten oder Bündischer Jugend im Stil der »dj. 1. 11« und ähnlicher Organisationen, verbotene oder ständig bedrängte Jugendkreise der Kirchen und – zahlenmäßig schwache – Untergrundzirkel von jungen Leuten mit sozialistisch-kommunistischer Überzeugung auch bis in die Endphase des Dritten Reiches hinein. Für die HJ und die Staatsorgane stellten die spontanen Oppositionsrichtungen in der Jugend gerade deshalb eine Gefahr dar, weil sie in ihrer Diffusität einen relativ breiten Rückhalt unter Jugendlichen hatten und sich gewissermaßen der Ansteckung ausbreiteten. Kleine, unmittelbar politisch aktiv werdende junge Oppositionsgruppen – wie etwa der Kreis um die Geschwister Scholl – wurden wiederum eben deshalb als bedrohlich angesehen, weil sie mit öffentlichen Widerstandsbezeugungen spontan-oppositionelle Bewegungen in der Jugend stimulieren konnten – ein Problem, das sich bei noch längerer Kriegsdauer aller Wahrscheinlichkeit nach weiter zugespitzt hätte.

Daß die Hitler-Jugendführung und die Staatsführung des Dritten Reiches auch die zugegebenermaßen unpolitischen Ausdrucksformen jugendlicher Nonkonformität und Grupenbildung als ein Politikum ansahen und mit Hilfe der Politischen Polizei scharf bekämpften, offenbart schließlich auch, daß gerade in bezug auf das totalitäre NS-Herrschaftssystem der enge Begriff des »politischen Widerstandes« einer Überprüfung bedarf. Wo das Wesen der totalitären Gleichschaltung in der Politisierung und Ideologisierung fast aller Lebensbereiche bestand, konnte gerade die demonstrative Rückwendung auf das Private und Privat-Gesellige außerhalb der Parteiorganisationen oder die subkulturelle jugendliche Gruppe eine besonders wirksame Form der Resistenz und Immunisierung bedeuten.

---

[146] Abdruck des Dokuments bei Scheurig, Bodo: Deutscher Widerstand 1938–1944. Fortschritt oder Reaktion? München 1969.

GERHARD HETZER

Ernste Bibelforscher in Augsburg

Vorbemerkung

Die vorliegende Fallstudie über die Verfolgung und den Widerstand der Ernsten Bibelforscher Augsburgs war ursprünglich Teil einer umfangreichen Dissertation, deren überarbeitete Fassung im Band III der Reihe »Bayern in der NS-Zeit 1933–1945« unter dem Titel »Die Industriestadt Augsburg. Eine Sozialgeschichte der Arbeiteropposition« erschienen ist. Da sich die Problematik einer religiösen Minderheit, trotz ihrer partiellen Verankerung in der Arbeiterschaft, thematisch doch erheblich von der eher sozialgeschichtlich ausgerichteten Untersuchung über Arbeiterschaft und -bewegung unterscheidet, haben sich Verfasser und Herausgeber entschlossen, diesen Beitrag gesondert abzudrucken. Die Vertrautheit mit den topographischen Gegebenheiten Augsburgs ergibt sich aus der Lektüre der obengenannten Monographie.

1. Die Augsburger Bibelforscher seit dem ersten Weltkrieg

Unter den Anhängern von Weltanschauungen, die nationalsozialistischer Verfolgung ausgesetzt waren, nahmen die Ernsten Bibelforscher oder Zeugen Jehovas aufgrund ihrer prinzipiellen Ablehnung staatlicher Macht eine Sonderstellung ein. Verneinung des Rechts eines Staates, die Bekenner der Lehre jenseits von in der Bibel wörtlich angeführten Pflichten, etwa der Steuerzahlung, weiter in Anspruch zu nehmen, führte zur Ablehnung der Legitimität des Nationalsozialismus. Dies gab ihrem Konflikt mit Staat und Partei schließlich einen verbissenen, von pragmatischen Überlegungen ungetrübten Charakter. Die Bibelforscher waren vor 1933 eine unter vielen gesellschaftlich einflußlosen Sekten, deren Schwäche keine Kompromisse seitens der Staatsführung erforderte. Sie setzten aber in diesem Kampf ungeahnte, von metaphysischen Auserwähltheitsansprüchen getragene Energien ein.

Nach Bibelforscherquellen[1] lebten im April 1933 im Reich 19 268 Bibelforscher. Dies erscheint realistisch. Zipfel, der für dieselbe Zeit nur 6000 Bibelforscher angibt[2], geht sicher von zu niedrigen Zahlen aus. Entsprechend ist seine Behauptung, 97 Prozent aller Bibelforscher seien »zu Opfern nationalsozialistischer Verfolgungsmaßnahmen« geworden, wohl nicht richtig. Allerdings waren die Ernsten Bibelforscher nur eine unter mehreren Gruppen dieser Bewegung. Die divergierenden Zahlenangaben mögen auf die innerhalb der Religionsgemeinschaft getroffene Unterscheidung zwischen bloßen Anhängern und der Gruppe der Auserwählten, die bereits »Zeugnis abgelegt« hatten, zurückzuführen sein.

Das Bibelforschertum fand in Augsburg erste Anhänger während der geistig aufgewühlten und wirtschaftlich krisenhaften Jahre nach dem Ersten Weltkrieg.

Hinweise für das Bestehen einer Bibelforschergruppe in Augsburg stammen vom Sommer 1919, als in einem Wirtshaussaal am Kaiserplatz, dann auch im Saal des Börsengebäudes Vorträge zu religiösen Themen veranstaltet wurden. Auf überlokale Verbindungen bereits zu dieser Zeit deutet die offenbar erfolgreiche Aufführung des »Photo-Dramas« »Die Schöpfung« hin, das auch in anderen Reichsgebieten gezeigt wurde[3]. Im Februar 1921 sprach mit Paul Balzereit vom Bibelhaus Barmen, das etwa 1923 nach Magdeburg verlegt wurde, eine Schlüsselfigur der deutschen Bibelforscherbewegung in Augsburg. Die Organisatoren der Gruppe kamen aus dem sozialen Bereich der ärmlichen, auch deklassierten Selbständigen. Ihr erster Sprecher, der Zellhändler Xaver Fendt aus der Wertachvorstadt, hatte Ende 1915 als Gütler in Oberhausen die katholische Kirche verlassen. Über den Vertrieb von Büchern und Broschüren, die »lediglich aus Liebe zu Gott«[4] zum Selbstkostenpreis, zum Teil auch kostenlos abgegeben wurden, Predigten in Vorortgaststätten und Missionsfahrten über Land versuchten die seit Anfang der 1920er Jahre erkennbaren Zirkel in der Wertachvorstadt, am Nordrand der Altstadt bzw. dem Nordend und in Pfersee weitere Anhänger zu gewinnen. Seit etwa 1923 fungierte der Schreiner Franz Hacker als »Erntewerkvorsteher«, dem besonders eifrige Missionare sowie Kassier – statt fester Beiträge wurden allerdings nur Mitgliederspenden eingenommen – und Bücherverwalter als »Älteste« zur Seite standen. 1925/26 bestand bereits ein von der Donau bis in den Bereich Mindelheim-Memmingen reichender Bezirk der von Brooklyn/New York zentral geleiteten »Internationalen Bibelforschervereinigung« (IBV), in dem rund 100 bis 120 Anhänger von Augsburg aus betreut wurden. Hiervon waren etwa 70 im Raum Augsburg ansässig[5].

Der Verband der Gemeinschaft scheint zunächst nur locker gewesen zu sein. Zwischen den ersten Aktivitäten als Bibelforscher und dem Kirchenaustritt lagen oft mehrere Jahre. Bei der Volkszählung von 1925 hatten – vielleicht in Zusammenhang mit

---

[1] Siehe Kater, Michael H.: Die Ernsten Bibelforscher im Dritten Reich, in: VfZ 17. Jg., H. 2, S. 181.
[2] Zipfel, Friedrich: Kirchenkampf in Deutschland 1933–1945. Religionsverfolgung und Selbstbehauptung der Kirchen in der nationalsozialistischen Zeit. Berlin 1965, S. 176.
[3] Ebenda, S. 179.
[4] Stadtarchiv Augsburg (StdA), 49/484, Aussage Karl Schöner, Kripo Augsburg an Gewerbeamt Augsburg (14. 2. 1922).
[5] StdA, 49/484, Übersichten des Stadtpolizeiamtes Augsburg zur Organisation der IBV vom 30. 4. 1925 und 12. 2. 1926.

ersten Kontroversen zwischen der Gruppe und den Behörden – sich nur vier Männer als »Bibelforscher« bekannt, keine einzige Person zu der ebenfalls gebotenen Kategorie »Ernste Bibelforscher«[6].

Im April 1925 erregte eine Flugschriftenverteilung, die im Rahmen einer von München aus vorbereiteten Werbeaktion in Bayern durchgeführt wurde, die Aufmerksamkeit des Augsburger Stadtpolizeiamtes. Angeblich wurden hierbei rund 40 000 Flugblätter mit den Übertiteln »Wahr oder nicht wahr?« und »Anklage gegen die Geistlichkeit« im Stadtgebiet verbreitet[7]. Da die Verteiler ohne behördliche Erlaubnis tätig geworden waren und, zur Rede gestellt, sich auf ihren religiösen Auftrag beriefen oder auch Legitimationskarten des Bibelhauses Magdeburg vorwiesen, wurden auf Weisung des Innenministeriums Genehmigungsgesuche für weitere Verteilaktionen abgelehnt. Gegen einzelne Verbreiter von Schriften wurden in der Folgezeit Geldstrafen verhängt. Dennoch wurde die Missionstätigkeit im ländlichen Nord- und Mittelschwaben wie in den Augsburger Außenbezirken intensiviert, zumal Ende 1925 drei hauptamtliche Prediger bei Gesinnungsgenossen in der Stadt Logis genommen hatten. Bei Ablehnung oder Indifferenz der überwältigenden Mehrheit der Bevölkerung und erbitterten Gegenreaktionen der Geistlichkeit blieben die Bibelforschergruppen trotz eines gewissen Zulaufs während der Depressionsjahre von 1930 bis 1932 überschaubar. Unter Berücksichtigung der Fluktuation und am Rande stehender Interessenten mag die Zahl der Bekenner der Lehre in Augsburg 1932 150 nicht überstiegen haben, wobei etwa 60 Personen zum harten, opferbereiten Kern gezählt werden müssen. Bemerkenswert ist, daß unter den Vertrauensmännern und »Ältesten« aus der Aufbauzeit der Gruppe zwischen 1919 und 1925 nur einer – Hans Eberle – nach 1933 wegen illegaler Betätigung auffiel.

Gemäß der Verordnung des Reichspräsidenten vom 28. Februar 1933 wurde die »Internationale Bibelforschervereinigung« vom bayerischen Innenministerium am 13. April 1933 für den Landesbereich aufgelöst und verboten[8]. Im April schritten die Bezirksämter Augsburg und Günzburg im Zuge allgemeiner Aktionen gegen politisch oder gesellschaftlich Suspekte gegen Augsburger Bibelforscher, die sich anläßlich der Osterfeiertage zur Predigt und zu Missionsversammlungen aufs Land begeben hatten, mit kurzfristiger Schutzhaft ein[9].

Ein Teil der Bibelforscher lebte introvertiert beim Studium der Bibel seiner Überzeugung weiter, andere schlossen Kompromisse mit den neuen Verhältnissen[10]. Eine Gruppe von Aktivisten, die sich vielfach als Prediger und Schriftenwerber betätigt hatten, hielt unter sich Kontakt und betrieb weiter Einzelwerbung. Der bisherige »Diener«, also

---

[6] Volkszählung in Bayern 1925. Heft 112 der Beiträge zur Statistik Bayern, hrsg. vom Statistischen Landesamt. München 1927, S. 99.
[7] StdA, 49/484, Übersicht des Stadtpolizeiamtes Augsburg vom 22. 4. 1925.
[8] Abdruck der Verordnung im Bayerischen Staatsanzeiger Nr. 88, 1933.
[9] StAMünchen (StAM), Staatsanwaltschaft 8180 und 8308, Gendarmerie-Hauptstation Augsburg an Bezirksamt Augsburg (9. 2. 1936 und 11. 2. 1936); Befragung Josef Dorfner vom 23. 5. 1977.
[10] StAM, Staatsanwaltschaft 8297 und 8551, PDA an Staatsanwaltschaft OLG München (16. 4. 1936) bzw. BPP-Vernehmungsprotokoll Georg Halder (3. 9. 1936). – Das Verbot wurde als »gottgewollt« angesehen.

Leiter, für die IBV-Gruppe in Augsburg zog sich nach dem Verbot zurück. Spiritus rector wurde Georg Halder, ein Stukkateur aus der Wertachvorstadt[11].

Am 24. Juni 1933 wurde das Vermögen des Bibelhauses Magdeburg, des geistigen und organisatorischen Mittelpunktes des deutschen Zweiges der IBV, beschlagnahmt. Ende Juni erfolgte das Verbot der IBV für das gesamte Reichsgebiet, nachdem eine Versammlung sogenannter Bezirksdiener am 25. Juni 1933 in Berlin einen Appell an Hitler gerichtet hatte, in dem die Aufhebung des Verbots der Vereinigung in Bayern und Sachsen sowie der Vermögensbeschlagnahme gefordert worden war[12].

Kurz vorher hatte das Bibelhaus in Erwartung dieser Maßnahme die einzelnen Bezirksdiener angewiesen, vorhandene Bücher- und Schriftenlager bis auf Mindestbestände zu räumen und die Masse des Druckmaterials in Privatwohnungen zuverlässiger Bibelforscher zu deponieren.

Mit Rücksicht auf die Reputation der neuen Reichsregierung in den Vereinigten Staaten erfolgte allerdings rasch eine Lockerung des Verbotes. Dem Bibelhaus wurde erlaubt, ordnungsgemäß seine Liquidation abzuwickeln[13]. Den Anhängern der Glaubensgemeinschaft blieb der Bezug des *Wachtturms* und des *Goldenen Zeitalters* per Auslandspostanweisung aus Bern oder Prag gestattet[14]. In der Zwischenzeit war die Brooklyner Zentrale bemüht, Zusammenstöße mit deutschen Behörden zu vermeiden. Bezeichnenderweise wurde eine erste größere Aktion der Bayerischen Politischen Polizei (BPP) Augsburgs gegen das Bibelforschertum nicht durch Anhänger der Brooklyner »Watchtower and Tractate Society« des »Richters« Rutherford, sondern durch einen unabhängigen Zweig der Bewegung ausgelöst[15].

Am 16. Dezember 1933 wurde mit Verfügung der Polizeidirektion das Vermögen der »Freien Vereinigung der Bibelforscher Augsburgs« zugunsten des Landes Bayern eingezogen[16].

Unter Anleitung eines Kontaktmannes sächsischer Bibelforscher, des Naturheilkundigen Karl Klemm, der wahrscheinlich über familiäre Bindungen nach Augsburg verfügte, waren Augsburger Bibelforscher um die Monatswende November/Dezember 1933 dazu übergegangen, Broschüren mit Titeln wie »Das Licht Gottes erscheint in der Finsternis« oder »Die Biblische Weissagung von 1914 ab bis in Ewigkeit« per Post vor allem an Geschäftsleute zu versenden. Den Sendungen lag eine Schrift Klemms bei, die den 27. Mai 1934 als aus Studien der Bibel ermitteltes Datum des Sturzes Hitlers benannte. Zu lesen stand weiter, »... daß Hitler von einem Geist des Schwindels geleitet werde, daß er seine Anhänger sämtlich ins Verderben führe und daß alle Menschen vor Juda, dem Weltherrscher erzittern werden«[17].

Angesichts dieser Herausforderung reagierte die Politische Polizei in gewohnter Weise: Sie nahm bis zur Identifizierung der Täter einige ihr bekannte Bibelforscher in

---

[11] StAM, Staatsanwaltschaft 8551, BPP-Vernehmungsprotokoll Georg Halder (3. 9. 1936).
[12] Ebenda, Gestapa-Vernehmungsprotokoll Friedrich Winkler (24. 8. 1936).
[13] Ebenda; siehe auch Zipfel, a.a.O., S. 181f., Kater, a.a.O., S. 191ff.
[14] StAM, Staatsanwaltschaft 8551, Gestapa-Vernehmungsprotokoll Friedrich Winkler (24. 8. 1936)
[15] Eventuell handelte es sich um eine Gruppe, die den Kompromißkurs der IBV bewußt konterkarieren wollte.
[16] Amtsblatt Stadt Augsburg vom 22. 12. 1933.
[17] BayHStA, MA 106 682, Halbmonatsbericht des Regierungspräsidenten vom 19. 12. 1933.

Schutzhaft[18] und ließ den übrigen Anhängern für Wiederholungsfälle mit Einschaffung nach Dachau drohen[19]. Während Klemm, gegen den bereits andernorts ein Verfahren wegen Verbreitung staatsfeindlicher Schriften schwebte, nicht dingfest gemacht werden konnte, wurden seine Augsburger Helfer am 16. und 17. Dezember 1933 verhaftet. Der Umfang noch beabsichtigter Aktionen wird aus der Tatsache deutlich, daß ein Fabrikportier aus Kriegshaber, der mit seinem Sohne bei der Herstellung der Schriften geholfen hatte, vor Eingreifen der Polizei noch 10 000 Broschüren vernichtet haben soll. Die Fabrikarbeiterin Sophie Leidl, die Schriften versandt hatte, verfügte zudem über einen »größeren Geldbetrag«[20].

Nahm nach diesen Vorfällen die Wachsamkeit der BPP gegenüber Bibelforschern zu, so ist für 1934 doch von konsequenter Verfolgung, die eine Aufdeckung der wechselseitigen Verbindungen und Zerschlagung der Zellen intendiert hätte, nicht zu sprechen. Allerdings erfolgten seit August 1933 wieder erste Anzeigen wegen Verbreitung von Schriftenmaterial und Verurteilungen zu Geldstrafen durch das Schöffengericht Augsburg[21].

Das bayerische Innenministerium hatte seine Verfügung vom 13. April 1933 nicht zurückgenommen und wartete eine reichsweite Regelung dieser Frage ab[22]. So konnte es etwa geschehen, daß der Chef der Augsburger BPP einem mit Zitaten aus dem Evangelium argumentierenden, freilich noch nicht amtsbekannten Bibelforscher persönlich den Vertrieb von Bibeln zum Selbstkostenpreis erlaubte, was im Januar 1934 vom städtischen Gewerbeamt mit Ausstellung einer Legitimationskarte nachvollzogen wurde[23].

Allerdings nahm der gesellschaftliche Druck auf die Bibelforscher zu. Die Erfassung der Bevölkerung in Gliederungen wie DAF, RLB oder NSV und die durch den Ausbau der Parteiorganisation in den Wohngebieten verstärkte Überwachung machten die Nichtbeteiligung der Zeugen Jehovas an Wahlen, Veranstaltungen, Beflaggungen und ihre Verweigerung des Deutschen Grußes[24] immer deutlicher.

Im Frühjahr 1934 liefen Bemühungen an, die Zusendung von Bibelforscherschriften aus der Schweiz, der Tschechoslowakei oder den USA, soweit sie als solche erkennbar waren, durch Postüberwachung zu unterbinden[25]. Bei Kater[26] ist eine vertrauliche Empfehlung des Reichsinnenministeriums vom 11. Juni 1934 erwähnt, wonach gegen

---

[18] Neue Nationalzeitung vom 16. 12. 1933.
[19] Ebenda.
[20] BayHStA, MA 106 682, Halbmonatsbericht des Regierungspräsidenten vom 2. 1. 1934.
[21] Ein erster Fall in der Bayerischen Gerichtszeitung vom 11. 11. 1933.
[22] Noch am 2. 10. 1934 unterschied eine Verfügung der BPP bei Beschlagnahmungen von Bibelforscherliteratur zwischen Schriften der Wachtturm-Gesellschaft und solchen anderer Herkunft. Die Schriften aus Brooklyn seien den Besitzern zu belassen. Siehe hierzu die Aufhebung der Verfügung im Rundschreiben an alle Bezirkspolizeibehörden vom 26. 7. 1935, in: IfZ, Fa 119/1.
[23] StAM, Staatsanwaltschaft 8308, PDA an Staatsanwaltschaft LG Augsburg (2. 3. 1936) und Paul Kramer an Staatsanwaltschaft OLG München (März 1936).
[24] Gemäß Apostelgeschichte 4,12: »Und in keinem anderen ist das Heil (außer Christus); denn es ist kein anderer Name unter dem Himmel, der gegeben wäre unter Menschen, daß wir in ihm sollten gerettet werden«.
[25] BayHStA, MA 106 682, Halbmonatsbericht des Regierungspräsidenten von Schwaben vom 5. 4. und 4. 6. 1934.
[26] Kater, a.a.O., S. 192.

Beamte, die der IBV angehörten, mit Dienststrafverfahren vorgegangen werden sollte. Auch im Bereich der Stadtverwaltung Augsburg fanden daraufhin Recherchen statt[27].
Ein Beleg für das mangelnde Problembewußtsein gegenüber dem Bibelforschertum ist ein Kommentar in der *Neuen Nationalzeitung*[28] zur Werbetätigkeit eines Bibelforschers im Südend:

> »Also, was wollt Ihr denn, Ihr Herren Bibelforscher? Pech und Schwefel können wir nicht herabregnen lassen (bezogen auf eine Mahnung in der dort an den Haustüren verkauften Broschüre, daß Jehova einst schon die Juden ob ihrer Verderbtheit vernichtend gestraft habe; d. Verf.). Die Zeiten, da Jehova sein auserwähltes Volk . . . höchstpersönlich bestrafte, sind vorüber . . . Jehova hat doch sein Urteil oft genug gesprochen. Also laßt uns endlich in Ruhe mit . . . eurer Tätigkeit und behaltet eure Resultate gefälligst für euch . . . Was soll uns eine Broschüre wie ›Neuer Frühling, neuer Glaube‹! Der neue Frühling deutet in die Zukunft. Aber die Broschüre mit ihrem alttestamentarischen Einschlag kann von Geschehnissen nicht loskommen, die sich vor Tausenden von Jahren in der Wüste abgespielt haben. Ein Stück Brot ist uns heute mehr wert als der ganze Turm von Babylon«.

Als für die Brooklyner Zentrale angesichts sich verstärkender Zwänge erkennbar wurde, daß eine Werbung weiterer Gläubiger nicht zugelassen würde und ein Abbröckeln der Anhängerschaft abzusehen war, beschloß eine Tagung leitender Bibelforscher im September 1934 in Basel, in Deutschland die organisierte Werbetätigkeit wieder aufzunehmen[29].

Nun begann die offene Konfrontation. Als Beginn des illegalen Kampfes ist der 7. Oktober 1934 anzusehen. An diesem Tage wurde auf Anweisung Rutherfords mit einem einheitlichen Protestbrief, der, wohl vom Magdeburger Bibelhaus herausgegeben, von zahlreichen deutschen Bibelforschergruppen gleichzeitig an die Reichsregierung abgesandt wurde, das »Zeugnisgeben« aufgenommen. Dieser Brief enthielt die Erklärung, sich künftig nicht mehr an das Verbot halten zu wollen[30].

Bezirke, Gruppen und Untergruppen mit jeweiligen »Dienern« wurden neu gebildet und Vorkehrungen zum Bezug und zur Verbreitung von »Speise«, also von Brooklyner Schriften, getroffen. Die einzelnen Bezirke besaßen hierbei offenbar relativ große taktische Eigenständigkeit.

Ein erster großer organisierter Schlag der Polizei erfolgte am 17. April 1935, nachdem die Exekutive Informationen über ein »Gedächtnismahl« aller Bibelforscher im Reichsgebiet zu einer bestimmten Stunde des Tages erhalten hatte[31]. Allerdings hatten Angestellte des Magdeburger Bibelhauses, so Friedrich Winkler, der spätere »Diener« für das Reichsgebiet, bereits vorher von der Aktion der Polizei erfahren[32].

Nach dem endgültigen IBV-Verbot, der Beschlagnahme des Vermögens der Vereinigung im April 1935 und der Festnahme des Bibelhaus-Leiters Paul Balzereit im folgenden Monat fungierte ein gewisser Harbeck, Leiter des Bibelhauses in Bern, als Auslandsleiter

---

[27] StdA, 42/205.
[28] Vom 17. 4. 1934.
[29] Siehe hierzu Zipfel, a.a.O., S. 182.
[30] StAM, Staatsanwaltschaft 8551, Gestapa-Vernehmungsprotokoll Friedrich Winkler (24. 8. 1936).
[31] IfZ, Fa 119/1, BPP an Bezirkspolizeibehörden (8. 4. 1935).
[32] StAM, Staatsanwaltschaft 8551, Gestapa-Vernehmungsprotokoll Friedrich Winkler (24. 8. 1936).

der deutschen Bibelforscher. Winkler, sein Stellvertreter im Reich, stand seit Frühjahr 1935 in der Illegalität. Die Kontakte zwischen Harbeck und Winkler wurden durch Kuriere aufrechterhalten. Den Briefverkehr zwischen Winkler und dem für zahlreiche Länder West-, Mittel- und Osteuropas zuständigen Harbeck besorgte das amerikanische Generalkonsulat (!) in Berlin[33]. Winkler überbrachte auf monatlichen Rundreisen den Bezirksdienern die Anweisungen Harbecks, an den mittels Boten über Konstanz finanzielle Überschüsse aus Schriftenverkauf und Spendenaktionen abgeführt wurden[34]. Die Brooklyner Zentrale setzte etwa im Abstand zweier Monate sogenannte Dienstwochen an, in denen verstärkte Werbetätigkeit zu entwickeln war. Literaturanlaufstellen im gesamten Reich sorgten für die Weiterleitung der IBV-Schriften an die Unterverteiler.

In Augsburg stellte die Polizeidirektion im September 1934 erste Anzeichen für eine Neusammlung der Bibelforscher, so Pläne für eine Zusammenkunft in Wäldern westlich der Stadt, fest[35]. Im August 1934 und am 4. Februar 1935 erfaßten Haussuchungsaktionen bei insgesamt etwa 20 Bibelforschern große Mengen vorwiegend älterer Literatur, aber auch Neuausgaben der Periodika *Das Goldene Zeitalter* und *Der Wachtturm*[36].

In Augsburg war 1934 durch die Maßnahmen der Postkontrolle fühlbarer Mangel an neuem Schrifttum eingetreten. Daraufhin erneuerten Georg Halder und Georg Seiler, die als Vertreter arbeiteten, wie auch die Eheleute Friedrich und Agnes Schöner Verbindungen zu schweizerischen Bibelforschern und brachten zwischen April 1934 und Juli 1935 auf mehreren Autofahrten umfangreiche Mengen an Literatur wie auch Schallplatten mit Vorträgen Rutherfords nach Augsburg[37].

Diese Schriften zirkulierten vorwiegend unter Glaubensbrüdern, wurden aber auch in Briefkästen oder unter Fußabstreifer fremder Wohnungen verteilt[38] oder beim Predigen zur Werbung von Interessenten verwandt. In Lechhausen wurden den ehemaligen Abonnenten des *Goldenen Zeitalters*, meist älteren alleinstehenden Frauen, die Neuausgaben dieser Zeitschrift durch den alten Verteiler zugestellt[39]. Polizeiaktionen ließen diese stillen Arbeiter unbeeindruckt. Am 29. Juni 1935 wurde in einer Lechhauser Schusterwerkstatt eine Zusammenkunft von acht Bibelforschern, vor allem Frauen, ausgehoben. Während Martin Meilinger, der Wohnungsinhaber und Prediger, bei dem sich Bibelforscher aus Lechhausen regelmäßig einfanden, nach Verbüßung einer zweimonatigen Gefängnisstrafe auf Dauer in das Konzentrationslager Dachau eingeliefert wurde, erhielten sechs beteiligte Frauen vor dem Amtsgericht Augsburg Geld- bzw. ersatzweise Haftstrafen[40]. Einige Wochen vorher war eine Gruppe verurteilt worden, die

---

[33] Ebenda; siehe auch Organisationsplan der IBV. Stand vom 26. 8. 1936 (nach Rekonstruktion des Gestapa), in: StAM, Staatsanwaltschaft 8576.
[34] Ebenda.
[35] BayHStA, MA 106 697, Lagebericht PDA vom 1. 10. 1934.
[36] BayHStA, MA 106 693, Lagebericht des Regierungspräsidenten vom 6. 9. 1934 und BayHStA, MA 106 686, Monatsbericht PDA für Februar 1935.
[37] StAM, Staatsanwaltschaft 8297, Urteil Sondergericht gegen Georg Halder u. a. vom 27. 8. 1936.
[38] Ebenda, PDA an Staatsanwaltschaft OLG (16. 4. 1936).
[39] Ebenda, PDA an Staatsanwaltschaft OLG (22. 4. 1936) – Im Akt die Liste eines der Verteiler.
[40] BayHStA, MA 106 697, Lagebericht PDA vom 1. 8. 1935. – Die Akten dieses Verfahrens wurden durch Kriegseinwirkung vernichtet. Zum Urteil siehe auch Bayerische Gerichtszeitung vom 7. 12. 1935. Die Einlieferung Meilingers entsprach einer verschärften Auslegung einer Entschließung der BPP vom 26. 6. 1935 in Sachen Schutzhaftverhängung gegen Bibelforscher. – Siehe dazu IfZ, Fa 119/1.

sich um die Jahreswende 1934/35 im Augsburger Westen als Werber und Verkäufer von Bibelforscherkalendern betätigt hatte[41].

Bei den Treffen der Glaubensgenossen stand religiöse Erbauung durch Auslegung der Bibel unter Anleitung von Schriftkundigen im Vordergrund. Diese Gemeinschaftsveranstaltungen waren für den Zusammenhalt der Bibelforscher lebenswichtig. Sie verhinderten persönliche Vereinsamung, aber auch die Loslösung von den religiösen Richtlinien aus Brooklyn. Neben Treffen in Privatwohnungen, die häufig durch Nebenzwecke geschäftlicher oder aus guter Bekanntschaft resultierender Natur getarnt waren, fanden Versammlungen mit bis zu 30 Personen, darunter auch Kinder, auf dem Lande statt.

Bis Februar 1936, als er eine Gefängnisstrafe wegen Betätigung für die IBV antrat, fungierte Georg Halder als »Ältester«, Prediger und Täufer der Augsburger Bibelforscher. Er leitete die eingeführten Schriften an die einzelnen Stadtteilgruppen Lechhausen, Pfersee, Wertachvorstadt – Kriegshaber sowie Kreuz- und Georgsviertel – Pfärrle weiter[42].

II. Die Verhaftungswellen der Jahre 1936/37 und die Propagandaaktionen der Bibelforscher

Mit einem Rundschreiben[43] der BPP-Zentrale an alle Bezirkspolizeibehörden vom 1. Februar 1936, in dem festgestellt wurde, daß gegen Bibelforscher, die den Deutschen Gruß ablehnten, sich von nationalsozialistischen und staatlichen Einrichtungen fern hielten und den Wehrdienst verweigerten, »nicht mit der nötigen Schärfe vorgegangen« würde –

»Die Gefahr, die von Seiten der Ernsten Bibelforscher dem Staate droht, ist nicht zu unterschätzen, um so mehr als die Anhänger dieser staatszersetzenden Sekte jeder staatlichen Ordnung und Einrichtung aufgrund ihres ans Unglaubliche grenzenden religiösen Fanatismus äußerst feindlich gegenüber stehen« –

setzte in Bayern eine gezielte Verfolgung ein. Schlagartig fanden in der zweiten Februarwoche in Augsburg Haussuchungen statt. Im Zuge der Aktion wurde in einem Fehlboden des Dachbodens des Hauses Jahnstraße 13 (Anwesen der Eheleute Schöner) ein Schriftlager mit 30 bis 35 Zentner Druckmaterial entdeckt[44]. Weitere Schriftenfunde und Verhöre führten zu zahlreichen Verhaftungen.

Bis zu dessen Festnahme Anfang April 1936 stand der Bezirk Südbayern unter Leitung des Münchener Juwelenfassers Otto Lehmann, der mit Winkler in Verbindung stand. Im Haus München, Zweibrückenstraße 10, wurde mittels eines Abziehapparates eine

---

[41] Bayerische Gerichtszeitung vom 26. 10. 1935.
[42] StAM, Staatsanwaltschaft 8297, Urteil Sondergericht gegen Georg Halder u. a. vom 27. 8. 1935.
[43] IfZ, Fa 119/2, BPP an Bezirkspolizeibehörden (1. 2. 1936).
[44] StAM, Staatsanwaltschaft 8297, PDA an Staatsanwaltschaft OLG (29. 4. 1936).

Wachtturm-Vervielfältigung eingerichtet, deren Vorlagen zunächst noch aus Magdeburg, später aber vor allem aus der Schweiz bezogen wurden[45]. Die Verbindung Halders in die Schweiz erwies sich für den gesamten Bezirk als nützlich, da die Gruppen trotz Postkontrolle laufend mit neuester Literatur beliefert werden konnten.

Die später anhand der Pässe Halders und Seilers rekonstruierten Fahrten über die Grenze stellten freilich nur einen Bruchteil der Kontakte südbayerischer Bibelforscher mit dem Ausland dar. In der Konstanzer Wohnung einer Bibelforscherin bestand eine Art Vermittlungsstelle zwischen dem Berner Bibelhaus und Süddeutschland. Schweizer Glaubensgenossen deponierten dort regelmäßig Schriften für die Verbindungsmänner der süddeutschen Bezirke, wobei jene Adresse, die Halder nach seiner Verurteilung im Herbst 1935 den Münchener Bibelforschern mitteilte, nur eine von mehreren Verteilerstellen im Grenzgebiet gewesen sein dürfte. Lehmann und seine Mitarbeiter bezogen seitdem selbständig Schriften über diese Adresse[46].

Mit den Verhaftungen in Augsburg und München brachen wohl im März 1936 die Kontakte zu Konstanz ab. Augsburg wurde nun aus der Münchener *Wachtturm*-Druckerei beliefert, die inzwischen im Anwesen Baaderstraße 46 eingerichtet worden war.

Nach Lehmanns Festnahme hielt der Postschaffner Johann Kölbl als Bezirksdiener zusammen mit dem Telegraphenleitungsaufseher Josef Zissler die Verbindung zu den einzelnen Gruppendienern im südbayerischen Raum aufrecht[47]. Als Gruppendiener für Augsburg war der damals 32jährige Kaufmann Karl Schöner, Sohn einer Bibelforscherfamilie aus Pfersee, eingesprungen.

Schöner, seit den frühen 1920er Jahren mit Eltern und Bruder aktiver Werber, bezog von Zissler jeweils neueste Ausgaben des *Wachtturms*, um sie in Augsburg weiterzugeben. Als am 31. August Kölbl, am 1. September Zissler festgenommen wurden und die Polizei die Druckerei wie auch ein Schriftenlager im Anwesen Paul-Heyse-Straße 25 aushob, gelang innerhalb einiger Wochen die Aufrollung von Gruppen im Stadtgebiet von München (Sendling, München-Ost, Schwabing, Neuhausen, Schwanthalerhöhe), in Landshut, Traunstein, Freilassing, Kolbermoor, Miesbach, aber auch in Memmingen, Günzburg und Neuburg/Donau[48].

Am 7. September nahm die BPP Karl Schöner und seinen Vater fest, einen Tag später wurden sieben Mitglieder einer Zelle von Bibelforschern in Pfersee-Nord um Berta Greiner, die Frau eines Autoschlossers, verhaftet[49]. Sie hatte in der eigenen wie in fremden Wohnungen Zusammenkünfte veranstaltet und Vorträge gehalten, dazu auch den Brauereiarbeiter Paul Kramer als Prediger eingeladen und in einem Gartenhaus Schriften gelagert[50].

Im September und Oktober 1936 fanden weitere Einzelfestnahmen statt. Während Berta Greiner, die vor dem Amtsgericht erklärt hatte, sie erkenne das IBV-Verbot nicht

---

[45] StAM, Staatsanwaltschaft 8551, Anklageschrift Staatsanwaltschaft OLG gegen Johann Kölbl u. a. vom 30. 1. 1937.
[46] Ebenda, BPP-Vernehmungsprotokoll Otto Lehmann (1. 9. 1936).
[47] Ebenda, Anklageschrift Staatsanwaltschaft OLG gegen Johann Kölbl u. a. vom 30. 1. 1937.
[48] Ebenda, Urteil Sondergericht gegen Johann Kölbl u. a. vom 2. 3. 1937.
[49] StAM, Gestapo 5, Rapport der BPP vom 11. 9. 1936.
[50] Bayerische Gerichtszeitung vom 23. 1. 1937.

an[51], im Januar 1937 vom Schöffengericht zu fünf Monaten Gefängnis verurteilt wurde[52], kam Schöner zusammen mit Kölbl, Zissler und anderen vor das Sondergericht München. Er wurde am 2. März 1937 zu zehn Monaten Gefängnis verurteilt[53].

Über Schöners Haltung gibt ein Brief Aufschluß, den er vor seinem Prozeß an die Anklagebehörde richtete:

»Als Gottgeweihter bin ich an die Gesetze und Vorschriften Gottes gebunden, solange ich lebe. Ein Nichtbefolgen der Gebote Gottes bedeutet für mich eine Strafe ewiger Vernichtung ... Das Glaubensrecht, welches anderen Gläubigen in unserem Lande zugebilligt wird, muß auch uns als Zeugen Jehovas zuerkannt werden ..., da von allen führenden Männern immer wieder betont wird, jeder Christ kann seinem Glauben gemäß Gott anbeten und dienen«[54].

Bereits am 27. August 1936 hatte der Schriftenimport aus der Schweiz vor dem Sondergericht München seine juristische Ahndung gefunden: Georg Halder, Georg Seiler, Ludwig Muth, Matthäus Schulz, Christian Eigner und Friederike Halder erhielten zusammen 38 Monate Gefängnis, während der in Dachau einsitzende Meilinger und Barbara Kohlhund freigesprochen wurden[55].

Am 3. September 1936 waren Paul Kramer, Walburga Harlacher und Luise Meilinger zu insgesamt elf Monaten Gefängnis verurteilt worden, während Leonhard Blank, Hans Eberle und Josef Harlacher mangels Beweises freigesprochen worden waren[56]. In dieses Verfahren waren Erhebungen der Schutzmannschaft Neuburg/Donau eingegangen. Sechs von ihr Ende April 1936 vorgenommene Inschutzhaftnahmen hatten Beziehungen von Lechhausener Bibelforschern zu Glaubensgenossen in Neuburg und Ingolstadt ans Licht gebracht. Die Neuburger hatten aus Augsburg Literatur bezogen und waren von Martin Meilinger unterwiesen worden. Mit diesen Verfahren kausal verbunden waren Prozesse gegen verschiedene Einzelpersonen[57].

Bereits im Oktober 1936 befand sich die Organisation in Augsburg in zügigem Wiederaufbau. Für eine in Vorbereitung stehende reichsweite Öffentlichkeitsaktion der IBV waren geeignete Mitwirkende zu finden. Der nunmehr als bayerischer Beauftragter der IBV fungierende Karl Siebeneichler, ein 25jähriger Kaufmann aus Sachsen, bestimmte nach Vermittlung der Ehefrau Johann Kölbls die Zugehfrau Anna Herrmann aus Kriegshaber zur Dienerin für Augsburg.

Um eine völlige Zerschlagung der Organisation durch die Festnahme von Schlüsselfunktionären künftig zu erschweren, nahm Siebeneichler eine Neueinteilung seines Bezirks in Gruppen, Untergruppen und Zellen vor, wobei die Zellen sich in der Bibel selbst zu unterweisen, ansonsten aber an die Untergruppen Berichte und Gelder zu liefern hatten.[58]

---

[51] Ebenda.
[52] Ebenda.
[53] StAM, Staatsanwaltschaft 8551, Urteil Sondergericht gegen Johann Kölbl u. a. vom 2. 3. 1937.
[54] Ebenda, Karl Schöner an Staatsanwaltschaft OLG (26. 2. 1937).
[55] StAM, Staatsanwaltschaft 8297, Urteil Sondergericht gegen Georg Halder u. a. vom 27. 8. 1935.
[56] StAM, Staatsanwaltschaft 8308, Urteil Sondergericht gegen Leonhard Blank u. a. vom 3. 9. 1936.
[57] Verfahren gegen Gottfried Bucher, Willibald Lenk und Georg Brixle, in: StAM, Staatsanwaltschaft, 8180, 8181 und 8317.
[58] StAM, Staatsanwaltschaft 8474a, BPP-Vernehmungsprotokoll Franz Horn vom 7. 4. 1937 und StAM, Staatsanwaltschaft 8590, »Die Internationale Ernste Bibelforscher-Vereinigung (IBV), deren Grundsätze und Organisation« (Verfasser: Kriminalkommissar Müller, BPP).

Ein internationaler Bibelforscherkongreß in Luzern hatte unter Leitung Rutherfords die Verfolgung der reichsdeutschen und österreichischen Glaubensgenossen scharf verurteilt. Der Wortlaut der auf dieser Tagung vom 4. bis 7. September 1936 ausgearbeiteten Entschließung sollte der deutschen Bevölkerung in einer Flugblattaktion bekanntgegeben werden. Neben direkten Angriffen auf die Reichsregierung enthielt die »Resolution« einen Appell zur Solidarität mit den Verfolgten:

»Wir rufen alle gutgesinnten Menschen auf, davon Kenntnis zu nehmen, daß Jehovas Zeugen in Deutschland, Österreich und anderswo grausam verfolgt, mit Gefängnis bestraft, und auf teuflische Weise mißhandelt und manche von ihnen getötet werden . . . Die Hitlerregierung, die von den Jesuiten der römisch-katholischen Hierarchie unterstützt und beeinflußt wird, hat den wahren Christen jeder Art grausame Bestrafung auferlegt und fährt fort dies zu tun . . . «[59].

Es gelang Anna Herrmann, zur Mitwirkung an der Verteilung auch Glaubensbrüder zu gewinnen, die bisher nicht oder nur am Rande an der illegalen Arbeit beteiligt waren. Die für 12. Dezember 1936 anberaumte Aktion wurde nicht nur in Augsburg, sondern auch in München und zahlreichen anderen Städten erfolgreich durchgeführt. In Augsburg konnten in den Abendstunden des 12. Dezember 1500–2000 Flugblätter in Briefumschlägen in Briefkästen und Hauseingänge verteilt werden, ohne daß die Festnahme eines der rund ein Dutzend Verteiler, mehrheitlich Frauen, gelang[60]. Dabei hatte die Polizei am 10. Dezember eine Bibelforscherzelle in der nördlichen Altstadt mitten in den Vorbereitungen für die Aktion überraschen können. Obwohl die Augsburger Polizei vielleicht als einzige Überwachungsstelle des Reiches »Resolutions«-Material vor Verbreitung in die Hand bekam, war die Aktion selbst nicht zu verhindern, da sich die ertappten Frauen in Schweigen hüllten. Ihr Verteilrayon wurde von anderen übernommen. Erst nach dem 12. Dezember erfolgte die Aussage, es sei von angeblich unbekannter Seite die Anweisung erfolgt, die »Resolution« an bewußtem Tage zu verbreiten[61] So blieben die sofort einsetzenden Haussuchungen bei allen bekannteren Bibelforschern ohne Erfolg, da in Erwartung dieser Suche belastendes Material beiseite geschafft worden war.

Die Bibelforscher blieben in der Offensive. Anfang 1937 überließ Siebeneichler Anna Herrmann erneut 1200–1400 »Resolutionen« zur Verteilung am 11. Februar 1937, dem Tag, an dem andere Augsburger Bibelforscher vor dem Sondergericht standen[62]. Etwa im Januar 1937 traf Anna Herrmann durch Siebeneichlers Vermittlung mit Erich Frost, seit Juni 1936 Bezirksdiener für Sachsen-Thüringen und als Verbindungsmann des Reichsgebietes zum tschechoslowakischen Zweigbüro quasi Nachfolger Winklers (der im August

---

[59] Auszüge aus dem Text in der Anzeige der PDA an die Staatsanwaltschaft Landgericht Augsburg vom 4. 1. 1937, in: StAM, Staatsanwaltschaft 8535.
[60] Angesichts der in Augsburg und Umgebung, einem Schwerpunkt der Aktion im Reich, in zwei Wellen verteilten Menge von maximal 3500 Flugblättern erscheint die bei Kater, a.a.O., S. 199, zu findende Zahl von 300 000 in Deutschland zur Verteilung gebrachten »Resolutionen« überhöht.
[61] PDA an Staatsanwaltschaft LG Augsburg (4. 1. 1937): »Wenn (Barbara) Hallwachs dies gleich bei ihrer ersten Vernehmung . . . angegeben hätte, so hätte bestimmt ein Großteil der Schriften, die . . . in ganz Deutschland schlagartig vertrieben wurden, vor der Verbreitung erfaßt werden können«, in: StAM, Staatsanwaltschaft 8535.
[62] Es handelte sich um die Hauptverhandlung gegen die Gruppe aus der nördlichen Altstadt. Barbara Hallwachs, Martina Osler, Emilie Rupp, Karolina Schmitt und Raffael Wiedemann wurden zu insgesamt 20 Monaten Gefängnis verurteilt. Urteil im Akt StAM, Staatsanwaltschaft 8535.

1936 verhaftet worden war) zusammen, als sich dieser auf Inspektionsreise durch die Bezirke befand[63]. Die neue Aktion verlief ohne Störung. Auch wenige Tage zuvor aus dem Gefängnis entlassene Glaubensgenossen beteiligten sich. Hauptsächliches Verbreitungsgebiet waren diesmal Gemeinden der Bezirksämter Augsburg, Schwabmünchen und Friedberg, wobei, teilweise per Motorrad, ein Aktionsradius von 25 Kilometern erreicht wurde[64]. Von Lechhausen aus wurden Bibelforscher in Manching bei Ingolstadt mit Material versorgt. Dort wurde am 11. Februar gleichfalls verteilt. Etwa zur selben Zeit fanden Broschüren mit dem Titel »Entscheidung« im Augsburger Stadtgebiet Verbreitung.

Erst als am 4. März sowohl Siebeneichler als auch Anna Herrmann während einer Besprechung in der Wohnung der Eheleute Schöner überrascht und unter dramatischen Umständen festgenommen wurden, gelang es, nicht nur die Augsburger Gruppe, sondern, da Siebeneichler, wegen seiner überlokalen Bedeutung der Gestapoleitstelle vorgeführt, nach langem Widerstand zu detaillierteren Aussagen getrieben wurde, die Organisationen in anderen bayerischen Städten aufzurollen[65].

Obwohl die Ende März einsetzende Verhaftungswelle in Augsburg nur Reste der alten Gruppe in Freiheit ließ, versuchten die Verbliebenen, den inhaftierten Glaubensgenossen Entlastung zu bringen und den Behörden ihre ungebrochene Einsatzfreude zu demonstrieren.

Um die Monatswende Mai-Juni 1937 bereitete Elfriede Löhr, bisherige Mitarbeiterin Siebeneichlers, die nun als IBV-Beauftragte in Bayern fungierte, mit Friedrich Wilhelm Meyer als neuem südbayerischen Bezirksdiener für einen neuerlichen Aufruf – »Offener Brief – An das bibelgläubige und christusliebende Volk Deutschlands« – eine Verteilaktion vor.

Münchener Bibelforscher verbreiteten den Appell per Post. Daneben suchte die Löhr (Deckname »Nelly«) diejenigen Gruppen, die nach Siebeneichlers Verhaftung der Zerschlagung entgangen waren, auf. Nach Vorbesprechungen in der Münchener Wohnung des Schreiners Ludwig Stauffer dürfte »Nelly« Augsburg angereist haben[66]. Ungeklärt ist, ob sie Exemplare des »Offenen Briefes« überbrachte. Unter Umständen gelangte das Material direkt aus Brooklyn per Post an Deckadressen[67]. Jedenfalls führten Luise Meilinger und Markus Wild am 21. Juni in Ortschaften des Bezirksamtes Friedberg mit dem »Offenen Brief« eine Verteilaktion durch[68], die sie mit den Akteuren des 12. Dezember 1936 und des 11. Februar 1937 auf die Anklagebank des Münchener Sondergerichts brachte.

»Nelly« wohl hatte mit der 54jährigen Technikerswitwe Viktoria Speiser, die ebenso wie die 53jährige Maria Waibl, Witwe eines Reichsbahnschaffners aus Pfersee, Sieben-

---

[63] StAM, Staatsanwaltschaft 9184, Gestapo-Vernehmungsprotokoll Karl Siebeneichler (4. 3. 1937).
[64] Verteilt wurde in Gersthofen, Aystetten, Neusäß, Leitershofen, Stadtbergen, Mering, Kissing, Stätzling, Derching, Haberskirch, Wulfertshausen, Friedberg, Königsbrunn, Breitenbronn, Ried, Ustersbach, Gessertshausen und Diedorf.
[65] BayHStA, MA 106 687, Monatsbericht der Gestapo-Leitstelle München vom 1. 4. 1937.
[66] StAM, Staatsanwaltschaft 8460, Gestapo-Leitstelle an Staatsanwaltschaft OLG (12. 7. und 29. 9. 1937).
[67] StAM, Staatsanwaltschaft 9184, Urteil Sondergericht gegen Regina Angerer u. a. vom 26. 8. 1937.
[68] Ebenda.

eichler von Oktober 1936 bis Februar 1937 mehrmals beherbergt hatte, vereinbart, im Falle einer Festnahme von Anna Herrmann die Kontakte unter den Augsburger Bibelforschern aufrechtzuerhalten[69]. Im Mai und Juni 1937 dürften in der Wohnung der Speiser im Hochfeld Besprechungen zwischen Elfriede Löhr und Augsburger Anhängern stattgefunden haben, zu denen Konrad Nägele, soeben aus dem Gefängnis entlassener Leiter der Memminger Bibelforscher, zugezogen wurde.

Beitragssammlungen für die »Gute Hoffnung«, die Gefangenenunterstützungskasse der Bibelforscher, gingen weiter, denn als die Polizei am 11. August 1937 bei Viktoria Speiser eine Haussuchung vornahm, wurden neben neueren Broschüren 217 RM an gesammelten Geldern aufgefunden. Ende November – Anfang Dezember 1937 wurden Viktoria Speiser, Maria Waibl und Nägele vor dem Schöffengericht Augsburg zu insgesamt neun Monaten Gefängnis verurteilt[70]. Inzwischen hatte das Sondergericht am 26. August 1937 Regina Angerer, Georg Grosshauser, Maria Grosshauser, Walburga Harlacher, Anna Herrmann, Barbara Kohlhund, Rosina Luckas, Luise Meilinger, Elisabeth Muth, Konrad Rampp, Anna Rampp, Friedrich Schöner, Agnes Schöner, Matthäus Schulz, Walburga Schuster, Margarete Sendlinger, Josef Wengler und Markus Wild zu insgesamt 15 Jahren und zwei Monaten Gefängnis verurteilt[71]. Bereits wegen des gleichen Delikts vorbestrafte Bibelforscher wurden nach Strafverbüßung Konzentrationslagern überstellt[72]. Auch Frauen, die bisher zur Vermeidung von öffentlichen Sorgelasten für unmündige Kinder eher schonend behandelt worden waren[73], wurden in Lager, so Lichtenburg in Sachsen, später auch Ravensbrück, eingewiesen[74]. In Fällen, wo beide Elternteile inhaftiert waren und Anzeichen für eine Erziehung der Kinder in streng biblischem Geiste vorlagen, ging das Vormundschaftsgericht mit Entziehung des Sorgerechts gegen die Eltern vor[75].

In den Konzentrationslagern ließen mehrere Augsburger Bibelforscher ihr Leben. Während der wegen Betätigung für die IBV mehrmals abgeurteilte Hilfsarbeiter Anton Wörle am 25. Januar 1937, zwei Tage nach Haftentlassung, einer Harnstoffvergiftung erlag, die er sich während seiner Inhaftierung – seit 15. Dezember 1936 Schutzhaft in Augsburg, seit 4. Januar 1937 in Dachau – zugezogen hatte[76], starb Matthäus Schulz, ehemals Nachtwächter in der MAN, am 24. Februar 1939 in Dachau. Der Hilfsarbeiter Markus Wild, Vater von fünf Kindern, starb am 17. März 1940 in Mauthausen, der

---

[69] Bayerische Gerichtszeitung vom 4. 12. 1937.
[70] Ebenda.
[71] StAM, Staatsanwaltschaft 9184, Urteil Sondergericht gegen Regina Angerer u. a. vom 26. 8. 1937.
[72] Siehe auch bei Kater, a.a.O., S. 205, der sich auf Broszat, Martin: Nationalsozialistische Konzentrationslager 1933–1945, in: Anatomie des SS-Staates, Bd. 2, Olten 1965, S. 86 bezieht.
[73] Siehe hierzu das Rundschreiben der BPP an die Bezirkspolizeibehörden vom 21. 3. 1936, gemäß dem eine gleichzeitige Haft beider Elternteile zu vermeiden war, »um die Kinder vor schweren seelischen Schäden . . . zu bewahren«, in: IfZ, Fa 119/2.
[74] Entschädigungsfälle in: StAM, Staatsanwaltschaft 9184.
[75] Beispielsweise im Falle der Eheleute Meilinger. Amtsgericht Augsburg an Staatsanwaltschaft OLG (7. 4. 1938), in: StAM, Staatsanwaltschaft 8308; vgl. auch Zipfel, a.a.O., S. 190f. und Kater, a.a.O., S. 200f.
[76] StAM, Staatsanwaltschaft 9184, Gestapo Augsburg an Staatsanwaltschaft OLG (22. 5. 1937) und Todesmeldung. – Der Fall Wörle findet sich in leicht entstellter Form bei Zürcher, Franz: Kreuzzug gegen das Christentum. Zürich 1938, S. 174. Offenbar kam er Schweizer Bibelforschern durch Augsburger Gesinnungsgenossen zur Kenntnis.

Eisendreher Willibald Lenk, seit September 1936 in Haft, am 8. September 1940 in Dachau[77].

III. Soziale Herkunft und politische Affinitäten der Bibelforscher

Bei den Augsburger Bibelforschern, die am Widerstandskampf beteiligt waren, fällt sofort der hohe Anteil von Frauen ins Auge. Frauen nahmen zwar auch in parteipolitisch ausgerichteten Gruppierungen durchaus aktivistische Rollen ein, die Bibelforscher liefern jedoch bereits unter quantitativem Aspekt den Hinweis auf die wesentlich stärkeren Möglichkeiten einer Glaubensgemeinschaft, das Engagement weiblicher Personen zu wecken.

Unter insgesamt 67 Bibelforschern, die von 1933 bis 1937 nachweisbar festgenommen oder gerichtlich verfolgt wurden, befanden sich 34 Frauen. Da zunächst durchwegs Männer von längeren Haftstrafen oder Lageraufenthalten betroffen waren, nahmen Frauen zunehmend leitende Positionen ein. Sie stellten auch einen beachtlichen Anteil unter den mehrfach verhafteten und bestraften Wiederholungstätern. Interessant ist, daß der Anteil der Männer an den gefahrlosen Aktivitäten der Aufbaujahre der IBV in Augsburg weit stärker war.

Hierbei darf nicht übersehen werden, daß die Zirkel der Glaubensgeschwister nicht nur aufgrund religiöser Solidarität, sondern auch vielfältiger verwandtschaftlicher Bindungen quasi familiären Charakter trugen. So waren zahlreiche Ehepaare gemeinsam in Verfahren verwickelt, Schwestern warben jeweils in eigengegründeten Familien – was vereinzelt sogar zur Trennung vom Ehepartner und zur Entfremdung gegenüber den Kindern führte.

Die überwiegende Mehrheit der Bibelforscher lebte jedoch in gesicherten Bindungen. So waren von 31 Männern, deren Personenstand ermittelt werden konnte, 26 verheiratet, zwei verwitwet und nur drei ledig. Unter 37 Frauen, für die entsprechende Angaben vorliegen, fanden sich 26 Verheiratete und sechs Witwen. Drei waren geschieden, zwei weitere ledig geblieben[78].

Der Altersaufbau der Bibelforscher:

Jahrgang	Männer (insgesamt 39)	Frauen (insgesamt 39)
1870 und älter	–	2
1871–1880	4	6
1881–1890	11	12
1891–1900	11	9
1901–1910	13	8
1911–1920	–	2

---

[77] Vermerke im Personenstandsregister des Stadtarchivs Augsburg.
[78] Der Anteil der alleinstehenden Frauen war aber eigentlich höher, zumal bei den Personen, die sich nicht aktiv an der Weiterführung der Gemeinschaft beteiligten und in erster Linie nur Schriften bezogen.

Die etwas ausgeglichenere Altersstruktur der Frauen scheint zweierlei anzudeuten: Bei einem Großteil der Männer hatten leidvolle Erfahrungen der Kriegs- und Nachkriegszeit Voraussetzungen für die spätere Betätigung als Bibelforscher geschaffen. Bereits unter den in den 1920er Jahren aktiven Bibelforschern ist ein starker Überhang der Kriegsjahrgänge festzustellen.

Ohne die Wirkung derartiger Erfahrungen bei Frauen verneinen zu dürfen, sollte bei Motiven weiblicher Bibelforscher eine Akzentverschiebung in Richtung auf persönliche, von Zeitläufen unabhängige Problematiken, etwa Resignation und Vereinsamung durch den Alterungsprozeß, in Betracht gezogen werden.

Die von Zipfel angeführte Kinderarmut in Berliner Bibelforscher-Ehen[79] läßt sich für Augsburg allerdings nicht nachweisen: Das Verhältnis von Ehen mit Kindern und unfruchtbaren Bindungen betrug etwa 5:1. Elternteile, die sich zu dieser Lehre bekannten, hatten im Durchschnitt 2,8 leibliche Nachkommen, wobei zu berücksichtigen ist, daß ein Teil der beteiligten Ehepaare erst kurzfristig verheiratet war.

Der Mangel an sehr jungen Leuten, also von 1911 und später Geborenen, weist auf die personelle Abschnürung der Gruppe nach 1933 hin. Von dem Nachwachsen einer ersten Generation von in reinen Bibelforscher-Ehen Geborenen abgesehen, pflegte die erste Betätigung in dieser Richtung in reiferem Alter zu erfolgen. Die illegale Werbung nach 1933 scheint bei Jugendlichen keinen Anklang gefunden zu haben[80].

Bei Betrachtung des sozialen Umfelds der Gruppe ist zunächst auf die Verteilung der Bibelforscher innerhalb des Stadtgebiets zu verweisen. Von jenen Adressen ausgehend, die polizeibekannt wurden und somit analysiert werden konnten, hatten Lechhausen und Pfersee zahlenmäßig die meisten Bibelforscher aufzuweisen. Die größte wohnsitzmäßige Verdichtung hatte Lechhausen-Süd in dem von Neuburger-, Blücher-, Schack-, Kultur- und Radetzkystraße begrenzten Areal, während dieser Stadtteil in den 1920er Jahren im Gegensatz zur Wertachvorstadt keine auffällige Rolle gespielt hatte. Zirkel fanden sich weiter im südlich der Ulmerstraße gelegenen Teil der Vorstadt links der Wertach, in Kriegshaber und im Nordteil der Altstadt. Die Sozialstruktur der Gruppe, der 1925 Anhänger »aus allen Schichten« angehört[81] und deren Bild Selbständige, angestellte Handwerker und Facharbeiter gekennzeichnet hatten, war aufgrund von Mitgliederveränderungen während der Wirtschaftskrise nach 1933 deutlich in Richtung Arbeiterschaft verändert. Bei einer Berechnungsbasis von 45 Berufsangaben von Männern sind 17 als ungelernte Arbeiter anzusprechen. Neun sind als Facharbeiter, sieben als Handwerker einzustufen. Unter diesen Handwerkern befand sich kein Meister. Die Mehrzahl von ihnen dürfte unselbständig und zwar in subsidiären Tätigkeiten, beschäftigt gewesen sein. Die Angestellten setzten sich aus Handlungsgehilfen und Vertretern zusammen[82].

---

[79] Zipfel, a.a.O., S. 177ff.
[80] Die beiden in der Aufstellung aufgeführten, nach 1911 geborenen Frauen waren in Familien aufgewachsen, wo beide Elternteile bzw. die Mutter sich für die Bibelforscherei betätigten.
[81] StdA, 49/484, Übersicht zur Organisation der IBV Augsburg des Stadtpolizeiamtes Augsburg vom 30. 4. 1925.
[82] Als Selbständige sind außer Friedrich Schöner nur ein Uhren- und Bilderhändler sowie ein Lebensmittelhändler, der aber wohl nur Teilhaber in einem von der Familie betriebenen Geschäft war, zu betrachten.

Unter den Frauen (49 Angaben) dominiert mit 40 Einzelnennungen die nichtberufstätige Hausfrau, für die allerdings eine frühere Erwerbstätigkeit, die mit der Verehelichung aufgegeben wurde, charakteristisch war. Nur drei sind eindeutig als Fabrikarbeiterinnen, und zwar in der Textilindustrie, zu identifizieren.

Hingegen übten einige Ehemänner von Bibelforscherinnen, die selbst nicht oder nur am Rande an der Glaubensgemeinschaft interessiert waren, qualifiziertere Berufe, so als Techniker, Vorarbeiter oder Reichsbahnbeamte, aus.

Vorherrschend war jedoch einfache, ja eher ärmliche Lebenshaltung. In die Gruppe der Selbständigen ist nur ein Ehepaar, das eine kleine Seifenherstellung mit entsprechendem Vertrieb innehatte, einzureihen. 1936 betrug das durchschnittliche Monatseinkommen der Bibelforscherfamilien rund hundert RM netto. Eine Reihe von ihnen war noch damals auf Arbeitslosen- und Wohlfahrtsunterstützung angewiesen.

Konzentrationen von Bibelforschern in einzelnen Betrieben sind nicht festzustellen. Sie arbeiteten verstreut in der MAN, bei Renk, in Textilfabriken, so in Pfersee, bei Haindl oder einigen Baufirmen. Einzelne Vorfälle geben allerdings über die Situation der Bibelforscher am Arbeitsplatz Aufschluß. So wurde ein Ehepaar von der Spinnerei und Weberei Haunstetten fristlos entlassen, nachdem es sich geweigert hatte, im Betrieb an der Feier der DAF zum 1. Mai 1935 teilzunehmen[83].

In der Brauerei Riegele entfaltete der später abgeurteilte Paul Kramer 1934/35 eine rege Werbetätigkeit zugunsten seiner Glaubensgemeinschaft. Mehrfach vom Betriebsobmann verwarnt, aber jahrelang von Betriebsleitung und Belegschaft mit einer Art gutmütiger Ironie toleriert, wurden Kramer und ein von ihm geworbener Brauereiarbeiter nach ihrer in anderem Zusammenhange erfolgten Festnahme im Februar 1936 entlassen[84].

Die geographische Herkunft der Bibelforscher zeigt gegenüber der Gesamtbevölkerung einen Überhang an zugewanderten Elementen, vor allem zugunsten eines höheren Anteils an Zuwanderern aus außerschwäbischen Gebieten Bayerns. Insbesondere Lechhausen mit seinem von Haus aus starken altbayerischen Einschlag wies relativ viele Bibelforscher aus Oberbayern und der Region um Neuburg/Donau und Eichstätt auf[85]. Eine Reihe von Glaubensgenossen stammte aus dem Ries[86].

Entsprechend ihrer Herkunft aus vorwiegend kleineren Gemeinden waren die meisten Zuwanderer in Familien geboren, die ihren Lebensunterhalt durch Tätigkeit in Landwirtschaft und ländlichem Handwerk bestritten hatten. Der Aspekt der Unangepaßtheit an großstädtische Strukturen bei einem Teil der Bibelforscher, der nach Verlust der heimischen Umgebung nicht angestammte Berufe ergriffen hatte, darf nicht übersehen werden.

---

[83] StAM, Staatsanwaltschaft 8297, Gendarmerie-Station Haunstetten an PDA (25. 6. 1936).
[84] Hinweise hierzu in: StAM, Staatsanwaltschaft 8308. – Übrigens kommt auch Zipfel, a.a.O., S. 177ff., zur Zuordnung der überwiegenden Mehrheit der Berliner Bibelforscher zu einkommensschwachen Berufsgattungen. Vergleichsweise hoch ist in Berlin der Anteil der berufstätigen Frauen (35,3%).
[85] Hier sind die Verbindungen zwischen Lechhausen und dem Donaumoos im Bereich Obermaxfeld bemerkenswert. In diesem Notstandsgebiet fanden religiöse Bestrebungen außerhalb der Amtskirchen immer einen Nährboden.
[86] Vor dem Kirchenaustritt waren etwa ¾ der Bibelforscher katholisch, ¼ protestantisch gewesen.

Die Organisation kirchlicher Seelsorge hatte das stürmische Wachstum der Stadt zwischen 1870 und 1900 nur mühsam verdauen können. Die Anonymität der neuen Wohnquartiere behinderte die Befriedigung religiöser Bedürfnisse im Rahmen der Amtskirchen, die zunächst hilflos auf das Auftreten neuer Bevölkerungsgruppen reagierten, denen der Zuzug vom Lande eher soziale Deklassierung eingebracht hatte[87]. Somit ist die Bibelforscherei in den Großstädten laizistischen Strömungen in den sozialen Schichten, die die Industrialisierung getragen hatten, in Arbeiter- und Angestelltenschaft, gleichzuordnen.

Soweit sich Kontakte von Bibelforschern zu politischen Gruppierungen feststellen lassen, weisen diese bevorzugt in die Richtung der ehemaligen Linksparteien. Diese Beziehungen wurden teilweise durch gemeinsames soziales Milieu und Wohnnachbarschaft begünstigt. Der von der Politischen Polizei erhobene Vorwurf[88] einer Unterwanderung der Bibelforscher durch Sozialdemokraten und Kommunisten ist zumindest für Augsburg in dieser Pauschalität haltlos. Dennoch sind einige Beobachtungen zu registrieren, die als symbiotisches Zusammenleben von Bibelforschern und Kommunisten oder auch als punktuelle Kooperation zu werten sind.

Die bei zahlreichen Haussuchungen bei Münchener Kommunisten und Sozialdemokraten 1935 vorgefundenen Bibelforscherschriften[89] lassen für Augsburg auf ein ähnliches Interesse dieses Abnehmerkreises schließen, was durch einen Polizeibericht aus dem Jahre 1926 bestätigt wird[90]. Im gleichen Bericht ist die Äußerung eines führenden Augsburger Kommunisten überliefert, »daß ihnen die Bibelforscher als ›Mittel zum Zweck‹ im Kampfe gegen die staatserhaltenden Religionsgemeinschaften eine willkommene Unterstützung seien«[91].

Die *Schwäbische Volkszeitung* ergriff 1926 angesichts polizeilicher Maßnahmen gegen die IBV-Werbung für die Bibelforscher Partei und druckte deren Protestresolution gegen »verfassungswidrige Bekämpfung religiöser Minderheiten« vollinhaltlich ab[92]. Bekannt ist, daß die Ehefrau des altgedienten SPD-Kommunalpolitikers und Gewerkschaftsfunktionärs Anton Nöthlich im Umland Augsburgs IBV-Broschüren verkaufte.

Die städtischen Wohnbaracken an der Baumgartnerstraße, gleich den Behausungen an Schertlin- und Lindauerstraße Asyl für verarmte, oft kinderreiche Familien, aber auch zahlreicher asozialer Elemente, galten politisch als Hochburg des Kommunismus. Gleichzeitig betätigten sich eine ganze Reihe dort wohnender Frauen für das Bibelforschertum. Als 1937 ein Zirkel ehemaliger Parteigänger der KPD, der sich ursprünglich in den Baumgartnerbaracken zusammengefunden hatte, von der Polizei gesprengt und wegen Gemeinschaftsempfangs des Moskauer Rundfunks angezeigt wurde, stellte sich heraus, daß die Ehefrau des Wohnungsinhabers, bei dem die Zusammenkünfte stattfan-

---

[87] Siehe hierzu Fischer, Ilse: Industrialisierung, sozialer Konflikt und politische Willensbildung in der Stadtgemeinde. Augsburg 1977, S. 104f.
[88] Siehe den Wortlaut der Entschließung des preußischen Innenministers zur Auflösung der IBV vom 24. 6. 1933; abgedruckt bei Zürcher, a.a.O., S. 75ff.; vgl. auch IfZ, Fa 119/2, Gestapo-Leitstelle München an Gestapo-Stellen (22. 5. 1937).
[89] Siehe StAM, Staatsanwaltschaft 7403, 7473, 7522, 7550, 7582, 7893, 8799, 8836.
[90] StdA, 49.484, Übersicht Stadtpolizeiamt Augsburg zur Organisation der IBV Augsburg vom 12. 2. 1926.
[91] Ebenda.
[92] Schwäbische Volkszeitung vom 30. 1., 27. 2. und 5. 6. 1926.

den, eine Bibelforscherin, nicht nur ihren Mann, sondern auch einige von dessen Genossen beeinflußt und mit anderen Bibelforschern in Verbindung gebracht hatte. So waren über diesen Kreis Einzelheiten über die Mißhandlung eines Bibelforschers durch die Polizei verbreitet worden[93].

Im Februar 1936 wurde der Hilfsarbeiter Max Lell, der schon im April 1933 als Angehöriger des Antifaschistischen Kampfbundes kurzfristig verhaftet worden war, bei dem Versuch ertappt, dem inhaftierten Georg Halder im »Katzenstadel« Schriften der IBV zuzustecken[94]. Bei Bibelforschern, die sich in der Vergangenheit politisch betätigt hatten, ist eine Präferenz für die Sozialdemokratie festzustellen[95]. Unter all jenen, die ausschließlich wegen Betätigung für die IBV verfolgt wurden, hatte jedoch nur Stefan Gais einem politischen Verband, und zwar dem Reichsbanner, angehört[96].

Einen weiteren Hinweis für Neigungen einzelner Sozialdemokraten, sich in außerkirchlichen Glaubensgemeinschaften zu engagieren, liefert die Tätigkeit eines »Naturheilkundigen« aus Pfersee, der, ehemals SPD-Mitglied, seit 1934 eine vorwiegend weibliche Anhängerschaft um sich sammelte, sich als Christus ausgab und »Krieg und Wunder« prophezeite[97]. Bereits im Oktober 1934 war die Polizeidirektion gegen diese Gruppe, die sich arbeitsscheu in den Vororten herumtreibe, »überlanges Haar« und »unter der Kleidung kein Hemd« trage und bei jeder Witterung barfuß einhergehe, eingeschritten. Sie nahm den Führer der »Jünger Christi« oder der »Heiligen der letzten Tage« in Schutzhaft[98]. Nachdem auch eine neuerliche, von April bis Dezember 1936 während Inhaftierung wegen »staatsfeindlicher Verhetzung« seiner Anhänger den Sektengründer nicht von weiterer Betätigung abgehalten hatte, wurde er am 10. Februar 1938 erneut verhaftet. Die Gruppe, die vor allem in der Wertachvorstadt und in Kriegshaber einigen Zulauf gehabt, aber auch in und um Starnberg einzelne Anhänger gefunden hatte[99], wurde aufgelöst und verboten, von einigen Gläubigen freilich auch dann weitergeführt, als ihr Mentor vom städtischen Gesundheitsamt für geisteskrank erklärt und in die Nervenheilanstalt Kaufbeuren eingewiesen worden war, wo er bis Juni 1945 verblieb[100].

Abschließend wäre auf Beziehungen zwischen Bibelforschertum und Nationalsozialismus hinzuweisen. Katers Feststellung[101], die Ursache für die »Todfeindschaft« zwischen dem NS-Regime und den Bibelforschern habe »in der strukturellen Ähnlichkeit der beiden Ideologien« gelegen, trifft wesentliche Sachverhalte, bleibt aber im Hinweis auf den autoritären Inhalt beider Ordnungsmodelle, also des Führerstaates und der Theokratievorstellungen der Bibelforscher, stecken.

---

[93] Hinweise hierzu in: StAM, Staatsanwaltschaft 8638, Verfahren gegen Eduard Reichart u. a.
[94] StAM, Staatsanwaltschaft 8297, PDA an Staatsanwaltschaft LG Augsburg (12. 3. 1936).
[95] StAM, Staatsanwaltschaft 9586, Gestapo Ausgburg an Staatsanwaltschaft OLG (14. 6. 1940) und Vernehmungsprotokoll Karl Looß sowie StAM, Staatsanwaltschaft 13 622, Gestapo Augsburg an Ermittlungsrichter Amtsgericht Augsburg (21. 10. 1943).
[96] StAM, Staatsanwaltschaft 11 608, Verfahren gegen Friedrich Schöner u. a.
[97] BayHStA, MA 106 682, Monatsbericht des Regierungspräsidenten vom Februar 1938.
[98] Ebenda, Monatsbericht des Regierungspräsidenten vom Oktober 1934.
[99] StAM, LRA 28 293, Gestapo-Leitstelle an Bezirksamt Starnberg (27. 6. 1938).
[100] Siehe Spezialakt, StdA 36/124.
[101] Kater, a.a.O., S. 187.

Wichtig wäre der Bezug auf gemeinsame Wurzeln in illiberalen, auch kulturkritischen und selbst lebensreformerischen[102] Denkströmungen der unmittelbaren Nachkriegszeit – auf Bibelforscherversammlungen herrschte strenges Rauchverbot –, somit auch auf die geistige Erschütterung durch den Weltkrieg, dessen Ausbruch in der Eschatologie der Bibelforscher[103] als eine entscheidende Schwelle der Menschheitsentwicklung gewertet wurde.

Die NSDAP nahm lange vor der Machtergreifung bereits gegen das sich ausbreitende Bibelforschertum Stellung[104]. Vergegenwärtigt man sich andererseits die Tendenzen zu religiösem Sektierertum in der frühen völkischen Bewegung, so wird man unter Zugrundelegung einer beiderseitigen magischen Weltschau gewisse Ähnlichkeiten zwischen den Prophetien des »Dritten Reiches« und denen des »Goldenen Zeitalters« erkennen.

Das Bibelforschertum stellte sich nun als eine von einem ausländischen Zentrum mit nicht unerheblichen finanziellen und propagandistischen Möglichkeiten gelenkte Organisation dar. Hier war die Feindschaft der Nationalsozialisten vorgegeben. Die angebliche Neutralität der IBV-Anhänger in politischen Auseinandersetzungen[105] war selbst als Fiktion nicht mehr aufrechtzuerhalten, sobald sie Zwängen eines anderen Absolutheitsanspruches ausgesetzt wurden. So nahm die Zentrale in Brooklyn frühzeitig gegen die europäischen Faschismen, während des Spanischen Bürgerkrieges dann auch für die Republik Stellung[106]. Gleichzeitig wurden Vorwürfe, kommunistenfreundlich oder Verfechter »jüdischer« Interessen zu sein, zurückgewiesen[107].

Auch in Augsburg verweisen einige Beispiele auf die zwiespältige Situation der Glaubensgemeinschaft in einer Zeit, die radikale Lösungsmodelle für Probleme begünstigte. So trat ein Werkmeister im städtischen Schlachthof, 1922 einer der ersten Bibelforscher und 1925 als Kassier einer der »Ältesten«, im Sommer 1927 in die NSDAP ein und wurde nach 1933 seiner Verdienste als »alter Kämpfer« wegen bevorzugt befördert[108]. Einige Hinweise zeigen, daß der *Stürmer* in Bibelforscherkreisen als Lektüre geschätzt wurde[109]. Die Kinder einiger Bibelforscher stießen mit Duldung der Eltern frühzeitig zur Stamm-HJ. Der später abgeurteilte Georg Seiler stellte 1934/35 sein Büro den Lechhausener Jungvolk- und BdM-Gliederungen, die sich in diesem Viertel nur mühsam durchzusetzen vermochten, als Geschäftszimmer zur Verfügung[110].

---

[102] Bezeichnend hierfür der Einfluß von Naturheilkundigen in Augsburger Bibelforscherkreisen vor 1933. Zur Tarnung von Zirkeln als »Heilinstitute für Chiropraktik und Osteopathie« siehe Kater, a.a.O., S. 212.
[103] Danach zerfällt der »Heilsplan Gottes« in drei Abschnitte: 1. Die Zeit von der Erschaffung der Erde bis zur Sintflut, 2. Das sog. Tausendjährige Reich (!) von 1914 bis 2914, das nach dem patriarchalischen und jüdischen Zeitalter das Ende des christlichen Zeitalters bedeutet, 3. Die Zeit nach Harmagedon.
[104] Siehe hierzu das Schreiben Kardinal Faulhabers an die bayerischen Bischöfe vom 6. 12. 1930, in: Volk, Ludwig (Hrsg.): Akten Kardinal Michael von Faulhaber 1917–1945, Bd. I, Mainz 1975, S. 514f.
[105] Zur politischen »Neutralität« der Bibelforscher siehe Kater, a.a.O., S. 187f.
[106] Zürcher, a.a.O., S. 44ff.
[107] Ebenda, S. 59ff.
[108] Amtsblatt Stadt Augsburg vom 10. 3. 1934.
[109] Hinweise in den Vernehmungsprotokollen der Gestapo Augsburg in den Akten StAM, Staatsanwaltschaft 9547, 13 622.
[110] Zeugnis der NSDAP-Ortsgruppe Lechhausen für Seiler vom 26. 8. 1936 und Schreiben Seilers an Staatsanwaltschaft OLG vom 3. 9. 1936, in: StAM, Staatsanwaltschaft 8297.

IV. Die Verfolgungen während der Kriegsjahre

Nach den Verhaftungswellen von 1936/37 trat die Tätigkeit der Bibelforscher, von vereinzelten Verhaftungen und Urteilen abgesehen[111], in der Aufmerksamkeit der Behörden für mehrere Jahre in den Hintergrund. Kriegsausbruch und Kriegsverlauf setzten für Verfolger wie Verfolgte zunächst neue Prioritäten. Erhalten blieb ein zusammengeschmolzener Stamm von Anhängern, der unter sich Verbindung hielt und, so in Lechhausen, im Norden der Altstadt, in der Wertachvorstadt, in Pfersee und, durch Zuwanderung aus alten städtischen Quartieren, in der Bärenkeller-Siedlung, in kleinen Zirkeln zu Andacht und Bibellektüre zusammentraf. Diesen Unentwegten, überwiegend Frauen, fehlte der Kontakt zu einer überlokalen Organisation, die seinerzeit die Öffentlichkeitsaktionen ermöglicht hatte. Die Polizeieinsätze vom Herbst 1936 und Frühjahr 1937 hatten die Fäden zwischen den Resten der bayerischen Bibelforschergruppen weitgehend abreißen lassen.

Einzelne Fälle von Aktivitäten überzeugter Bibelforscher werfen allerdings ein Schlaglicht auf die Haltung dieser Glaubensgemeinschaft zu Forderungen, die der kriegführende Staat an die Bevölkerung richtete.

Im Juni 1940 verurteilte das Sondergericht München den Maschinenschlosser Anton Haberl, der von Januar 1936 bis Dezember 1938 wegen Verbindungen zu Lechhausener Bibelforschern und eigener Werbetätigkeit in Dachau eingesessen hatte[112], zu 21 Monaten Zuchthaus, nachdem er seit Kriegsbeginn englische Sender gehört, Bedauern über das Mißlingen des Attentats im Bürgerbräu-Keller geäußert und bekundet hatte, er bete täglich für den Erfolg der englischen Waffen[113].

Die Ablehnung des Wehrdienstes, mit die wichtigste Ursache für die Bibelforscherverfolgung seit 1935, mußte seit September 1939 in Verfahren gegen Anhänger dieser Lehre besonders schwer ins Gewicht fallen. Wehrpflichtige Bibelforscher wurden denn auch regelmäßig nach ihrer Einstellung zur Landesverteidigung befragt.

Der Gelegenheitsarbeiter Anton Baumeister, beschuldigt, 1939/40 teilweise mit Erfolg im Armenmilieu einer Barackensiedlung an der Oberen Jakobermauer unter Frauen für die Bibelforscherei geworben zu haben, gab vor der Gestapo zu Protokoll, er kenne die Regierung nicht an und werde keiner Einberufung Folge leisten, »... weil ... ungerechte Forderungen an die Menschheit bzw. an die Bibelforscher gestellt werden und ich hierbei gezwungen wäre, meinen Mitmenschen das Leben abzusprechen«[114].

Baumeister, laut Zeugenaussagen ein echter »Nachfolger Christi«, und der Lumpensammler Karl Rauschmann wurden im Juni 1940 vom Sondergericht zu zehn Monaten

---

[111] BayHStA, MA 106 686, Monatsberichte PDA vom November 1937 und Juli 1938 sowie BayHStA, MA 106 683, Monatsbericht des Regierungspräsidenten vom Februar 1939.
[112] Bayerische Gerichtszeitung vom 18. 4. 1936 und Gestapo-Vernehmungsprotokoll Anton Haberl (8. 1. 1940), in: StAM, Staatsanwaltschaft 9547.
[113] StAM, Staatsanwaltschaft 9547, Urteil Sondergericht gegen Anton Haberl vom 28. 6. 1940.
[114] StAM, Staatsanwaltschaft 9849, Gestapo-Vernehmungsprotokoll Anton Baumeister (7. 5. 1940).

bzw. sechs Wochen Gefängnis verurteilt[115], Baumeister zudem nach Strafverbüßung einem Konzentrationslager überstellt[116].

Georg Halder wurde im Dezember 1941 nach fast sechs Jahren Gefängnis und Konzentrationslager entlassen. Er schloß die Augsburger Bibelforscher wieder enger zusammen. Im Frühjahr 1942 richtete er eine neue Kasse für die in Lagern einsitzenden Glaubensgeschwister ein. Diese erhielten seitdem regelmäßig Geldbeträge überwiesen[117].

Im November und Dezember 1942 organisierte Halder eine umfangreiche Sammlung von Lebensmitteln, Lebensmittelmarken und Geld, an der in Augsburg mindestens 30 Personen mittel- oder unmittelbar beteiligt waren. In Halders Wohnung in der Theresienstraße wurde hierfür ein Lager eingerichtet. Inhaftierte Bibelforscher erhielten Weihnachtspakete[118].

1942 wurden mindestens 300, möglicherweise aber bis zu 1000 RM gesammelt, eine gewaltige Summe, hält man sich die bescheidenen Lebensverhältnisse der meisten Spender vor Augen. Dieses Geld diente der Unterstützung von Angehörigen verhafteter und verstorbener Glaubensgenossen.

Zudem ist denkbar, daß Gelder nach auswärts abgegeben wurden[119], denn Halders Tätigkeit beschränkte sich nicht auf Solidaritätsaktionen. Er nahm im Frühjahr 1942 Kontakt zu den Eheleuten Ludwig und Maria Stauffer in München[120] auf, die ihn mit aus dem Auslande, sicher der Schweiz, eingeschmuggelten, zum Teil wohl auch in München vervielfältigten Schriften versorgten[121]. Halder machte die *Wachtturm*-Mitteilungsblätter und Broschüren wie »Füllet die Erde« und »Das Gedächtnismahl« über Unterverteiler seiner Gruppe zugänglich. Die Schriften wurden nach der Lektüre an Halder zurückgegeben[122].

Gleichzeitig übernahm Halder die Funktion eines »Zonendieners« der IBV, dem die Betreuung Schwabens, West-Württembergs und Ingolstadts oblag. So kontaktierte Halder erwiesenermaßen Bibelforscher in Tailfingen/Württemberg, bei Ichenhausen[123] und in Ingolstadt[124]. Er sammelte hierbei Namen ermordeter, verurteilter und inhaftierter Glaubensgenossen, um sie ausländischen IBV-Sektionen über München zugänglich zu machen[125]. Halder gab nach Jahren erzwungener Isolation Schriften weiter und nahm Spenden entgegen.

---

[115] StAM, Staatsanwaltschaft 9849, Urteil Sondergericht gegen Anton Baumeister und Karl Rauschmann vom 28. 6. 1940.
[116] Baumeister wurde im Konzentrationslager von Augsburger Bibelforschern mit Geld und Lebensmitteln versorgt, obwohl er an sich nicht zur IBV gehörte.
[117] Neben Baumeister wurden die Eheleute Meilinger, Konrad Rampp, Walburga Harlacher und Rosina Luckas betreut.
[118] OLG, OJs 72/43, Anklageschrift Generalstaatsanwalt OLG gegen Georg Halder u. a. vom 29. 11. 1943.
[119] Ebenda, Urteil OLG gegen Georg Halder u. a. vom 18. 2. 1944.
[120] Zu den Eheleuten Stauffer siehe StAM, Staatsanwaltschaft 8460.
[121] Siehe auch das begleitende Verfahren gegen Johann Hutterer u. a. in OLG, OJs 70/43.
[122] OLG, OJs 72/43, Anklageschrift Generalstaatsanwalt OLG gegen Georg Halder u. a. vom 29. 11. 1943.
[123] In das Verfahren war auch der Schneider Wilhelm Lippl, 1935/36 Bezirksdiener für den Bereich Günzburg, Lauingen und Neu-Ulm verwickelt. Zu den Bibelforschern im westlichen Schwaben siehe StAM, Staatsanwaltschaft 8552, 9125.
[124] Die Kontaktpersonen in Ingolstadt blieben offenbar unentdeckt.
[125] Wohl zu einem Buch, das ähnlich wie Zürchers »Kreuzzug gegen das Christentum« die Drangsalierung der Bibelforscher im Reich darstellen sollte.

Unter den verteilten Schriften befanden sich siebenteilige »Biblische Betrachtungen – Prophezeiungen Daniels«, die auf der Basis umfangreicher Auslegung des Alten Testaments auf aktuelle politische Fragen, wie den Krieg und die nationalsozialistische Regierungsform, eingingen. In diesen Druckschriften wurde der Weltkrieg als ein Kampf zwischen einem »König des Nordens« – gemeint waren die Achsenmächte – und einem »König des Südens« – die Alliierten – angesehen, in dem der »König des Nordens«, ein »Tor«, zu »ewiger Vernichtung verurteilt« sei. Zwar wurde festgestellt: »An dem Streite zwischen dem König des Nordens und dem König des Südens wird hier nicht teilgenommen. Wir sind völlig neutral, weil wir für die Demokratie sind. . . .«(!)[126], gleichzeitig aber der Einmarsch der Wehrmacht in Polen als »Raub und Vernichtung« gebrandmarkt und von den »totalitären grausamen Kriegen, die von den Nazi und Faschisten gegen die Demokratien geführt werden . . .« gesprochen. Die Kritik am Nationalsozialismus beinhaltete mit Behauptungen wie, Hitler, ein »Sprößling Satans«, sei vom Papste abhängig, die Diktatoren seien »Hampelmänner der Hierarchie« und die Gestapo arbeite im Auftrage der Katholischen Aktion sowie mit der Ablehnung des »nazi-faschistisch-kanonistischen Rechtssystems« auch die bekannte anti-katholische Polemik. Aussagen, wie das Winterhilfswerk sei »getarnte Kriegsfinanzierung« oder

». . . der König des Nordens [hat] großen materiellen Wohlstand dazu gebraucht, Zerstörungswerkzeuge statt Nahrung für das hungrige Volk zu beschaffen. Die herrschenden Mächte haben aus dem Volke Gold, Silber, Edelsteine und anderen materiellen Reichtum herausgesogen und dem wehrlosen Volke Steuerlasten aufgebürdet . . .«[127],

knüpften in biblischer Sprache an in der Bevölkerung weitverbreitete Gedankengänge an.

Inwieweit diese Agitation aus einer direkten Verbindung der New Yorker IBV-Zentrale zu Verantwortlichen der amerikanischen Kriegspropaganda resultierte, mag dahingestellt bleiben. Immerhin waren die Bibelforscher bereits 1917/18 in den Verdacht geraten, durch Angriffe gegen Wehrdienst und Kriegsanleihen den Feinden unmittelbar dienstbar zu sein[128].

In den letzten Januartagen 1943 gelang es der Gestapo, die Münchener und Augsburger Organisation aufzurollen. Genauere Umstände sind nicht zu rekonstruieren. Bei Durchsuchung von Halders Wohnung fiel mit mehreren Exemplaren der erwähnten Schriften das Hauptbelastungsmaterial in die Hände der Polizei.

Halder wie auch die meisten anderen Festgenommenen versuchten durch standhafte Verschwiegenheit, Gesinnungsgenossen zu decken. So blieben etliche Bibelforscher in Augsburg, Ingolstadt und Ichenhausen dem Zugriff der Polizei entzogen.

Ermittlungen in Augsburg brachten 20 Bibelforscher vor das Oberlandesgericht München. Nach fast einjähriger Verfahrensdauer wurden am 18. und 23. Februar 1944 die Urteile gefällt.

---

[126] Auszüge aus den Texten im Urteil OLG gegen Georg Halder u. a. vom 18. 2. 1944, in: OLG, OJ 72/43. – Zur Rolle des Bildes von den beiden Königen in anderen Bibelforscherprozessen siehe Zipfel, a.a.O., S. 179.
[127] Ebenda. Siehe auch Zitate in Anklageschrift Generalstaatsanwalt OLG gegen Georg Halder u. a. vom 29. 11. 1943.
[128] StdA, 49/484, MInn an Distriktspolizeibehörden (28. 11. 1917 bzw. 8. 5. 1918).

Halder, »ein ersichtlich aufgeweckter, geistig regsamer, im Leben durchaus gewandter und brauchbarer Mensch«[129], der, gleichzeitig als Bibelforscher »völlig unbelehrbar«, Schuld habe, »daß eine große Zahl anderer Personen in Augsburg wieder auf die verbotene Bahn kam«, wurde wegen eines fortgesetzten Verbrechens der Wehrkraftzersetzung[130] zum Tode verurteilt.

Friederike Halder, Anna Herrmann, Regina Angerer, Barbara Thanner, Viktoria Speiser, Karolina Schmitt, Georg Brixle, Elisabeth Muth, Paul Kramer, Rosina Hockenmaier, Frieda Asten, Emilie Rupp, Therese Jaufmann, Maria Waibl, Thekla Edelmann, Anna Rößner, Georg Merz, Sofie Leis und Margarete Sendlinger erhielten insgesamt 18 Jahre Zuchthaus und 13 Jahre und vier Monate Gefängnis[131].

Diese Urteile signalisieren die Brutalisierung des NS-Regimes, das mit Hilfe des Straftatbestandes der Wehrkraftzersetzung auf oppositionelle Tätigkeit anwortete. Die Strafzumessung wurde auf den Kreis der Bibelforscher abgestellt:

»Ganz allgemein ist ... zu sagen, daß bei allen Angeklagten die Anwendung einer gewissen Strenge unabweislich ist. Bibelforscher sind, wie gerichtsbekannt, von bemerkenswerter Hartnäckigkeit. Nur Strafen von fühlbarer Strenge vermögen auf sie einen Eindruck zu machen«[132].

Auch die für die meisten Angeklagten nicht ungünstig lautenden Beurteilungen der NSDAP-Kreisleitung, Fronteinsatz, Verwundung oder Soldatentod von Söhnen und Männern vermochten nur bedingt Milderungen der Urteile zu erwirken.

Halder wurde am 4. April 1944 in München-Stadelheim hingerichtet[133]. Paul Kramer, nach Strafverbüßung der Gestapo überstellt, starb am 18. Februar 1945 in Dachau[134].

Mit der Zerschlagung der Gruppe um Halder erlischt die nachweisbare Widerstandstätigkeit der Bibelforscher in Augsburg, auch wenn davon auszugehen ist, daß die verbleibenden Anhänger bis April 1945 weiterhin Verbindungen pflegten[135].

Jene Großaktion der Gestapoleitstelle München im Frühjahr 1944, bei der bis 21. April im Dienstbereich, vor allem im mittelfränkisch-württembergischen Grenzgebiet, nicht weniger als 254 Bibelforscher, darunter der Verbindungsmann zwischen dem Bibelhaus Bern und den deutschen Bezirken oder Zonen, festgenommen wurden, scheint Augsburg nicht mehr tangiert zu haben[136].

---

[129] OLG, CJs 72/43, Urteil OLG gegen Georg Halder u. a. vom 18. 2. 1944.
[130] § 5 Absatz 1, Ziffer 1 der Kriegssonderstrafverordnung besagt: »Wegen Zersetzung der Wehrkraft wird mit dem Tode bestraft: 1. Wer öffentlich dazu auffordert oder anreizt, die Erfüllung der Dienstpflicht in der deutschen oder einer verbündeten Wehrmacht zu verweigern, oder sonst öffentlich den Willen ... zur wehrhaften Selbstbehauptung zu lähmen oder zu zersetzen sucht ....«. RGBl. 1939 I, S. 1455.
[131] OLG, OJs 72/43, Urteile OLG gegen Georg Halder u. a. vom 18. und 23. 2. 1944.
[132] Ebenda.
[133] Der Fall Halder ist von besonderer Tragik, da zwei Töchter und zwei Schwiegersöhne fast gleichzeitig bei einem Fliegerangriff auf Augsburg ums Leben kamen.
[134] Vermerk im Personenstandsregister des Stadtarchivs Augsburg.
[135] Siehe den in StAM, Staatsanwaltschaft 13 622 enthaltenen Fall.
[136] IfZ, MA 442/2, RSHA an Reichskanzlei – Meldung wichtiger staatspolizeilicher Ereignisse (21. 4. 1944).

HILDEBRAND TROLL

Aktionen zur Kriegsbeendigung im Frühjahr 1945

Vorbemerkung zur Quellenlage

Über Protestaktionen und Sabotageakte gegen die Kriegsverlängerung im April 1945 sowie die Gegenmaßnahmen der Machthaber existieren kaum amtliche Aufzeichnungen. Die Auflösungserscheinungen in Staat, Partei und Wehrmacht ließen eine geordnete Aktenführung in diesen Wochen kaum noch zu. Wir sind somit auf Quellen angewiesen, die retrospektiv angelegt wurden. Eine wichtige Gruppe stellt unter ihnen das Erinnerungsschrifttum der an den Vorgängen beteiligten Personen oder von Zeugen der Geschehnisse dar. Ihre Aussagen sind inzwischen auch nicht selten in das ortsgeschichtliche Schrifttum eingegangen.

Im Auftrag der Bayerischen Staatskanzlei sammelte nach dem Zweiten Weltkrieg der damalige Oberregierungsrat im Staatsministerium für Unterricht und Kultus, Alois Braun, Zeugenaussagen über die Aktionen bayerischer Widerstandsgruppen. Braun war als ehemaliger Kommandeur der Panzerersatzabteilung 17 selbst maßgeblich am Aufstand der Freiheitsaktion Bayern (FAB) am 28. April 1945 beteiligt gewesen. Ein Aufruf mit der Bitte um Einsendung entsprechender Berichte war in der *Süddeutschen Zeitung* vom 26. Februar 1946 erschienen. Die Sammlung erhielt die Bezeichnung »Archiv der bayerischen Widerstandsbewegungen« und befindet sich heute im Institut für Zeitgeschichte in München in der Bestandsgruppe Zeugenschrifttum. Das in ihm enthaltene Material geht oft sehr ins örtliche und persönliche Detail, ist daher auch meist anschaulich dargestellt, läßt sich jedoch nicht ohne jenen Vorbehalt verwerten, der Schrifttum dieser Art gegenüber immer geboten erscheint. Es ist vielfach nicht frei von dem Bestreben, die eigene Aktion in vergrößernder Perspektive zu betrachten; manche der Berichte sind in ihrem Aussagewert auch nicht kontrollierbar, da sie nicht durch parallele Zeugenaussagen gestützt werden. Trotz dieser Einschränkungen bieten sie wertvolles Quellenmaterial für den Widerstand der letzten Kriegswochen. Regional gesehen beschränkt es sich auf den oberbayerischen Raum, was mit dem damaligen Verbreitungsgebiet der *Süddeutschen Zeitung* zusammenhängen dürfte.

Einen weiteren wichtigen Quellenbereich stellen die nach dem Zusammenbruch des Dritten Reiches durchgeführten Strafverfahren zur Ahndung nationalsozialistischer

Gewalttaten dar, unter denen die in der Endphase des Krieges begangenen Delikte eine wesentliche Gruppe bilden. Urteile solcher Strafverfahren sind veröffentlicht in: Justiz und NS-Verbrechen. Sammlung deutscher Strafurteile wegen nationalsozialistischer Tötungsverbrechen, 21 Bde., Amsterdam 1968-1979. Die Gerichte waren natürlich bestrebt, aus den oft widersprüchlichen Aussagen der Täter und der Zeugen ein eindeutiges Bild vom Ablauf der Geschehnisse und den Tatmotiven zu gewinnen. Die Angeklagten gingen auch vielfach in die Berufung, so daß sich oft mehrere Instanzen mit ein und demselben Fall befassen mußten. Was die Ermittlung des Sachverhalts betrifft, ist diesen Strafurteilen daher der Vorzug zu geben vor dem im »Archiv der bayerischen Widerstandsbewegungen« und anderswo niedergelegten Zeugenschrifttum oder gar der Memoirenliteratur, der naturgemäß der Charakter des Subjektiven anhaften muß.

I. Der allgemeine Hintergrund

Nach dem Erfolg der alliierten Invasion in Nordfrankreich und dem Scheitern der deutschen Ardennenoffensive Ende des Jahres 1944 griffen die Kampfhandlungen auch bald auf das Reichsgebiet über. Am 26. März 1945 erreichten amerikanische Verbände den Main bei Hanau und Aschaffenburg. Damit begann die Besetzung Bayerns durch die III. und VII. US-Armee und die I. französische Armee. Am 11. April fiel Würzburg, am 20. Nürnberg, drei Tage später erreichten die Amerikaner die Donau bei Regensburg. Am 30. April wurde München eingenommen.

Die Operationen der Wehrmacht beschränkten sich auf hinhaltende Rückzugsgefechte. Soweit ihrer Strategie noch ein Konzept zugrundelag, war es das der Zeitgewinnung. Die politische und die von ihr immer abhängiger werdende militärische Führung nährte auch jetzt noch bei Soldaten und Zivilisten die Hoffnung auf die große Wende des Krieges, eingeleitet durch ein Auseinanderbrechen des Bündnisses zwischen Sowjets und Westalliierten. Die Koalition der deutschen Kriegsgegner war zwar durch mannigfache Streitpunkte belastet, die Annahme, darüber könnte die Anti-Hitler-Allianz zerfallen, blieb jedoch reine Spekulation und rechtfertigte nicht die von der Partei verkündeten Durchhalteparolen und die drakonischen Maßnahmen gegen wachsende Auflösungserscheinungen innerhalb der Truppe.

Demgegenüber war ein sofortiger Waffenstillstand der Wunsch breiter Bevölkerungsschichten. Die NS-Propaganda verlor zunehmend an Wirksamkeit. Man maß ihre optimistische Darstellung der Kriegssituation an dem Bild von der Lage, das man nunmehr, da der Feind im Lande stand, aus unmittelbarer Anschauung gewinnen konnte. Man beobachtete die Rückwärtsbewegung der eigenen Truppen und das unaufhaltsame Vorrücken des Gegners, man erkannte dessen gewaltige Überlegenheit, der gegenüber alle in letzter Minute und meist überstürzt getroffenen Verteidigungsmaßnahmen zur Wirkungslosigkeit verurteilt waren. Stundenlanger Aufenthalt in den Luftschutzkellern bei Tag und bei Nacht und die sich mehrenden Tieffliegerangriffe veranschaulichten die totale Beherrschung des Luftraums durch die Alliierten. Kampfkraft und Kampfmoral der eigenen Truppe sanken immer mehr; dies war an den versprengten Verbänden erkenntlich, die erschöpft und oft unbewaffnet durch die Ortschaften zurückfluteten.

Zu dem ideologisch motivierten Widerstand, der die gesamte Zeit des Nationalsozialismus hindurch vorhanden war und bald mehr, bald weniger stark in Erscheinung trat, kam daher in den letzten Monaten und Wochen des Krieges in zunehmendem Maße ein andersartiges Widerstandsdenken. Zugrunde lag ihm die Überzeugung, daß der militärische Zusammenbruch unvermeidlich und weitere Anstrengungen und Opfer, die verlangt wurden, daher nutzlos seien. Dieser neuartige Widerstand war stark bezogen auf die jeweilige militärische Situation in einem engbegrenzten Raum. Man versuchte Maßnahmen zur Verteidigung von Ortschaften zu sabotieren, Brückensprengungen zu verhindern, Straßensperren abzubauen, die örtlichen Befehlshaber umzustimmen, die anrückenden feindlichen Truppen kampflos in die Orte zu lotsen.

Der Widerstand gegen die Kriegsverlängerung fand in den letzten Wochen vor dem Zusammenbruch wachsende Zustimmung, wenn sich auch aufs Ganze gesehen nur ein verhältnismäßig kleiner Teil der Bevölkerung aktiv an ihm beteiligte. Denn der Wunsch, angesichts der als sicher erkannten Niederlage nichts mehr aufs Spiel zu setzen, konnte in durchaus gegensätzlichen Verhaltensweisen zum Ausdruck kommen und sowohl zur Aktivität wie zur Inaktivität verleiten. Im ersten Fall sah man die besten Überlebenschancen darin, das Kriegsende zu beschleunigen, Verteidigungsmaßnahmen zu sabotieren und mit dem anrückenden Feind frühzeitig Kontakte aufzunehmen, um eine störungsfreie Übergabe der Ortschaften zu ermöglichen. Im anderen Fall führte derselbe Wunsch zu überleben dazu, kein Risiko mehr einzugehen und dem sich verstärkenden Terror auszuweichen. Daß es in den letzten Kriegswochen zu keiner allgemeinen Erhebung kam, die Gegnerschaft sich vielmehr in Einzelaktionen erschöpfte, hat eine seiner Ursachen sicher auch in den Gewaltmaßnahmen, die das sterbende Regime anwandte, um seinen Untergang zu verzögern. Man wollte in dieser Endphase des Krieges sein Leben nicht mehr aufs Spiel setzen. Eine Verordnung des Reichsjustizministers vom 15. Februar 1945 sah die Errichtung von Standgerichten in »feindbedrohten Verteidigungsbezirken« vor. In ihrer Präambel hieß es:

»Die Härte des Ringens um den Bestand des Reiches erfordert von jedem Deutschen Kampfentschlossenheit und Hingabe bis zum Äußersten. Wer versucht, sich seinen Pflichten gegenüber der Allgemeinheit zu entziehen, insbesondere, wer dies aus Feigheit oder Eigennutz tut, muß sofort mit der notwendigen Härte zur Rechenschaft gezogen werden...«[1].

Als die Auflösungserscheinungen innerhalb der an allen Fronten zurückweichenden Wehrmacht wuchsen, sind als Instrumente der Abschreckung die sogenannten Fliegenden Standgerichte eingesetzt worden. Unter ihnen ist das des Generalmajors Rudolf Hübner besonders hervorgetreten, der uns bei der Schilderung der letzten Tage der NS-Herrschaft in München noch begegnen wird.

---

[1] RGBl. 1945, I, S. 30.

Eine spezifische Erscheinung der letzten Kriegsmonate war der Einsatz des deutschen Volkssturms[2]. Er wurde in der Öffentlichkeit allgemein als das gewertet, was er war: das letzte militärische Aufgebot des Dritten Reiches. Zum Volkssturm wurden durch Erlaß Hitlers vom 25. September 1944[3] »alle waffenfähigen Männer im Alter von 16 bis 60 Jahren« einberufen. Als Aufgabe war ihm zugedacht, die Kräfte der Wehrmacht zu stärken und dort, wo der Feind den deutschen Boden betreten will, einen »unerbittlichen Kampf zu führen«. Aufstellung und Führung des Volkssturms waren den Gauleitern anvertraut. Organisation, Ausbildung, Bewaffnung und Ausrüstung lagen in den Händen des Reichsführers-SS, ebenso der Kampfeinsatz. Die Ausführungsbestimmungen verlangten von den Gauleitern, für Fragen des Volkssturms einen Stellvertreter zu ernennen, der ein »gläubiger, fanatischer und darum entschlossener Nationalsozialist« sein sollte. Die Führung der Verbände war »fronterfahrenen Politischen Leitern, Gliederungsangehörigen, Polizeioffizieren oder sonstigen Volksgenossen« anzuvertrauen, die sich durch »Treue zum Führer, Standhaftigkeit und soldatisches Können« auszeichneten.

Organisation und Einsatz des Volkssturms waren somit der Partei übertragen. Dies schuf von vornherein Konfliktsituationen mit Gegnern des Nationalsozialismus. Man hatte von der dem Volkssturmgedanken innewohnenden Idee der Verteidigung der engeren Heimat, von Haus, Hof und Arbeitsstätte auch eine Stärkung der Kampfmoral erwartet. Mit dem germanischen Großraumgedanken war angesichts der immer enger werdenden Operationsfelder ja kaum noch Eindruck zu erwecken. Und doch löste der Appell an die Heimatliebe vielfach eine gegenteilige Wirkung aus. Die vielerorts gerade in den letzten Wochen bestehende Nähe zwischen Einsatzort und Wohnsitz beim Volkssturm verleitete zum raschen Absinken der Verteidigungsbereitschaft. Die Vorstellung, daß man durch die Verteidigung zu guter Letzt noch den eigenen Besitz, der bisher verschont geblieben war, gefährde, schwächte eher die Einsatzfreude. Die Überlegenheit des Gegners, das Schwinden der eigenen Kräfte, das unaufhaltsame Vordringen des Feindes auf deutschem Boden, die Erfahrung mangelhafter Bewaffnung und unzureichender Ausbildung taten ein übriges, um in den Einheiten des Volkssturms den Widerstandswillen zum Erliegen zu bringen. Besonders war dies der Fall bei den älteren Jahrgängen, die man nunmehr zu den Waffen rief und die – weniger begeisterungsfähig als die jüngeren – skeptische Vergleiche zwischen der augenblicklichen Lage und ihren Erfahrungen aus dem Ersten Weltkrieg zogen.

Daß es zwischen den regimetreuen Einheitsführern und besonders »defaitistischen« Volkssturmmännern zu Konfrontationen kommen mußte, blieb nicht aus. Das Defizit an Einsatzfähigkeit und Einsatzwillen führte bisweilen zu geradezu tragikomischen Situationen. In einem Erfahrungsbericht aus dem Raum Wilhermsdorf (LK Fürth) heißt es:

»Ich war noch nie Soldat, hatte also von nichts eine Ahnung, und in Neustadt wollte man mir bei der ›Einkleidung‹ einen SA-Mantel geben, sowie eine Arbeitsdienstuniform. Den Mantel nahm ich nicht, mit der Begründung, daß er mir zu weit sei. In Wirklichkeit gefielen mir vor allem die vielen

---

[2] Vgl. Kissel, Hans: Der deutsche Volkssturm 1944/45. Eine territoriale Miliz im Rahmen der Landesverteidigung. Frankfurt/M. 1962.
[3] RGBl. 1944, I, S. 253.

Parteiabzeichen auf diesem nicht. Ich selbst war kein Parteigenosse. Dann gaben sie mir einen anderen Mantel vom Arbeitsdienst; dieser war mir zu eng. Ich nahm ihn aber trotzdem und schnitt sämtliche Knöpfe ab. Dafür bekam ich beim ersten Antreten einen Rüffel. Ein Bekannter, der ebenfalls dabei war, nähte dann die Knöpfe an und zwar an den äußersten Rand, sonst wäre der Mantel nicht zugegangen. Wenn ich die Luft anhielt, konnte ich dann den Mantel sogar zumachen. Nach drei Stunden Unterricht durch einen Ritterkreuzträger waren wir ›einsatzbereit‹, und zwar für den Einsatz mit der Panzerfaust. Unser Zug war 23 Mann stark und wir bekamen überdies für diese 23 Mann sogar 12 Gewehre. Ich hatte keines und riß mich auch nicht danach, ich verstand sowieso nichts davon.«[4].

II. Lokale Aktionen bis zum 28. April 1945

Aber nicht immer war der Widerstand so getarnt und der Ausgang so glimpflich verlaufen. In Neuhof a. d. Zenn (LK Neustadt a. d. Aisch) erhielt der Volkssturm Anfang April den Auftrag, Langholz in den Ort zu schaffen und Löcher für die Panzersperren zu graben. Als Befehl erging, am oberen und unteren Tor die Panzersperren einzubauen, verweigerte die Mehrzahl der Volkssturmmänner den Gehorsam. Auf dem Marktplatz kam es zu offener Meuterei. In der Nacht vom 6. auf 7. April zersägten Frauen die für die Panzersperren vorgesehenen Stämme und verwendeten sie als Brennholz. Aber schon in den Morgenstunden war die Polizei aus dem benachbarten Dietenhofen zur Stelle und nahm Hausdurchsuchungen vor. Tags darauf mußte der Volkssturm neues Holz für die Panzersperren herbeischaffen. Gegen Abend besetzten Polizei und SS die Ortsausgänge und errichteten Galgen zur Abschreckung. Die Bevölkerung wurde auf dem Marktplatz zusammengerufen. Es herrschte Angst und Aufregung. Aus der Ferne war bereits der Geschützdonner der Front zu vernehmen. Ein junger SS-Offizier hielt eine Rede, in der er ausführte, einige »ehrvergessene Subjekte und Schweinehunde« wären der Wehrmacht in den Rücken gefallen, sie müßten nun den Tod der Schande sterben. Acht Volkssturmmänner wurden verhaftet. Ebenfalls festgenommen wurden der Bürgermeister und sogar der Ortsgruppenleiter der NSDAP, letztere allerdings nach einigen Stunden wieder auf freien Fuß gesetzt. Drei Tage später brachte man die Verhafteten und die restlichen Volkssturmmänner – insgesamt 28 – ins Polizeigefängnis nach Nürnberg. Georg Freund, einer der ihren, wurde als Rädelsführer abgesondert und zum Tod verurteilt. Daß das Urteil nicht mehr vollstreckt wurde, verdankte er einzig und allein den inzwischen in Nürnberg eingerückten Amerikanern. Die übrigen Häftlinge mußten, paarweise aneinander gefesselt, den Marsch ins KL Dachau antreten. Am 25. April wurden auch sie von amerikanischen Truppen eingeholt und befreit[5].

---
[4] Richert, Theodor Georg: Die letzten Tage des Zweiten Weltkrieges im Gebiete des Schulverbandes Wilhermsdorf. Manuskript o. J., im Institut für Fränkische Landesforschung der Philosophischen Fakultät an der Universität Erlangen-Nürnberg.
[5] Spiwoks, Erich und Hans Stöber: Endkampf zwischen Mosel und Inn. XIII. SS-Armeekorps. Osnabrück 1976, S. 266ff.

Um einen weiteren Fall von Gehorsamsverweigerung beim Volkssturm handelte es sich bei dem Gärtnermeister Johann Rößler aus Rothenburg o. T. Rößler war Jahrgang 1894; er wurde im Ersten Weltkrieg am Fuß verwundet, war daraufhin schon damals nicht mehr fronteinsatzfähig und bezog eine Versehrtenrente. Er galt als Gegner des Nationalsozialismus, der seine ablehnende Haltung in einer oft recht derben Ausdrucksweise kundtat. Er litt die Wintermonate über regelmäßig an offenen Füßen und stand deshalb in ärztlicher Behandlung. Wegen dieser Behinderung hielt man ihn beim Volkssturm für nicht einsatzfähig. Sein Kompanieführer bekam jedoch von der Kreisleitung der NSDAP die sarkastische Bemerkung zu hören, er könne alle Volkssturmmänner zu Hause lassen, nur nicht den Rößler, der als politisch unzuverlässig galt. Als seine Einheit bei Frankfurt a. d. Oder gegen die Sowjets in den Einsatz kam, entfernte sich Rößler ostentativ von der Truppe. Am 12. Februar tauchte er wieder in Rothenburg o. T. auf, begab sich in ambulante Lazarettbehandlung und ging, als ob nichts geschehen wäre, seiner gewohnten Beschäftigung nach. Vom Volkssturmbataillon erhielt die Kreisleitung Rothenburg o. T. die Mitteilung, Rößler habe sich ohne Erlaubnis von der Truppe entfernt. Der Reichsverteidigungskommissar Gauleiter Holz in Nürnberg leitete daraufhin ein Standgerichtsverfahren ein, das Rößler wegen Fahnenflucht und »Feigheit vor dem Feind« zum Tod verurteilte. Das Urteil wurde am 7. April durch Erschießen auf dem Friedhof in Rothenburg o. T. vollstreckt[6].

Im Vordergrund aller Aktionen gegen die Kriegsverlängerung stand der Wunsch, angesichts der Auflösungserscheinungen des Dritten Reiches Leben und Eigentum nicht mehr in Gefahr zu bringen. Man war daher bestrebt, alles zu hintertreiben, was der lokalen Verteidigung dienen sollte. Solche Sabotagehandlungen mußten keiner grundsätzlichen Ablehnung des Nationalsozialismus entspringen. Aber auch so waren sie für die Akteure gefährlich genug, verlangten ein hohes Maß an Mut und brachten sie oft genug in Lebensgefahr.

Besonders denkwürdig ist in diesem Zusammenhang eine Massendemonstration in Bad Windsheim, die als »Weibersturm von Windsheim« bekannt wurde. Die Stadt lag im Vorfeld einer neu gebildeten Hauptkampflinie, amerikanische Einheiten befanden sich von Westen kommend bereits im Anmarsch, als am 12. April Major Günther Reinbrecht mit seinem Stab eintraf, und am Marktplatz im Erdgeschoß des Rathauses seinen Gefechtsstand einrichtete. Er hatte den Auftrag, mit seiner Kampfgruppe einen Brückenkopf zu bilden und die Stadt für die zurückweichenden Teile seiner Division so lange offenzuhalten, bis diese auf den Höhen südlich der Aisch neue Stellungen bezogen hätten. Reinbrecht leitete unverzüglich Maßnahmen zur Verteidigung Windsheims ein, übernahm das Kommando über Volkssturm und Hitlerjugend und schickte Vorposten auf die Ausfallstraßen. Alle Stadtausgänge wurden verbarrikadiert, das Straßenpflaster stellenweise aufgerissen und Häuser gekennzeichnet, in denen Panzervernichtungstrupps Stellung beziehen sollten. Der Bevölkerung bemächtigte sich große Unruhe. Eine rege Fliegertätigkeit und die von der Stadt aus erkennbaren Brände der umliegenden Ortschaften trugen dazu bei, die Panikstimmung noch zu steigern.

---

[6] Justiz und NS-Verbrechen. Sammlung deutscher Strafurteile wegen nationalsozialistischer Tötungsverbrechen 1945–1966, Bd. 13, bearbeitet von C. F. Rüter, Irene Sagel-Grande und H. H. Fuchs. Amsterdam 1975, S. 364ff.

Am Nachmittag dieses 12. April unterhielt sich eine Gruppe von Frauen auf der Straße über die Möglichkeiten, noch in letzter Minute das Verhängnis von Windsheim abzuwenden. Sie baten den gerade des Wegs kommenden Landwirtschaftsleiter Sammler um Rat. Dieser meinte, das wirksamste Mittel wäre wohl, die Frauen würden in Begleitung ihrer Kinder beim Ortsgruppenleiter vorstellig werden und ihn bestürmen, er möge dafür sorgen, daß die Wehrmacht aus Windsheim abziehe. Der Vorschlag fand den Beifall der besorgten Frauen und Mütter. Dabei mag eine Rolle gespielt haben, daß es bereits einige Tage zuvor der Frau eines Windsheimer Fabrikanten, Christine Schmotzer, gelungen war, den Kreisleiter der NSDAP zu überreden, die Entfernung von Panzersperren zu gestatten. Die Frauen kamen überein, sich um 18.00 Uhr auf dem Marktplatz zu treffen, um anschließend den Ortsgruppenleiter aufzusuchen. Die Kunde von der beabsichtigten Zusammenkunft ging wie ein Lauffeuer von Mund zu Mund, und wie es bei solcher Gelegenheit nicht selten geschieht, tauchten Gerüchte auf, deren Inhalt mit dem Vorhaben der Frauen nicht mehr übereinstimmte. Es hieß, ein Major der Waffen-SS und der geschäftsführende Bürgermeister und Führer des Volkssturms von Windsheim würden zur Versammlung sprechen, andere wollten auch wissen, das Fabrikantenehepaar Schmotzer werde das Wort ergreifen. Es strömten daher immer mehr Menschen auf dem Marktplatz zusammen. Gegen 18.00 Uhr schätzte man etwa 200–300 Personen. Es waren größtenteils Frauen und Kinder, die herumstanden, ohne genau zu wissen, was nun eigentlich geschehen sollte. Schließlich begab sich eine Abordnung in den Gefechtsstand. Sie wandte sich an Major Reinbrecht mit der Bitte, die Stadt nicht zu verteidigen. Dieser wies die Frauen entrüstet zurück und drohte ihnen mit Erschießen, falls sie den Raum nicht sofort verließen. Darauf zog die Gruppe wieder ab. Die Versammlung auf dem Marktplatz löste sich jedoch nicht auf. Sie begann zu lärmen. Reinbrecht erschien im Torbogen des Rathauses und begann in einer Ansprache an die Menge seine Haltung zu rechtfertigen. Er gab zu verstehen, es sei ihm nicht erlaubt, ohne Befehl die Stadt zu räumen und forderte die Leute auf, nach Hause zu gehen. Ein Teil entfernte sich auch tatsächlich, die Zurückgebliebenen waren jedoch um so entschlossener, dem Major das Versprechen abzuverlangen, Windsheim nicht zu verteidigen. Sie brachten dies in erregten Szenen immer wieder zum Ausdruck. Eine Gruppe drang erneut in den Gefechtsstand ein, schrie und drohte gegen Reinbrecht tätlich zu werden. Versuche, die Eindringlinge zu beruhigen, schlugen fehl. Reinbrecht befahl daher dem Feldwebel Otto Angel, ihm die Frauen vom Halse zu schaffen und die erregte Menge auf dem Marktplatz zu beruhigen. Er hoffte, Angel, der Ritterkreuzträger war und aus Windsheim stammte, werde sich bei seinen Landsleuten Autorität verschaffen. Angel suchte seiner Aufgabe dadurch gerecht zu werden, daß er zu verstehen gab, die Stadt müsse zwar in Verteidigungszustand versetzt werden, dies bedeute aber noch nicht, daß sie auch tatsächlich verteidigt werde. Durch diese Ausflüchte wurde die Menge noch aufgebrachter. Man beschimpfte Angel, man drohte ihm das Ritterkreuz vom Waffenrock zu reißen, man wurde auch gegen seine Frau tätlich, die auf dem Platz erschienen war. Dadurch geriet Angel derart in Wut, daß er seine Pistole zog und ankündigte jeden auf der Stelle niederzuschießen, der es wage, seine Frau anzugreifen. Einige Demonstranten zogen ihn vom Wagen herab, von dem aus er sprach, und hinderten ihn an der Fortsetzung seiner Rede. Während dieser Szenen war der stellvertretende Bürgermeister und Führer des Volkssturms erschienen. Auch er ergriff das Wort und warb um Verständnis für Windsheims Verteidigung. Man wolle doch schließlich den Krieg gewinnen, da könne man nicht jede Stadt dem Feind kampflos überlassen. Die Leute sollten nun nach Hause gehen und die Luftschutzkeller aufsuchen. Die Menge antwortete mit Pfuirufen und wich nicht von der Stelle. Da versuchte es Reinbrecht mit einer List. Er rief: »Tiefflieger kommen« und hatte damit Erfolg. Die Demonstranten zerstreuten sich. In der Stadt trat wieder Ruhe ein.

Reinbrecht war gewillt, die Rädelsführerinnen zur Verantwortung zu ziehen. Eine der Frauen – sie hatte gegen den Ritterkreuzträger Angel eine beleidigende Äußerung gemacht – ließ er am nächsten Morgen zum Gefechtsstand bringen. Zwischen zwei Soldaten mit aufgepflanztem Seitengewehr stellte er sie 1½ Stunden unter dem Torbogen des Rathauses zur Schau. Er gab Befehl, die Frau auf der Stelle zu erschießen, falls sie einen Fluchtversuch unternehme, ließ zwei Friseusinnen kommen und verlangte, der an den Pranger Gestellten die Haare abzuschneiden. Diese hatten jedoch den Mut, das Ansinnen zurückzuweisen.

Auf ungeklärte Weise bekam die Gestapo in Nürnberg Kenntnis von der Frauendemonstration in Windsheim. Der SS-Untersturmbannführer Schmid erhielt am 13. April den Befehl, mit einem anderen Gestapo-Mann, der nie identifiziert werden konnte, in den Abendstunden nach Windsheim zu fahren, sich von Major Reinbrecht die Namen der Rädelsführerinnen geben zu lassen, diese zu erschießen und durch Einwurf von Handgranaten ihre Wohnungen zu verwüsten. Die Beiden meldeten sich bei Reinbrecht und erfuhren dort die Namen der Frauen, die sich bei dem Aufruhr besonders hervorgetan hätten. An erster Stelle wurde Frau Christine Schmotzer genannt. Die Anschuldigung war, wie sich später herausstellte, nicht gerechtfertigt. Frau Schmotzer hatte sich zwar ebenfalls gegen die Verteidigung Windsheims ausgesprochen und auch eine Zeitlang an der Demonstration des Vortages teilgenommen, war dabei aber nicht besonders in Erscheinung getreten. Sie war wohl als die Urheberin des Aufruhrs ins Gespräch gekommen, da sie und ihr Mann schon früher der NSDAP und Gestapo unangenehm aufgefallen waren. Beim Schmotzerschen Anwesen angekommen, sprangen Schmid und sein Begleiter aus dem Wagen, gingen auf den Hof, wo sich das Ehepaar Schmotzer gerade mit anderen Leuten unterhielt. Schmid fragte den ihm unbekannten Schmotzer, wo Frau Schmotzer sich befinde. Dieser zeigte auf seine Frau. Was jetzt folgte, geschah in Blitzeseile. Schmid hielt der Frau ihre Beteiligung an der Demonstration vor und zog seine Pistole. Als die Frau die Waffe erblickte, versuchte sie zu entfliehen, da gab er aus nächster Nähe einen Schuß auf sie ab, der sie ins Genick traf und zu Boden streckte. Von seinem Begleiter aufmerksam gemacht, daß die Frau noch lebe, schoß er ihr ins linke Auge und die Mundhöhle. Auf die Leiche wurde ein mitgebrachtes Pappschild gelegt, auf dem zu lesen war: »Eine Verräterin wurde gerichtet«. Herr Schmotzer hatte während des Hergangs eine verzweifelte Anstrengung unternommen, Schmid zurückzuhalten, wurde von diesem aber mit den Worten abgewiesen: »Sind Sie ruhig, sonst schieße ich Sie auch nieder!« Schmid und sein Begleiter bestiegen wieder ihren Wagen und fuhren im Eiltempo von dannen. Sie gingen noch in die Wohnungen von zwei Frauen, die ihnen ebenfalls als Rädelsführerinnen genannt worden waren.

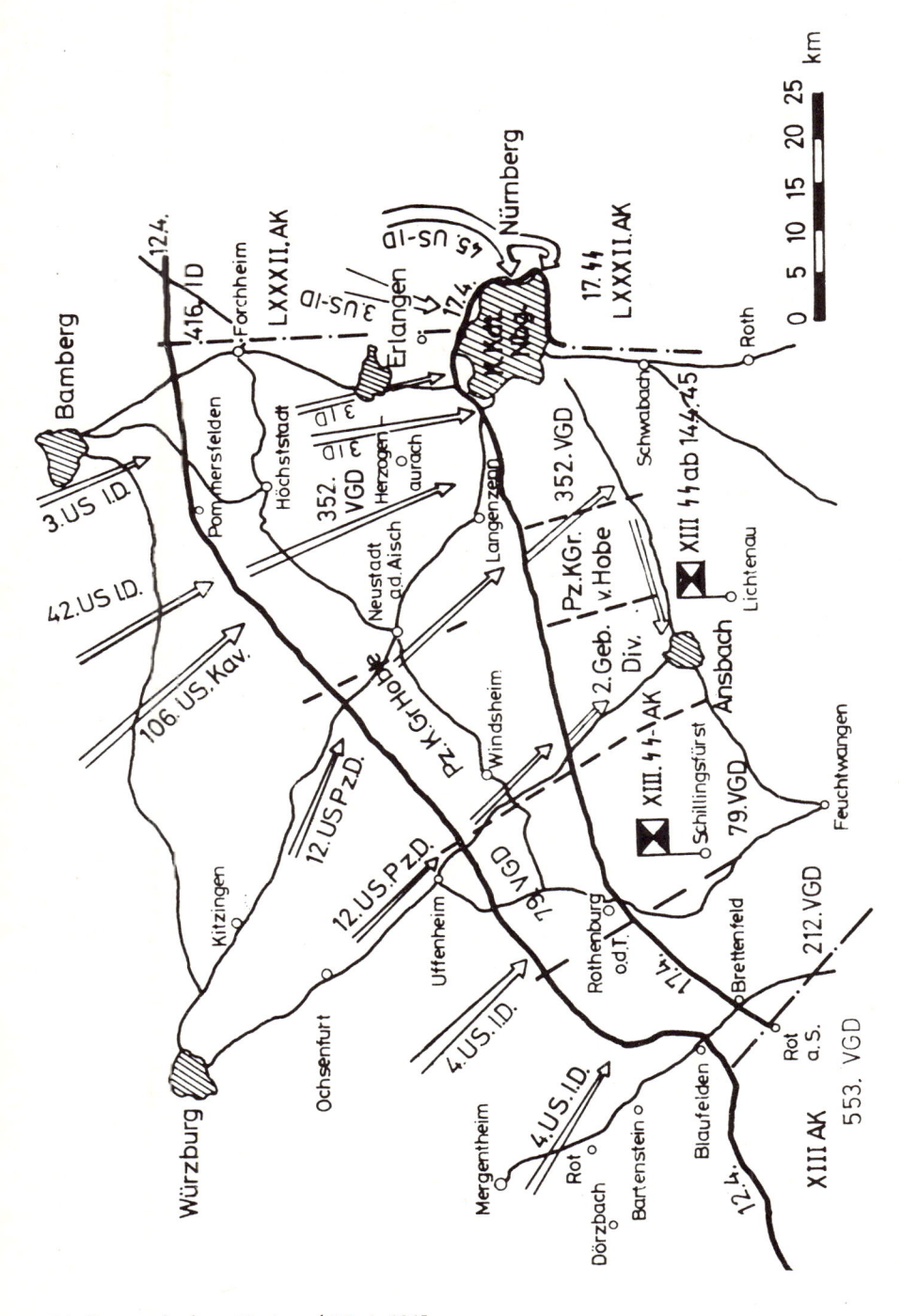

71. Frontverlauf am 12. 4. und 17. 4. 1945.

Entgegen ihrem ursprünglichen Auftrag drohten sie ihnen aber nur mit dem Schicksal, das sie der Frau Schmotzer bereitet hatten[7].

Frauendemonstrationen ähnlicher Art fanden in diesen Tagen in Franken auch anderweitig statt, so am 6. April in Cadolzburg (LK Fürth) und am 13. April in Merkendorf (LK Ansbach); in beiden Fällen versuchten die örtlichen Instanzen mit Erfolg, die Kundgebungen gegenüber der Gestapo, die eingreifen wollte, in ihrer Bedeutung zu verharmlosen[8].

Am 6. April kam es auch in der Stadt Gerolzhofen zu einem solchen Aufruhr. Auf Veranlassung der Hauptlehrerin Josefine Schmitt versammelten sich Frauen und Männer auf dem Marktplatz, um für eine kampflose Kapitulation zu demonstrieren. Dabei wurde ein unbeliebter Funktionär der NSDAP tätlich angegriffen. Der stellvertretende Kreisleiter von Kitzingen forderte die Polizei auf, von der Schußwaffe Gebrauch zu machen, was jedoch unterblieb. Felix Raab und Karl Eich wurden verhaftet, als sie auf dem Rathaus die weiße Fahne hissen wollten; sie konnten aber beide entkommen. Raab durch das Fenster mittels eines Heuseils, das ihm der unten vorbeigehende Brauereibesitzer Tröster hinaufgeworfen hatte. Es kam zu einer Reihe von Verhaftungen. Am 8. April wurden durch ein Standgericht Josefine Schmitt, Felix Raab und Karl Eich in Abwesenheit zum Tode verurteilt[9].

Schon am Nachmittag des 1. April war es in Aub (LK Ochsenfurt) zu einer Kundgebung von Frauen gekommen, die gegen die Anwesenheit des Stadtkommandanten Major Rath und seines Stabes demonstrierten. Die Frauen schrien Rath und seinen Leuten zu: »Verschwindet oder wir brennen Euch das Haus über dem Kopf ab!« Rath verhängte daraufhin über alle Zivilisten eine Ausgangssperre. Der Amerikaner stand damals bereits 7 km nördlich von Aub[10].

Zu den Vorgängen in Bad Windsheim am 23. April hatte, was Motiv und äußeren Verlauf anbelangt, eine Massendemonstration in Regensburg deutliche Parallelen. An diesem Tag waren feindliche Panzerspitzen bis an die Donau westlich von Regensburg herangekommen, nachdem die Amerikaner bereits am Tag zuvor bei Dillingen den Fluß überquert und einen Brückenkopf gebildet hatten. Dennoch träumte man deutscherseits von der Möglichkeit der Wiederherstellung einer geschlossenen Front entlang der Donau. Ludwig Ruckdeschel, Reichsverteidigungskommissar und Gauleiter in Bayreuth, forderte dementsprechend auf einer Großkundgebung am 22. April die Verteidigung Regensburgs bis zum äußersten, was unter der Bevölkerung Furcht und Entsetzen auslöste. Um den Willen der Bevölkerung auf kampflose Übergabe der Stadt so deutlich wie möglich zu artikulieren, plante man für den 23. April abends 18.00 Uhr eine Gegenkundgebung auf dem Moltkeplatz. Wohl um eine möglichst rege Teilnahme zu erreichen, war das Gerücht ausgestreut worden, die Versammlung sei genehmigt. Auch

---

[7] Staatsanwaltschaft Nürnberg-Fürth, Strafsache Reinbrecht u. a., KLs 152/48; Justiz und NS-Verbrechen, Bd. 3, bearbeitet von Adelheid L. Rüter-Ehlermann und C. F. Rüter. Amsterdam 1969, S. 173ff.; Spiwoks und Stöber, a.a.O., S. 258.

[8] Staatsanwaltschaft Nürnberg-Fürth, Strafsache Reinbrecht u. a., KLs 152/48.

[9] Schneider, Peter: Gerolzhofen. Feststadt im Frankenland. Gerolzhofen 1957, S. 60ff.

[10] Justiz und NS-Verbrechen, Bd. 5, bearbeitet von Adelheid L. Rüter-Ehlermann und C. F. Rüter. Amsterdam 1970, S. 571f., 579.

hieß es, auf der Kundgebung würden sich ein SS-General, der Stadtschulrat sowie der Leiter eines Regensburger Krankenhauses für kampflose Übergabe einsetzen. Als die angekündigten Redner nicht erschienen, wurde die 800–1000 Menschen zählende Versammlung ungeduldig. In Sprechchören forderte sie die Übergabe der Stadt. Schließlich zog sie vor die Kreisleitung der NSDAP. Der Kreisleiter ließ Luftalarm geben und hoffte auf diese Weise die Menschen zu zerstreuen, was jedoch nicht gelang. Hierauf wurden wahllos Demonstranten verhaftet und durch die Bekanntgabe, die Festgenommenen würden erhängt, Schrecken verbreitet. Einer von ihnen, der Bezirksinspektor Michael Lottner, wurde in der Kreisleitung durch Genickschuß getötet. Es kam zu Tätlichkeiten zwischen Demonstranten und Volkssturmeinheiten, die bei der Zurückdrängung der Menge eingesetzt waren. Schreckschüsse wurden abgegeben und die Kundgebung nahm immer mehr den Charakter eines Volksaufruhrs an. Es war zu befürchten, daß es zu gewaltsamen Gegenaktionen der Polizei oder der in der Stadt liegenden SS-Einheiten kommen könnte. In dieser bedenklichen Situation glaubte der Regensburger Domprediger Dr. Johann Maier, der ebenfalls an der Kundgebung teilnahm, eingreifen zu müssen. Er verschaffte sich Gehör und versuchte die aufgebrachte Menge zu beschwichtigen. Er vertrat die Meinung, nur unter Wahrung der Ruhe lasse sich die Obrigkeit beeindrucken und es solle an sie keine Forderung, sondern lediglich die Bitte herangetragen werden, die Stadt kampflos zu übergeben. Dr. Maier wollte soeben des näheren ausführen, warum eine solche Bitte gerechtfertigt sei, als er unterbrochen und von Polizeibeamten in Zivil verhaftet wurde. Ein eilends einberufenes Standgericht unter Vorsitz des Landgerichtsdirektors in Regensburg, Johann Josef Schwarz, verurteilte von fünf Angeklagten den Lagerhausarbeiter Josef Zirkl und Dr. Maier zum Tode. Das Urteil wurde einige Stunden später am frühen Morgen des 24. April durch Erhängen auf dem Moltkeplatz vollstreckt. Zur selben Zeit rüsteten sich bereits die in der Stadt liegenden Truppen und NS-Stellen zum Aufbruch nach dem Süden[11].

Bei den Kundgebungen in Bad Windsheim und Regensburg fühlte sich der einzelne bis zu einem gewissen Grad in der Masse geborgen, es gab eine Menge von Gleichgesinnten, die mit ihm gemeinsam denselben Willen zum Ausdruck brachten. Die Gefahr, in die er sich begab, kam ihm auf diese Weise weniger zu Bewußtsein. Die Anonymität erhöhte seinen Wagemut. Anders war es in jenen Fällen, wo einer für sich allein handeln mußte, sei es, daß er sich seiner Umgebung nicht anvertrauen konnte oder wollte, sei es, daß er sich in verantwortlicher öffentlicher Stellung befand, die ihn zwang, sich zu entscheiden zwischen den Weisungen der politischen oder militärischen Führung und den Wünschen seiner Untergebenen.

In Burgthann bei Nürnberg kam es zu einem Zwischenfall, der die ausweglose Situation beleuchtet, in die bisweilen Menschen gerieten, die in diesen letzten Kriegswochen Verantwortung trugen. In den Abendstunden des 16. April war eine amerikanische

---

[11] Justiz und NS-Verbrechen, Bd. 2, bearbeitet von Adelheid L. Rüter-Ehlermann und C. F. Rüter. Amsterdam 1969, S. 256ff.; Weikl, Ludwig: Dr. Johann Maier, Domprediger zu Regensburg, in: Bavaria Sancta. Zeugen christlichen Glaubens in Bayern, hrsg. von Georg Schwaiger, Bd. 1, Regensburg 1970, S. 379–392; Staber, Josef: Kirchengeschichte des Bistums Regensburg. Regensburg 1966, S. 203f.; Albrecht, Dieter: Regensburg in der NS-Zeit, in: Zwei Jahrtausende Regensburg. Regensburg 1979, S. 179–203.

Einheit in das Dorf eingedrungen. Sie ließen den Bürgermeister rufen und eröffneten ihm, er habe den Ort sofort zu übergeben und zum Zeichen dessen weiße Tücher hissen zu lassen. Auch seien Waffen und Rundfunkgeräte abzuliefern. Für den Fall der Nichtbefolgung wurden Repressalien angedroht. Dann verließ die Einheit Burgthann in nördlicher Richtung, aus der sie gekommen war. Bewohner des Ortes bestürmten den Bürgermeister, den Anordnungen der Amerikaner Folge zu leisten, was er nach einigem Zögern dann auch tat. In den Morgenstunden des folgenden Tags zog die Sicherungskompanie eines in der Nähe liegenden SS-Pionierbataillons in Burgthann ein und sah die weißen Tücher. Darauf begab sich der Bataillonskommandeur, dem die Beobachtung gemeldet wurde, selbst nach Burgthann, um den Bürgermeister zur Rechenschaft zu ziehen. Zur Rede gestellt, verteidigte sich dieser mit dem Argument, im Falle einer Weigerung wäre er von den Amerikanern erschossen worden. Dann wäre er als Held gestorben, jetzt sterbe er als »Schwein«, war die Antwort. Auch sein Hinweis, daß er sich immer für die Dorfgemeinschaft eingesetzt und im Krieg einen Sohn verloren habe, nutzte ihm nichts. Er wurde auf der Dorfstraße brutal erschossen. Kinder und Frauen, die den Vorgang aus nächster Nähe beobachtet hatten, schrieen, als die Schüsse fielen, entsetzt auf und suchten Schutz in einem benachbarten Anwesen. Darauf wurde auch ihnen nachgeschossen. 20 cm links der Haustür, hinter der sie verschwunden waren, wurden später Einschüsse festgestellt[12].

Die Bindung an Fahneneid und Gehorsamspflicht, die Einsicht in die hoffnungslos gewordene Lage und die Stimme der Vernunft, die nach Schonung der anvertrauten Soldaten, Zivilisten und noch unzerstörten Wohn- und Arbeitsstätten rief, haben in diesen Wochen und Tagen manchen Befehlshaber stark verunsichert und in harte Gewissenskonflikte gebracht. Die Person des Kampfkommandanten von Erlangen, Werner Lorleberg, und sein tragischer Tod legen dafür ein beredtes Zeugnis ab.

Nach der Besetzung von Bamberg am 13. April und dem Durchbruch amerikanischer Panzer bis zur Autobahn Nürnberg-Bayreuth drangen feindliche Verbände in breiter Front gegen Nürnberg vor. Am 14. April fiel Forchheim. Nunmehr rückte Erlangen ins Blickfeld des amerikanischen Vormarsches und der deutschen Verteidigung. Was an Abwehrkräften zur Verfügung stand, war jedoch völlig unzureichend: Soldaten aus verschiedenen Stäben und Kommandos, die längst nicht mehr einsatzfähig waren, und zurückflutende, teilweise unbewaffnete Reste zerschlagener Verbände. An eine wirksame Abwehr war nicht zu denken. Dagegen mußte man im Verteidigungsfall mit der Zerstörung einer bisher vom Luftkrieg weitgehend verschont gebliebenen Stadt rechnen. Erlangen zählte vor dem Krieg 36 000 Einwohner, im April 1945 wohnten an die 50 000 Menschen in ihren Mauern. In den 12 Lazaretten und den Universitätskliniken lagen über 4000 Kriegsversehrte und 1200 Zivilisten, in der Heil- und Pflegeanstalt 1400 Personen. Führende Vertreter des öffentlichen Lebens hatten daher – allerdings vergeblich – versucht, die politische und militärische Führung von der Notwendigkeit einer kampflosen Übergabe zu überzeugen. Am 9. April erhielt Erlangen in der Person des Oberstleutnants Werner Lorleberg seinen Kampfkommandanten; damit war endgültig

---

[12] Justiz und NS-Verbrechen, Bd. 15, bearbeitet von Irene Sagel-Grande, H. H. Fuchs und C. F. Rüter. Amsterdam 1976, S. 277ff.

entschieden, daß die Stadt verteidigt werden sollte. Versuche, ihn umzustimmen, wies Lorleberg zurück mit dem Hinweis auf die strategische Bedeutung der Stadt für die Verteidigung Nürnbergs und auf die ihm erteilten Befehle.

Am 15. April verstärkt sich der feindliche Druck im Nordabschnitt, im Westen dringen die Amerikaner bereits in die Vororte ein. Ihre Artilleriegranaten schlagen in Wohnhäuser ein, Menschenverluste sind zu beklagen. Die Feuerwehr ist in laufendem Einsatz. In der folgenden Nacht werden die Regnitzbrücken gesprengt. Ein Artillerievolltreffer tötet in einem Lazarett 14 Menschen – Schwestern, verwundete Soldaten und ein Kind. Die schwachen Abwehrkräfte können dem Feind im Vorfeld der Stadt nicht mehr standhalten. Erlangen kann jetzt nur noch im Häuserkampf verteidigt werden. Reichsverteidigungskommissar Gauleiter Holz kündigt zur Entlastung den Anmarsch einer starken SS-Einheit an und bedroht mit der Todesstrafe jeden Versuch einer kampflosen Übergabe. Von amerikanischer Seite trifft die Aufforderung zur sofortigen Kapitulation ein. In diesem Augenblick, in dem für Erlangen alles auf dem Spiel steht, unternimmt der Oberbürgermeister der Stadt einen letzten Versuch, den Kampfkommandanten doch noch umzustimmen. Nach schweren inneren Kämpfen gibt Lorleberg schließlich den Befehl zur Feuereinstellung. Dabei soll er geäußert haben: »Ich weiß, daß ich mein Leben verwirkt habe«. Alle ihm unterstellten Verbände leisten seiner Anordnung Folge mit Ausnahme einer Kampfgruppe von etwa 120 Mann in der Thalermühle westlich der Stadt. Als Lorleberg dieses Ergebnis den Amerikanern überbringt, glaubt ihr Kommandant die Kapitulation so nicht annehmen zu können. Er gesteht eine Frist von einer Stunde zu, um die Einheit bei der Thalermühle umzustimmen, und erlaubt der Bevölkerung, sich im bereits besetzten Burgberggebiet vor der Beschießung in Sicherheit zu bringen. Durch Lautsprecher werden die Menschen nun aufgefordert, die Stadt zu räumen. Oberstleutnant Lorleberg fährt unterdessen zu der Einheit an der Thalermühle, die den Kampf nicht einstellen will. Mit ihrem Führer kommt es zu einer heftigen Auseinandersetzung. Lorleberg und sein Begleiter, der Polizeioffizier Andreas Fischer, werden als Verräter beschimpft. Es gelingt ihnen zwar ungehindert die Befehlsstelle zu verlassen, sie werden dann aber aus nächster Nähe unter Feuer genommen. Lorleberg wird tödlich getroffen, sein Begleiter vermag sich gerade noch rechtzeitig in Deckung zu bringen. Kurz darauf rücken die ersten amerikanischen Panzer in die Innenstadt vor. Es kommt zu keinem Widerstand mehr[13].

Anfang April 1945 erließ der Reichsführer-SS den sogenannten »Flaggenbefehl«, von dem die Verbände der Wehrmacht und der Waffen-SS durch direkte Befehlsübermittlung Himmlers in Kenntnis gesetzt wurden. Er besagte, daß alle männlichen Bewohner eines Hauses, das zum Zeichen der Übergabe eine weiße Fahne trägt, auf der Stelle zu erschießen seien. In einer anderen Fassung war noch zusätzlich befohlen, die betroffenen Häuser niederzubrennen.

Aufgrund dieses Befehls ist am 12. April 1945 die Rummelsmühle bei Seenheim (LK Uffenheim) durch den Major Erich Stentzel in Brand gesetzt und ihr Besitzer erschossen worden. Stentzel war zusammen mit einem ihm bekannten Hauptmann am Morgen dieses Tages unterwegs, um die Feindlage im Raum Uffenheim zu erkunden. Über

---
[13] Sponsel, Friedrich: Die Übergabe, in: Das neue Erlangen, H. 18, S. 1324–1335.

Egersheim fuhren sie in Richtung Seenheim, das von den Amerikanern bereits besetzt war. 1 km vor Seenheim erreichten sie die Einöde Rummelsmühle. Tags zuvor waren zwei amerikanische Soldaten zur Mühle gekommen und hatten sie durchsucht. Der Besitzer hißte daraufhin in gutem Glauben, mit dem Erscheinen der US-Soldaten sei der Krieg für ihn zu Ende, aus einem Fenster des 1. Stockwerks ein weißes Handtuch. Als nun Stentzel mit seinem Begleiter zur Mühle kam und die Fahne erblickte, ließ er den Besitzer rufen und machte ihm schwere Vorwürfe. Der Müller suchte sich zu rechtfertigen. Die Amerikaner seien ja schon in seinem Haus gewesen, somit hätte er sich so verhalten müssen. Stentzel war jedoch anderer Ansicht: der Müller hätte die Pflicht gehabt, sich gegen die Amerikaner zur Wehr zu setzen. Er kündigte ihm an, sein Hof werde nun niedergebrannt und er selbst erschossen. Den jammernden Töchtern des Müllers und dessen Ehefrau verbot er etwas von ihrer Habe mitzunehmen und vertrieb sie aus dem Haus. Dann steckte er das Anwesen in Brand. Den Müller ließ er unterdessen von seinem Begleiter auf dem Hof bewachen und als er einen Fluchtversuch unternahm, verfolgte er ihn und schoß ihn nieder. Auf das Gerücht, die Amerikaner kämen, suchten Stentzel und sein Begleiter das Weite. Das Wohnhaus der Mühle brannte völlig nieder. Das Feuer griff auch auf die Stallungen über und vernichtete sie zum größten Teil[14].

Für die Zusammenarbeit zwischen einzelnen Personen und Gruppen, die das Ende der Kampfhandlungen herbeisehnten, und den auf bayerischem Boden vordringenden Alliierten gibt es in dieser Endphase des Krieges zahlreiche Beispiele. Im allgemeinen beschränkte sich dieses Zusammenwirken darauf, mit dem Gegner Kontakte aufzunehmen, ihn von der Bereitschaft zur kampflosen Übergabe zu informieren, ihn auf noch mögliche Widerstandsnester hinzuweisen und in den Ort zu lotsen. Eine weiterreichende Kollaboration war den nicht im militärischen Einsatz stehenden Personen in der Regel versagt.

Eine Ausnahme bildete die Unterstützung, die amerikanische Fallschirmspringer im Raum Landsberg a. Lech gefunden haben. In der Nacht vom 3./4. April sprang der aus Deutschland stammende Agent Friedrich Lämmerhirt mit einem Kameraden in der Gegend von Raisting (LK Weilheim) ab. Ihr Auftrag diente der Verhinderung einer neuen deutschen Verteidigungslinie entlang des Lechs und konnte nur erfolgreich durchgeführt werden, wenn es gelang, möglichst rasch mit vertrauenswürdigen, ortskundigen Personen Kontakte aufzunehmen. Die beiden Agenten hatten Glück: Eine auf dem Feld in der Nähe der Absprungstelle arbeitende Bauersfrau bot ihre Hilfe an, verbarg sie zunächst in einem Heustadel und verköstigte sie täglich. Der mitabgeworfene Sender wurde aufgebaut und Verbindung mit der 7. amerikanischen Armee aufgenommen. Nachdem auch in dem abgelegenen Stillern unweit Raisting einige Bauern sich zur Zusammenarbeit bereiterklärten, wurde die Sendestation dorthin verlegt und in der kleinen Kirche des Ortes aufgebaut. Die Bauern gingen wie gewohnt tagsüber unauffällig ihrer Feldarbeit nach, während der Nachtstunden übernahmen sie Wachdienste. Als der Standortoffizier von Landsberg a. Lech erklärte, er beabsichtige nicht, die dortige Garnison zur Verteidigung der Stadt einzusetzen, wurde diese Zusage durch Funk der amerikanischen Armee übermittelt und vielleicht hat dies dazu beigetragen, daß die Stadt

---

[14] Justiz und NS-Verbrechen, Bd. 15, a.a.O., S. 373ff.

Landsberg den Krieg unzerstört überdauerte. Noch vor dem Einmarsch der Amerikaner erfolgte ein zweiter Fallschirmabsprung in der Nähe von Stillern, der störungsfrei verlief, obwohl inzwischen SS-Truppen in der Nähe lagen. Die neue Sendestation wurde in einem Bauernhof in Etterschlag (LK Starnberg) installiert. Wenige Tage später quartierte sich im gleichen Anwesen der Stab eines SS-Regiments ein. Die SS-Leute erfuhren jedoch nicht, daß über ihren Köpfen auf dem Speicher des Hauses eine feindliche Sendestation arbeitete. Ohne Zusammenarbeit mit Personen aus der Bevölkerung, die die Fallschirmspringer verbargen, mit Nachrichten versorgten, sich zu Botengängen zwischen den beiden Stationen bereitfanden und bei der Bergung von abgeworfenem Nachschubmaterial behilflich waren, wäre das von amerikanischen Agenten durchgeführte Unternehmen nicht erfolgreich verlaufen[15].

Im April 1945 war der Widerstand gegen Anordnungen der Partei oder Wehrmacht in der Mehrzahl der Fälle sicher nicht politisch oder ideologisch begründet. Er beruhte vielmehr auf der Erkenntnis der Aussichtslosigkeit der militärischen Lage, die weitere Verteidigungsanstrengungen sinnlos erscheinen ließ. Dennoch waren es oft überzeugte Gegner des Regimes, die in dieser Endphase des Krieges ihre angestaute Abneigung nun, wo sie mit zunehmendem Verständnis breiter Schichten der Gesellschaft rechnen konnten, aktiv zum Ausdruck brachten. Dies war beispielsweise der Fall bei dem fast zwanzigjährigen Studenten Robert Limpert in Ansbach, der der katholischen Jugendbewegung angehörte. Hervorragend begabt und stets der Primus seiner Klasse, war er dennoch wegen seiner offen gezeigten Ablehnung des Nationalsozialismus aus der Oberklasse des Gymnasiums in Ansbach entlassen und gezwungen worden, sein Abitur andernorts abzulegen. Infolge eines Herzleidens gehörte er nur kurze Zeit der Wehrmacht an. Mit einigen gleichgesinnten Kameraden ging er im April 1945 zum aktiven Widerstand über: Er verfaßte Flugblätter, in denen die Bewohner Ansbachs zum Kampf gegen die »Nazihenker«, zum Hissen weißer Fahnen beim Einzug der Amerikaner und zur kampflosen Übergabe der Stadt aufgefordert wurden. Obwohl feindliche Verbände den Verteidigungsgürtel bereits durchbrochen hatten, beabsichtigte der Kampfkommandant von Ansbach, ein Oberst der Luftwaffe, die Stadt »bis zur letzten Patrone« zu verteidigen. Da entschloß sich Limpert, das Kabel, das den Gefechtsstand des Kampfkommandanten mit der Truppe verband, zu durchschneiden, um die Befehlsübermittlung zu unterbinden. Dabei beobachteten ihn zwei Hitlerjungen und denunzierten ihn. Er wurde verhaftet und durch ein eilends von dem Kampfkommandanten gebildetes Standgericht zum Tode durch den Strang verurteilt. Das Urteil wurde neben dem Rathauseingang vollstreckt. Limperts Wunsch nach einem Geistlichen wurde abgelehnt. Der Kampfkommandant übernahm selbst die Rolle des Henkers. Nach der Exekution wandte er sich in einer Ansprache an einige den Richtplatz umstehende Personen und versuchte sich zu rechtfertigen. Er bezeichnete Limpert als einen »Volksverräter und Staatsverbrecher« und schilderte die militärische Lage als durchaus günstig. Den Amerikanern werde es wahrscheinlich nicht gelingen, in die Stadt einzudringen. Er befahl Limperts Leiche so lange hängen zu lassen, bis sie »stinke«. Wenige Stunden nach der Hinrichtung besetzten US-Truppen die Stadt.

---

[15] IfZ, ZS/A4/2.

Der Kampfkommandant von Ansbach war Sproß einer angesehenen Gelehrtenfamilie, er stand selbst in der Universitätslaufbahn, war Kriegsfreiwilliger von 1914 und seit 1933 Mitglied der NSDAP und einer Reihe ihrer Gliederungen[16].

III. Die Freiheitsaktion in Bayern (FAB)

Im Kampf gegen die Kriegsverlängerung erlangte eine Gruppierung von Offizieren und Mannschaften der Wehrmacht in München und Freising besondere Bedeutung, deren Unternehmen unter dem Namen »Freiheitsaktion Bayern« (FAB) in die Geschichte des deutschen Widerstands eingegangen ist. Wenige Tage vor der Besetzung Münchens lösten sie in der Nacht vom 27. auf den 28. April 1945 einen bewaffneten Aufstand gegen die NS-Herrschaft aus. Ziel der Erhebung sollte sein, die Verteidigung Münchens zu verhindern, die jedem Einsichtigen sinnlos gewordenen Kampfhandlungen zu beenden und dem Ausland gegenüber die Existenz eines anderen Deutschlands unter Beweis zu stellen.

Die FAB hatte ihre bis in die Vorkriegszeit zurückreichende Wurzel in antinationalsozialistischen Zirkeln, wie sie vielerorts im Lande bestanden: kleine Freundeskreise ohne feste Organisation, in denen die Gegnerschaft gegen den Nationalsozialismus wachgehalten wurde. Gedankenaustausch, Verbreitung von Nachrichten aus den alliierten Rundfunksendungen, Kontakte zu Gleichgesinnten wurden dort gepflegt. Eine stärkere Konzentration dieser Gruppen bahnte sich erst allmählich an, besonders seit eines ihrer führenden Mitglieder, Hauptmann Dr. Rupprecht Gerngroß, Anfang 1942 zum Chef der Dolmetscher-Kompanie im Wehrkreis VII ernannt worden war. Gerngroß hatte in München und London Rechtswissenschaft studiert. 1941 war er in Rußland verwundet worden. Die Dolmetscherkompanie unterstand dem Generalkommando unmittelbar, was ihrem Chef die Möglichkeit gab, weitgehend unabhängig Personalpolitik zu treiben. Gerngroß versuchte in seine Einheit Regimegegner einzuschleusen und dort zu halten. Dies war eine Voraussetzung für den von ihm geplanten Aufstand, bei dem der Dolmetscherkompanie die Hauptrolle zugedacht war. Ein schwieriges Problem für die FAB war die Beschaffung der für den Putsch benötigten Waffen. Im Gegensatz zu den SS-Truppen, die sich in immer größerer Zahl in den süddeutschen Raum zurückzogen, verfügte das Ersatzheer über eine nur unzureichende, schlechte und veraltete Bewaffnung. Es wurden daher in der Vorbereitungsphase des Aufstands Waffen konfisziert und gehortet. Zu den engsten Vertrauten des Hauptmanns Gerngroß zählten Leutnant Leo Heuwing und Sonderführer Dr. Ottheinrich Leiling. Die Verschwörer hatten anfangs gehofft, in stärkerem Ausmaß weitere Wehrmachtseinheiten für ihr Unternehmen zu

---

[16] Justiz und NS-Verbrechen, Bd. 1, bearbeitet von Adelheid L. Rüter-Ehlermann und C. F. Rüter. Amsterdam 1968, S. 115ff. – Zur Ermordung Robert Limperts siehe die umfassende Darstellung in Bd. VI der Reihe Bayern in der NS-Zeit, hrsg. von Elke Fröhlich. München 1982.

gewinnen. Schließlich mußten sie jedoch erkennen, daß sie außer mit den Angehörigen der Dolmetscherkompanie nur mit dem Panzerersatzbataillon 17, das in Freising lag, sowie Teilen der Infanterieregimenter 19 und 61 rechnen durften. Ihnen standen starke Gegenkräfte, vor allem die im Laufe des April im Raum München zusammengezogenen SS-Verbände gegenüber. Das Kräfteverhältnis war somit dermaßen unausgewogen, daß man dem Putsch nur Aussicht auf Erfolg beimaß, wenn er sich in unmittelbarer Frontnähe durchführen ließ. Man wartete daher, bis die VII. US-Armee die Donaulinie durchbrochen hatte. Anfang April gelang es, den Kommandeur des Panzerersatzbataillons 17 in Freising, Major Alois Braun, für das Unternehmen zu gewinnen. Braun versprach Panzer und panzerbrechende Waffen bereitzustellen. Die Alliierten wurden auf mehreren Wegen von der bevorstehenden Aktion verständigt. So entsandte Braun zwei seiner Offiziere mit einem Marschbefehl fingierten Inhalts in Richtung Eichstätt. Nach abenteuerlicher Fahrt und langen Fußmärschen stießen sie in Neudorf vor Weißenburg am späten Nachmittag des 24. April auf amerikanische Verbände. Sie überbrachten Brauns Angebot: Freising werde kampflos übergeben, den Amerikanern stünde damit der Weg nach München offen. Man ersuche um Einstellung der Luftangriffe, um den Aufstand nicht zu gefährden. Um 22.00 Uhr warfen amerikanische Flugzeuge Leuchtbomben über Freising: Es war das verabredete Zeichen, daß Brauns Unterhändler eingetroffen und ihr Angebot angenommen sei.

Bei den geringen Kräften, die der FAB zu Gebote standen, war es unerläßlich, zu Beginn des Aufstands schlagartig die Zentren des NS-Apparates zu überrumpeln und auszuschalten. Im Mittelpunkt der Planungen stand die Besetzung der Sender Erding und Freimann, von denen aus die Bevölkerung und die im südlichen Bayern stehenden deutschen Truppen zur Einstellung des Kampfes und zum Widerstand gegen die Machthaber aufgerufen werden sollten. Das Programm des Großsenders München wurde damals über ein Kabel nach Erding übertragen. Die FAB wollte dieses Studio in ihre Hände bekommen, da es bei der Erhebung ohnehin vor dem Gegner gesichert werden mußte. Durch Spionage hatte man die günstigste Stunde für eine Überrumpelung des Senders erkundet und davon den Zeitpunkt für die Auslösung des Putsches abhängig gemacht. Innerhalb der Verschwörergruppe waren die Aufgaben folgendermaßen verteilt: Gerngroß leitete die Gesamtaktion, die Organisation lag weitgehend in den Händen von Leutnant Leiling, der auch die politischen Ziele der FAB für ein Nachkriegsdeutschland entwarf. Die Kontakte zu den NS-Gegnern draußen im Land waren unzureichend, was vorwiegend auf die geringen Kommunikationsmöglichkeiten infolge der fortgeschrittenen Kriegssituation zurückzuführen war. Die Planungen und Vorbereitungen beschränkten sich daher im wesentlichen auf München und Umgebung. Dies hatte wiederum zur Folge, daß die Widerstandsgruppen im bayerischen Oberland weitgehend auf sich gestellt waren und ihre Aktionen isoliert durchführen mußten. Die Wehrmachtskommandantur sympathisierte mit der FAB und stellte sogar die bei ihr liegenden Waffen zur Verfügung. Auch auf die maßgebenden Offiziere des Luftgaukommandos VII war Verlaß. Beide Dienststellen waren bemüht, die Planungen des Reichsverteidigungskommissars und Gauleiters Paul Giesler zur Verteidigung Münchens zu hintertreiben. U. a. übermittelte man ihm unrichtige Angaben über die Stärke der vorhandenen Truppen und ihre Bewaffnung. Die Verteidigung der »Hauptstadt der

Bewegung« bis zum letzten Mann war für die Partei ein Anliegen von symbolischer Tragweite. Giesler wollte in diesem Zusammenhang sämtliche Münchner Brücken sprengen lassen, was für die Versorgung der Bevölkerung verheerende Folgen gezeitigt hätte. Mit der Durchführung beauftragte er den Kommandeur des Pionierersatzbataillons VII, Major Fritz Barth. Diesem gelang es, unterstützt vom Referenten der Stadtverwaltung für die Isarbrücken, Gieslers Pläne weitgehend umzustoßen. Nur für die Außenbrücken in Grünwald, Großhesselohe und Unterföhring wurden sie aufrechterhalten.

Am Abend des 26. April liefen die ersten militärischen Maßnahmen an: Eine Kompanie von Major Brauns Panzerabteilung aus Freising wurde auf das Gut Zengermoos, zweieinhalb Kilometer vom Erdinger Sender entfernt, in Marsch gesetzt. Gerngroß und Leiling informierten andere Widerstandsgruppen von der bevorstehenden Erhebung, so die linksgerichtete Gruppe »O 7«, die durch Verbreitung von Flugblättern, Beschriftung von Hauswänden, Mundpropaganda und Zersetzung der Wehrmacht den Verteidigungswillen lahmzulegen suchte, und eine Widerstandsgruppe unter Arbeitern und Betriebsleitern der Firma Steinheil in München. Auch Major Dr. Bögl von der Wehrmachtskommandantur und Hauptmann Adolf Hieber, der dort in der Nacht des Putsches als Offizier vom Dienst eingeteilt war, wurden vom Zeitpunkt des Losschlagens unterrichtet. Gegenaktionen, die man ihnen befahl, sollten nach dem Wunsch der FAB so lange als möglich verzögert werden, um den Aufständischen einen nicht mehr einholbaren Vorsprung zu lassen.

Am Abend des 27. April spitzte sich die Lage bedrohlich zu: Der neue Kampfkommandant von München, Oberstleutnant Hofmann, Gruppenführer der SA, beabsichtigte München stützpunktartig zu verteidigen. Er ließ wissen, eine kampflose Übergabe komme nicht in Betracht. Noch während der Nacht sollte die Bevölkerung durch den Rundfunk aufgefordert werden, Barrikaden zu errichten. Mittels umgestürzter Straßenbahnwagen und Omnibusse wollte man dem Feind den Weg ins Innere der Stadt verlegen.

Inzwischen waren aber auch die Aktionen der FAB angelaufen. Am späten Abend ließ Gerngroß in der Saarkaserne seine Kompanie antreten. Er hielt eine Ansprache, in der er sie in das bevorstehende Unternehmen einweihte. Allen stellte er die Teilnahme frei und sagte: »Wer nicht mitmachen will, kann wegtreten«. Keiner der Männer machte von dieser Möglichkeit Gebrauch. Die ihm von vornherein als unzuverlässig erscheinenden oder gemeldeten Mitglieder seiner Einheit hatte er bereits abgeschoben. Nun erhielten die Zugführer ihre Einsatzbefehle. Dann machten sich Gerngroß und Leiling auf den Weg nach Starnberg zum Schornerhof, wo der Reichsstatthalter Ritter von Epp sich aufhielt. Beide glaubten, von Epp – unter entsprechendem Druck – für ihre Sache gewinnen und ihn dazu veranlassen zu können, den Amerikanern die Kapitulation der noch in Bayern kämpfenden Truppen anzubieten. Sie rechneten mit dem Ansehen, das der General trotz seiner Zusammenarbeit mit dem Dritten Reich bis zu einem gewissen Grad bei der Bevölkerung immer noch besaß. Auf dem Schornerhof angekommen, stürzten sie in die Telefonzentrale, in der eine einzige weibliche Person den Nachtdienst versah, und schnitten die Kabel durch. Dann drangen sie bei Epp ein, der mit zwei Zivilisten und seinem Verbindungsoffizier zur Wehrmacht, Major Caracciola-Delbrück, in einer Gesprächsrunde beisammensaß. Zu letzterem, einem NS-Gegner, unterhielten die Verschwörer seit längerer Zeit Kontakte. In der ersten Überraschung griff einer der Anwesenden nach dem Telefon, die Leitung war jedoch unterbrochen. Caracciola war es, der die Initiative ergriff und die beiden ihm bekannten Eindringlinge dem Reichsstatthalter vorstellte. Gerngroß gab das Vorhaben der FAB bekannt und bat Epp um seine Unterstützung. Dieser stellte einige Fragen, gab jedoch keine eindeutige Zusage. Für die Verschwörer verstrich kostbare Zeit. Da empfahl Leiling, die Verhandlungen in Freising bei Major Braun fortzusetzen. Caracciola fand den Vorschlag brauchbar. Auch Epp war nach einigem Zögern damit einverstanden, nachdem Gerngroß ihm versichert hatte, seine Person gelte ihnen als unantastbar.

In der Zwischenzeit war die Kompanie von Major Brauns Panzerabteilung, die auf dem Gut Zengermoos auf ihren Einsatzbefehl gewartet hatte, in das Gelände der Sendeanlagen in Erding eingerückt. Man gab sich den Anschein, als komme man zur Verstärkung. Der Sendeleiter und sein Assistent wurden festgenommen. Man drang in den Senderaum ein und zwang das diensttuende Personal zur Fortsetzung des Betriebs. Auch die Besetzung des Senders Freimann war gelungen. Die Wachmannschaft hatte man im Schlaf überrascht. Einige Techniker erklärten sich auf der Stelle zur Zusammenarbeit bereit.

Dagegen scheiterte das Unternehmen gegen das Zentralministerium in der Ludwigstraße, wo sich in dieser Nacht die Befehlsstelle des Gauleiters befand. Zwar hatte Leutnant Helmut Putz vom Infanterieersatzbataillon 19 seinen mit drei Maschinengewehren ausgestatteten Zug in Marsch gesetzt. Es gelang jedoch nicht, in den verschlossenen Gebäudekomplex einzudringen, und für einen Sturm war die Gruppe nicht stark genug. So brach man das Unternehmen unverrichteter Dinge ab. Trotz der frühen Morgenstunde war die Ludwigstraße nicht unbelebt, und man fühlte sich vor Überraschungen nicht sicher.

Auch die Festnahme des Oberbefehlshabers Süd, General Westphal, in Pullach mißlang, da der General sich nicht mehr auf seinem Befehlsstand befand. Ähnlich verlief das Unternehmen gegen das stellvertretende Generalkommando in Kempfenhausen bei Starnberg. Die Wachen konnten entwaffnet und die Telefonzentrale zerstört werden, aber kein höherer Offizier war anwesend.

Inzwischen hatte ein Trupp der Dolmetscherkompanie den *Völkischen Beobachter* und die *Münchner Neuesten Nachrichten* besetzt. Man wollte bis Tagesanbruch ein Blatt redigieren, das die Bevölkerung über die Ereignisse der Nacht und die Befreiung vom Nationalsozialismus informieren sollte.

Das Rathaus wurde vorübergehend besetzt, die weißblaue Fahne gehißt und der bei der Bevölkerung besonders unbeliebte Ratsherr, SS-Brigadeführer Christian Weber, dort festgenommen.

Was restlos gelang, war die Übernahme der beiden Sender. Der Sender Freimann war als Ersatz gedacht, falls der Anschlag auf den Großsender Erding scheitern sollte. In Freimann begann die FAB mit ihren mehrsprachigen Aufrufen um 3.40 Uhr morgens. Sie waren gerichtet an das bayerische Volk, die Zivilinternierten, die deutschen und ausländischen Arbeiter, die Polizei, die Beamten, die Verkehrs- und Versorgungsbetriebe. Im Sender Erding schaltete sich Gerngroß morgens 5.00 Uhr in das Programm ein und verkündete den Aufruf der FAB und deren Ziele. Seit 12 Jahren vernahm die Bevölkerung zum erstenmal wieder über einen deutschen Sender eine Stimme gegen den Nationalsozialismus. Gerngroß begann:

»Achtung, Achtung! Sie hören den Sender der Freiheitsaktion Bayern! Sie hören unsere Sendungen auch auf dem Wellenbereich des Senders Laibach. Achtung, Achtung! Hier spricht die Freiheitsaktion Bayern. Das Stichwort ›Fasanenjagd‹ ist durchgegeben. Arbeiter schützt Eure Betriebe gegen Sabotage durch die Nazis! Sichert Arbeit und Brot für die Zukunft . . . Verwehrt den Funktionären den Zugang zu Eueren Anlagen«.

Diese Warnung war angebracht, da die Partei empfahl, noch intakte Industrieanlagen zu zerstören, ehe sie dem Feind in die Hände fielen. Des weiteren wurde bekanntgegeben, wo die amerikanischen Panzerspitzen bereits stünden und daß sich der Reichsstatthalter auf dem Gefechtsstand der FAB befinde. Die Bevölkerung wurde aufgefordert, die Lebensmittellager vor ausländischen Plünderern zu schützen und die Funktionäre der Partei zu beseitigen. Etwas voreilig hieß es: »Die FAB hat heute Nacht die Regierungsgewalt erstritten . . . Die FAB hat das Joch der Nazis in München abgeschüttelt«. Anschließend wurden die Vorstellungen der FAB für eine Neuordnung Deutschlands nach dem Waffenstillstand bekanntgegeben. Das Zehnpunkte-Programm versprach: Ausrottung des Nationalsozialismus und Beseitigung des Militarismus, »der Deutschland in mehrere sinnlose Kriege getrieben und besonders in seiner preußischen Form unsägliches Leid über alle Deutschen gebracht hat«. Dem bayerischen Volk sei der Militarismus wesensfremd. Man wolle sein Wiederaufleben durch entsprechende Erziehung der Jugend verhindern. Man werde sich für Wiederherstellung von Ruhe und Ordnung als Voraussetzung für den Wiederaufbau einsetzen und die Ernährung der Bevölkerung sicherstellen. Präzise Aussagen über eine zukünftige Wirtschaftspolitik waren nicht getroffen. Es hieß lediglich, man wolle geeignete Männer aus dem Wirtschaftsleben berufen, die diese Aufgabe »im Einklang mit den Plänen der Alliierten« verwirklichen sollten. Das neue Staatswesen werde ein »Sozialstaat« sein. Seine Aufgabe sei es, »soziale Spannungen und Gegensätze auszugleichen«. Der Bürger besitze ein Recht, »vom Staate Fürsorge im Falle von Krankheit, Alter und Arbeitslosigkeit« zu verlangen. Das Leistungsprinzip war anerkannt durch die Aussage: »Im modernen Sozialstaat der FAB wird jeder den Platz erhalten, der ihm aufgrund seiner Fähigkeiten zusteht«. Die »allmähliche Wiedereinführung der Presse- und Versammlungsfreiheit« war zugesagt, dem Christentum als einer der »wichtigsten staatstragenden Faktoren und entscheidende völkerverbindende Idee« ein hoher Rang eingeräumt. Die kirchlichen Einrichtungen und Personen würden unter den ausdrücklichen Schutz einer kommenden Regierung gestellt. Die Bedeutung der menschlichen Persönlichkeit sollte wieder gestärkt werden gegenüber dem Kollektivbewußtsein des Nationalsozialismus. Die Nähe zu christlich-sozialen Vorstellungen ist in dem Zehnpunkte-Programm ebenso unverkennbar wie eine starke bayerisch-partikularistische Komponente. Man vermißt in der Proklamation eine Aussage über die künftige Staatsform. Die Begriffe »Volkssouveränität« und »Demokratie« kommen nicht vor.

Während der Übertragung des Aufrufs der FAB saßen Epp und Major Braun in dessen Gefechtsstand in Freising immer noch unverrichteter Dinge einander gegenüber. Braun hoffte, den unentschlossenen Reichsstatthalter für die Sache der FAB zu gewinnen, wenn dieser die Proklamation vernehme und höre, daß der Aufstand gelungen und die Öffentlichkeit von den Verhandlungen mit Epp bereits informiert sei. Aber gerade die Proklamation scheint Epp aus seiner Entschlußlosigkeit befreit zu haben. Als der ehemalige General die Forderung auf Beseitigung des Militarismus vernahm, wußte er, wie er sich entscheiden sollte. Er sagte endgültig nein. Frühmorgens ging man ohne Einigung auseinander.

Gerngroß suchte in den Morgenstunden alle Kräfte am Sender Erding zu konzentrieren. Als Meldestelle für die nach den Teilaktionen freigewordenen Trupps war die Gaststätte Aumeister im Englischen Garten vereinbart worden. Von hier marschierte man bei regnerischem Wetter in Richtung Erding. Auch Gefangene wurden mitgeführt. Der prominenteste unter ihnen war Christian Weber.

Im Bunker des Gauleiters im Zentralministerium an der Ludwigstraße herrschte niedergeschlagene Stimmung und hektische Betriebsamkeit. Der Schutz des Gebäudes wurde verstärkt, es erschienen immer weitere Angehörige der Parteiprominenz. Über die eingeschalteten Rundfunkempfänger hörten sie die Aufrufe der FAB und dazwischen immer wieder die höhnische Frage: »Paul Giesler, wo bist du?« Meldungen liefen ein, wonach an vielen Stellen der Stadt weiße Fahnen gehißt worden waren und auch draußen im Land der Aufruf der Aufständischen bereitwilliges Echo gefunden habe.

In der Wehrmachtskommandantur übernahm mittlerweile als neuer Kampfkommandant der Stadt Generalmajor Rudolf Hübner die Befehlsgewalt. Hitler hatte den Generalmajor im März zum Kommandeur eines Standgerichts ernannt, das an allen Abschnitten der Westfront bei Fahnenflucht, »Wehrkraftzersetzung« und ähnlichen Delikten unter Ausschaltung der ordentlichen Kriegs- und Feldgerichte eingriff. Seine Urteile konnten nur auf Todesstrafe oder Freispruch lauten. Das »Standgericht West«, wie dieses Sondergericht offiziell hieß, verlor durch den Zusammenbruch der Westfront seine Daseinsberechtigung, so daß Hübner es am 20. April aus eigener Machtvollkommenheit auflöste. Er setzte sich nach Süden ab und erreichte in den Morgenstunden des 28. April München, wo soeben die FAB zur Einstellung des militärischen Widerstands und zum Aufstand gegen die Funktionäre der Partei aufgerufen hatte. Damit glaubte Hübner wieder ein ihm zusagendes Tätigkeitsfeld gefunden zu haben. Vom Oberbefehlshaber Süd, Generalfeldmarschall Kesselring, wurde er nunmehr zum Kampfkommandanten von München ernannt. Hübner war es nicht entgangen, daß in der Wehrmachtskommandantur ein energisches Vorgehen gegen die Putschisten sabotiert wurde und man Betriebsamkeit vortäuschte, während man in Wahrheit verhinderte, daß wirklich etwas geschah.

Gegen 8.00 Uhr morgens gab die FAB den Sender Freimann wieder auf. Die Soldaten wurden zum Sender Erding in Marsch gesetzt. Man zog zunächst zu Fuß die Isar entlang. Später beschlagnahmte man entgegenkommende Fahrzeuge, auch Angehörige der SS wurden verhaftet und mitgenommen. In Ismaning, das man passierte, brachte die Bevölkerung ihre Genugtuung über den Putsch offen zum Ausdruck. Gegen 10.00 Uhr wandte sich Münchens Oberbürgermeister Karl Fiehler über den Sender Freimann an die Bevölkerung, um zu zeigen, daß er noch am Leben sei, nachdem schon vor Wochen – wie er sich ausdrückte – »gewissenlose Elemente« und nun neuerdings »diese Verrätergruppe von Drückebergern« das Gerücht verbreitet habe, er sei tot. Dreiviertel Stunden später

72. General Franz Ritter von Epp,
Reichsstatthalter von Bayern.

73. Generalmajor Rudolf Hübner.

74. Hauptmann Dr. Rupprecht Gerngroß.

sprach auch Giesler zu seinen »lieben Volksgenossen« und gab bekannt, daß eine »Abteilung von Drückebergern, die sich leider noch Soldaten nennen«, ihn als Gauleiter des Traditionsgaues München – Oberbayern festzunehmen beabsichtige. Er forderte die Münchner auf, das »Geschwätz eines Gernegroß« nicht ernst zu nehmen. Dann kündigte er an, daß das »Gesindel«, das sie aufzuputschen versuche, in wenigen Stunden zusammengeschlagen sei. Von der Luftwaffe verlangte Giesler, den Sender Erding durch Bombardierung zum Schweigen zu bringen. Der verantwortliche Offizier erklärte, es fehle ihm an den nötigen Maschinen, um den Auftrag ausführen zu können.

Um die Mittagszeit wurden auch die Sendungen in Erding eingestellt. Die Soldaten waren übermüdet, die SS im Anmarsch. Leutnant Heuwing von der Dolmetscherkompanie gab den Männern den Rat, sich in kleinen Gruppen durchzuschlagen. Die Gefangenen wurden freigelassen – keinem von ihnen hatte man auch nur ein Haar gekrümmt –, und man zerstreute sich. Die meisten gingen ins Erdinger Moos, um nicht der SS in die Hände zu fallen. Die Putschteilnehmer hatten in ihrer ersten Begeisterung an ihren Mützen und Feldblusen die Hoheitsabzeichen entfernt, so daß sie leicht erkennbar waren.

Kaum waren die Sendeanlagen geräumt, besetzten sie starke SS-Kräfte. Nun begann die Jagd auf die Verschwörer. Ritter von Epp und sein Verbindungsoffizier zur Wehrmacht wurden in das Zentralministerium gebracht, wo Giesler und Hübner ihre blutige Abrechnung begannen. Zuerst wurden Caracciola und der Stadtinspektor Hans Scharrer, der an der Verhaftung Christian Webers beteiligt war, zum Tode verurteilt und hingerichtet. Da man Gerngroß' nicht habhaft werden konnte – er hatte sich auf einer Berghütte in Sicherheit gebracht –, ließ Giesler dessen Schwägerin und Eltern festnehmen.

Auch in Münchens Vorstädten und nächster Umgebung kam es am 28. April zur blutigen »Abrechnung« mit Personen, die aufgrund des Aufrufes der FAB an Aktionen gegen die »Goldfasanen«, wie das Volk die Hoheitsträger der Partei ihrer Uniform wegen nannte, teilgenommen hatten. Zu solchen Aktionen war es in Berg am Laim gekommen, wo einige Männer im Hof eines Wohnblocks einen Fahnenmast mit aufgestecktem Hakenkreuz umgesägt und Parteifunktionären in ihren Wohnungen die Waffen abgenommen hatten. Der Ortsgruppenleiter der NSDAP Übelacker begann zusammen mit einigen ihm noch zuverlässig erscheinenden Parteigenossen die Fahndung nach den Tätern. Als man einen derselben zu Hause nicht antraf, verhaftete man an seiner Stelle kurzerhand seinen alten Vater. Der für die Tat seines Sohnes nicht verantwortliche Mann wurde in den Keller der Kreisleitung gebracht und dort erschossen.

In den Morgenstunden des 28. April war auch in Grünwald (LK München) eine Gruppe der FAB tätig geworden. Sie sah eine ihrer Aufgaben darin, die Sprengung der dortigen Isarbrücke zu verhindern. Zu ihr gehörten der Stabsarzt d. R. Dr. Thomas Max und der Major d. R. Josef Beer. Beer hatte anläßlich eines feindlichen Luftangriffs die unsachgemäßen Rettungsarbeiten von Einsatzkräften der Partei – sie hatten 6 Personen das Leben gekostet – als »Mord« gebrandmarkt. Dafür wurde er aus der Wehrmacht ausgestoßen und unter Hausarrest gestellt. Schon seit längerem beherbergte er zwei Pioniere seiner ehemaligen Einheit in seiner Wohnung in Geiselgasteig. Sie sollten ihm bei der Entfernung der Sprengladungen an der Brücke behilflich sein. Während Dr. Max mit einigen Gleichgesinnten die Verhaftung der NS-Funktionäre in Grünwald besorgen wollte, fuhren Beer und seine Begleiter zur Brücke. Um mit größerer Autorität auftreten zu können, hatte er an diesem Morgen verbotswidrig seine Majorsuniform angelegt. So war es ihm möglich, das etwa 20 Mann starke Brückenkommando antreten zu lassen. Der Kommandoführer erklärte sich bald mit ihm solidarisch, so daß die Sprengladungen mühelos entfernt werden konnten. Nicht ganz so reibungslos vollzog sich die Rettung der Großhesseloher Brücke. Hier machte der Führer des Brückenkommandos Schwierigkeiten. Erst nachdem Beer ihm kaltblütig mit Festnahme und Kriegsgericht drohte, gab er nach. Kurz in seine Wohnung zurückgekehrt, erhielt Beer eine telefonische Warnung: Generalfeldmarschall Kesselring habe seine Verhaftung und Überweisung an das Standgericht des Gauleiters angeordnet, das Verhaftungskommando sei bereits unterwegs. Beer blieb nichts anderes mehr übrig, als so rasch wie möglich unterzutauchen. Die Isarbrücke in Grünwald wurde später erneut geladen und tatsächlich gesprengt, dagegen blieb die Großhesseloher Brücke durch die Aktion der FAB gerettet.

Dr. Max hatte in den Morgenstunden mit seinen Leuten den Ortsgruppenleiter und andere Parteifunktionäre dingfest gemacht. Plötzlich war in Begleitung von zwei bewaffneten Hitlerjungen der Zugführer des Volkssturms von Grünwald, der Hilfspolizist Friedrich Ehrlicher – im Zivilleben Direktor des Jugendamtes der Stadt München –, zur Stelle. Mit den bewaffneten Hitlerjungen drang er in das Rathaus ein, in dem der Ortsgruppenleiter gefangen saß und befreite ihn, nachdem er die Wache durch Schüsse verletzt und überwältigt hatte. Den vor dem Rathaus den Wachdienst versehenden Bauunternehmer Georg Kogler nahmen sie mit auf die Befehlsstelle des Volkssturms. Auf dem Weg dorthin begegnete ihnen Dr. Max. Es kam zu einem heftigen Wortwechsel, dann fielen Schüsse. Dr. Max, der noch fliehen wollte, brach tot zusammen.

In der Vorbereitungsphase des Aufstands vom 28. April tauchte gelegentlich auch die Frage auf, ob und inwieweit man ausländische Kriegsgefangene an den Unternehmungen der FAB beteiligen sollte. Es gab ja Gerüchte, wonach die Gefangenen abtransportiert oder sogar vor dem alliierten Einmarsch liquidiert werden sollten. Unter diesem Aspekt war es nur sinnvoll, ihnen Gelegenheit zu geben, das Leben gegen ihre potentiellen Mörder zu verteidigen. Schließlich rang man sich jedoch zu der Ansicht durch, daß die Erhebung ausschließlich eine Angelegenheit der Deutschen sei. Gegenteiliger Meinung war Johann Hohenleitner, Richtmeister in Allach. Ungeachtet seiner ablehnenden Einstellung gegen das Regime war er zum stellvertretenden Volkssturmführer ernannt worden. In Allach existierte ein 2000 Mann starkes Lager französischer Kriegsgefangener. Aber womit sollte man seine Insassen bewaffnen? Hohenleitner dachte an die Waffen des Volkssturms. Als er den Aufruf der FAB vernahm, glaubte er, die Stunde des Handelns sei nun auch für ihn gekommen.

Mit zwei Kriegsgefangenen, die er versteckt gehalten hatte, begab er sich zur Geschäftsstelle des Volkssturmbataillons Untermenzing, um die dort liegenden Waffen zu entwenden. Der Posten versuchte, dies zu verhindern und telefonisch Hilfe herbeizuholen, wurde jedoch gezwungen, stillzuhalten. Bereits 15 Minuten später waren die Waffen nahezu verladen. Da erschien unerwartet im letzten Augenblick der SS-Sturmbannführer Spahn und wollte wissen, was hier vor sich gehe. Hohenleitner rief ihm entgegen: »Der Krieg ist aus«, worauf Spahn zur Waffe griff. Aber Hohenleitner kam ihm geistesgegenwärtig zuvor und erschoß ihn mit seiner Maschinenpistole[17].

In Dachau hatten sich an diesem 28. April entwichene KL-Häftlinge mit Arbeitern in der Oberen Stadt zusammengetan, der Hitlerjugend ihre Waffen abgenommen und das Rathaus besetzt. Es wurde jedoch die SS im Lager verständigt, die den Aufstand blutig niederschlug, was drei Häftlingen und vier Arbeitern das Leben kostete[18].

Wenn die FAB auch nur wenige Stunden im Besitz der Sender Freimann und Erding war, so hat der von ihr ausgestrahlte Aufruf doch eine beachtliche Wirkung erzielt und in München und im gesamten noch nicht besetzten Bayern die Bereitschaft gestärkt, den sinnlos gewordenen Widerstand gegen die Alliierten einzustellen und Verteidigungsvorbereitungen zu sabotieren. Die FAB besaß zweifellos die Sympathien eines Großteils der bayerischen Bevölkerung. Ein beschleunigtes Kriegsende lag ja ganz im Interesse der kriegsmüden und verängstigten Menschen. Trotzdem ist es entgegen den Erwartungen zu keiner allgemeinen Erhebung gegen die Parteifunktionäre und ihre Befehlsvollstrecker gekommen. Die Erklärung für diese Zurückhaltung dürfte vorwiegend in dem Bestreben zu suchen sein, seine Existenz nicht in letzter Minute noch aufs Spiel zu setzen. Wo es daher als Folge des FAB-Aufrufs oder unabhängig von ihm zu Sabotageaktionen und Verhaftungen von NS-Funktionären kam, geschah dies durch Männer und Frauen, die solche Bedenken nicht trugen. Bei ihnen entlud sich eine langaufgestaute Empörung über das Unrechtsregime, oder der humanitäre Gesichtspunkt der Kriegsverkürzung übertraf die Rücksicht auf die eigene Person. Die zweite Betrachtungsweise war, wie sich noch zeigen wird, selbst bei Bürgermeistern und Landräten, die unter Mitwirkung der Partei eingesetzt waren, nicht unbekannt. Es liegt nahe, bei ihrem Verhalten an vorwiegend opportunistische Motive zu denken, und tatsächlich ist auch das Bestreben, sich noch in letzter Minute ein Alibi zu verschaffen, bei diesen Personen nicht durchwegs auszuschließen. Aber auch so gerieten sie durch ihre den Forderungen von Partei und Wehrmacht entgegengesetzten Intentionen in Lebensgefahr und bewahrten durch ihr einsichtsvolles Verhalten in den letzten Kriegswochen noch manche Ortschaft vor Zerstörung und Unglück.

So hatte der Landrat von Starnberg, Dr. Irlinger, in einem Aufruf an die Bürgermeister und Gendarmerieposten seines Kreises zwei Tage vor der Besetzung der Stadt jeden Widerstand gegen die Amerikaner verboten, es sei denn, daß ausdrücklich ein gegenteiliger Befehl des Kampfkommandanten der Wehrmacht vorliege. Dieser Bekanntmachung wegen wurde Irlinger festgenommen, später jedoch wieder auf freien Fuß gesetzt. Jedenfalls war es seiner Initiative mit zu verdanken, daß die SS abzog und Starnberg nicht mehr verteidigt wurde[19].

---

[17] Zur Geschichte der FAB: IfZ, ZS 383 und ZS/A4/5–7; Wagner, Dieter: München '45 zwischen Ende und Anfang. München 1970; Bretschneider, Heike: Der Widerstand gegen den Nationalsozialismus in München 1933 bis 1945. München 1968, S. 208ff. – Zur Einschätzung durch die amerikanischen Besatzungstruppen siehe National Archives Washington, Record Group 260, 10/130–3/1, Conclusive Report about the Activities of F.A.B. (unterzeichnet von Dr. Gerngroß und Leiling) sowie Bericht des Oberkommandos der 12. Armee, in: Public Record Office London, WO 219/4731, Bavarian Separatists (11. Mai 1945).
[18] Schwalber, Josef: Dachau in der Stunde Null, in: Amperland 4, 1968, S. 84.
[19] Heimatbuch Stadt Starnberg, hrsg. von der Stadt Starnberg, bearbeitet von Michael Knab, Hans Zeller und Hans Beigel, Starnberg 1972, S. 138.

Was in München nicht gelang, sollte in Augsburg Erfolg haben. Hier hatte sich eine Widerstandsgruppe unter Leitung des Oberarztes am Städtischen Hauptkrankenhaus, Dr. Rudolf Lang, und des Sachgebietsleiters im Städtischen Arbeitsamt, Georg Achatz, gebildet, deren Ziel es war, die kampflose Besetzung der Stadt zu erreichen. In die Versuche, den Kommandanten von Augsburg, General Fehn, zur Übergabe zu bewegen, waren auch ein Vertreter des Bischofs, der nationalsozialistische Oberbürgermeister und sogar der Gauleiter von Schwaben, Karl Wahl, eingeschaltet. Fehn berief sich jedoch auf die ihm erteilten Befehle. Die Widerstandsgruppe hatte ihr Quartier in einem Gebäude bezogen, das sich im Zentrum Augsburgs, nur etwa 100 m vom Gefechtsstand des Kampfkommandanten entfernt, befand. Von hier aus konnten Fehn, sein Stab und die ebenfalls dort untergebrachte Stadtverwaltung ständig beobachtet werden. Es gelang, zu den US-Streitkräften im Umkreis der Stadt telefonische Verbindung herzustellen. Die Amerikaner ließen wissen, 2000 Bombenflugzeuge stünden zum Angriff auf Augsburg bereit. Diese Drohung half, die prekäre Situation den Verantwortlichen drastisch vor Augen zu führen und sie zur Eile anzuspornen. Nachdem General Fehn unter Berufung auf die ihm erteilten Befehle den Gedanken einer Kapitulation weiterhin von sich wies, schritt die Widerstandsgruppe zu eigenem Handeln. Sie schickte Emissäre zu den Kampfspitzen der Amerikaner, um diese in die Stadt zu lotsen. Die Bevölkerung wurde aufgefordert, zum Zeichen der Übergabebereitschaft weiße Fahnen zu hissen, was weitgehend befolgt wurde. An vielen Stellen wurden auch Brücken- und Straßensperren beseitigt. Der Schlußakt verlief äußerst dramatisch: Geführt von einem Mitglied der Augsburger Freiheitsaktion erschienen im Zentrum der Stadt ein amerikanischer Aufklärungswagen, ein Panzer und drei Jeeps. Die Leute um Dr. Lang hatten ihr Versteck verlassen und gaben sich durch Schwenken weißer Fahnen den ankommenden Amerikanern zu erkennen. Gemeinsam wurde nun der Gefechtsstand des Kampfkommandanten im Handstreich genommen. Eine verschwindend geringe Zahl amerikanischer Soldaten und eine kleine Gruppe der Augsburger Freiheitsbewegung hatten so den General und seinen Stab überrumpelt und gefangengesetzt[20].

Karl Wahl, der ehemalige Gauleiter von Schwaben, versucht in seiner Rechtfertigungsschrift »Patrioten oder Verbrecher?«[21], die Verdienste der Augsburger Widerstandsbewegung zu schmälern. Doch ist den Ausführungen eines Mannes, der die Meinung vertritt, der Zweite Weltkrieg sei Deutschland aufgezwungen worden[22], keine allzu große Bedeutung beizumessen. Demgegenüber wird in der Veröffentlichung der US-Armee über ihre Operationen auf dem europäischen Kriegsschauplatz die Begegnung mit der Augsburger Untergrundorganisation bestätigt und berichtet, daß als Folge davon der amerikanische Divisionskommandeur das Artilleriefeuer einstellen ließ[23].

---

[20] Stadtarchiv Augsburg (Zeitgeschichtliche Abteilung). Die Übergabe der Stadt Augsburg. Bericht über die Tätigkeit der deutschen Freiheitsbewegung in Augsburg 1945, verfaßt von Dr. Rudolf Lang; Stoll, Hans: Die Übergabe der Stadt Augsburg an die amerikanischen Streitkräfte 1945, in: Jahrbuch des Vereins für Augsburger Bistumsgeschichte Jg. 4 (1970), S. 103–105; Domarus, Wolfgang: Nationalsozialismus, Krieg und Bevölkerung. Untersuchung zur Lage, Volksstimmung und Struktur in Augsburg während des Dritten Reiches. München 1977, S. 190ff.
[21] Wahl, Karl: Patrioten oder Verbrecher? Aus 50jähriger Praxis, davon 17 Jahre als Gauleiter. Heusenstamm 1975, S. 237f.
[22] Ebenda, S. 239.
[23] Mac Donald, Charles B.: The European Theater of Operations: The last offensive. Washington 1973, S. 435f.

Aktionen zur Kriegsbeendigung

Die durch den Aufruf der FAB ausgelösten Aktionen zur sofortigen Beendigung des Krieges haben in den beiden oberbayerischen Städten Penzberg und Altötting zur vorübergehenden Entmachtung des Nationalsozialismus und zur Übernahme der öffentlichen Gewalt durch seine Gegner geführt. Der Gegenschlag ließ allerdings nicht lange auf sich warten und erfolgte mit brutaler Härte. In Penzberg hatte schon seit 4.00 Uhr morgens Hans Rummer, vor 1933 14 Jahre lang sozialdemokratischer Bürgermeister der Bergarbeiterstadt, die Aufrufe und Durchsagen der FAB am Rundfunk abgehört. In ihnen war auch an die noch vorhandenen Parteipolitiker der Weimarer Zeit appelliert und ihnen nahegelegt worden, die Geschicke ihrer engeren Heimat wieder selbst in die Hand zu nehmen. Rummer nahm Kontakte auf zu Gleichgesinnten und begab sich zunächst in das Bergwerk – damals wirtschaftlicher Mittelpunkt der Stadt –, um seine vorübergehende Stillegung zu erreichen und die Zusage zu erhalten, daß beim Einmarsch der Amerikaner keine Sprengung der Anlagen, wie sie die Nationalsozialisten wünschten, vorgenommen werde. Er begab sich sodann in die Lager der französischen und russischen Kriegsgefangenen, stellte ihnen baldige Freiheit in Aussicht, bat aber gleichzeitig um Verständnis, wenn sie vorerst noch im Lager zu bleiben hätten. Als Rummer und seine Kameraden das Rathaus betraten, hatte sich vor ihm bereits eine größere Menschenmenge eingefunden, die sich über die veränderten Verhältnisse unterhielt. Rummer ersuchte die Polizisten und Beamten der Stadtverwaltung, unter seiner Leitung ihren Dienst weiter zu versehen. Dem NS-Bürgermeister, der inzwischen erschienen war, wurde eröffnet, er sei abgesetzt. Man legte ihm nahe, Penzberg zu verlassen. Anschließend beriet Rummer mit anderen NS-Gegnern – ehemaligen Sozialdemokraten und Kommunisten – über notwendige Maßnahmen zum Schutze der Stadt und ihrer Bürger. Da stieß zu ihnen ein Offizier, Kommandeur der Abteilung eines Werferregiments, das an diesem Morgen in Penzberg eingetroffen war, und erkundigte sich nach dem Vorgefallenen. Es wurde ihm mitgeteilt, eine neue Stadtverwaltung sei gebildet, er möge doch die Waffen niederlegen und seine Leute nach Hause schicken, der Krieg sei zu Ende. Er antwortete, er wolle die Angelegenheit seinem Regimentskommandeur vortragen, und entfernte sich. Damit war das Schicksal der neugebildeten Stadtverwaltung bereits besiegelt. Rummer schien sich dennoch seiner Sache sicher. Gegen 9.00 Uhr hielt er an die vor dem Rathaus Wartenden eine Ansprache, in der er zu Ruhe und Besonnenheit mahnte. Er kündigte für 16.00 Uhr eine Kundgebung an und bat um zahlreiche Beteiligung. Aber bereits um 10.30 Uhr war das Rathaus umstellt. Niemand durfte es mehr verlassen oder betreten, gegen 11.00 Uhr wurden Rummer und seine Kameraden verhaftet. Der Kommandeur des Werferregiments, Oberstleutnant Ohm, begab sich am Nachmittag nach München, um Gauleiter Giesler die Vorfälle zu melden und weitere Befehle entgegenzunehmen. Giesler ordnete die Erschießung der Verhafteten an und versprach, zur »Aufrechterhaltung von Ruhe und Ordnung« eine Spezialeinheit nach Penzberg zu schicken. Aus München zurückgekehrt, stellte Ohm das Exekutionskommando zusammen. Der wieder in Erscheinung getretene NS-Bürgermeister Vonwerden durfte den Verhafteten ihr Todesurteil verkünden. Abends 18.00 Uhr wurden dann Hans Rummer und sechs seiner Kameraden in der Nähe des Sportplatzes an der Bichler Straße erschossen.

Damit war aber die Tragödie dieses Tages, der für Penzberg so hoffnungsvoll begonnen hatte, noch nicht beendet. Bei einbrechender Dunkelheit erschien das von Giesler angekündigte »Freikorps Adolf Hitler«. Mit dieser Einheit hatte es eine besondere Bewandtnis. Sie bestand aus einigen hundert Parteigenossen, die infolge ihres Alters, ihrer Jugend oder wegen beruflicher Unabkömmlichkeit bisher nicht der Wehrmacht angehörten. Führer dieser Einheit war der Schriftsteller und Hauptmann der Reserve Hans Zöberlein, seit 1921 Mitglied der NSDAP, Inhaber des Blutordens und des goldenen Ehrenzeichens der Partei. Sein Verband war dem Gauleiter und Reichsverteidigungskommissar Paul Giesler zur besonderen Verwendung unterstellt. Das »Freikorps Adolf Hitler« war mit modernen Schnellfeuerwaffen ausgerüstet, im übrigen aber uneinheitlich mit Uniformstücken, Zivilmänteln und Trachtenhüten gekleidet und erweckte stärker den Eindruck einer Bande als einer regulären Truppe. Zöberlein hatte von Giesler den Auftrag, mit seiner Einheit, die sich in Penzberg als »Oberbayerischer Werwolf« ausgab, blutige Rache für die Vorkommnisse des Vormittags zu nehmen. Man stellte im Rathaus eine Liste von Verdächtigen zusammen, ließ diese in ihren Wohnungen verhaften und führte sie ohne jedes Verhör zur Hinrichtung. Den Erhängten wurde ein Schild mit der Aufschrift »Werwolf« um den Hals gegeben. In den frühen Morgenstunden des 29. April – es war ein Sonntag – verließen Zöberleins Haufen und das Werferregiment die Stadt. Die Bewohner kamen nur zögernd aus ihren Wohnungen, es bot sich ihnen ein schauerliches Bild: Die Opfer der Nacht hingen noch an den Bäumen. Furcht und Entsetzen erfüllte die Gemüter. Am Montag, 16.30 Uhr, erfolgte dann die Besetzung Penzbergs durch die Amerikaner[24].

Wie in der Bergarbeiterstadt Penzberg, so war auch in dem katholischen Wallfahrtsort Altötting – wenn auch unter andersartiger weltanschaulicher Voraussetzung – die Opposition gegen den Nationalsozialismus nie gänzlich verstummt. Nach dem Aufruf der FAB ergriff hier der 36jährige unverheiratete Regierungsrat und stellvertretende Landrat Dr. Josef Kehrer am Morgen des 28. April die Initiative. Er setzte die Feuerwehr, die ihm von amtswegen unterstand, ein, um eine Reihe prominenter Nationalsozialisten festnehmen zu lassen. Der Bürgermeister der Stadt erschoß sich, als er den Verhaftungstrupp auf der Straße kommen sah.

Die Kunde von dem Umsturz in Altötting erreichte auch ein Lazarett im benachbarten Neuötting; der sich dort in Behandlung befindliche Oberstleutnant Kehne entschloß sich, ohne hierfür in irgendeiner Weise legitimiert zu sein, in Altötting nach dem Rechten zu sehen. Unterwegs nahm er noch zwei weitere Offiziere mit und drang in das Dienstzimmer von Dr. Kehrer ein. Kurz darauf hörte man einen Schuß. Die aus den Nebenzimmern herbeigeeilten Bediensteten des Landratsamts sahen ihren Chef schwer röchelnd, aus einer Schläfenwunde blutend am Boden liegen. Die drei Offiziere erklärten, Dr. Kehrer habe sich selbst erschossen. Der Verletzte wurde ins Krankenhaus gebracht, wo er am übernächsten Tag starb. Dann begaben sich die Offiziere zum Arrestraum der Gendarmerie auf der gegenüberliegenden Seite des Landratshofes und

---

[24] Justiz und NS-Verbrechen, Bd. 3, a.a.O., S. 67ff., Bd. 8, bearbeitet von Adelheid L. Rüter-Ehlermann, H. H. Fuchs und C. F. Rüter. Amsterdam 1972, S. 561ff., Bd. 13, a.a.O., S. 481ff., Bd. 14, bearbeitet von Irene Sagel-Grande, H. H. Fuchs und C. F. Rüter. Amsterdam 1976, S. 237ff.; Luberger, Karl: Geschichte der Stadt Penzberg. Penzberg 1969, S. 152ff. – Siehe auch den Beitrag von Tenfelde, Klaus: Proletarische Provinz. Radikalisierung und Widerstand in Penzberg/Oberbayern 1900–1945, in diesem Band.

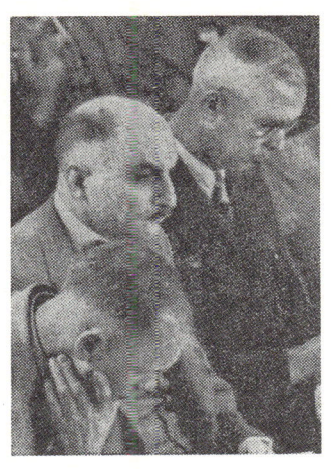

75. Auf der Anklagebank (1948). (v.l.n.r.): Albert Selbertinger (Freispruch), Hans Zöberlein (Todesstrafe), Berthold Ohm (15 Jahre Zuchthaus).

76. Hans Rummer, Bürgermeister von Penzberg.

77. Dr. Franz Seiff

befreiten die dort festgehaltenen Nationalsozialisten. Diese hatten in den vorausgehenden Stunden durch das Fenster beobachtet, wer im Landratsamt aus- und einging. An Hand ihrer Angaben wurde nunmehr eine Liste von neun NS-Gegnern zusammengestellt, die für die Verhaftungen zur Rechenschaft gezogen werden sollten

Kreisleiter Schwägerl von Mühldorf, dem wir an anderer Stelle nochmals begegnen werden, erfuhr im Laufe des Vormittags von den Vorfällen. Er war schon immer ein unerbittlicher Feind Altöttings und seiner Wallfahrt gewesen. Im Laufe des Dritten Reichs hatte es eine Reihe schikanöser Maßnahmen gegeben, die die Abneigung der NSDAP gegen den Ort, der im kirchlichen Leben Altbayerns so hohes Ansehen genoß, unmißverständlich zum Ausdruck brachten. Auf Ersuchen Schwägerls kam gegen 13.00 Uhr ein SS-Kommando nach Altötting, das aufgrund der erwähnten Namensliste Verhaftungen vornahm. Von den vorgesehenen Todeskandidaten waren jedoch vier nicht auffindbar. Man nahm an ihrer statt nahe Verwandte fest, in einem Fall den Bruder, in drei weiteren die Ehefrauen. Nur der energischen Intervention eines Polizeioffiziers war es zu verdanken, daß sie anschließend nicht auch, wie die restlichen fünf Todgeweihten, erschossen wurden. Zu diesen gehörten: Josef Bruckmayer, Mühlenbesitzer, Hans Riehl, Lagerhausverwalter, Martin Seidel, Verwaltungsoberinspektor, Adam Wehnert, Verlagsbuchhändler, und der 70jährige Priester Adalbert Vogel, Administrator der Hl. Kapelle in Altötting. Während die übrigen in irgendeiner Weise mit den Verhaftungen der NS-Führer zu tun hatten, war letzterer an den antinazistischen Maßnahmen des Vormittags nicht beteiligt gewesen. Er hatte sich lediglich in das Landratsamt begeben, um sich nach dem Stand der Dinge zu erkundigen. Hierbei war er offensichlich von den arrestierten NS-Funktionären beobachtet worden. Dem Kreisleiter Schwägerl bot dies einen willkommenen Anlaß, mit dem unliebsamen weltanschaulichen Gegner in letzter Minute abrechnen zu können[25].

Der Aufruf der Freiheitsaktion Bayern, die NS-Herrschaft abzuschütteln und den militärischen Widerstand einzustellen, wurde in vielen Orten des noch unbesetzten bayerischen Oberlandes zustimmend aufgenommen. Verstärkt war dies dort der Fall, wo die Bevölkerung unter dem Terror der Partei oder der sich ausbreitenden Disziplinlosigkeit militärischer Verbände zu leiden hatte.

In Götting (LK Rosenheim) hatte die SS, um feindliche Tiefflieger abzuwehren, mitten im Dorf Maschinengewehre aufgestellt. Die Bitte, Rücksicht auf die Bevölkerung und ihre Höfe zu nehmen und die Abwehr in den Wald zu verlegen, fand kein Gehör. Die SS machte aus Zeitvertreib Jagd auf das Wild und benahm sich in jeder Hinsicht anmaßend und überheblich. Sie ordnete an, daß vor dem Einmarsch der Amerikaner alle Häuser und Höfe in Brand zu stecken seien. Wer dem nicht Folge leiste, werde erschossen. Der Bürgermeister des Ortes wandte sich um Abhilfe an den Landrat; er war der Auffassung, eine »solche Truppe gehöre an den Gegner und nicht an das deutsche Volk«. Als in den Morgenstunden des 28. April auch in Götting der Aufruf der FAB vernommen wurde, herrschte große Erleichterung. Hauptlehrer Georg Hangl wandte sich sogleich an den Pfarrer des Ortes, Josef Grimm, um ihn zum Hissen der bayerischen Fahne auf dem

---

[25] Justiz und NS-Verbrechen, Bd. 3, a.a.O., S. 681ff.; Bauer, Robert: Die Opfer von Altötting 945, in: Bavaria Sancta, a.a.O., S. 393–406.

Kirchturm zu bewegen. Bald wehten dort die weißblauen Farben zum Zeichen der Befreiung von der NS-Tyrannei. Aber die SS nahm blutige Rache: Am Nachmittag wurde der Pfarrer verhaftet, in den Wald geschleppt, verprügelt, gedrosselt und erschossen, der Lehrer durch Kopfschuß getötet[26].

Die von der FAB unter dem Stichwort »Fasanenjagd« ausgegebene Aufforderung zur Entwaffnung und Festnahme der Parteifunktionäre hatte auch unter der Belegschaft der Wackerwerke in Burghausen zu Unruhen geführt. Verstärkt wurden sie durch das Gerücht, es sei beabsichtigt, vor dem Einmarsch der Amerikaner die Werksanlagen zu sprengen. So etwas lag durchaus im Bereich des Möglichen; es war ja von NS-Seite gewollt und durch entsprechende Befehle zum Ausdruck gebracht, Verkehrs-, Versorgungs-, Produktions- und Nachrichtenanlagen zu zerstören, ehe sie dem Feind in die Hände fielen. Auf den Aufruf der FAB hin entschlossen sich daher am 28. April einige Werksangehörige, alte Gegner des Nationalsozialismus, zum Handeln. Es waren dies: Obermeister Ludwig Schön, früheres Mitglied der Bayerischen Volkspartei, sowie Buchhalter Jakob Scheipel und Werkmeister Josef Stegmaier, ehemalige Sozialdemokraten. Letzterer war schon einmal KL-Häftling gewesen. Unter der Führung dieser Männer kam es zu einer Reihe von Einzelaktionen: Das Waffenlager des aus Werksangehörigen bestehenden Volkssturmbataillons wurde erbrochen, als Funktionäre der Partei bekannte Betriebsangehörige wurden inhaftiert – unter ihnen der Ortsgruppenleiter und der Volkssturmkommandant. Auch aus der Waffenkammer der Landesschützen, deren Aufgabe die militärische Sicherung der Anlagen war, holte man die vorhandenen Waffen und verteilte sie. Man eignete sich auch zwei Maschinengewehre an und postierte sie am Werkseingang. Erregte Debatten wurden geführt. Es herrschte eine gespannte Atmosphäre.

Als im Laufe des Vormittags Gauleiter Giesler über den Rundfunk sprach und die Niederschlagung des Aufstands der FAB bekanntgab, erschien jedoch den am Aufruhr Beteiligten die Lage bedenklich. Die Werksleitung war bestrebt, die Ruhe wieder herzustellen.

Der Stadtkommandant von Burghausen sowie der Leiter der dortigen Schutzpolizei versprachen, die Verantwortlichen nicht zur Rechenschaft zu ziehen. Auf diese Zusagen hin wurden die Verhafteten freigelassen und die Waffen zurückgegeben. Gegen Mittag herrschte im Werk wieder vollkommene Ruhe.

Aber Kreisleiter Schwägerl von Mühldorf, der zugleich Kreisleiter von Burghausen war, erfuhr von den Unruhen in den Wackerwerken. Er befahl einem Offizier der Waffen-SS, die Rädelsführer zu erschießen. Zur Durchführung des Auftrags wurden ihm sechs SS-Männer mitgegeben. Schön, Scheipel und Stegmaier wurden verhaftet, zum Tode verurteilt und im Vorgarten des Direktionsgebäudes durch Genickschuß getötet[27].

Einer Form passiven Widerstands in diesen letzten Kriegswochen muß noch besonders gedacht werden. Sie machte sich dort bemerkbar, wo den Machthabern Schwierigkeiten in den Weg gelegt wurden, die von ihnen angeordneten Strafmaßnahmen zu vollziehen. So wurde gelegentlich versucht, die Vollstreckung von Todesurteilen unter

---

[26] IfZ, ZS/A4/1.
[27] Justiz und NS-Verbrechen, Bd. 13, a.a.O., S. 773ff.; IfZ, ZS/A4/2.

78. Josef Stegmair

79. Ludwig Schön

80. Jakob Scheipel

irgendwelchen Vorwänden zu verzögern, in der Hoffnung, Zeitgewinn könne für die Verurteilten noch eine Chance bedeuten. Verschiedentlich taten sich die Verfolger auch schwer, ein den Vorschriften entsprechendes Standgericht zusammensetzen zu können.

Ein Beispiel hierfür sind die Ereignisse in Landshut am 28. April. Nach dem Aufruf der FAB gingen auch hier Gegner des Nationalsozialismus, die schon lange miteinander Kontakt hielten, zum aktiven Widerstand über. Auch die Schutzpolizei schloß sich zeitweise der Bewegung an, besetzte die Eingänge zum Rathaus und nahm dort diensttuende Gestapobeamte fest. Führendes Mitglied des Landshuter Widerstands war Regierungsrat Dr. Franz Seiff, der an diesem Morgen an seinem Haus in Schweinbach bei Landshut zwei weißblaue Fahnen hissen ließ. Hierfür wurde er im Rathaus in Landshut, wohin er sich begeben hatte, verhaftet, konnte jedoch in einem unbewachten Augenblick fliehen und sich in Sicherheit bringen. Aus Sorge um seine Angehörigen verließ er aber sein Versteck und wurde erneut festgenommen. Der Reichsverteidigungskommissar und Gauleiter des Gaues Bayerische Ostmark, Ludwig Ruckdeschel, der sich im Schloß Niederaichbach bei Landshut niedergelassen hatte, bekam von den Vorgängen Kenntnis. Er beauftragte den stellvertretenden Kreisleiter mit der Einberufung eines Standgerichts zur Aburteilung des Dr. Seiff. Die bestellten Juristen ließen sich jedoch wegen Krankheit oder aus anderen Gründen entschuldigen. Darauf gab Ruckdeschel den Befehl, Dr. Seiff sogleich vor dem Rathaus erhängen zu lassen. Die Stadtverwaltung Landshut machte jedoch Schwierigkeiten. Sie gab zu bedenken, Landshut komme als Exekutionsort nicht in Betracht, da Schweinbach der Tatort sei. Außerdem liege noch kein rechtskräftiges Urteil vor. Noch zwei weitere Versuche, das Standgericht einzuberufen, mißlangen, so daß Ruckdeschel persönlich auf der Kreisleitung erschien, um die Angelegenheit in die Hand zu nehmen. Die Landshuter Richter bezeichnete er als »Scheißkerle«. Dem Dr. Seiff wurde nun eröffnet, daß er zum Tod durch den Strang verurteilt sei und das Urteil umgehend vollstreckt werde. Die Exekution wurde durch SS-Leute auf dem Viehmarktplatz in Landshut vollzogen[28].

IV. Widerstandsaktionen in den letzten Kriegstagen

Auch nach der Niederschlagung der Freiheitsaktion Bayern und ihrer lokalen Ausläufer kam es in den südlichen Teilen Bayerns, die noch nicht von amerikanischen Truppen besetzt waren, verschiedentlich zu eindrucksvollen Aktionen zur Kriegsbeendigung. Immer mehr versprengte Wehrmachtsteile und SS-Verbände zogen sich seit den letzten Apriltagen in die ländlichen Gemeinden des bayerischen Oberlandes zurück und versuchten hier noch weitere Verteidigung zu leisten. Vielerorts führte dies zu Konflikten mit der kriegsmüden Bevölkerung. Gerade in diesen rein katholischen Gegenden hatte es der Nationalsozialismus nie recht vermocht, die bodenständigen, in engem

---

[28] IfZ, ZS/A4/2; Justiz und NS-Verbrechen, Bd. 3, a.a.O., S. 763ff.

Kontakt zur Kirche lebenden Menschen für seine Ideologie zu gewinnen. Unter dem Eindruck des bevorstehenden Zusammenbruchs und ermutigt durch den Aufruf der FAB, entlud sich nunmehr die Abneigung gegen das Regime auch in gelegentlichen Gewaltaktionen.

In Inzell (LK Traunstein) hatte der Führer des Volkssturms, Oberstleutnant v. Hartlieb, am 30. April vormittags den Volkssturm einberufen und den Befehl gegeben, die Panzersperren zu schließen und sich auf die Verteidigung des Ortes einzustellen. Er wies auf die Bedeutung seiner Anordnungen hin und gab zu verstehen, daß er Disziplin und Gehorsam erwarte. Sein Vorhaben sprach sich noch während der Befehlsausgabe im Dorf herum. Soeben war in der Pfarrkirche ein Gottesdienst für einen Gefallenen zu Ende gegangen, so daß sich gerade zahlreiche Leute auf der Straße befanden. In der allgemeinen Erregung über die Absichten der Volkssturmführung faßten einige beherzte Männer den Entschluß, die Verteidigung ihres Dorfes zu verhindern. Unter Führung des Sägewerkbesitzers Michl Meier bildete sich eine Gruppe von etwa 30 Männern – Bauern und Gewerbetreibende. Sie drangen in die Versammlung des Volkssturms ein, stürzten sich auf von Hartlieb, entwaffneten ihn und seine Unterführer, verprügelten sie und nahmen sie fest. In geschlossenem Zug ging es dann ins Dorf. Unterwegs nahm man noch weitere Nationalsozialisten mit, unter ihnen den Ortsgruppenleiter und sperrte sie in das Arrestlokal im Feuerwehrhaus. Fünf dort inhaftierte russische Kriegsgefangene wurden auf freien Fuß gesetzt. Erst als eine in Inzell liegende Nachrichteneinheit mit Eingreifen drohte, wurden die Häftlinge gegen das Versprechen, ihre Verteidigungsabsichten aufzugeben, wieder entlassen. Der Handstreich blieb jedoch nicht ohne Folgen. Er kam dem Kreisleiter zu Ohren, der vom Oberstaatsanwalt in Traunstein sofortige Verhaftung der Schuldigen und ihre Aburteilung durch ein Standgericht verlangte. Dieser ließ die Betroffenen jedoch rechtzeitig warnen, so daß sie noch vor dem Eintreffen der Polizei in die Berge entkommen konnten[29].

Von den dramatischen letzten Tagen des Krieges in Ismaning (LK München) und der Einnahme des Ortes durch die Amerikaner besitzen wir einen Augenzeugenbericht. Er schildert die gedrückte Stimmung und die angstvollen Stunden, die die Bevölkerung durchlebte.

Alle stellen sich an jenem 30. April die bange Frage, was wird der Tag uns noch bringen, werden wir überleben, bleiben unsere Häuser unzerstört, wie werden die fremden Truppen verfahren? In der Gemeinde halten sich nur noch wenige Soldaten. Der Volkssturm steht einige Kilometer südlich und ist mit dem Bau von Panzersperren beschäftigt. Aus den Isarauen kommend, erscheinen immer wieder Gruppen blutjunger Soldaten der SS. Man gibt den Halbwüchsigen den Rat, ihre Waffen in den Bach zu werfen. Dem kommen sie bereitwillig nach und setzen sich nach Süden ab. Auch ein SS-Offizier ist plötzlich zur Stelle und bittet für ein paar Tage um Unterschlupf. Nachdem man ihm zu verstehen gab, sein Aufenthalt bedeute für den Ort ein Risiko, entfernt er sich wieder. Rundum gehen die noch heilen Brücken in die Luft. Dann schlagen auch schon die ersten Granaten ein. Panik ergreift die Bevökerung. Verängstigt und ratlos irren die Leute umher, Kinder beginnen zu weinen. Da faßt der Gastwirt Anton Seidl

---

[29] IfZ, ZS/A4/4.

Mut, holt ein Bettuch und besteigt den Kirchturm. Den Schlüssel hatte ihm der Pfarrer ausgehändigt. Seidl befestigt die weiße Fahne an der Nordseite des Turmes deutlich sichtbar für die anrückenden Amerikaner. Dann reiht er sich wieder unauffällig unter die wartende Menge. Und doch scheint er verraten worden zu sein. Denn der Führer des Volkssturms läßt ihn rufen und macht ihm harte Vorwürfe: Durch ihn gerate er nun in große Schwierigkeiten; er habe das Recht, ihn auf der Stelle erschießen zu lassen, fühle sich aber krank und wolle mit der Sache nichts mehr zu tun haben. Er verlange von ihm lediglich, daß er ihn ablöse und die Führung des Volkssturmes und die Verantwortung für das Hissen der Fahne übernehme. Seidl weigert sich, das Kommando über den Volkssturm anzutreten. Während man einen anderen sucht, dem man die Aufgabe übertragen könne, macht er sich aus dem Staub und flieht auf einen 4 km entfernten Einödhof. Bald kursiert das Gerücht, in den Isarauen halte sich immer noch eine Menge von SS-Männern. Aus Angst vor Vergeltung in letzter Minute besteigt erneut jemand den Kirchturm, zieht das Laken ein und hißt die Hakenkreuzfahne. Nunmehr nehmen die Amerikaner den Turm unter Feuer; unter den Detonationen der Granaten ist er bald in eine riesige Staubwolke gehüllt. Man fürchtet, daß jeden Augenblick ganz Ismaning in Trümmer geschossen wird. Ein beherzter Mann steigt daher aufs neue in den Turm und tauscht die Fahnen aus. In den Morgenstunden des folgenden Tages ist es dann endlich so weit: Die amerikanischen Panzer rollen in den Ort; es kommt zu keinen Zwischenfällen mehr[30].

In Bad Tölz spielte sich am selben Tag, dem 30. April, ein ähnlicher Kampf um die weiße Fahne auf dem Turm der Pfarrkirche ab. Hier war es der Spenglermeister Josef Stegmaier, der durch diese Aktion die Stadt vor Schaden bewahren wollte. Die Mehrheit der Einheimischen begrüßte das mutige Unterfangen; doch während Stegmaier noch damit beschäftigt war, das Tuch am Turm zu befestigen, wurde von unten auf ihn geschossen. Ein bewaffneter Trupp Hitlerjugend verschaffte sich Zutritt zum Turm, zog die weiße Fahne ein und hißte die Hakenkreuzfahne. Andere stiegen hoch und warfen unter dem Beifall der unten wartenden Zuschauer die Hitlerfahne wieder vom Turm. Dann wird durch öffentlichen Anschlag bekanntgegeben, das Hissen weißer Fahnen werde mit dem Tode geahndet[31].

In Ebratshausen (LK Mainburg) wurde der Benefiziat Augustin Wagner von der SS verschleppt und ermordet, da er Vorbereitungen getroffen hatte, auf dem Turm seiner Kirche eine weiße Fahne zu hissen. Acht Wochen später fand man seine Leiche im Wald[32].

In Jettingen (LK Günzburg) waren es Pfarrer Leonhard Moll zusammen mit dem dortigen Bürgermeister Schmid, dem Gendarmeriemeister Bader und dem Ortsgruppenleiter Schlosser, die man wegen Hissens der weißen Fahne verhaftete. Sie wurden in das benachbarte Scheppach gebracht, wo unter Vorsitz eines SS-Generals das Standgericht tagte. Die Vernehmungen dauerten noch an, als die ersten US-Panzer sich dem Ortsrand

---

[30] Engl, Heinz J.: Chronik von Ismaning. Ismaning 1978, S. 225–227.
[31] Hochland-Bote vom 30. 4. 1948.
[32] Nappenbach, Paul: Mainburger Heimatbuch. Mainburg 1954, S. 77f.

näherten. Die SS-Feldgendarmerie ergriff daraufhin Hals über Kopf die Flucht. Die beabsichtigten Todesurteile konnten nicht mehr verhängt werden[33].

Auf dem flachen Land waren es vielfach Geistliche, die an der Kapitulation der Ortschaften beteiligt waren. Die Einwohner sahen diese Aktivitäten nicht ungern, in der Annahme, ihre Seelsorger würden bei den Okkupationstruppen als zuverlässige Gegner des Nationalsozialismus gelten.

Wer sich in den letzten Kriegstagen für eine Einstellung der Kampfhandlungen aussprach, bekam oft genug unter Berufung auf empfangene Befehle eine abschlägige Antwort. Die Befürworter einer sofortigen Waffenruhe sahen sich somit ständig mit dem Phänomen eines situationsblinden Gehorsams konfrontiert. In Einzelfällen spielte auch der Gedanke der »Waffenehre« eine Rolle: Man fand es ungehörig, die Waffen zu strecken, ohne vom Gegner überwältigt worden zu sein. Daß solche Gedankengänge auch noch bis in die zeitliche Nähe der Endkatastrophe ihren Einfluß ausübten, zeigt das Beispiel des Kampfkommandanten von Nürnberg. Als die Lage unhaltbar geworden war, gab er zwar den Befehl zur Feuereinstellung, weigerte sich aber für seine Person die Stadt zu übergeben. »Nürnberg, die geschichtlich so bedeutende Stadt, konnte im Kampf bezwungen, durfte aber auch in diesem dunkelsten Abschnitt ihrer Geschichte nicht übergeben werden«[34], begründete er seine Handlungsweise.

Die Hauptursache für die weitere Befolgung der Durchhalteparolen dürfte jedoch in einer Gesinnung zu sehen sein, die beim Beamtentum und im Offizierskorps weit verbreitet war. Die Angehörigen beider Bereiche waren in einer bedingungslosen Loyalität zum Staat erzogen. Dies erschwerte ein Umdenken und Zurechtfinden in Situationen, die mit bloßer Berufung auf dienstlichen oder soldatischen Gehorsam nicht mehr bewältigt werden konnten, sondern eigenständiges verantwortliches Handeln verlangten.

Aufschlußreich ist in dieser Beziehung der Bericht des Oberst Cord v. Hobe, Kommandeur einer Panzerkampfgruppe, über die von ihm geleiteten Rückzugsgefechte Ende April im südbayerischen Raum, also zu einer Zeit, als das Regime bereits in seinen letzten Zuckungen lag. Von Hobe rechtfertigt die während dieser Kämpfe auch von ihm veranlaßten Brückensprengungen mit militärischem Gehorsam, mit der Aussicht, den Feind aufzuhalten und eventuell das Leben deutscher Soldaten zu retten. Es nimmt nicht wunder, daß v. Hobe bei dieser Einstellung die Aktion des Hauptmanns Gerngroß als Verrat kennzeichnet und am Abend des 28. April, dem Tag des Losschlagens der FAB, sich »zum erstenmal tief erschüttert« fühlte. Für das Verhalten der Zivilbevölkerung kennt er kein Verständnis. Er findet ihr »offenes Zusammenarbeiten mit dem Feind abscheulich«. Als die Amerikaner sich bereits in Münchens Mitte befinden, Gauleiter Giesler und General Hübner, der Kampfkommandant von München, die Stadt schon verlassen haben, sitzt v. Hobe mit seinem Stab in einem Haus gegenüber dem Prinzregententheater, unweit von Hitlers Privatwohnung, und wartet auf weitere Einsatzbefehle. Tief enttäuscht erfährt er, wie die Bevölkerung Brücken- und Straßensperren entfernt hat, wie die Amerikaner teilweise mit Blumen empfangen werden, daß

---

[33] Archiv des Bistums Augsburg, BO 5790.
[34] Spiwoks und Stöber, a.a.O., S. 308.

die militärischen Einheiten sich immer weiter auflösen. Er erlebt, wie sich Menschen vor seinem Haus zusammenrotten und in preußenfeindliche Rufe ausbrechen. Sein Ordonnanzoffizier schießt zur Warnung über die Köpfe der Menge. »Diese Sprache verstehen die Menschen recht schnell. Es ist Respekt und Ruhe«, bemerkt v. Hobe. Als er endlich Befehl erhält, München sofort zu verlassen, steht er mit der Waffe in der Hand im Wagen, um sich »notfalls mit Gewalt den Weg durch den Pöbel, der drohend und schimpfend die Straßen belebt, zu bahnen«[35].

Daß die hartnäckige Verteidigung gegen die amerikanischen Truppen in diesen letzten Kriegstagen nicht mehr zustandekam, führten einige Offiziere offenbar auch auf die bayerische Mentalität zurück. Als man am 1. Mai, wenige Stunden vor dem Eintreffen der amerikanischen Panzer, in Oberhaching (LK München) den dort kommandierenden Offizier von der Sinnlosigkeit einer Verteidigung überzeugen wollte, äußerte er, er sei das schon gewohnt, daß in Bayern alles übergeben werde. Den ersten, der es wage, die weiße Fahne zu hissen, lasse er erschießen[36].

So kam es in den letzten Apriltagen immer wieder zu Zusammenstößen zwischen Einheimischen, die Leben und Eigentum nicht mehr in Gefahr bringen wollten, und ortsfremden Wehrmachts- und SS-Angehörigen, die in ihrem politischen Fanatismus glaubten, eine abstrakte Waffenehre höher werten zu müssen als die Rücksichtnahme auf die Bevölkerung.

In Eching (LK Freising) stieg am Abend des 28. April ein Scharführer der Waffen-SS auf den Kirchturm und schoß als Signal für die Artillerie eine Leuchtkugel ab. Bewohner, die ihn daran hindern wollten, bedrohte er mit seiner Maschinenpistole und meinte, »daß es um das Kaff nicht schade sei«. Prompt erfolgte die Beschießung des Ortes durch die Amerikaner. Nach der Besetzung wurde der Mann in einem Strohhaufen entdeckt. Er bat die Bauern, verständlicherweise vergebens, um Zivilkleidung[37].

Jedoch wuchs in diesen Tagen ständig die Zahl jener Offiziere, die die unabänderliche Wirklichkeit begriffen und sich sagten, daß weiterer Einsatz sich nicht mehr lohne, sondern den Zusammenbruch nur um so empfindlicher mache. Zu ihnen zählte der Standortbereichsführer von Garmisch-Partenkirchen, Oberst Ludwig Hörl, der sich zusammen mit Offizieren seines Stabes den von Generalfeldmarschall Kesselring erteilten Befehlen widersetzte und eine kampflose Übergabe des Werdenfelser Landes betrieb. Es galt hierbei den Widerstand des Oberstleutnants Bauernfeind zu brechen, der als »Sonderbeauftragter des Führers« mit Standgericht drohte und sogar den Gedanken erwog, auf die kriegsmüde und beunruhigte Bevölkerung schießen zu lassen. Als die Bewohner des Dorfes Eschenlohe gegen die Soldaten Stellung nahmen, erging der Befehl, die Bevölkerung zu evakuieren. Das Vorhaben wurde jedoch vereitelt. Hier wie auch anderswo ist in den letzten Kriegstagen ein oft verwirrendes Nebeneinander von Befehlen und Gegenbefehlen zu beobachten, was die Situation für die gegen eine Kriegsverlängerung arbeitenden Personen nur um so prekärer machte. Ein unbekannt gebliebener Pionieroffizier leitete die Sprengung der Eisenbahnbrücken bei Hechendorf

---

[35] Ebenda, S. 320, 339ff., 346ff.
[36] Hobmair, Karl: Hachinger Heimatbuch. Oberhaching 1979, S. 598.
[37] Kollmannsberger, Georg und Hans Gruber: Eine Heimatgeschichte der Orte Eching, Dietersheim, Hollern. Eching 1973, S. 109.

und Farchant ein. Durch Festnahme der ortsfremden Sprengmannschaften konnte die Aktion noch im letzten Augenblick verhindert werden. Mit Hilfe eines Vertreters des Genfer Roten Kreuzes wurde den bereits in Oberammergau stehenden amerikanischen Truppen die Übergabe des Werdenfelser Landes angeboten. So rollten am 29. April 18.45 Uhr die ersten amerikanischen Panzer in Garmisch ein. Noch im Laufe des Nachmittags war von Generalfeldmarschall Kesselring der Befehl eingetroffen, Garmisch unter allen Umständen zu verteidigen. Es war drohend beigefügt, Oberst Hörl werde sich ja wohl im klaren sein, welche Folgen Befehlsverweigerung nach sich ziehe[38].

Zu den Personen, die sich in überdurchschnittlich hoher Zahl an lokalen Aktionen zur Kampfeinstellung beteiligten, zählten die Ärzte der Wehrmacht. Es lag nahe, daß sie aus dem Gedankengut des Roten Kreuzes heraus sich dafür einsetzten, Lazarettorte aus der Kampfzone zu nehmen und unverteidigt zu übergeben. Ihren Aktivitäten war somit ein gewisses Maß an Schutz verliehen. Insofern befanden sie sich in einer grundsätzlich günstigeren Situation als Truppenkommandeure, die einem Auftrag zur Verteidigung nicht nachkamen. Dennoch blieben auch die Ärzte bei entsprechenden Aktionen stets gefährdet und es gab Fälle, in denen sie ihren Einsatz mit dem Leben bezahlten.

Das Schicksal des Stabsarztes Dr. Fritz Scheid vom Lazarett Überfahrt in Rottach-Egern (LK Miesbach) ist hierfür ein Beispiel. Mit Gleichgesinnten hatte er sich dafür ausgesprochen, das Tegernseer Tal, in dem sich auf dem Rückzug befindliche SS-Truppen festgesetzt hatten, kampflos zu übergeben. Als nach langwierigen Verhandlungen, in die auch der schweizerische Generalkonsul eingeschaltet war, der zuständige SS-Oberführer Borchmann am 2. Mai die Zusage gab, seine Truppen abzuziehen, entschloß man sich, diese Nachricht umgehend den Amerikanern zu überbringen, um diese von übereilten Aktionen abzuhalten. Sie hatten durch einen zurückgeschickten Kriegsgefangenen das Ultimatum überbringen lassen, das Tal werde in Schutt und Asche gelegt, wenn bis abends 9.00 Uhr nicht endlich Absatzbewegungen der SS-Truppen zu erkennen seien. Dr. Scheid machte sich daher mit zwei Begleitern in einem Rotkreuzwagen sofort auf den Weg. Infolge einer Brückensprengung in Bad Wiessee war die Gruppe gezwungen, das letzte Stück des Weges zu Fuß zurückzulegen. Eine SS-Streife ließ sie passieren, nachdem sie sich von der Zusage Borchmanns überzeugt hatte. Als die Parlamentäre jedoch nur noch etwa 100 Meter von den amerikanischen Posten entfernt waren, traf sie von rückwärts eine MG-Garbe. Verwundet schleppten sie sich zu den Amerikanern, um diese von der Bereitschaft zu informieren, das Tal widerstandslos zu übergeben. In der Nacht vom 5. auf 6. Mai erlag Dr. Scheid in einem US-Lazarett seiner Verletzung. Auch einer seiner Begleiter, der als Dolmetscher mitgekommen war, zahlte für seinen Einsatz mit dem Leben[39].

Auf der gegenüberliegenden Seite des Sees richtete sich die SS im Laufe des 3. Mai zur Verteidigung ein. Sie gab ihre Absicht kund, den Lazarettort Tegernsee mit etwa 3500 Verwundeten und 5000 Evakuierten, überwiegend Frauen und Kindern, verteidigen zu wollen. In nächster Nähe der Lazarette wurden Geschütze und Maschinengewehre in Stellung gebracht. Am Nachmittag setzte Granatfeuer ein. Lähmendes Entsetzen

---

[38] IfZ, ZS/A4/1.
[39] Ebenda.

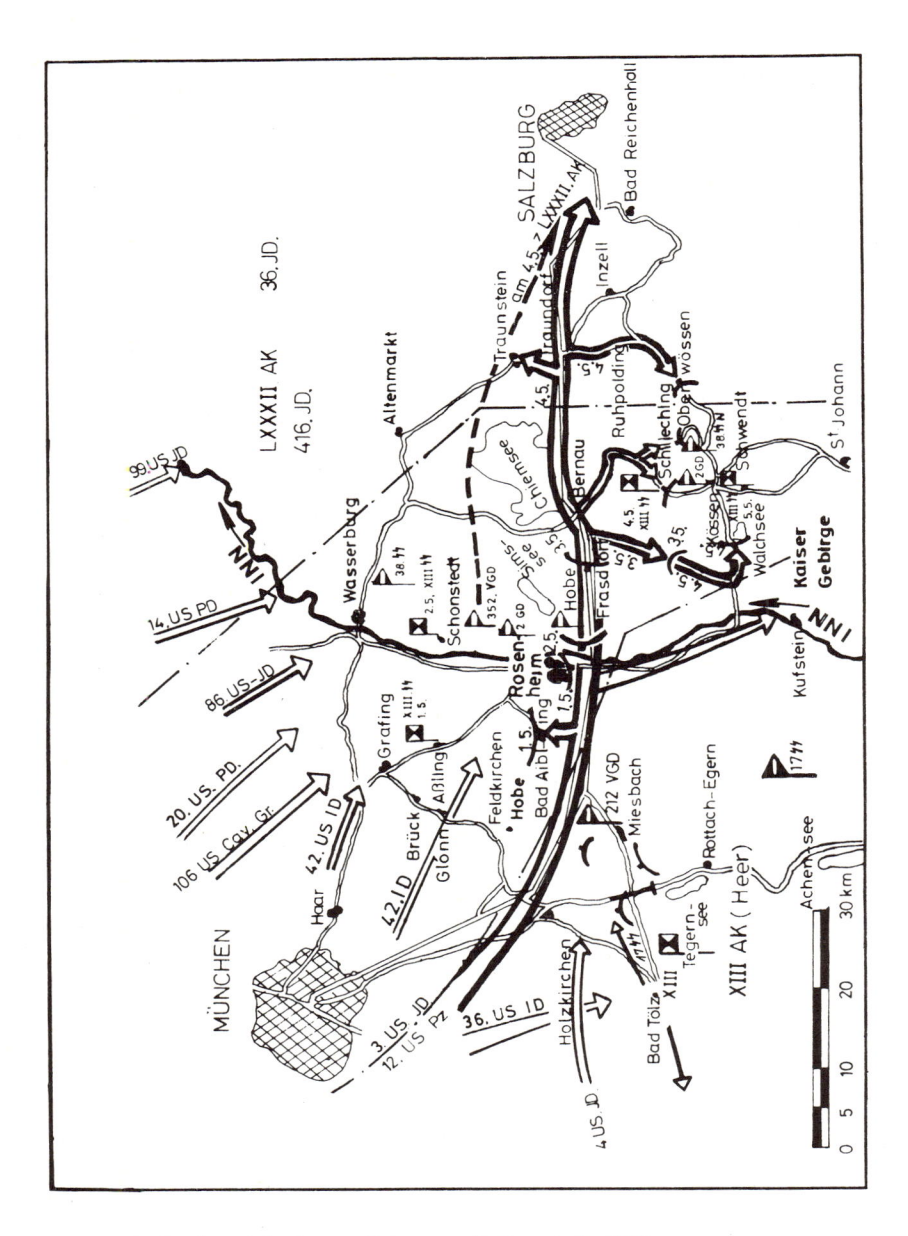

81. Frontverlauf während der letzten Kriegstage (1. 5. — 6. 5. 1945).

bemächtigte sich der Versehrten und Kranken sowie der Einheimischen. In den Abendstunden machte sich der leitende Arzt der inneren Krankenabteilung, Stabsarzt Dr. Georg Feichtinger, mit vier weiteren Personen, durch eine Rotkreuzfahne gekennzeichnet, auf den Weg nach St. Quirin (LK Miesbach), um dort mit den Amerikanern Übergabeverhandlungen aufzunehmen. Der amerikanische Offizier, der die Vernehmung führte, gab zu verstehen, daß in einer halben Stunde eine Flugstaffel gestartet wäre, um Tegernsee zu bombardieren. Er brachte sein Erstaunen zum Ausdruck, daß ein Lazarettort solch sinnlosen Widerstand leiste. Dr. Feichtinger versicherte seinem Gesprächspartner, daß die Bevölkerung nichts sehnlicher wünsche als den sofortigen Abbruch der Kampfhandlungen und lediglich die SS Widerstand leisten wolle. Daraufhin wurde der Einsatzbefehl für die US-Flugzeuge zurückgenommen[40].

Altötting beherbergte Ende des Krieges 3000–4000 Kranke und Verwundete. Der Chefarzt der dortigen Lazarette, Oberfeldarzt Dr. Thyroff, hatte sich daher seit langem bemüht, den Ort zur Lazarettstadt erklären zu lassen. Es war ihm nicht gelungen. Der Aufruf der FAB hatte, wie wir sahen, auch in Altötting zur Festnahme führender Parteimitglieder geführt. Die Aktion wurde jedoch niedergeschlagen und endete mit der Verhaftung und Erschießung von fünf Bürgern der Stadt. Am 1. Mai erreichten amerikanische Verbände das nördliche Innufer. Im Laufe des späten Abends und während der Nacht forderten die Amerikaner mittels Lautsprecher die Bevölkerung in Abständen immer wieder auf, zum Zeichen der Übergabebereitschaft die Verdunklung der Stadt aufzuheben, andernfalls um Mitternacht die Beschießung einsetze. Dr. Thyroff sprach sich für sofortige Kapitulation aus, der verantwortliche Offizier jedoch, dessen Auftrag es war, den Innübergang der amerikanischen Streitkräfte zu verhindern, berief sich auf den ihn bindenden Divisionsbefehl. Da die Bevölkerung durch das amerikanische Ultimatum sehr verängstigt war und Partei und Wehrmachtsführung damit rechnen mußten, daß der Aufforderung Folge geleistet werde, wurde der Hauptschalter des Elektrizitätswerks abgeschaltet. Ein Teil der Bewohner kam jedoch dem Aufruf der Amerikaner dadurch nach, daß sie ihre Fenster durch Kerzen beleuchteten. Der 41jährige Arbeiter Max Storfinger, der durch lautes Rufen auf der Straße aufgefordert hatte, die Fenster zu erhellen, wurde ohne jegliches Verfahren erschossen, vier Offiziere, unter ihnen drei Ärzte, wurden verhaftet, an den folgenden Tagen aber wieder auf freien Fuß gesetzt. Am 3. Mai rückten die Amerikaner kampflos in die Stadt ein[41].

Schon der Aufstand der FAB und die offenkundige Sabotierung von Gegenaktionen hatten erkennen lassen, daß innerhalb der militärischen Führung die Befehle zur Fortsetzung des Krieges nicht mehr überall ernst genommen und befolgt wurden. Je weiter der Feind nach dem Süden vordrang, um so rascher zerfiel die noch vorhandene Kampfmoral. Kaum jemand unter den Soldaten und Zivilisten zeigte Lust, seine Haut noch in letzter Minute für eine bankrotte Sache zu Markte zu tragen. Dennoch gab es auch noch in diesen letzten Kriegstagen Offiziere, die bedenkenlos das erfüllten, was die NSDAP von ihnen erwartete, weiteren militärischen Einsatz verlangten und rücksichtslos gegen die allgemeine Kriegsmüdigkeit durchgriffen.

---

[40] Ebenda.
[41] Justiz und NS-Verbrechen, Bd. 10, bearbeitet von Adelheid L. Rüter-Ehlermann, H. H. Fuchs und C. F. Rüter. Amsterdam 1973, S. 545ff.

In Eisenärzt (LK Traunstein), 3 km südlich der Autobahn München-Salzburg, hatte sich noch am 2. Mai der Stab des LXXXII. Armeekorps niedergelassen. In dem Ort befand sich ein Ausweichkrankenhaus aus München mit etwa 100 Patienten und ein Kinderlandverschickungslager. Es bestand die Gefahr, daß der Ort in das Kriegsgeschehen hineingeriet. Der beurlaubte Hauptmann Franz Holzhey versuchte deswegen, vor dem Dorfeingang eine Tafel mit dem Roten Kreuz aufzustellen. Er wurde dabei überrascht, und der kommandierende General des Armeekorps ließ ihn ohne Standgerichtsverfahren erschießen. Wenige Stunden nach der Exekution mußte Eisenärzt trotzdem geräumt werden, ohne daß ein Schuß zu seiner Verteidigung gefallen wäre[42].

Die letzten Wogen des Kriegsgeschehens zogen in diesen Tagen über Bayern hinweg und brachen sich an der Nordseite der Alpenkette. Hier kam es an manchen Orten zu einem letzten Aufflackern des militärischen Widerstandes durch Einheiten der Wehrmacht und Waffen-SS.

V. Der »Heimatschutz« im Allgäu

In einer besonders prekären Situation befand sich das obere Illertal zwischen Sonthofen und Oberstdorf. Wegen der Möglichkeit sich von hier durch das Kleine Walsertal nach Österreich abzusetzen, war es für viele versprengte und zurückflutende Einheiten – vorwiegend Waffen-SS – ein willkommenes Refugium. Ein SS-Ausbildungslager in der nahen Birgsau war stark belegt und bekam laufend Zuwachs. Auch im Kleinen Walsertal lagen SS-Verbände und Angehörige der SS-Ordensschulen Vogelsang und Sonthofen. In Sonthofen selbst war ein Gebirgsjägerbataillon stationiert; sein Kommandeur nahm eine undurchsichtige, abwartende Haltung ein. Der Einheit gehörte seit Februar des Jahres der Oberleutnant Karl Richter aus Oberstdorf an. Im Zivilleben Bergführer, war er beim Bataillon Hochgebirgsausbildungsoffizier und besaß den Auftrag, den Widerstand gegen die Amerikaner im oberen Illertal vorzubereiten. Aber zusammen mit seinem Bruder Dr. med. Ernst Richter, damals Heeressanitätsoffizier, und dem Rechtsanwalt Dr. Franz J. Pfister war er gewillt, die Verteidigungsabsichten zu durchkreuzen. Zu diesem Zweck wurde ein Heimatschutzverband gegründet. Ab Februar lief die Mitgliederwerbung. Zuverlässige Wehrmachtsangehörige – Offiziere und Mannschaften – wurden ins Vertrauen gezogen, Stützpunkte, Munitions- und Proviantlager in Hochtälern und im Kleinen Walsertal angelegt. In aller Heimlichkeit gelang es, die Heimatschutzleute mit Waffen auszustatten. Dabei war man sich wohl bewußt, daß man einer ständig wachsenden Übermacht fanatischer Kriegsverlängerer gegenüberstand. Durch den Vormarsch der Alliierten wurden immer mehr SS- und Heeresverbände ins obere Illertal abgedrängt. In Riezlern im Kleinen Walsertal wurden ausländische Generäle und

---

[42] Justiz und NS-Verbrechen, Bd. 16, bearbeitet von Irene Sagel-Grande, H. H. Fuchs und C. F. Rüter. Amsterdam 1976, S. 389ff.

Diplomaten von der SS interniert gehalten. Durch einen Vertrauensmann gelang es dem Oberstdorfer Heimatschutz, zu ihnen Kontakte herzustellen. Der dort ebenfalls festgehaltene ehemalige französische Botschafter André François-Poncet stellte ein Empfehlungsschreiben aus, in dem er die Alliierten – Amerikaner oder Franzosen, man wußte damals noch nicht, durch wen die Okkupation des Tales erfolgen würde – ersuchte, so rasch wie möglich vorzurücken, da sich die Internierten durch die Verteidigungsabsichten deutscher Stellen bedroht fühlten. Oberleutnant Richter und seine Leute, die an einer weißblauen Armbinde mit der Aufschrift »Heimatschutz« erkenntlich seien, wären bereit, die Aktionen der Alliierten zu unterstützen. Man dürfe ihnen Vertrauen schenken.

In der Nacht vom 30. April auf den 1. Mai erfolgte dann die schlagartige Besetzung Oberstdorfs durch eine etwa 40 Mann starke Gruppe des Heimatschutzes unter Führung von Oberleutnant Karl Richter. Man drang gegen Mitternacht in den Ort ein, in dem sich etwa 100 weitere Heimatschutzleute bereithielten. Sämtliche Parteifunktionäre, der Bürgermeister, SS-Offiziere und -Mannschaften wurden festgenommen. Die Verhaftungen waren listenmäßig vorbereitet worden. Rathaus, Post und Bahnhof wurden besetzt, die Polizei entwaffnet, der Volkssturm, der sich großenteils dem Heimatschutz anschloß, aufgelöst.

In den Straßen patrouillierten mit Maschinenpistolen bewaffnete Heimatschutzleute. In einem Flugblatt stellte sich die Organisation der Öffentlichkeit vor und warb um freiwillige Helfer. Sein Text endete mit dem Satz: »Unsere Heimat darf nicht sterben, sie ist das letzte, was wir noch haben«. In den Morgenstunden brachten Mitglieder des Heimatschutzes François-Poncet und einen französischen General, der mit ihm interniert gewesen war, nach Oberstdorf. Von hier gelang es, eine telefonische Verbindung mit dem Kommandeur der französischen Truppen, die inzwischen Sonthofen besetzt hatten, aufzunehmen. François-Poncet bestätigte seinem Landsmann, die NS-Herrschaft habe in Oberstdorf ihr Ende gefunden und Ruhe und Ordnung sei durch den Heimatschutz gewährleistet. Dessen Chef, Oberleutnant Richter, sei bereit, die Stadt kampflos zu übergeben. Am frühen Nachmittag rückten die ersten Panzer ohne Zwischenfall in Oberstdorf ein.

Der Heimatschutz Oberstdorf fand die Anerkennung der Besatzungsmacht, blieb weiterhin unter Waffen und half Ruhe und Ordnung aufrechtzuerhalten. In den ersten Tagen nach der Besetzung erhielt er durch den französischen Kommandeur den Auftrag, eine Säuberungsaktion in der Birgsau sowie in den übrigen Tälern und auf den Höhen der Umgebung durchzuführen. Über 100 Gefangene wurden eingebracht und große Mengen an Waffen und Munition sichergestellt. Erst im Juli 1945 wurde der Heimatschutz aufgelöst, nachdem amerikanische Truppen die Franzosen abgelöst hatten[43].

---

[43] IfZ, ZS/A4/3.

VI. Die »Alpenfestung«

Innerhalb der strategischen Überlegungen der letzten Kriegsmonate spielte der Gedanke einer deutschen Alpenfestung, von der aus man noch erfolgreich Widerstand leisten könnte, eine gewisse Rolle. Im Sommer 1944 war in der Presse der Schweiz von einer solchen Gebirgsfestung zum erstenmal zu lesen, zu einer Zeit, als sich die zuständigen Stellen des Reiches mit diesem Projekt überhaupt noch nicht ernsthaft beschäftigt hatten. Die Nachricht erweckte unter den Alliierten die Befürchtung, die Deutschen könnten auch nach dem Zusammenbruch ihrer Fronten auf diese Weise noch etwa ein halbes Jahr Widerstand leisten. Franz Hofer, der Gauleiter von Tirol-Vorarlberg, griff den Gedanken auf und empfahl in einer Eingabe an Hitler die Anlage einer solchen Alpenfestung. Seinen Vorstellungen zufolge sollte dieses Reduit die Reste der deutschen Armee aufnehmen und Raum für 30 000 amerikanische und britische Kriegsgefangene als Geiseln für künftige Waffenstillstandsverhandlungen bieten. Das zur Sperrzone erklärte Gebiet sollte großzügig mit Lebensmitteln und Rüstungsgütern versorgt und die deutsche Südarmee, um einer Vernichtung in der Poebene auszuweichen, auf die Alpenstellung zurückgenommen werden. Die Weiterleitung der von Hofer eingereichten Vorschläge wurde durch Martin Bormann verhindert, und erst nachdem Hitler durch den deutschen Geheimdienst von den Befürchtungen der Alliierten erfuhr, gab Bormann den Bericht Hofers weiter. Hitler beauftragte daraufhin Hofer, sofort die nötigen Maßnahmen einzuleiten.

Das Projekt einer deutschen Alpenfestung spielte somit in den politischen und militärischen Überlegungen der letzten Kriegstage eine gewisse Rolle, wenn es auch von den Alliierten ernster genommen wurde, als die Chancen seiner Realisierung tatsächlich waren. Hitler selbst war der Gedanke, sich mit den letzten Einheiten der Wehrmacht in die bayerisch-österreichischen Berge zurückzuziehen und vom Obersalzberg bei Berchtesgaden aus weiteren Widerstand zu leisten, nicht fremd. Verwaltungsstellen des Reiches und der Partei waren noch vor der Einkreisung Berlins in Richtung Süden abgeordnet worden. Schon Anfang April hatte Hitler die meisten Mitglieder seines Haushalts auf seinen Berghof beordert, um sein Kommen vorzubereiten. Er selbst zögerte, bis es schließlich zu spät war, sich aus Berlin abzusetzen. Dennoch war zu erwarten, daß das Gebiet um Berchtesgaden mit dem Obersalzberg ein letztes deutsches Widerstandszentrum werde. Immer mehr Wehrmachts- und SS-Verbände zogen sich dorthin zurück. Die Bevölkerung verfolgte diese Entwicklung mit großer Besorgnis, die auch von der Spitzen der Kreis- und Gemeindeverwaltungen geteilt wurde. Es zeigte sich wieder einmal, wie sehr unter dem Eindruck des allgemeinen Zusammenbruchs eine realistische Einschätzung der Lage auch dort Boden gewann und entsprechendes Handeln zur Folge hatte, wo man es kaum hätte erwarten können. Landrat Theodor Jacob, Bürgermeister Karl Sandrock, ja selbst der SS-Kommandeur auf dem Obersalzberg setzten sich für eine kampflose Übergabe des Marktes ein. Dagegen sprachen sich der Kreisleiter und die Befehlshaber einiger Wehrmachtsteile für eine Verteidigung aus. Die vom Oberkommando des Heeres beabsichtigte Verlegung der Lazarette aus dem Kreisgebiet konnte verhindert werden. Man gab sich der Hoffnung hin, das Vorhandensein von Lazaretten und Krankenhäusern verbiete eine Verteidigung des Berchtesgadener Raumes. Die Front rückte immer näher heran; Sorge und Angst wuchsen unter der Bevölkerung. Sie wurden durch die anhaltende Unsicherheit, ob sich Hitler nach Berchtesgaden zurückziehen würde, noch gesteigert.

Am 25. April, einem kristallklaren Frühlingstag, warfen amerikanische Luftgeschwader in mehreren Wellen ihre Bomben auf das Obersalzberggebiet. Hitlers Berghof, die Häuser der NS-Prominenz, die SS-Kaserne und viele Nebengebäude wurden zerstört oder schwer beschädigt, das Gelände glich über weite Strecken einer Mondlandschaft. Am selben Tag erlitten das benachbarte Reichenhall und Freilassing schwere Luftangriffe. Dabei fanden allein in Reichenhall 196 Menschen den Tod. In Berchtesgaden wuchsen Nervosität und Furcht. Landrat Jacob verstärkte seine Bemühungen um eine kampflose Übergabe. In wiederholten Vorsprachen bei Generalfeldmarschall Kesselring, der am Königsee seinen Gefechtsstand hatte, erreichte er, daß der Reichenhaller Teil des Kreisgebietes aus der Verteidigungszone genommen wurde. Wie manch anderer aus der Parteiprominenz zog sich auch Gauleiter Giesler in diesen letzten Kriegstagen ins Berchtesgadener Land zurück. Nach einem mißglückten Selbstmordversuch wurde er ins Krankenhaus eingeliefert, wo ihn der Landrat entwaffnen und durch einen Polizeibeamten bewachen ließ. Mit Hilfe einiger Angehöriger der Gauleitung gelang es jedoch dem Kreisleiter Stredele ihn zu befreien. Stredele trug sich als Befehlshaber des Volkssturms mit der Absicht, Berchtesgaden bis zum letzten Mann zu verteidigen. Mit einem Flugblatt wollte er sich an die Öffentlichkeit wenden und die Bevölkerung zum äußersten Widerstand aufrufen. Sein Vorsatz wurde jedoch verhindert.

Nach der kampflosen Besetzung Reichenhalls am 4. Mai suchte Landrat Jacob telefonischen Kontakt mit dem dortigen amerikanischen Befehlshaber und bat ihn, den Rest des Kreisgebietes so rasch wie möglich zu besetzen. Anschließend fuhr er den amerikanischen Truppen nach Hallthurm entgegen. Um 15.30 Uhr rückten die amerikanischen Panzer in Berchtesgaden ein. Der SS-Kommandeur auf dem Obersalzberg hatte Wort gehalten und war kampflos abgezogen[44].

Abschließend stellt sich die Frage: Was hat der Widerstand in den letzten Kriegswochen eigentlich noch genutzt? In nicht wenigen Fällen hat er ja zusätzliche Menschenleben gekostet. War der Preis für das Erreichte nicht doch zu hoch? Wäre es nicht sinnvoller gewesen, das Ende abzuwarten und sich bis zum Einmarsch des Feindes ruhig zu verhalten? Für jeden Einsichtigen waren zum damaligen Zeitpunkt die Tage des NS-Regimes ohnehin gezählt. War es da nötig, die Brutalität der Machthaber im letzten Augenblick zu provozieren?

Dazu ist zunächst festzuhalten, daß die Einzelaktionen zur Beschleunigung des Kriegsendes in einer Reihe von Fällen zweifellos die beabsichtigte Wirkung erzielten: So

---

[44] Stuhlpfarrer, Karl: Die Operationszonen »Alpenvorland« und »Adriatisches Küstenland« 1943–1945. Wien 1969, S. 118ff. und Minott, Rodney G.: Top Secret. Hitlers Alpenfestung. Tatsachenbericht über einen Mythos. Hamburg 1967; ferner Schöner, Helmut (Hrsg.): Die verhinderte Alpenfestung Berchtesgaden 1945. Dokumente und Berichte. Berchtesgaden 1971, hier besonders die Beiträge von Jacob, Theodor: Kampflose Übergabe des Landkreises Berchtesgaden am 4. Mai 1945 (S. 22ff.), Sandrock, Karl: Übergabe des Marktes an die Amerikaner (S. 29ff.) und Aigner, Engelbert: Wie die »Festung Berchtesgaden« fiel (S. 33ff.); ebenfalls Hofmann, Fritz: Die Schreckensjahre von Bad Reichenhall. Mittelfelden o. J., S. 117ff.

mancher besonnene Kampfkommandant hat sich durch den Protest der Widerstandskräfte bestätigt gesehen und die von ihm gehaltene Stellung den Alliierten kampflos übergeben. So manches Dorf und so manche Stadt sind durch die Verhinderung ihrer Verteidigung im letzten Augenblick vor der Zerstörung gerettet und weiteres Blutvergießen auf beiden Seiten vermieden worden. Eine große Bedeutung hatte aber auch der politisch-psychologische Effekt: Die einrückenden Alliierten kamen zum erstenmal mit Männern und Frauen aus der deutschen Bevölkerung in persönlichen Kontakt, die aktiv zur Beendigung des Krieges und zur Entmachtung des NS-Regimes beitrugen. Bisher hatten sie meist nur von der blinden Gefolgschaft der Deutschen gegenüber Hitler gehört. Die alliierten Soldaten erfuhren bei ihrem Einmarsch vielfach, mit welcher Rücksichtslosigkeit die gestürzten Machthaber noch in letzter Minute gegen ihre eigenen Landsleute gewütet hatten. Alles dies hat zweifellos dazu beigetragen, bei den Besatzungssoldaten den Eindruck einer deutschen Kollektivschuld zu korrigieren.

Der Widerstand der letzten Kriegswochen wurde in Bayern von einer breiten Bevölkerungsschicht getragen, aber auch die Aktivisten dieses Widerstands gehörten allen Ständen des Volkes an: Es waren Arbeiter, Bauern, Handwerker, Beamte, Intellektuelle, Ärzte, Geistliche. Dieser Widerstand der letzten Wochen war inspiriert von dem Gedanken, die engere Heimat, das Dorf, sich selbst und die unmittelbaren Nachbarn vor dem drohenden Untergang zu retten. Damit kam in ihn zwangsläufig ein existentieller, ideologiefreier Zug, wodurch er sich unterscheidet von dem Widerstand überzeugter Gegner der NS-Herrschaft in früheren Jahren, als diese Herrschaft noch fest im Sattel saß. Bei der Protesthaltung gegen eine Verlängerung des Krieges, zu der sich in vielen Orten die Bevölkerung zusammenfand, ging es in gewisser Hinsicht schon gar nicht mehr oder nicht in erster Linie um politische Überzeugungen, sondern um die endgültige Abschüttelung eines Regimes, das schließlich nur noch Not und Entbehrungen beschert hatte. Man wollte schonen und retten, was in dieser Endphase des Krieges noch zu schonen und zu retten war. Es ging bereits um die Zukunft, um den Willen zum Wiederaufbau.

MARTIN BROSZAT

Resistenz und Widerstand

EINE ZWISCHENBILANZ DES FORSCHUNGSPROJEKTS

I

Mit der gleichzeitigen Veröffentlichung der Bände III und IV dieser Reihe ist das vom Institut für Zeitgeschichte durchgeführte Forschungsprojekt »Widerstand und Verfolgung in Bayern 1933–1945« noch nicht beendet. Aber ein wesentliches Stadium ist erreicht, und der 1982 bevorstehende Abschluß des Gesamtvorhabens läßt sich zeitlich und inhaltlich übersehen. Zwei weitere, in der Vorbereitung schon weit gediehene Bände (V und VI) werden in etwa Jahresfrist folgen und den Schlußpunkt setzen. In ihnen sollen der aktive Widerstand gegen das NS-Regime und seine drakonische Unterdrückung noch einmal in den Mittelpunkt gerückt und unter zwei kategorial zu unterscheidenden Aspekten betrachtet werden: als das Handeln von (parteipolitisch bzw. weltanschaulich konstituierten) *Gruppen* und als das Handeln des *Einzelnen*. Von solchen gegensätzlichen Perspektiven her wird sich u. a. ergeben, wie stark sowohl das Kollektiv-Politische als auch das Individuell-Moralische des Widerstandshandelns durch soziale Gegebenheiten und Umweltfaktoren konditioniert waren. Insofern werden auch diese beiden folgenden Bände zurückverweisen auf die Gesellschaftsgeschichte politischen Verhaltens in der NS-Zeit, die mit den jetzt vorliegenden vier Bänden dieser Reihe am Beispiel Bayerns in vielfältiger Weise exemplifiziert worden ist.

Verbieten es die noch ausstehenden Bände, die in bezug auf die Ausfüllung des Widerstandsbegriffs gewichtige Beiträge erwarten lassen, jetzt schon eine abschließende Betrachtung über die Erfahrungen und Ergebnisse des Projekts anzustellen, so scheint uns doch, nach dem Erreichen eines wichtigen Abschnittes, eine Zwischenbilanz angebracht. Dabei ist zunächst in Erinnerung zu rufen und aufgrund der zugewachsenen Arbeitserfahrung näher zu erläutern, von welchen Hypothesen das Projekt ausging und welche Überlegungen maßgeblich dafür waren, daß seine Richtung so bestimmt wurde, wie dies in den vorliegenden Bänden zum Ausdruck kommt.

Am Anfang dieser Reihe (»Bayern in der NS-Zeit«) stand die 1977 herausgegebene breitgefächerte Berichts-Dokumentation über die »soziale Lage und das politische Verhalten der Bevölkerung« (Band I). Darauf folgte eine nunmehr in drei weiteren Bänden (II–IV) mit insgesamt 20 Beiträgen vorliegende Serie von Einzelstudien. Ihr erklärtes Ziel war es, das dokumentarische Überblicksbild über Alltagserfahrungen der

NS-Zeit in Bayern zu ergänzen und zu vertiefen »durch die genauere, exemplarische Untersuchung der Verhältnisse in einzelnen Lebens- und Politikbereichen«. Mit alledem galt es einzulösen, was als richtungsweisendes Ziel des Projekts ins Auge gefaßt war: Am Beispiel Bayerns eine breite Skala der »Gesellschaftsgeschichte politischen Verhaltens« in der NS-Zeit zu entfalten.

Zur Begründung dieses für das Projekt richtungweisenden Ansatzes war im Vorwort zum ersten Band der Reihe ausgeführt worden, das Forschungsthema »Widerstand und Verfolgung« müsse aus »monumentalistischer Erstarrung« gelöst und neu verlebendigt werden. Damit war eine kritische Position angedeutet, die hier noch einmal erläutert werden soll. Sie ist begründet in der Auffassung, daß zwischen gesinnungsethischer und kritisch-historischer »Aufarbeitung«, die sich gerade bei dem Thema Widerstand unausweichlich durchdringen, sorgsam Balance gehalten werden muß, wenn dessen Aneignung auch durch die Generation der Nachgeborenen nicht nur in der äußeren Form pietätvoller Respektbezeugung, sondern auch auf dem Wege reflektierter, realistischer historischer Erfahrungsbildung ermöglicht werden soll. Von daher gesehen schien uns schon die meist isolierte, aus dem Gesamtzusammenhang der Wirkungs- und Erfahrungsgeschichte des Dritten Reiches herausgelöste Darstellung »des Widerstandes«, wie sie überwiegend bei der Geschichtsschreibung über die »Männer des 20. Juli«, aber auch bei der in Westdeutschland erst verspätet in Gang gekommenen Untersuchung des Widerstandes der Arbeiterbewegung zu beobachten ist, eine problematische Verengung mit der Tendenz zur unkritischen Kanonisierung bestimmter Formen und Figuren des Widerstandes. Sie wird häufig verstärkt durch die fast ausschließliche »Besetzung« des Themas mit der Geschichte herausragender Märtyrer. Das Lebensopfer, das sie brachten, zwingt auch die Art des geschichtlichen Erinnerns in den Bann, verpflichtet noch den Gestus und die Sprache des Historikers auf das Statuarisch-Vorbildliche, sperrt damit aber auch oft den Weg für historische Fragen. Zu dieser das Widerstandsthema aus der Realität und Komplexität des Geschichtsprozesses herauslösenden Monumentalisierung trug sicher auch die politisch-legitimatorische Bedeutung bei, die der Widerstand nach 1945 in Westdeutschland nicht nur für einzelne politische Gruppen, sondern den politisch-demokratischen Neubeginn überhaupt gewann. So unterschiedlich die Motive und Ziele der Anti-Hitler-Opposition gewesen waren, im Begriff des Widerstandes gegen den totalitären Unrechtsstaat des Dritten Reiches blieb, trotz der tiefen politischen Gräben, die schon bald nach Kriegsende Antifa-Koalitionen in Westdeutschland zum Scheitern brachten, die frühere gemeinsame Negation des Nationalsozialismus als ein für die politische Kultur der Bundesrepublik bedeutsames Element des Gegenseitigkeitsrespektes, des Minimal-Konsenses selbst zwischen Kommunisten und Christlich-Konservativen, wenigstens in Spuren erhalten. Daher war es auch wichtig, das Geschichtsbild vom »anderen Deutschland« so eindrucksvoll und unverlierbar wie möglich festzumachen. Aus dem inzwischen gewonnenen größeren Abstand heraus zeigen sich zunehmend aber auch die das Geschichtsverständnis hemmenden Elemente solcher Kanonisierung des Widerstandes. Die Verschwörer des 20. Juli mit ihren vielfach problematischen politischen Zukunftsvorstellungen und die deutschen Kommunisten mit ihren fatalen Irrtümern über das Wesen des Nationalsozialismus gehörten in die Wirklichkeit der zerrissenen deutschen Geschichte ebenso hinein wie die von der Emigration her tätigen

Leiter konspirativer Widerstandstätigkeit, auch wenn der Begriff vom »anderen Deutschland« dazu angetan ist, ihnen eine fiktive Position *neben*, nicht *in* der Wirklichkeit dieser Geschichte zuzuweisen.

Zu bedenken war ferner, daß der Tendenz zur Identifizierung des Widerstandes mit dem großen Märtyrertum häufig ein falsches Bild des Dritten Reiches als eines monolithischen Systems totaler Macht und Herrschaft korrespondiert, das Bild eines Totalitarismus, demgegenüber nur eine alles aufopfernde, alles riskierende Oppositions-Haltung möglich gewesen sei. Totalitarismus und Märtyrertum im Widerstand stellen vielfach, und besonders in den schulbuchartig vereinfachten und verkürzten Darstellungen der NS-Zeit, die beiden tragenden Säulen eines Geschichtsbildes dieser Zeit dar, das in der Erlebniswelt der jungen Generation kaum noch eine Stütze hat und eher geeignet scheint, statt nachvollziehbarer, reflektierter Erfahrungsbildung aus Geschichte einer naiven Rigorosität moralisierender Geschichtsbetrachtung und vielleicht auch ihrer unkritischen Projektion auf die Gegenwart Vorschub zu leisten.

Nicht zuletzt deshalb schien bei der Konzeptionsbildung des Projekts – um das Thema neu nahezubringen und neu zu entdecken – ein Ansatz notwendig, der es ermöglichte, neben dem kämpferischen, konspirativen Widerstand, der Leib und Leben aufs Spiel setzte, die vielen »kleinen« Formen des zivilen Mutes, der jedem Zeitgenossen des Dritten Reiches zuzumuten war – in Kontrast zum Hauptstrom ängstlicher Anpassung oder enthusiastischer Regimebejahung –, in vollem Maße in die Betrachtung einzubeziehen. Es war das Hauptziel des Projekts, das Widerstandsthema breiter zu entfalten, es einzubetten in die keineswegs einlinige, sondern äußerst unterschiedliche Wirkungs- und Erfahrungsgeschichte der NS-Zeit. Dabei sollte ferner, unter weitgehender Ausklammerung des »großen« politischen und nationalen Entscheidungshandelns an der Spitze, der Blick vor allem auf die Auswirkungen des Regimes im alltäglichen Leben der Bevölkerung gerichtet werden, auf das Verhalten der von der »großen Politik« so oder so Betroffenen, auf die »unten«, in den gesellschaftlichen »Primärsystemen« agierenden und reagierenden Kräfte und Personen. Es galt, den Begriff und die Geschichte des Widerstandes in die konkrete, situationsgebundene und naturgemäß immer nur partielle Erfahrungswelt sozialer und lokaler Gruppen einzugliedern und sie in solcher Gebundenheit neu zugänglich zu machen – als eine zwar weniger spektakuläre, dafür aber um so eher nachvollziehbare, nachdenklich machende histoire humaine.

Die sich daraus ergebende Ausweitung des Widerstandthemas sollte nicht, das wurde einleitend im ersten Band dieser Reihe schon vermerkt, einer inflationären Entwertung des Widerstandsbegriffs oder gar einer irreführenden Vergrößerung seiner quantitativen und qualitativen Bedeutung Tür und Tor öffnen. Ihr Ziel war es vielmehr, die breite Skala sowohl der Ausdrucksformen des Widerstandes – von der zeitweilig oder beharrlich resistenten Nonkonformität bis hin zur illegalen Untergrundarbeit – aufzuzeigen, vor allem auch die Fülle der Anlässe und Rahmenbedingungen für oppositionelles Verhalten darzulegen und, neben dem aus vorgegebenen politisch-weltanschaulichen Antihaltungen stammenden *grundsätzlichen* Widerstand, auch die vielfältigen ad-hoc-Widerstände zu berücksichtigen, die das NS-Regime im Laufe seiner Geschichte durch einzelne seiner Maßnahmen selbst produzierte.

Das bedeutete nicht nur eine Ausdehnung des Projekts in Richtung auf eine breit angelegte Gesellschaftsgeschichte des politischen Verhaltens, sondern implizierte auch eine exemplarische Erforschung und Darstellung der verschiedenartigen gesellschaftlichen Wirkungen des NS-Regimes. Dabei waren wir bemüht, am Beispiel Bayerns auch gerade solche gesellschaftlichen Sektoren und Politikbereiche in den Blick zu nehmen, die in der zeitgeschichtlichen Forschung bisher ausgelassen oder zu kurz gekommen sind. Insofern enthalten die nun vorliegenden Bände dieser Reihe, über die engere Perspektive des Widerstandsbegriffs und den weiteren Aspekt der Mentalitäts- und Verhaltensgeschichte hinaus, auch manche weiterführenden Beiträge zur politischen und vor allem zur Gesellschafts-Geschichte der NS-Zeit. Und gerade in bezug auf sozialgeschichtliche Themen und Fragestellungen hat sich, so scheint es uns, die im Rahmen des Projekts um der exemplarischen Konkretisierung willen bevorzugte Methode der Feldforschung und der Fallstudien vielfach bewährt.

Die aus den genannten Gründen intendierte Ausweitung des Projekts bedeutete nicht, daß nun alle möglichen, beliebigen Spezialstudien zur Geschichte des Nationalsozialismus in Bayern in das Projekt aufgenommen werden konnten. Als Rahmen für die engere, am Widerstandsbegriff orientierte verhaltensgeschichtliche Fragestellung blieb die Aufspürung und Untersuchung der *Konfliktfelder* der NS-Zeit bestimmend. Der »Konflikt« zwischen dem Durchsetzungswillen des NS-Regimes und bemerkbaren, wirksamen Gegenkräften bot sich als der äußerste zulässige, sinnvolle Rahmen an, in dem sich ein vom Widerstandsbegriff ausgehendes Forschungsprojekt zu bewegen habe. Dementsprechend findet auch die im durchlaufenden Titel dieser Reihe angesprochene allgemeine Thematik (»Bayern in der NS-Zeit«) ihre präzisere, projektbezogene Bestimmung in dem Untertitel der Serie der monographischen Forschungsbeiträge: »Herrschaft und Gesellschaft im Konflikt«. Der hierbei zugrundegelegte Begriff der »Gesellschaft« ist sehr weit gefaßt. Er geht aus von der – spätestens seit Sommer 1933 erreichten – Monopolisierung des organisierten politischen Lebens durch den Nationalsozialismus und stellt dieser Form der politischen Herrschaft »die Gesellschaft« als ein Feld gegenüber, das von den totalitären Erfassungsambitionen des NS zwar ebenfalls betroffen war, aber doch nicht in uniformer Weise ebenso schnell und vollständig gleichgeschaltet werden konnte, ein Feld, in dem sich die dem NS vorgegebenen Einstellungen, Traditionen, Interessen und außerpolitischen Institutionen noch teilweise mehr oder weniger selbständig erhalten konnten. Die Paraphrase »Herrschaft und Gesellschaft im Konflikt« unterstellt dabei, daß wirksame Gegenkräfte gegen die NS-Herrschaft nur solche sein konnten, die bis zu einem gewissen Grad gesellschaftlich relevant waren, d. h. Rückhalt und ein Widerlager in noch zeitweilig oder teilweise stabilen vor- und außernationalsozialistischen Normen, Traditionen oder Organisationen hatten. In die vielfältigen lokalen, gesellschaftlichen und institutionellen Konfliktfelder der NS-Zeit, die sich dem historisch Forschenden unter diesem Gesichtspunkt zeigen, sollte mit dem Projekt ein energischer Vorstoß unternommen werden.

II

Das Gesamtverzeichnis der 20 nunmehr vorliegenden Beiträge sowie die Palette der einzelnen Abschnitte der vorangegangenen Berichtsdokumentation verdeutlichen das Ergebnis dieser Bemühung. Die Skala der Politik- und Gesellschaftsbereiche, deren exemplarische Untersuchung oder Dokumentation im Rahmen des Projekts unternommen wurde, reicht vom Theater und der Architektur über Presse, Schule, Kirche, Arbeits-, Wirtschafts-, Kommunalverwaltung, Justiz, Polizei und der »Welt« der Konzentrationslager bis hin zu den Gliederungen der NSDAP (SA, SS, NSBO, HJ) und den gleichgeschalteten Interessenorganen des NS-Regimes (Reichsnährstand, Deutsche Arbeitsfront, NS-Lehrerbund u. a.). Der Bogen der Betrachtung spannt sich von der Agrar-, Industrie- und Rüstungswirtschaft über die Arbeitseinsatz- und Sozialpolitik, NS-Schulung, Propaganda und Jugenderfassung bis hin zu den großen Themenbereichen des Kirchen- und Weltanschauungskampfes, der Bekämpfung und Untergrundarbeit politischer Gegner, der Diskriminierung und Verfolgung von Juden und »Asozialen«. Als gesellschaftliche Akteure oder Betroffene treten auf: Bauern, Landarbeiter, Kriegsgefangene und Fremdarbeiter, Industriearbeiter, Werksleiter und Unternehmer, Pfarrer, Lehrer und HJ-Führer, Adlige, Beamte, Journalisten, Frauen, Jugendliche und soziale Außenseiter, Akademiker und Künstler, Bürgermeister, Ortsgruppenführer und Ortsbauernführer, Betriebsobmänner und Vertrauensleute, Landräte, SA-Kommissare, Gendarmeriewachtmeister, Agenten der Politischen Polizei, Häftlinge, Kapos und SS-Funktionäre. Schauplätze des Geschehens sind: rein katholische Bezirke Altbayerns neben evangelischen Hochburgen und gemischt-konfessionellen Gebieten in den fränkischen und schwäbischen Bezirken Bayerns; das Dorf, die Kleinstadt, das großstädtische Viertel; die Fabrik, das Rathaus, die Kirche und das Klassenzimmer; das Jugendheim, die Zeitungsredaktion, der Gerichtssaal, das Gefängnis.

Beim Überblick über diese Themenkreise sind auch eine Reihe von Arbeiten einzubeziehen, die im Rahmen des Projekts auf den Weg gebracht wurden, aber, meist wegen ihres Umfanges, außerhalb dieser Sammelbände publiziert worden sind. Zu erwähnen sind hier u. a. die Dissertationen von Zdenek Zofka, Ludwig Eiber und Evi Kleinöder[1], sowie die pressegeschichtlichen Fallstudien von Norbert Frei, von denen nur eine in dieser Reihe (Bd. II) veröffentlicht worden ist, die beiden anderen (über die Gleichschaltung der katholischen Presse in Bamberg und über die Presseauseinandersetzungen in Südost-Oberbayern in den ersten Jahren des Dritten Reiches) im Rahmen der Gesamt-Dissertation des Autors gesondert publiziert wurden[2]; ferner die aus dem Projektzusammenhang entstandene Untersuchung des britischen Historikers Ian Kershaw über das

---

[1] Zofka, Zdenek: Die Ausbreitung des Nationalsozialismus auf dem Lande. Eine regionale Fallstudie zur politischen Einstellung der Landbevölkerung in der Zeit des Aufstiegs und der Machtergreifung der NSDAP 1928–1936. München 1979; Eiber, Ludwig: Arbeiter unter der NS-Herrschaft. Textil- und Porzellanarbeiter im nordöstlichen Oberbayern 1933–1939. München 1979; Kleinöder, Evi: Katholische Kirche und Nationalsozialismus im Kampf um die Schulen. Antikirchliche Maßnahmen und ihre Folgen untersucht am Beispiel von Eichstätt, in: Sammelblatt des Historischen Vereins Eichstätt, Jg. 74, Eichstätt 1981.

[2] Frei, Norbert: Nationalsozialistische Eroberung der Provinzpresse. Gleichschaltung, Selbstanpassung und Resistenz in Bayern. Stuttgart 1980.

Hitler-Bild in der bayerischen Volksmeinung³, schließlich einige Aufsätze, die die Projektmitarbeiter als Nebenergebnis ihrer Forschungen separat veröffentlicht haben⁴.

Von Anfang an war selbstverständlich, daß trotz der bewußt intendierten breiten Themenstreuung eine vollständige oder auch nur eine repräsentative Wiedergabe aller gesellschaftlichen, wirtschaftlich-beruflichen, kulturellen und institutionellen Konfliktsituationen in der NS-Zeit nicht erreicht werden konnte. Auch ein so umfangreiches und langfristiges Forschungsvorhaben mußte, schon aus Quellengründen und weil nicht alles, was angeregt wurde, zur Veröffentlichungsreife gedieh, manches offen lassen. Neben den großen sektoralen Schwerpunkten der agrarischen Provinz und der industriellen Arbeiterschaft, auf die wir noch zurückkommen werden, fehlt als gleichermaßen kompaktes Thema der »bürgerliche Mittelstand«. Nur einige Gruppen des Mittelstandes – Beamte, Lehrer, Pfarrer, Akademiker, kleine Gewerbetreibende, Landhandwerker – kommen in den Arbeiten dieser Reihe verschiedentlich vor, andere wichtige Gruppen, vor allem die Angestellten, fallen fast ganz aus. Die Gründe hierfür liegen nicht zuletzt in der Quellenlage, die wiederum bedingt ist durch die soziale und organisatorische Zersplitterung des sog. Mittelstandes. Anders als die Gruppe der Bauern oder der Arbeiter taucht »der Mittelstand« als einheitlicher Beobachtungsgegenstand in der internen Lageberichterstattung von Staats- und Parteibehörden in der NS-Zeit kaum auf. Außerdem haben die schwachen mittelständischen Interessenorganisationen innerhalb des NS-Systems, sofern sie regional überhaupt bestanden, nur wenige für unser Projekt ergiebige Quellen hinterlassen. Auch einige andere wichtige Themenbereiche, z.B. die Ministerialbürokratie, die Universitäten, Dienststellen der Wehrmacht, fehlen in den Studien fast ganz. Wenn auch manche dieser Lücken angesichts der angestrebten exemplarischen Vergegenwärtigung schmerzlich sind, so bleibt doch zu hoffen, daß die mit dem Projekt gegebenen Forschungsanregungen Impulse für ergänzende Untersuchungen auf solchen Gebieten geben.

Ging es bei dem Projekt durchweg darum, die Widerstandsproblematik in die Konfliktgeschichte des Regimes und die vielfältigen Bedingungsfaktoren politischen Verhaltens einzuordnen, so mußte immer wieder versucht werden, die Reaktion auf bestimmte nationalsozialistische Maßnahmen im Bezugsfeld institutioneller Interessen, soziokultureller Traditionen, materieller Verhältnisse und auch zeitbedingter politisch-atmosphärischer Konstellationen so konkret wie möglich an lokalen oder Situations-Beispielen herauszuarbeiten. Solche Einordnung konnte und mußte aber auch bedeuten: Einbeziehung geschichtlicher Vorerfahrungen und historisch gewachsener Strukturen mit dem Ziel, die Inhalte und Wirkungen nationalsozialistischer Politik und die Reaktionen der Betroffenen auf diese Politik in den Zusammenhang langerfristiger historischer Entwicklungen zu stellen und aus ihnen heraus verständlich zu machen und zu bewerten. In einigen Studien dieser Serie (Hetzer, Sonnenberger, Tenfelde), bei denen es sich besonders anbot, sind mit solcher Zielsetzung ganz bewußt ausführliche Rückgriffe bis ins 19. Jahrhundert vorgenommen worden. Sie zeigen auch, welcher

---

[3] Kershaw, Ian: Der Hitler-Mythos. Volksmeinung und Propaganda im Dritten Reich. Stuttgart 1980.
[4] Vergleiche die im folgenden unter Anm. 5 und 6 zitierten Aufsätze von Elke Fröhlich und Falk Wiesemann; ferner: Broszat, Martin: Politische Denunziationen in der NS-Zeit. Aus Forschungserfahrungen im Staatsarchiv München, in: Archivische Zeitschrift, Bd. 73 (1977), S. 221 ff.

Erkenntnisgewinn aus einer nicht auf die NS-Zeit begrenzten Betrachtung bestimmter Konflikt-Komplexe gezogen werden kann.

III

Die mit dem Rahmenbegriff »Konflikt« gesetzte Perspektive des Projektes führte auch zu einem spezifisch wirkungsgeschichtlichen Aspekt des Widerstandes. Zu seiner Kennzeichnung ist schon im Vorwort zum ersten Band dieser Reihe hypothetisch der aus der medizinischen Terminologie stammende Begriff der »Resistenz« verwandt worden. Die Ergebnisse der seitdem erarbeiteten und nunmehr vorliegenden Einzelstudien bestätigen, so scheint es uns, daß sich diese Hypothese bewährt hat. »Resistenz« im Sinne dieser Begriffsbildung bedeutet ganz allgemein: Wirksame Abwehr, Begrenzung, Eindämmung der NS-Herrschaft oder ihres Anspruches, gleichgültig von welchen Motiven, Gründen und Kräften her.

Solche »Resistenz« konnte begründet sein in der Fortexistenz relativ unabhängiger Institutionen (Kirchen, Bürokratie, Wehrmacht), der Geltendmachung dem NS widerstrebender sittlich-religiöser Normen, institutioneller und wirtschaftlicher Interessen oder rechtlicher, geistiger, künstlerischer o. a. Maßstäbe; wirksame Resistenz konnte Ausdruck finden in aktivem Gegenhandeln von Einzelnen oder Gruppen (dem verbotenen Streik in einem Betrieb, der Kritik an nationalsozialistischen Maßnahmen von der Kanzel herab), in zivilem Ungehorsam (Nichtteilnahme an NS-Versammlungen, Verweigerung des Hitler-Grußes, Nichtbeachtung des Verbots des Umganges mit Juden, Kriegsgefangenen o. a.), der Aufrechterhaltung von Gesinnungsgemeinschaften außerhalb der gleichgeschalteten NS-Organisationen (in HJ-feindlichen Jugendcliquen, kirchlichen Gemeinschaften, geselligen Zusammenkünften ehemaliger Mitglieder der SPD o. ä.) oder auch in der bloß inneren Bewahrung dem NS widerstrebender Grundsätze und der dadurch bedingten Immunität gegenüber nationalsozialistischer Ideologie und Propaganda (Ablehnung von Antisemitismus und Rassenideologie, Pazifismus o. a.). Voraussetzung dafür, daß diese unterschiedlichen Formen der Einstellung oder des Reagierens den wirkungsgeschichtlichen Begriff der Resistenz erfüllen, ist einzig und allein, daß sie tatsächlich eine die NS-Herrschaft und NS-Ideologie einschränkende Wirkung hatten. Der so gefaßte – wertneutrale – Resistenzbegriff ist einerseits weiter, andererseits enger als der werthafte Begriff des »Widerstandes« oder der »Opposition«, wie er sich unter verhaltensgeschichtlichem Aspekt ergibt. Er umfaßt einerseits Erscheinungsformen der – wirksamen – Herrschaftsbegrenzung des NS, die kaum oder gar nicht als bewußte Anti-Haltungen politisch motiviert waren (z. B. auch die bäuerliche Widersetzlichkeit gegenüber bestimmten Planungen oder Lenkungen der nationalsozialistischen Reichsnährstandsorganisation), umgreift andererseits aber nicht die nur in individuellem Bewußtsein latent vorhandene, nicht in Handlungen oder kommunikative Wirkungen umgesetzte gegnerische Einstellung, auch wenn sie noch so »ideal« gewesen ist.

Der Resistenz-Begriff kontrastiert damit deutlich mit denjenigen Tendenzen der Widerstandsforschung, die – unter weitgehender Ausklammerung der tatsächlichen

Wirkung des Widerstandes – sich primär auf die Motivations- und Aktionsgeschichte des Widerstandes konzentrieren. Im Sinne unserer anfänglichen Bemerkungen eröffnet er aber auch eine wesentliche ergänzende und weiterführende Perspektive bei der Behandlung und Erforschung des Themas.

In jedem politisch-gesellschaftlichen System, noch mehr unter einer politischen Herrschaft wie der des NS, zählt politisch und historisch vor allem, was *getan* und was *bewirkt*, weniger das, was nur *gewollt* oder *beabsichtigt* war. Das historische Scheitern des aktiven deutschen Widerstandes im Dritten Reich entlastet nicht von dieser Bemessung, sondern fordert sie immer wieder heraus. Wenn – gerade auch durch die hier vorgelegten Untersuchungen – erneut deutlich wird, daß der aktive, fundamentale Widerstand gegen das NS-Regime fast überall vergeblich geblieben, dagegen wirkungsvolle Resistenz in den verschiedenen politisch-gesellschaftlichen Sektoren der deutschen Bevölkerung vielfältig zu registrieren ist, so scheint uns dies ein Befund, der allein schon zum Nachdenken über die Prämissen des Widerstandsbegriffs veranlaßt.

Soll und kann sich, so ist zu fragen, das Vermächtnis des Widerstandes nur beziehen auf das vergebliche Märtyrertum von Personen und Kräften, die aktiven, illegalen Widerstand gegen das Regime trotz von vornherein äußerst geringer Erfolgschancen dennoch versuchten? Ist es nicht ebenso tragisch, daß die vielen »kleinen« Ansatzpunkte zu realistischerer Teil-Opposition und Resistenz, die sich in den verschiedensten Entwicklungsstadien und Politikbereichen der NS-Herrschaft immer wieder boten, so wenig genutzt wurden? Hat das historische Vermächtnis des Widerstandes – auch unter dem Gesichtspunkt vergleichbarer Herausforderungen in der Gegenwart und in der Zukunft – nicht gerade auch hier anzusetzen, bei den »Kleinformen« des zivilen Mutes, der möglichen und wirksamen Resistenz? Wir glauben, diese Frage bejahen zu müssen. Die Bedeutung des wirkungsgeschichtlichen Begriffs der Resistenz besteht in diesem Zusammenhang darin, daß er den Blick eröffnet für das, was im Dritten Reich an Herrschaftsbegrenzung tatsächlich möglich war. Er hilft auch, eine Dämonisierung und Monumentalisierung des Geschichtsbildes vom Dritten Reich zu vermeiden.

Aber auch der werthafte Begriff des »Widerstandes« oder der »Opposition«, der vor allem auf das subjektive Handeln (nicht auf dessen objektive Wirkung) abhebt, erfährt durch die Perspektive dieses Projekts eine spezifische Akzentuierung. Der Rang solcher »Opposition« bemißt sich unter verhaltensgeschichtlichem Aspekt nicht ausschließlich oder primär an ihren Motiven und Zielsetzungen, sondern an dem Verhältnis zu der realen *Situation*, aus der heraus diese Opposition entstand, an ihrer größeren oder geringeren Schwere oder Leichtigkeit, dem Maß ihrer individuellen oder kollektiven Zumutbarkeit. Das heißt: Anwendung derselben Verhaltens-Maßstäbe auf den »Widerstand«, an denen auch »Opportunismus« oder »Mitläufertum« zu messen ist. War doch den verschiedenen Gruppen oder Einzelnen je nach ihren Voraussetzungen und ihrer Situation im Dritten Reich keineswegs das Gleiche zuzumuten, sondern mehr denjenigen, die – z.B. als Offiziere, Pfarrer, hohe Beamte – in der NS-Zeit noch über Macht, Einfluß, sozialen und institutionellen Rückhalt und ein Rüstzeug an vornationalsozialistischen Normen verfügten, weniger den Vereinzelten, Machtlosen, Jungen, stark Abhängigen. Erst aus der Relation aller dieser jeweilig mitwirkenden Umstände ergibt sich der moralische »Rang« der Opposition.

Der Rückgriff auf den wirkungsgeschichtlichen Resistenzbegriff und die situative Konstellation bei der Beurteilung oppositionellen Verhaltens ermöglicht, so scheint es uns, auch eine angemessenere Unterscheidung zwischen der politischen oder nichtpolitischen Qualität dieses Verhaltens, als dies die alleinige Erforschung der subjektiven Motive vermag. Viele mutige Handlungen aus »bloßer« Interessenwahrung oder Verteidigung der individuellen Freiheit erlangten, auch wenn sie nicht in prinzipiell-politischen Einstellungen begründet waren, unter den Bedingungen des NS-Regimes *politische Qualität* und wurden durch die Politische Polizei verfolgt. Und umgekehrt waren politische und weltanschauliche Überzeugungen im Hintergrund von oppositionellem Verhalten meist nicht dessen einzige, ausschließliche Beweggründe; es bedurfte in der Regel zusätzlicher Antriebskräfte, die sich nicht einfach von Weltanschauungs- oder Parteibindungen ableiteten.

Die verhaltensgeschichtliche Einordnung des Widerstandes bedeutet somit auch, daß der partielle nicht fundamentale Charakter der Opposition nicht an sich schon aus dem Begriff des Widerstandes herausfällt. Die systematische Untersuchung der Konfliktzonen des Dritten Reiches zeigt, daß Teilopposition, ihre Verbindung mit zeitweiliger oder partieller Regime-Bejahung, daß das Neben- und Miteinander von Nonkonformität und Konformität die Regel darstellten. Die Irrungen und Wirrungen, durch die hindurch Einzelne oder Gruppen hier und dort zu einer oppositionellen Einstellung und Haltung gelangten, bedeutet nicht an sich schon eine mindere Qualität. Vielmehr gewinnen aus der Nahoptik der realen Verhältnisse auch Mischformen des politischen Verhaltens, z. B. die Tapferkeit eines Oppositionellen, der zeitweilig auch Mitläufer gewesen war, menschliches und historisches Profil. Die Einbettung des Widerstandsbegriffs in die allgemeine Verhaltensgeschichte macht auch evident, daß oppositionelles Verhalten gegenüber bestimmten politisch-weltanschaulichen Zumutungen des NS in der Regel von Kompetenz- oder Interessenwahrung stark mitbedingt war und darin oft auch seine Grenze fand. Ein klassisches Beispiel hierfür ist die Opposition der Kirchen gegen die – auch kirchliche Heilanstalten betreffende – Euthanasie-Aktion im Vergleich zu der nur schwachen kirchlichen Opposition gegenüber der nationalsozialistischen Judenverfolgung, die Kershaw in seinem Beitrag systematisch untersucht hat. Die Rückbindung des Widerstandsbegriffs an die reale geschichtliche Situation verdeutlicht, daß das Moralische des Handelns in dem Maße, in dem es konkret wird, in aller Regel auch teilhaft und interessengebunden ist. Das Ideal einer nicht durch solche Interessen eingeschränkten Opposition – so unverzichtbar es, auch für den Historiker, bleibt – orientiert sich hingegen letzten Endes an einer, die Zumutbarkeit meist überfordernden, metapolitischen Gewissens- und Sittlichkeitsvorstellung.

IV

Wie schon angedeutet, zeichnen sich in den nun vorliegenden vier Bänden der Reihe »Bayern in der NS-Zeit« zwei große sektorale und inhaltliche Schwerpunkte ab: Zum einen der innerhalb der Struktur Bayerns bedeutende Sektor der agrarischen Provinz;

ihm ist nicht nur die Vielfalt der größeren und kleineren Konflikte, die sich aus der Konfrontation der materiellen und sozialen Lebensbedingungen auf dem Land mit dem NS-Regime ergaben, sondern auch der hier stattfindende Weltanschauungskampf zwischen Nationalsozialismus und den beiden christlichen Kirchen bzw. den religiösen Einstellungen der Bevölkerung zuzuordnen; auf der anderen Seite der Sektor Industrie und Arbeiterschaft und, ihm korrespondierend, das Thema Widerstand und Verfolgung der Arbeiterbewegung. Wir wollen bei unserer Zwischenbilanz im Folgenden versuchen, die inhaltlichen und methodischen Aspekte bei der Erforschung dieser beiden Themen-Schwerpunkte eingehender darzustellen und dabei nochmals auf die Widerstandsproblematik zurückkommen.

Die agrarische Provinz war schon in dem zuerst veröffentlichen Dokumentationsband in überproportionalem Maße Beobachtungsgegenstand und Provenienz der dort wiedergegebenen, sich über die Gesamtzeit des Dritten Reiches erstreckenden Berichterstattung verschiedenster Bezirksämter, lokaler Polizeistationen und NSDAP-Behörden, Ortsgruppen, kirchlicher Dekanate etc. Im Rahmen dieser Dokumentation sind unter anderem die agrarwirtschaftlichen Verhältnisse in der NS-Zeit unter den Bedingungen des »Reichsnährstands«-Reglements bis hin zu den Produktions- und Ablieferungskontrollen der Kriegszeit, die Rolle sozialer Verhaltensformen und Meinungsführer auf dem Lande, das Ansehen und Durchsetzungsvermögen der NSDAP auf dem Dorfe und das sich überall hindurchziehende Thema des Kirchen- und Weltanschauungskampfes in seinen örtlichen Ausdrucksformen, das Problem des Kriegseinsatzes oder der uk-Stellung von Bauern und das Verhältnis zu den zwangsverpflichteten Fremdarbeitern sowie der Stimmungsverlauf bei der ländlichen Bevölkerung während des Krieges vielfältig beleuchtet worden. Der oberfränkische Bezirk Ebermannstadt und der oberbayerische Bezirk Aichach, zwei Regionen mit unterschiedlicher Agrarstruktur und politisch-kultureller Prägung, wurden in mehr oder weniger umfangreichen Dokumentationsabschnitten als Muster herausgegriffen. Bei dem Versuch, die »epische« Beständigkeit, aber auch die primären Konfliktzonen in der ländlich-agrarischen Lebenswelt während der NS-Zeit in ihrer Vielfalt und zeitlichen Entwicklung an diesen regionalen Beispielen darzustellen, konnte u. a. sichtbar gemacht werden, daß die seit 1935/36 erneut stark einsetzende wirtschaftliche und soziale Unzufriedenheit und »Enttäuschung« der bäuerlichen Bevölkerung kräftigen materiellen Nährboden auch für die gesellschaftliche Relevanz der kirchlich-religiösen Opposition gegenüber dem NS abgab.

Nach dieser Dokumentationsvorarbeit konnte der agrarische Sektor in den anschließenden Einzeluntersuchungen zurücktreten. Unter den Lokalstudien dieser Serie befaßt sich nur eine mit einer weiteren überwiegend agrarischen Region: Der Beitrag Zofkas über die dörflichen Gemeinden des schwäbischen Bezirks Günzburg, einer ehemaligen Hochburg des Bayerischen Bauernbundes, mit dem der Verfasser seine regionalgeschichtliche Dissertation über den Aufstieg und die Machtergreifung der NSDAP in diesem Bezirk durch eine auch methodisch reizvolle »erzählte Typographie« der politischen und sozialen Umstände des von Dorf zu Dorf keineswegs einförmigen Prozesses der Gleichschaltung der Gemeinderäte und dörflichen Vereine ergänzt hat. In den Umkreis dieser Thematik gehören auch zwei unmittelbar aus dem Projekt erwachsene, aber separat veröffentlichte Aufsätze von Elke Fröhlich über die Durchsetzung der

NSDAP auf dem Lande[5] sowie ein Aufsatz Falk Wiesemanns über Arbeitskonflikte in der Landwirtschaft in der NS-Zeit[6]. Leider konnte eine von Wiesemann geplante Studie über die Auswirkungen des nationalsozialistischen Reichserbhofgesetzes in Bayern vor der Insatzgabe der Bände III und IV dieser Reihe nicht mehr fertiggestellt werden.

Die bayerische ländliche Provinz ist als Nebenschauplatz aber auch in einer Reihe anderer Studien dieser Serie (Kershaw, Sonnenberger, Kleinöder, Klönne, Troll) präsent und wird hier unter verschiedenen sachthematischen Aspekten (Judenverfolgung, Schulkampf, katholische Jugend und Kirche, Hitlerjugend und Jugendopposition, Aktionen zur Kriegsbeendigung) vielfältig beleuchtet.

Alle diese aus dem Projekt hervorgegangenen Dokumentationen und Darstellungen fügen sich zusammen zu einer intensiven Erkundung der dörflich-agrarischen Lebensverhältnisse und bäuerlichen Verhaltensformen in der NS-Zeit, zur »Entdeckung« eines auch unter dem Gesichtspunkt der Resistenz bemerkenswerten Feldes der politischen Sozialgeschichte des Dritten Reiches, das vordem von der Forschung stark vernachlässigt worden ist. Das innerhalb des Projekts durchwegs angestrebte Ziel, die Interdependenz von gesellschaftlicher Zuständigkeit, konkreter Auswirkung des NS-Regimes und Verhalten der jeweiligen Bevölkerungsgruppen zum Ausgangspunkt einer realistischen und differenzierten Bewertung der Widerstandsproblematik zu machen, hat sich gerade auf diesem Felde bewährt. Zeigen die vorgelegten Dokumente und Untersuchungen doch weitgehend einhellig, daß nationalsozialistische »Herrschaft« sich auf dem Lande den hier mit großer Beharrungskraft fortwirkenden tradierten sozialen Strukturen und Gewohnheiten in starkem Maße anzupassen hatte und sich deshalb oft nur gemildert und »gebrochen« etablieren konnte. In die agrarische Provinz wirkten die nationale, gesamtstaatliche Politik und Propaganda des Regimes schon infolge der geringen öffentlich-politischen Partizipation der Bevölkerung nur in abgeschwächter Form hinein. Manches von dem totalitären Anspruch verlief sich schon in der Weite und Abgelegenheit des Landes, aufgrund des hier noch meist schwachen Anschlusses an die öffentlichen Nachrichtenmittel (Presse, Rundfunk) und der – anders als in den Städten – weniger präsenten, oft nur hier und da stützpunkthaft vorhandenen Parteiorganisation und Staatsverwaltung. Die Extreme des Machtgebrauchs schliffen sich vielfach ab, auch weil dem Bauernstand als »Nährstand« eine ideologisch präformierte größere Toleranz eingeräumt wurde als z. B. der Arbeiterschaft, vor allem aber, weil die ideologischen und organisatorischen Zielsetzungen des Regimes, wenn sie nicht von vornherein als Fremdbestimmung empfunden werden sollten, über die – in den dörflichen Primäreinheiten vor allem Politischen rangierenden – Transmissionsriemen des vorgegebenen sozialen Einflußgefüges geleitet und, ihnen entsprechend, vielfach abgewandelt werden mußten.

---

[5] Fröhlich, Elke und Martin Broszat: Politische und soziale Macht auf dem Lande. Die Durchsetzung der NSDAP im Kreis Memmingen, in: VfZ (1977), H. 4; ferner Fröhlich, Elke: Die Partei auf lokaler Ebene zwischen gesellschaftlicher Assimilation und Veränderungsdynamik, in: Der »Führerstaat«: Mythos und Realität. Studien zur Struktur und Politik des Dritten Reiches, hrsg. von Gerhard Hirschfeld und Lothar Kettenacker. Stuttgart 1981, S. 255–269.
[6] Wiesemann, Falk: Arbeitskonflikte in der Landwirtschaft während der NS-Zeit in Bayern 1933–1938, in: VfZ (1977), H. 4.

Der von der Provinz ausgehende Druck zur Adaption an die lokalen Gegebenheiten war – in bezug auf die totalitären Ansprüche des Regimes – schon an sich ein Resistenzfaktor. Dieser Adaptionsprozeß erklärt auch manches von der relativen »Harmlosigkeit«, dem nicht prinzipiellen Charakter vieler Konflikte mit dem so moderierten NS-Regime in der Provinz. Dabei trat zugleich der häufig ambivalente Charakter dieser Konflikte in Erscheinung. Manche der – unbezweifelbar – revolutionierenden Wirkungen des NS auch auf dem Lande hatten den Aspekt einer wenn auch zwanghaften, »Modernisierung«, freilich oft um den Preis einer Auflösung und Fraktionierung noch relativ homogener Normen und Dorfgemeinschafts-Strukturen. Und was sich unter solchen Voraussetzungen als bäuerliche oder ländlich-kirchliche Resistenz gegenüber dem Nationalsozialismus zeigte, trug vielfach die Züge eines antimodernistischen Traditionalismus oder eines politisch prinzipienschwachen Interessenegoismus, daneben aber auch die einer erstaunlichen Immunität gegenüber weltanschaulichen Phraseologen und totalitären Mobilisationsversuchen. Die agrarische Provinz, die in ihren protestantischen Teilen vor 1933 nicht nur eine Massenbasis nationalsozialistischer Wahlerfolge gewesen war, sondern auch, einschließlich ihrer katholischen Teile, ein Rekrutierungsfeld von sozialen und kulturellen Feindbildern und antidemokratischen Ressentiments, an die die nationalsozialistische Propaganda erfolgreich hatte anknüpfen können, bildete nach 1933 keineswegs eine starke Bastion des Enthusiasmus für das NS-Regime. Nur wenig tangiert von massiver Verfolgung oder aktivem Widerstand, strandete hier doch mehr als in anderen Gesellschaftsschichten der ideologische Dogmatismus ebenso wie die Werbekraft der nationalsozialistischen Herrenrasse-Utopie und der ihr folgenden expansiven Hitlerschen Kriegsführung. Ein besonders fatales Suggestionsmittel des Nationalsozialismus war bei den Bauern am wenigsten wirksam: der Appell zur Aufopferung der eigenen Interessen zugunsten einer emotionalisierten volksgemeinschaftlichen Fiktion. Auf dem Boden solcher Verhältnisse konnten starke politische Gegenkräfte gegen den Nationalsozialismus kaum entstehen, wohl aber die aus Gewohnheiten und tradierten Normen vermittelte Kraft abweichenden sozialen Verhaltens, das sich, nicht selten auch gegenüber verfolgten oder diskriminierten Juden oder polnischen Fremdarbeitern, unter den Bedingungen einer propagandistisch geschürten Haß-Ideologie humanisierend zur Geltung brachte.

Vor allem aber zeigt sich: in den überwiegend kirchenfrommen Teilen der bayerischen Landbevölkerung gewannen die Kirche und der kirchliche Rückhalt den Rang einer außerordentlich wirksamen Resistenzkraft gegenüber dem Nationalsozialismus. Wenn auch längst nicht aller kirchlich-religiöse Widerstand gegenüber dem NS-Regime so erfolgreich war wie der Boykott gegen die 1941 angeordnete Entfernung der Kruzifixe aus den Volksschulen (die vergebliche Opposition gegen die Gemeinschaftsschule ist hierfür ein Beispiel), so zeigen die zu den verschiedensten Aspekten dieses Themas vorgelegten Dokumente und Darstellungen doch eindringlich, wie sehr dieser Widerstand dem NS-Regime in Bayern zu schaffen machte. Unter wirkungsgeschichtlichem Gesichtspunkt war diese Front des Widerstandes in Bayern, aber sicher nicht nur hier, die bedeutendste, trotz und vielleicht gerade wegen der nur teilhaften, im wesentlichen auf den Bereich der christlichen Weltanschauung und der Erziehung in Kirche und Schule beschränkten, hier aber prinzipiell geführten Auseinandersetzung.

Auf der anderen Seite – dies ist unter dem Gesichtspunkt des moralischen Ranges nicht zu übersehen – hatten es die Träger und Wortführer dieser Opposition auch leichter als andere. Oppositionelle katholische Pfarrer und Bischöfe mit starkem sozialen und geistlichen Einfluß konnten sich in Regionen mit dichtem katholischem Milieu, infolge auch der relativen Zurückhaltung von Amts- und Parteistellen ihnen gegenüber, häufig mehr »leisten« als andere Oppositionelle. Oft bestand ein konkurrierendes Neben- und Gegeneinander kirchlichen und nationalsozialistischen Weltanschauungs-Einflusses, in seltenen Fällen gerieten die lokalen Repräsentanten der NSDAP sogar in die Defensive.

Es schmälert nicht die große Reihe eindrucksvoller oppositioneller Geistlicher, wenn deshalb anzumerken ist, daß es alles in allem nicht in erster Linie das Einzelverhalten war, das die Durchschlagskraft dieser Opposition ausmachte, sondern die Resistenz einer mächtigen traditionellen katholischen »Struktur«, in die der Nationalsozialismus zwar immer wieder einbrechen, die er im ganzen aber nicht auflösen konnte.

V

Stärker als der agrarische Sektor treten in der Serie der jetzt vollständig vorliegenden Forschungsbeiträge die Lebensverhältnisse der industriellen Arbeiterschaft und – ihnen zugeordnet – das Thema Widerstand und Verfolgung der Arbeiterbewegung hervor; ein thematischer Schwerpunkt, der in der vorangegangenen Berichts-Dokumentation (Band I) nur durch einen kursorischen Überblick vermittelt wurde. Zu verweisen ist dabei besonders auf die umfangreiche Lokalstudie über Augsburg, einem bayerischen Zentrum der Maschinen- und Textilindustrie (Hetzer, Bd. III), und die große Arbeit über die oberbayerische Bergarbeiter-Kommune Penzberg (Tenfelde, Bd. IV); sekundär auch auf die Spezialstudien über Konfliktsituationen in der bayerischen unternehmerischen Wirtschaft (Blaich, Bd. II) und den Arbeitseinsatz der Frauen in der Rüstungsindustrie (Eiber, Bd. IV). Das Nebenthema der Arbeiter in städtischen Diensten wird außer für Augsburg auch in dem kommunalhistorischen Beitrag über München (Hanko, Bd. III) behandelt.

Abweichend von den meisten bisher erarbeiteten Lokalstudien über den Widerstand aus den Reihen der Arbeiterbewegung ist vor allem in den beiden genannten Arbeiten von Hetzer und Tenfelde der – wie wir meinen – gelungene Versuch gemacht worden, die oppositionelle Aktivität der in der Tradition der sozialistischen oder christlichen Arbeiterbewegung stehenden Arbeiterschaft in der NS-Zeit nicht zu isolieren, sondern sie in vollem Maße einzubinden sowohl in die seit den Anfängen der industriellen Revolution und der Arbeiterbewegung im 19. Jahrhundert gemachten Vorerfahrungen und historisch gewachsenen Strukturen wie in den Gesamtzusammenhang der politischen, wirtschaftlichen, sozialen und atmosphärischen Lage in diesen lokalen Milieus nach 1933.

Erst einem solchen methodischen Vorgehen erschließen sich auf exemplarische Weise wesentliche Bestimmungsgründe für das politische Verhalten: der Betrieb und die innerbetrieblichen Arbeits- und Sozialverhältnisse, das Arbeiter-, Wohn-, Nachbarschafts- und Kommunikationsmilieu; die sozialkulturellen Außenbeziehungen zu Kirche und Schule, zur kleinbürgerlich-mittelständischen oder agrarischen Umwelt; die politische Gemeinde als Forum der Vermittlung oder des Konflikts zwischen den Interessen der Arbeiter und anderer Bevölkerungsgruppen; die Wirksamkeit der verschiedenen, in ihrer Sozial- und Arbeiterpolitik keineswegs einheitlichen Organe und Repräsentanten des NS-Regimes; die politische Verfolgung nach 1933 als Form auch der »Abrechnung« mit besonders gehaßten lokalen Gegnern; die Toleranz- und Immunitätsbreite für oppositionelles oder nonkonformes Verhalten unter bestimmten lokalen und betrieblichen Milieu-Bedingungen etc. Nur wenn die Objektnähe des ausgewählten lokalen Gegenstandes, die intensive Vertrautheit mit ihm und die systematische Erfassung der auf lokaler Ebene verfügbaren Quellen methodisch dazu benutzt werden, diesen und anderen für eine Sozialgeschichte politischen Verhaltens wesentlichen Fragen nachzugehen, vermag die Lokalstudie, über szenarische, episodische und individuelle Details und Zufälligkeiten hinaus, zur Beschreibung qualitativer Strukturen zu gelangen, die der generellen Betrachtung meist verborgen bleiben.

Die Herausgeber glauben, daß dieser Anspruch durch einige der hier veröffentlichten Studien erfüllt und damit auch ein Maßstab zur Bewertung der inzwischen in Mode gekommen, nicht immer den Erwartungen genügenden Kategorie lokalhistorischer Untersuchungen gewonnen worden ist. Über heimat- und ortsgeschichtliche Bedeutung hinaus werden solche lokalgeschichtlichen Studien exemplarische Signifikanz und einen entsprechenden Rang innerhalb der Geschichtswissenschaft nur erlangen können, wenn sie am lokalen Beispiel nicht nur Konkretisierung und Veranschaulichung des schon aus der allgemeinen Geschichte Bekannten leisten, sondern Mehr und Neues ans Licht zu heben oder das Generelle sozialer Verhältnisse feiner zu strukturieren vermögen.

Die Arbeitserfahrung mit diesem Projekt hat aber auch gezeigt, daß es nur in relativ seltenen, von zahlreichen Faktoren (nicht zuletzt der Quellenlage) abhängigen Ausnahmefällen annähernd gelingt, solchen Ansprüchen auf dem Wege einer Lokaluntersuchung zu genügen, bei der nicht nur ein eng begrenzter Ausschnitt von Aktivitäten und Zuständen, sondern möglichst das Gesamtgefüge einer lokalen Gesellschaft und eines historischen Handlungsraumes aus der toten Vergangenheit herausgeholt wird. Auch im Rahmen dieses Forschungsprojekts mußten daneben die herkömmlichen Methoden der monographischen Spezial-Darstellung einzelner, aus dem gesamtgesellschaftlichen Zusammenhang herausgelöster Themen genutzt werden. Auch bei einem solchen Vorgehen können, wie z. B. die Dokumentation über die Frauenarbeit in der Rüstungsindustrie zeigt, die Möglichkeiten der Veranschaulichung und Konkretisierung mit Hilfe lokaler, betrieblicher u. a. Basis-Quellen ausgeschöpft und unergiebige, abstrakte Verallgemeinerungen durchaus vermieden werden.

VI

Die beiden umfangreichen Lokalstudien zu diesem Themenkreis, vornehmlich der Beitrag über das großstädtische Arbeiterschaftszentrum Augsburg, liefen aus der Nahoptik der Fallstudie auch methodisch weiterführende Beiträge zu dem großen

Thema Widerstand und Verfolgung der sozialistischen (kommunistischen, sozialdemokratischen u.a.) Arbeiterbewegung. Was in dem noch ausstehenden Band über den parteipolitischen Gruppenwiderstand für Bayern mit noch höherem repräsentativen Anspruch gezeigt werden wird, bestätigt schon der lokalhistorische Einstieg in dieses Thema erneut: Aus keinem politisch-weltanschaulichen Lager begegnete dem NS-Regime von Anfang an so hartnäckiger, aktiver Widerstand wie aus den Reihen der sozialistischen, insbesondere der kommunistischen Arbeiterschaft. Ebenso wird abermals deutlich, daß die Aktivisten der kommunistischen und — wenngleich nicht ebenso umfassend — auch der sozialdemokratischen Partei und ihrer Nebenorganisationen weit mehr als die Repräsentanten anderer politisch-weltanschaulicher Gruppierungen von Anfang an massiven Verfolgungen durch das NS-Regime ausgesetzt waren. Auch in Bayern wurden Hunderte von Kommunisten und Sozialdemokraten zu Tode gebracht, Tausende zum Teil jahrelang verhaftet. Die Aggressivität dieser — häufig prophylaktischen — Verfolgung bewirkte auch, daß das breite Potential besonders der kommunistischen Resistenz schon in den ersten Wochen und Monaten des Regimes dezimiert wurde und sich aktive illegale Untergrundarbeit von Kommunisten und Sozialisten meist über die Mitte der Dreißiger Jahre hinaus nicht halten konnte.

Am Beispiel der kommunistischen illegalen Aktivität läßt sich freilich auch ein Widerstandstypus markieren, der, gemessen an unseren Begriffen der »Resistenz« und »Zumutbarkeit«, am äußeren Ende der Skala oppositionellen Verhaltens stand. Vergleichbar fast nur noch den — ebenso von einem eschatologischen Weltbild beherrschten — Bibelforschern, wurden ungeheuer schwere und zahlreiche Opfer »gezählt« für eine Aktivität, deren Wirkung im Sinne faktischer Herrschaftsbegrenzung des Nationalsozialismus äußerst gering war. Einsatz- und Risikobereitschaft standen in offenbarem, oft krassem Gegensatz zum Erfolg dieser Widerstandstätigkeit. Dieses Mißverhältnis ist im Falle des kommunistischen Widerstandes besonders auffällig — auch deshalb, weil dieser, anders als z.B. bei Gruppierungen wie der »Weißen Rose«, *politisch* geführt wurde, d.h. einer auf politische Wirkung bedachten Partei-Strategie folgte. Infolgedessen läßt sich im Namen der Kommunistischen Partei auch nicht so ohne weiteres geltend machen, was der *einzelne* kommunistische Widerstandskämpfer durchaus in Anspruch nehmen kann: daß es bei diesem Widerstand, auch wenn er aussichtslos war, vor allem darum gegangen sei, angesichts des breiten Stromes allgemeiner Anpassung ein Zeichen zu setzen und dem Gebot der Selbstachtung zu folgen.

Wenn Widerstand gegen das NS-Regime nicht nur an der Größe der Opfer und der Einsatzbereitschaft gemessen werden soll und kann, sondern — was unter humanitären ebenso wie unter politischen Gesichtspunkten legitim und erforderlich ist — auch unter dem Aspekt der Rationalität und angemessenen Zweck-Mittel-Relation betrachtet werden muß, so läßt sich nicht übersehen, daß jedenfalls die parteioffizielle Führung, Begründung und Forcierung der kommunistischen Untergrundarbeit in starkem Maße gekennzeichnet ist durch einen sich und andere oft mehr fahrlässig als bewußt aufopfernden irrationalen Fanatismus. Unter der Perspektive der partei-ideologischen Zielsetzung und Motive rücken Widerstand und Verfolgung der kommunistischen Bewegung unter dem NS-Regime in die Dimension eines fanatischen Krieges zweier politischer Religionen. Dieser Krieg war schon vor 1933 in Straßenkämpfen und Versammlungsschlachten beiderseits mit gewaltsamer Radikalität ausgetragen worden. Er wurde dann nach 1933, nach der nationalsozialistischen Machtübernahme, überwiegend in der Form der nationalsozialistischen Kommunistenjagd bis hin zum reinen Mordterror weitergeführt.

Die aufgrund solcher Vorgeschichte eingeübte kommunistische Ideologie und Agitation und die durch sie geförderte Selbsttäuschung über eine nur kurzfristige Dauer des NS-Regimes, dem bald die proletarische Revolution folgen müsse, das starre Festhalten an der Chimäre, daß man die proletarischen Massen durch immer neue Agitation aus der Illegalität heraus hierfür gewinnen könne, sind für das tragische Mißverhältnis von Einsatz und Wirkung bei der kommunistischen Untergrundarbeit vielfach bestimmend gewesen.

Die exemplarische Untersuchung einzelner örtlicher illegaler Gruppierungen der Arbeiterbewegung, wie sie z. B. für Augsburg vorliegt, offenbart aber auch — was in der noch ausstehenden systematischen Darstellung über den Widerstand von Kommunisten und Sozialdemokraten genauer zu zeigen sein wird —, daß die ideologisch-organisatorische Zugehörigkeit zu den weltanschaulich-politischen »Großgruppen« der KPD oder SPD allein in der Regel noch nicht ausschlaggebend war für die Bereitschaft und Entschlossenheit zu aktiver Widerstandstätigkeit.

Das große Risiko illegaler Arbeit erforderte, wenn auch nur eine zeitweilige konspirative Tätigkeit möglich sein sollte, noch andere, spezifische Voraussetzungen: den engen persönlichen Kontakt zwischen den Beteiligten, oft vermittelt durch die gemeinsame Zugehörigkeit zu kleinen Freundeszirkeln (sozialistische Jugendgruppen, Arbeiter-Sportvereine u. a.), durch Familien- oder Betriebszugehörigkeit. Es verlangte ferner ein solche illegalen Tätigkeiten wenigstens partiell absicherndes, sie auch psychologisch ermöglichendes sozialistisches »Milieu« in bestimmten Stadtvierteln, Gartensiedlungen, Gaststätten-Treffpunkten etc., relative Ungebundenheit der Beteiligten (als unverheiratete Jugendliche, Arbeitslose, Geschäftsreisende o. a.); darüber hinaus aber eine ausreichende persönliche Motivation, die sich nicht einfach nur aus der politisch-ideologischen Überzeugung ergab, sondern zusätzliche Impulse aus individuellen lebensgeschichtlichen Erfahrungen oder Disponiertheiten erfuhr. Gerade angesichts des vorwiegend jugendlichen Alters der Aktivisten, die die kommunistischen Untergrundgruppen bildeten, kann eine große Festigkeit der ideologischen Überzeugung im Sinne des Kommunismus häufig kaum angenommen werden.

Die auf lokaler Ebene hierzu eruierbaren Daten machen diese Bedingungshintergründe zwar meist nicht exakt bestimmbar, lassen ihre Bedeutung aber doch immer wieder durchscheinen. Gewiß wurde — zumindest bei den KPD-Aktivitäten — die hierarchische Struktur- und Befehlsgebung der Partei auch im Untergrund formal beibehalten und »Aufträge« oder gar »Befehle« an die noch verfügbaren »Genossen« muteten diesen illegale Arbeit als Loyalitätspflicht gegenüber der Partei 1933/1934 oft bedenkenlos zu. Doch gerade die lokalgeschichtliche Nah-Sicht erweist, daß, auch im kommunistischen Lager, diese konspirativen Kommando-Strukturen von »Bezirksleitungen« und »Fünfer-Gruppen« meist eine Fiktion waren und die praktische Entscheidung darüber, ob illegale Arbeit stattfand oder nicht, letzten Endes nicht von einer Untergrund- oder Emigrationszentrale getroffen werden konnte, sondern in der Regel von einzelnen kommunistischen Gesinnungsgenossen und ihren Freunden abhing, die dazu aus eigenem Antrieb bereit waren. Der einzelne arbeitslose Jungkommunist oder die Jungkommunistin, die nach der Verhaftung der meisten ortsbekannten KPD-Funktionäre im Sommer 1933 oder im Frühjahr 1934 im Kontakt mit einigen Gesinnungsfreunden die illegale Verteilung kommunistischer Schriften, die selbständige Herstellung von Flugblättern oder – im Namen der »Roten Hilfe« – die Sammlung von Unterstützungsbeiträgen für die Angehörigen der nach Dachau verbrachten Genossen vornahmen, handelten dabei oft nur äußerlich »im Auftrag« der illegalen Parteiorganisation, während die eigentlichen Beweggründe vielfach persönlicher Art waren und die sie zeitweilig tragende »Gemeinschaft« im lokalen Milieu und Freundeskreis beschlossen lag, in der desperaten Entschlossenheit Einzelner, sich trotz des Gestapo-Terrors nicht unterkriegen zu lassen, wobei häufig persönliche Deklassierungs- oder Diskriminierungserlebnisse und/oder schon vor 1933 eingeübte Protesthaltungen gegen die »herrschenden Verhältnisse« im Hintergrund standen.

Hier artikulieren sich denn auch, unter sozialhistorisch-verhaltensgeschichtlichem Aspekt, andere Verbindungslinien zwischen dem Widerstand der Jahre 1933 bis 1935/36 mit der vorangegangenen überwiegend unter kommunistischem Vorzeichen stehenden politischen Radikalisierung großer Teile der Arbeiterschaft als unter dem Gesichtspunkt von Parteiorganisation oder -ideologie. Versteht man – und dafür sprechen in hohem Maße die sich aus der lokalhistorischen Feinuntersuchung ergebenden Befunde – diese politische Radikalisierung während der Wirtschaftskrise und Massenarbeitslosigkeit weniger als eine ideologische oder parteiorganisatorische Ausbreitung »des Kommunismus«, sondern vor allem als eine Akkumulation verzweifelter politisch-sozialer Protesthaltungen, die sich der kommunistischen Argumentation als Ausdrucksform bedienten, so erscheint auch die Entschlossenheit zu illegalen Aktionen unter den Bedingungen des NS-Regimes als Fortsetzung dieser Linie eines radikalen Ankämpfens gegen die bestehenden Verhältnisse, nun allerdings kräftig motiviert durch die »faschistische« Zuspitzung der »Herrschaft« und das schwere Verfolgungsschicksal zahlreicher Freunde und Gesinnungsgenossen.

Die Entschlossenheit zur »revolutionären«, notfalls konspirativen kämpferischen »Aktion«, die sich, abgesehen von ihren intellektuellen Wortführern, vor allem auf die am meisten desperaten, am stärksten »entwurzelten« Teile der Arbeiterschaft und z.T. auch des Kleinbürgertums und einen bemerkenswert hohen Anteil der Arbeiterjugend stützte, hatte schon im 19. Jahrhundert immer wieder *eine* Traditionslinie der deutschen Arbeiterbewegung gebildet. Unter Einschluß auch derjenigen sozialdemokratisch-freigewerkschaftlichen Kräfte, die die vorsichtig-defensive Taktik ihrer Führung gegenüber dem heraufziehenden NS-Regime zunehmend mißbilligt hatten, formierte sich diese Tradition nach 1933 neu in der meist nur bis Mitte der Dreißiger Jahre fortsetzbaren illegalen sozialistischen Untergrundarbeit. Was dabei an Tapferkeit und Unbeugsamkeit im Einzelfall zum Ausdruck kam, verdient keinen geringeren Respekt als die Haltung der Männer des 20. Juli, zumal das Ziel des Regimesturzes von den illegal tätigen Kommunisten und Sozialdemokraten nicht erst nach der für Deutschland ungünstigen Wende des Krieges konzipiert worden war.

In dem Maße, in dem solche Widerstands-Aufopferung, unbeschadet ihrer kommunistischen Ausdrucksformen, ihre persönlichen Gründe und ihre persönliche Würde hatte, kann sie deshalb auch nicht durch den Hinweis auf die ideologisch-politischen Zielsetzungen »der Kommunisten« relativiert werden. Sie kann aus denselben Gründen aber auch nicht nachträglich von der KPD in dem Sinne reklamiert werden, als habe *die* kommunistische Partei mit der von ihr – gegen alle politische Rationalität – proklamierten, illusionäre Ziele verfolgenden Aktivität historisch recht behalten und als verkörpere sie in besonderem Maße oder gar exklusiv das Vermächtnis des Widerstandes.

Abgesehen von den Fehleinschätzungen der Realität des NS-Regimes und der eigenen Möglichkeiten, von denen die kommunistische Untergrundarbeit weithin geleitet war, wird gerade unter verhaltensgeschichtlichem Aspekt deutlich, daß auch innerhalb der vor 1933 kommunistisch gesinnten Arbeiterschaft die illegale Betätigung während des NS-Regimes – aus guten Gründen – alles in allem eine Ausnahme bildete. Es scheint uns bezeichnend, daß in den ausführlichen Darstellungen, die in den Fallstudien Augsburg und Penzberg über die Arbeiteraktivitäten und innerbetrieblichen Vorgänge in Großbetrieben wie der MAN oder der Oberkohle AG enthalten sind, konspirative Widerstandsaktionen oder Sabotagehandlungen von kommunistischen und sozialdemokratischen Arbeitern kaum in Erscheinung treten, wohl aber zahlreiche Formen passiver oder partieller Opposition der Arbeiterschaft. In solcher Haltung kam, wie dies Tenfelde für die Bergarbeiter von Penzberg überzeugend herausgearbeitet hat, durchaus eine *andere* gewichtige, ja historisch dominante Tradition der deutschen Arbeiterbewegung zum Ausdruck: Eine auf leidgeprüfter Erfahrung beruhende pragmatische Nüchternheit angemessener Interessenwahrung, von der her märtyrerhafte, unnötige Risiken und Opfer herausfordernde, putschistische Aktivitäten aus realistischer Sicht der Machtverhältnisse gerade im Interesse des Überlebens der Arbeiterbewegung abgelehnt wurden. Es war dies eine Haltung, die oft keineswegs auf Schwäche beruhte, unter Umständen sogar auf mehr Festigkeit und Verläßlichkeit kollektiver Arbeiter-Resistenz, als sie in der fluktuierenden, von Überläufern und Gestapo-Agenten durchsetzten Szene kommunistischer Widerstandsgruppen manchmal anzutreffen war.

Auch die Mehrzahl der vor 1933 kommunistischen Bergarbeiter Penzbergs oder der kommunistischen Metall- oder Textilarbeiter Augsburgs folgten nach 1933 nicht den Empfehlungen zu illegaler Arbeit, sondern der Tradition der in der deutschen Arbeiterbewegung schon seit den Erfahrungen des Sozialistengesetzes herausgebildeten Linie einer pragmatisch-attentiven passiven Resistenz. Wenig spektakulär und zu monumentaler Darstellung kaum geschaffen, eignet einer solchen Haltung, wie sie für große Teile besonders der sozialdemokratisch gesinnten Arbeiterschaft in der NS-Zeit kennzeichnend war, gerade unter politischen und humanen Gesichtspunkten gleichwohl die Würde einer angemessenen Opposition gegenüber dem NS-Regime. Die kategoriale Bestimmung, daß nur ein auf den Sturz des Regimes abgestelltes aktives Handeln den eigentlichen Begriff des Widerstandes erfülle, läßt sich auch in bezug auf die kommunistische und sozialdemokratische Arbeiterschaft nicht aufrechterhalten, weder verhaltensgeschichtlich noch unter dem Gesichtspunkt des Vermächtnisses der tatsächlichen historischen Arbeiterbewegung.

Die durch kollektive weltanschaulich-politische Überzeugungen und Traditionen vermittelten *überindividuellen* Impulse und die aus persönlichen Erfahrungen und Haltungen herrührenden *individuellen* Antriebskräfte für oppositionelles Verhalten waren – das suchten wir im letzten Abschnitt dieser Zwischenbilanz zu verdeutlichen – in der historischen Wirklichkeit der NS-Zeit meist eng miteinander verflochten. Die beiden noch ausstehenden, das Projekt abschließenden Bände dieser Reihe werden gerade diese Thematik, von unterschiedlichen Ausgangspunkten her, konzentriert untersuchen. Sie werden damit auch Gelegenheit geben, unsere Reflexionen zum Begriff des Widerstandes noch einmal aufzunehmen und vielleicht auch weiterzuentwickeln.

Anhang

BILDNACHWEIS

1., 2. Staatsarchiv München (StAM); 3. Stadtarchiv Penzberg (StaP); 4. StAM; 5. StaP; 6., 7. StAM; 8. StaP; 9.−12. StAM; 13., 14. StaP; 15.−19. StAM; 20.−24. StaP; 25., 26. StAM; 27. Institut für Zeitgeschichte (IfZ); 28., 29. StaP; 30. StAM; 31. Privat; 32. StAM; 33.−47. StAM; 48., 49. Privat; 50. Georg Lorenz: Die Penzberger Mordnacht vom 28. April 1945 vor dem Richter. Garmisch-Partenkirchen 1948; 51., 52. StAM; 53., 54. Stadtarchiv München (StdM); 55. Bundesarchiv Koblenz (BA); 56. IfZ; 57.−59. Heinrich Riedel. Der Kampf um die Jugend. München 1976; 60. IfZ; 61. Archiv der deutschen Jugendbewegung; 62. BA; 63.−65. Archiv der deutschen Jugendbewegung; 66. Arno Klönne; 67. BA; 68.−70. IfZ; 71. Spiwoks/Stöber: Endkampf zwischen Mosel und Inn. Osnabrück 1976; 72. StdA; 73. BA; 74. Dr. Rupprecht Gerngroß; 75. G. Lorenz. Die Penzberger Mordnacht; 76. StaP; 77. IfZ; 78.−80. Stadtarchiv Burghausen; 81. Spiwoks/Stöber. Endkampf zwischen Mosel und Inn.

Biographisches zu den Autoren

Prof. Dr. Martin Broszat, Jg. 1926, Direktor des Instituts für Zeitgeschichte in München

Dr. Gerhard Hetzer, Jg. 1952, Archivreferendar am Bayerischen Hauptstaatsarchiv in München

Prof. Dr. Peter Hüttenberger, Jg. 1938, Rektor der Universität Düsseldorf

Dr. Arno Klönne, Jg. 1931, Professor für Sozialwissenschaften an der Universität-Gesamthochschule Paderborn

Dr. Klaus Tenfelde, Jg. 1944, Privatdozent an der Universität München

Dr. Hildebrand Troll, Jg. 1922, Direktor des Hauptstaatsarchivs München

Dr. Zdenek Zofka, Jg. 1947, wissenschaftlicher Mitarbeiter der Interdisziplinären Forschungsgruppe Essen zu Fragen der Energie, Gesellschaft und Politik

Abkürzungsverzeichnis

a.a.O	am angegebenen Ort
ADAV	Allgemeiner Deutscher Arbeiterverein
AFS	Archiv für Sozialgeschichte
Agitpropleiter	Agitations- und Propagandaleiter
AK	Armeekorps
Anm.	Anmerkung
Aufl.	Auflage
BA	Bundesarchiv Koblenz
BA WM	Bezirksamt Weilheim
BayHStA	Bayerisches Hauptstaatsarchiv
BBB	Bayerischer Bauernbund
BDC	Berlin Document Center
BdM/BDM	Bund deutscher Mädel
Bez.	Bezirk
BJ	Bündische Jugend
BK	Bibel-Kreis
BL	Bayerland
BM	Bürgermeister
BPP	Bayerische Politische Polizei
BR	Betriebsrat
BStMdI	Bayerisches Staatsministerium des Innern
BStMdJ	Bayerisches Staatsministerium der Justiz
BStMUuK	Bayerisches Staatsministerium für Unterricht und Kultus
BVP	Bayerische Volkspartei
Cav.Gr.	Cavalry Group
CVJM	Christlicher Verein Junger Männer
DAF	Deutsche Arbeitsfront
DDP	Deutsche Demokratische Partei
DGO	Deutsche Gemeindeordnung
DJK	Deutsche Jugendkraft
DNB	Deutsches Nachrichtenbüro
DNVP	Deutschnationale Volkspartei
d.R.	der Reserve
DVP	Deutsche Volkspartei
evang.	evangelisch
Ew.	Einwohner

FAB	Freiheitsaktion Bayern
fl.	Gulden (Florin)
Frhr.	Freiherr
GA	Gemeindeausschuß
Gestapo	Geheime Staatspolizei
HJ	Hitlerjugend
IBV	Internationale Bibelforschervereinigung
ID	Infanterie-Division
IfZ	Institut für Zeitgeschichte
ISK	Internationaler Sozialistischer Kampfbund
IWK	Internationale wissenschaftliche Korrespondenz zur Geschichte der deutschen Arbeiterbewegung
JV	Jungvolk
Kath./kathol.	katholisch
KdF	Kraft durch Freude
kgl.	königlich
Kgr.	Königreich
KJVD	Kommunistischer Jugendverband Deutschlands
KL	Konzentrationslager
KP(D)	Kommunistische Partei (Deutschlands)
Krs.	Kreis
KSWR	Kampfgemeinschaft Schwarz-Weiß-Rot
KZ	Konzentrationslager
LG	Landgericht
Litobmann	Literaturobmann
LK	Landkreis
LRA	Landratsamt
LT	Landtag
MAN	Maschinenfabrik Augsburg-Nürnberg
masch.	maschinenschriftlich
MdR	Mitglied des Reichstags
MG	Maschinengewehr
Mitgl.	Mitglied
MP	Münchener Post
Ms.	Manuskript
MSP(D)	Mehrheitssozialdemokratische Partei (Deutschlands)

ND	Neudruck
NS	Nationalsozialismus
NSBO	Nationalsozialistische Betriebszellenorganisation
NSDAP	Nationalsozialistische Deutsche Arbeiterpartei
NS-Hago	Nationalsozialistische Handwerks-, Handels- und Gewerbeorganisation
NSKK	Nationalsozialistisches Kraftfahrkorps
NSKOV	Nationalsozialistische Kriegsopferversorgung
NSLB	Nationalsozialistischer Lehrerbund
NSV	Nationalsozialistische Volkswohlfahrt
NV	Nationalversammlung
OB	Oberbayerischer Bergmann
OBA	Oberbergamt
obb.	oberbayerisch
o.D.	ohne Datum
OGr	Ortsgruppe
OGrF	Ortsgruppenführer
o.J.	ohne Jahr
OK	Oberkohle
OLG	Oberlandesgericht
ORA	Oberreichsanwalt
org.	organisiert
Orgleiter	Organisationsleiter
PA	Penzberger Anzeiger
PDA	Polizeidirektion Augsburg
Pg.	Parteigenosse
Pgg.	Parteigenossen
PO	Politische Organisation
Polleiter	Politischer Leiter
PP	Polizeistation Penzberg
RAD	Reichsarbeitsdienst
RFB	Roter Frontkämpferbund
RFSS	Reichsführer SS
RGBl.	Reichsgesetzblatt
RGO	Revolutionäre Gewerkschaftsopposition
RLB	Reichsluftschutzbund
RM	Reichsmark
RSHA	Reichssicherheitshauptamt
RStGB	Reichsstrafgesetzbuch
RT	Reichstag

SA	Sturmabteilung
SAJ	Sozialistische Arbeiterjugend
SAP	Sozialistische Arbeiterpartei
SBI	Süddeutsche Baumwoll-Industrie
Schupo	Schutzpolizei
SD	Sicherheitsdienst
SG	Sondergericht
SJV(D)	Sozialistischer Jugendverband (Deutschlands)
SPD	Sozialdemokratische Partei Deutschlands
SR	Stadtrat
SS	Schutzstaffel
StA	Staatsarchiv
StAM	Staatsarchiv München
StaP	Stadtarchiv Penzberg
StdA	Stadtarchiv Augsburg
StGB	Strafgesetzbuch
StPO	Strafprozeßordnung
Tab.	Tabelle
unorg.	unorganisiert
US	United States
USchla-Verfahren	Untersuchungs- und Schlichtungsausschuß-Verfahren
USP(D)	Unabhängige Sozialdemokratische Partei (Deutschlands)
US-PD	US-Panzer-Division
V.Bl.	Völkischer Block
VfZ	Vierteljahrshefte für Zeitgeschichte
VGD	Volksgrenadier-Division
VGH	Volksgerichtshof
VO	Verordnung
VR	Vertrauensrat
VSWG	Vierteljahrsschrift für Sozial- und Wirtschaftsgeschichte
WHW	Winterhilfswerk
ZBLG	Zeitschrift für bayerische Landesgeschichte
ZBSL	Zeitschrift des Bayerischen Statistischen Landesamtes
ZK	Zentralkomitee
Ztschr	Zeitschrift

PERSONEN- UND SACHREGISTER

Dieses Register enthält nur die Namen zeitgenössischer Personen. Die Verfasser der zitierten Literatur blieben unberücksichtigt. Das Sachregister beschränkt sich vor allem auf Gesetze, Erlasse und Verordnungen, Institutionen, Organisationen und Verbände sowie auf nationale Ereignisse. Aufgenommen wurden auch beitragsspezifische Schlagworte.

Abkommen über Überarbeit 131
Achatz, Georg 670
Adolf-Hitler-Spende 304
Adventisten 450
Aichacher Amtsblatt 426
Albfreunde 562 f.
Allgemeiner Wohlfahrtsverein 228
Allner, Adam 244
Alter Verband 53 f., 58–62, 64 f., 68, 91, 100, 108 f., 147, 153
Amnestierungsgesetze 449
Am Scheideweg (Zeitschrift) 573
Amt für Kommunalpolitik 419
Angel, Otto 651 f.
Angerer, Regina 632 f., 643
Ankerbund 606
Antifaschistische Aktion 584
Antifaschistischer Kampfbund 638
Antikriegstag 209 ff.
Arbeiterausschüsse 55–65, 68, 91 ff., 95
Arbeiterjugendpflege-Verein 225
Arbeiterkammer für den Bergbau 112
Arbeiter-Radfahrer-Verein »Morgenrot« 72, 152, 155
Arbeiter-Samariter-Bund 226
Arbeitersportkartell 155
Arbeitertum (Zeitschrift) 233, 309, 317
Arbeiter- und Krankenkasse Penzberg 49 f.
Arbeiterwohlfahrt 157
Arbeitgeberverband der bayerischen Kohlenbergwerke 93, 130 f.
Arbeitsdienst 498, 505, 649
Arbeitsgericht 148, 327
Arbeit und Wehr (Zeitschrift) 317
Asten, Frieda 643
Athletenklub Bayerisch-Fels 72, 154 f., 158, 215, 225
Auer, Erhard 101, 103, 106, 111, 151, 208, 214
Außenhofer, Thomas 98
Axmann, Arthur 536

Bader (Gendarmeriemeister) 679
Badlehner, Paul 377, 379
Balzereit, Paul 622, 626
Bandner, Karl 166, 343
Barnikel, Andreas 50, 57, 76
Barnikel, Johann 57
Barth, Fritz 662
Barthuber, Ludwig 225
Bauer, Fritz 177, 181
Bauer, Max 268
Bauer, Walter 612
Bauernfeind (Oberstleutnant) 376 f., 380 f., 681
Baugenossenschaft 88, 157 ff., 215, 227
Baumeister, Anton 640 f.
Baumgartner (Bürgermeister) 432
Bauriedl, Heinrich 270 f.
Bauriedl, Wilhelm 78
Bauverein 157, 275
Bayerische Gerichtszeitung 625, 627 ff., 640
Bayerische Landesfilmbühne 311
Bayerische Landessiedlung 506 f.
Bayerische Politische Polizei 225, 229, 246 ff., 342 f., 347, 351 f., 448, 460, 506, 509, 511, 516, 518, 524, 542, 559 ff., 571–574, 576, 586, 613, 620, 624 f., 627–630, 633, 637
Bayerischer Bauernbund 79, 81 f., 100 f., 149 f., 160 ff., 190 ff., 231, 390–396, 399, 402, 408, 410, 412–415
Bayerischer Bauern- und Mittelstandsbund 161, 190, 192, 216, 502
Bayerischer Gastwirte-Verband 42
Bayerischer Kriegerbund 428
Bayerisches Staatsministerium des Innern 261, 269, 271, 431, 574, 578, 623, 625
Bayerisches Staatsministerium für Wirtschaft 102, 363
Bayerisches Wochenblatt 214

Bayerische Volkspartei 100, 109f., 131f., 149f., 160—165, 167, 190, 193, 201, 216, 222, 224f., 229, 231, 235, 390—397, 399f., 402—414, 422, 424f., 426—429, 492, 499, 513, 534, 571, 675
Bayernwacht 396, 513
Beck, Ludwig 619
Becker (Steiger) 304
Beer, Josef 667f.
Beimler, Hans 478
Bekennende Kirche 350, 568
Belohlawek, Gottlieb 154, 213, 379f.
Beneke, Erich 348
Bentrott (Hauptmann) 377, 381
Bergamt 56, 91
Bergarbeitergewerkschaft 189
Bergarbeiterkammer 148
Bergarbeiterrat 102
Bergarbeiterverband 64, 68, 131, 159, 256
Bergbauindustriearbeiter-Verband 232f., 323
Bergbauverein 93
Bergbehörde 46, 56, 93, 131, 300, 326
Bergengruen, Werner 612
Berger, Josef 321
Berger, Ludwig 321
Berger, Vinzenz 321
Berggesetznovelle 55f., 95
Berggewerbegericht 56f., 59, 61, 63—66, 91f., 93, 95, 147f.
Bergknappenkapelle 71, 304
Bergmannssiedlungsgesellschaft 172
Bergmanns-Unterstützungs-Verein Penzberg 47, 49
Bergmanns-Wohnstättengesetz 172
Bergrecht 10
Bergwerks-Siedlung-GmbH 300
Bernhard (Steiger) 110
Bertram, Adolf Johannes 574
Beutner, Dr. (Landgerichtsrat) 238
Bezirksbauernkammer 391, 421, 428
Bezirksbauernrat 107
Bezirkskonsumverein 157, 177
Bezirkslehrerrat 107
Bibelhaus Barmen 622; Bern 629, 643; Magdeburg 623f.
Bibel-Kreise 565f.
Bibelforscher s. Zeugen Jehovas
Biehler, Leonhard 195f., 270
Bierl, Josef 166
Biersack, Franz 159, 339, 377f., 380
Biersack, Georg 166
Biersack, Jakob 159, 339f.

Binding (Gutsbesitzer) 432
Birke (Steiger) 365
Bismarck, Otto Fürst von 208, 601
Blätter der sozialistischen Freiheitsaktion 558
Blank, Leonhard 630
Blomberg, Werner von 481
Böck (Lehrer) 174
Bögl, Dr. (Major) 662
Böhm, Karl 207
Börger, Prof. (Sondertreuhänder für den Bergbau) 324
Bogner, Otto 194ff., 198, 200, 226, 262, 264, 266f., 272, 275—281, 285, 319, 323, 327, 330f., 333f., 337, 339f., 343, 347, 354, 356, 371, 373f.
Boos, Josef 176, 221f., 224
Boos, Michael 98, 151, 235, 377, 379
Borchmann (SS-Oberführer) 682
Bormann, Martin 687
Brandlhuber, Johann 432
Braun, Alois 645, 661—664
Braun, Otto 162
Braun (Bürgermeister) 429f.
Braunes Haus 474, 477, 508, 516
Braunkohle 12, 34, 86, 146, 178, 290, 296, 310
Brixle, Georg 630, 643
Bruckmayer, Josef 674
Brückner, Hanns 611
Brunotte (Vikar) 369
Brust, August 59
Bucher, Gottfried 630
Buchner, Franz 150, 193f., 222
Buchter, Willy 237
Bündische Jugend 581f., 584, 586, 588ff., 593, 605, 616f., 620
Bündischer Selbstschutz 586
Bürgerrecht 74ff.
Bürgerrechtsverein 79
Bund christdeutscher Jugend 565
Bund der Kinderreichen 275
Bund der Landwirte 81
Bund Deutscher Mädel 158, 263, 269, 273f., 347, 351, 430, 484, 540, 544—552, 567, 590, 639
Bund deutscher Mieterverein 227
Bund Oberland 177—180, 350

Caracciola-Delbrück, Günther 662f., 667
Caritasverband 277
Chagall, Marc 612
Christliche Eisenbahnergewerkschaft 80

Personen- und Sachregister

Christliche Gewerkschaften 58, 65, 68
Christliche Pfadfinderschaft 565, 584
Christlicher Bauernverein 405
Christlicher Bergarbeiterverband 58 f.
Christlicher Gewerkverein 45, 62, 64, 68, 78, 94, 100, 147
Christlicher Textilarbeiterverband 58
Christlicher Verein Junger Männer 566, 568
Christlich-Soziale Partei 150, 160

Daiser, Andreas 167, 231, 308, 321 f., 324, 327 ff.
Daiser, Karl 81
Darlehenskassenverein 408, 410
Daser (Vertrauensrat) 301
Dauser (Staatssekretär) 311
Deininger (Bürgermeister) 392
Dellinger, Jakob 231, 377, 381
Dennerl (Kreisleiter) 329, 374 f.
Deutsche Arbeiter-Partei 150
Deutsche Arbeitsfront 235, 256, 284, 291, 299, 304, 309 ff., 314, 317, 320, 323, 326–329, 332 f., 335, 360, 395, 481, 483, 511 f., 517, 521, 574, 625, 636
Deutsche Bergarbeiter-Zeitung 52
Deutsche Briefe (Zeitschrift) 574
Deutsche Bühne 276 f.
Deutsche Christen 534, 568
Deutsche Demokratische Partei 161 f.
Deutsche Freischar 584
Deutsche Gemeindeordnung 275, 279, 397, 400, 405, 415, 433
Deutsche Jugendkraft 575
Deutsche Jungentrucht 584
Deutsche Pfadfinderschaft St. Georg 584
Deutscher Arbeiterstand des Bergbaus 235
Deutscher Pfadfinderbund 584
Deutsches Frauenwerk 276
Deutsche Volkspartei 100, 162
Deutschmeister-Jungenschaft 584
Deutschnationale Volkspartei 160 ff., 190 f., 399, 425, 534
Dilthey (Bergmann) 151
Dirwimmer, Georg 237, 344
Disl, Ferdinand 226
dj. 1. 11. 582, 584, 588, 620
Doll, Abraham 54
Dolz (Standartenführer) 267
Dreher, Johann (Hans) 266, 377, 379

Eberle, Hans 623, 630
Ebert, Friedrich 174
Eckinger, Jakob 196, 321

Edelmann, Thekla 643
Edelweißpiraten 530, 591, 603 ff., 609 ff.
Eder, Erhard 52, 54, 72
Eder, Martin 368
Eder, Sebastian 226
Eder (Jungkommunist) 153
Ehrlicher, Friedrich 668
Ehrnsberger (Handarbeitslehrerin) 347
Eich, Karl 654
Eichner, Johann 166
Eichner, Mathias 24
Eichthal, Frhr. von 9, 22
Eigner, Christian 630
Einberger, Alois 347
Einberufungs- und Schlichtungsausschuß 139
Einwohnerwehren 111, 177 f., 239
Eisbahnclique 591, 601
Eisend, Georg 310
Eisend, Josef 107, 110, 157, 159, 166 f.
Eiserne Front 197
Eisner, Kurt 97, 101, 111, 174, 176, 221
Englbrecht, Otto 231
Entnazifizierungshauptkammer (München) 461
Entschuldungsgesetz 494
Epp, Franz Ritter von 227, 353, 524, 662, 664–667
Erbfolgegesetz 467
Erbgesundheitsgericht 281
Erbgesundheitsgesetz 281
Erbhofgesetz 466, 489
Erlasse zum Verbot öffentlicher Veranstaltungen der konfessionellen Verbände 572
Ernste Bibelforscher s. Zeugen Jehovas
Erwerbslosentag 206
Escherich, Georg 111
Essener Siebenerkommission 62
Esser, Hermann 485, 501
Eucharistischer Kinderkreuzzug 347
Evangelische Jugend Bayerns 567 f.
Evangelische Jugendverbände 568
Evangelische Landeskirche 568 ff.
Evangelisches Jugendwerk 565, 568

Fabrikarbeiterverband 61
Fachamt Bergbau 310
Faderl, Theodor 373, 380
Falkenhorst (Jugendgruppe) 563
Faulhaber, Michael von 177, 639
Fehn, Franz 670
Feichtinger, Dr. Georg 684
Fendt, Xaver 622

Fiehler, Karl 475, 485, 665
Fischer, Andreas 657
Flaggenbefehl 657
Fleißner (Ehepaar) 378, 380
Fortbildungsschule (Penzberg) 72, 127, 306
Fortschrittlicher Volks-Verein 69, 81 f.
François-Poncet, André 686
Frank, Dr. Wilhelm 268 f., 271
Frank (Frau) 268, 273
Frauenarbeitsdienst 276
Frauenfürsorgeverein 98
Frauentag 73
Freidenker 154 f., 157 f., 202, 215, 225, 227, 343
Freideutsche Jugend 584
Freie Gewerkschaften 65, 68 f., 74, 94, 243
Freier Gewerbeverein 158
Freier Jugendverein 152
Freier Turn- und Sportverein 152, 155, 159, 225 f.
Freie Vereinigung der Bibelforscher Augsburg 624
Freiheitsaktion Bayern 376, 381, 645, 660−665, 667 ff., 671 f., 674 f., 677 f., 680, 684
Freikorps Adolf Hitler 375, 672
Freikorps Plärrer 608 f.
Freischar junger Nation 584
Freischar Schill und Eidgenossen 586
Freisl, Sebastian 98, 341
Freisler, Roland 442, 594 f.
Freund, Georg 649
Frey, Kurt 314
Frick, Wilhelm 498, 524
Frost, Erich 631
Frühschütz, Georg 215
Füßl (Bergmann) 344

Gabler, Sebastian 78
Gaigl, Ludwig 427 f.
Gais, Stefan 638
Gareis, Karl 146, 275
Gauder, Georg 230
Gauorganisationsamt 266
Geiselhart, Otto 391, 395
Gemeindeordnung 20, 43, 217; s. auch Deutsche Gemeindeordnung
Gemeindewahlrecht 74
George, Stefan 612
Gerichtsverfassungsgesetz 440
Gerngroß, Dr. Rupprecht 660−667, 680
Gesamtverband christlicher Gewerkschaften 59

Gesangverein »Glückauf« 49 f., 155
Gesangverein »Lassallia« 70
Gesangverein »Vorwärts« 50 f.
Gesellschaft der Stiftenkopffreunde 253
Gesetz gegen die Neubildung von Parteien 616 f.
Gesetz gegen heimtückische Angriffe auf Staat und Partei und zum Schutz der Parteiuniformen s. Heimtückegesetz
Gesetz gegen verbrecherischen und gemeingefährlichen Gebrauch von Sprengstoffen 442
Gesetz über die Betriebsvertretungen 235
Gesetz über die Hitlerjugend 535 f., 575, 590
Gesetz über die Selbstverwaltung 78, 110
Gesetz über die Sozialisierung des Bergbaues 101 f.
Gesetz zur Abwehr politischer Gewalttaten 436, 442
Gesetz zur Gleichschaltung der Gemeinden s. Gleichschaltungsgesetz
Gesetz zur Ordnung der nationalen Arbeit 284, 298, 320
Gestapo 341, 344, 346, 348, 351, 352 f., 436, 448, 458 ff., 510 f., 516−519, 530, 570, 576, 584, 586, 588, 604, 607, 610 f., 613, 616, 626, 629, 632, 638 ff., 642 f., 652, 654, 677
Gewerbegerichte 56, 95
Gewerbeverein 71, 216, 226
Gewerkschaften 34, 45, 49, 53 f., 62, 64, 68, 72, 80, 95, 109, 119, 128, 131, 137, 149, 183, 189, 204 ff., 211, 231 f., 234, 263, 276, 320, 392, 395, 476, 485
Gewerkschaftskartell 100, 149 173
Gewerkverein 59, 66; s. auch Christlicher Gewerkverein
Giesler, Paul 375, 377, 661 f., 665, 667, 671 f., 675, 680, 688
Gilcher, Ernst 231
Gleichschaltungsgesetz 224, 395, 398, 404, 407, 421, 424; s. auch Gesetz zur Gleichschaltung der Gemeinden
Gleixner, Sebastian 234
Gmelin, Dr. (kommissarischer Kreisleiter) 229, 231
Gnadenerlaß 372
Goebbels, Joseph 268, 311, 451 454, 481 f., 488, 498, 524
Göppelt, Anton 347
Goerdeler, Carl 619
Göring, Hermann 290, 310, 329, 444, 455,

457, 482, 485f., 488f., 498, 501, 504f., 516, 524
Goldbrunner, Josef 213, 236
Goldene Zeitalter, Das (Zeitschrift) 624, 627
Graf, Anton 157, 208, 223
Graf, Willi 588
Grauer Orden 584, 586, 588
Graues Korps 584
Grauvogel, Albert 380
Greimel, Karl 54
Greiner, Berta 629
Grießbach (Pfarrer) 567
Grimm, Josef 674
Großdeutsche Feuerbestattung 227, 343
Großdeutsche Gewerkschaften 200
Großdeutscher Bund 533, 584
Grosshauser, Georg 633
Grosshauser, Maria 633
Gruber, Therese 373
Gruber (Redakteur) 58
Grünbacher, Fritz 341
Grünbauer, Friedrich 213
Grundbesitzerverein 155, 157
Gstrein, Johann 167, 321
Gstrein (Bauer) 123
Günzburger Tagblatt 396
Güth, Hermann 227, 268ff., 272
Gute Hoffnung (Gefangenenunterstützungskasse der Bibelforscher) 633

Haberl, Anton 640
Hacker, Franz 622
Hackl (Gendarmeriewachtmeister) 272
Häusler, Johann 231, 321
Haider, Bartholomäus 426
Haindl (Fabrik) 636
Halder, Friederike 630, 643
Halder, Georg 624, 627–630, 638, 641ff.
Hallwachs, Barbara 631
Hamm, Eduard 102
Hammer (Pfarrer) 348
Handelsministerium 108, 114
Handlungsgehilfenverband 138, 178, 196
Handwerker-Krankenunterstützungs-Verein 71
Handwerkerverein 71
Handwerkskammer 515
Hangl, Georg 674
Harbeck (Leiter des Berner Bibelhauses) 626f.
Harlacher, Josef 630
Harlacher, Walburga 633, 641

Harlem-Club 591
Hartl, Georg 165f., 167, 231, 278
Hartlieb, von (Oberstleutnant) 678
Hartmann, Wilhelm 59, 64, 66
Hausbesitzer-Verein 113, 155, 157
Haus der Deutschen Kunst 497
Hay (Unterwachtmeister) 210
Heidinger, Josef 49
Heimatrecht 74ff.
Heimatschutzverband 685f.
Heimat- und Bürgerrechtsverein 73f., 76
Heimatvereinigung 227
Heimtückegesetz 348, 436f., 439ff., 453f., 459, 467, 473, 618; s. auch Gesetz gegen heimtückische Angriffe auf Staat und Partei
Heinz (Schreiner) 52
Held, Heinrich 162, 169
Helfert (Stadtbaumeister) 270f.
Henle (Gemeinderat) 429f.
Henle-Schacht 10, 19
Herbst, Prof. Fr. 282f.
Herr (Flaschenbierhändler) 84
Herrmann, Anna 630–633, 643
Herschel, Herbert 237, 247
Herzog-Karl-Theodor-Schacht 10, 286
Heß, Rudolf 486, 591
Hesse (Sonderkommissar) 428
Heumann, Josef 197, 206
Heuwing, Leo 660, 667
Heyda, Josef 71
Heydrich, Reinhard 571
Hibernia (Bergwerksgesellschaft) 17, 285, 308
Hieber, Adolf 662
Hilfsdienstgesetz 95
Hilfswerk Penzberg 211
Himmelstoß, Joseph 213, 342
Himmelstoß, Xaver 64f., 78, 92f.
Himmler, Heinrich 237, 486, 509, 524, 574, 594, 657
Hindenburg, Paul von 162, 174, 191
Hinterreiter (Kooperator) 348
Hinterseer (Verbandssekretär) 66
Hinterstocker (Gemeinderat) 429
Hirsch, Johann 81
Hitler, Adolf 179, 191, 197, 200, 205, 224f., 242f., 245, 257, 270, 276, 342, 347, 350, 354, 372, 375, 384, 392, 411, 418f., 444, 451–457, 461, 474–478, 480–484, 486–490, 495f., 498, 501f., 505–508, 511ff., 515, 524, 532–535, 548, 557, 562, 580, 624, 631, 642, 646, 648, 665, 680, 687ff.

Hitlerjugend 196, 223, 225f., 263, 277f., 302, 306, 308, 311, 332, 340, 343, 347, 351, 353—356, 370, 430, 455, 483f., 498, 508, 527—548, 550—554, 565, 567—582, 584ff., 588—595, 597—601, 603—611, 613—620, 639, 650, 669, 670
Hitler-Putsch 138, 181, 350f., 371, 484
Hobe, Cord von 680f.
Hochhauser (Pfarrer) 347
Hockenmaier, Rosina 643
Höck, Rupert 198, 204, 207, 228, 235, 343, 377, 379
Höck (Bauer) 25
Höck (Bürgermeister) 78, 98, 252f.
Hoegner, Wilhelm 179, 214, 454
Hölzler, Magnus 321, 328
Hörl, Ludwig 377, 681f.
Hörmann, Josef 237, 247
Hofer, Franz 687
Hoffmann, Hans-Peter 520
Hoffmann, Johannes 102, 108f.
Hofmann (Oberstleutnant) 662
Hofmann (Pfarrer) 351
Hohenleitner, Johann 668f.
Holz, Karl 650, 657
Holzarbeiter-Verband 68f.
Holzhey, Franz 685
Horn, Franz 630
Huber, Anton 278
Huber, Jakob 213
Huber, Paul 428
Hue, Otto 53, 57, 65
Hübner, Rudolf 647, 665ff., 680
Hunger, Ludwig 153
Husemann, Fritz 53, 61ff., 67
Hutterer, Johann 641

Internationale Bibelforschervereinigung 622ff., 626—630, 632—635, 637ff., 641
Internationaler Jugendtag 558
Internationaler Sozialistischer Kampfbund 554
Irlinger, Dr. (Landrat) 669
Isabellenschacht 9

Jacob, Theodor 687f.
Janota, Dr. (Grubendirektor) 65f., 92
Jarres, Karl 162
Jaufmann, Therese 643
Jugenddienstverordnung 536, 546, 617f.
Jugendfürsorge 158, 535
Jugendgerichtsbarkeit 535
Jugendhaus Düsseldorf 573f., 577, 588

Jugendherbergswerk 532
Jugendschutzlager Moringen 17
Jugendschutzlager Uckermark 617
Jugendschutzverordnung 536
Junge Front (Zeitschrift) 573f., 577, 588
Junge Garde (Zeitschrift) 557, 559f.
Jungenschaftsbewegung 582
Junghans (Betriebsführer) 306, 328, 330f., 334
Jungmädel 551
Jungnationaler Bund 554
Jungpioniere 590
Jungschar 347, 578, 580
Jungschützengesellschaft 71
Jungvolk 158, 263, 531, 535, 537, 546ff., 551f., 567, 579—582, 607, 639

Kadletz (Hebamme) 84
Kahr, Gustav von 479
Kaiser, Andreas 91
Kaiser, Simon 278
Kaltenbrunner, Ernst 617f.
Kampfbund des gewerblichen Mittelstandes 226, 263
Kampfbund für deutsche Kultur 227
Kampfbund gegen den Faschismus 213, 238—241
Kampfbund Schwarz-Weiß-Rot 224
Kampfgemeinschaft für Rote Sporteinheit 213, 215, 241, 342
Kaninchenzüchterverein »Einigkeit« 253
Kapfhammer, Josef 155, 158, 196, 198, 235, 309, 321, 323, 328
Kapp-Putsch 114, 146
Kapsberger, Alois 34, 73, 154, 214, 227, 230, 248, 318
Kapsberger, Josef 226f., 229
Kapsberger (Frau) 67
Kartell der Katholischen Vereine 157
Kastl, Josef 241f., 248, 378, 380
Kastner, Johann 52
Katholische Aktion 642
Katholischer Arbeiterverein 58, 66, 68
Katholischer Begräbnisverein 157
Katholischer Burschenverein 471, 541, 573
Katholischer Frauenbund 340
Katholischer Gesellentag 477
Katholischer Gesellenverein 22, 542
Katholischer Jugendverband 573
Katholischer Jugendverein 72
Katholischer Jungmädchenverein 576
Katholischer Jungmännerverband 573

Katholischer Jungmännerverein 541, 575 ff., 580
Katholischer Theaterverein 157
Kaucic, Johann 197, 213
Kegler, Georg 668
Kehne (Oberstleutnant) 672
Kehrer, Dr. Josef 672
Keimel, Heinrich 432 f.
Keller, Albin 78
Kerrl, Hanns 351 f.
Kesselring, Albert 665, 668, 681 f., 688
Kinderfreunde 561, 564
Kinderlandverschickung 538, 610, 685
Kirchmayr (Pfarrer) 18
Kirner, Otto 241, 376, 380
Kirschner, Karl 425
Kittelbachpiraten 591
Klautzsch, Hermann 213, 236
Klein, Karl 66, 116, 165, 169 f., 178, 198, 216 f., 219, 223 ff., 262, 269, 275, 285, 288, 314, 319, 328
Klein, Sebastian 18, 151
Klein (HJ-Gebietsführer) 567
Klein (Kommunist) 167
Klemm, Karl 624 f.
Klette, Hermann 155
Klingenbeck, Walter 580
Knappenvereine 47
Knappschaft 28, 35, 46 f., 49, 52, 56 f., 60 f., 65 f., 76, 91 f., 114, 134, 148, 159, 226, 230, 232, 260, 290 f., 361–364
Knaus, Josef 432 f.
Knoeringen, Waldemar von 222
Kobler, Josef 153, 157, 167, 172 f.
Koch, Hansjoachim 599
Köck, Josef 321
Kölbl, Johann 629 f.
Koeppel, Benedikt 26
Koeppel, Simon 50, 58, 71, 76, 78
Kösters (Kommerzienrat) 102
Kohlhund, Barbara 633
Kollwitz, Käthe 612
Kolping-Gesellenverein 580
Kolpingverband 572
Kommunistische Partei Deutschlands 59, 146 f., 151–154, 160 f., 164 f., 167 f., 172 f., 190 f., 193, 198, 201 f., 204–207, 210 ff., 214–217, 219 f., 224, 226, 228, 230, 235–239, 240 f., 243, 245–248, 258, 266, 289, 296, 342 f., 345 f., 372 f., 390, 393 ff., 399, 404, 446 f., 449 f., 464, 477, 480, 513, 517, 531, 554, 556–559, 561, 584, 637
Kommunistischer Jugendtag 209

Kommunistischer Jugendverband Deutschlands 213, 554, 556–561, 577, 590
Konfessionsschulen 113
Konsumgenossenschaft 73, 112
Konsumverein 34, 140, 157 ff., 227, 272
Konzentrationslager 538, 556, 559, 562, 564; Dachau 229, 234, 241, 245 f., 248 f., 255, 281, 344, 367 f., 426, 442, 453, 455, 457, 466, 474, 478 ff., 483, 489, 494 f., 497, 501 ff., 505, 510, 573, 625, 627, 630, 633 f., 640, 643, 649, 669; Lichtenburg 633; Moringen 608; s. auch Jugendschutzlager; Ravensbrück 633; Sachsenhausen 354
Kopp, Rudolf 231, 321
Kraft durch Freude 302, 304, 323, 502
Kramer, Paul 629, 636, 643
Krankenunterstützungs- und Beerdigungsverein 158
Kraus, Hanns Eric 113
Kreitmeir, Josef 428
Kriegervereine 158, 177, 180, 223, 227
Kriegsdienststrafordnung der HJ 599
Kriegsministerium 92, 94
Kriegssonderstrafrechtsverordnung 438, 617, 643
Kriegswirtschaftsverordnung 438
Krinner (Volksratsmitglied) 98
Krüspert (Frau) 228
Kuck, Johann (Hans) 154, 213, 236, 242, 244, 377
Kuckelhorn, Ernst 194
Kugler (Polizeimeister) 380
Kyffhäuserbund 411

Lämmerhirt, Friedrich 658
Landesbauernschaft 498
Landesfürsorgeverband 187
Landesjugendpfarramt 569 f.
Landeskirchenrat 352, 567
Landesverband der Evangelischen Jugend 565
Landgericht 436, 510, 610
Landtag 70, 77, 80 f., 100 ff., 107 f., 146, 160, 173, 189, 191
Landtagswahlgesetz 80
Lang, Dr. Rudolf 670
Lechner, Alois 344
Lechner, Caroline 341
Ledebour Georg 151
Lehmann, Otto 628 f.
Leidl, Sophie 625
Leiling, Dr. Ottheinrich 660–663
Leipelt, Hans 612

Leis, Sofie 643
Leist, Fritz 588
Lell, Max 638
Lenk, Willibald 630, 634
Lerchenfeld, Hugo Graf von 176
Leseverein 50
Levin, Paul 152
Ley, Dr. Robert 311, 317, 352, 480
Limpert, Robert 659
Lindebner (Bergmann) 344
Lion, Dr. Alexander 586
Lippl, Wilhelm 641
Lobendank, Josef 52, 71, 342
Loebe, Paul 208
Löhr, Elfriede 632 f.
Löw, Josef 49, 166
Loibl (Schreinermeister) 224
Looß, Karl 638
Lorleberg, Werner 656 f.
Lottner, Michael 655
Lubbe, Marinus van der 477
Luckas, Rosina 633, 641
Ludwig, Dr. Gerhard 285, 308, 380

März, Ludwig 204, 211, 213, 217, 219, 222, 235 f., 241, 244, 377
März (Frau) 236
Maffei (Großgrundbesitz) 168
Mager, Hermann 154
Maier, Johann 213
Maier, Dr. Johann 655
Maier, Peter 78, 98, 110, 160
MAN 633, 636
Manhart, Georg 431
Marc, Franz 612
Mark (Volksratsmitglied) 98
Marx, Wilhelm 162
Marxistische Front (Zeitschrift) 562
Maschmann, Melita 538, 550
Maurer, Georg 80
Max, Dr. Thomas 667 f.
Mayer, Maria 372
Mehrheitssozialdemokratische Partei (Deutschlands) 100, 107 ff., 113 f., 146, 151 f., 160 f., 164, 174, 190; s. Sozialdemokratische Partei Deutschlands
Meier, Benno 321
Meier, Michl 678
Meier, Otto 321
Meilinger, Luise 632 f, 641
Meilinger, Martin 627, 630, 641
Meinecke, Friedrich 519
Meiser, Hans 350, 352, 568

Meixner (Unteroffizier) 485
Mengele (Landmaschinenfabrik) 389
Merz, Georg 643
Metz, Michael 51
Metzger (Bergmann) 344
Meuten (Jugendgruppen) 530, 589 f., 605
Meyer, Friedrich Wilhelm 632
Michael (Zeitschrift) 573, 577, 588
Miesbacher Steinkohlengewerkschaft 10
Mietereinigungsamt 124, 126
Mieterschutz-Verein 157, 230
Miller, Therese 228
Mitter, Leonhard 426
Mittermayr, Johann 426
Mob (Jugendgruppe) 605 f.
Möller (Sozialdemokrat) 51
Moll, Leonhard 679
Montanindustrie 12
Moosrainer (Gaubetriebsgemeinschaftswalter) 316, 328, 372
Motorsportklub 227
Mühlpointner, Johann 105, 10 , 110, 113, 167 f., 208, 214, 216 f., 223 f.
Müller, Adolf 52
Müller, Ludwig 534, 568
Müller (Grubendirektor) 65, 235
Müller (Ingenieur) 285
Münchener Arbeiterbildungsverein 71
Münchener Post 40, 51 f., 54, 58, 70, 119
Münchner Neueste Nachrichten 663
Musikvereinigung Grube Penzberg 71
Muth, Elisabeth 633, 643
Muth, Ludwig 630
Mutterschutz-Verein 157

Nägele, Konrad 633,
Naierz, Michael 198, 304, 319, 321, 337
Nationalsozialistische Betriebszellenorganisation 200, 225, 231−235, 24 , 263, 283, 314, 323, 512
Nationalsozialistische Deutsche Arbeiterpartei 150, 160 ff., 177, 190−196 198−205, 209, 215, 220, 224 f., 228 ff., 23 , 235, 237, 248 f., 252, 261, 263−268, 271, 273, 275 f., 283, 286, 299, 308, 314, 316, 323, 329 f., 338 f., 341, 347, 350, 374, 383−386, 390−410, 412−417, 420−424, 426−430, 432 f., 441 f., 444−448, 450 f., 53, 457 f., 466, 480 f., 483 f., 493, 495, 499 501−505, 508 f., 512, 516, 531−535, 539−542, 544 f., 547 f., 551 f., 558, 575, 579 ff., 598, 639, 643, 649−652, 654 f., 660, 667 672, 674, 684

Nationalsozialistische Gemeinde, Die
 (Zeitschrift) 419
Nationalsozialistischer Lehrerbund 547
Nationalsozialistischer Studentenbund 528
Nationalsozialistisches Kraftfahrkorps 483
Nationalsozialistische Volkswohlfahrt 263,
 277, 493, 625
Nationalversammlung 100f., 160, 172
Naturfreunde 152, 154—158, 225f., 554,
 560—564
Navajo (Jugendgruppe) 586, 591, 605
Nerother Wandervogelbund 582ff., 591
Neu Beginnen 561, 564
Neudeutschland 571, 576, 578, 588, 614
Neue Deutsche Feuerbestattungskasse 227,
 343
Neue Nationalzeitung 626
Neue Zeitung 206f., 234, 246
Neumeier, Max 230
Niemöller, Martin 352f.
Nippold, Otto 261f., 319, 338
Nöthlich, Anton 637
Nonnenwaldschacht 11, 16, 85, 116, 185,
 237, 285f., 288, 300
Notpolizei 138, 177—181, 221
Notverordnung 176, 189, 436
Notwerk der deutschen Jugend 189
NS-Bauernschaft 231, 263, 278
NS-Beamtenschaft 231, 263, 270
NS-Frauenschaft 228f., 263, 276f., 370,
 430
NS-Kriegsopferversorgung 263
NS-Lehrerschaft 548
Numberger, Karl 241
Nyrt (Bürgermeister) 431

Oberbayerische Aktiengesellschaft für Kohlenbergbau (Oberkohle) 10ff., 14f.,
 17f., 22, 24f., 27, 31, 34, 36—40, 42, 48,
 51, 53, 64f., 84, 88, 91f., 103, 108, 112,
 114, 117, 124, 134, 138, 142f., 169f., 182,
 216, 258, 279, 284f., 287—290, 294, 297,
 300, 304, 314, 324, 326f., 357, 360, 365
Oberbayerischer Bergmann
 (Zeitschrift) 302
Oberbayerischer Konsumverein s. Konsumverein
Oberbergamt 102f., 116, 147, 363
Obereisenbuchner, Jakob 427
Oberländische Steinkohlengewerkschaft 9
Oberlandesgericht Bamberg 436; Dresden 589; München 344, 436, 442, 465,
 485, 558, 560, 562ff., 642; Nürnberg 436

Oberpfälzer Kranken-
 Unterstützungskasse 71
Oberstes Landesgericht München
 238, 246f., 436
Österreichischer Pfadfinderbund 584
Österreichisches Jungenkorps 584
Ohm, Berthold 376f., 381, 671, 673
OK-Gang-Club (Jugendgruppe) 592
Orthofer, L. (Frau) 269, 273, 347
Orthofer, Stefan 237, 268, 270ff., 347
Osterrieder, Andreas 225
Ostler, Anton 78, 110, 114
Ostler, Maria 340
Ostler, Martin 49
Ostler, Martina 631

Pancur (Arbeiterführer) 227
Papen, Franz von 488, 572
Patriotenpartei 390
Pechkohle 8ff., 12—15, 17, 36—39, 54, 61,
 68, 86, 99, 116ff., 120f., 129ff., 135, 140,
 146, 148, 169, 181, 261, 285—288, 293, 329,
 357f., 363
Penzberger Anzeiger 7, 219, 245, 252, 374
Penzberger Volksstimme 214
Petric (Bergmann) 153
Pfab, Michael 228
Pfalzgraf, Michael 51f., 54, 58, 62, 71, 78,
 85, 97f., 103, 110, 113, 143, 165, 168, 174,
 215, 228
Pfefferle, Martin 240, 343f.
Pfeiler (Stadtdekan) 72, 157, 347
Pfister, Dr. Franz 685
Pieck, Wilhelm 241
Pioniere (Jugendorganisation) 158
Piratenjugend 603
Piraten-Orden (Jugendgruppe) 591
Pitzl, Ludwig 321
Pleiger (Vorsitzender der Reichsvereinigung
 Kohle) 360
Pokorny, Franz 71
Polizeiverordnungen gegen die konfessionellen Jugendverbände 617
Polizeiverordnung zum Schutz der Jugend 594, 597f., 604, 618
Praschnikar, Ferdinand 165f., 230
Pröbstl, Albert 166
Proletarischer Freidenkerverein 152
Proletengefolgschaften
 (Jugendgruppen) 606
Promberger, Agathe 166
Promberger, Josef 154, 157

Provisorischer Nationalrat des Volksstaates Bayern 100
Puchner, Sebastian 342
Putz, Helmut 663

Quickborn 576, 584, 588

Raab, Felix 654
Raab, Josef 153 f., 237 f., 240 ff., 244 f., 247, 381
Raab, Paul 213
Rabl, Sophie 303, 347
Radfahrer-Verein (Concordia) 72, 155, 158, 225
Radfahrer-Verein (Solidarität) 72, 155, 159, 225 f.
Radioklub Penzberg 155
Raithel, Johann (Hans) 197, 210, 213, 222, 236, 242, 244 f.,
Rampp, Anna 633
Rampp, Konrad 633, 641
Rasplicka, Franz 40
Rath (Major) 654
Rathenau, Walther 174
Rauchclub (Penzberg) 71, 253
Rauschmann, Karl 640
Rebhahn, Fritz 110, 166 f., 252
Rebhan, Martin 198, 264, 302, 304, 319, 321, 329 f., 361, 374, 376, 380
Reichart, Eduard 638
Reichsarbeitsdienst 351, 539
Reichsarbeitsdienstlager Jüterboog 613 f.
Reichsarbeitsministerium 535
Reichsausschuß deutscher Jugendverbände 531 f.
Reichsbahn 12, 187, 289, 357
Reichsbanner 151, 155, 157, 159, 194, 208, 210, 225 f., 230, 509, 638
Reichsberggesetz 102
Reichsberufswettkampf 535, 538
Reichsbetriebsgemeinschaft Bergbau 324
Reichsbruderrat der Bekennenden Kirche 353
Reichserbhofgericht 421
Reichsgericht 207, 238, 436
Reichsgewerbeordnung 67
Reichsheimstättengesetz 172
Reichsinnenministerium 437, 572, 617, 625
Reichsinstitut für Berufsausbildung in Handel und Gewerbe 306
Reichsjugendführung 538, 546 f., 582, 591–594, 599, 606 f., 616

Reichsjugendkammer der Evangelischen Kirche Deutschlands 565
Reichsjustizministerium 437, 594
Reichskonkordat 572 f., 577
Reichsluftschutzbund 625
Reichsparteitag 276
Reichsrat 102
Reichsschaft Deutscher Pfadfinder 534, 584, 586
Reichssportwettkampf 535
Reichstag 77, 79, 81 f., 106, 160 f., 173, 191 f., 194, 198, 204, 215 ff., 263, 338 ff., 391 f., 395, 408 ff., 412, 424, 443, 505, 516, 556
Reichsuntersuchungs- und Schlichtungsausschuß 268
Reichsverband der deutschen Zeitungsverleger 253
Reichsvereinigung Kohle 360
Reichswehr 384
Reichswirtschaftsministerium 31, 314, 326, 490
Reinbrecht, Günther 650 ff.
Reinhard, Josef 78
Reitberger, Michael 208, 210
Reitberger, Sebastian 205
Reithofer, Georg 241
Reithofer, Sebastian 208, 224, 277
Reitmeier, Franz 157
Renk (Firma) 636
Renner, Karl 214
Revolutionäre Gewerkschaftsopposition 204 ff., 211, 213, 241 f.
Revolutionärer Zentralrat 102
Revolutionäre Sozialisten 561
Rheinisch-Westfälisches Kohlensyndikat 17
Richter, Dr. Ernst 685
Richter, Karl 685 f.
Richtlinien für die Beschäftigung von Ausländern und Kriegsgefangenen in Bergwerken im Berginspektionsbezirk München 363
Richtlinien für die Durchführung der Ausbildung zum Hauer 306
Richtlinien für die Gestaltung des 1. Mai 311
Richtlinien für die Jugendseelsorge 577
Rick, Josef 588
Riefel, Dr. (Obermedizinalrat) 342
Riegele (Brauerei) 636
Riehl, Hans 674
Ring, H. (Sturmbannführer) 227 f., 267
Röhm, Ernst 453, 474, 478 ff., 497, 524

Röhmputsch 267, 270
Rößler, Johann 650
Rößner, Anna 643
Rohmer (Bevollmächtigter beim Bundesrat) 112
Roith, Ludwig 107, 110, 154 f., 174, 199
Rosenberg, Alfred 524
Roßhaupter Albert 111
Rote Hilfe 204, 211, 213, 342
Rote Jungpioniere 590
Roter Frontkämpferbund 157, 238−241, 245, 247, 380
Roter Kumpel (Zeitschrift) 204, 206, 213 ff., 242, 247
Rotes Kreuz 226, 374, 682, 685
Rote Sporteinheit s. Kampfgemeinschaft für Rote Sporteinheit 213, 241, 342
Ruckdeschel, Ludwig 654, 677
Rüstungsinspektion München 594
Rüstungskommando Würzburg 593
Rüth, Andreas 342
Rummer, Johann (Hans) 65, 98, 100, 105−108, 110, 113, 126, 136, 144, 150, 157, 159, 165, 168 ff., 173−176, 178 ff., 194, 204, 206, 208, 211−215, 217, 219, 222−225, 228 ff., 234−236, 247, 249, 263, 275, 278, 342, 369, 376 f., 380 f., 671, 673
Rummer, Magdalena 106, 224
Runderlaß über Arbeitserziehung der Jugend 617
Runderlaß über das Verbot der Bündischen Jugend 617
Runderlaß über die Einweisung in die politischen Jugendschutzlager 617
Rupp, Emilie 631, 643
Rutherford, Joseph Franklin 624, 626 f., 631

SA 179, 193, 197, 221−224, 227 f., 232, 235 ff., 240, 245, 250, 264, 269 f., 279, 311, 339, 350, 354, 395 f., 400, 405 f., 408, 413 f., 417 f., 429 f., 444, 453, 474, 478−481, 483, 486, 498, 501, 503, 505, 509 ff., 513, 515, 531, 558 f., 572 f., 576, 648, 662
Sachse, Hermann 53
Saenger, Alwin 153
Sagstetter, Ludwig 225
Sammler (Landwirtschaftsleiter) 651
Sandner, Heinrich 47
Sandrock, Karl 687
Sankt Georgs-Pfadfinder 578, 581; s. Dt. Pfadfinderschaft, Dt. Pfadfinderbund und Reichsschaft Dt. Pfadfinder
Sauckel, Fritz 359
Schaefer (Bergrat) 102
Schäfer (Steiger) 330 f.
Scharrer, Hans 667
Schauer, Bartholomäus 110, 224
Scheebeck (Steiger) 331
Scheid, Dr. Fritz 682
Scheipel, Jakob 675 f.
Schemm, Hans 477 f., 485
Schesser, Johann 76, 224
Schesser, Josef 151, 166
Scheweck (Bergmann) 151
Schirach, Baldur von 353, 454, 474, 486, 507, 532−536, 547
Schirmer, Carl 57 f.
Schlattmann (Oberberghauptmann) 310
Schleinkofer (Bürgermeister) 195 f., 198, 224 f., 228 f., 231, 267−273, 275−278, 285, 342, 347
Schlosser (Ortsgruppenleiter) 679
Schmid (Bürgermeister) 679
Schmid (SS-Untersturmbannführer) 652
Schmidt, August 147
Schmidtner (KPD-Mitglied) 241
Schmitt, Josefine 654
Schmitt, Karolina 631, 643
Schmittner, Michael 380
Schmotzer, Christine 651 f., 654
Schmotzer (Eheleute) 651
Schnappauf, Johann 78, 198, 207, 213, 228
Schnappauf, Josef 78
Schnappauf, Vitus 49
Schneider, Eduard 54
Schneider, Reinhold 612
Schneider (Ortsgruppenführer) 196, 198, 224, 229 ff., 248, 267−273, 275 f., 311, 347
Schnitzler, Kaspar 198, 213
Schoeller-Gruppe 17
Schön, Ludwig 675 f.
Schön, Dr. 105
Schöner, Agnes 627, 633
Schöner, Friedrich 627, 633, 635, 638
Schöner, Karl 629
Schöner (Eheleute) 628, 632
Schönleben, Heinrich 25
Schöttl, Xaver 58 f. 113, 135, 158 f., 166 ff., 174 f., 204, 206, 211, 223, 333
Scholl, Geschwister 528, 588, 620
Schrammel, Rupert 200
Schützengesellschaften (Penzberg) 47, 49, 402, 410

Schulz, Matthäus 630, 633
Schuster, Walburga 633
Schutzpolizei 333
Schwab, Franz 378, 380
Schwäbisches Volksblatt 400, 408, 411
Schwäbische Volkszeitung 637
Schwägerl (Kreisleiter) 674 f.
Schwankhart Dr. (Rechtsberater) 327 ff.
Schwarz, Johann Josef 655
Schwarze Hand (Jugendgruppe) 608 f.
Schwarzes Fähnlein 588
Schweiger, Johann 198, 231, 321
Schwer, Hans 166
Schwertl, Michael 377
Schwertl, Paul 378
Sebek, Franz 153
Segitz, Martin 57
Seidel, Martin 674
Seidl, Anton 678 f.
Seiff, Dr. Franz 673, 677
Seiler, Georg 627, 629 f., 639
Seltmann, Fritz 306, 320 f., 350, 356
Sendlinger, Margarete 633, 643
Senger, Karl 341, 373
Sepperl, Johann 321
Setzer (Verbandssekretär) 66
Sicherheitsdienst 511, 518, 579, 594, 598, 613
Sicherheitswehren 111
Siebeneichler, Karl 630–633
Siebert, Ludwig 425, 485
Siegel (Fahrsteiger) 330 f.
Siegerstetter (Kreisleiter) 268 f.
Simon, Christoph 348, 352 ff.
Simultanschulen 113
Skanta, Josef 155, 196, 198, 272
Sondergerichte 435 f.; Bamberg 437; Düsseldorf 437; Köln 437; Nürnberg 437, 562, 609; München 437–440, 442 ff., 447, 450, 452 f., 458, 460, 471, 482, 518, 521, 559, 608, 630, 640
Sonderstrafverordnung für Polen und Juden 438
Sonnemann, Emma 489
Sopade 343
Sorg (Kaplan) 348
Sozialdemokratische Bergarbeitergewerkschaft 53
Sozialdemokratische Partei Deutschland 54, 57 ff., 64, 69 f., 73 f., 76–82, 85, 97, 103 f., 106 f., 110, 113 f., 119, 138, 147, 149, 152 ff., 158, 160–165, 167 f., 173, 177, 179, 190–193, 197 f., 201 f., 204 f., 207–210, 212, 214 ff., 219, 221 f., 224 ff., 229 ff., 241, 269, 296, 390 f., 393 ff., 399 f., 404, 414 f., 446 f., 449 f., 454, 503, 510, 556, 561, 563 f., 637 f.
Sozialdemokratischer Bergarbeiterverband 94
Sozialdemokratischer Jugendverein 72, 85
Sozialdemokratischer Wahlverein 49
Sozialisierungsgesetz für den bayerischen Bergbau 102
Sozialisierungskommission 102 f., 109
Sozialistengesetz 50, 70, 208, 343
Sozialistische Aktion (Zeitschrift) 561
Sozialistische Arbeiterjugend 554, 557, 560–564
Sozialistische Arbeiterpartei Deutschlands 446 f., 554
Sozialistische Einheitsfront 108
Sozialistischer Jugendverband Deutschland 561 f.
Spahn (SS-Sturmbannführer) 668 f.
Spary (Oberbergrat) 63, 92 ff.
Speiser, Viktoria 632 f., 643
Spinnerei und Weberei Haunstetten 636
Spruchkammer 384, 387, 406, 417 ff.
SS 196, 224, 227 f., 232, 235, 264, 267–270, 273, 311, 339, 372, 421, 430, 444, 479, 481, 483, 486, 497 f., 508–511, 518 f., 536, 539, 574, 584, 595, 607 f., 648 f., 651 f., 655 ff., 659 ff., 663, 665, 667, 669, 674 f., 677–682, 684–688
Staatsministerium des kgl. Hauses 92
Staatswerk Peißenberg 14, 37, 58, 287, 357
Stadler, Jakob 321
Stahlhelm 119, 223, 231, 268 f., 448
Stammler, Georg 71, 78, 84
Standgerichte 647, 654 f., 659, 665, 677 f., 681, 685
Stauffer, Ludwig 632, 641
Stauffer, Maria 641
Stegerwald, Adam 58
Stegmaier, Josef 675 f., 679
Steigenberger, Adam 152, 154, 157, 166 ff., 172, 175, 191, 204, 227, 236, 343
Stein (Reichsbetriebsgemeinschaftswalter) 372
Steinbauer, Johann 353
Steinbauer, Karl 348 f., 350–356, 371
Steinbauer (Betriebsrat) 198
Steinheil (Firma) 662
Steinkohle 12, 14 f., 17, 32, 37, 86, 120, 282
Steinmaßl, Johann 241
Stelzer (Graphiker) 584

Personen- und Sachregister 729

Stelzl, Otto 231, 275
Stentzel, Erich 657 f.
Stenzer, Franz 205 ff., 220, 241
Stinglwagner (Ingenieur) 92
Stockhammer, Alois 321
Storfinger, Max 684
Strafprozeßordnung 440
Strasser (Bezirksleiter) 59 f.
Stredele (Kreisleiter) 688
Streeb, Dr. Ernst 88, 195, 267
Streeb, Ida 195
Streicher, Johann 231
Streicher, Julius 195, 485, 489, 524
Streik 35, 40, 50, 55, 60−68, 71, 79, 84 f., 91 f., 94 f, 101, 114, 145−148, 189, 221 f., 242 f.
Streitberger (Arbeiterführer) 227
Stromkreis (Jugendgruppe) 584, 586
Stürmer 455, 489, 542, 639
Sturmschar 573 f., 578, 588
Süddeutsche Baumwoll-Industrie 389
Summerdinger, Johann 380
Swing-Jugend 530, 591 f., 601, 603

Tauschinger, Ludwig 153, 342 f.
Tauschinger, Sebastian 378, 380
Tempfer (Rechnungsführer) 196
Texas-Club (Jugendgruppe) 606
Thälmann, Ernst 162 f., 191, 210
Thaler, Benno 425 f.
Thanner, Barbara 643
Theaterspiel-Vereine (Penzberg) 72
Thyroff, Dr. (Oberfeldarzt) 684
Timm, Johannes 53
Toller, Ernst 102
Totenkopfbande (Jugendgruppe) 601
Totenkopfpiraten (Jugendgruppe) 610
Trachtenvereine (Penzberg) 158, 227
Trenker-Bande (Jugendgruppe) 606
Tröster (Brauereibesitzer) 654
Trommel, Die (Zeitschrift) 557, 559
Truger, Ignaz 166, 241, 248
Turn- und Sportverein von 1898 (Penzberg) 155, 174, 226

Übelacker (Ortsgruppenleiter) 667
Ueberreiter, Dr. (Zentrumspolitiker) 82
Unabhängige Sozialdemokratische Partei Deutschlands 97, 99 ff., 106−109, 111, 113 f., 146, 151 ff., 160 f., 163 f., 174, 190
Uniform-, Veranstaltungs- und Aufmarschverbot 567, 570
Unterleitner, Hans 99, 221, 479
Unterreitmeier, Josef 427

Van Gogh, Vincent 612
Vaterländische Verbände Weilheims 180 f.
Verband Bayern und Reich 180
Verband der Bergarbeiter Deutschlands 148
Verband der Gemeindebeamten 100
Verband der Landgemeinden Bayern 105
Verein für die Züchtung schwanzloser Kaninchen 253
Verein für Mutterschutz in Penzberg 73 f.
Vereinigter Wirtschaftsbund 165
Verein jugendlicher Bergarbeiter 58
Verein zur Wahrung und Förderung bergmännischer Interessen für Oberbayern 52
Verordnung des Reichspräsidenten zum Schutze von Volk und Staat 559, 578, 586, 610, 617, 623
Verordnung für den Arbeitseinsatz 359
Verordnung gegen Gewaltverbrechen 438
Verordnung gegen Volksschädlinge 438, 608
Verordnung über außerordentliche Rundfunkmaßnahmen 438
Verordnung über die Erweiterung der Zuständigkeit der Sondergerichte 437, 459
Verordnung über Maßnahmen auf dem Gebiet der Gerichtsverfassung 438
Verordnung zum Schutz der Wehrkraft des Deutschen Volkes 438, 451, 595, 617
Verordnung zum Schutze des Reichsarbeitsdienstes 617
Verordnung zur Beschränkung des Arbeitsplatzwechsels 359
Verordnung zur Erhöhung der Förderleistung und des Leistungslohns im Bergbau 290
Verordnung zur Sicherstellung des Kräftebedarfs für Aufgaben von besonderer staatspolitischer Bedeutung 359
Veteranenverein 210, 402, 410 f.
Vetter, Ernst 78, 105 f., 158, 165 f., 223, 270 f., 350, 356
Vetter, Wilhelm 54
Vierjahresplan (Zeitschrift) 317
Vilhuber, Ernst 231
Völkischer Beobachter 344, 513, 663
Völkischer Block 150, 160−164
Völkl, Franz 340
Vogel, Adalbert 674
Volksbühne Penzberg 157, 227
Volkschor 155, 159, 225
Volksgerichtshof 435 f., 442, 448, 524, 577, 580, 589 f.

Volkshochschule Penzberg 113, 157
Volksrat 97 ff., 107 f., 113
Volkssturm 698−652, 655, 668, 675, 678 f., 688
Volkswohlfahrt, s. Nationalsozialistische Volkswohlfahrt 263, 277
Vollmar, Georg von 51, 57
Vonwerden (Bürgermeister) 367, 374, 377, 671

Wacht, Die (Zeitschrift) 573, 588
Wachtturm (Zeitschrift) 624 f., 627, 629, 641
Wackerwerke (Burghausen) 675
Wagner, Adolf 194, 196, 199, 220, 225, 232, 236, 261 f., 272, 288, 338 f., 477 f., 485, 516, 524
Wagner, Augustin 679
Wagner, Richard 487
Wagner (Landtagsabgeordneter) 57
Wagoun (Sozialdemokrat) 153
Wahl, Karl 670
Waibl, Maria 632 f., 643
Walchenseekraftwerk 138, 151, 178
Wallenreuter (Oberregierungsrat) 227 f., 232, 252, 342, 372
Wallner, Anton 241
Wandervögel 158, 196, 581, 584
Wandinger, Anton 427
Watchtower and Tractate Society 624
Weber, Christian 663, 665, 667
Wehnert, Adam 674
Wehrkraftschutzverordnung s. Verordnung zum Schutz der Wehrkraft
Wehrverbände 177, 181, 288
Weigl, Lorenz 105, 110, 179
Weingart, Georg 152 f.
Weiss (Pfarrer) 430
Weiße Rose 528, 588, 612
Weithofer (Generaldirektor) 92
Wengler, Josef 633
Werkmeisterverband 119
Werkvereine 67
Werwolf 1, 373, 375 ff., 380, 672
Wessel, Horst 197, 225
Westphal (General) 663
Wiechert, Ernst 538, 612

Wiedemann, Leonhard 237, 241, 244
Wiedemann, Philipp 154, 207, 214
Wiedemann, Raffael 631
Wild, Markus 632 f.
Wille und Macht (Zeitschrift) 584
Winkler, Albert 98, 105, 107, 110, 113, 157, 166 f., 195, 227, 230
Winkler, Friedrich 626 ff., 631
Winterhilfswerk 189, 272, 277, 291, 298, 304, 483, 485, 499, 501, 508, 538, 642
Wintersportverein Penzberg 154
Wirtschaftliche Vereinigung 167
Wirtschaftsbund 167 f., 217
Wirtschaftsgruppe Bergbau 368
Witte, Sebastian 70
Wörle, Anton 633
Wörle, Mathias 166, 321
Wohlfahrtsverein (Penzberg) 276
Wohnungsbaugenossenschaften 126
Wohnungskommission 126, 143
Wolf, Georg 343 f.
Wolff, Günther 584, 606
Wolker, Ludwig 577

Young-Plan 163

Zacherl (Major) 94
Zechenkonsumanstalt 27 f., 39, 42, 44, 60, 73, 84, 112, 155, 170, 277, 304, 366
Zeller, Eberhard 519
Zellermayr (Gemeinderat) 429 f.
Zenk, Johann 378, 380
Zenk, Therese 378, 380
Zentralwirtschaftsamt 102
Zentrum 573 f., 64, 69, 78−82, 100, 161, 163, 190, 202, 348, 390, 534, 571
Zetkin, Clara 152
Zeugen Jehova 448 ff., 459, 621 ff., 625, 628, 630 f.
Ziehnert (Kreisleiter) 432
Zierl, Bartholomäus 432 f.
Zila, Gottlieb 197
Zimmermann, Eduard 98, 157, 168
Zirkl, Josef 655
Zissler, Josef 629 f.
Zöberlein, Hans 375, 377, 380 f., 670, 673